EL PROCESO CIVIL ANTE EL RETO DE UN NUEVO PANORAMA SOCIOECONÓMICO

GEMMA GARCÍA-ROSTÁN CALVÍN
JULIO SIGÜENZA LÓPEZ
Directores

SALVADOR TOMÁS TOMÁS
RAFAEL CASTILLO FELIPE
Coordinadores

EL PROCESO CIVIL ANTE EL RETO DE UN NUEVO PANORAMA SOCIOECONÓMICO

THOMSON REUTERS
ARANZADI

Primera edición, 2017

Obra desarrollada en el marco de los siguientes proyectos de investigación:
DER2014-53758-R, Instrumentos para la tutela del emprendedor y el consumidor sin menoscabo de la debida protección del crédito en el ámbito de la justicia civil. Ministerio de Economía y Competitividad.
DER2013-44385-R, Obstáculos y restricciones del acceso a la justicia y de la solución jurídica de los conflictos. Ministerio de Economía y Competitividad.
19947/OC/15 Fundación Séneca, Agencia de Ciencia y Tecnología de la Región de Murcia.
DER2014-51957, Tratamiento procesal de las cláusulas abusivas y de los instrumentos financieros complejos, Ministerio de Economía y Competitividad
DER2015-64756, La armonización del Derecho procesal civil en la Unión Europea, Ministerio de Economía y Competitividad

Editorial Aranzadi, S.A.U.
Camino de Galar, 15
31190 Cizur Menor (Navarra)
ISBN: 978-84-9135-721-6
DL NA 67-2017
Printed in Spain. Impreso en España
Fotocomposición: Editorial Aranzadi, S.A.U.
Impresión: Rodona Industria Gráfica, SL
Polígono Agustinos, Calle A, Nave D-11
31013 – Pamplona

Relación de autores

Federico Adán Domènech
Profesor Agregado de Derecho Procesal (acr. catedrático). Universidad Rovira i Virgili

Alicia Armengot Vilaplana
Profesora Titular de Derecho Procesal. Universidad de Valencia

Rafael Bellido Penadés
Profesor Titular (acr. catedrático) de Derecho Procesal. Universitat de València

Geraldine Bethencourt-Rodríguez
Personal investigador de Derecho Mercantil. Universidad CEU San Pablo

José Bonet Navarro
Catedrático de Derecho Procesal. Universidad de Valencia

Rafael Cabrera Mercado
Profesor Titular de Derecho Procesal. Universidad de Jaén

Rafael Castillo Felipe
Profesor Doctor de Derecho Procesal. Universidad de Murcia

Faustino Cordón Moreno
Catedrático de Derecho Procesal. Universidad de Navarra

Segi Corominas Bach
Profesor Doctor de Derecho Procesal. Universidad Católica San Antonio de Murcia

Manuel Espejo Lerdo de Tejada
Catedrático de Derecho Civil. Universidad de Sevilla

Fernando Gascón Inchausti
Catedrático de Derecho Procesal. Universidad Complutense de Madrid

Marta González Pajuelo
Abogada

Juan Francisco Herrero Perezagua
Catedrático de Derecho Procesal. Universidad de Zaragoza

Ibon Hualde López
Profesor Titular de Derecho Procesal. Universidad de Navarra
Profesor Tutor. UNED (Pamplona)

Fernando Jiménez Conde
Catedrático de Derecho Procesal. Universidad de Murcia

Ricardo Juan Sánchez
Profesor Titular de Derecho Procesal. Universidad de Valencia

Alberto José Lafuente Torralba
Profesor de Derecho Procesal. Universidad de Zaragoza

Miguel Ángel Larrosa Amante
Presidente de la Audiencia Provincial de Murcia

Vanesa Martí Payá
Profesora de Derecho Procesal. Universidad de Zaragoza

José Juan Martínez Navarro
Abogado

Manuel Ortells Ramos
Catedrático de Derecho Procesal. Universidad de Valencia

Pedro Manuel Quesada López
Becario de Investigación FPU de Derecho Procesal. Universidad de Jaén

Angelo Riccio
Profesor de Derecho Civil y abogado. Universidad de Bolonia

Antonio Salas Carceller
Magistrado de la Sala Primera del Tribunal Supremo

Eduardo Sánchez Álvarez
Doctor en Derecho por el Departamento de Derecho Procesal de la UNED
Profesor asociado de Derecho Civil. Universidad de Oviedo

Carmen Senés Motilla
Catedrática de Derecho Procesal. Universidad de Almería

Julio Sigüenza López
Profesor Titular de Derecho Procesal. Universidad de Murcia

Índice

CAPÍTULO VI

LA OPOSICIÓN EN EL PROCEDIMIENTO MONITORIO TRAS LA NECESARIA REFORMA OPERADA POR LA LEY 42/2015, DE 5 DE OCTUBRE

José Bonet Navarro

CAPÍTULO VII

TRATAMIENTO PROCESAL DE LA FALTA DE PRESENTA-CIÓN ELECTRÓNICA DE ESCRITOS PROCESALES

Rafael Castillo Felipe

CAPÍTULO VIII

REFORMAR LA JUSTICIA CIVIL SIN REFORMAR EL PROCESO CIVIL: EL MOMENTO DE LAS POLÍTICAS JUDICIALES

RICARDO JUAN SÁNCHEZ

CAPÍTULO XI

PROTECCIÓN JURISDICCIONAL DEL CONSUMIDOR FRENTE AL INCUMPLIMIENTO DE LAS PROMOTORAS EN LA COMPRAVENTA DE VIVIENDAS ADQUIRIDAS SOBRE PLANO. ESPECIAL REFERENCIA AL SISTEMA DE AVALES 257

RAFAEL CABRERA MERCADO

CAPÍTULO XIII

LAS CUESTIONES PREJUDICIALES SOBRE LA CLÁUSULA SUELO: PROBLEMAS DE COSA JUZGADA ANTE UN POSIBLE PRONUNCIAMIENTO DEL TJUE FAVORABLE A LA RETROACTIVIDAD PLENA DE LA DECLARACIÓN DE NULIDAD 289

Alberto José Lafuente Torralba

CAPÍTULO XVI

CONSIDERACIONES ACERCA DE LA TERCERÍA DE DOMINIO Y EL PROCEDIMIENTO DECLARATIVO EN EL SUPUESTO DE LA HIPOTECA CONSTITUIDA *A NON DOMINO* 353

Manuel Espejo Lerdo de Tejada

4ª PARTE

EL PROCESO CIVIL EN EL MARCO DEL DERECHO
DE LA UE

CAPÍTULO XXIV

LA EJECUCIÓN DE MEDIDAS PROVISIONALES O CAUTE-
LARES EN EL ESPACIO JUDICIAL EUROPEO: ¿UN EJEMPLO
DE REGULACIÓN AL SERVICIO DE LA TUTELA DE LOS
DERECHOS DEL JUSTICIABLE? 511

Fernando Gascón Inchausti

Presentación

La severa crisis económica que ha padecido España debería desembocar en un modelo socioeconómico profundamente diferente al imperante durante la última década del S. XX y la primera del S. XXI. Que finalmente así ocurra, y que ese nuevo modelo supere al precedente, depende de la intervención de factores de diversa índole, entre los cuales, el proceso jurisdiccional, como cauce de la Administración de Justicia en el orden civil, ocupa un lugar en absoluto desdeñable.

Existe unanimidad en la consideración de que un proceso civil que contribuya a una mejor estructura socioeconómica ha de ser moderno, ágil, eficiente, con todas las garantías, que no propicie abusos o desequilibrios injustificados entre las partes en conflicto y que, a la vez que resulte accesible al ciudadano que reclama con fundamento la acción de la justicia, se presente como inconveniente para aquellos que, aun sabiéndose infractores o incumplidores, experimenten la tentación de cobijarse entre sus trámites para retrasar el inevitable desenlace.

En lo que ya no se constata tal parecer uniforme es en torno a cómo concretar tan loables aspiraciones. Y, menos aún, en si las recientes y numerosas reformas acontecidas y leyes procesales aparecidas en los últimos años están contribuyendo a alcanzarlas.

La presente obra recopila las posiciones de diversos juristas al respecto. Destacados profesionales procedentes de diferentes ámbitos, el académico, el de la judicatura y el de la abogacía, analizan cómo diferentes instituciones procesales reformadas en el último periodo de la legislatura precedente responden a la finalidad por la que fueron modificadas y solventan problemas ya detectados o, por el contrario, se alejan del objetivo perseguido y generan nuevas dificultades. Abordan también con perspectiva de futuro las áreas del Derecho procesal civil todavía necesitadas de intervención legislativa y proponen las líneas en las que tal intervención debiera concretarse. Ofrecen, en suma, una cualificada y valiosa visión de la administración de justicia en el orden civil a disposición del legislador.

Esta publicación corola felizmente un conjunto de actividades de investigación jurídica que se empezaron a gestar a finales de 2015 por varios integrantes del proyecto de investigación DER2014 53758-R *Instrumentos para la tutela del emprendedor y el consumidor sin menoscabo de la debida protección del crédito en el ámbito de la Justicia Civil*, financiado por el Ministerio de Economía y Competitividad. Uno de sus resultados más sobresalientes fue el congreso internacional titulado *El proceso Civil, Instrumento para la Consecución de un Nuevo Panorama Socioeconómico: Logros Alcanzados y Retos Pendientes*, celebrado en la Universidad de Murcia los días 16 y 17 de junio de 2016. El congreso, integrado en el Campus Mare Nostrum de Excelencia Internacional, fue posible gracias a la coordinación con otros proyectos de investigación nacionales (DER2014-51957, DER2013-44385-R, DER2015-64756) y a la colaboración de diversas entidades: la Fundación Cajamurcia, la Real Academia de Legislación y Jurisprudencia de Murcia y Garrigues SLP. El libro que ahora, unos meses más tarde, ve la luz recoge todo el material de conocimiento que fue objeto de análisis y debate en dicho congreso, y ha contado con el apoyo de la Agencia de Ciencia y Tecnología de la Región de Murcia (Fundación Séneca) y del proyecto DER2013-44385-R. A las citadas instituciones y, sobre todo, a los conferenciantes y ponentes del congreso, especialistas de notorio prestigio en sus respectivos campos, queremos los directores agradecer su disposición y buen hacer. Ha sido una responsabilidad y un honor coordinar el trabajo de tantos y tan cualificados intervinientes. Creemos que todos podemos finalmente congratularnos por el resultado: aportar valioso material a quienes por decisión democrática han asumido la tarea de proporcionar una Administración de Justicia técnicamente mejor, más eficiente y más comprometida socialmente. Solo queda esperar que éstos realicen satisfactoriamente el cometido que les corresponde.

En Murcia, a 22 de noviembre de 2016

Los directores

1ª PARTE
Novedades incorporadas con las últimas reformas y líneas de futuro

Capítulo I

Novedades en torno a la ley 42/2015, de 5 de Octubre. Una visión general

MARTA GONZÁLEZ PAJUELO

Abogada

SUMARIO: 1. PRINCIPALES NOVEDADES INTRODUCIDAS EN LA LEY DE ENJUICIAMIENTO CIVIL. *1.1. Utilización obligatoria de los sistemas electrónicos de comunicación. 1.2 Refuerzo del papel del procurador en el proceso civil como colaborador de la Administración de Justicia. 1.3 Reforma del juicio verbal. 1.4 Otras modificaciones en la Ley de Enjuiciamiento Civil.* 2. MODIFICACIONES EN OTRAS LEYES. *2.1. Modificación del art. 1964 del CC. 2.2. Ley de Asistencia Jurídica Gratuita. 2.3. Otras leyes modificadas en menor medida.*

El 6 de octubre de 2015 fue publicado en el Boletín Oficial del Estado la Ley 42/2015 de 5 de octubre, de reforma de la Ley 1/2000 de 7 de enero, de Enjuiciamiento Civil, y que tan solo cinco días antes había sido aprobada en el Congreso de los Diputados.

Dicha Ley nace con un claro propósito de reformar nuestra legislación procesal para dar una respuesta a un clamor popular por el que se considera que la de Justicia es, de entre las Administraciones públicas, la menos ágil en nuestro país en dar respuestas a los ciudadanos, por no haberse adaptado a la realidad actual y no haber terminado de aprovechar los medios electrónicos que se han ido imponiendo en la vida cotidiana de la sociedad. Continuas son las encuestas que en los medios de comunicación se publican sobre la denostada imagen que los ciudadanos tienen sobre el funcionamiento de la Administración de Justicia. Contrariamente a lo que inicialmente pueda pensarse, las críticas no van referidas a la calidad de la Justicia que se imparte, sino más bien al tiempo en que los ciudadanos tardan en obtener la tutela judicial de sus derechos.

Con la finalidad de intentar agilizar los tiempos en que se imparte Justicia por nuestros tribunales, y obtener al mismo tiempo una imagen más moderna de dicha Administración, la Ley 42/2015, de 5 de octubre (RCL 2015, 1525) introduce determinadas modificaciones en la Ley de Enjuiciamiento Civil, pero también en otras normas de nuestro Ordenamiento Jurídico. En este capítulo se pretende abordar una visión general de las referidas novedades.

## 1.	PRINCIPALES NOVEDADES INTRODUCIDAS EN LA LEY DE ENJUICIAMIENTO CIVIL

### 1.1.	UTILIZACIÓN OBLIGATORIA DE LOS SISTEMAS ELECTRÓNICOS DE COMUNICACIÓN

Se trata de una de las principales novedades introducidas en la Ley, aunque en puridad no es algo tan novedoso ya que encuentra su precedente en el originario artículo 162 de la Ley 1/2000 de 7 de enero, de Enjuiciamiento Civil (RCL 2000, 34), que ya preveía que las comunicaciones entre tribunales y destinatarios de aquellas pudiesen hacerse por medios electrónicos, telemáticos o similares, pero siempre y cuando, aquellos dispusieran de dichos medios.

Esa posibilidad, en la que se quiso insistir con el artículo 33.5 de la Ley 18/2011 de 5 de julio, de uso de las tecnologías de la información y la comunicación con la Administración de justicia (RCL 2011, 1298) no consiguió instaurarse como práctica en el sistema judicial español dado que la misma solo se preveía como obligatoria para los profesionales en la medida en que técnicamente fuese posible.

Es por ello por lo que la verdadera novedad que introduce la Ley 42/2015, de 5 de octubre (RCL 2015, 1525) radica, no en la utilización de los medios electrónicos en las comunicaciones en la administración de Justicia, sino precisamente en la obligatoriedad absoluta del uso de dichos medios. Así, se da nueva redacción a los artículos 273 y siguientes de la Ley de Enjuiciamiento Civil (RCL 2000, 34) para referirse, ya sin duda alguna, al uso de dichos medios telemáticos o electrónicos en términos de obligación y no solo de facultad.

Tratándose por tanto de una obligación, se regula quiénes son los sujetos obligados a usar los medios electrónicos para relacionarse con la Administración de Justicia, afectando dicha medida a las personas jurídicas, las entidades sin personalidad jurídica, aquellos que ejerzan una actividad profesional para la que se requiera colegiación obligatoria para los trámites que llevan a cabo ante la Administración de Justicia, los notarios y registradores, quienes representen a un interesado obligado al uso de dichos medios, y los funcionarios de las Administraciones públicas para los trámites y actuaciones que realicen por razón de su cargo. La obligatoriedad de dicha medida fue exigible ya desde el 1 de enero de 2016, si bien respecto a algunos de esos obligados (aquellos de interesados que no sean profesionales de la justicia y no estén representados por procurador) se prevé en la Disposición transitoria cuarta de la Ley que no podrán optar ni ser obligado al uso de los medios electrónicos o telemáticos hasta el 1 de enero de 2017.

Por lo tanto, con la excepción mencionada, los sujetos obligados a partir del 1 de enero de 2016 vienen compelidos a presentar todos sus escritos y documentos ante los tribunales por vía telemática, en la forma determinada por el artículo 273.4 de la Ley de Enjuiciamiento Civil (RCL 2000, 34), complementada por los aspectos técnicos regulados en la Ley 18/2011 (RCL 2011, 1298) y en el Real Decreto 1065/2015 de 27 de noviembre, por el que se regulan las comunicaciones electrónicas en el ámbito de la Administración de Justicia y el sistema LexNet (RCL 2015, 1920).

Esto se traduce en que los escritos deben presentarse por vía telemática, indicando el tipo, número de expediente y año, deberán incluir un índice electrónico de los documentos que se acompañan, que además deben cumplir con el formato OCR, y unos y otros deberán ser firmados por los profesionales intervinientes con firma electrónica mediante certificado electrónico reconocido o cualificado (no siendo suficiente el escaneo de la firma manuscrita). Ya no deben presentarse como anteriormente copias en papel para las demás partes del proceso (puesto que deben recibir el traslado de copias mediante los sistemas electrónicos) con la excepción de los primeros escritos iniciadores del proceso, en cuyo caso se deberá aportar en soporte papel en los tres días siguientes cuantas copias literales como partes haya en el mismo.

Deben tenerse en cuenta igualmente otras consideraciones de nivel técnico, reguladas en el Real Decreto 1065/2015 de 27 de noviembre (RCL 2015, 1920) sobre la operativa funcional de estos sistemas, tales como que el sistema devolverá al usuario un resguardo electrónico acreditativo de la presentación, la limitación de capacidad del sistema respecto al volumen de los archivos (que da lugar a que deban presentarse en soporte digital o análogo en el mismo día de la presentación o día hábil siguiente junto con el resguardo que acredite haberse intentado enviar por vía telemática) o el régimen de sustituciones y autorizaciones de los profesionales de la justicia en estos sistemas.

En consonancia con lo anterior, y siendo una de las finalidades buscadas con esta nueva obligación para los profesionales de Justicia el otorgar de mayor agilidad al proceso, se modifica también el artículo 135 de la Ley de Enjuiciamiento Civil (RCL 2000, 34) en relación con la cuestión del tiempo de los actos procesales. Así, y en relación con la accesibilidad de los medios electrónicos, se prevé que se puedan presentar escritos y documentos en formato electrónico todos los días del año durante las veinticuatro horas del día. Se trata así de dar mayor agilidad a la presentación de escritos pero no de modificar el régimen de cómputo de plazos preclusivos procesales que continúa rigiéndose como anteriormente, por la regla de que pueden presentarse hasta las quince horas del día hábil siguiente al de su vencimiento.

Dado que a esta presentación telemática se le ha querido dar carácter obligacional, la Ley 42/2015 (RCL 2015, 1525) ha introducido la consecuencia de su inobservancia, regulando en el artículo 274.5 de la Ley de Enjuiciamiento Civil (RCL 2000, 34) que en dicho caso, el Secretario judicial concederá un plazo de cinco días para su subsanación, trascurrido el cual sin verificarse así, los documentos y escritos se tendrán por no presentados a todos los efectos.

Como vemos, con esta nueva regulación se consigue que desde aquella previsión ya en el año 2000 en la Ley de Enjuiciamiento, la presentación electrónica de escritos sea una realidad en la administración de Justicia en España; realidad que debe terminar de consolidarse con la implantación del expediente electrónico en los tribunales, conllevando con ello la desaparición de esos expedientes voluminosos en papel que los ciudadanos relacionan con una excesiva tardanza en la resolución de los asuntos que someten a la Justicia.

1.2. REFUERZO DEL PAPEL DEL PROCURADOR EN EL PROCESO CIVIL COMO COLABORADOR DE LA ADMINISTRACIÓN DE JUSTICIA

Contrariamente a ciertos temores que han reinado en el colectivo de los Procuradores por una posible regulación restrictiva de sus funciones, la Ley 42/2015 (RCL 2015, 1525) ha querido reforzar la figura de este profesional interviniente en la Administración de Justicia.

Así, se ha modificado la redacción del artículo 23 de la Ley de Enjuiciamiento Civil (RCL 2000, 34) que prevé que el representante de las partes en juicio será el Procurador, quien habrá de ser Licenciado en Derecho o (adaptándose la Ley a las titulaciones académicas actuales) Graduado en Derecho o persona en posesión de otro título universitario de Grado equivalente. No obstante, se recogen a continuación los supuestos en los que excepcionalmente los litigantes pueden comparecer por sí mismos, que son los que ya existían regulados con anterioridad a esta reforma, si bien modificando la cuantía máxima de los juicios verbales en los que no es preceptiva la intervención de Procurador, que es elevada de los anteriores novecientos euros a los actuales dos mil.

Los apartados cuarto y quinto del mencionado artículo 23 son los que recogen con más nitidez el protagonismo que la Ley 42/2015 (RCL 2015, 1525) ha querido dar a la figura del Procurador. Así, se prevé que corresponde a este profesional la práctica de los actos procesales de comunicación y la realización de tareas de auxilio y cooperación con los tribunales; tarea en la que ya venían colaborando de facto. La verdadera novedad radica en el hecho de que a continuación, la ley otorga a los procuradores una facultad que hasta ahora no ostentaban, como es la de certificar esos actos y disponer de las credenciales que fuesen para ello necesarias. Es decir, los Procuradores pueden ya practicar actos de comunicación con capacidad certificadora, sin necesidad de que firmen con ellos testigos, siempre y cuando las partes expresen en sus escritos iniciadores de procesos judiciales que interesan que todos los actos de comunicación se realicen por procurador –artículo 152 Ley de Enjuiciamiento Civil (RCL 2000, 34)– solicitud que puede verse modificada posteriormente por petición motivada y justificada.

Y la misma capacidad certificante se otorga a los Procuradores respecto a los que se solicite por las partes que se les faculte para citar a testigos, peritos y otras personas que sin ser parte deban intervenir en juicio.

Se trata en definitiva de medidas que la Ley 42/2015 (RCL 2015, 1525) pone a disposición de los profesionales y ciudadanos para tratar de aligerar la carga administrativa de las oficinas judiciales y agilizar la tramitación procesal. Se evita con ello que los litigantes tengan que ver en ocasiones cómo sus procesos sufren retrasos indeseados por una mera cuestión de la gestión de las comunicaciones.

No obstante lo anterior, debe destacarse que previéndose esa posibilidad de que el procurador sea el que practique los actos de comunicación, la Ley 42/2015 (RCL 2015, 1525) sin embargo no ha previsto que sea un coste repercutible para el litigante interesado en ello, ni siquiera en el caso de que finalmente obtuviera en el procedimiento un fallo a su favor de condena en costas. Así, la redacción dada al artículo 243 de la Ley de Enjuiciamiento Civil (RCL 2000, 34) no deja lugar a dudas cuando determina que no se incluirán en las tasaciones de costas los derechos de los procuradores devengados por la realización de los actos procesales de comunicación, cooperación y auxilio de la Administración de justicia, ni ningún otro que haya sido llevado a cabo facultativamente y hubiera podido ser realizado por las Oficinas judiciales.

Por último, y en cuanto a las novedades en relación al Procurador, la Ley 42/2015 (RCL 2015, 1525) da nueva redacción al apartado 7 del artículo 26 de la Ley de Enjuiciamiento Civil (RCL 2000, 34) en cuanto a los deberes de éste del pago de gastos judiciales, para incluir entre las excepciones a dicha obligación, la del pago de las tasas judiciales y de los depósitos para recurrir en aquellos casos en que el poderdante no le haya entregado fondos suficientes para ello.

1.3. REFORMA DEL JUICIO VERBAL

La Ley 42/2015 (RCL 2015, 1525) ha acometido también una profunda reforma del juicio verbal, dando una nueva redacción a los artículos 437 y siguientes de la Ley de Enjuiciamiento Civil (RCL 2000, 34).

Se trata de una modificación en este tipo de procesos que persigue reforzar el derecho a la tutela judicial efectiva, a la vez que la de agilizar la tramitación en cuanto se prevé la posibilidad de que las partes decidan la no celebración de vista, que hasta ahora era preceptiva.

En todo caso tratándose de una de las reformas más destacables en esta ley, la misma es objeto de un Capítulo al respecto en este libro.

1.4. OTRAS MODIFICACIONES DE LA LEY DE ENJUICIAMIENTO CIVIL

Siendo como hemos expuesto una reforma muy amplia la que se lleva a cabo, debemos destacar otra serie de modificaciones que se introducen en la Ley:

1.4.1. En el proceso monitorio, se modifica el artículo 815 de la Ley de Enjuiciamiento Civil (RCL 2000, 34) para zanjar la cuestión cuyo criterio venía siendo dispar judicialmente, sobre el alcance y contenido del escrito de oposición. Se determina ya sin género de duda que no basta con oponerse con una mera negativa al requerimiento inicial petición de monitorio para evitar que se despache ejecución, sino que dicha oposición debe ser suficientemente fundada y motivada.

Se añade igualmente un apartado cuarto al referido artículo para dar cumplimiento a la Sentencia del Tribunal de Justicia de la Unión Europea, de 14 de junio de 2012, en el asunto Banco español de crédito, C-618/10 que declaró que la legislación española era contraria al Derecho de comunitario en la medida en que no preveía en estos procesos monitorios la protección a los consumidores que pudiera conceder la facultad del Juez de examinar de oficio el carácter abusivo de cláusulas de contratos en virtud de los cuales se reclame la deuda. Es por ello por lo que dicha posibilidad de control de oficio por el Juez en estos procesos monitorios se introduce expresamente en la Ley de Enjuiciamiento Civil (RCL 2000, 34).

En consonancia con las modificaciones introducidas en el ámbito del juicio verbal, se reforma también el régimen de los procesos monitorios en los que la cuantía reclamada sea inferior a seis mil euros. Se introduce así una nueva tramitación en el apartado segundo del artículo 818, por la cual, si el demandado presenta oposición, se da traslado de ella al peticionario inicial para que la conteste en el plazo de diez días, pudiendo las partes en sus respectivos escritos solicitar la celebración de vista.

Por último, y en lo que se refiere al procedimiento monitorio, se modifica también el artículo 816 para aclarar que en caso de que no medie ni pago ni oposición expresa del demandado, y por lo tanto se dicte decreto dando por terminado el proceso monitorio, el peticionario inicial no tiene que esperar el plazo general de veinte días para instar el despacho de ejecución forzosa.

1.4.2. En el ámbito del procedimiento de ejecución también se introducen determinadas reformas a destacar en la Ley de Enjuiciamiento Civil (RCL 2000, 34). Así:

–Se modifica el artículo 525 para ampliar los supuestos de resoluciones frente a las que no se puede despachar ejecución provisional, añadiendo a los ya existentes anteriormente, las sentencias relativas a supuestos de oposición a resoluciones administrativas en materia de protección de menores y medidas sobre restitución o retorno de menores en supuestos de sustracción internacional.

–Se da nueva redacción al artículo 540 para eliminar una laguna existente hasta ahora que daba lugar a criterios dispares de los tribunales en relación con la sucesión en el ámbito de la ejecución. Se prevé ahora que en caso de que se produzca esa sucesión una vez que ya se ha despachado ejecución, se notificará la sucesión al ejecutante o ejecutado según proceda, continuándose la ejecución a favor o frente a quien resulte ser sucesor.

–La Exposición de motivos de la Ley 42/2015 (RCL 2015, 1525), en el apartado V del preámbulo, determina que se aprovecha esta ley para incorporar, en consonancia con la Sentencia del Tribunal de Justicia de la Unión europea de 6 de octubre de 2009, la posibilidad de que los jueces revisen de oficio la posible abusividad de cláusulas en el despacho de ejecución de laudos arbitrales, al igual que ya se prevé para la ejecución de títulos no judiciales en el artículo 552.

Sin embargo, es de destacar que quizás por omisión involuntaria, no encontramos a continuación en el articulado de la indicada Ley ninguna reforma que permita introducir expresamente dicha regulación en la Ley de Enjuiciamiento Civil (RCL 2000, 34).

1.4.3. También se da nueva redacción a determinados artículos (648, 649, 656, 660 y 671) que regulan la nueva subasta electrónica, continuando así con las novedades que al respecto introdujo la Ley 19/2015, de 13 de julio de medidas de reformas administrativas en el ámbito de la Administración de Justicia y registro Civil (RCL 2015, 1082). No obstante, este tema se aborda en otro capítulo de esta obra.

1.4.4. En materia de competencia territorial se modifica el artículo 52 en sus apartados segundo y tercero de la Ley de Enjuiciamiento Civil (RCL 2000, 34), incluyendo como fueros alternativos a los ya previstos en procesos en materia de seguros, ventas a plazos de bienes muebles corporales y contratos destinados a su financiación, contratos de prestación de servicios o de bienes muebles precedidos de oferta pública los que correspondan según las reglas generales de los artículos 50 y 51 o, a elección del demandante, el tribunal del domicilio del asegurado, comprador o prestatario, o el del domicilio de quien hubiere aceptado la oferta.

1.4.5. La Audiencia previa también es objeto de reforma en la medida que la nueva redacción dada al artículo 415 suprime la posibilidad de que en ella las partes puedan solicitar la suspensión para someterse a arbitraje, dejando únicamente esa posibilidad a la de someterse a mediación.

Respecto a este mismo acto procesal, la nueva redacción del artículo 429 de la Ley de Enjuiciamiento Civil (RCL 2000, 34) eleva a categoría de obligación legal lo que venía siendo una práctica judicial, consistente en exigir a las partes la aportación de nota por escrito donde se recojan los medios de prueba propuestos. No obstante, la mera omisión de dicha nota no supone la inadmisión de los medios de prueba, salvo que la misma no se aporte en el plazo de los dos días siguientes.

1.4.6. Otra consagración de una práctica judicial la encontramos en la nueva redacción del artículo 382, en el que se introduce como obligatoria la aportación de la transcripción escrita de las palabras que consten en grabaciones de imagen o sonido que se propongan como medio de prueba.

1.4.7. Por último, la Ley 42/2015 (RCL 2015, 1525) introduce una serie de modificaciones en materia de procesos matrimoniales y de menores. Así, en cuanto a estos último, se modifica el artículo 775 para determinar que las solicitudes de modificación de medidas sobre menores se efectuarán ante el mismo tribunal que en su día las acordó. Y se modifican los artículos 794 y 809 para ampliar en ellos el contenido del acta de inventario de caudales hereditarios y de sociedades de gananciales respectivamente.

2. MODIFICACIONES DE OTRAS LEYES

Como indicábamos al comienzo de este capítulo, la Ley 42/2015 (RCL 2015, 1525) no solo ha introducido modificaciones en la Ley rituaria procesal, sino también en otras leyes. Así:

2.1. MODIFICACIÓN DEL ARTÍCULO 1964 DEL CÓDIGO CIVIL

La modificación del artículo 1964 del Código Civil ha supuesto un cambio relevante en el régimen de prescripción en el ejercicio de acciones personales que no tengan un plazo específico legalmente previsto. Así, la Disposición Final Primera de la Ley 42/2015 (RCL 2015, 1525) acorta el plazo legal de reclamación de esas acciones de que venía siendo de quince a cinco años.

Como puede verse, es un cambio sustancial en la medida en que ese plazo queda reducido a la tercera parte del que hasta ahora recogía el Código Civil, dotando así de una mayor seguridad jurídica a las relaciones obligacionales. Y es que nótese que el plazo de quince años tenía sentido en el ámbito de una legislación del siglo XIX, en el que los medios para poder reclamar obligaciones no son los de la época actual, en la que un plazo de cinco años puede entenderse más que suficiente como para que el acreedor de una obligación personal puede reclamarla en caso de mora o incumplimiento del deudor.

El plazo de quince años que se recogía en el Código Civil se había tornado excesivo conforme a la realidad actual, dando lugar a situaciones de inseguridad jurídica en las que un acreedor podía mostrar una pasividad absoluta durante un largo período de tiempo generando así la expectativa en el deudor de que nada debía ya, pero interponiendo una demanda transcurrido por ejemplo, más de una década. Esto había dado lugar a que la Jurisprudencia de nuestros tribunales, sin poder ignorar que el plazo legal de prescripción era el de quince años y a él debían atenerse, hubiera venido matizando que en los casos en que esas acciones se ejercitaban dentro del plazo de quince años, pero muy avanzado el mismo, debía aplicarse la doctrina del ejercicio abusivo o tardío del derecho, moderando así las consecuencias del incumplimiento del deudor, y absolviendo a éste, no de pagar el principal, pero sí los intereses devengados durante el largo período de tiempo que el acreedor se había mostrado absolutamente pasivo en la reclamación de su crédito. Véase así, a título de ejemplo las Sentencias del Tribunal Supremo de 29 de enero de 1965 (RJ 1965, 262) y posterior de 21 de mayo de 1982 (RJ 1982, 2588) que han seguido numerosas resoluciones posteriores de Audiencias Provinciales.

No siendo suficiente esa Jurisprudencia para evitar las situaciones de inseguridad jurídica que el excesivo plazo legal provocaban es por lo que se aprovecha la Ley 42/2015 (RCL 2015, 1525) para adaptar a la realidad actual el plazo reduciéndolo al de cinco años. Lógicamente, esta modificación ha previsto cuál sea la situación respecto a las obligaciones personales cuyo cómputo de prescripción ya se hubiera iniciado con anterioridad a la entrada en vigor de esta Ley, recogiendo así en la Disposición transitoria quinta que el término de prescripción de estas acciones personales nacidas antes de la fecha de entrada en vigor de esta Ley se regirá por lo dispuesto por el artículo 1939 del Código Civil, que determina que «*La prescripción comenzada antes de la publicación de este Código se regirá por las leyes anteriores al mismo, pero si desde que fuere puesto en observancia transcurriese todo el tiempo en él exigido para la prescripción, surtirá ésta su efecto, aunque por dichas leyes anteriores se requiriese mayor lapso de tiempo*».

Esta redacción, ciertamente algo complicada, supone que la prescripción de las obligaciones cuyo plazo hubiese comenzado a correr antes de la entrada en vigor de la Ley 42/2015 (RCL 2015, 1525), esto es, antes del 7 de octubre de 2015, continúan rigiéndose por el plazo de quince años, salvo que, a esa fecha de entrada en vigor le faltasen aún más de cinco años, en cuyo caso, éste sería el máximo. Es decir, las obligaciones cuyo plazo de prescripción hubiese empezado a computar antes de esta modificación prescribirán en todo caso, como máximo, el 7 de octubre del año 2020.

Finalmente, respecto a esta cuestión, cabe mencionar que durante la tramitación parlamentaria de esta Ley, se pretendió también modificar el régimen de interrupción de la prescripción. El Proyecto de Ley que se presentó en el Congreso de los Diputados incluía una modificación del artículo 1973 del Código Civil que determinaba que el plazo de prescripción no se entendería interrumpido si transcurrido un año desde la reclamación extrajudicial el deudor no pagaba y el acreedor no reclamaba judicialmente. Se pretendía así acabar con el alargamiento artificioso de los plazos de reclamación que se logra con sucesivos requerimientos extrajudiciales que dan lugar al inicio del cómputo de nuevo del plazo, sin dejar entrever una verdadera voluntad de reclamación final. En todo caso, esta pretensión fue finalmente frustrada ante las enmiendas presentadas por dos grupos parlamentarios.

2.2. LEY DE ASISTENCIA JURÍDICA GRATUITA

Con la finalidad confesa en la Exposición de motivos, la Ley 42/2015 (RCL 2015, 1525) aprovecha también para modificar la Ley 1/1996, de 10 de enero de asistencia jurídica gratuita (RCL 1996, 89) para adaptarla a la realidad actual. Se modifican 20 de sus 54 artículos, en el siguiente sentido:

–Se aclaran dudas interpretativas que hasta ahora surgían respecto a la irretroactividad del reconocimiento del derecho por circunstancias sobrevenidas, a la proporcionalidad de las aportaciones del sistema en supuestos de pluralidad de partes o en relación con la incidencia efectos.

–Se amplían los supuestos en que cabe el reconocimiento del derecho (con nuevas previsiones para las víctimas de violencia de género, de terrorismo y de trata de seres humanos, así como para los menores de edad o discapacitados).

–Se introducen reformas que afectan al funcionamiento y organización del sistema (básicamente destinadas a garantizar la concesión de esa asistencia en supuestos que lo merezcan eludiendo fraudes de los solicitantes).

2.3. OTRAS LEYES MODIFICADAS EN MENOR MEDIDA

Por último, y sin ánimo de entrar a un análisis exhaustivo pero sí al menos dejarlos indicados, mencionar que la Ley 42/2015 (RCL 2015, 1525) ha aprovechado también para modificar algunos textos legales, como son:

–La Ley 49/1960, de 21 de julio de Propiedad Horizontal (RCL 1960, 1042) en cuanto al procedimiento de relevo del Presidente que así lo solicite judicialmente.

–La Ley 29/1998, de 13 de julio, reguladora de la Jurisdicción Contencioso-Administrativa (RCL 1998, 1741), para recoger la posibilidad de los funcionarios de comparecer por sí mismos en defensa de sus derechos estatutarios.

–La Ley 60/2003, de 23 de diciembre, de Arbitraje (RCL 2003, 3010), que en consonancia con la reforma del juicio verbal suprime la referencia al plazo para proponer declinatoria, sustituyéndola por el plazo de los diez primeros días para contestar a la demanda.

–La Ley orgánica 1/2004, de 28 de diciembre, de Medidas de Protección Integral contra la Violencia de Género (RCL 2004, 2661) y la Ley 29/2011, de 22 de septiembre de Reconocimiento y Protección Integral a las Víctimas del Terrorismo, en las que, en consonancia con la reforma de la Ley 1/1996, de 10 de enero de asistencia jurídica gratuita (RCL 1996, 89), se recoge el derecho al asesoramiento jurídico gratuito de dichas víctimas.

–La Ley 18/2011 de 5 de julio, reguladora del uso de las tecnologías de la información y la comunicación en la Administración de Justicia (RCL 2011, 1298), para introducir en ella reformas relativas al expediente judicial electrónico al que se pretende llegar y regulando el régimen de archivos electrónicos de los apoderamientos *apud acta*.

–La Ley 10/2012, de 20 de noviembre, por la que se regulan determinadas tasas en el ámbito de la Administración de Justicia y del Instituto Nacional de Toxicología y Ciencias Forenses (RCL 2012, 1586), en cuanto a la regulación de la subsanación de la falta de aportación del justificante de pago de la tasa judicial.

Capítulo II

El cambio de modelo del juicio verbal[1]

JUAN F. HERRERO PEREZAGUA

Catedrático de Derecho Procesal

Universidad de Zaragoza

---

1.   Este trabajo ha sido realizado en el marco del proyecto I+D+i financiado por el MINECO «Obstáculos y restricciones del acceso a la justicia y de la solución jurídica de los conflictos» DER2013–44385-R, del que soy investigador principal.

1. INTRODUCCIÓN

La Ley 42/2015, de 5 de octubre, procedió a una reforma más de la Ley de Enjuiciamiento Civil. El número de modificaciones a que ha sido sometido el texto desde su promulgación supera la treintena y múltiples han sido las causas que las han motivado y los contenidos en los que han incidido[2]. En esta ocasión el objeto principal de la ley reformadora es la aplicación de los medios electrónicos, informáticos o telemáticos a la tramitación de los procedimientos (utilizo los tres adjetivos porque así lo hace la ley, entendiendo, no obstante y por lo común, que designan una misma realidad). Pretende la ley –y así lo manifiesta su preámbulo– que la comunicación electrónica sea la forma habitual de actuar en la Administración de Justicia y que el soporte papel vaya desapareciendo, con la finalidad de conseguir una tramitación más eficaz y eficiente de los procedimientos, un ahorro de costes para el Estado y los ciudadanos y un refuerzo de las garantías procesales. Para ello incide en varios aspectos interrelacionados: la práctica de los actos de comunicación (que se sustenta en el sistema LexNet, RD 1065/2015, de 27 de noviembre), el protagonismo del procurador (al que, además, se le atribuye la capacidad de certificación), la presentación de escritos y documentos y, finalmente, la documentación y el archivo de las actuaciones.

Siendo el declarado el objeto que fundamenta la iniciativa del legislador, la norma sirve o se aprovecha (vuelvo a utilizar los términos que usa la ley) para llevar a cabo otras modificaciones que se proyectan en el proceso, aunque algunas encuentren su ubicación fuera de la Ley de Enjuiciamiento Civil. En esta, dos son las instituciones en las que se introducen novedades de nada despreciable calado por afectar al modelo entero: el juicio verbal y el proceso monitorio; a ellas se suman otras que podríamos calificar de retoques, lo que no connota una relevancia escasa, sino acotada a aspectos concretos del instituto procesal al que afectan (la proposición de prueba en el juicio ordinario, la sucesión procesal y la oposición en la ejecución, la subasta[3], la intervención y administración del caudal hereditario). Extramuros de la ley procesal, la reforma acorta el plazo general de prescripción de las acciones personales (art. 1964 CC), concreta los motivos que justifican la subsanación de los defectos

---

2. Véase, a este respecto, Bonet Navarro, Á., «La coherencia de las reformas con el sistema de la LEC», en Herrero Perezagua (director), *Coherencias e incoherencias de las reformas del proceso civil*, Thomson-Aranzadi, Cizur Menor, 2015, pp. 21 y ss.

3. La Ley 42/2015 introduce correcciones en algunos artículos a los que la Ley 19/2015, de 13 de julio, de medidas de reforma administrativa en el ámbito de Justicia y del Registro Civil, había dado nueva redacción apenas unos meses antes al incorporar la subasta electrónica.

advertidos respecto del requisito de la tasa judicial (art. 8.2 de la Ley 10/2012), regula los archivos electrónicos de apoderamientos *apud acta* (art. 32 bis de la Ley 18/2011) y modifica más de una veintena de preceptos de la Ley de Asistencia Jurídica Gratuita[4].

Las razones que ofrece el preámbulo de la Ley 42/2015 para fundamentar y explicar por qué se modifica el juicio verbal adolecen de una buena dosis de inconcreción. Dice en su apartado cuarto que la finalidad es «reforzar las garantías derivadas del derecho constitucional a la tutela judicial efectiva, que son fruto de la aplicación práctica de la Ley de Enjuiciamiento Civil y que venían siendo demandadas por los diferentes operadores jurídicos». La invocación al derecho a la tutela judicial efectiva resulta genérica al no venir acompañada de las correspondientes referencias a las manifestaciones de este derecho que el legislador considera débilmente atendidas y que, por ello, han de ser reforzadas: ¿qué garantías son esas a que alude la ley?, ¿la defensa de las partes o de alguna de ellas?, ¿las limitaciones en las alegaciones?, ¿la proposición y práctica de la prueba?, ¿el desarrollo del procedimiento?, ¿los recursos? No se entiende bien qué quiere expresar el preámbulo cuando dice «que son fruto de la aplicación práctica de la Ley de Enjuiciamiento Civil», no solo porque no queda claro el antecedente (¿las modificaciones?, ¿las garantías?), sino porque sea uno u otro no se aviene la literalidad de lo dicho con el mensaje que se intuye y que podría ser que la aplicación práctica ha venido evidenciar la necesidad de reforzar ciertas garantías. A estas imprecisiones u omisiones se suma la del último inciso del enunciado antes reproducido: «y que venían siendo demandadas por los diferentes operadores jurídicos»; de nuevo se observa una indefinición respecto de qué reclamaban los operadores jurídicos y cuáles de estos solicitaban los cambios a los que la reforma ha atendido (si es que lo ha hecho respecto de todos los pedidos).

Lo cierto es que se venían apreciando disfunciones que encontraban su causa en la propia estructura del juicio verbal o en la dificultad de volcar en ella lo establecido en las disposiciones comunes; esto es, se venían suscitando dudas y generando interpretaciones varias ante lo dispuesto en no pocos preceptos que resultaban de difícil o imposible aplicación

---

4. La ley incorpora otras modificaciones: en el ámbito de la protección contra la violencia de género o de la protección integral de las víctimas del terrorismo están en relación con el derecho a la asistencia jurídica gratuita; lo hace también en la Ley de Arbitraje como consecuencia del nuevo régimen del juicio verbal, según habrá ocasión de ver, en la Ley de Propiedad Horizontal para remitirse al procedimiento a seguir en determinados casos de nombramiento del presidente de la comunidad y en la Ley de la Jurisdicción Contencioso-administrativa para regular la postulación de los funcionarios públicos en defensa de sus derechos estatutarios.

en el juicio verbal y, en algunos otros casos, ante el silencio normativo. A título de ejemplo: la postulación en los verbales por razón de la materia, la acumulación de acciones, las excepciones reconvencionales, la aportación de documentos, dictámenes e instrumentos, la petición de exhibición de documentos de los que no se disponga, la prueba de hechos nuevos o de nueva noticia, la procedencia o improcedencia del trámite de conclusiones así como de las diligencias finales, la recurribilidad de las resoluciones en materia de prueba, etc. Algunos de estos problemas se advirtieron durante la elaboración y el debate de los textos que precedieron a la redacción definitiva de la Ley de Enjuiciamiento Civil[5] y han sido reiterados y objeto de comentario por la doctrina con posterioridad, así como de desiguales pronunciamientos por nuestros tribunales, sin que en la mayor parte de los casos, por las limitaciones que impone el régimen de recursos vigente, hayamos tenido ocasión de contar al respecto con la autorizada doctrina del Tribunal Supremo.

Con la Ley 42/2015 el legislador ha decidido afrontar estos problemas: «aprovecha» la reforma que obedece a otro impulso para darles respuesta (la aprovecha y, en su caso, ocasión habrá para comentarlo, la desaprovecha, pues algunos problemas persisten y otros nuevos afloran). Es de agradecer, desde el punto de vista de la técnica normativa, que lo haga en una ley que se llama de «reforma de la Ley de Enjuiciamiento Civil» y que no se oculte en otra de finalidad distinta y título que, acorde o no a esta última, resulte poco expresivo de su entero contenido o equívoco o claramente extraño a las disposiciones que recoge y que dificulte la noticia misma de su existencia y desoriente en la labor de búsqueda su localización.

El elemento nuclear de la reforma del juicio verbal es, sin duda, la contestación escrita. En buena medida, aunque no todas, muchas de las disposiciones que son objeto de nueva redacción obedecen a la necesidad de adaptación al nuevo diseño de este modelo procedimental; el propio preámbulo de la ley así lo reconoce al señalar que esta transformación de la contestación oral en un trámite de alegaciones escrito «ha comportado la adecuación de todos los preceptos relacionados con el trámite del juicio verbal y de los procesos cuya regulación se remite al mismo». Entre los preceptos cuya armonización con el nuevo régimen del verbal ha pretendido el legislador se encuentran los del proceso monitorio y los del juicio cambiario (al fin y al cabo, este último responde también a la técnica monitoria). La modificación del proceso monitorio tiene un doble fundamento:

---

5. Buena muestra de ello puede verse en *Ley de Enjuiciamiento Civil: respuestas a 100 cuestiones polémicas*, (coord.: JIMÉNEZ CONDE), Sepin, Madrid, 2002.

de una parte, dar respuesta a las exigencias de la jurisprudencia comunitaria en materia de cláusulas abusivas, como se había hecho ya en la ejecución ordinaria y en la ejecución hipotecaria; de otra, encauzar la transformación del monitorio en el juicio verbal de nuevo cuño cuando este ha de ser el declarativo que ha de seguir a la terminación de aquel en el caso de oposición del deudor. Las opciones seguidas por el legislador en ambos casos merecen un comentario crítico por el modo de entender la institución en que se insertan y por los problemas que generan, algo que la práctica ya ha evidenciado y en esos términos se abordará en el presente trabajo.

Como en todo texto normativo, hay aspectos formales de estructura o redacción que suscitarán algún apunte. Algunos se advierten con carácter general: el mantenimiento de las tildes en los demostrativos, la utilización de expresiones numéricas en cifras y no en letras, la desviación de las prescripciones de la Academia en lo que respecta a la utilización del punto y del espacio cuando de las expresiones en cifras se trata. Entre todas las cuestiones de índole formal, tal vez la que más llame la atención sea que la ley continúa utilizando el término *secretario judicial* en los preceptos modificados en que se alude a este funcionario (por ejemplo, arts. 14. 24, 34, 35, 147, 152, 243, etc.). Puede sorprender que así se haga si se tiene en cuenta que la Ley Orgánica 7/2015, de 21 de julio, por la que se modifica la Ley Orgánica del Poder Judicial, cambió su denominación, de modo que los secretarios judiciales pasaron a llamarse desde entonces *letrados de la administración de Justicia* (véanse los arts. 440 y siguientes de la LOPJ). Que después de este cambio de nombre, una reforma posterior no lo incorpore al articulado de la ley sobre la que opera obedece, a mi parecer, a la voluntad de preservar la unidad terminológica en los preceptos de la ley reformada; en otro caso, podría producir confusión que unos artículos siguieran hablando del secretario judicial y otros, los modificados, lo hicieran, en cambio, del letrado de la Administración de Justicia (bien es verdad que esa unidad, sin embargo, no se produce en la LOPJ). Tal vez hubiera sido oportuno que la Ley 42/2015, en su preámbulo, hiciera uso de la nueva denominación (en lugar de seguir empleando la vieja) y que aclarara que esta se mantiene en los preceptos que reforma y por qué lo hace. No obstante, conviene no olvidar que conforme a la disposición adicional primera de la Ley Orgánica 7/2015, antes citada, todas las referencias a los secretarios judiciales que se contengan en la LOPJ, a la que modifica, así como en otras normas jurídicas, deberán entenderse hechas a los letrados de la Administración de Justicia. El secretario judicial, en los artículos y disposiciones a los que da nueva redacción o incorpora la Ley 42/2015, se escribe con minúsculas. Contrasta esta grafía con las mayúsculas que la Ley Orgánica del Poder Judicial usa cada vez que se refiere al letrado de la Administración de Justicia (incluso cuando usa la forma plural –vg. arts. 440 o 446– o en expresiones como «todo Letrado de la Administración de Justicia» –vg. art. 441.2–). La Ley de la Nueva Oficina Judicial (Ley 13/20090, de 3 de noviembre) impuso, incorrectamente, el uso de las mayúsculas en el articulado de la Ley de Enjuiciamiento Civil; la Ley 42/2015, con buen criterio, ha retomado el uso adecuado, no solo en el caso de los secretarios judiciales, también en el de abogados, procuradores, jueces y tribunales (con alguna excepción, como en los arts. 23 y 161 LEC, que más bien parecen descuidos)[6].

2.   LA FASE DE ALEGACIONES

2.1. LA DEMANDA: TIPOS, FORMA Y ESTRUCTURA

Como ya ha habido ocasión de indicar, el preámbulo de la Ley 42/2015 destaca, entre las modificaciones del juicio verbal, la introducción de la contestación escrita lo cual comporta, como allí mismo se advierte, la adecuación de los preceptos relacionados con este trámite. La ley, en efecto, ha de mirar y mira a todos los actos que se eslabonan sucesivamente al escrito de contestación que antes se sustanciaba oralmente. Pero no puede olvidar, y no olvida, que la contestación es respuesta a la demanda, que una y otra se condicionan recíprocamente en el diseño del modelo procedimental en que se insertan, en especial, en su fase de alegaciones, lo que explica que la introducción de la contestación escrita exija también cambios en la forma y estructura de la demanda con que principia el juicio verbal.

El art. 437.1 LEC ha trocado la regla general que imperaba en la redacción original de la ley. Desde la entrada en vigor de la Ley 42/2015 (7 de octubre de 2015), la demanda del juicio verbal ha de ser una demanda completa (como de hecho venía siéndolo por lo común en la práctica[7]): el art. 437.1 se remite al contenido y la forma propios del juicio ordinario,

---

6.   El apartado 102 de las Directrices de técnica normativa (Resolución de 28 de julio de 2005, de la Subsecretaría, por la que se da publicidad al Acuerdo del Consejo de Ministros, de 22 de julio de 2005, por el que se aprueban) establece que «la redacción de los textos seguirá las normas gramaticales y ortográficas de la Real Academia Española y su Diccionario».

7.   Que la ley estableciera la regla de la demanda sucinta en el juicio verbal no era óbice a que el actor pudiera presentar una demanda completa; el art. 437.1 establecía unos requisitos mínimos para admitir y dar trámite a la demanda, pero no impedía que esta contuviera todos los extremos que prescribe el art. 399 para el juicio ordinario. Así lo recogía expresamente el art. 443 en su regulación de la vista; con arreglo a este precepto, si la demanda presentada era una demanda sucinta, la vista debía comenzar con la exposición por el demandante de los fundamentos de derecho de su

es decir, a las prescripciones contenidas en el art. 399 LEC. La demanda sucinta –heredera de la papeleta del verbal de la LEC de 1881– no desaparece, pero la ley restringe la posibilidad de su utilización a los casos en que «no se actúe con abogado y procurador» (art. 437.2 LEC). A este respecto, conviene hacer dos precisiones:

a) de un lado, la ley no reserva la forma de la demanda sucinta a aquellos en que la intervención de abogado y procurador no sea preceptiva, sino a aquellos en que, no siéndolo, la parte actora no se vale de sus servicios;

b) de otro, y en coherencia con lo anterior, habrá que entender que bastará la intervención de uno solo de estos profesionales para concluir que, en tal caso, la demanda tendrá que ser una demanda completa, porque si la ley se contenta con unos requisitos mínimos de la demanda (los de la demanda sucinta) es con la intención de facilitar el acceso a los tribunales de quienes no se valen de la representación o la dirección técnicas para hacerlo, pero si cuentan con alguna de ellas, la premisa que justifica ese modo de actuación deja de ser válida; la literalidad del precepto no ayuda a obtener esta conclusión de forma clara (utiliza la conjunción copulativa *y* en lugar de *ni* que sería más esclarecedora o de la disyuntiva *o* que también ayudaría a entender mejor lo expresado, ya fuera en un sentido o en otro), pero la finalidad de la norma (que la demanda sucinta pase a ser algo acotado y residual en el nuevo régimen del verbal) permite concluir en la dirección apuntada: ¿qué sentido tendría permitir que una demanda redactada y firmada por un abogado no tuviera que ser completa solo por no intervenir el procurador?[8], ¿y qué sentido tendría incluir al procurador en la referencia legal si la ley quisiera que solo en el caso de que se actúe con abogado es exigible la demanda completa?

El contenido de la demanda sucinta es el que antes recogía la ley para esta modalidad: el actor consignará los datos y circunstancias identificativas de las partes y los domicilios en que pueden ser citados, concretará los hechos fundamentales en que se basa su petición y fijará con claridad y precisión lo que pide. Lo importante es que el demandado pueda saber qué se pretende contra él y en qué circunstancias fácticas apoya el actor su

---

pretensión; en cambio, si «se hubiera formulado conforme a lo previsto para el juicio ordinario», lo que procedía era que se ratificase en los fundamentos expuestos en ella.

8. En este sentido, PERARNAU MOYA, «El juicio verbal tras su reforma por la Ley 42/2015, de 5 de octubre. Una mirada práctica», en *La Ley* núm. 8727, 22 de marzo de 2016 (D-119).

pretensión, pues sin este relato difícilmente podría el demandado conocer frente a qué tiene que defenderse. Puesto que no se exige que incluya la fundamentación jurídica ni una exposición pormenorizada de los hechos, parece aconsejable la celebración de la vista, pero, sin perjuicio de volver más adelante sobre ello, es claro que la ley no excepciona de la posibilidad de que los verbales se sustancien sin que tenga lugar la vista aquellos que se han incoado mediante la presentación de una demanda sucinta[9].

Precisamente para estos casos en que la parte actúa por sí misma prevé la ley que la demanda pueda formularse cumplimentando unos impresos normalizados puestos a su disposición a tal efecto. El modelo –junto con otros previstos en la LEC y en la Ley de Jurisdicción Voluntaria– fue aprobado por el Acuerdo de 22 de diciembre de 2015, de la Comisión Permanente del Consejo General del Poder Judicial (BOE de 28–1-2016).

Los requisitos de forma y estructura de la demanda completa se han mantenido, en lo esencial, tras la reforma de la Ley 42/2015. De hecho, el art. 399 LEC, al que debe acudirse por la remisión a la demanda del juicio ordinario que efectúa el art. 437, no ha sufrido modificación alguna. Las novedades se registran en lo que atañe a la presentación de la demanda en virtud de las modificaciones que incorpora la ley en materia de presentación de escritos y documentos. En efecto, con arreglo a lo dispuesto en el artículo 273 LEC, la demanda que sea presentada por un procurador habrá de serlo por los medios telemáticos o electrónicos existentes en la Administración de Justicia; quienes no estén representados por procurador pueden elegir si los utilizan o no, salvo que estén obligados a ello (la relación de obligados se contiene en el apartado tercero del art. 273 LEC[10]). Si debiendo utilizar los medios antes señalados no se utilizan, la ley establece la oportunidad de subsanar: el letrado de la Administración de Justicia concederá un plazo máximo de cinco días a tal efecto. Si no se subsana en ese plazo, la consecuencia que se anuda es la de tener por no presentado el escrito de demanda; habrá de entenderse que, en tal caso, el letrado de la Administración de Justica habrá de proceder conforme a lo

---

9. En los formularios aprobados por el CGPJ se insta tanto al actor como al demandado a que marquen la casilla correspondiente indicando si estiman pertinente o no la celebración de vista.

10. Son estos: a) las personas jurídicas; b) las entidades sin personalidad jurídica; c) quienes ejerzan una actividad profesional para la que se requiera colegiación obligatoria para los trámites y actuaciones que realicen con la Administración de Justicia en ejercicio de dicha actividad profesional; d) los notarios y registradores; e) quienes representen a un interesado que esté obligado a relacionarse electrónicamente con la Administración de Justicia; f) los funcionarios de las Administraciones Públicas para los trámites y actuaciones que realicen por razón de su cargo.

preceptuado en el artículo 404.2 LEC, es decir dando cuenta al juez para que sea este quien resuelva sobre la admisión.

Puesto que la demanda es un escrito de los que da lugar al primer emplazamiento del demandado, el procurador, además de presentarla en forma electrónica, deberá aportar en soporte papel, en los tres días siguientes, tantas copias literales cuantas sean las otras partes (art. 273.4.II LEC). Si omite presentarlas, se tendrá por no presentada la demanda (art. 276.4 LEC).

Dentro del objetivo de la ley de lograr una más ágil comunicación de los actos procesales, se insertan dos especificaciones en la demanda: de un parte, el actor, haciendo uso de la habilitación del artículo 152.2.III LEC, puede identificar un dispositivo o correo electrónicos que sirvan para informarle de la puesta a su disposición de un acto de comunicación, es decir, se trata de un aviso, no de una notificación; de otra, entre los datos que el actor facilita del demandado para la localización de este, el artículo 155.2.II LEC ha añadido la dirección de correo electrónico.

2.2. LA ACUMULACIÓN DE ACCIONES

Los apartados cuarto y quinto del artículo 437 LEC incorporan las normas sobre acumulación de acciones que antes se encontraban en el artículo 438; parece más adecuada esta nueva ubicación, puesto que la acumulación se lleva a cabo en la demanda, que es el objeto de regulación del artículo 437, mientras que el artículo 438 atiende a un estadio posterior del proceso (la admisión de la demanda, la contestación y, en su caso, la reconvención, que, en la redacción anterior constituía el núcleo central del precepto).

Las disposiciones, a este respecto, no han variado:

a) en lo que se refiere a la acumulación subjetiva, no concurre ninguna especialidad; la ley se limita remitirse a lo establecido en los artículos 72 y 73;

b) en materia de acumulación objetiva de acciones, la regla es su improcedencia en el juicio verbal porque el legislador estima que la pluralidad de objetos complicaría la tramitación de un modelo procedimental que se quiere ágil y sencillo;

c) las acumulaciones admitidas se enuncian como excepciones a la regla y son estas: 1) que las acciones estén basadas en unos mismos hechos, siempre que proceda en todo caso el juicio verbal; 2) que se acumule la acción de resarcimiento de daños y perjuicios a otra acción que sea prejudicial de ella; 3) que se acumule la acción de reclamación de rentas vencidas a la de desahucio; 4) que se acumule la acción de división de la cosa común a la de separación, divorcio o nulidad.

Nada ha cambiado, en efecto, en la regulación legal, pero los problemas que ya se habían evidenciado persisten sin que las soluciones alcanzadas por la jurisprudencia encuentren un acomodo armónico en la norma. Dos son los tipos de problemas que han aflorado; uno afecta a la acumulación, ya se plantee esta en el juicio ordinario o en el verbal; otro atañe específicamente a su admisibilidad en el juicio verbal.

El primero de ellos se encuentra en relación directa con la competencia como presupuesto de admisibilidad de la acumulación, en los términos que enuncia el artículo 73 LEC: para que una acción se pueda acumular a otra, el tribunal que tenga jurisdicción y competencia para conocer de la principal la ha de tener también para conocer de la acumulada. El problema se ha planteado con especial intensidad desde la incorporación al organigrama jurisdiccional español de los juzgados de lo mercantil, cuyas atribuciones relaciona el artículo 86 ter LOPJ. En aplicación de lo imperado por el artículo 73 LEC si el conocimiento de una de las acciones corresponde al juzgado de primera instancia y el de otra al juzgado de lo mercantil, no cabe la acumulación porque el órgano que posee competencia objetiva para enjuiciar una de ellas no la tiene para enjuiciar la otra. Sin embargo, el Tribunal Supremo ha llegado a una conclusión diferente. La STS de 10 de septiembre de 2012 (RJ 2013, 1605) examinó un caso en que se habían ejercitado conjuntamente un acción de reclamación de cantidad frente a una entidad mercantil (correspondería a los juzgados de primera instancia) y una acción de responsabilidad de los administradores por las deudas de la entidad mercantil (correspondería a los juzgados de lo mercantil). La Sala entendió que las dos acciones podían ser acumuladas para su tramitación y decisión en un mismo proceso ante los juzgados de lo mercantil, aun reconociendo que las reglas generales sobre acumulación no amparan por sí sola esta solución. Basó su decisión en la conexión entre las dos acciones y en concreto: a) en la relación de prejudicialidad entre ellas; b) en la identidad de presupuesto: el incumplimiento de la sociedad; c) en la identidad de la finalidad perseguida: el resarcimiento de los perjuicios ocasionados por el incumplimiento de la sociedad; d) en la naturaleza de la responsabilidad de los administradores: una responsabilidad solidaridad impropia. Razona el tribunal que, de no admitirse la acumulación, el actor se vería abocado a interponer dos demandas y que esa duplicidad resulta desproporcionada; a juicio de la Sala, la situación descrita no responde a la voluntad de la ley, sino a una laguna legal y sostiene la procedencia de la acumulación acudiendo a la aplicación analógica de las normas que regulan esta institución. Finalmente, decide que la competencia corresponde al juzgado de lo mercantil por ser este el llamado a conocer de la acción más específica y que tiene carácter principal respecto de la otra, de modo que la norma de especialización competencia prevalece sobre la norma de atribución de competencia residual a los juzgados de primera instancia; esta solución, concluye la sentencia, produce una alteración mínima del sistema de distribución de competencias y no provoca indefensión a las partes (no afecta a sus posibilidades de alegación y defensa, no modifica el tipo de proceso ni el sistema de garantías procesales ni el de recursos).

El legislador –que, en otras ocasiones, se ha mostrado proclive a incorporar el criterio del Tribunal Supremo a los preceptos legales (como, por ejemplo, en las normas concursales)– ha desaprovechado las oportunidades que le han brindado las sucesivas reformas para fijar el criterio rector con que han de resolverse problemas como el descrito. Podía haberlo hecho en la Ley Orgánica 7/2015, de 21 de julio, que modificó la LOPJ y su artículo 86 ter y también en la Ley 42/2015, mediante la inserción de la correspondiente excepción a la regla enunciada en el ordinal primero del art. 73.1 LEC.

El segundo de los problemas anunciados entronca con las posibilidades y dificultades que ofrece la tutela colectiva. La Ley 39/2002, de 28 de octubre, que llevó a cabo la transposición de la Directiva 98/27/CE, modificó la Ley de Enjuiciamiento Civil estableciendo, entre otras cosas, que las acciones de cesación en defensa de los intereses colectivos y difusos de los consumidores se ventilasen por los cauces del juicio verbal, «con el fin de garantizar la rapidez de los procedimientos judiciales en los que se ejerciten dichas acciones». La nueva configuración del juicio verbal –demanda completa y contestación escrita– aliviará algunas de las trabas que entrañaba la opción del legislador. Las que suscita una eventual acumulación de acciones perduran. Las dificultades se evidenciaron con el artículo 12.2 LCGC[11] y posteriormente se han intensificado con lo

---

11. A este respecto, véase López Sánchez, «De la colectivización de acciones individuales a la tutela colectiva inhibitoria y de control abstracto de licitud», en *Coherencias e incoherencias de las reformas del proceso civil* (dir.: Herrero Perezagua), cit., pp. 194 y 195, a propósito de la STS de 9 de mayo de 2013 (RJ 2013, 3088) que eludió el planteamiento de este problema. En opinión del citado autor, la cuantía del proceso –en el que se ejercitaba una acción colectiva de nulidad con proyección futura hacia un número indeterminado de consumidores– debería venir determinada por la suma de la pluralidad de intereses afectados –los consumidores ya habían contratado– o, en su caso, considerarla de imposible determinación, por lo que el cauce para la

dispuesto en el párrafo cuarto del artículo 53 del TRLGDCU. Este permite acumular a la acción de cesación interpuesta por asociaciones de consumidores y usuarios la de nulidad y anulabilidad, la de incumplimiento de obligaciones, la de resolución o rescisión contractual y la de restitución de cantidades cobradas en virtud de conductas o estipulaciones o condiciones generales declaradas abusivas o no transparentes, así como la de indemnización de daños y perjuicios que hubiere causado la aplicación de tales cláusulas o prácticas. Este precepto se aviene mal con las prescripciones que en la Ley de Enjuiciamiento Civil se establecen en cuanto a la procedencia de la acumulación de acciones, especialmente en lo que atañe a la superación de los límites del verbal, y, además, introduce una complejidad en su tramitación contraria al espíritu y la orientación que el legislador ha querido imprimir en su configuración.

2.3. LA POSTULACIÓN

La Ley 42/2015 mantiene la regla general y las excepciones en lo que respecta a la capacidad de postulación de los litigantes. Por lo común, es preceptiva la intervención de abogado y procurador[12]; entre las excepciones se encuentra la que se refiere a los juicios verbales. Esta excepción ya regía antes para los juicios verbales cuya cuantía no excediera de 2000 euros (la cantidad se elevó de 900 a 2000 euros en 2011 y es coincidente con la que establece como límite el art. 2 del Reglamento CE 861/2007, de 11 de julio, para la procedencia del proceso europeo de escasa cuantía, en el que, conforme a su art. 10, tampoco se exige la intervención de abogado ni de cualquier otro profesional del Derecho). La ley ha especificado, tanto en el artículo 23 –para el procurador– como en el artículo 31 –para el abogado– que la excepción se limita a los juicios verbales cuya determinación se haya efectuado por razón de la cuantía disipando las dudas que todavía algunos pudieran albergar respecto de aquellos casos en que se siguen los trámites del juicio verbal por razón de la materia y en los que su cuantía no superase la cantidad antes indicada. A esta conclusión

---

declaración de nulidad parecía ser el juicio ordinario (salvo que se considerase que el pronunciamiento del TS es de carácter puramente abstracto); y, en todo caso, la condena a la restitución de las prestaciones, «en la medida en que su cuantía superase la que determina la procedencia del juicio verbal, sólo sería posible cuando el juicio seguido fuese el ordinario, es decir, en aquellos supuestos en que la acción de cesación en materia de condiciones generales de la contratación no se ejercitase en interés de los consumidores y usuarios».

12. La ley actualiza, en lo que al procurador se refiere, la titulación que se le exige: antes decía que había de ser licenciado en Derecho; ahora dice que habrá de ser licenciado o graduado en Derecho u otro título universitario de grado equivalente.

ya se llegaba con anterioridad[13]; ahora se confirma: en los juicios verbales por razón de la materia es preceptiva la intervención de abogado y procurador cualquiera que sea la cuantía del pleito. Recuérdese, además, que los juicios verbales en que no es preceptiva la intervención de abogado y procurador son procesos de única instancia, pues tal y como dispone el artículo 455 LEC no cabe recurso de apelación contra las sentencias dictadas en los juicios verbales por razón de la cuantía cuando esta no supere los 3000 euros.

Tanto el procurador como el abogado disponen de procedimientos privilegiados para exigir de la parte a la que hayan representado o defendido el pago que esta les adeude por sus derechos u honorarios devengados. Estos procedimientos se encuentran regulados en los artículos 34 y 35 LEC y en ellos ha introducido la Ley 42/2015 tres modificaciones:

a) la primera es coincidente en uno y otro caso y consiste en recoger expresamente –lo que era opinión mayoritaria– que para efectuar sus respectivas reclamaciones no será preceptiva la intervención de abogado y procurador, lo que lleva aparejado que el reclamante no podrá incluir partida alguna por esta actuación en concepto de costas[14], lo que parece subrayarse aún más al desaparecer la alusión a las costas del apartado tercero de uno y otro artículos, aunque genere alguna ambigüedad respecto de las costas que se generen en la ejecución[15];

---

13. En este sentido, HERRERO PEREZAGUA, *La representación y defensa de las partes y las costas en el proceso civil*, La Ley, Madrid, 2000, pp. 81 y 82.

14. A modo de ejemplo, véase la SAP de Guipúzcoa (sec. 3.ª), de 20 de mayo de 2010 (AC 2010, 1597) con cita de las razones que abogan por la inclusión o la no inclusión en concepto de costas y de algunas resoluciones que acogen la tesis de la no inclusión. El AAP de Madrid (sec. 9.ª) de 29 de septiembre de 2006 (JUR 2006, 264825) recoge, en síntesis, el fundamento por el que se entiende que estas partidas no han de ser conceptuadas como costas: «la actuación de estos u otros profesionales por los mismos en los procedimientos de jura de cuentas no responde a la necesidad de postulación y defensa procesal, pues existe el privilegio de actuar directamente».

15. Estos preceptos disponían que en el caso de que se formulase oposición, el despacho de la ejecución por la cantidad a que ascendiera la cuenta o minuta «más las costas». Este entrecomillado es el que ha suprimido la Ley 42/2015. Al respecto señala BERNABÉU PÉREZ, «Los procesos declarativos y la reforma de la Ley de enjuiciamiento Civil 1/200.° por la Ley 42/2015», en *Actualidad Civil* 25 de noviembre de 2015 (LA LEY 7674/2015), que «esta supresión sin duda ha sido como consecuencia de no ser preceptiva la intervención de abogado y procurador, pero aquí el legislador no ha sido del todo afortunado ya que ha equiparado costas, con los honorarios de los abogados y derechos de los procuradores, cuando costas no son solo eso, y sobre todo en fase de ejecución que se producen anotaciones de embargos en el registro, etc., que son generadoras de costas distintas a los honorarios y derechos, y son costas que dada la redacción del artículo 539 de la Ley de Enjuiciamiento Civil, deberá de seguir

b) la segunda comporta la extensión a los herederos del abogado de la legitimación para reclamar de la parte y por el cauce del artículo 35 los honorarios debidos y no satisfechos, equiparando así su situación a la de los herederos del procurador[16];

c) la tercera introduce expresamente el trámite de audiencia al procurador o abogado reclamante en caso de oposición o impugnación del deudor y la posibilidad de que el abogado, cuando se trate de una impugnación de los honorarios por excesivos, acepte la reducción, en cuyo caso, así se colige, esa cantidad es la que habrá de recoger el decreto del letrado de la Administración de Justicia (en este último supuesto la ley ha trasladado lo establecido en el artículo 246, al que se remitía anteriormente, al texto del artículo 35, reduciendo el plazo concedido al abogado de cinco a tres días y provocando así una disparidad de plazos para supuestos similares).

Aún son reseñables otras novedades que incorpora la Ley 42/2015 en lo que al procurador respecta:

a) el artículo 23.5 LEC otorga a los procuradores capacidad de certificación para la realización de los actos de comunicación, es decir, con el mismo alcance y efectos, según dice el preámbulo de la ley, que los realizados por los funcionarios del Cuerpo de Auxilio Judicial, lo que se prevé que redunde en una mayor agilización del procedimiento; su actuación es impugnable ante el letrado de la Administración de Justicia por los trámites del recurso de reposición –que resulta así un tanto desnaturalizado– y el decreto que resuelva la impugnación es recurrible en revisión; ahora bien, y puesto que esas actuaciones practicadas por el procurador pueden serlo por

---

pagando el ejecutado». Para no entender vacía de contenido la referencia a las costas que se contenía en los preceptos ahora modificados la SAP de Las Palmas (sec. 4.ª) de 1 de junio de 2004 (JUR 2004, 216655) señalaba que «puede haber supuestos en que haya costas como cuando conforme a lo dispuesto en el artículo 32.5 de la Ley de Enjuiciamiento civil, no siendo preceptiva la intervención de abogado o procurador se valga de dichos profesionales y el tribunal aprecie temeridad en la conducta del condenado o que el domicilio del representado o defendido estuviera en lugar distinto a aquel en que se haya tramitado el juicio».

16. CEDEÑO HERNÁN, *Retribución de abogados y procuradores: la llamada «jura de cuentas»*, Aranzadi, Cizur Menor, 2002, pp. 76–78, expone las posiciones encontradas que había a este respecto, decantándose la autora por la no extensión a los herederos en ninguno de los dos casos por la condición de colaboradores que tienen tanto el abogado como el procurador, condición que no se transmite por sucesión. Es claro que la regulación presentaba un desequilibrio en uno y otro supuesto; la opción de la ley ha sido la contraria a la sostenida por la profesora Cedeño, de modo que en lugar de suprimir la habilitación del procedimiento privilegiado, la ha extendido allí donde no la había.

las oficinas judiciales –es decir, que no es preceptivo que las lleve a cabo el representante causídico–, los derechos que devengue por tal concepto no serán incluibles en las costas a que resulte condenado el contrario (art. 243.2.II LEC);

b) el artículo 24.1 LEC suma a las formas de apoderamiento –notarial y *apud acta* ante el letrado de la Administración de Justicia– una más: se puede conferir el poder por comparecencia electrónica en la correspondiente sede judicial;

c) el artículo 23.6 LEC ahonda en una idea que ha ido calando en los últimos años y que tiene su arranque normativo en el artículo 272 LOPJ: el mayor protagonismo de los colegios de procuradores en la organización de los servicios para la práctica de los actos procesales y de las demás funciones atribuidas a los procuradores, en cuyo planteamiento puede atisbarse «la implantación de una procura de incipiente corte corporativo»[17].

2.4. LA ADMISIÓN DE LA DEMANDA

El examen de admisibilidad de la demanda corresponde al letrado de la Administración de Justicia; lo que antes decía el artículo 440 LEC lo dice ahora el 438, en concordancia con lo establecido por el artículo 404 para el juicio ordinario; lo que antes se regulaba en el precepto que regulaba la citación para la vista, ahora se regula en el que se ocupa de la contestación, como consecuencia de la nueva estructura del juicio verbal, pues si antes a la admisión seguía la citación para la vista, ahora le sigue el traslado de la demanda y el emplazamiento al demandado para que conteste.

Este ajuste formal o sistemático nada tiene de objetable en lo que respecta a la razón que lo motiva, es decir, a colocar en su sitio, con arreglo a un criterio de orden, las actuaciones procesales. El criterio que informa el propio modo de proceder, esto es, de atribuir al letrado de la Administración de Justicia el juicio de admisibilidad y algunos aspectos en que este se resuelve siguen mereciendo los mismos reparos ahora que antes[18]:

a) De una parte, me parece claro que el examen que ha de realizar el letrado de la Administración de Justicia entraña un enjuiciamiento

---

17. Véase a este respecto, Á. BONET NAVARRO, «La función del procurador de los tribunales en la Ley Orgánica del Poder Judicial», en *VI Centenario del Colegio de Procuradores de Zaragoza (1396–1996)*, Colegio de Procuradores de Zaragoza, Zaragoza, 1996, p. 248.

18. A este respecto, HERRERO PEREZAGUA, *Lo jurisdiccional en entredicho*, Cizur Menor, Thomson-Aranzadi, 2014, pp. 61 y ss.

que va más allá de la mera verificación formal de los requisitos exigidos legalmente. El juicio de admisibilidad puede ser positivo –si concluye que la demanda ha de ser admitida–, condicionado –si aprecia algún defecto de cuya subsanación dependa la admisión de la demanda– o negativo –si entiende que el defecto conduce a la inadmisión, algo que corresponde decidir al juez–. Adviértase que la labor desempeñada va más allá de una simple ejecución material de lo prescrito por la norma, lo que se evidencia especialmente en aquellos casos en que acuerda conceder un plazo para subsanar o dar cuenta al juez para que este decida, porque en uno y otro caso ha concluido que concurre alguna de las circunstancias que obstan a la admisión: el juicio de admisibilidad ha tenido lugar cualquiera que sea el sentido en que se desenvuelva y ese es un juicio de naturaleza jurisdiccional.

b) De otra parte, la ley no resuelve en el artículo 438 ni tampoco en el 404 cómo proceder cuando en la demanda se contengan algunas peticiones a las que ha de dar respuesta el juez y no el letrado de la Administración de Justicia; así, por ejemplo, cuando se solicite en el escrito de demanda una medida cautelar (sobre cuya adopción, conforme al art. 733.2 LEC, se ha de pronunciar el juez mediante un auto) o pida actuaciones anticipadas de prueba (que, con arreglo a los arts. 294.2 y 297.1, ha de decidir el juez por providencia). El decreto de admisión no puede pronunciarse sobre estos extremos, lo que comporta o bien que se rompa la unidad de trámite –que cada uno se pronuncie sobre aquello que le atribuye la ley– o que se remitan todas las cuestiones al juez, también la de la admisión de la demanda, para su decisión en una misma resolución, algo que no recoge la ley[19].

El decreto o el auto que admita la demanda ordenará que se dé traslado de esta al demandado para que la conteste en el plazo de diez días. El acto de comunicación tendrá, además, estos contenidos:

a) se le indicará al demandado que ha de pronunciarse sobre la pertinencia de la celebración de la vista (art. 438.4.I) y –a mi parecer, también, sobre todo cuando no sea preceptiva la intervención de abogado ni procurador– de las consecuencias de no solicitarla;

b) se le indicará, cuando se trate de un juicio verbal por razón de la cuantía y esta no supere los 2000 euros, que es posible actuar sin

---

19. Véanse, sobre esta cuestión, BANACLOCHE PALAO, «El Proyecto de Nueva Oficina Judicial: ¿hacia un nuevo proceso administrativizado?», en *La Ley* núm. 7251, 29 de septiembre de 2009 (LA LEY 1325/2002), y HERRERO PEREZAGUA, *Lo jurisdiccional en entredicho*, cit., p. 65.

abogado ni procurador y que están a su disposición unos impresos normalizados para la contestación a la demanda (art. 438.1.II);

c) no siendo preceptiva la intervención de abogado ni procurador, se le informará, en su caso, de la intención manifestada por el actor de servirse de estos profesionales y del derecho que le reconoce el artículo 6.3 LAJG de solicitar la asistencia jurídica gratuita (art. 32.4 LEC).

2.5. LA CONTESTACIÓN A LA DEMANDA

2.5.1. La forma escrita

El artículo 438.1 LEC impone como regla la forma escrita para la contestación a la demanda. La novedad no radica en su implantación, sino en su generalización. Los procesos no dispositivos (sobre capacidad, filiación, matrimonio y menores) que, conforme a lo establecido en el artículo 753 LEC se sustancian por los trámites del juicio verbal, requerían y requieren la contestación escrita. Otro tanto cabe decir respecto del incidente concursal en el que, tras la demanda completa y la contestación escrita, el trámite posterior –establecido por la ley con carácter eventual– es la vista para cuyo desarrollo se remite la norma a lo previsto en la Ley de Enjuiciamiento Civil para los juicios verbales (art. 194 LCon); y el modelo se repite, con algunas variaciones, en el procedimiento por el que ha de articularse la acción de anulación del laudo arbitral, según dispone el artículo 42.1 de la Ley de Arbitraje.

En los textos que precedieron al que definitivamente fue la Ley de Enjuiciamiento Civil, se distinguían dos tipos de juicios verbales: aquellos en que la demanda debía hacerse en la forma prevenida para el juicio ordinario y aquellos otros para los que bastaba la demanda sucinta y, en lógica correspondencia, se disponía para los primeros la contestación escrita y para los segundos, la contestación oral en la vista. Esta dualidad tenía su razón inspiradora:

a) el verbal con demanda sucinta estaba ideado, en primer lugar, para procesos que tuvieran como objeto reclamaciones de escasa cuantía y, en segundo lugar, para procesos de objeto bien acotado o procesos sumarios (los antiguos interdictos de adquirir, obra nueva y obra ruinosa, desahucios y protección de titulares de derechos reales inscritos);

b) el juicio verbal con demanda completa se reservaba para procesos en que se reclamase una cuantía más elevada o que presentaran un mayor grado de complejidad por razón de la materia que constituyese su objeto (arrendamientos, retracto, las demás tutelas sumarias de la posesión, alimentos, tutela civil de derechos fundamentales, propiedad horizontal, indemnización de daños derivados de la circulación de vehículos de motor).

La ley, finalmente, eliminó esta segunda modalidad con algunos ajustes en la distribución de asuntos entre el juicio verbal y el juicio ordinario. Y, casi de inmediato, surgió la pregunta acerca de si el modelo instaurado garantizaba suficientemente la tutela del actor y la defensa del demandado[20]. Por una parte, la regulación invitaba a cuestionarse si el demandado podía verse sorprendido en la vista con una fundamentación jurídica del demandante que no fue capaz de prever, pues salvo en los casos en que la pretensión consista en una reclamación de cantidad –en los que difícilmente puede el demandado ignorar el porqué de lo que el actor pide–, no son descartables supuestos en que la razón de pedir quede oculta para el sujeto pasivo. Pero, por otra parte y tal vez más acusadamente, el actor quedaba expuesto a una contestación del demandado con escaso margen para reaccionar, pues solo en la vista podía hacerlo, es decir, en el mismo trámite en que conocía el contenido de las alegaciones efectuadas de contrario. Así se entiende que, en el preámbulo de la ley, el legislador confiese, aunque no descienda a una mínima concreción, que el objeto de la reforma a este respecto sea el de reforzar las garantías derivadas del derecho a la tutela judicial efectiva.

El traslado de la contestación y de los documentos que la acompañan se hará, por lo general, por medios telemáticos y de procurador a procurador, simultáneamente a su presentación ante el juzgado (art. 276 LEC).

2.5.2. El plazo para contestar

El plazo para contestar a la demanda en el juicio verbal es de diez días (art. 438.1 LEC), la mitad que en el juicio ordinario (art. 404.1 LEC) y la mitad también del que ya se establecía para los procesos no dispositivos que siguen los cauces del juicio verbal (art. 753.1 LEC). No da razón la ley de este acortamiento. Y lo cierto es que resulta problemático.

---

20. Los distintos comentaristas así lo advirtieron, poniendo el acento más en el déficit de protección de una u otra parte, según los casos. A este respecto, entre otros, ILLESCAS RUS, en *Comentarios a la nueva Ley de Enjuiciamiento Civil*, t. II, (coord.: FERNÁNDEZ-BALLESTEROS, RIFÁ SOLER y VALLS GOMBAU), Atelier, Barcelona, 2000, p. 1938; CORDÓN MORENO, en *Comentarios a la Ley de Enjuiciamiento Civil*, 1.ª ed., vol. I, (coord.: CORDÓN MORENO, ARMENTA DEU, MUERZA ESPARZA y TAPIA FERNÁNDEZ), Aranzadi, 2001, p. 1488; LÓPEZ-FRAGOSO ÁLVAREZ y REVERÓN PALENZUELA, en *Proceso civil práctico*, vol. V, (dir.: GIMENO SENDRA), La Ley, Madrid, 2005, pp. 558 y 559.

Para comparar esta situación con la que presentaba la redacción anterior, hemos de fijarnos en lo que se disponía en esta respecto del señalamiento de la vista del juicio verbal. El artículo 440.1 fijaba un plazo mínimo y un plazo máximo: de un lado, entre el día en que las partes eran citadas y el señalado para la vista no podían mediar menos de diez días; de otro, entre la comunicación del señalamiento y la celebración de la vista no podían pasar más de veinte días. El primer plazo atendía a la finalidad de evitar indefensiones; el segundo, a la de evitar dilaciones[21]. Fijémonos en lo primero: la concesión del plazo responde a que se ha de garantizar que el demandado disponga del tiempo suficiente para articular su defensa. Podría parecer que la reforma de la ley en este sentido apenas supone variación: si la citación se ajustaba al tiempo mínimo, entre el momento en que el demandado era conocedor de la demanda y la vista en que debía contestar, podían transcurrir no más de diez días. Ahora bien, puesto que al fijar el día para la vista el tribunal no conocía cuándo iba a recibir el demandado la citación, ese tiempo se establecía con un margen mayor. Y la práctica evidenciaba, por razones de agenda del tribunal o de acumulación de asuntos, que el tiempo máximo se excedía de largo.

Si el objetivo de la Ley 42/2015, en este extremo, era agilizar la tramitación de los juicios verbales –en el sentido de reducir el tiempo que va desde la demanda hasta la sentencia– podía haber operado de otra manera[22]; al leer el artículo 440.1 en su nueva redacción, comprobaremos que el letrado de la Administración de Justicia ha de citar a las partes a la vista dentro de los cinco días siguientes a la contestación; y la vista ha de tener lugar dentro del plazo máximo de un mes (se entiende que con referencia a la fecha de la citación). Mejor hubiera sido que ese mes hubiera quedado reducido a veinte días (que por las reglas del cómputo de plazos es casi lo mismo) y que los diez días sobrantes se hubieran sumado al plazo concedido para contestar ampliándolo hasta otros veinte. De este modo, se reforzarían las garantías de tutela del demandado y no sufriría el margen teórico temporal del proceso. Todo ello partiendo de que los

---

21. Véase, en este sentido, MONTERO AROCA y FLORS MATÍES, *Tratado de juicio verbal*, Thomson-Aranzadi, Cizur Menor, 2003, pp. 632 y 633.

22. Especialmente crítico con la cortedad del plazo para contestar se muestra MARTÍ MARTÍ, «El juicio verbal tras la reforma de la LEC 1/2000 y tras su evolución normativa», en *Práctica de Tribunales* n.° 117, noviembre-diciembre 2015, (LA LEY 6223/2015): «Parece que se repite el error de entender que si se concede el plazo de veinte días para contestar a la demanda, el proceso puede verse dilatado. El legislador debe darse cuenta que los plazos de preparación de los escritos de contestación, de recurso de apelación y casación, etc., son plazos de calidad, que permiten un trabajo bien hecho, un completo estudio jurisprudencial, una revisión de lo escrito, una ratificación por parte del propio cliente».

plazos impropios que señala la ley se cumplieran, lo que, en general y lamentablemente, dista de ser el estándar de referencia; si el problema reside en el largo tiempo que transcurre hasta la celebración de la vista, no se acaba de entender que el foco se haya puesto en el plazo para contestar. En definitiva, no es aventurado sostener que poco o nada se ha ganado en el objetivo de una justicia rápida y que, parejamente, ha crecido el riesgo de una tutela inacabada.

2.5.3. La rebeldía

Al introducirse el emplazamiento del demandado para que conteste por escrito a la demanda, el legislador ha tenido que regular también el efecto que ha de anudarse a la incomparecencia: el párrafo primero del artículo 438.1 LEC señala, en su inciso final, que, en tal caso, el demandado será declarado en rebeldía, conforme al artículo 496. En la redacción anterior esta declaración tenía lugar en la vista (así lo decía el inciso hoy suprimido del art. 442.2).

Con arreglo al artículo 496.2, la rebeldía equivale a negación de los hechos y a que el demandado se opone a la pretensión; el mismo precepto prevé que otra puede ser la consecuencia si de modo expreso la ley así lo dispone. Y precisamente en el juicio verbal se recogen algunas de estas excepciones que no han sido objeto de modificación por la Ley 42/2015: a) en el caso en que el objeto del proceso sea la efectividad de los derechos reales inscritos, la incomparecencia se asimila al allanamiento, pues, según prescribe la norma, el juez dictará sentencia acordando las actuaciones solicitadas por el actor (art. 440.2); b) en todos los desahucios, la incomparecencia comporta que se declare el desahucio sin más trámites (art. 440.4).

Lo cierto es que en uno y otro caso la ley anuda la resolución estimatoria de la pretensión a la incomparecencia a la vista (dejo al margen el monitorio por desahucio del art. 440.3 por obedecer a un modelo distinto: al monitorio, no al verbal). Si bien se mira, la razón de conceder la tutela que pide el actor en estos casos obedece a que el demandado no contradice ni se opone a la pretensión. Y es claro que la evidencia de esa conducta se adquiere cuando, expirado el plazo para contestar, el demandado no lo ha hecho. Ese momento llegaba, antes de la Ley 42/2015, en la vista puesto que era en ella donde el demandado tenía la carga de contestar y en ella tenía lugar la declaración de rebeldía cuando el demandado no comparecía; pero, tras la modificación del artículo 438.1, la evidencia de la conducta observada por el demandado se adelanta al día final marcado en el emplazamiento. Además, si el demandado no ha contestado a la demanda, tampoco se habrá pronunciado sobre la pertinencia de que se celebre la vista ni se dará el consiguiente traslado al actor para que se pronuncie sobre ello y, por tanto, si ninguna de las partes la pide y no hay motivo para que el tribunal considere procedente su celebración, carece de sentido esperar a que se produzca la incomparecencia en un trámite que no va a tener lugar. En consecuencia, en los casos citados, la sentencia estimatoria debe dictarse tan pronto como el demandado sea declarado en rebeldía.

2.5.4. Contenidos de la contestación

A la contestación le serán aplicables las prescripciones que respecto de la forma y el contenido recoge el artículo 405 LEC pues a él –e indirectamente al artículo 399– hay que entender hecha la remisión del artículo 438 cuando dice que se la dará traslado de la demanda al demandado para que la conteste «conforme a lo dispuesto para el juicio ordinario».

Es este pues el momento para que el demandado vacíe cuantas alegaciones estime oportuno esgrimir en defensa de su derecho: excepciones procesales, excepciones materiales, excepciones reconvencionales. Específicamente dispone el reformado apartado 3 del artículo 255 LEC que la contestación es el trámite y momento oportuno para impugnar la cuantía o la clase de juicio por razón de la cuantía; como lo es también para impugnar la clase de juicio por razón de la materia. Todas las cuestiones procesales formuladas por el demandado que puedan impedir la válida prosecución del proceso o que incidan en la delimitación del objeto serán resueltas por el juez en la vista antes de llevar a cabo la actividad probatoria y entrar en el fondo. Respecto de todas ellas habrá que oír al actor, lo que, conforme a las prescripciones legales, parece que deberá hacerse en el acto de la vista. Así expresamente lo indica el artículo 255, respecto de la impugnación de la cuantía y de la clase de juicio por razón de la cuantía, y así lo señala el artículo 443.2, cuando regula el desarrollo de la vista. Volveré sobre ello más adelante.

En la contestación, el demandado ha de pronunciarse sobre la pertinencia de la celebración de la vista (art. 438.4). Dice la ley que ha de hacerlo *necesariamente*. La pregunta se impone: ¿y si guarda silencio?[23] A mi parecer, solo si se entendiera que el adverbio comporta algún tipo de carga o deber para la parte de cuya inobservancia se derivase una consecuencia indefectiblemente negativa para ella o que afectase al curso normal de las actuaciones habría de concluirse que la reacción ante el silencio habría de

---

23. A este respecto, Marcos Francisco, «El nuevo juicio verbal tras la Ley 42/2015, de 5 de octubre, de reforma de la Ley 1/2000, de 7 de enero, de Enjuiciamiento Civil», en *Revista General de Derecho Procesal* 38 (2016), p. 22.

ser que el letrado de la Administración de Justicia otorgase un plazo para subsanar. En principio parece que la celebración de la vista se configura como una opción para las partes, de modo que entra en el ámbito de sus facultades solicitarla o no y que si no la piden, nada hay que subsanar. Pero no debe olvidarse que si el demandado no la pide, queda en manos del actor –o, en último término, del tribunal– que tenga lugar o no y, en consecuencia, que esa falta de solicitud se traduzca en la preclusión de proponer y practicar prueba, pues estas son actuaciones que solo en la vista tienen cauce para llevarse a cabo. La consecuencia de su silencio, por tanto, puede ser la pérdida de una oportunidad procesal y, por ello, parece justificado que el tribunal adquiera certeza de que la voluntad de la parte es inequívoca y, consiguientemente, el letrado de la Administración de Justicia conceda un plazo para subsanar lo que pudo ser un defecto en el que incurrió la parte, conforme a lo señalado en el artículo 231 LEC.

2.5.5. Documentos, dictámenes y otros instrumentos que se han de acompañar a la contestación

A la contestación, el demandado habrá de acompañar los documentos procesales, es decir, los relacionados en el artículo 264 LEC. Se ha simplificado la redacción de este precepto al suprimirse la previsión de que el demandado presentase tales documentos al comparecer a la vista del juicio verbal, lo que es consecuencia de que en este proceso la contestación ha de ser escrita. A igual razón obedece la supresión del apartado cuarto del artículo 265 LEC, que, respecto de los documentos, medios, instrumentos, dictámenes e informes relativos al fondo del asunto –aquellos en que la parte funde su derecho a la tutela judicial que pretende–, disponía que el demandado había de aportarlos en el acto de la vista. A partir de la Ley 42/2015 habrá de hacerlo en la contestación a la demanda. Por tanto, a la aportación de documentos en la contestación del juicio verbal le será igualmente aplicable la regla de preclusión que recoge el artículo 269 LEC: el demandado ya no podrá presentarlos después (con las salvedades que enumeran los artículos 270 y 271 LEC). Esta medida refuerza la tutela del actor, al garantizarle el conocimiento de esos documentos y demás medios con antelación a la vista y la posibilidad de reaccionar frente a ellos, tanto en lo que se refiere a los que pudiera aportar en virtud de lo establecido en el artículo 265.3 como en lo que pueda decir al formular sus conclusiones.

La excepción que el apartado tercero del artículo 265 preveía para el juicio ordinario se ha ampliado, en lógica consecuencia, al juicio verbal: aquellos documentos y demás instrumentos relativos al fondo del asunto cuyo interés o relevancia solo se ponga de manifiesto a consecuencia de alegaciones efectuados por el demandado en la contestación, podrá aportarlos el actor en la vista (al igual que lo hará en la audiencia previa cuando del juicio ordinario se trate); podía haberse aprovechado esta modificación para incorporar una norma similar a la que contiene el artículo 338.2 LEC, en el sentido de prescribir que la aportación, como ocurre con los dictámenes a que se refiere el precepto citado, se produjera al menos cinco días antes de la celebración de la vista y, así, todos los materiales pudieran ser conocidos por las partes con antelación suficiente.

Lo dicho en cuanto a la aportación de los documentos con la contestación vale también para los dictámenes periciales, así como para los medios e instrumentos de grabación o los archivos informáticos. Respecto de los dictámenes, la carga que tiene la parte de aportarlos cede en los casos en que, por ser titular del derecho a la asistencia jurídica gratuita o aun no siéndolo, solicite la designación judicial de perito; desaparece la alusión que para uno y otro caso contenía el artículo 339 LEC de que esa solicitud se hiciera con al menos diez días de antelación al señalado para la vista; ahora, la petición ha de hacerla en la contestación y no podrá hacerla después. Lo que antes pretendía la ley –que se pidiera la designación mediante un escrito anterior a la vista y que el dictamen estuviera disponible al tiempo de celebrarse esta– se consigue ahora a través de la contestación.

En lo que a la presentación de grabaciones respecta, llama la atención que el artículo 382.1 LEC imponga con carácter preceptivo que se acompañe la transcripción escrita de las palabras contenidas en el soporte de que se trate y que resulten relevantes para el caso. La transcripción cobraría pleno sentido en el caso de una grabación defectuosa. Lo que en la redacción anterior era mera facultad de la parte se ha transformado en la imposición de una carga, que, atendiendo al carácter subsidiario que la ley quiere otorgar al soporte papel, resulta un tanto sorprendente, salvo que se entienda que esa transcripción escrita se hará también en un soporte informático. La norma, no obstante, no anuda consecuencia alguna a la falta de transcripción o a una transcripción incompleta; no queda claro si su falta de subsanación ha de conducir a la inadmisión de la prueba o si será un factor a tener en cuenta en la valoración que se haga de ella.

2.5.6. Reconvención y excepciones reconvencionales

Los cambios introducidos por la Ley 42/2015 no han afectado a los presupuestos de procedencia de la reconvención ni de la compensación. Para aquella se exige ahora, como antes, que el juzgado que esté conociendo del juicio verbal tiene que ser competente objetivamente para conocer de la reconvención (aunque puede alterarse la competencia territorial), que no puede formularse cuando la pretensión deba seguir los cauces del juicio ordinario (art. 438.2.II) ni tampoco si es objeto de una tutela sumaria (art. 438.2.I), y, finalmente, que tiene que existir conexión entre la pretensión hecha valer en la demanda y la de la reconvención (art. 438.2.II). En lo que a la compensación respecta, la ley exige ahora, como antes, que la cuantía del crédito compensable no exceda de 6000 euros, pues, en otro caso, se le advertirá al demandado que, en la vista, tal alegación se tendrá por no hecha para que use su derecho ante el tribunal y por los trámites que correspondan (art. 438.3).

Son los requisitos de forma y tiempo los que han experimentado alguna modificación, en lógica adecuación a la introducción de la contestación escrita. Así, en lo que respecta a la reconvención, el demandado podrá formular esta en el plazo del que dispone para contestar. De ella se dará traslado al reconvenido –una actuación que llevará a cabo el procurador, aunque corresponda al tribunal pronunciarse sobre su admisión– y dispondrá para contestar de un plazo de diez días a contar desde que se le notifique la resolución de admisión. En cuanto a la brevedad del plazo son trasladables las consideraciones efectuadas respecto del plazo para contestar a la demanda; al menos, ahora, con la nueva regulación, el reconvenido parece contar con un margen mayor que antes, pues en la regulación anterior bastaba con que le fuera notificada cinco días antes de la vista. Desaparece la incertidumbre que provocaba el cómputo de un plazo hacia atrás.

La alegación del crédito compensable ha de hacerse en la contestación. La ley remite al artículo 408, lo que significa que de esta alegación habrá que dar traslado al actor para que pueda contradecirla y que la forma de hacerlo será la prevista para la contestación a la reconvención, por lo que el plazo para ello será el común de diez días. Estas previsiones valen tanto para los casos en que el crédito compensable sea de una cuantía superior al del actor, como si lo fuera por un importe igual o inferior y, en el primer caso, ya se pida la condena del demandante por la diferencia, ya se limite a alegar la compensación sin pedir la condena. El tratamiento procesal no difiere. De lo que se trata es de que el actor pueda articular convenientemente y con tiempo suficiente su defensa[24] frente a una alegación que incide en la configuración del objeto del proceso.

---

24. Véase, a este respecto, MONTERO AROCA y FLORS MATÍES, *Tratado de juicio verbal*, cit., p. 701. Recuerdan los autores que si el demandado pide la condena del actor por la diferencia, estaremos ante una auténtica reconvención, pero en este caso no es exigible el requisito de la conexión: «si la compensación exige que se trate de derechos

Lo que faltaba y falta ahora es una referencia expresa, al modo en que se contiene en el juicio ordinario (art. 408.2 LEC), a la defensa del demandado con fundamento en la nulidad del negocio jurídico. La cuestión ya se planteó en los debates que precedieron a la promulgación de la Ley de Enjuiciamiento Civil[25] y, tras su entrada en vigor, se han mantenido interpretaciones distintas[26]. La Ley 42/2015 fue una buena ocasión para acabar con la divergencia de pareceres que la norma genera y que, puesto que ha sido desaprovechada, continuará previsiblemente manteniéndose. En definitiva, subsiste el problema de cuál es el tratamiento procesal[27] que debe darse en el juicio verbal a la alegación por el demandado de la nulidad absoluta del negocio jurídico en que funda la demanda e incluso el ámbito de la propia alegación, es decir, si ha de restringirse a la nulidad absoluta o extenderse a otros tipos de ineficacia[28]. Así las cosas, estas son

---

propios y de obligaciones principales, difícilmente podrá exigirse que la pretensión de la demanda y la de la reconvención tengan como base, no ya unos mismos hechos, sino ni siquiera unos hechos relacionados entre sí».

25. Véanse las opiniones sustentadas por BLASCO SOTO, JIMENO BULNES, MARCOS GONZÁLEZ, PEITEADO MARISCAL y DE LA OLIVA SANTOS y TAPIA FERNÁNDEZ en *Ley de Enjuiciamiento Civil: respuestas a 100 cuestiones polémicas*, cit., pp. 295 y ss.

26. Valgan estos dos ejemplos de la jurisprudencia menor: la SAP de Pontevedra (sec. 1.ª) de 9 de septiembre de 2008 (JUR 2008, 361695) sostiene que la ley no impone al demandado que deba articular la alegación de nulidad del negocio jurídico necesariamente mediante una demanda reconvencional; la SAP de Málaga (sec. 5.ª) de 21 de julio de 2014 (JUR 2015, 48497), por el contrario, entendió que la sentencia de primera instancia no había incurrido en incongruencia al no pronunciarse sobre la alegación del demandado de nulidad absoluta del acuerdo en el que actor fundaba su pretensión, y lo entendió así porque esta alegación no se adujo como reconvención y, en consecuencia su alegación «resulta inoperante e ineficaz por cuanto que está expresamente prohibida la reconvención implícita».

27. Como señaló TAPIA FERNÁNDEZ, *El objeto del proceso. Alegaciones. Sentencia. Cosa juzgada*, La Ley, Madrid, 2000, p. 48, lo que no cabe es impedir al demandado aducir en su defensa la nulidad, pues iría en contra del principio constitucional de defensa. A su parecer, la solución que se ofrece es dual: o considerar la alegación de nulidad como una excepción común (no habría traslado previo al actor, el pronunciamiento no tendría eficacia de cosa juzgada y sería irrelevante que la cuantía del negocio cuya nulidad se alega excediera los límites del verbal) o entender que la nulidad se ha de hacer valer por vía de reconvención (lo que exige notificar al actor, que no determine la improcedencia del verbal y que la resolución tenga fuerza de cosa juzgada).

28. Recuérdese que es criterio dominante en la jurisprudencia menor que la anulabilidad solo puede oponerse accionando, es decir, por vía de reconvención, no de excepción. A título de ejemplo: SAP de Asturias (sec. 5.ª) de 31 de mayo de 2002 (JUR 2002, 193179) y SAP de Toledo (sec. 2.ª), de 20 de febrero de 2006 (AC 2006, 189). En la doctrina, DÍEZ-PICAZO GIMÉNEZ, en *Comentarios a la Ley de Enjuiciamiento Civil*, (con DE LA OLIVA, VEGAS y BANACLOCHE), cit., p. 686, es partidario, no obstante el tenor literal del artículo 408, de una interpretación flexible: «no parece que tenga ningún sentido limitar la aplicación del precepto a la nulidad *absoluta* ni excluirla cuando se trate de actos que no sean propiamente negocios jurídicos. La problemática que plantean las

las claves en que debe ser interpretado el régimen actual de esta alegación en el juicio verbal (sin dejar de reconocer que la regulación legal ofrece margen para una lectura diversa a la que aquí se postula):

a) el demandado podrá combatir la pretensión del demandante alegando la nulidad del negocio jurídico por vía de reconvención – puesto que nada obsta a ello–, en cuyo caso se seguirá el régimen legal establecido para esta y la sentencia que se pronuncie sobre ella tendrá la eficacia de cosa juzgada[29];

b) el demandado podrá oponer esa misma causa por vía de excepción; si así lo hiciera, está justificado otorgarle el tratamiento que para este supuesto recoge el artículo 409 LEC con apoyo en las siguientes razones:

   – no parece adecuado que una misma alegación se encuentre sometida a un tratamiento procesal diferente en virtud de cuál sea la clase de juicio en que se haga valer[30], lo que aún se evidencia con más intensidad tras la Ley 42/2015 en que la tramitación del juicio verbal exige demanda completa y contestación escrita[31];

   – que la ley, en los artículos que se ocupan del juicio verbal, dedique ciertas previsiones a la alegación de la compensación y no a la de nulidad, debe interpretarse en el sentido de que aquella precisaba que se hicieran expresas ciertas particularidades que se separan del régimen general contenido en el artículo 408 (en concreto, el límite cuantitativo del crédito compensable que condiciona la procedencia del juicio verbal); la alegación de nulidad, en cambio, no las requiere[32] y, por ello, que se omita

---

alegaciones de nulidad y que justifica este tratamiento específico se produce cualquiera que sea la naturaleza de la ineficacia y cualquiera que sea el acto jurídico supuestamente ineficaz. Es más, en muchos casos, determinar si la causa alegada por el demandado es de nulidad absoluta o relativa será cuestión controvertible y que deberá resolverse en la sentencia».

29. En este sentido, Montero Aroca y Flors Matíes, *Tratado de juicio verbal*, cit., p. 702.

30. En este sentido, Bernardo San José, en *Los procesos declarativos de la Ley de Enjuiciamiento Civil. Problemas actuales, soluciones jurisprudenciales y propuestas de reforma a los diez años de su vigencia*, (coord.: Banacloche Palao), Thomson-Civitas, Madrid, 2012, p. 33.

31. La regulación del verbal con demanda sucinta y el posible desconocimiento por el demandado del fundamento del negocio en que basa su petición el actor era precisamente una de las dificultades señaladas por Richard González *Reconvención y excepciones reconvencionales en la LEC 1/2000*, Thomson-Civitas, Madrid, 2002, pp. 294 y 295, para extender al verbal el régimen del juicio ordinario a este respecto.

32. En este sentido, Peiteado Mariscal y De la Oliva Santos, en *Ley de Enjuiciamiento Civil: respuestas a 100 cuestiones polémicas*, cit., p. 300.

cualquier referencia a ella no ha de comportar que no sea trasladable el tratamiento previsto para el juicio ordinario que en materia de demanda, contestación y reconvención es al que se remite el artículo 438 LEC, con las especificidades que recoge, y que ha de entenderse aplicable si no se advierte un obstáculo que lo impida o entre en contradicción con el régimen propio del verbal;

– si no hay motivo para que una misma alegación, la nulidad del negocio, reciba un tratamiento distinto en el juicio ordinario y en el verbal, tampoco la hay para que la compensación y la nulidad –que tienen en común que introducen una cuestión distinta de la delimitada por el actor en su demanda– sigan cauces diferentes; en ambas está justificado que puedan ser controvertidas por el actor y en uno y otro caso se entiende que si el debate y el examen se extiende a tales extremos, el pronunciamiento que al respecto contenga la sentencia goce de la eficacia de cosa juzgada[33], lo que, al fin y al cabo, es acorde con lo establecido por el artículo 222.2.I LEC («la cosa juzgada alcanza a las pretensiones de la demanda y de la reconvención, así como a los puntos a que se refieren los apartados 1 y 2 del artículo 408 de esta Ley»);

2.6. ACTUACIONES DEL DEMANDADO PREVIAS A LA CONTESTACIÓN A LA DEMANDA

Hay actuaciones que necesaria o eventualmente han de llevarse a cabo antes de contestar a la demanda. Algunas han sido objeto de atención por la Ley 42/2015 y otras, no. Estas últimas no dejan de ser problemáticas y a ellas me referiré en el primer subepígrafe de los que integran este apartado reservando para los siguientes las que han resultado modificadas por la reforma.

2.6.1. Con carácter general

La contestación es momento oportuno para que el demandado proponga pruebas anticipadas o el aseguramiento de la prueba. Conforme a los preceptos legales que regulan una y otra institución, ambas solicitudes

---

33. Sobre estas cuestiones (extensión del objeto del proceso, traslado al actor para que diga lo que a su derecho convenga, necesidad de que el juez se pronuncie sobre la nulidad, eficacia del pronunciamiento), véase GARCÍA DE LA ROSA, «Las excepciones reconvencionales y su régimen en el juicio verbal», en *Revista General de Derecho Procesal* 35 (2015), pp. 13 y 14.

pueden ser formuladas incluso antes de contestar a la demanda, ya que la ley habilita a las partes para hacerlo desde que el proceso está en curso (arts. 293 y 297 LEC). De la petición de medidas de aseguramiento hay que dar traslado a la otra parte que puede oponerse por escrito; del escrito de oposición se dará traslado, a su vez, al solicitante y al que hubiera de soportar la medida y se citará a todos ellos a una vista, en el plazo de cinco días, en la que se decidirá, en el plazo de tres días, sobre la oposición (art. 298.8 LEC). La medida puede ser acordada sin trámite de audiencia cuando sea probable que el retraso ocasione daños irreparables al derecho del solicitante o cuando exista un riesgo demostrable de que se destruyan pruebas o se imposibilite de otro modo su práctica (art. 298.5 LEC).

En ocasiones se ha recurrido al expediente de la prueba anticipada por parte del demandado para pedir la exhibición de documentos que no estuvieran en su poder. No parece ajustado hacerlo así con arreglo a la finalidad que el artículo 293 LEC predica de esta institución: el temor fundado de que, por causa de las personas o del estado de las cosas, los actos de prueba no puedan realizarse en el momento procesal generalmente previsto. Lo que, en cualquier caso, evidencia su utilización es una deficiencia o dificultad de origen normativo para articular con seguridad una petición como la apuntada. El artículo 328.1 LEC señala que «cada parte podrá solicitar de las demás la exhibición de documentos que no se hallen a disposición de ella y que se refieran al objeto del proceso o a la eficacia de los medios de prueba». No hay en el apartado reproducido –como tampoco en ningún otro precepto– indicación alguna respecto del momento procedente para realizar esa solicitud. Y otro tanto cabe sostener en lo concerniente a la exhibición de documentos por terceros de la que se ocupa el artículo 330 LEC. Conviene recordar, de un lado, que quien pretende interponer una demanda puede solicitar la exhibición de diversos documentos a través de las diligencias preliminares y así obtener la información que precisa de cara a la incoación del proceso, tanto para decidir si acude o no a los tribunales, como, en su caso, para hacerlo con eficacia y fundamento. No cuenta con un instrumento paralelo el demandado porque, al fin y al cabo, no tiene que preparar la pretensión que hacer valer en el proceso, sino defenderse en el que se ha puesto en marcha frente a él. Pero para articular convenientemente su defensa puede ser de indudable interés y crucial relevancia contar con los documentos que no obran en su poder ni están a su alcance. El problema no difiere, en su planteamiento, del que antes de la Ley 42/2015 se suscitaba en el juicio ordinario: cuál es el momento oportuno para pedir la exhibición. Venía y viene entendiéndose, en el juicio ordinario, que la petición ha de ser formulada en la demanda o en la contestación o bien en la proposición de prueba en la audiencia previa[34]; en definitiva, lo importante es que el documento haya sido exhibido antes del juicio (o, en su caso, que conste la negativa del requerido a presentarlo para extraer las consecuencias que para tal supuesto anuda la ley). *Mutatis mutandis* iguales consideraciones cabría extender ahora al caso del juicio verbal: si lo realmente relevante es que en el momento de practicar la prueba (la vista) el documento haya sido presentado[35], lo lógico es que el demandado pida su exhibición al contestar a la demanda. Lo cierto es que la ley no lo dice y que la reforma se ha desaprovechado para resolver esta duda. A esta ambigüedad se acompaña otra tampoco resuelta: si los documentos tienen, por regla, que ser aportados con los escritos iniciales y al demandado se le facilitan instrumentos para su obtención, ¿por qué el demandado no puede pedir su exhibición antes de contestar a la demanda al objeto de articular con mejor fundamento y acierto sus alegaciones? Si así se permitiera –y lo cierto es que del artículo 328 LEC no cabe extraer un obstáculo para ello– habría que dar respuesta a una cuestión adicional, cual es la de la posible suspensión del plazo para contestar hasta que se exhibiera el documento o expirara el tiempo concedido para ello[36].

2.6.2. La declinatoria

La declinatoria es el único instrumento para denunciar que el tribunal ante el que el actor ha presentado su demanda carece de jurisdicción o de competencia (objetiva, territorial y, en algunos casos funcional) o que el asunto litigioso está sometido a arbitraje o mediación. El propósito claro de la ley es que cuando el demandado conteste, lo haga ante el juez

---

34. En este sentido, Montero Aroca, *La prueba en el proceso civil*, 6.ª ed., Thomson-Civitas, Madrid, 2011, p. 307. Argumenta Pereira Puigvert, *La exhibición de documentos y soportes informáticos en el proceso civil*, Thomson-Aranzadi, Cizur Menor, 2013, pp. 130 y 131, que puesto que la situación de acceder al documento en poder del contrario o de un tercero por quien pretende introducirlo en el proceso se asemeja a la que recoge el artículo 265.2 LEC y en concordancia con lo establecido en el artículo 270, la solicitud de exhibición se hará en los escritos alegatorios iniciales y si no obtiene respuesta, en la audiencia previa.

35. Vistas así las cosas, no es de extrañar que en la regulación anterior se abogara por Montero Aroca, últ. op. cit., p. 309, por una interpretación analógica de lo establecido en el artículo 440.1.III LEC en el sentido de que la petición debía formularse tres días antes de la vista.

36. A favor de ambas cosas se pronuncia Málaga Diéguez, «La exhibición de documentos por parte del actor con anterioridad a la contestación a la demanda: ¿*preliminary disclosures* en el proceso civil español?», en *La Ley* núm. 8697, 8 de febrero de 2016 (LA LEY 413/2016).

competente. Por eso, en su redacción anterior, disponía que, en el caso del juicio verbal, la declinatoria había de proponerse en los cinco primeros días posteriores a la citación para vista, lo que comportaba que debía efectuarse una nueva citación y así el demandado contestaría oralmente a la demanda ante el juez llamado a conocer. Al pasar la contestación a ser un trámite escrito, el legislador ha estimado oportuno que la regla que rige a este respecto sea común para el juicio ordinario y para el verbal en cuanto al plazo y a la suspensión del plazo para contestar y del curso del procedimiento principal.

Pero al disponerlo así en el artículo 64.1 LEC ha generado un problema en lo que al plazo respecta. El que fija este precepto es de diez días: los diez primeros días del plazo para contestar a la demanda. Este lapso temporal se aviene bien con la regulación del juicio ordinario, pues en él el plazo para contestar es de veinte días (art. 404.1 LEC); pero no ocurre lo mismo en el caso del juicio verbal al ser coincidente con el concedido al demandado para presentar la contestación (art. 438.1 LEC). Este solapamiento resulta francamente perturbador; en evitación de problemas, el demandado está abocado a acortar el plazo que fija la ley para la declinatoria; si lo agota sin contestar a la demanda y su denuncia no prospera, al tiempo de ser esta resuelta y notificada el trámite de la contestación habrá precluido; y si en un mismo escrito interpone la declinatoria y contesta a la demanda se producirán consecuencias no queridas por la ley y eventualmente perjudiciales para el demandado:

a) el demandado habrá desvelado las razones de su defensa, de modo que si el tribunal se abstiene de conocer y se abre la posibilidad para el actor de presentar una nueva demanda ante el juez competente, este, conocedor de los motivos que fundamentan la posición de su contrario, estará en condiciones de corregir o reforzar los puntos débiles de su pretensión;

b) si la declinatoria prospera, se habrá dado al traste con el designio de la ley de que la contestación solo se formule ante el juez competente y comportará consecuencias negativas, especialmente de índole económica, para las partes, tanto para el que resulte condenado en costas como para el beneficiario, que habrá de soportar los gastos a los que la condena no alcance.

Si se interpone la declinatoria y se contesta a la demanda en un mismo escrito, el letrado de la Administración de Justicia solo citará a las partes para la vista cuando el juez se haya pronunciado sobre la declinatoria y lo haya hecho en sentido desestimatorio.

2.6.3. La intervención provocada

También con carácter previo a la contestación, el demandado puede llamar a un tercero al proceso; es más, la contestación es el momento preclusivo para solicitar su intervención[37]. Al artículo 14.2 LEC se le ha dado una nueva redacción para adaptar su tramitación a la nueva estructura del juicio verbal. Conforme al precepto citado, la solicitud debe presentarse en el plazo otorgado para contestar a la demanda y comporta la interrupción –*rectius:* la suspensión– del plazo para contestar. El *dies a quo* de la suspensión es el de la presentación de la petición. El *dies ad quem* –por tanto, el día en que se reanudará el plazo para contestar– varía según las vicisitudes que sigan a la resolución del tribunal, una vez evacuado el trámite de audiencia al demandante: si la petición de intervención del tercero es desestimada, el plazo se reanudará cuando así se le notifique; si es estimada, el plazo comenzará a contar de nuevo cuando se le dé traslado del escrito de contestación del tercero o cuando haya expirado el plazo del que este ha dispuesto para contestar sin hacerlo. El plazo del que dispondrá el tercero llamado al proceso será el que con carácter general establece la ley para contestar a la demanda (diez días, en el juicio verbal) y empezará a contar desde su emplazamiento.

3.   LA VISTA

3.1. LA PERTINENCIA O PROCEDENCIA DE LA VISTA

La vista ha pasado de ser una actuación necesaria y nuclear del juicio verbal a un trámite eventual en la sustanciación de este proceso, algo que anticipa el preámbulo de la Ley 42/2015 y confirma el artículo 438 LEC. Conforme a lo establecido en su apartado cuarto, las partes han de pronunciarse sobre su pertinencia: lo hará, en primer lugar, el demandado en la contestación y, después, el actor en el plazo de tres días desde el traslado del escrito de contestación.

La vista se concibe como un derecho procesal: basta con que una de las partes la solicite para que el letrado de la Administración de Justicia

---

37. Como ya señaló BANACLOCHE PALAO, en *Comentarios a la Ley de Enjuiciamiento Civil*, (con DE LA OLIVA, DÍEZ-PICAZO y VEGAS), Civitas, Madrid, 2001, p. 108, «aunque la redacción del precepto permitiría que la llamada se contuviera en la propia contestación, o incluso que se realizara después de presentada ésta, siempre que no se rebasara el plazo citado, de la regla 3ª del aptdo. 2 se deduce con claridad que la petición de intervención debe hacerse siempre antes de contestar a la demanda, pues su presentación produce el efecto de suspender el plazo para contestar»

señale día y hora para su celebración. Hecha la petición, el trámite ha de darse. Puesto que de un derecho se trata, el actor podrá pedirla aunque se declare al demandado en rebeldía, esto es, aunque no haya traslado del escrito de contestación que es el trámite al que la ley anuda la oportunidad de que el demandante se pronuncie al respecto; en tal eventualidad, será la notificación del letrado de la Administración de Justicia la que dé plazo al actor para pronunciarse a ese respecto. El actor ponderará, en tal caso, la conveniencia de proponer y practicar la prueba que a su derecho convenga o la conveniencia de que el demandado quede privado de esa ocasión. El demandado que ha dejado pasar la oportunidad de contestar, no solo ve precluido para él el trámite de alegaciones, sino el de la prueba, porque no solo es que ya no podrá aportar los documentos e instrumentos que, en su caso, hubiera tenido que acompañar a la contestación, sino también porque el momento para proponer y practicar los demás medios no es otro que la vista y para ello, tenía que haberlo solicitado y hacerlo en tiempo oportuno, es decir, con la contestación. Solo la petición del actor o, a falta de ella, la resolución del tribunal acordando su celebración permitirán al demandado recobrar la oportunidad que en otro caso tendría perdida por inobservancia de la carga que sobre él pesa.

La ley insiste en la prescindibilidad de la vista. En aquellos casos en que haya sido solicitada, da una nueva oportunidad a la parte que la haya instado para desdecirse de su petición inicial, de modo que si la otra parte –a la que se dará traslado de este nuevo escrito por tres días– no se opone ni formula alegaciones, se actuará como si no se hubiera solicitado.

Aunque ninguna de las partes solicite la celebración de la vista (por no haberlo hecho en su momento o por haberse apartado de la solicitud realizada tempestivamente), el juez puede acordar que la haya (según dice la ley, lo hará si la considera procedente). La ley utiliza dos términos distintos para recabar el pronunciamiento de la parte sobre la celebración de la vista y la decisión del juez cuando ninguna de las partes la haya pedido. Para lo primero se refiere a la pertinencia; para lo segundo, a la procedencia. Lo pertinente y lo procedente comparten un significado común en referencia a lo que viene a propósito o es conforme a la práctica o la conveniencia. Luego la estimación o el juicio de conveniencia guiarán la petición de la parte y la decisión del juez, con independencia de que para la primera la conveniencia tome como referencia su interés y para el tribunal, el acierto en el enjuiciamiento. Pero, además, lo procedente, que es elemento a considerar por el juez, significa también conformidad con el derecho, lo que invita a indagar si, en algunas ocasiones, por exigencias derivadas de las normas el juez habrá de acordar la celebración de la vista al margen o más allá del juicio de conveniencia.

Para las partes, conviene la celebración de la vista cuando en ella quieran proponer y practicar prueba por otros medios distintos a los documentos o instrumentos que de modo preclusivo han de acompañar a sus escritos de alegaciones. La vista sirve también, y previamente, para realizar aclaraciones –lo que, de ordinario, puede ser especialmente de interés para el actor, una vez conocidas las alegaciones vertidas por el demandado en su contestación– y para fijar los hechos sobre los que exista contradicción. Estos extremos son los que también pueden llevar al juez a considerar la procedencia de su celebración porque le permitirán un conocimiento más preciso de los elementos que conforman el objeto del proceso y la delimitación fáctica y jurídica de la controversia. Pero, además, si el demandado ha opuesto excepciones de las que obstan a la válida continuación y terminación del proceso mediante sentencia sobre el fondo, la vista se impone como un trámite necesario porque es en ella, según dispone el artículo 443.2 LEC, en la que el tribunal ha de resolver sobre tales circunstancias, como en ella también ha de decidir, conforme a lo que establece el artículo 255.3 LEC, la impugnación de la cuantía o de la clase de juicio por razón de la cuantía que haya formulado el demandado en la contestación. En estos casos, la vista es procedente no porque el juez entienda que conviene al buen fin del proceso, sino porque es el modo ajustado a la ley de ordenar las actuaciones. Las soluciones alternativas a la apuntada no dejan de ofrecer reparos:

a) si se estimara que el juez ha de resolver mediante el correspondiente auto antes de la fecha señalada para la vista o sin necesidad de señalamiento (en el caso de que esta no hubiera sido solicitada), estaríamos ante la creación de factura judicial de un trámite no previsto por la ley, lo que no se aviene con el principio de legalidad procesal del artículo 1 LEC;

b) si se estimara que, no habiendo pedido ninguna de las partes la celebración de vista, es en la sentencia donde el juez ha de resolver sobre las excepciones alegadas (en aplicación del inciso final del artículo 438.4 que señala que el tribunal «dictará sentencia sin más trámites»), estaríamos propiciando que volvieran a tomar vida las sentencias absolutorias en la instancia que la Ley de Enjuiciamiento Civil, desde su promulgación, quiso evitar al máximo (apartado XII de la Exposición de Motivos);

c) en uno y otro caso, se privaría a las partes de precisar y oponer a las razones del contrario los extremos que tengan por conveniente y al tribunal de tomar conocimiento directo de ellos.

Que la vista sea un trámite condicionado a que lo pida alguna de las partes –o, en su defecto, a que el juez la estime procedente– y, por tanto, de carácter eventual invita a preguntarse sobre el rumbo tomado por el legislador en la conformación del procedimiento que sigue el juicio verbal. Como señalan MONTERO AROCA y FLORS MATÍES[38], el problema de la escritura y la oralidad es un problema de límites: puesto que no hay un procedimiento exclusivamente oral o escrito y en todo procedimiento oral habrá actos escritos, como en todo procedimiento escrito habrá actos orales, el problema es determinar qué prevalece y qué elementos sirven para definir el procedimiento de uno u otro modo. El procedimiento del juicio verbal, antes de la Ley 42/2015, podía ser calificado inequívocamente como un procedimiento oral; también el ordinario, pero aquel aún más nítidamente. Lo que caracteriza a un procedimiento oral es la preparación de una audiencia en que el juez entra en relación directa con las partes y con las pruebas personales, aun cuando el acto que incorpora la pretensión sea un acto escrito. En el juicio ordinario el objeto del proceso y los términos del debate venían (y vienen) determinados por la demanda y la contestación escritas a la que siguen dos comparecencias orales: la audiencia previa –que sirve para purgar los defectos de que pudiera adolecer el proceso, para fijar los hechos, para delimitar lo que es controvertido y para proponer prueba– y el juicio –en el que se practica la prueba y las partes se pronuncian sobre el resultado probatorio–. El juicio ordinario, así estructurado, responde al principio de oralidad. El juicio verbal, en el que las alegaciones iniciales eran en buena medida orales, participaba igualmente de esa naturaleza. Trasvasar la estructura del juicio ordinario al juicio verbal, como ha hecho la Ley 42/2015, no muda el principio informante y caracterizador del procedimiento. La vista sigue siendo el acto en que, de modo concentrado, se examinan y resuelven las excepciones procesales y en el que la prueba se propone, se admite y se practica en presencia del mismo juez que dictará sentencia. Pero la vista no siempre tendrá lugar. Como tampoco el acto del juicio cuando del juicio ordinario se trata, pues si en la audiencia previa se verifica que la discrepancia entre las partes queda reducida a cuestiones jurídicas, el acto procesal que seguirá a su finalización será la sentencia, sin que proceda el señalamiento del juicio (art. 428.3 LEC). El procedimiento del juicio verbal sigue, en consecuencia, inspirado por el principio de oralidad, pero no puede dejar de advertirse un cierto sesgo de falta de convicción en sus bondades y que ojalá no sea el presagio de quiebras futuras que acaben desvirtuando una conquista a la que no se debería renunciar.

---

38. MONTERO AROCA y FLORS MATÍES, *Tratado de juicio verbal*, cit., p. 121.

3.2. LA CITACIÓN PARA LA VISTA

La citación para la vista también ha experimentado cambios para adecuarse al nuevo diseño del juicio verbal con contestación escrita:

a) disponía antes la ley que la citación había de llevarse a cabo en la misma resolución en que se tuviera por admitida la demanda y dice ahora (art. 440.1.I LEC) que se hará en los cinco días siguientes a la contestación (o la contestación a la reconvención o a la excepción de compensación); contando con que el traslado de la contestación y del escrito del actor (en los tres días siguientes) sobre la pertinencia de celebrar vista se produce directamente entre los procuradores de las partes (art. 276) y que el plazo comienza a contar desde ese traslado (art. 278), el tiempo en que ha de realizarse la citación encaja en el dispuesto por el artículo 440.1.I; en los casos en que las partes o alguna de ellas no esté representada por procurador, previsiblemente se demorará;

b) establecía antes la ley un plazo mínimo y un plazo máximo para su celebración (al menos diez días desde el siguiente a la citación y no más de veinte) y dice ahora que la vista habrá de tener lugar dentro del plazo de un mes (art. 440.1.I LEC, en su inciso final).

El primero de los cambios apuntados no merece más explicación. En lo que respecta al segundo, conviene apuntar que el plazo mínimo obedecía al designio de evitar la indefensión del demandado, otorgándole así un tiempo que la ley estimaba suficiente para preparar su defensa. Por otro lado, como el inicio de ese cómputo era desconocido en el momento del señalamiento por no tener la certeza de cuándo iba a tenerse por practicado el acto de comunicación, convenía que la propia ley concediera un margen temporal. Es claro que estos dos factores condicionantes desaparecen, pues a los diez días con que cuenta el demandado para contestar hay sumar otros cinco para llevar a cabo la citación (art. 440.1.I) y la certeza de haber practicado la comunicación.

En lo que respecta al plazo máximo que antes fijaba la ley, la norma no ha experimentado una modificación sustancial, pues, teniendo en cuenta el sistema de cómputo de los plazos por días y por meses, veinte días (el señalado en la redacción anterior) y un mes (el establecido en la vigente) son dos plazos muy similares. Lo que la ley sigue sin indicar es el *dies a quo* del plazo en que ha de tener lugar la vista, esto es, si es el del señalamiento –que, recuérdese, puede hacerse al día siguiente de la contestación[39]– o

---

39. Lo que, en opinión, de GARBERÍ LLOBREGAT, *El nuevo juicio verbal en la Ley de Enjuiciamiento Civil*, Bosch, Barcelona, 2015, p. 100, resulta desaconsejable porque lo relevante

el de la última citación, lo que parece más ajustado a la finalidad de la norma. Los buenos propósitos del legislador con el establecimiento de estos plazos impropios se pueden ver frustrados por la acumulación de asuntos que soporte el juzgado.

El contenido de la citación según la redacción vigente del artículo 440 LEC no varía respecto de la anterior. La citación ha de ajustarse a lo que prescribe el artículo 152.4 LEC: en ella constará que se trata de una citación, el letrado de la Administración de Justicia que la ha dictado, el asunto al que se refiere, la identificación de la persona a la que se cita, el procurador designado, el objeto de la comunicación, el lugar, día y hora de celebración de la vista y la prevención de los efectos que la ley anuda a la incomparecencia.

De especial interés es este último extremo para cuya concreción hemos de atender a lo que previenen los artículos 440 y 442 LEC:

a) En lo que respecta a la carga de la comparecencia, dispone el artículo 440.1.III que en la citación se hará constar que la vista no se suspenderá por inasistencia del demandado (algo que reitera el art. 442.2 LEC[40]); la comparecencia a la que se refiere la ley no es otra que la comparecencia en forma, es decir, con la capacidad de postulación debidamente integrada: si está representado por procurador, comparecerá a través de él (art. 23.1), la ley no exige la comparecencia personal. A diferencia de lo que recoge el artículo 414.2.II, nada se dice en la regulación del juicio verbal acerca de la exigencia de poder especial del procurador o de que la parte concurra personalmente para todas aquellas eventualidades que pudieran suponer actos de disposición del objeto procesal (volveré sobre ello más adelante).

b) Es el artículo 442.1 el que establece las consecuencias que se siguen en el caso de que sea el actor quien no comparezca a la vista (en cuanto a la forma de comparecer, lo dicho en el apartado anterior sirve para este). Salvo que el demandado alegue interés legítimo en la continuación del proceso para que se dicte una sentencia sobre el fondo, la incomparecencia del actor comporta que se le tenga al

---

es que las partes tengan tiempo para tomar conocimiento de la citación a la vista y prepararse para acudir a ella.

40. Hubiera bastado con preservar este precepto y suprimir la misma norma en el artículo 440.1.III, más aún cuando el inciso final de este se remite a lo dispuesto en el artículo 442.

actor por desistido; conviene, por tanto, atender a las dos eventualidades: la terminación y la continuación del proceso.

– La no asistencia del actor equivale a su desistimiento. La ley
mantiene la misma regla que ya contenía la redacción anterior.
Antes, su fundamento era más claro: ya que el juicio verbal podía comenzar por demanda sucinta y solo en la vista se formulaba por completo la pretensión, la lógica imponía que sin la
debida concreción de esta el proceso no debía proseguir. Pero
ahora, la consecuencia podía haber sido otra: la preclusión de
los actos que el actor pudiera realizar en la vista. Sin embargo,
la ley acoge para este caso la misma solución que en el juicio
ordinario (art. 414.4 LEC) y se hace acreedora de los mismos
reparos: se niega la resolución de fondo a una pretensión correctamente formulada[41].

– Además de dictar la correspondiente resolución por la que se
sobresee el proceso, el juez deberá imponer las costas al actor,
lo que constituye una regla especial respecto de la que, con
carácter general, dispone el artículo 396.2 para los casos de
desistimiento bilateral. Y si el demandado lo pide y los acredita, condenará al actor a indemnizarle los daños y perjuicios sufridos. El momento de pedir esta indemnización es la
vista, pero difícilmente estará en condiciones de acreditarlos
en ese trámite al que el demandado viene preparado para defenderse de la demanda y no para la eventualidad que ahora
comentamos. La ley podía haber aprovechado para concretar
cuál es el modo de proceder en lo que a la cuantificación de
los daños y perjuicios se refiere y remitirse, como parece lógico, al trámite de liquidación establecido en los artículos 712
y siguientes, disipando así las dudas que al respecto puedan
generarse[42].

---

41. En este sentido, MONTERO AROCA y FLORS MATÍES, *Tratado de juicio verbal*, cit., p. 813.
42. Este es el parecer de MONTERO AROCA y FLORS MATÍES, *Tratado de juicio verbal*, cit., pp.
814 815; en su opinión, aun cuando se tratara de una condena genérica a los daños y
perjuicios, no sería una de las que proscribe el artículo 219 LEC porque este se refiere
a la reclamación en juicio y a que en él se dicte sentencia, lo que no incluye los casos
de indemnización de daños y perjuicios que surgen en el proceso mismo; además,
puesto que al actor hay darle la posibilidad de ser oído en lo que a la determinación
de los daños respecta, se es más respetuoso con tal exigencia si acudimos al incidente
de los artículos 712 y siguientes que si consideramos que ya ha tenido esa posibilidad
en la vista a la que no compareció.

- Para que el proceso continúe, el demandado tiene que alegar en la vista que tiene un interés en obtener una sentencia sobre el fondo que, desestimando la pretensión, deje zanjado definitivamente el asunto. Si en la contestación formuló alguna excepción procesal de las que impiden la prosecución del proceso, habrá de entenderse que no tiene interés en su continuación.

- A diferencia de lo que se observa en el juicio ordinario, no hay en la regulación del verbal un precepto que se refiera a la eventualidad de que no comparezca ninguna de las partes a la vista. Y surge entonces la duda. Cabría entender que, al igual que se prevé para el ordinario (art. 414.3.I), la consecuencia que se ha de seguir en este supuesto es el sobreseimiento; abona esta solución la analogía y que este es el efecto que se desprende de aplicar conjuntamente las reglas previstas para el caso de la incomparecencia del actor y la incomparecencia del demandado, pues así como esta no obsta la continuación del proceso, aquella lo impide –y el actor era sabedor de ello–, sin que en este último supuesto se dé la posibilidad de que el demandado alegue interés en que prosigan las actuaciones. Pero también cabría interpretar que si la ley permite que el juicio verbal puede concluir con una sentencia sobre el fondo sin celebración de la vista –porque ninguna de las partes la pide ni el tribunal la estima procedente–, esto es lo que ha de acontecer en el caso que examinamos; cabría también que el juez sobreseyera como consecuencia de la estimación de una excepción procesal, pero si no fuera así, lo cierto es que cuenta con los elementos suficientes –proporcionados por las alegaciones contenidas en los escritos de demanda y contestación– y con las reglas sobre la carga de la prueba para decidir la pretensión. Esto es algo que debiera haber aclarado la ley.

c) La citación ha de advertir a las partes de que concurran a la vista con los medios de prueba de que intenten valerse. En nada varía esta redacción respecto de la anterior. El precepto se refiere a los medios de prueba que están a disposición de la parte que quiera proponerlos. Rige en la vista el principio de concentración o unidad de acto y, en consecuencia, la parte ha de ser conocedora de que en el caso de no concurrir con ellos dándose las condiciones que señala la ley, no podrá pretender con éxito la interrupción de la vista para practicar lo que, de haber observado la carga que prescribe la norma, pudo practicarse en la fecha señalada para la vista.

d) La citación ha de prevenir a las partes de que si no asisten y se propone y admite su declaración, podrán considerarse admitidos los hechos del interrogatorio conforme a lo dispuesto en el artículo 304. Este contenido de la citación suscita dos observaciones:

- En primer lugar, lo que dice a este respecto el artículo 440.1.III es algo ya dicho, en su párrafo segundo, por el propio artículo 304 al que se remite y al que en todo caso habría de acudirse en virtud de la remisión genérica del artículo 445 LEC en materia de prueba y presunciones. Por otra parte viene a confirmar que, en lo que concierne a los efectos que la ley anuda a la inasistencia de las partes a la vista, no se exige su comparecencia personal.

- En segundo lugar, el legislador tenía la oportunidad de aclarar y acabar con la dualidad de interpretaciones que el precepto ha generado. De un lado, se entiende que la incomparecencia de la parte, sin más, daría lugar a la consecuencia expresada por la norma, es decir, a tener por ciertos los hechos personales y perjudiciales[43]; de otra, a mi juicio acertadamente, se sostiene que para que pueda derivarse ese efecto es necesario que la parte pida expresamente y con carácter previo que se cite a la contraria a declarar –es decir, para ese fin– y así proceda el tribunal[44],

---

43. En este sentido, y a título de ejemplo, SAP de Pontevedra (sec. 5.ª) de 1 de febrero de 2002 (JUR 2002, 112226) y SAP de Madrid (sec. 10.ª) de 11 de marzo de 2009 (JUR 2009, 235821). Esta última señala lo siguiente: «En el juicio verbal la citación de las partes para la vista constituye, al mismo tiempo, la citación de la parte demandante y de la parte demandada para su posible interrogatorio (decimos posible ya que en la vista cabe que la parte no proponga la prueba consistente en el interrogatorio de la contraparte o no se admita por el tribunal), como se desprende del contenido de esa citación en la que se previene a las partes que, si no asistieren a la vista y en la misma la contraparte propusiere su interrogatorio y el tribunal lo admitiere, podrán considerarse admitidos los hechos de ese interrogatorio en los que haya intervenido personalmente y que le sean perjudiciales (párrafo segundo del número 1 del artículo 440 en relación con el 304). La referencia que, en el párrafo tercero del número 1 del artículo 440, se hace a que «declaren en calidad de partes», no debe entenderse hecha a la parte demandante y a la parte demandada, porque éstas ya han sido citadas para su posible interrogatorio y no es necesario volver a citarlas por segunda vez». En la doctrina, véanse, entre otros, ABEL LUCH y PICÓ I JUNOY, *El interrogatorio de partes* (dir.: ABEL LUCH y PICÓ I JUNOY), Bosch, Barcelona, 2007, pp. 45–47 y 291–295 y JUAN SÁNCHEZ, «El juicio verbal español: principales problemas para su desarrollo concentrado», en *Oralidad y escritura en un proceso civil eficiente*, vol. II (dir.: CARPI y ORTELLS), Universitat de València, Valencia, 2008, p. 421.

44. En este sentido, y a título de ejemplo, SAP de Barcelona (sec. 13.ª) de 13 de febrero de 2003 (JUR 2003, 253727) y SAP de Islas Baleares (sec. 3.ª) de 24 de marzo de 2011 (JUR 2011, 166446). Véanse, asimismo y entre otros, BANACLOCHE PALAO, «Presencia

pues de otro modo las partes se verían compelidas en todo caso a asistir a la vista como modo de evitar que se produzca la *ficta confessio*. La ley podía haber aprovechado la ocasión para decir que este efecto solo tendrá lugar cuando la parte haya sido expresamente citada para su interrogatorio.

e) La citación ha de advertir a las partes la carga de indicar las personas que han de ser citadas por el letrado de la Administración de Justicia para que declaren en calidad de parte, testigos o peritos. Dos son las modificaciones que incorpora la norma en lo relativo a este extremo

– La redacción que ha dado al precepto la Ley 42/2015 ha incluido a los peritos en la relación de personas cuya citación se quiera solicitar (la anterior los omitía[45]). Es una nueva manifestación de la necesaria adecuación al nuevo modelo de juicio verbal con contestación escrita: a diferencia del régimen anterior, en el vigente los dictámenes han tenido que ser aportados antes de la vista y puesto que ambas partes (no solo la que lo aporta) pueden pedir que los autores de los dictámenes comparezcan en la vista, lógico es que se prevea que con la debida antelación pidan que se convoque a los que ellas no pueden presentar; de este modo la prueba pericial se despliega en su genuina configuración, esto es, con la aportación del dictamen y las explicaciones con contradicción. La norma es concordante con lo establecido en el artículo 337.2 y en el reformado artículo 346 (aunque la modificación no afecte a este extremo).

_____

y ausencia de las partes en la vista del juicio verbal a efectos de su posible interrogatorio», en *La Ley* núm. 5485, 20 de febrero de 2002, MONTERO AROCA y FLORS MATÍES, *Tratado de juicio verbal*, cit., pp. 1057 y 1058, JIMÉNEZ CONDE, *El interrogatorio de las partes en el proceso civil*, Thomson-Civitas, Madrid, 2007, pp. 200 y 201 y BERNARDO SAN JOSÉ, en *Los procesos declarativos de la Ley de Enjuiciamiento Civil...*, cit., pp. 334–341, quien, además, resume el estado doctrinal y jurisprudencial de la cuestión con una propuesta *de lege ferenda* que eliminaría la ambigüedad.

45. Explica BANACLOCHE PALAO, «Presencia y ausencia de las partes en la vista del juicio verbal...», cit., que «durante la tramitación parlamentaria se suprimió la referencia a la posibilidad de citar a personas «para que intervengan como peritos». Ello se debe a que, tal y como quedó al final la regulación legal de la prueba pericial, si el informe viene elaborado por un perito designado por la parte, no es necesario que lo cite el tribunal; y si el actor no presenta informe con la demanda, sino que solicita en ella al tribunal que designe uno, tal designación no podría hacerse hasta que el demandado indique si él también desea dicho informe (argumento *ex* art. 339.2 LEC), lo que no parece que pueda hacerse hasta la vista. En ambos casos, pues, no parece necesario que el tribunal deba citar judicialmente a ningún perito para que acuda a la vista».

– El precepto ha ampliado el plazo de que dispone el interesado para proporcionar la identidad de los que han de ser citados (a contar desde que reciba la citación) de tres a cinco días. Es una ampliación que no dilata el curso de las actuaciones y que otorga un mayor margen de reacción a la parte y redunda en una mejor preparación de su defensa. Ese mismo plazo es el que, coherentemente, se ha dispuesto también para que las partes puedan pedir respuestas escritas a cargo de personas jurídicas o entidades públicas, por los trámites del artículo 381.

3.3. EL DESARROLLO DE LA VISTA

3.3.1. Comienzo de la vista y verificación de la subsistencia del litigio

Con la exigencia de que la demanda sea una demanda completa y de que la contestación se formule por escrito, la vista ha quedado privada de su función como trámite en el que formular alegaciones (si bien se echa a faltar una salvedad a este respecto en los casos en que el demandante haya presentado una demanda sucinta para que las partes puedan expresar y contradecir la causa de pedir). Ni siquiera procede la ratificación de la demanda como antes disponía el artículo 443 cuando el actor la hubiese presentado en la forma prevista para el juicio ordinario.

De la lectura del primer párrafo del artículo 443.1 LEC parece desprenderse que la apertura del acto queda condicionada a que asistan las partes («Comparecidas las partes, el tribunal declarará abierto el acto...»). El precepto adolece de imprecisión. Según hemos visto, la incomparecencia del demandado no impide que se celebre la vista y si es el actor quien no comparece, el demandado ha de ser preguntado acerca del interés que pudiera tener en la continuación del proceso. Lo que quiere indicar la norma –al igual que el artículo 415.1 del que es un trasunto– es que lo primero que ha de verificar el tribunal es si las partes han comparecido en forma.

Tras esta verificación, comprobará si subsiste el litigio entre las partes, es decir, si quieren continuar con el proceso o ponerle fin. La conducta del juez a este respecto ha de ser neutra, esto es, de mera comprobación, sin que sea procedente en este momento –en el que no se han examinado las excepciones procesales, si las hubiere, ni formulado aclaraciones ni fijado los hechos controvertidos– que el juez exhorte a las partes a alcanzar un acuerdo. En la redacción vigente la previsión de esta exhortación ha desaparecido por completo; antes se insertaba en el momento en que se entendía que el proceso estaba depurado de defectos procesales que obstasen a su continuación («el tribunal podrá invitar a las partes a que intenten un acuerdo que ponga fin al proceso») y actualmente se mantiene para el juicio ordinario en los términos que recoge el artículo 428 cuando ya está delimitado el objeto del proceso. La desaparición de la referida previsión legal seguramente obedece a la constatación práctica de su escasa utilidad[46].

Los resultados que puede deparar esa comprobación son tres: a) que subsista el litigio, es decir, que no haya acuerdo ni visos de producirse, en cuyo caso, la vista continuará su sustanciación ordinaria, como enseguida veremos; b) que las partes manifiesten que han llegado a un acuerdo y que, en consecuencia, privado de objeto el proceso, se ponga fin a este, lo que puede hacerse de dos modos: mediante el desistimiento bilateral o mediante la transacción judicial y la petición de que el tribunal homologue lo acordado, con lo que se crearía el correspondiente título ejecutivo; c) que las partes no hayan llegado a un acuerdo pero se muestren dispuestas a concluirlo de inmediato, en cuyo caso lo que procede es la interrupción de la vista (art. 193.1.4.° LEC) y otro tanto ocurrirá si las partes así lo piden para someterse a mediación.

A este último respecto, conviene detenerse en tres previsiones que contiene la ley:

a) El tribunal ha de examinar la concurrencia de los requisitos de capacidad jurídica y poder de disposición de las partes o de sus representantes debidamente acreditados que asistan al acto. Aunque la previsión legal va referida al supuesto en que las partes solicitan la interrupción para someterse a mediación, habrá que extenderla a aquellos otros casos en que las partes desistan del proceso o transijan poniéndole fin. El control que ha de realizar el juez tiene por objeto comprobar si quienes realizan el acto de disposición o se someten a mediación reúnen las circunstancias habilitantes para hacerlo. Por tanto, para llevar con éxito estas actuaciones, se requerirá la presencia de las partes o que sus procuradores tengan poder especial (art. 25.2 LEC). Aquí se observa una importante diferencia con lo establecido en el juicio ordinario: en este, conforme al artículo 414.2.II LEC, la exigencia de que el procurador concurra a

---

46. GARBERÍ LLOBREGAT, *El nuevo juicio verbal en la Ley de Enjuiciamiento Civil*, cit., pp. 122 y 123, apunta las siguientes razones: 1.ª) que no es función de los jueces evitar o solventar los conflictos mediante el logro de un acuerdo de voluntades entre las partes, sino la de ejercitar la potestad jurisdiccional; 2.ª) que una actuación como la señalada puede comprometer su imparcialidad; y 3.ª) que pretender la avenencia cuando el demandante no ha tenido más remedio que acudir a los tribunales para hacer valer sus derechos es una pretensión ilusoria.

la audiencia con poder especial cuando las partes no asistan personalmente e ella se traduce en que, de no hacerlo, se les tendrá por no comparecidas. No ocurre así en el juicio verbal: la comparecencia se habrá realizado en forma si el procurador concurre con poder general, de modo que no podrán derivarse las consecuencias anudadas a la incomparecencia por no hacerlo con poder especial[47]. Lo que ocurre es que si no dispone de él ni asiste personalmente la parte, el juez no dará curso a la petición de interrupción del proceso por someterse a mediación ni, en su caso, tendrá por desistida a la parte ni homologará el acuerdo resultado de la transacción.

b) Para los casos en que las partes soliciten la suspensión del proceso para someterse a mediación, la ley remite a lo establecido en el artículo 19.4 (una remisión del mismo tenor que la que se contiene en el artículo 415.1.III). Y otro tanto cabría entender para aquellos casos en que eso mismo se solicite con otra justificación o sin ella, pues para obtenerla, según el artículo 19.4, basta la voluntad concurrente de las partes siempre que no perjudique al interés general o a tercero y que el plazo no supere los sesenta días. En rigor, a lo que se está refiriendo la ley es a la interrupción porque esta significa la paralización de la vista ya comenzada, mientras que la suspensión comporta que la vista no ha llegado a empezar (arts. 188 y 193 LEC). La remisión al artículo 19.4 no está exenta de reparo: conforme al citado precepto, corresponde al letrado de la Administración de Justicia acordar la suspensión; la dirección de la vista corresponde al juez (art. 186 LEC) y con arreglo al artículo 440, es el juez quien ha de efectuar el correspondiente juicio sobre la capacidad jurídica y el poder de disposición de las partes, amén de que, a tenor de lo establecido en el artículo 147 LEC, no se requiere la presencia del letrado de la Administración de Justicia en las vistas, audiencias y comparecencias celebradas ante el tribunal que han de ser grabadas[48]. Añádase a todo ello que nada obsta a que la suspensión se pida antes de la vista –la suspensión propiamente dicha–, en cuyo caso se acordará por decreto del letrado de la Administración de Justicia.

c) En el caso de que las partes se hayan sometido a mediación, dispone la ley cómo proceder según cuál sea el resultado al que esta

---

47. Véanse, entre otros, AAP de Gerona (sec. 2.ª) de 2 de febrero de 2003 (JUR 2003, 162348), AAP de Cáceres (sec. 2.ª) de 23 de enero de 2003 (JUR 2003, 121630), AAP de Madrid (sec. 24.ª) de 7 de marzo de 2007 (JUR 2007, 173599).

48. Así lo advertí en HERRERO PEREZAGUA, en *Proceso civil y medicación*, (dir.: BONET NAVARRO, Á.), Thomson-Aranzadi, Cizur Menor, 2013, p. 54.

aboque. Si concluye sin acuerdo, «cualquiera de las partes podrá solicitar que se alce la suspensión y se señale fecha para la continuación de la vista». Recuérdese: en términos estrictos, lo que ha ocurrido es que la vista se ha interrumpido y solo cabe reanudar lo que previamente dio comienzo y luego se interrumpió. Por ello, si no hay acuerdo, ha desaparecido la causa que motivó la interrupción y, en consecuencia, cualquiera de las partes puede solicitar que continúen las actuaciones. Respecto a la reanudación o al nuevo señalamiento deberá tenerse en cuenta lo establecido en el artículo 192.3 LEC y respecto a la caducidad de la instancia, a lo previsto en el artículo 237 LEC. En el caso de que el procedimiento de mediación haya conducido a un acuerdo, este incidirá en el modo de terminación del proceso según cuál sea el modo de proceder las partes. Si nada comunican y transcurren dos años desde que se interrumpió la actividad procesal, se tendrá por abandonada la instancia y producido el desistimiento (arts. 237.1 y 240.2). Si las partes dan noticia al tribunal del acuerdo alcanzado y quieren dotar de eficacia ejecutiva al acuerdo alcanzado, podrán instar su homologación (art. 25.4 LMed: han de solicitarlo ambas partes); pero nada obsta a que insten la terminación del proceso y pospongan la constitución del título ejecutivo: procederá entonces que el juez dicte un auto de sobreseimiento y la fuerza ejecutiva solo podrá ser otorgada al acuerdo si se eleva a escritura pública[49].

3.3.2. El examen de las excepciones procesales y la fijación de los términos del debate

Si no hay acuerdo de las partes para poner fin al proceso ni solicitud de interrupción para intentarlo, el juez examinará en primer lugar las excepciones procesales que, en su caso, haya hecho valer el demandado en la contestación y resolverá la impugnación de la cuantía o clase de juicio que hubiera formulado en ella (art. 255.3). A diferencia de la redacción anterior, no dice la vigente que el actor haya de ser oído sobre las excepciones que haya planteado el demandado, pero así tendrá que ser en aplicación del principio de contradicción y este será también el momento oportuno, aunque la ley haya suprimido la referencia que al respecto se contenía antes en el precepto (omisión que se integra con lo establecido en el artículo 418.1), para que el actor alegue los defectos de personalidad y representación en que, a su parecer, incurre el demandado y sobre los que, oído el demandado, habrá de pronunciarse el juez seguidamente. Cuando

---

49. A este respecto, BONET NAVARRO, Á., en *Proceso civil y mediación*, cit., p. 146.

de las excepciones se trate, se dará la palabra en primer lugar al demandado por ser él quien ha introducido el objeto de la discusión.

Dice el artículo 443.2 que el tribunal resolverá de acuerdo con los artículos 416 y siguientes. Las cuestiones, por tanto, son las que se relacionan en estos preceptos, pero el modo de proceder exigirá ciertas adaptaciones. El artículo 417 señala el orden en que se procederá a su examen. Como hemos visto antes, la falta de jurisdicción o competencia o la sumisión a arbitraje o mediación tiene que ser denunciada por declinatoria, por lo que la vista no es trámite oportuno para proceder a su examen; no obstante, el tribunal puede apreciar el defecto de esta naturaleza en todos aquellos casos en que la ley establece que así se acordará tan pronto como se advierta, es decir, en cualquier momento del proceso y con audiencia de las partes. Si así fuera, dictará un auto de sobreseimiento. Como también lo ha de dictar cuando estime la falta de capacidad o de postulación del actor (salvo que se trate de un defecto subsanable), la existencia de litispendencia o del efecto negativo de la cosa juzgada o la inadecuación de procedimiento. En cambio, si el juez estima la impugnación de la indebida acumulación de acciones, la vista continuará con el objeto delimitado a aquellas que no hayan sido excluidas. Si el demandado alegó la falta de litisconsorcio pasivo necesario y el tribunal estimara la excepción, parece que lo procedente es conceder un plazo para subsanar con interrupción de la vista[50].

Con buen criterio, la norma ha antepuesto la verificación de la subsistencia del litigio al examen de las cuestiones procesales puesto que si hay acuerdo que priva de objeto al proceso, carece de sentido examinar si este se halla regularmente constituido.

De no haber cuestión procesal que obste a la continuación del proceso –por no haberse formulado o haber sido desestimada–, la vista continuará dando la palabra a las partes para realizar aclaraciones y fijar los hechos sobre los que exista contradicción. Las aclaraciones tienen por objeto disipar las dudas que algún extremo de los escritos de alegaciones pudiera haber ocasionado; no parece que haya óbice, con el régimen de demanda

---

50.   A favor de la subsanabilidad en el juicio verbal, Díez-Picazo Giménez, en *Comentarios a la Ley de Enjuiciamiento Civil*, cit., pp. 765 y 766 y Garberí Llobregat, *El nuevo juicio verbal en la Ley de Enjuiciamiento Civil*, cit., p. 124. En apoyo de esta posición, AAP de Cáceres (sec. 1.ª), de 24 de noviembre de 2004 (JUR 2004, 311678), AAP de Murcia (sec. 5.ª) de 14 de diciembre de 2004 (JUR 2005, 38987), AAP de La Coruña (sec. 5.ª) de 28 de abril de 2005 (JUR 2005, 13686). En contra, Montero Aroca y Flors Matíes, *Tratado de juicio verbal*, cit., p. 832, para quienes «en la vista del juicio verbal la subsanación sólo cabe si se puede hacer en el acto, pero la misma no puede interrumpirse con concesión de plazo para subsanar».

completa y contestación escrita, para trasvasar al juicio verbal las previsiones contenidas en el juicio ordinario respecto de las alegaciones complementarias (implícitamente admite que pueda haberlas el artículo 339.3 LEC): el límite para admitirlas es que no alteren sustancialmente la pretensión ni la oposición de las partes, ni sus respectivas fundamentaciones (por ejemplo, alegada la prescripción por el demandado, el actor podrá, en este trámite, alegar sobre la interrupción de la prescripción). El trámite no puede ser aprovechado para suplir omisiones en las que puedan haber incurrido las partes, de conformidad con las reglas de preclusión y la prohibición de la *mutatio libelli*.

La fijación de los hechos cumple la finalidad de determinar cuáles son admitidos por las partes y sobre cuáles existe controversia, a los efectos de delimitar sobre qué ha de versar la prueba. Si no existe discrepancia sobre los hechos, la vista ha de darse por terminada y dará paso a la sentencia.

Este parece también el momento oportuno para que las partes fijen su posición sobre los documentos, dictámenes, informes o instrumentos aportados por el contrario y sobre los que no hayan tenido ocasión de hacerlo previamente (el demandado se habrá manifestado al respecto en la contestación, siempre que estos medios hubieran sido aportados con la demanda).

3.3.3. Proposición y práctica de la prueba. En especial, la prueba pericial y la remisión al artículo 429 LEC

El inciso final del artículo 443.3 LEC establece que «si no hubiere conformidad sobre todos ellos [los hechos], se propondrán las pruebas y se practicarán seguidamente las que resulten admitidas». La nueva redacción comporta un cambio de forma respecto de la anterior[51], pero no altera su sentido.

Con respecto a los documentos e instrumentos que las partes han de acompañar a sus escritos de alegaciones y al interrogatorio de parte, me remito a lo dicho en apartados anteriores. Conviene aquí dejar constancia de los cambios habidos en lo que la prueba pericial se refiere. No debe olvidarse que la estructura anterior del juicio verbal dificultaba, si no imposibilitaba, la realización de ciertas actividades y la aplicación de determinados preceptos, pensados, sin duda, para el juicio ordinario y para los verbales con contestación escrita; y así, por ejemplo, la previsión que

---

51. El precepto decía antes así: «si no hubiere conformidad sobre ellos, se propondrán las pruebas, una vez admitidas las que no sean impertinentes o inútiles, se practicarán seguidamente».

contenía el artículo 336.1 LEC indicando que los dictámenes han de aportarlos los litigantes «con la demanda o con la contestación, si ésta hubiera de realizarse en forma escrita» se ha simplificado diciendo que habrán de aportarlos «con la demanda o con la contestación», puesto que la forma escrita se ha generalizado para todos los verbales. Consecuentemente, se ha suprimido el apartado cuarto del artículo 265 LEC que disponía que los documentos, medios, instrumentos, dictámenes e informes había de aportarlos el demandado en la contestación. Las disposiciones de los artículos 337.1 y 2 y 338.1 (dictámenes que no se aportan con los escritos iniciales por imposibilidad o porque su necesidad o utilidad se pone de manifiesto a causa de las alegaciones del demandado en la contestación) no han precisado adaptación alguna.

Algunos de los ajustes llevados a cabo guardan relación con la aportación del dictamen elaborado por un perito designado por la parte. La regla, recuérdese, es que se aporten con la demanda o contestación. El demandado que no pueda hacerlo ha de justificar la imposibilidad de pedirlos y obtenerlos dentro del plazo para contestar: esta previsión se extiende a todos los juicios verbales (art. 336.4), eliminándose así una circunstancia que, en otro caso, había de conducir a la interrupción de la vista. Esta era una posibilidad que se multiplicaba por el hecho de que, como consecuencia de lo alegado en la contestación oral, fuera necesario aportar un dictamen: con arreglo al artículo 338.2 LEC, se generaliza la regla de que los dictámenes han de aportarse, para su traslado a la contraria, con al menos cinco días de antelación a la celebración de la vista. La manifestación de la parte considerando necesario que concurra el perito a la vista debe entenderse como una solicitud de que esta se celebre; la previsión, recogida en el párrafo segundo de ese mismo precepto, de que el tribunal puede acordar la presencia del perito en la vista es una concreción en que se muestra el juicio que tiene por procedente la celebración de la vista.

En el artículo 336 se introduce un nuevo apartado quinto que tiene por objeto que se faculte al demandado para examinar las cosas y lugares y, su caso, las personas, con un claro fundamento: la preparación del dictamen pericial, de modo que no pueda reprocharse el método (esto es, la observación directa) y que pueda ser objeto de contradicción el dictamen de la parte contraria.

Otros ajustes acometidos por la Ley 42/2015 conciernen a la designación de perito por el tribunal. En el artículo 339 ya no hay diferenciación entre los juicios verbales según tengan contestación escrita o no. La norma señala el momento preclusivo para solicitar la designación judicial: la demanda para el actor y la contestación para el demandado. Se excepcionan de esta regla aquellos casos en que el objeto del dictamen se refiere a alegaciones o pretensiones no contenidas en la demanda; si esta petición tiene lugar en la vista, para que sea procedente debe traer causa de las alegaciones complementarias que se hayan formulado en ella y el artículo 339, en su nueva redacción, ha suprimido la exigencia de que ambas partes se muestren conformes con el objeto de la pericia y en aceptar el dictamen y ha añadido que si el tribunal accede a la solicitud, se interrumpirá la vista hasta que se realice el dictamen.

Entre lo dispuesto en el apartado segundo del artículo 339 (concretamente en su párrafo primero) y lo establecido en el apartado tercero de ese mismo precepto, hay una diferencia llamativa. Así como en este último –referido a la petición de designación judicial que tiene lugar en la vista– la norma condiciona que así se acuerde a que el dictamen se considere pertinente y útil, en el párrafo primero del artículo 339.2 se dice que, solicitada la designación judicial, «el tribunal procederá a tal designación»; la Ley 42/2015 ha suprimido el inciso que seguía a este: «siempre que considere pertinente y útil el dictamen pericial solicitado». La ley parece ligar la consecuencia que ha de seguir a la solicitud de modo automático[52]. A mi parecer, no puede faltar en este caso el juicio de pertinencia y utilidad, pues no hay razón para excluir la regla general que en materia de prueba contiene el artículo 283 LEC. Entiendo también que el momento para llevarlo a cabo es el inmediatamente precedente a la designación, esto es, el de los cinco días siguientes a la contestación, de modo que aquella solo tendrá lugar si el juez considera útil y pertinente el dictamen; si, por el contrario, este no guardara relación con el objeto del proceso o fuera inútil por no contribuir a esclarecer los hechos controvertidos, el juez deberá denegar la designación solicitada porque la prueba es inadmisible. Es verdad que solo respecto de los hechos controvertidos tiene sentido la prueba y que cuando el actor pide la designación en la demanda, desconoce qué hechos serán admitidos por el demandado; pero el pronunciamiento sobre la designación tendrá lugar a la vista de lo que el demandado haya dicho en su contestación y, por tanto, con la noticia de qué hechos no necesitan prueba (sin perjuicio de que aún pueda extenderse a otros en la vista). Sería antieconómico designar un perito para realizar un dictamen que se estima impertinente o inútil, como podría suceder, presuponiendo el automatismo, si, por ejemplo, el demandado pidiera en su contestación la designación judicial de un perito para llevar

---

52. Así lo entiende Solaz Solaz, «La aportación de la prueba pericial en el juicio verbal tras la reforma de la Ley de Enjuiciamiento Civil», en *Práctica de Tribunales* núm. 117, noviembre-diciembre 2015 (LA LEY 6222/2015). Esta parece ser la conclusión a que llega Marcos Francisco, «El nuevo juicio verbal...», cit., nota 20.

a cabo un dictamen sobre los mismos hechos que hubieran sido objeto de otro dictamen ya aportado.

En materia de proposición de prueba, el artículo 443.3 LEC concluye estableciendo, en su párrafo segundo –como antes hacía el apartado cuarto de ese mismo precepto–, que podrá completarse con arreglo a lo dispuesto en el artículo 429.1 de la propia ley. Dice este que el tribunal puede poner de manifiesto la insuficiencia probatoria que resulte de las que hayan propuesto las partes; al tribunal le corresponde señalar respecto de qué hechos se advierte esa insuficiencia y qué pruebas resultarían convenientes y, al efectuar esta manifestación, el tribunal debe ceñirse a los elementos probatorios cuya existencia resulte de los autos. Se trata, por tanto, de una recomendación que las partes pueden seguir o no; si la atienden, lo que corresponde es que completen o modifiquen su proposición de prueba –como dice el párrafo final del artículo 429.1–, pero lo que no cabe es que el tribunal supla la iniciativa probatoria que corresponde a las partes y ordene de oficio la prueba complementaria que estime adecuada. En todo caso, esa recomendación tiene sus límites: de un lado, no puede alterar las reglas de preclusión que rigen la aportación de documentos, medios e instrumentos que las partes han de acompañar con sus respectivos escritos iniciales de alegación y, de otro, al tener que ceñirse a «los elementos probatorios cuya existencia resulte de los autos», no puede indicar la conveniencia de proponer una prueba sobre hechos no introducidos en el proceso ni referirse a personas a las que no se haya aludido en la demanda o la contestación[53], como tampoco cubrir la ausencia de prueba respecto de algún hecho[54]. Que la prueba propuesta por las partes resulte insuficiente entra en el marco de la apreciación subjetiva del juez y esta escapa del control externo y posterior por un órgano superior para imponer su propio criterio que conduciría al absurdo de fundar una nulidad de actuaciones siempre que en la decisión final se aplicaran las normas de la carga de la prueba y el juez no hubiera indicado previamente la insuficiencia probatoria[55]. La labor que este tiene encomendada y que se resuelve en el juicio de suficiencia precede a la práctica y valoración de los medios propuestos y no puede revisarse a la luz del resultado que estos arrojen, ya que este es un factor extraño y necesariamente desconocido en el momento en que aquel tiene lugar. La aplicación práctica y el propio contenido de la norma contenida en el artículo 429.1 continuarán, a buen

---

53. En este sentido, BANACLOCHE PALAO, en *Comentarios a la Ley de Enjuiciamiento Civil*, cit., p. 725.
54. SAP de Navarra (sec. 2.ª) de 16 de abril de 2002 (JUR 2002, 142806).
55. SAP de Barcelona (sec. 19.ª) de 17 de octubre de 2011 (JUR 2015, 770) y las citadas en ella.

seguro, siendo objeto de discusión en la medida en que pueda quedar comprometida la imparcialidad del juez y las disposiciones sobre la distribución de la carga de la prueba. En el juicio ordinario, cuando el juez hace uso de esta facultad, la prueba ha sido propuesta por las partes, pero no practicada, puesto que es en la audiencia previa cuando la recomendación del tribunal encuentra el momento oportuno para ser actuada y la práctica queda pospuesta al juicio. La concentración de ambas actuaciones probatorias en el juicio verbal en un solo acto invita a preguntarse si el juez podrá o habrá de hacer uso de la facultad comentada antes o después de que se practique la prueba propuesta y admitida. Ciertamente, a la vista del resultado probatorio el tribunal está en mejores condiciones de apreciar si algún extremo no ha quedado suficientemente acreditado, pero la norma no se orienta a completar tal resultado, sino a que las partes puedan ser advertidas del déficit de que puede adolecer su iniciativa en materia de prueba; además, por esta vía se estaría dando entrada, de manera encubierta y parcial, a la posibilidad de plantear diligencias finales, algo que, como luego se verá, no es procedente en el juicio verbal.

La remisión al artículo 429.1 se agota en lo dicho. Es verdad que en este precepto la Ley 42/2015 ha introducido una modificación consistente en la obligación de las partes de acompañar un escrito detallado de la proposición de prueba formulada en la audiencia que ha de hacerse de forma oral. A mi parecer, esta previsión no resulta de aplicación al juicio verbal por las siguientes razones:

a) el artículo 443.3 se remite al artículo 429.1 al objeto de que la proposición de prueba pueda *completarse* con arreglo a lo que este último dispone y la obligación de aportar la instructa no atañe a este fin, sino a la forma de llevar a cabo la proposición;

b) en el juicio ordinario, la proposición y la práctica se llevan a cabo en dos trámites distintos separados en el tiempo y la instructa puede servir, por un lado, para facilitar las actuaciones que el tribunal debe realizar antes del juicio (como la citación de testigos y peritos o las declaraciones e interrogatorios que se han de efectuar por medio del auxilio judicial) y, por otro, a que en el momento de la práctica de la prueba se proceda con orden y con todos los elementos necesarios, lo que adquiere especial relevancia en aquellas pruebas caracterizadas por su complejidad, ganándose así en información y garantías de contradicción; en el juicio verbal, esas actuaciones se anticipan, como hemos visto al analizar la citación para la vista y los extremos de las pruebas propuestas en la vista que revistan alguna complejidad pueden ser aclarados en el mismo acto;

c) así se explica, también, que el párrafo segundo del artículo 429.1 habilite un plazo de dos días para aportar el escrito que se entregó en la audiencia previa, puesto que la prueba ya ha sido propuesta y el contenido del escrito se orienta al correcto desarrollo del juicio.

Propuesta la prueba en la vista, el juez se pronunciará en el mismo acto y de forma oral sobre su admisión. La resolución es recurrible en reposición y el recurso habrá de sustanciarse y resolverse en el acto y si el recurso se desestima, la parte podrá formular protesta. A este respecto la Ley 42/2015 ha modificado el artículo 446 y, en concordancia con él, el artículo 285 no solo para especificar la procedencia del recurso de reposición, sino también para aclarar que este cabe tanto frente a la resolución que admite como frente a la que inadmite la prueba propuesta. La reforma, por tanto, unifica el régimen de recursos en el juicio ordinario y en el verbal y cierra la polémica[56] –más acentuada en el verbal pero no ausente en el ordinario– acerca de la irrecurribilidad de la resolución que se pronuncia sobre la admisión de la prueba generalizando la impugnabilidad de las resoluciones en materia de prueba, ya sean de admisión o de rechazo de lo instado por la parte.

3.3.4. El trámite de conclusiones

La procedencia del trámite de conclusiones ha sido objeto de debate y posturas encontradas desde la promulgación de la Ley de Enjuiciamiento Civil, y aun antes[57], sobre la base de que no había referencia expresa a él en los artículos dedicados a regular el juicio verbal. En la doctrina y la jurisprudencia se refleja esa discrepancia[58]. La Ley 42/2015 ha introducido un inciso en el apartado primero del artículo 447 que comporta que, una vez practicadas las pruebas y antes de dar por terminada la vista, «el tribunal podrá conceder a las partes un turno de palabra para formular oralmente conclusiones».

---

56. Véase, a este respecto, BONET NAVARRO, Á., «Cuestiones relativas a la prueba», en *Análisis crítico de la Ley de Enjuiciamiento Civil: propuestas de mejora*, Consejo General del Poder Judicial, Manuales de Formación Continuada, núm. 29, 2004, pp. 108–111.

57. Véanse las respuestas a la cuestión 40 en *Ley de Enjuiciamiento Civil: respuestas a 100 cuestiones polémicas*, cit., pp. 353–357.

58. Véanse las exposiciones a este respecto de CUCARELLA GALIANA, «El trámite de conclusiones en el juicio verbal», en *Oralidad y escritura en un proceso civil eficiente*, vol. II, cit., pp. 349 y ss, BERNARDO SAN JOSÉ, en *Los procesos declarativos de la Ley de Enjuiciamiento Civil...*, cit., pp. 348 y ss y VALMAÑA CABANES, «La importancia del trámite de conclusiones y la conveniencia de su práctica en el juicio verbal», en *InDret* 3/2015.

El silencio de la ley ha dejado de ser un argumento en pro de la exclusión de este trámite en el juicio verbal. Un argumento que difícilmente podía reputarse concluyente a la vista de lo que disponía y dispone el artículo 185.4 LEC, según el cual «concluida la práctica de prueba o, si ésta no se hubiera producido, finalizado el primer turno de intervenciones, el Juez o Presidente concederá de nuevo la palabra a las partes para rectificar hechos o conceptos y, en su caso, formular concisamente las alegaciones que a su derecho convengan sobre el resultado de las pruebas practicadas».

Más allá de las razones que puedan derivarse de la literalidad de la norma, importa destacar la finalidad y el papel que está llamado a cumplir este trámite (que, en todo caso, revestirá la forma oral). La finalidad es doble, pues sirve para albergar la crítica del resultado probatorio en relación con los hechos controvertidos y el informe sobre la fundamentación jurídica. Es un instrumento que refuerza la defensa y que proporciona al tribunal una idea clara y completa de las posturas de las partes a la vista de las alegaciones de una y otra, de las razones que las sustentan y de la certeza alcanzada sobre los hechos propios y de contrario.

La relevancia y la utilidad que las conclusiones aportan –a pesar del uso desviado que de ellas pueda hacerse o de la desatención en que pueda incurrir el tribunal, lo que no es exclusivo de este tipo de actuaciones– constituyen un motivo sólido para sostener el acierto y la conveniencia de que legalmente se prevea este trámite. Que el legislador se haya decantado por su incorporación es algo que debe ser bien recibido. Sin embargo, los términos en que lo ha hecho no dejan de suscitar algún reparo. A diferencia de lo que se observa en el precepto que lo regula en el juicio ordinario (art. 433.2 LEC) –y en el artículo 185.4, de carácter más general–, en el verbal no se utiliza la forma imperativa, sino que se presenta como un trámite que el tribunal *puede* conceder a las partes. Esta redacción invita a entender que en el juicio verbal no es un trámite preceptivo –sin que se adivine la diversidad de razones que han llevado a una solución dispar en uno y otro modelo– y es previsible que esta caracterización facultativa genere, sin duda, problemas a causa del diferente criterio que puedan tener unos y otros jueces. Parece recomendable que el juez conceda a las partes el turno para formular conclusiones, con independencia de que estas hagan uso de él o no; si no lo diera, las partes pueden pedirlo, pero si su solicitud fuera desatendida, no parece que tenga visos de prosperar en la instancia superior –hecha la oportuna protesta– porque ahora, a diferencia de antes, existe una norma especial (el art. 447.1) que se aparta del régimen establecido por la norma general (el art. 185.4).

3.3.5. La sentencia

Con el trámite de conclusiones termina la vista. El tribunal ha de dictar sentencia, por regla general, en el plazo de diez días (art. 447.1 LEC). Nada ha variado en este punto la ley (salvo que recoge expresamente la posibilidad de notificar la sentencia del juicio de desahucio de finca urbana al procurador o por medios telemáticos).

No cabía antes ni cabe ahora en el juicio verbal la posibilidad de practicar prueba por medio de las diligencias finales. Como explica BONET NAVARRO, existe un argumento lógico para que así sea: en el juicio verbal, «todo ocurre en la vista. La concentración de actuaciones en este trámite hace impensable que algo pueda o tenga que ocurrir fuera de la vista. En principio, parece ser que algunas de las finalidades para las que están ideadas las diligencias finales pueden quedar satisfechas de otro modo en el juicio verbal sin tener que acudir a aquellas diligencias»[59]. La vía para ello no es otra que la interrupción[60] y que se señale día para practicar la prueba que no pudo practicarse, para aportar el documento cuyo original no pudo aportarse o interrogar a la persona a la que no se pudo tomar declaración. Como el autor citado indica, solo el caso de que se trajeran al proceso hechos nuevos de nueva noticia después de terminada la vista y que fueran relevantes para el resultado del pleito quedaría sin resolución satisfactoria.

Por lo demás, la Ley 42/2015 no ha introducido ninguna modificación en lo que respecta a la ausencia de cosa juzgada de la sentencia que se dicte en los verbales de naturaleza sumaria (art. 447.2, 3 y 4 LEC) ni en el régimen de recursos. Recuérdese que no son apelables las sentencias dictadas en los juicios verbales por razón de la cuantía cuando esta no supere los 3000 euros (art. 455.1 LEC) y que para conocer de las apelaciones contra las resoluciones dictadas en los juicios verbales por razón de la cuantía frente a las que sea procedente el recurso, la Audiencia Provincial se constituirá con un solo magistrado (art. 82.2.1.° LOPJ).

4. EL JUICIO VERBAL QUE SIGUE AL MONITORIO

Entre las modificaciones que la Ley 42/2015 ha introducido en la regulación del proceso monitorio, corresponde en estas páginas prestar

---

59. Véase BONET NAVARRO, Á., «Cuestiones relativas a la prueba», cit., pp. 122 y 123.
60. BERNARDO SAN JOSÉ, en *Los procesos declarativos de la Ley de Enjuiciamiento Civil...*, cit., p. 356, en cambio, considera que bien podría la ley admitir expresamente la práctica de diligencias finales en el verbal, puesto que no retrasaría su tramitación más que la interrupción de la vista.

atención a la que afecta al juicio verbal que ha de seguirse cuando se pone fin al monitorio por la oposición del deudor y ser aquel el procedente al no superar los 6000 euros la pretensión. Y puedo adelantar que el juicio que merece la reforma dista, a mi parecer, de ser favorable.

Conviene contrastar la solución a que conduce la oposición del monitorio según cuál sea la cuantía de lo reclamado. Si el deudor se opone, el asunto ha de resolverse en el juicio que corresponda: en un juicio ordinario, si supera los 6000 euros y en un juicio verbal, en otro caso. En el primer supuesto, el acreedor dispone de un mes para presentar la demanda y si no lo hace, se sobreseen las actuaciones y se le condena en costas; presentada la demanda, se da traslado al demandado y siguen las actuaciones conforme a la tramitación prevista para este tipo de juicio. En cambio, si la cuantía de la reclamación determina la procedencia del juicio verbal, se da por terminado el monitorio, por decreto del letrado de la Administración de Justicia, y del escrito de oposición del deudor se da traslado al acreedor concediéndole la oportunidad de impugnarlo en el plazo de diez días.

Esto no es una mera adecuación a la nueva estructura del juicio verbal. Antes de la Ley 42/2015, cuando la cuantía no excedía de la propia del verbal, la oposición del deudor determinaba, igual que ahora, la terminación del monitorio pero, a diferencia de lo que actualmente se establece, se convocaba a las partes a la vista. Esta modalidad por la que tenía lugar la reconversión del monitorio en un verbal obedecía a la regulación de este último, puesto que, recuérdese, la regla era que arrancase con una demanda sucinta, cuya fundamentación había de exponerse en la vista, a la que respondía la contestación formulada oralmente también en ella. Una vez que el legislador ha optado por un modelo procedimental del juicio verbal con demanda completa y contestación escrita, el cambio era debido ya que en la reclamación inicial del monitorio no tienen por qué constar todos los elementos de la demanda y al demandado se le ha de brindar la oportunidad de combatirlos sin merma de sus posibilidades de defensa. Vistas así las cosas, parecía que lo más sencillo y, al tiempo, menos problemático, era otorgar un mismo tratamiento –no se adivinan las razones para que este sea dispar– a los dos supuestos a que puede abocar la oposición en el monitorio[61]: es decir, conceder un plazo al actor para interponer la demanda y seguir la sustanciación por los cauces del ordinario o del verbal según corresponda.

Para uno y otro caso, la ley ha dispuesto que el deudor que se opone ha de presentar un escrito fundado y motivado en el que dé razones por

---

61. En este sentido, PERARNAU MOYA, «El juicio verbal tras su reforma por la Ley 42/2015...», cit., p. 8.

las que, a su entender, no debe lo que se le reclama (art. 815.1.I LEC) –en la redacción anterior bastaba con que las alegara sucintamente[62]–; pero si al monitorio, como consecuencia de esa oposición, ha de seguir un verbal, establece la ley que el acreedor, al recibir el traslado del escrito de oposición, puede impugnarlo, es decir, puede ofrecer la fundamentación de su reclamación que no ofreció con la petición inicial del monitorio o, lo que es lo mismo, dar los argumentos en que funda su pretensión y frente a los que ya no tendrá ocasión de alegar el demandado. Su escrito de impugnación tiene las puertas abiertas para funcionar a un mismo tiempo como demanda y réplica, pues ya conocerá las razones que ofrece el demandado.

La opción del legislador suscita no pocas dudas, genera un buen número de problemas y ha dado ya lugar a modos de proceder no coincidentes. El objetivo de la seguridad jurídica dista de cumplirse.

Según hemos visto, el artículo 815.1 LEC exige que la oposición del deudor sea fundada y motivada. El legislador zanja una cuestión que resultaba polémica a la luz de la redacción anterior y lo hace disponiendo las cosas de modo inverso al que, a mi parecer, se derivaba del régimen precedente. La ley quiere ahora que la oposición no solo tenga un contenido concreto, sino que cuente con la debida fundamentación y motivación, lo que conduce a entender, en primer lugar, que si carece de ella y no se subsana[63], debe ser inadmitida y, en segundo, que en este momento precluyen para el demandado las posibilidades de alegar lo que a su

---

62. Sobre los excesos y las diferentes maneras de entender –la doctrina y la jurisprudencia menor– la exigencia de que el deudor alegara sucintamente las razones por las que no debe lo que se le reclama, véase Castillo Felipe, «Sobre la necesidad de motivar "sucintamente" el escrito de oposición al proceso monitorio», en *Il Diritto patrimoniales di fronte alla crisi económica in Italia e in Spagna*, (dir.: Murga Fernández y Tomás Tomás), Wolters Kluwer-CEDAM, Milano (Italia), 2014, pp. 295 y ss. Apuntaba Bonet Navarro, J., *Los procedimientos monitorios civiles en el Derecho español*, Thomson-Aranzadi, Cizur Menor, 2014, p. 47 que «si el demandado puede limitarse a formular oposición sin más, y tal consecuencia genera la necesidad de que presente demanda del juicio que corresponda, sin que tal oposición condicione, vincule o tenga repercusión alguna en la posición del deudor, el monitorio queda, como ocurre en algunos casos (monitorio por cuantías propias del juicio ordinario o el mismo monitorio europeo), en un instrumento solamente útil por la voluntad, la impericia o la bondad del deudor».

63. No parece, cambio, que deba concederse la oportunidad de subsanar en aquellos casos en que el escrito de oposición no dé razones porque, entonces, ya no se trataría de integrar un acto incompleto, sino de dotar de contenido al que carecía de él. Véanse, a este respecto, Andrés Ciurana, *La invalidez de las actuaciones en el proceso civil*, Tirant lo Blanch, Valencia, 2005, pp. 257 y 258 y Castillo Felipe, «Sobre la necesidad de motivar...», cit., pp. 308 y 309.

derecho convenga. Esta afirmación se sustenta, de una parte, en que no está prevista la contestación a la impugnación del actor y, de otra, en que la vista –cuya celebración es eventual– ya no es trámite adecuado para formular alegaciones, sin perjuicio de que las circunstancias relativas a la capacidad o representación del demandado, puestas de manifiesto por el actor, puedan ser objeto de disceptación al comienzo de la vista, en la medida en que condicionan su regular desarrollo, y sin perjuicio, asimismo, de las aclaraciones que pueda introducir en ella, conforme a lo establecido en el artículo 443.3 LEC.

Por ello, puede ser más que conveniente para el demandado solicitar la celebración de vista en su escrito de oposición; es este y no otro el momento que tiene para hacerlo (cuestión esta también discutida) y antes de quedarse sin las posibilidades que en ella se le ofrecen, es preferible que la pida cuando puede hacerlo y si posteriormente, conocida la impugnación del actor, prefiere que no tenga lugar, solicitarlo así con arreglo a lo que dispone el artículo 438.4.II LEC. Como se ve, este modo de proceder al que conduce la ley no está exento de incoherencias: el deudor ha de contestar a una demanda que no ha sido formulada como tal, ha de pronunciarse sobre la pertinencia de la vista sin conocer las razones en que apoya su pretensión el contrario y lo hace sin saber siquiera si el acreedor está dispuesto a que la tutela judicial que pidió a través de los cauces del monitorio y no obtuvo le sea satisfecha por un cauce distinto.

La elección de los términos utilizados por el legislador no es neutra desde un punto de vista semántico. Oposición e impugnación denotan un significado y un modo de proceder determinados cuando una acompaña a la otra y, además, de forma sucesiva: la oposición comporta una cierta iniciativa y la impugnación, la resistencia frente a ella, una dialéctica que el legislador entiende equilibrada al modo como ocurre con las alegaciones y las contraalegaciones. Y aquí, a mi parecer, radica el error. Porque en los casos en que se adopta ese esquema –como en el proceso de ejecución– el objeto de la discusión viene delimitado por la oposición –que da lugar a la incoación y sustanciación del correspondiente incidente–, de manera que lo que en él se resuelva está acotado a ese objeto. Y otro tanto puede decirse del juicio cambiario; en este –cuya estructura participa de los rasgos de la técnica monitoria–, la Ley 42/2015 ha modificado el artículo 826 LEC para disponer la sustanciación de la oposición cambiaria de modo paralelo y similar al que ha incorporado el artículo 818.2 respecto de la oposición del deudor en el monitorio cuando provoca que haya de seguirse un verbal. Esta semejanza no debe ocultar las diferencias: en el juicio cambiario, como en el proceso de ejecución, es elemento esencial para que se desencadenen las actuaciones procesales que el acreedor acompañe un título (un título cambiario o un título ejecutivo, respectiva-mente); lo que se origina con la oposición es un incidente y por eso dice el artículo 824.1 LEC que el deudor podrá interponer demanda de oposi-ción; en el juicio cambiario, como en el de ejecución, las causas de oposi-ción son tasadas (art. 824.2), las demás tendrán que plantearse en el juicio que corresponda; en lógica consecuencia, la resolución que se dicta en el incidente limita sus pronunciamientos a los motivos alegados, estima o desestima la oposición y solo tendrá efectos de cosa juzgada respecto de las cuestiones que pudieron ser en él alegadas y discutidas[64].

También en el monitorio la ley utilizaba, desde un comienzo, el término oposición, pero con un sentido distinto que es el que se aviene bien con la significación del juicio subsiguiente. El juicio verbal que sigue al moni-torio se desarrolla para alcanzar una sentencia que se pronuncie sobre la pretensión del acreedor y esta se introduce en un momento previo, cual es la petición inicial del monitorio, aunque se configurase por completo en la vista o lo haga, en la redacción actual, con la impugnación posterior. Y es que el término oposición significa algo bien distinto cuando proce-dimentalmente se articula como respuesta frente a la pretensión. No es algo exclusivo del caso que nos ocupa. Algo similar puede advertirse, por ejemplo, en el recurso de apelación: en tal caso, lo que busca es que la pre-tensión hecha valer en el recurso no prospere; y así había de entenderse la oposición en el monitorio: con ella el deudor provoca que el acreedor no pueda obtener a través de este cauce la tutela que pretende. Al eslabonar a la oposición la posibilidad de que el actor la impugne, se ha producido una importante confusión en el correcto entendimiento del trámite. Los términos del debate no son los que determine el deudor ni la resolución del juez versará exclusivamente sobre los que haya introducido al opo-nerse; el juez, al dictar la sentencia, no estimará o desestimará la oposi-ción, sino que condenará al deudor demandado a pagar lo reclamado o lo absolverá y la sentencia tendrá plena eficacia de cosa juzgada. Si así sucede es porque la oposición del deudor no da lugar a un incidente[65], sino a la conversión del proceso inicialmente planteado en otro de distin-tas características que también busca la satisfacción de lo pretendido.

---

64. Véase, a este respecto, LÓPEZ SÁNCHEZ, *El proceso monitorio*, cit., pp. 55 y 56.

65. De parecer diverso se manifestaba, incluso antes de la Ley 42/2015, BONET NAVARRO, J., *Los procedimientos monitorios...*, cit., pp. 140–143, para el que el escrito de oposi-ción, cuando daba lugar a un verbal, era un demanda (sucinta), el deudor era un demandante de absolución, lo que se abría formalmente era el juicio de oposición y la resolución que en él se dictaba era la sentencia sobre la oposición (aun reconociendo que la sentencia desestimatoria de la pretensión absolutoria del deudor había de ser condenatoria por el principal). Esta parece ser la postura adoptada por el legislador de 2015.

Según se ve, el escrito de oposición del deudor sustituye al escrito de contestación[66]. Porque el monitorio termina con él y se produce con su presentación la reconversión en el verbal sin necesidad de que este haya de principiar por demanda. Y si esto es así, el demandado habrá de acompañar al escrito de oposición los documentos y otros escritos que la ley dice que ha de aportar a la contestación (art. 265 LEC). Puesto que se ha producido una inversión en el orden de proceder (las alegaciones del actor responden a las del demandado), estimo que habrá que interpretar el artículo 265.3 LEC en el sentido de permitir al demandado presentar en la vista los documentos y escritos sobre el fondo cuyo interés o relevancia solo se ponga de manifiesto a consecuencia de las alegaciones efectuadas por el actor en su escrito de impugnación.

El intercambio de posiciones que se produce por efecto de la ley suscita algún otro interrogante. Así sucede con las consecuencias que han de anudarse a la incomparecencia de las partes a la vista. De entender que el escrito del deudor –en el que da razones por las que no es exigible el pago que se le reclama– da lugar a un juicio de oposición en el que es demandante de absolución, la citación para la vista habría de advertirle de que, de no comparecer, se le tendrá por desistido de su oposición (art. 442.1 LEC); por el contrario, si entendemos, como a mi parecer procede, que el acreedor ocupa la posición actora y el deudor la de demandado, esa advertencia se dirigirá al acreedor, mientras que al deudor se le indicará que su inasistencia no provocará la suspensión de la vista (arts. 440.1.III y 442.2 LEC).

Nada obsta en el tenor literal de la ley a que el demandado formule reconvención al tiempo que presenta su escrito de oposición[67]. Es claro

---

66. En este sentido, GARBERÍ LLOBREGAT, *El proceso monitorio en la Ley de Enjuiciamiento Civil*, 4.ª ed., Bosch, Barcelona, 2015, p. 90.

67. ORRIOLS GARCÍA, «El lastimoso juicio verbal derivado del monitorio», en *La Ley*, núm. 8746, 21 de abril de 2016, entiende que concurren varias razones para entender que el trámite de oposición al requerimiento del monitorio no puede ser el momento idóneo para formular una reconvención; en síntesis: a) porque la técnica monitoria no lo permite y así se observa en el Derecho comparado; b) porque para formular reconvención debe existir el presupuesto imprescindible de una demanda precedente; c) porque el actor del monitorio, antes de verse sometido a contestar a una reconvención, debe tener derecho, a la vista de la oposición, a no seguir con su reclamación; d) porque la reconvención sería una complicación excesiva, incompatible con la simplicidad que debe presidir la técnica monitoria; e) porque puede resultar difícil para el juzgador apreciar la existencia del requisito de la conexidad; f) porque no existe trámite para previsto para la contestación a la reconvención; g) porque el cómputo del plazo para contestar se complica demasiado; h) porque si no cabe en el monitorio plantear una cuestión de competencia, sería absurdo obligar al requerido a contestar o reconvenir antes que a plantear una declinatoria. Al margen de que algunas de

que si la norma hubiera dispensado el mismo tratamiento para la transformación del monitorio en un verbal que el previsto para el caso del ordinario, el problema no sería tal. Pero si la oposición sustituye a la contestación y no hay trámite subsiguiente para que esta se articule, habrá también de concluirse –por insatisfactoria que parezca la conclusión– que el demandado que quiera reconvenir dispone de ese mismo plazo para hacerlo y puesto que no hay contestación a la impugnación, no tendrá una ocasión ulterior para ejercitar la acción reconvencional. De este modo, si la reconvención cumple con las exigencias del artículo 438 LEC, habrá de ser admitida y de ella se dará traslado al actor junto con el escrito de oposición para que en el plazo común de diez días pueda impugnar esta y contestar aquella. Reconozco que la solución a que, a mi parecer, conduce la ley adolece de una deficiente técnica legislativa y que hubiera sido deseable que fuera otro el régimen finalmente adoptado. Pero conviene también poner de relieve que los tribunales deben actuar con arreglo a lo dispuesto en la ley (art. 1 LEC) y que la tramitación de los procedimientos no ha de quedar al albur de la creación judicial; si el juzgador estima que el procedimiento establecido en la ley no se ajusta a las exigencias constitucionales, lo que procede es que plantee la correspondiente cuestión; ciertamente, el artículo 5.3 LOPJ no parece invitar a ello, pues prescribe como condición para su planteamiento que por vía interpretativa no sea posible la acomodación de la norma al ordenamiento constitucional, pero debe recordarse que, como ha dicho la STC 105/1988, de 8 de junio (RTC 1988, 105), no se exige la imposibilidad de interpretar la norma conforme a la Constitución para considerar bien fundada la cuestión y que la regla que recoge el citado artículo 5.3 LOPJ «no puede entenderse como limitativa de los términos sobre el planteamiento de la cuestión contenidos en el art. 35 de la Ley Orgánica del Tribunal y ofrece únicamente a los Jueces y Tribunales la alternativa entre llevar a cabo la interpretación conforme a la Constitución o plantear la cuestión de inconstitucionalidad». La experiencia confirma la predilección por el primer término de la alternativa como también su falta de uniformidad y, consiguientemente, una alta dosis de inseguridad jurídica.

---

estas objeciones (la falta de una demanda completa frente a la que reaccionar, que el actor pueda desistir de su reclamación) sirven por igual para la reconvención que para la contestación, debe tenerse en cuenta: que la complicación a que se alude no incide en la técnica monitoria, sino en el juicio verbal subsiguiente al monitorio; que la eventual complicación que se produce por la ampliación del objeto tampoco afecta al monitorio, sino al verbal posterior; que si hay reconvención, indudablemente hay trámite para contestar a ella, en aplicación de la regla establecida en el artículo 438.2.II LEC; que no hay complicación en lo que al cómputo se refiere, sino, en su caso, dificultad para reaccionar ejercitando la acción reconvencional en tan breve plazo.

Capítulo III

El proceso monitorio tras las reformas de 2015

FERNANDO JIMÉNEZ CONDE

Catedrático de Derecho Procesal
Universidad de Murcia

1. INTRODUCCIÓN

Se trata fundamentalmente en esta ponencia de hacer algunas reflexiones sobre las reformas a que ha sido sometido el proceso monitorio en virtud de la Ley 42/2015, de 5 de octubre, de reforma de la Ley 1/2000, de 7 de enero, de Enjuiciamiento Civil. Ello implicará efectuar alguna consideración comparativa con el proceso monitorio europeo establecido por el Reglamento (CE) núm. 1896/2006, de 12 de diciembre, a raíz del cual se introdujo en la LEC la nueva disposición final 23.ª.

Asimismo, servirán las presentes líneas para realizar algunos apuntes en torno al que se ha venido a llamar «monitorio notarial», como competencia atribuida a los notarios para la «reclamación de deudas dinerarias no contradichas» en los artículos 70 y 71 introducidos en la Ley del Notariado de 1862 por la Ley 15/2015, de 2 de julio, de Jurisdicción Voluntaria.

2. REFORMA OPERADA EN LA LEC POR LA LEY DE 5 DE OCTUBRE DE 2015

2.1. EJES FUNDAMENTALES QUE MOTIVAN LA REFORMA DEL PROCESO MONITORIO

Las causas que dieron lugar a las reformas operadas en la Ley de Enjuiciamiento Civil en relación con el proceso monitorio son principalmente dos:

a) La sentencia del Tribunal de Justicia de la Unión Europea de 14 de junio de 2012, en el asunto C-618, *Banco de Crédito Español*, dictada a raíz de una cuestión prejudicial que planteó la Audiencia Provincial de Barcelona. En dicha sentencia el Tribunal de Luxemburgo declaró que el ordenamiento español no era conforme a la normativa europea sobre protección de consumidores en la medida en que no contemplaba al regular el proceso monitorio el control *ab initio* de las cláusulas abusivas por parte del juez competente. De la *ratio decidendi* de dicha sentencia se desprendía que el proceso monitorio español había de ser reformado en el sentido de garantizar que el referido control fuese llevado a cabo por el titular del órgano jurisdiccional en cualquier caso, tanto si el deudor formulaba oposición como si no comparecía y dejaba abierta la vía de la ejecución.

b) La modificación de los trámites del juicio verbal, en el sentido de transformar la contestación oral a la demanda en una contestación escrita, como en el juicio ordinario[1], para evitar la posible indefensión del actor en ciertos casos. A raíz de ello, la demanda sucinta se convierte en demanda con el contenido y forma propios del juicio ordinario (art. 437.1, en relación con el art. 399 LEC), salvo los supuestos en que no se actúe con abogado y procurador, en los que se mantiene la demanda sucinta en impresos normalizados, pero donde se han de concretar los hechos fundamentales en que se basa la petición (art. 437.2), y la contestación escrita también en impresos de tal índole (art. 438.1, párr.2). Evidentemente, semejante cambio

---

1.   En realidad, así estaba ya previsto para el propio juicio verbal, en determinados casos, en el art. 443 del Anteproyecto de Ley de Enjuiciamiento Civil, y lo ha estado desde un principio en la LEC vigente en los procesos sobre capacidad, filiación, matrimonio y menores (art. 753).

en el procedimiento del juicio verbal exigía una modificación del proceso monitorio en aquellos supuestos en los que la deuda reclamada no excediera de la propia del juicio verbal y el deudor requerido de pago formulase oposición, ya que entonces el proceso monitorio se transforma en un juicio verbal.

2.2. ANTEPROYECTO DE REFORMA DE LA LEY DE ENJUICIAMIENTO CIVIL DE 3 DE MAYO DE 2013

Como consecuencia de los requerimientos antes analizados, amén de otras motivaciones, el 3 de mayo de 2013 se aprobó por el Gobierno un Anteproyecto de reforma de la LEC. En el mismo, la verdad sea dicha, malamente se abordaron los dos problemas que anteriormente examinamos como motivos que reclamaban la reforma del proceso monitorio.

En lo que hace al control inicial de la posible existencia o concurrencia de cláusulas abusivas en aquellos contratos de consumo aportados como principio de prueba documental para apoyar la petición inicial del procedimiento monitorio, el referido Anteproyecto añadía un nuevo apartado 4 al art. 815 de la LEC con el siguiente tenor: «4. Si el Secretario Judicial, tratándose de una reclamación de deuda fundada en un contrato entre un profesional y un consumidor, apreciase el posible carácter abusivo de cualquier cláusula que constituya el fundamento de la petición o que hubiese determinado la cantidad exigible, dará cuenta al Tribunal quien, en su caso, oirá a las partes por cinco días resolviendo lo procedente mediante auto dentro de los cinco días siguientes. Para dicho trámite no será preceptiva la intervención de Abogado ni de Procurador». Parece obvio que con semejante modificación legal no se daba cabal cumplimiento a la determinación establecida por el Tribunal de la Unión Europea en su sentencia antes mencionada de 14 de junio de 2012, por cuanto la decisión acerca de la posible presencia o no de cláusulas abusivas quedaba configurada como una facultad atribuida al Secretario Judicial (hoy letrado de la administración de justicia), en lugar de conceptuarse como una competencia de control *ab initio* de carácter estrictamente jurisdiccional y por tanto sólo atribuible al juez, como titular exclusivo de la potestad jurisdiccional.

Respecto a la modificación de los trámites del juicio verbal, el tan aludido Anteproyecto pecaba aún con mayor gravedad, ya que se olvidó por completo de modificar el art. 816 LEC para acomodarlo a los nuevos trámites que el propio Anteproyecto contemplaba en relación con el juicio verbal (contestación escrita y demanda configurada de acuerdo con el art. 399 LEC), en aquellos casos en que el procedimiento monitorio se convierta en juicio verbal porque la deuda reclamada no exceda de seis mil euros y el deudor formule oposición.

2.3. LA LEY 42/2015, DE 5 DE OCTUBRE, DE REFORMA DE LA LEY DE ENJUICIAMIENTO CIVIL

En virtud de la Ley de 5 de octubre de 2015, que reforma nuestra Ley procesal civil de 2000, se intentan rectificar las deficiencias a que hemos aludido en relación con el Anteproyecto de 2013.

Esta modificación legal no deja de tener sus inconvenientes, por no decir defectos de importancia en algunos temas. Dedicaremos las próximas consideraciones al estudio de tales modificaciones y a ofrecer nuestra opinión crítica acerca de las mismas.

a) Control de cláusulas abusivas al inicio del proceso monitorio

La aludida reforma de 2015 incorpora un nuevo apartado 4 al artículo 815 LEC, cuyo primer párrafo es del siguiente tenor: «Si la reclamación de la deuda se fundara en un contrato entre un empresario o profesional y un consumidor o usuario, el secretario judicial [sic], previamente a efectuar el requerimiento, dará cuenta al juez para que pueda apreciar el posible carácter abusivo de cualquier cláusula que constituya el fundamento de la petición o que hubiese determinado la cantidad exigible».

Es cierto que con esta redacción se rectifica adecuadamente la competencia que en el Anteproyecto de 2013 estaba atribuida al ahora llamado Letrado de Administración de Justicia de controlar *ab initio* la eventual existencia de cláusulas abusivas, determinándose ahora, con la reforma de 2015, que sea directamente el titular del órgano jurisdiccional quien efectúe enteramente y desde el principio tal enjuiciamiento cuando la reclamación de la deuda se funde en un contrato entre un empresario o profesional y un consumidor o usuario.

Sin embargo, sigue quedando a cargo de quien la Ley reformadora continúa llamando secretario judicial el problema jurídico, en absoluto baladí, de determinar cuándo existe una relación de consumo como base para la reclamación de la deuda en el proceso monitorio. A la hora de identificar la condición de «consumidor», cabe que existan supuestos en los que esta tarea se presente como compleja y difícil[2]. A título de ejemplo

---

2. De las dificultades a la hora de establecer en ciertos casos la condición de consumidor dan cumplida cuenta, Lafuente Torralba, A., «Los obstáculos para el examen de las cláusulas abusivas en el proceso de ejecución: puntos ciegos y zonas de desprotección en el régimen vigente», Revista de Derecho Civil, n.° 2, 2015, págs. 181–205; Cámara Lapuente, S., «El concepto legal de «consumidor» en el Derecho Privado Europeo y en el Derecho Español: aspectos controvertidos o no resueltos», Cuadernos de Derecho Transnacional, n.° 1, 2011, págs. 84–117; Marín López, M. J., «El «nuevo» concepto

cabe mencionar los «actos mixtos», donde un mismo bien se utiliza en la esfera profesional y también en el ámbito personal o privado; aquellos supuestos en que un sujeto, que en principio tendría la condición de consumidor, contrata en calidad de empresario con el fin de conseguir ciertas ventajas, sobre todo de índole fiscal; o el supuesto del empresario o profesional que adquiere bienes o servicios que no pertenecen al ámbito de su actividad y cuya incorporación a su cadena de producción es ciertamente dudosa. Si a todo lo anterior se añade que, con carácter general, el art. 815.1 LEC atribuye al letrado de la administración de justicia la facultad de determinar si los documentos aportados con la petición constituyen un principio de prueba de derecho del peticionario suficiente para requerir de pago al deudor, por cuanto semejante facultad implica o constituye un enjuiciamiento netamente jurisdiccional, llegamos a la conclusión de que la decisión de admitir formalmente la petición del monitorio debía ser en todo caso competencia del juez, como ocurría en el texto originario de la LEC antes de la reforma operada por la Ley 13/2009, de 3 de noviembre.

Retomando de nuevo el tema de las cláusulas abusivas, el nuevo apartado 4 del artículo 815 LEC establece que cuando el juez apreciare que alguna cláusula puede ser calificada como tal, dará audiencia por cinco días a las partes, sin que sea preceptiva la intervención de abogado ni de procurador. Si comparamos este trámite de audiencia con el previsto para idéntico fin en el art. 552.1 LEC relativo al despacho de la ejecución ordinaria, es de observar que el plazo de audiencia en esa otra norma triplica la duración del previsto en el monitorio, con la particularidad añadida de que cuando se introdujo el párrafo 2 en el artículo 552.1 LEC por la Ley 1/2013, de 14 de mayo, de medidas para reforzar la protección de los deudores hipotecarios, el plazo de audiencia a las partes era de cinco días y por considerarse desde el punto de vista práctico claramente insuficiente para que el ejecutado pudiera articular su defensa fue ampliado a quince días por la misma Ley que aquí estamos analizando en relación con el proceso monitorio: la Ley 42/2015, de 5 de octubre. Por otro lado, si la audiencia se confiere a las partes para que aleguen lo que consideren oportuno acerca de si cabe calificar alguna cláusula como abusiva o no,

---

de consumidor y empresario tras la Ley 3/2014, de reforma de TRLGDCU», Revista Cesco de Derecho de Consumo, n.º 9, 2014, págs. 9–16; y Bercovitz-Rodríguez Cano, R., «Comentario al art. 3» en AA.VV., Comentario del Texto Refundido de la Ley General para la Defensa de los Consumidores y otras Leyes complementarias, 2.ª ed., Thomson-Aranzadi, Cizur Menor (Navarra), 2015, págs. 55–70. Justo es resaltar, asimismo, las líneas que dedica a este problema Castillo Felipe, R., en su tesis doctoral recientemente defendida y aún inédita sobre El Control de los presupuestos procesales en la ejecución civil ordinaria: de oficio y por oposición del ejecutado, Murcia, 2016 págs. 201–203.

es obvio que ello requiere un juicio de carácter técnico jurídico que difícilmente una persona lega puede acometer; de ahí que no parezca muy atinado prescindir de la intervención obligada de abogado y procurador en este trámite, lo que en cambio no hace la LEC en el art. 552.1 antes referido.

El tantas veces aludido aparatado 4 del artículo 815 LEC finaliza en los siguientes términos: «El auto que se dicte será directamente [?] apelable en todo caso». Entendemos que en el supuesto que contempla esta norma el juez dictará auto sólo cuando plantee de oficio la cuestión relativa a la posible existencia de una cláusula abusiva, la estime o la desestime, pero no si, tras el examen que verifique de oficio, no aprecia indicios de tal posible existencia, en cuyo caso lo más lógico es que dicte una providencia. Y en cuanto al recurso de apelación, que el precepto indica textualmente que puede ser interpuesto *en todo caso*, por tanto también cuando la deuda reclamada en el monitorio sea igual o inferior a tres mil euros, representa un contrasentido claro con lo previsto en el art. 455.1 LEC para la sentencias dictadas en juicios verbales cuyo objeto no supere esa cuantía.

Antes de poner fin a estos comentarios, conviene apuntar que, incluso después de la reforma de la LEC de 2015, permanece oscura la posibilidad de un nuevo control de cláusulas abusivas en el proceso de ejecución forzosa en que pueda desembocar el monitorio, cuando el deudor no pague la deuda ni formule oposición.

b) Oposición del deudor y conversión del proceso monitorio en juicio verbal

Ante la modificación del juicio verbal a la que anteriormente hemos hecho referencia, relativa a sus actos alegatorios (contestación escrita y demanda ordinaria), era necesario cambiar el modo de transformarse el proceso monitorio en juicio verbal, cuando la deuda reclamada no superarse los seis mil euros y el deudor planteara formalmente oposición.

Al legislador que realizó la reforma de 2015 se le ofrecían, a nuestro entender, fundamentalmente dos posibilidades:

Una, equiparar el modo de convertir el monitorio en juicio verbal al que el art. 818.2, párrafo 2, LEC prevé para el juicio ordinario, esto es, conferir plazo al acreedor para presentar demanda conforme al art. 399 (salvo reclamaciones inferiores a dos mil euros, en las que el deudor se oponga sin abogado ni procurador, en cuyo caso utilizaría los formularios normalizados del art. 437.2 LEC) y, a partir de ahí, continuar el procedimiento conforme a lo previsto en la Ley; en otro caso, el letrado de la administración de justicia dictaría decreto sobreseyendo las actuaciones y condenando en costas al acreedor, al igual que ocurre con reclamaciones superiores a seis mil euros (¡el letrado de la administración de justicia, que no está investido de la potestad jurisdiccional, puede condenar en costas!). Esta solución parece la más lógica en la medida en que la demanda y la contestación en el juicio verbal se equiparan tras la reforma de 2015 a esos mismos actos de alegación en el juicio ordinario.

Otra, reforzar la exigencia de fundamentación y motivación del escrito de oposición que presente el deudor ante el requerimiento de pago e invertir luego el contradictorio en el juicio verbal resultante de dicha oposición: el escrito de oposición sería considerado como una demanda de contradicción del juicio verbal que se inicia y al acreedor tendría un plazo para contestar por escrito a dicha demanda en los términos del art. 405 LEC, de modo similar a lo que acontece, v. gr., en el juicio cambiario.

El legislador ha optado por esta segunda alternativa, siguiendo la propuesta de un sector de la doctrina[3].

A tenor de la reforma, por un lado, el art. 815.1 LEC requiere, sea cual sea la cuantía de la deuda, que el deudor «alegue de forma fundada y motivada en escrito de oposición, las razones por las que, a su entender, no debe en todo o en parte la cantidad reclamada». Por otro, el art. 818.2 LEC determina que «cuando la cuantía de la pretensión no excediera de la propia del juicio verbal, el secretario judicial dictará decreto dando por terminado el proceso monitorio y acordando seguir la tramitación conforme a lo previsto para este tipo de juicio, dando traslado de la oposición al actor, quien podrá impugnarla por escrito en el plazo de diez días. Las partes, en sus respectivos escritos de oposición y de impugnación de ésta, podrán solicitar la celebración de vista, siguiendo los trámites previstos en los artículos 438 y siguientes». O sea, en definitiva, el escrito de oposición que presenta el deudor se equipara a la demanda de juicio verbal y el escrito de impugnación que presente el actor en ese plazo de diez días opera como una contestación escrita a la demanda de dicho juicio.

No compartimos la solución escogida por el legislador con base en las siguientes razones:

1) Por cuanto se han igualado el juicio ordinario y el juicio verbal en la fase inicial de alegaciones, no tiene sentido ni justificación un

---

3. Vid., Bonet Navarro, J., Los procedimientos monitorios civiles en el Derecho español, Thomson-Aranzadi, Cizur Menor (Navarra), 2014, págs. 21 y ss.; también Gimeno Sendra, V. y Morenilla Allard, P., Derecho Procesal civil. Los procesos especiales, 3.ª ed., Colex, Madrid, 2010, pág. 236; Cortés Domínguez, V., Derecho Procesal civil. Parte especial (con Moreno Catena, V.), Tirant lo Blanch, Valencia, 2010, págs. 168 y 171.

tratamiento desigual aplicable a la conversión del procedimiento monitorio en proceso contencioso en función de que este último haya de ser un juicio verbal o un juicio ordinario.

2) Lo más razonable, en nuestra opinión, hubiera sido mantener el espíritu inicial de la LEC, donde sólo se exigía «dar razones» de la oposición, es decir, alegar sucintamente los motivos por los que no se debe en todo o en parte[4], pero sin invertir el contradictorio ni obligar al deudor a formalizar una oposición como demanda ordinaria en todo regla, de acuerdo con el art. 399 LEC, sin conocer los detalles de la pretensión del acreedor y con aplicación de los efectos preclusivos del art. 400 LEC.

Entendemos que, aunque se mantenga la misma distribución del *onus probandi* prevista en el art. 217 LEC, al presunto deudor se le hace pesar la carga de defenderse frente a una pretensión cuyos pormenores no han sido especificados: ni en cuanto a los hechos ni en cuanto a los fundamentos de Derecho.

Esto puede ser admisible, e incluso recomendable, cuando el objeto litigioso que plantea el reclamante está perfectamente definido en su escrito inicial. Así ocurre, por ejemplo, con la demanda en el juicio cambiario, a la que ha de acompañarse un título formal de crédito –letra de cambio, pagaré o cheque– y cuya oposición en el propio juicio cambiario está limitada a las causas tasadas en el art. 76 de la Ley Cambiaria y del Cheque (art. 824.2 LEC). Algo similar cabe decir del proceso para la protección de derechos reales inscritos a que se refiere el art. 41 de la Ley Hipotecaria. En éste se requiere adjuntar a la demanda certificación literal del Registro de la Propiedad que acredite expresamente la vigencia, sin contradicción alguna, del asiento que legitima al demandante (art. 439.1.3.° LEC), y la demanda de contradicción que puede presentar el sujeto contra el que se dirige la pretensión inicial debe fundarse únicamente en los motivos concretos previstos en el art. 444.2 LEC. Incluso cabría justificar la inversión del contradictorio en el proceso monitorio fundado en el art. 21 de la Ley de Propiedad Horizontal, ya que en él también está perfectamente delimitado en el escrito inicial el objeto de la pretensión y además se requiere que con dicho escrito se acompañe certificado del acuerdo de la Junta de Propietarios, expedido por su secretario y con el visto bueno de su presidente. En todos estos casos se parte de

---

4. Vid., Castillo Felipe, R. «Sobre la necesidad de motivar «sucintamente» el escrito de oposición al proceso monitorio», en AA.VV., Il Diritto Patrimoniale di fronte alla crisi economica, Murga Fernández, J.P.; Tomás Tomás, S., (Dirs.), Cedam, Milán, 2014, págs. 293–309.

una prueba documental sólida (la que Furno consideró como «prueba legal del crédito»[5]). Asimismo, estamos ante hipótesis en las que, además de estar claramente delimitado y acreditado documentalmente el objeto de la pretensión, la oposición del demandado queda restringida a causas específicas.

En cambio, en los supuestos genéricos de nuestro proceso monitorio, que puede versar sobre todo tipo de materias o relaciones jurídicas y donde el procedimiento se inicia con cualquier principio de prueba documental, incluso con un documento elaborado unilateralmente por el supuesto acreedor –factura o albarán–, ¿es razonable atribuir al supuesto deudor la carga de argumentar con detalle, en demanda ordinaria, su oposición, sin conocer los hechos concretos y los fundamentos jurídicos de la pretensión ejercitada? ¿Es lógico que tales hechos y fundamentos de Derecho de la pretensión del actor se expongan al contestar la demanda defensiva del deudor? ¿Será entonces cuando el acreedor presentará los documentos definitivos, dictámenes y otros medios probatorios que acrediten lo que inicialmente reclamaba? ¿Y cuándo puede oponerse a todo ello el deudor y ejercer su derecho de defensa? ¿En conclusiones? Como es sabido, a tenor del art. 447.1 LEC reformado, la posibilidad de formular conclusiones queda al criterio discrecional del tribunal. Por tanto, la contestación escrita del acreedor viene a erigirse en una suerte de réplica ante la demanda de contradicción del deudor –que en realidad es una contestación a la reclamación inicial–, sin que la Ley autorice que éste pueda presentar en todo caso la correspondiente dúplica.

Hay autores que apoyan la necesidad de formular una oposición bien fundamentada por el deudor en el proceso monitorio (lo cual ha propiciado esta inversión del contradictorio en el caso de juicios verbales), al entender que de ello depende el éxito del indicado proceso especial. Así lo ha defendido el Prof. Bonet Navarro, J., refiriéndose, antes de la reforma de 2015, a reclamaciones superiores a seis mil euros: «el éxito del procedimiento monitorio por cuantías propias del juicio ordinario queda en las exclusivas manos del deudor requerido. El monitorio solamente será viable cuando el deudor sea negligente o bondadoso, en otro caso, se presenta bastante probable que, fundada, o infundadamente, formulará oposición, pondrá final al monitorio, e impondrá la carga de formular demanda de

---

5.   Furno, C., Teoría de la prueba legal, González Collado, S. (trad.), Editorial Revista de Derecho Privado, Madrid, 1954, pág. 199. Véase también del mismo autor la importante monografía Accertamento convenzionale e confessione stragiudiziale (traducida al castellano por Sancho Mendizábal con el título Negocio de fijación y confesión extrajudicial, Madrid, 1957).

juicio ordinario con la consiguiente pérdida de esfuerzos y tiempo, siendo lo contrario precisamente una de las aspiraciones del monitorio»[6].

Frente a semejante criterio, sin duda respetable, cabe plantear tres observaciones:

1) En el proceso monitorio europeo, que consideramos un modelo a seguir, el art. 16.3 del Reglamento (CE) núm. 1896/2006, de 12 de diciembre, determina que «el demandado deberá indicar en su escrito de oposición que impugna la deuda, *sin que esté obligado a motivarlo*» (la cursiva es nuestra).

2) Por otra parte, la insuficiencia de motivación plantea severos problemas en cuanto a su control. ¿Cuál es la consecuencia que puede tener tal insuficiencia en el escrito de oposición del deudor, exigida en los términos del art. 815.1 LEC reformado, con independencia de la cuantía de la deuda, tanto si representa una demanda de contradicción para juicio verbal, como si constituye la mera oposición que pueda dar lugar a un juicio ordinario? Que el letrado de la administración de justicia dicte decreto «juzgando» sobre la falta de fundamentación de la oposición y como corolario dé por terminando el procedimiento monitorio, con traslado al acreedor para que inste el proceso de ejecución. Este modo de proceder es el que de *facto* se ha venido produciendo en la práctica forense, a veces con resoluciones pintorescas que ahora no es el momento de analizar; eso sí, permitiéndose en todo caso el control judicial de esta decisión a través del recurso de revisión frente al decreto del letrado de la administración de justicia que ponga fin al proceso monitorio[7].

Téngase en cuenta, igualmente, que, tras la reforma de 2015, con esta posible decisión del letrado de la administración de justicia se está inadmitiendo a trámite la demanda de juicio verbal que iniciaría el proceso contencioso, en clara contradicción con lo dispuesto por el art. 403.1 LEC, donde se dispone que las demandas sólo se inadmitirán en los casos y por las causas expresamente previstas en esta Ley, y con los arts. 404.2 LEC y 438.1 LEC, en los que se reserva al titular del órgano jurisdiccional la facultad para resolver sobre la inadmisión de cualquier demanda.

Por lo demás, ante el argumento esgrimido de que a falta de una oposición fundamentada el éxito del procedimiento monitorio queda en manos del deudor requerido, existen otros modos para evitar la actuación

---

6. Bonet Navarro, J., Los procedimientos monitorios..., ob. cit., págs. 25–26.
7. Vid., Castillo Felipe, R., «Sobre la necesidad de motivar «sucintamente» el escrito de oposición...», ob. cit., págs. 302 y ss.

fraudulenta de dicho deudor, sin tener que llegar a la inversión del contradictorio, como pueden ser la condena en costas al finalizar el proceso contencioso apreciando temeridad (y con ello obviando el límite cuantitativo a que se refiere el art. 394.2 LEC) y la posibilidad añadida de imponerle al propio deudor opuesto fraudulentamente multas por quebrantar la buena fe procesal que contempla el art. 247.3 LEC[8].

3) Por último, ese temor de que el éxito del proceso monitorio pudiera quedar en manos del deudor requerido, al no exigirle en la relación originaria de la LEC una oposición rigurosamente fundamentada no parece corresponderse con lo que ha ocurrido en la realidad de la práctica forense, según estadísticas publicadas sobre la forma de conclusión de los procesos monitorios en toda España en los diez primeros años de vigencia de la LEC[9]. Del total de procesos monitorios tramitados en esos diez años (3.643.859), más del cincuenta por ciento (1.844.604) finalizaron con el pago de la deuda o dando lugar al despacho de la ejecución (por incomparecencia del deudor). Y menos del siete y medio por ciento (264.378) se transformaron por oposición del deudor en juicio verbal o juicio ordinario. El resto concluyeron de otras formas no especificadas en la estadística.

Consideramos que, en definitiva, los datos reflejados hablan por sí solos del éxito del procedimiento monitorio tal como estaba inicialmente regulado y de lo infundado del temor expuesto por el sector de la doctrina que hemos citado.

3. EL LLAMADO «MONITORIO NOTARIAL»

En virtud de la Disposición final undécima de la Ley 15/2015, de 2 de julio, de Jurisdicción Voluntaria, se introduce un nuevo Título VII en la Ley de 28 de mayo de 1862, del Notariado, destinado a la intervención de los notarios en expedientes y actas especiales de jurisdicción voluntaria. Dentro de dicho Título, el Capítulo IV, Sección 2.ª, arts. 70 y 71, bajo la rúbrica «Reclamación de deudas dinerarias no contradichas», contempla y regula el que se ha venido a conocer como «procedimiento monitorio notarial» o simplemente el «monitorio notarial».

Son actuaciones similares a las que integran la primera fase del proceso monitorio judicial, cuya naturaleza jurídica cabe calificar como de

---

8. Vid., Castillo Felipe, R., «Sobre la necesidad de motivar «sucintamente» el escrito de oposición...», ob. cit., págs. 306–308.

9. Cfr., Martín Pastor, J., «Estudio estadístico sobre el éxito de los procesos monitorios y su contribución a la minoración de los costes de la administración de justicia», Justicia, n.º 2, 2012, pág. 238.

jurisdicción voluntaria, y de ahí que sea posible atribuir la competencia para su realización a los notarios.

Está previsto para la reclamación de deudas civiles y mercantiles de cualquier índole y cuantía, siempre que sean líquidas, determinadas, vencidas y exigibles. No obstante, quedan excluidas expresamente determinadas deudas, entre las que se encuentran aquellas que se funden en un contrato entre un empresario o profesional y un consumidor o usuario. Sin duda, tal exclusión obedece a la necesidad de que exista un control judicial *a límine* de posibles cláusulas abusivas, pero nuevamente tropezamos con el problema jurídico de determinar cuándo tiene lugar una auténtica relación de consumo, que en algunos casos que antes referimos se presenta como una cuestión compleja y difícil, y que en el procedimiento que analizamos corresponde resolver al notario.

La competencia se atribuye al notario del lugar del domicilio o residencia habitual del deudor, o donde éste pudiera ser hallado para notificarle el requerimiento de pago.

Al igual que el monitorio judicial contemplado en la LEC, también el notarial es un monitorio documental, con la particularidad de que no se autoriza acompañar a la reclamación cualquier clase de documento donde conste la deuda o del que quepa deducir su existencia, sino que se requiere que la deuda se acredite en forma documental que, a juicio del notario, sea indubitada. Sobre este extremo, pues, la ley es bastante exigente, hasta el punto de que, en no pocos supuestos, documentos de semejante fuerza probatoria probablemente puedan servir de base para entrar directamente en el proceso de ejecución fundado en títulos extrajudiciales o para promover el juicio cambiario.

Al reclamar la deuda ante el notario se han de desglosar necesariamente el principal y los intereses remuneratorios y de demora.

El notario deberá rechazar la solicitud del acreedor por los siguientes motivos: que se trate de alguna deuda excluida por la ley de las que cabe reclamar en este expediente; que falte en la petición presentada alguno de los datos o la prueba documental requeridos en la propia ley; y que el notario se considere incompetente (debemos entender que por razón del territorio).

Aceptada la petición del acreedor, el notario ha de requerir al deudor para que, en un determinado plazo, pague la deuda o se oponga alegando motivos. La ley es especialmente cuidadosa de que el requerimiento llegue realmente al deudor, regulando de manera detallada el modo en que el notario debe efectuar la notificación del mismo (nuevo art. 70.3 y 5 de la

Ley del Notariado; falta, por error, un apartado 4). Como es sabido, en el proceso monitorio europeo el apartado 9 de la Disposición final vigésimo tercera de la LEC, en aplicación del art. 20 del Reglamento (CE) n.º 1896/26 del Parlamento Europeo y del Consejo, de 12 de diciembre de 2006, determina el modo de hacer efectiva en España la revisión del requerimiento europeo de pago por las causas previstas en dicho precepto, fundamentalmente para evitar la indefensión del deudor cuando éste no haya sido correctamente notificado o no haya podido oponerse por motivos ajenos a su voluntad. Una norma parecida sería deseable en el proceso monitorio interno que contempla la LEC.

Una vez notificado en forma el requerimiento al deudor, los posibles desenlaces son similares –aunque con ciertas diferencias– a los previstos en el proceso monitorio judicial. Si el deudor paga íntegramente la deuda, el notario lo hará constar así por diligencia en el acta, entregará la suma abonada al acreedor y pondrá fin al expediente. Si el deudor comparece ante el notario para oponerse, consignará en el acta los motivos en que fundamenta dicha oposición. Y si el deudor no paga ni alega motivos para oponerse, el notario dejará constancia de ello, poniendo fin al expediente, y el acta notarial tendrá la consideración de título ejecutivo comprendido en el art. 517.2, 9.º, LEC, permitiendo al acreedor instar el proceso de ejecución para hacer efectiva la deuda conforme a los establecido para los títulos ejecutivos extrajudiciales, pero sin los efectos de cosa juzgada que en el caso del monitorio judicial prevé el art. 816.2 LEC.

En conclusión, este procedimiento representa, a nuestro entender, una nueva opción oportuna y que puede resultar útil desde el punto de vista práctico para obviar los inconvenientes de la vía jurisdiccional en este primer período del proceso monitorio, que constituye se verdadera especialidad.

Capítulo IV

Hacia un nuevo diseño de la organización jurisdiccional

MIGUEL ÁNGEL LARROSA AMANTE

Presidente de la Audiencia Provincial de Murcia

1. INTRODUCCIÓN

1.1. LA NECESIDAD DEL CAMBIO DEL SISTEMA DE ORGANIZACIÓN JUDICIAL: HACIA UNA JUSTICIA EFECTIVA

La Constitución Española reconoce en su artículo 1 a la Justicia como uno de los valores superiores del ordenamiento jurídico, pero la realización práctica de ese valor supone el adecuado desarrollo orgánico del Poder Judicial, a través de la correspondiente Ley Orgánica en la que se pretende ante todo garantizar la separación de poderes del Estado, la plena independencia judicial, la asunción de una eficacia jurídica directa e inmediata, la adecuada dotación de la planta y demarcación judicial, el sistema de organización, gobierno y régimen de los órganos que integran el Poder Judicial, entre otros aspectos. En definitiva, la fijación de los criterios básicos de organización jurisdiccional, ampliados posteriormente desde un punto de vista orgánico por otras leyes, como la Ley de Planta y Demarcación Judicial, o por reglamentos orgánicos emanados del Consejo

General del Poder Judicial y desde un punto de vista procesal por las diferentes leyes de enjuiciamiento correspondientes a cada jurisdicción.

El derecho a la tutela judicial efectiva, reconocido en el artículo 24 de la Constitución Española coincide con el anhelo y la necesidad social de una justicia nueva, caracterizada precisamente por la efectividad. Y justicia efectiva significa justicia con plenitud de garantías procesales, así como una respuesta judicial más rápida, cercana en el tiempo a las demandas de tutela y con mayor capacidad de transformación real de las cosas, y por lo tanto dotada con los instrumentos necesarios para lograr un acortamiento del tiempo necesario para una definitiva determinación del problema jurídico en los casos concretos. Los jueces estamos obligados constitucionalmente a prestar a los ciudadanos la tutela judicial efectiva que los mismos demandan, de forma que nuestra legitimación social está directamente vinculada a nuestra capacidad de desarrollar esta función de acuerdo con criterios de eficacia, eficiencia, transparencia, honestidad, diligencia o cortesía. Ello sólo será posible si aceptamos nuestra condición de servidores públicos y nos mostramos capaces de ofrecer tanto a los ciudadanos, directos receptores de nuestras resoluciones, como al resto de los profesionales que participan en la Administración de Justicia, una imagen más cercana y comprometida con una justicia más ágil, más predecible y más transparente. Para ello tenemos que tener los mecanismos legales y procesales necesarios así como saber y querer utilizarlos.

Igualmente la efectividad de la tutela judicial debe suponer un acercamiento de la justicia al justiciable, estructurando procesalmente el trabajo jurisdiccional de modo que cada asunto debe ser mejor conocido por el tribunal, tanto en su planteamiento inicial como para la eventual necesidad de depurar la existencia de óbices y falta de presupuestos procesales, la determinación de lo verdaderamente controvertido y en la práctica de valoración de la prueba, con oralidad e inmediación.

Justicia efectiva significa mejores sentencias, que dentro de nuestro sistema de fuentes del derecho, constituyan referencias sólidas para el futuro y contribuyan así evitar litigios y a reforzar la igualdad ante la ley, sin merma de la libertad iniciadora de la evolución y el cambio jurisprudencial necesarios. También implica la necesidad de utilizar un lenguaje que, ajustándose a las exigencias ineludibles de la técnica jurídica, resulte más asequible para cualquier ciudadano, con eliminación de expresiones obsoletas o difíciles de comprender en la actualidad y más ligadas a antiguos usos forenses que a las actuales exigencias.

La vigente Ley de Enjuiciamiento Civil supuso un avance en la búsqueda de un nuevo sistema de justicia civil, alejado del tradicional esencialmente escrito y su sustitución por un nuevo proceso esencialmente oral. El Legislador fue consciente de que la sociedad y los profesionales del Derecho reclamaban un cambio y una simplificación de carácter general, que no se llevase a cabo de espaldas a la realidad, con frecuencia más compleja que antaño, para lo que eran necesarios nuevos cauces para tratar adecuadamente esa complejidad. Para ello se acudió a una simplificación procedimental, que se lleva a cabo con la eliminación de reiteraciones, la subsanación de insuficiencias de regulación y con la nueva ordenación de los procesos, de los recursos, de la ejecución, de las medidas cautelares, que busca ser clara, sencilla y completa en función de la realidad de los litigios y de los derechos, facultades, deberes y cargas que corresponden a los tribunales, los justiciables y a quienes, de un modo u otro, han de colaborar con la justicia.

Sin embargo este primer paso actualmente debe considerarse insuficiente. Es cierto que supuso la ruptura con parte de nuestra tradición procesal y una evidente modernización, pero no puede considerarse como suficiente. Fue un buen paso a los efectos de romper con un régimen de trabajo tradicional en el que todos los operadores jurídicos estaban acomodados, así como igualmente fue un paso importante para lograr un cambio de actitud entre los profesionales jurídicos para adaptarse a la nueva realidad legal. Pero el tiempo ha mostrado que es un paso necesitado de una mayor proyección para mejorar el conjunto de la Administración de Justicia para ayudarnos a caminar hacia una nueva realidad procesal y de organización jurisdiccional.

1.2. EL DIAGNÓSTICO DEL PROBLEMA: CRÍTICAS AL ACTUAL SISTEMA ORGANIZATIVO Y PROCESAL

Ya entrados en pleno siglo XXI existe una coincidencia general en el diagnóstico: la Administración de Justicia es la asignatura pendiente de nuestra Democracia. El exitoso proceso de cambio afrontado en España en los últimos treinta años no ha alcanzado plenamente a la Administración de Justicia y de ahí que la sociedad española demande con urgencia una Justicia más abierta que sea capaz de dar a los ciudadanos un servicio público más moderno y con mayor agilidad, calidad, eficiencia y eficacia, incorporando para ello métodos de organización e instrumentos procesales más modernos y avanzados, adecuados a las necesidades de la sociedad actual[1].

---

1.   PASQUAL DEL RIQUELME HERRERO, MIGUEL: «Mediadas estructurales y organizativas de la LO 7/2015 para la mejora de la calidad, flexibilidad y previsibilidad

Las causas de esta situación son variadas:

a) El agotamiento del modelo decimonónico de Administración de Justicia, reflejado principalmente en la planta judicial y en ciertas leyes procesales de gran importancia como la Ley de Enjuiciamiento Criminal.

b) La cicatería presupuestaria de los sucesivos gobiernos democráticos, que ha generado un importante déficit estructural y dotacional que se refleja diariamente en la respuesta ineficaz que recibe quien acude a pedir la tutela judicial efectiva a la que cree tener derecho, fundamentalmente a través de retrasos en la resolución del conflicto más allá de lo razonable;

c) Una deficiente organización interna alejada de exigencias de especialización funcional, racionalización del trabajo, concentración productiva, etc. constituyendo un modelo incapaz de posicionarse adecuadamente ante los retos que plantea la sociedad de la información y del conocimiento en la que estamos hoy involucrados, a lo que hay que añadir las frecuentes resistencias de la propia Carrera Judicial a abandonar el modelo de juez omnicomprensivo y omnipresente.

d) La coexistencia de una serie de factores perturbadores que inciden directamente sobre la Administración de Justicia, y que se puede resumir en la judicialización de toda la vida social, económica y política, tales como el aumento descontrolado de la litigiosidad; el recurso meramente simbólico a los mecanismos de solución alterna de conflictos; el recurso sistemático a la legislación arrebatada o en caliente e improvisada; una secular falta de previsión de los efectos de dichas políticas sobre las capacidades instaladas y posibilidades del sistema, etc.

e) El erratismo, cuando no la contradicción, de las sucesivas políticas relacionadas con el sector justicia, con una ausencia total de planificación estratégica que identifique metas y oriente acciones al medio y largo plazo, con la complicación añadida de la nula coordinación del proceso de transferencia de competencias a las Comunidades Autónomas[2].

Ante este panorama es necesario dar un paso más, de gigante a ser posible, que nos lleve a una Administración de Justicia nueva, diferente

---

de la respuesta judicial», *Especial reforma de la Ley Orgánica del Poder Judicial*, Biblioteca Smarteca, Wolters Kluwer, 2016 (edición digital).

2. Las medidas señaladas son un resumen sistematizado de las desarrolladas por PASQUAL DEL RIQUEME HERRERO, MIGUEL, «Medidas estructurales...», *op. cit.*

de la que hasta ahora conocemos, que la convierta en un servicio público eficaz y eficiente. Ninguna duda cabe que estamos en presencia de un momento histórico en el que la concepción de la Administración de Justicia está cambiando hacia un tipo de organización diferente al tradicional y que implica una modernización, tanto tecnológica como estructural, de la forma de servir al ciudadano desde el ámbito jurisdiccional, enfrentándonos como operadores jurídicos a nuevas realidades y nuevas formas de trabajar. Para lograr esta finalidad se han dictado diversas normas que tienden hacia la implantación de las nuevas tecnologías en la administración de justicia, como es la Ley 18/2011, de 5 de julio, reguladora del uso de las tecnologías de la información y la comunicación en la Administración de Justicia, la que establece el deber de utilizar los medios electrónicos para los profesionales de la justicia y de las oficinas judiciales, así como la obligación de las Administraciones competentes de dotar de estos medios y el derecho de los ciudadanos a relacionarse electrónicamente con la Administración de Justicia; la Ley 42/2015, de 5 de octubre, de reforma de la Ley 1/2000, de 7 de enero, de Enjuiciamiento Civil, en la que se fija la implantación de las nuevas tecnologías a partir del 1 de enero de 2016 o la Ley Orgánica 7/2015, de 21 de julio, por la que se modifica la Ley Orgánica 6/1985, de 1 de julio del Poder Judicial para introducir una serie de medidas para lograr una mayor agilización y especialización de las respuestas judiciales.

2. UN NUEVO DISEÑO DE LA ORGANIZACIÓN JURISDICCIONAL

Debemos pasar a intentar concretar una serie de ideas básicas sobre el tipo de organización jurisdiccional queremos. Sin duda alguna estamos ante una serie de opiniones de carácter personal, que pueden o no ser compartidas, o sustituidas por otras igualmente posibles, pero que no pretenden otra cosa que abrir un debate necesario y una reflexión común sobre hacía donde se dirige la Administración de Justicia y, lo que es más importantes, qué tipo de Administración de Justicia queremos para el siglo XXI y para cumplir los fines constitucionales de la misma, fundamentalmente para convertirla en un servicio público que dé a la ciudadanía, últimos receptores de nuestro trabajo, una eficaz tutela judicial efectiva.

2.1. UN DISEÑO DE FUTURO

Antes de entrar en el examen de los aspectos en los que la organización jurisdiccional está cambiando en la actualidad es preciso apuntar algunas de las claves que se consideran necesarias para una nueva Administración de Justicia que permita dar a los ciudadanos la tutela judicial efectiva a la que tienen derecho así como superar los límites que actualmente condicionan la propia estructura judicial. Debe decirse que son meros apuntes de futuro, por supuesto susceptibles de crítica o de nuevas aportaciones más consistentes, y que tienen como única finalidad la de apuntar algún tipo de solución y, lo que es más importante, abrir un diálogo en el que deben participar todos los profesionales del Derecho. Las bases de este nuevo diseño serían:

1. Mejorar la respuesta de los órganos jurisdiccionales, garantizando la tutela judicial efectiva.

2. Concentrar medios para hacer frente al incremento de los asuntos ingresados en dichos órganos.

3. Racionalizar el funcionamiento de los órganos de instancia, evitando duplicidades y la circulación innecesaria de papel entre los mismos.

4. Acabar con los problemas que actualmente genera el reparto de los asuntos entre los juzgados unipersonales, mediante la unificación de la interpretación de las normas de reparto.

5. Potenciar la especialización de los jueces y magistrados, a la vez que promover una efectiva unificación de los criterios de decisión, obteniendo la necesaria previsibilidad exigida por la seguridad jurídica.

6. Mejorar el sistema de selección de jueces y magistrados, así como del personal al servicio de la Administración de Justicia.

7. Regular con detalle las competencias de los letrados de la administración de justicia, evitando duplicidades con competencias de los jueces.

Los aspectos anteriores entiendo que podrían cumplirse a través de una serie de instrumentos de organización concretos, tales como:

1. La extensión de la organización colegiada, mediante la creación de los denominados tribunales de instancia, en los que se llevaría a cabo la agrupación de unidades judiciales en secciones especializadas[3].

---

3. En el momento actual es interesante la experiencia en tal sentido del denominado «Protocolo de Estatuto del Tribunal de Primera Instancia de lo Mercantil de Barcelona», aprobado por el Pleno del Consejo General del Poder Judicial de 23 de noviembre de 2011 sobre la base del artículo 96 LOPJ y que fue publicado en el BOE de fecha 22 de diciembre de 2011. En el mismo se lleva a cabo un reparto de asuntos con atribución de competencias exclusivas a algunos de los Juzgados de lo Mercantil

2. La creación de órganos especializados para el conocimiento de los asuntos en la primera instancia, así como la posibilidad del enjuiciamiento colegiado de determinadas materias.

3. La reorganización eficiente de las personas y los medios a disposición de la Administración de Justicia, aprovechando la flexibilidad que ofrece el diseño de los servicios comunes y de las unidades de apoyo directo dentro de la denominada Nueva Oficina Judicial, aspecto éste que no se ha extendido todavía a la totalidad de España.

4. La apuesta decidida por las nuevas tecnologías en la Administración de Justicia, con la adecuada dotación material para hacerla eficaz, instrumento de organización que está iniciándose de forma experimental en diversos territorios del denominado «territorio Ministerio» a través del denominado Expediente Digital Electrónico.

5. La redefinición del papel del Tribunal Supremo, especialmente en el ámbito civil, a los efectos de permitir vías de unificación de doctrina y dotar de mayor seguridad jurídica.

6. La superación de la estructura tradicional del partido judicial para tender hacia una mayor comarcalización de la Administración de Justicia como medio para poder aprovechar los efectos positivos de la creación de servicios comunes así como la agrupación de Juzgados en pocas sedes para dotar de sentido a los tribunales de instancia.

El desarrollo de los tribunales de instancia, fundamentalmente en primera instancia de cada orden jurisdiccional, puede ser la llave del futuro para superar la actual y desfasada organización jurisdiccional. Es preciso acudir a un sistema de trabajo en equipo que modifique el sistema excesivamente individualizado de trabajo judicial, desarrollándolo a través de dos modelos, uno horizontal que permita la colaboración entre jueces, modelo propio de los tribunales de instancia, y otro vertical, en el que un grupo de colaboradores respalda la labor del juez y facilita su trabajo. En parte no estamos en presencia de un sistema organizativo desconocido pues, en cierto modo, la estructuración de los tribunales colegiados actual

---

sobre determinadas materias que precisan una cierta especialización añadida, como son los asuntos que versen sobre patentes y publicidad; marcas, diseño industrial y propiedad intelectual; e impugnación de acuerdos sociales y acción social de responsabilidad de administradores de sociedades mercantiles,, regulando las funciones del coordinador así como las diferentes formas de resolución tanto en forma colectiva como individual.

comparte algunos de estos mecanismos y permite una mejor racionalización de los medios personales y una mayor especialización de los integrantes del tribunal. El reto está en trasladar este esquema a los juzgados unipersonales, superando definitivamente el esquema decimonónico que se ha demostrado insuficiente en el momento actual.

Algunos pasos se han dado en dicha dirección, tales como el anteproyecto de Ley Orgánica de reforma de la LOPJ (BOCG de 2 de agosto de 2011), de creación de los tribunales de instancia, bueno en la idea pero inadecuado en su desarrollo normativo, o incluso la creación práctica de un plan piloto de tribunales de primera instancia de lo Mercantil en Barcelona (acuerdo de 23 de noviembre de 2011 del CGPJ, BOE 22 de diciembre de 2011) al amparo del artículo 98 LOPJ así como el uso de las posibilidades de fijación de normas de reparto específicas. Habrá que esperar que en la nueva legislatura se pueda alcanzar un tan necesario como imprescindible Pacto por la Justicia que suponga el impulso necesario para la creación de una nueva estructura jurisdiccional. Igualmente en las Conclusiones de las Jornadas de Presidentes de Tribunales Superiores de Justicia de España celebradas en Logroño entre el 17 y el 19 de octubre de 2016[4], se han elaborado 24 propuestas para una justicia más ágil y eficaz al servicio de los ciudadanos, debiendo destacar que las dieciséis primeras están directamente dirigidas hacia la creación de los tribunales de instancia así como la Justicia Digital. Comienza la primera conclusión señalando que «*Insistimos en la necesidad de una reforma de la estructura organizativa judicial hacia una colegiación de los órganos jurisdiccionales unipersonales. La apuesta por este modelo organizativo supondrá evidentes ventajas: dará mejor respuesta a la correcta distribución de cargas de trabajo al hacer en un marco organizativo homogéneo; permitirá compartir recursos e información al tiempo que reducir costes, duplicidades y tiempo; evitará muchas de las distorsiones que hoy tenemos; e introducirá mayor flexibilidad interna para atender situaciones coyunturales de bolsas de asuntos. Asimismo potenciará la especialización, la previsibilidad de respuestas y, consiguientemente, la seguridad jurídica*».

2.2. DISEÑO DE PRESENTE

Anticipado qué es lo que podemos esperar en un futuro más o menos cercano, el principal interés se presenta en las distintas iniciativas que actualmente se están desarrollando en el ámbito de la Administración de Justicia y que, dentro del ámbito estricto de la legalidad vigente, están intentando modificar la tradicional y estática estructura judicial. El

---

4. Publicadas en la página web del Consejo General del Poder Judicial, www.poderju dicial.es.

principal problema que el presente nos trae es la falta de un diseño completo y equilibrado que se muestra en la existencia de problemas serios en la implementación del expediente electrónico, las dificultades de desarrollo de la nueva oficina judicial, la escasa implantación de la misma en todo el territorio nacional, la falta de normas que permitan seguir avanzando en el proceso de modernización, etc., junto con la consabida falta de presupuesto de la Administración de Justicia que limita cualquier posibilidad de un desarrollo armónico del sistema que precisa de unas inversiones que las Administraciones con competencia en Justicia no están en condiciones de poder asumir. Así, por ejemplo, la implantación de la nueva oficina judicial exige unas reformas estructurales en los edificios judiciales de alto coste y esta es una de las causas por las que no se ha generalizado aún este nuevo sistema de organización de los tribunales, incluso en aquellos lugares en los que se han desarrollado experiencias piloto, y nos hace seguir anclados todavía en la estructura tradicional de Juzgados aislados entre sí como si de reinos taifas se tratase. Aún así, es evidente que algo se está moviendo en un campo habitualmente tan inmovilista como es el judicial y ello, entiendo, ofrece posibilidades de futuro y de mejora de la estructura.

2.2.1. Cambio de actitud judicial

El primer aspecto que debe destacarse es que los jueces estamos empezando a aceptar la necesidad de un cambio de criterio en la forma tradicional de trabajar, viendo como necesario salir del esquema individual y aislado que ha venido configurando nuestro método de resolución, hacía una actuación más colegiada y compartida, aunque ello suponga una cesión voluntaria y consciente de nuestros propios criterios de interpretación sin afectación al principio de independencia propio de la función jurisdiccional. La independencia no debe tomarse como un hacer aquello que cada uno considere oportuno en todo momento sin atender a otras razones más allá de su propia interpretación de la ley. Este principio fundamental no se quiebra en caso de actuación conjunta o en la búsqueda de criterios de unificación o pactos que permitan alcanzar una mayor seguridad jurídica y una más eficaz previsibilidad de la respuesta. Ninguna duda cabe que los tribunales colegiados son tan independientes como los jueces unipersonales en el ejercicio de la función jurisdiccional y ello a pesar de tener una estructura en la que la resolución se alcanza por consenso y en la que la deliberación permite el enfrentamiento de puntos de vista jurídicos contrapuestos.

Prueba de dicho cambio se aprecia en las conclusiones de las Jornadas de Presidentes de Audiencias Provinciales (Tarragona, 8 a 10 de junio de

2016)[5] en las que se adoptaron varias conclusiones en la línea de cambio señalada. Así se propuso al Consejo General del Poder Judicial que regule por vía reglamentaria las reuniones de carácter gubernativo de los integrantes de las diferentes secciones de la Audiencia Provincial (conclusión 1.1), superando de esta forma el esquema más rígido y poco compartido de la tradicional sección, así como la necesidad de que el Consejo regule, también por vía reglamentaria, el desarrollo de los plenos jurisdiccionales previstos en el artículo 264 LOPJ (conclusión 1.2)[6]. Este cambio de actitud también se ha reflejado en las conclusiones de la Jornada de Presidentes de Tribunales Superiores de Justicia (Logroño, 17 al 19 de octubre de 2016) a las que ya se ha hecho referencia en un apartado anterior. Además, cada vez son más frecuentes la realización a través del paraguas de las juntas de jueces de reuniones de jueces unipersonales del mismo orden jurisprudencial en las que se discute sobre aspectos litigiosos concretos, en especial en aquellas materias de mayor litigiosidad y sustancialmente en el ámbito procesal, alcanzándose acuerdos que luego suelen ser seguidos en las resoluciones que se dictan por estos órganos unipersonales. Personalmente creo que hay que felicitarse por este tipo de iniciativas, amparadas muchas de ellas por un deseo voluntarista de dar una respuesta eficaz y común a los ciudadanos.

Un cambio en la cultura judicial hacia el diálogo y el contraste de opiniones solo puede ser positivo, pues nos saca de la tradicional soledad del juez en la decisión, permite la evolución de criterios, facilita una respuesta más completa fruto de la contraposición de argumentos y genera una actualización permanente, anticipando problemas que pueden surgir en la práctica y buscando soluciones consensuadas. Los mecanismos que a través de los que se expresa este cambio de actitud judicial son:

2.2.1.1. Acuerdos jurisdiccionales

Los mismos pueden considerarse amparados en el actual artículo 264 LOPJ, en la redacción dada al mismo por la LO 7/2015. La redacción inicial venía a regular una suerte de plenillos no jurisdiccionales de

---

5. Publicadas en la página web del Consejo General del Poder Judicial, www.poderju dicial.es,

6. Igualmente se ha propuesto «Desarrollar en aquellas Audiencias que sea posible un proceso de especialización de las secciones de las Audiencias Provinciales, tanto civiles como penales, bien a través de la atribución a algunas de las secciones de determinadas materias de forma exclusiva o de forma permanente, o bien haciendo uso de la especialización temporal del artículo 98.2 LOPJ cuando se detecte algún tipo de materia que por su importancia numérica o bien por su trascendencia social requiera una solución rápida y unificada»(conclusión 2.3 en cargas de trabajo).

simple unificación de criterios y coordinación de prácticas procesales. La reforma operada introduce una serie de matices que altera totalmente la configuración inicial convirtiendo estos plenillos de carácter gubernativo en plenos de contenido jurisdiccional. Así se añade en la reforma que «...*especialmente en los casos en los que los Magistrados de las diversas secciones de una misma Sala o Tribunal sostuvieren en sus resoluciones diversidad de criterios interpretativos en la aplicación de la ley en asuntos sustancialmente iguales...*». Ello implica dar un paso más pues prácticamente convierte en imperativa la convocatoria por el presidente del tribunal colegiado de este pleno al objeto de unificar el criterio discrepante entre las diversas secciones de un mismo tribunal, lo que sin duda fortalece la idea de seguridad jurídica. Sin embargo, tal como se apunta en el apartado 3 de dicho artículo 264 LOPJ, el criterio que se adopte como mayoritario en la reunión convocada a través de esta vía orgánica, no tiene carácter vinculante para los integrantes del tribunal, que podrán sostener un criterio diferente, bien por toda una sección o bien a través de votos particulares. Es la eterna lucha entre la independencia judicial, contraria a los acuerdos vinculantes, y la necesidad de seguridad jurídica que propugnaría tal fuerza vinculante[7].

2.2.1.2. Plenos jurisdiccionales

Otro de los medios empleados por los tribunales para lograr esta unificación es la convocatoria de plenos jurisdiccionales con amparo en el artículo 197 LOPJ. A diferencia del mecanismo anterior, de pura unificación de criterios que no tiene que estar basado en la resolución de un concreto asunto sometido a consideración del tribunal colegiado, por esta vía se adopta una decisión vinculante del tribunal para todos sus miembros, sin perjuicio de la posibilidad de votos particulares de los discrepantes de la decisión mayoritaria. Estos plenos jurisdiccionales están siendo muy usados por la Sala Primera del Tribunal Supremo en los últimos años con el positivo efecto de unificar la doctrina del Alto Tribunal y la creación de jurisprudencia. Esta sería la vía más apropiada para dotar de eficacia jurídica tanto los acuerdos no jurisdiccionales como a los acuerdos jurisdiccionales alcanzados al amparo del artículo 264 LOPJ.

---

7.   En las Jornadas de Presidentes y Presidentas de Audiencia Provincial se incluyó dentro de sus conclusiones la necesidad de un desarrollo reglamentario de estos Plenos, dada la existencia de problemas derivados de la estructura existente divididas en secciones con cierta autonomía organizativa e incluso se propugnó una nueva redacción del artículo 264 LOPJ para la supresión del último párrafo de la citada norma, dando carácter vinculante para todas las secciones del tribunal de lo decidido en Pleno sin perjuicio de la existencia de votos particulares (conclusión 1.3).

2.2.1.3. Acuerdos no jurisdiccionales

Por último, como ya se ha apuntado, los jueces unipersonales, frente a las posibilidades que para los colegiados ofrecen los citados artículos 264 y 197 LOPJ, la única vía de unificación de criterios es la derivada de las reuniones en juntas de jueces que entre otras funciones que se describen en el artículo 170.1 LOPJ tiene la de unificar criterios y prácticas y con más amplitud se incluyen igualmente estas funciones entre las competencias de las juntas sectoriales de jueces en el artículo 65 c) y d) del Reglamento 1/2000 del CGPJ, de 26 de julio, de los Órganos de Gobierno del Poder Judicial. No se regula en estas normas ni la forma ni el alcance jurídico de tales acuerdos, por lo que los mismos no pueden tener otra consideración que acuerdo gubernativos, sin más fuerza vinculante que el respeto al criterio unificado por parte de los integrantes de la junta de jueces en sus concretas resoluciones. En todo caso lo positivo no es su regulación, ya prevista desde la publicación de la Ley Orgánica del Poder Judicial, sino el incremento potencial del empleo de esta vía de unificación de criterios que se está llevando a cabo por muchas juntas de jueces a lo largo de todo el territorio nacional.

2.2.2. Cambios en la organización jurisdiccional

Junto con los cambios de actitud de los jueces debe igualmente destacarse la existencia de diversas modificaciones legales que dibujan un panorama de organización jurisdiccional diferente, más flexible y ajustado a las nuevas necesidades organizativas que el estructuralmente rígido que venía configurando nuestro sistema judicial, aunque todavía insuficiente y muy limitado, sin llegar a explorar abiertamente las necesidades reales de cambio de la estructura judicial. Tales medidas se incorporan a nuestro derecho por la LO 7/2015, de 22 de julio, de modificación de la Ley Orgánica del Poder Judicial. Básicamente aquellas que afectan a la estructura jurisdiccional son:

2.2.2.1. Reequilibrio de cargas de trabajo entre órganos unipersonales de ámbito provincial

Uno de los paquetes de medidas incluidos en la reforma operada por la LO 7/2015 rompe una lanza a favor de introducir criterios de gestión y flexibilidad en la distribución y turnado de asuntos entre los distintos órganos judiciales de cada provincia. Introduce un nuevo número segundo en el artículo 167 LOPJ, que habilita a la Sala de Gobierno de cada TSJ para acordar las modificaciones precisas en las normas de reparto de los Juzgados de lo Mercantil, de lo Penal, de Menores, de Vigilancia

Penitenciaria, de lo Contencioso-administrativo o de lo Social, que permitan equilibrar la distribución de asuntos que por materia les corresponde a cada uno de ellos según su clase. Y ello aun cuando alguno tuviese atribuido, por disposición legal o por acuerdo del Pleno del propio Consejo General del Poder Judicial, el despacho de asuntos de su competencia a una circunscripción de ámbito inferior a la provincia.

Se trata de una medida de difícil implantación práctica pues, sin duda, se enfrentará a importantes resistencias por parte de los órganos afectados y por los colectivos profesionales que vean en tales redistribuciones de asuntos una amenaza a sus intereses corporativos. La dificultad territorial ha de ser igualmente considerada pues siempre existen intereses vinculados con la división del territorio.

Por último, parece que esta medida no será útil cuando la carga de trabajo en los juzgados de la misma clase haya aumentado de forma generalizada y por iguales razones, por lo que no será posible la distribución de cargas, como ha sucedido en los últimos años con los Juzgados de lo Social, como consecuencia de la crisis económica.

2.2.2.2. Medidas para resolución especializada de determinadas categorías de asuntos

El artículo 98 de la LOPJ ya preveía la posibilidad de que el CGPJ pudiera acordar que en aquellas circunscripciones donde existiera más de un juzgado de la misma clase, uno o varios de ellos asumieran con carácter exclusivo el conocimiento de determinadas clases de asuntos, o de las ejecuciones propias del orden jurisdiccional de que se tratase.

La novedad de la reforma radica en la posibilidad de que, de manera excepcional y por tiempo determinado, uno o varios juzgados de la misma provincia asuman el conocimiento de determinadas clases de asuntos o materias (y, en su caso, de las ejecuciones que de ellos dimanen) correspondientes a su mismo orden jurisdiccional y clase de órgano y en relación a toda la provincia[8].

El procedimiento para esta especialización temporal exige un acuerdo del CGPJ, y que recaiga informe favorable del Ministerio de Justicia,

---

8. Ejemplo de aplicación práctica de este posibilidad legal fue la creación de los llamados «Juzgados de las preferentes», en el ámbito del TSJ de Cantabria, en virtud del cual se atribuyó el conocimiento de todos los asuntos de reclamaciones derivadas de la comercialización por las entidades de créditos de participaciones preferentes a un Juzgado de Primera Instancia de Santander, con carácter temporal, experiencia piloto que logró un resultado muy positivo y que actualmente ya está concluida.

cumpliendo un trámite previo de audiencia a la Sala de Gobierno y, en su caso, de la Comunidad Autónoma con competencias transferidas. El acuerdo se tendrá que publicar en el Boletín Oficial del Estado y producirá efectos desde el inicio del año siguiente a aquél en que se adopte, salvo que por razones de urgencia (previa justificación), se establezca una fecha anterior para la entrada en funcionamiento de la especialización. Los juzgados afectados continuarán conociendo de todos los procesos pendientes ante los mismos hasta su conclusión.

Esta medida solo podrá realizarse en aquellas circunscripciones donde existan más de un juzgado de la misma clase, y solo en relación a asuntos o materias que sean competencia de los órganos de esa misma jurisdicción y clase, con exclusión de los juzgados de instrucción.

Puede reprocharse a esta reforma su reducido ámbito al limitar doblemente este mecanismo, porque reduce la medida a los asuntos que por su volumen, exijan de respuestas específicas; y porque se refiere a un ámbito temporal y de marcada excepcionalidad.

2.2.2.3. *Extensión de la jurisdicción de los Juzgados de Violencia sobre la Mujer a otros partidos judiciales*

Haciendo frente a la situación derivada de la coexistencia de órganos especializados en exclusiva (106 Juzgados) y la de Juzgados con competencias compartidas con otras materias civiles y penales (355 Juzgados) la LO 7/2015 introduce en el artículo 87.bis.2 LOPJ una serie criterios de gestión y flexibilidad en la distribución de asuntos entre los órganos judiciales existentes en cada provincia que va dirigida a explotar las capacidades instaladas de los 106 Juzgados de Violencia sobre la Mujer exclusivos y que, en muchas ocasiones, presentan situaciones de clara infrautilización al no llegar al estándar de entrada fijado por el propio CGPJ. Frente a esta situación, los Juzgados con competencia no exclusiva, asumen por un lado una carga de trabajo añadida en atención a las competencias de violencia sobre la mujer y por otro lado su propia existencia supone un incremento de la carga competencial del resto de los Juzgados del partido judicial al asumir éstos la liberación parcial del reparto de los asuntos ordinarios. La propia Exposición de Motivos de la LO 7/2015 hace expreso hincapié en esta necesidad de adaptación de este tipo de Juzgados.

Esta flexibilización debe articularse en torno a una serie de criterios:

a. Debe buscar el equilibrio necesario para el mantenimiento de una proximidad razonable del Juzgado respecto de la víctima, lo que excluiría la extensión de la jurisdicción entre aquellos Juzgados que estén situados a una importante distancia o que presenten dificultades de comunicación, para facilitar a la víctima un fácil acceso al órgano judicial.

b. Garantizar la respuesta especializada en esta materia tan sensible socialmente, mucho mayor en los órganos especializados, dotados además de mejores medios materiales y personales para la atención a la víctima.

c. La reforma favorece esta extensión de jurisdicción dado que ya no es preciso una modificación de la Ley de Planta y Demarcación Judicial, pues puede adoptarse por Real Decreto, previa propuesta del CGPJ e informe de las Administraciones afectadas. Ello supone igualmente que las Salas de Gobierno deben de tomar una postura activa en la utilización de este mecanismo legal de reorganización del trabajo.

d. Es preciso llevar a cabo una serie de precisiones en el régimen jurídico que solventen los problemas prácticos que la extensión de la jurisdicción puede producir al existir aspectos que son comunes pero que afectarían a Juzgados situados en distintos partidos judiciales, como por ejemplo el servicio de guardia en fines de semana y los posibles conflictos de competencias con los Juzgados de Instrucción.

2.2.2.4. Medidas para agilizar la instrucción de causas complejas

La LO 7/2015 adiciona una Disposición Adicional Vigésimo Primera a la LOPJ en la que se prevé una nueva modalidad de refuerzo excepcional a los titulares de órganos judiciales que se suma a las ya previstas con ese carácter en el capítulo IV bis del título II del libro III de la propia LOPJ. En este Capítulo (que abarca los artículos 216 bis 1 a 4), introducido en la LOPJ por la LO 16/1994 y posteriormente reformado por la LO 8/2012, ya se recogían como medidas excepcionales y coyunturales de refuerzo las siguientes:

• adscripción voluntaria a juzgados y tribunales con excepcional retraso o acumulación de asuntos de jueces o magistrados titulares de otros órganos judiciales, mediante el otorgamiento de comisiones de servicio retribuidas;

• adscripción obligatoria a juzgados y tribunales con excepcional retraso o acumulación de asuntos de jueces o magistrados titulares de órganos judiciales con escasa carga de trabajo, mediante el otorgamiento de comisiones de servicio no retribuidas; y

- adscripción en calidad de jueces de apoyo a juzgados y tribunales con excepcional retraso o acumulación de asuntos de jueces de adscripción territorial, jueces en expectativa de destino, jueces en prácticas, jueces sustitutos y magistrados suplentes.

A dichas medidas se adiciona ahora una especialmente novedosa, consistente en la adscripción a un juzgado de instrucción determinado de otro u otros jueces, magistrados o letrados de la Administración de Justicia que, sin funciones jurisdiccionales y bajo la dirección del titular de aquél, realicen exclusivamente labores de colaboración, asistencia o asesoramiento. Se trata de una medida que fue propuesta en la XXIV reunión anual de Jueces Decanos celebrada en Valencia en 2014.

Por lo que se refiere al procedimiento de aprobación del refuerzo, que en todo caso deberá ajustarse a las previsiones reglamentarias vigentes, el Consejo General del Poder Judicial remitirá al Ministerio de Justicia, previa propuesta del titular del órgano a reforzar, un programa concreto de actuación especificando, en todo caso, su objeto, ámbito de aplicación, duración y el tipo de comisiones que correspondan en cuanto a la relevación o no de funciones de los llamados a reforzar el órgano judicial en cuestión. En consonancia con lo dispuesto en el artículo 216 bis 1.5 LOPJ para el resto de medidas de refuerzo excepcional, la aprobación definitiva de las adscripciones que afecten a jueces o magistrados corresponderá al CGPJ, si bien precisará, por razonables exigencias de disponibilidad presupuestaria, la previa autorización del Ministerio de Justicia.

Dentro de este conjunto de medidas vigente tras la reforma de la LO 7/2015, es procedente distinguir entre las medidas previstas en el artículo 216 bis LOPJ y las que tengan su origen en la Disposición Adicional 21.ª LOPJ. Las primeras suponen la introducción dentro del órgano judicial de otro juez con facultades de decisión, en cuyo caso será imprescindible que, dado el ámbito especialmente sensible como es la instrucción de causas complejas, queden claramente determinadas las funciones de los jueces o magistrados que puedan ser designados para evitar la afectación de derechos fundamentales como el del juez ordinario predeterminado por la ley. Las segundas suponen una medida especialmente novedosa en cuanto que se corresponde con un refuerzo de mero auxilio y sin funciones jurisdiccionales que puede ser desempeñado por un juez o magistrado, que por tanto queda privado temporalmente del ejercicio de la función judicial, quedando en una condición semejante a la de los Letrados del Tribunal Supremo. Dado que se trata de funciones esencialmente de auxilio, la designación de estos apoyos tendrá su razón de ser especialmente en aquellos casos en los que el juez de instrucción necesite el apoyo de jueces especializados en atención a la materia objeto de investigación, como por ejemplo, jueces especializados en materia administrativa para delitos de corrupción que exigen un conocimiento de la normativa administrativa; jueces de lo social para la instrucción de accidentes de trabajo complejos para los que se precisa un conocimiento más exacto de la normativa laboral y de seguridad social o jueces de lo mercantil o civiles para los delitos de naturaleza económica.

2.2.3. Cambios tecnológicos

Este es quizás el cambio de mayor trascendencia al que nos enfrentamos actualmente en el ámbito de la Administración de Justicia, por la implantación a nivel nacional y a partir del 1 de enero de 2016 (Disposición Adicional Primera) del denominado Expediente Judicial Electrónico (EJE). Este proceso de modernización tecnológica se inicia con la Ley 18/2011, de 5 de julio reguladora del uso de las tecnologías de la información y de la comunicación en la Administración de Justicia y ante la falta de aplicación generalizada de los medios electrónicos desde su entrada en vigor en los procedimientos judiciales o en las formas de comunicaciones de los profesionales con la Administración de Justicia, se fija en la ley señalada un día concreto para el inicio del cambio tecnológico y la generalización del mismo tanto para profesionales como para los propios órganos judiciales.

Ninguna duda cabe que estamos ante un cambio necesario e imprescindible en tiempos en los que los sistemas de comunicación y tramitación de contenido tecnológico se han generalizado en la empresa privada e incluso en muchos otros ámbitos de la Administración Pública, en los cuales la Administración de Justicia siempre ha sido de los últimos servicios públicos en incorporarse a la modernización. También es un cambio imparable de modo que ya no es momento de discutir su bondad o no, sino de aceptar una realidad y luchar porque la adaptación sea lo menos traumática posible para todos los implicados, que tenga los medios materiales y humanos necesarios, que se dé a todos los profesionales con participación en la Administración de Justicia la necesaria formación y se tenga la suficiente capacidad para adaptar esta realidad tecnológica a las concretas necesidades de la Administración de Justicia en la que la idea de «papel cero» debe ser matizada por aspectos procesales y de valoración judicial que justificaría un tipo de expediente mixto en papel y electrónico. El problema central va a constituir la gestión del cambio.

En atención a lo señalado es conveniente reseñar cómo quedarían el trámite de los procedimientos judiciales con el nuevo Expediente Judicial Electrónico, de acuerdo con las previsiones normativas de la citada Ley 18/2011.

2.2.3.1. Reglas generales

A) <u>Normas procesales</u>. El EJE debe cumplir con los requisitos materiales y formales establecidos en las normas procesales (Art. 25.1).

B) <u>Definición.</u> El EJE es el conjunto de documentos electrónicos correspondientes a un procedimiento judicial, cualquiera que sea el tipo de información que contenga (Art. 26.1).

C) <u>Necesidad de índice</u>. El EJE debe contener un índice electrónico, que sustituye al foliado tradicional (Art. 26.3) y la remisión de expedientes se sustituye por la puesta a disposición del EJE.

D) La <u>entrega de copia</u> del expediente se sustituye por la entrega de una copia electrónica del EJE (Art. 26.4).

E) <u>Copia electrónica</u>. Las copias realizadas por medios electrónicos de documentos electrónicos emitidos por el propio interesado o por las oficinas judiciales, manteniéndose o no el formato original, tendrán inmediatamente la consideración de copias auténticas con la eficacia prevista en las leyes procesales, siempre que el documento electrónico original se encuentre en poder de la oficina judicial donde haya sido originado o incorporado y que la información de firma electrónica y, en su caso, de sellado de tiempo permitan comprobar la coincidencia con dicho documento. (Art. 28).

F) <u>Archivo electrónico.</u> Podrán almacenarse por medios electrónicos todos los documentos utilizados en las actuaciones judiciales (Art. 29).

G) El EJE comprende el <u>registro de asuntos y las comunicaciones y notificaciones electrónicas</u>. Esta cuestión ya está en total funcionamiento, con evidentes disfunciones que precisan de una adecuada corrección futura. Públicamente la puesta en funcionamiento de esta parte del EJE ha sido denominado «<u>Papel 0</u>». (Arts. 30–35).

2.2.3.2. Normas específicas

A) <u>Inicio.</u> Los profesionales han de presentar los escritos por vía telemática y los particulares pueden hacerlo pero también, a cuyo fin se les habrá de proporcionar los correspondientes modelos en la SJE, también podrán presentarlos en papel (Art. 36).

B) <u>Normas procesales</u>. La tramitación del procedimiento se hará telemáticamente, respetando los tiempos y plazos.

C) <u>Remisión de expedientes</u>. Los expedientes que deban ser remitidos por otras administraciones u organismos públicos habrán de cumplir las prescripciones de la Ley 11/2007 y deberán estar foliados (índice- art. 37). Curiosamente no se establece esta misma prescripción para los expedientes remitidos entre órganos judiciales.

D) <u>Anexo documental.</u> Se prevé la creación de un anexo documental para los documentos que deban presentarse en papel o no puedan presentarse por vía telemática (Art. 38)

E) <u>Acceso de las partes.</u> Se prevé la creación de <u>consultas</u> para que las partes puedan acceder al expediente.

F) <u>Subsanación.</u> En caso de actuación errónea por los profesionales, la regla general es la subsanación.

2.2.4. Cambios organizativos

No debemos terminar sin hacer alguna referencia a otra modificación legal de gran trascendencia como es la implantación de la Nueva Oficina Judicial (NOJ). Este es el armazón organizativo en base al cual se debe de desarrollar la nueva organización jurisdiccional así como la implantación del expediente digital, sustituyendo al tradicional Juzgado e incluso a la propia sección de los órganos colegiados. En esta estructura adquiere sentido la creación en un futuro de los tribunales de instancia por ser el sistema de organización judicial que mejor se adapta al nuevo concepto de oficina.

El principal problema que encontramos en esta cuestión es la falta de implantación nacional de la NOJ. Ninguna duda cabe que las bondades de este sistema de organización, que las tiene, implican no solo un cambio procesal y orgánico, que ya se ha producido, sino especialmente una dotación de medios materiales que no parece que se esté dispuesto a afrontar en este momento. No es sólo un cambio de organización, implica también un cambio físico y arquitectónico de los edificios judiciales incompatible con la actual estructura. La NOJ se articular en torno a una serie de servicios comunes en los que se concentra la tramitación procesal y la ejecución de las resoluciones judiciales y unas unidades de apoyo directo al juez con funciones de auxilio. Ello implica modificar toda la organización arquitectónica del edificio judicial. La consecuencia de este hecho ha sido la escasa implantación de esta NOJ así como el mantenimiento de la estructura de Juzgados tradicional en prácticamente todo el territorio nacional. Sólo unas pocas experiencias pilotos en el ámbito del llamado territorio Ministerio (con

profundas diferentes de organización y órganos jurisdiccionales implicados) y la práctica ausencia total de implantación en las Comunidades
Autónomas con competencia en Justicia, son un pobre bagaje para una
reforma de gran trascendencia que pretendía introducir la justifica en
el siglo XXI.

En todo caso, y dentro de aquellos territorios en los que se ha implantado la NOJ y se encuentra en funcionamiento se han podido detectar
una serie de problemas organizativos que sin duda deberán de ser tomados en cuenta en la futura implantación nacional como experiencia para
evitar errores. En tal sentido, y sin ánimo exhaustivo, se pueden citar:
a) inadecuada relación de puestos de trabajo entre los diversos servicios comunes, lo que ha generado disfunciones en el funcionamiento de
cada servicio común; b) insuficiente dotación de las Unidades de Apoyo
Directo al Juez (UPADs), especialmente en el ámbito de los tribunales
colegiados, por lo que no cumplen o son insuficientes, para el cumplimiento del destino para el que fueron dotadas y generan conflictos
competenciales entre los jueces y los letrados de la Administración de
Justicia; c) excesiva rigidez en la estructura de la NOJ, lo que no permite
un trasvase ágil de funcionarios desde un servicio común a otro o a las
UPADs en atención a las concretas necesidades de cada momento, lo
que es incompatible con un sistema de organización que se pretendía
más ágil y que aspiraba a sustituir la rígida estructura tradicional de los
Juzgados y Tribunales; d) falta de criterios de armonización de actuaciones procesales en los servicios comunes y ello a pesar de la estructura jerárquica en la que se basa la NOJ; e) retrasos en la tramitación de
los procedimientos, fundamentalmente derivados de la peregrinación
del expediente (físico o digital) entre la UPAD del órgano judicial y los
servicios comunes; f) el fracaso del Servicio Común de Ordenación del
Procedimiento (SCOP) pues ha dejado prácticamente sin funciones a las
UPADs y se convierte en un inconveniente burocrático que ralentiza la
tramitación, debiendo destacar que este servicio común, que no estaba
previsto inicialmente en las reformas procesales que incorporaron la
NOJ a la estructura de la Administración de Justicia, ni siquiera está
implantado en todas las experiencias piloto que se están desarrollando
en el ámbito del territorio del Ministerio de Justicia, por lo que nos
encontramos con una doble organización; g) el vaciado de competencias
de las UPADs que las dejan como un órgano casi sin funciones y en el
que existen unos profesionales desaprovechados como son los letrados
de la administración de justicia que se encuentran al frente de las mismas y que podrían desarrollar otras funciones más útiles en el ámbito de
los propios servicios comunes.

3. EJEMPLOS PRÁCTICOS DE CAMBIOS EN LA ORGANIZACIÓN JURISDICCIONAL

La Región de Murcia es pionera en la implantación de experiencias piloto de lo que se pretende que sea la próxima concepción de la organización jurisdiccional. Ello nos permite conocer de primera mano las bondades y defectos del sistema y poder tener una visión completa de la nueva realidad. Es de destacar el desarrollo en la misma e impulsada desde la presidencia del Tribunal Superior de Justicia de la Región de Murcia, de la denominada Agenda Estratégica 2015–2020, que es el documento básico a partir del cual se desarrollan parte de estas experiencias piloto a través de las cuales se pretende la mejora organizativa de la Administración de Justicia[9].

En tal sentido, y con ánimo de mera enunciación, se pueden citar las siguientes experiencias piloto:

1. Implantación de la NOJ en la ciudad de Murcia, abarcando a todos los juzgados y tribunales con sede en esta ciudad, con excepción de los juzgados de instrucción. A diferencia de otras experiencias piloto, se ha creado el SCOP y se aplica igualmente a los órganos colegiados, tanto la Audiencia Provincial como las diferentes salas del Tribunal Superior de Justicia.

2. Establecimiento del expediente digital desde mediados de mayo de 2016 en los Juzgados de lo Contencioso Administrativo y de lo Social de Murcia, así como las Salas del TSJ de ambas jurisdicciones así como en todos los órganos judiciales de Cartagena, incluida la sección 5.ª de la Audiencia Provincial de Murcia desplazada a dicha ciudad, habiéndose ampliado desde octubre de 2016 al resto de los órganos unipersonales de las demás jurisdicciones y a la totalidad de la Audiencia Provincial de Murcia.

3. Creación de una Unidad de Mediación Intrajudicial.

4. Desarrollo a nivel regional del régimen de subastas electrónicas.

---

9. Dicha Agenda Estratégica se desarrolla en torno a cinco Ejes Estratégicos: 1. Hacia una justicia abierta: transparente, participativa y que rinde cuentas; 2. Orientación a la sociedad, los profesionales y los usuarios; 3. Innovación, modernización y excelencia organizativa; 4. Promoción de la seguridad jurídica y previsibilidad de la respuesta judicial; y 5. Mejora e integración de los procesos de gestión y dirección del TSJMU. Dentro de estos ejes estratégicos, que a su vez se subdividen en líneas de intervención, hay una serie de actuaciones concretas a desarrollar en los denominados Planes Operativos Anuales, estando actualmente en desarrollo el correspondiente al año 2015/2016.

5. Propuesta de transformación del Juzgado de lo Contencioso Administrativo n.° 8 de Murcia en el Juzgado de lo Social n.° 9 de Murcia, la cual ha sido aprobada por la Sala de Gobierno con fecha 3 de noviembre de 2015 y elevada al CGPJ.

6. Comarcalización urgente de los tres Juzgados exclusivos de Violencia sobre la Mujer (JVM) de Murcia (2) al partido judicial de Molina de Segura y de Cartagena (1) al partido judicial de San Javier. También ha sido aprobado por la Sala de Gobierno con fecha 12 de enero de 2016 y elevada al CGPJ.

7. Propuestas, pendientes de debate en Sala de Gobierno, para la transferencia de asuntos entre órganos judiciales de la misma clase y ámbito provincial, en concreto entre los Juzgados de lo Penal de Murcia y Lorca y los Juzgados de lo Social de Murcia y Cartagena.

8. Propuesta de extensión, pendiente de debate en Sala de Gobierno, de la experiencia piloto de los juzgados de primera instancia de lo Mercantil de Barcelona y Sevilla, a los Juzgados de Primera Instancia y de lo Penal de Murcia, articulando una suerte de tribunales de instancia en la línea que se avanzaba en una de las postergadas reformas de la LOPJ.

Son múltiples los intentos de obtener una justicia de mayor calidad en el ámbito de una estructura judicial diferente a la que conocemos. La sensación de todas estas experiencias no deja de ser agridulce. Existen graves problemas que generan retrasos y disfunciones, dudas sobre el régimen competencia de jueces o letrados de la administración de justicia, mala relación de puestos de trabajo que genera una descompensación en la organización de la NOJ, falta de medios materiales y de formación... Pero también se vislumbran nuevas formas de trabajo más útiles y probablemente más eficaces y eficientes que el agotado sistema organizativo de la Justica en España. Habrá que corregir defectos, aprender de los errores, pero hay que continuar en este camino hacia una nueva estructura judicial.

Capítulo V

La doctrina del TJUE sobre las cláusulas abusivas y la reforma del proceso monitorio por la Ley 42/2015

ALICIA ARMENGOT VILAPLANA

Profesora Titular de Derecho procesal
Universitat de València

SUMARIO: 1. INTRODUCCIÓN. 2. LAS CLÁUSULAS ABUSIVAS CON REPER-
CUSIÓN PROCESAL. 2.1. *La consideración de abusiva de la cláusula
de sumisión expresa de competencia territorial incluida en contratos con
consumidores. 2.2. La consideración de abusiva de la cláusula compromisoria incluida en un contrato entre un empresario y un consumidor. 2.3.
La fijación de un plazo para poder alegar o apreciar de oficio el carácter
abusivo de una cláusula.* 3. EL PROCESO MONITORIO COMO INS-
TRUMENTO QUE NO PERMITÍA LA EFECTIVIDAD DE LOS
DERECHOS RECONOCIDOS POR LA DIRECTIVA 93/13 A LOS
CONSUMIDORES. 3.1. *El asunto Banesto. 3.2. La reforma del proceso
monitorio por la Ley 13/2009 que atribuye el control de admisión de la petición inicial al Secretario Judicial (LAJ). 3.3. La reforma del proceso monitorio por la Ley 42/2015, de 5 de octubre. 3.4. El asunto «Finanmadrid». 3.5.
¿Es adecuada la reforma del proceso monitorio para adaptarlo a la doctrina
del TJUE?*

1. INTRODUCCIÓN

La abundante doctrina del TJUE sobre la interpretación de la Directiva
93/13/CEE del Consejo, de 5 de abril de 1993, sobre las cláusulas abusivas
en los contratos celebrados con consumidores ha provocado la reforma de

diversos procesos de la LEC (ejecución, monitorio) con el fin de que su estructura no obstaculice la efectividad de los derechos reconocidos por la norma europea.

Es sabido que el TJUE reconoce el principio de autonomía procesal de los Estados miembros, en virtud del cual, son las legislaciones nacionales las que deben establecer los cauces procesales adecuados para que los ciudadanos puedan instar de los tribunales la tutela de sus derechos e intereses legítimos. El problema se plantea cuando los derechos reconocidos por las normas europeas encuentran un obstáculo importante en la configuración de los procesos; esto es, cuando la regulación del instrumento procesal impide la efectividad de los derechos reconocidos al consumidor[1].

En este sentido, el TJUE ha declarado: «Según jurisprudencia reiterada, a falta de normativa comunitaria en la materia, la determinación de la regulación procesal destinada a garantizar la salvaguarda de los derechos que el Derecho comunitario genera en favor de los justiciables corresponde al ordenamiento jurídico interno de cada Estado miembro en virtud del principio de autonomía procesal de los Estados miembros, a condición, sin embargo, de que esta regulación no sea menos favorable que la aplicable a situaciones similares de carácter interno (principio de equivalencia) y de que no haga imposible en la práctica o excesivamente difícil el ejercicio de los derechos conferidos por el ordenamiento jurídico comunitario (principio de efectividad)» (STJUE, de 26 de octubre de 2006, asunto Mostaza Claro)[2].

En esta comunicación nos centraremos en un supuesto en el que la configuración de un instrumento procesal como es el proceso monitorio, se había convertido, debido a las sucesivas reformas, en un mecanismo que

---

1.   STJUE, núm. C-243/2008, de 4–6-2009 (asunto Pannon), ap. 34 «(...) las características específicas del procedimiento judicial que se ventila entre el profesional y el consumidor, en el marco del Derecho nacional, no pueden constituir un elemento que pueda afectar a la protección jurídica de la que debe disfrutar el consumidor en virtud de las disposiciones de la Directiva».

2.   O como se declara en la STJUE núm. C-49/14, de 18–02–2016 (asunto Finanmadrid), ap. 40: «a falta de armonización de los mecanismos nacionales de ejecución forzosa, las modalidades de su aplicación forman parte del ordenamiento jurídico interno de cada Estado miembro en virtud del principio de autonomía procesal de los Estados miembros. No obstante, el Tribunal de Justicia ha declarado que los sistemas de que se trata deben responder al doble requisito de que no sean menos favorables que los que rigen situaciones similares de carácter interno (principio de equivalencia) y de que no hagan imposible en la práctica o excesivamente difícil el ejercicio de los derechos que confiere a los consumidores el Derecho de la Unión (principio de efectividad) (véase, en este sentido, la sentencia Sánchez Morcillo y Abril García, C-169/14, EU:C:2014:2099, apartado 31 y jurisprudencia citada)».

obstaculizaba la efectividad de los derechos reconocidos al consumidor, planteándonos, a partir de ello, si lo procedente era reformar ese proceso monitorio en la línea seguida por la ley 42/2015, o reflexionar sobre la adecuación de ese proceso y los límites de su aplicación.

Como premisas básicas para analizar esta cuestión debemos partir del concepto de cláusulas abusivas incluidas en los contratos celebrados con consumidores, y del carácter imperativo o de orden público de la disposición que establece la no vinculación a las mismas, lo que conduce a su apreciación de oficio por el juez nacional.

En relación con lo primero, se entiende por cláusula abusiva la cláusula contractual que no se ha negociado individualmente y que, pese a las exigencias de la buena fe, causa en detrimento del consumidor un desequilibrio importante entre los derechos y obligaciones de las partes que se derivan del contrato. Ello implica deslindar dos nociones. De un lado, las cláusulas de adhesión, que son las redactadas previamente por una de las partes del contrato (el profesional) y asumidas a posteriori por el consumidor sin que el mismo pueda influir en su contenido (art. 3.1 de la Directiva). De otro, el carácter abusivo de la cláusula, el cual viene determinado por la situación de desequilibrio que se genera entre las partes atendiendo a los derechos y obligaciones que surgen de ese contrato. Como declara la STJUE, de 4–6–2009, dictada en el asunto Pannon «(...) el sistema de protección establecido por la Directiva se basa en la idea de que el consumidor se halla en situación de inferioridad respecto al profesional, en lo referido tanto a la capacidad de negociación como al nivel de información, situación que le lleva a adherirse a las condiciones redactadas de antemano por el profesional sin poder influir en el contenido de éstas (sentencia de 27 de junio de 2000, Océano Grupo Editorial y Salvat Editores, C-240/98 a C-244/98, Rec. p. I-4941, apartado 25)».

Por lo que respecta a lo segundo, establece la Directiva 93/13 que las cláusulas abusivas no vinculan al consumidor, debiendo entenderse como no existentes (art. 6.1)[3]. Ello supone, de un lado, que el consumidor no precisa solicitar expresamente la declaración de nulidad de tales cláusulas para que las mismas no le sean exigibles[4], y, de otro que, en el caso

---

3. Art. 6.1 Directiva 93/13: «Los Estados miembros establecerán que no vincularán al consumidor, en las condiciones estipuladas por sus derechos nacionales, las cláusulas abusivas que figuren en un contrato celebrado entre éste y un profesional y dispondrán que el contrato siga siendo obligatorio para las partes en los mismos términos, si éste puede subsistir sin las cláusulas abusivas».

4. STJUE de 4–6-2009 (asunto Pannon), ap. 24: «(...) si bien es menester garantizar al juez nacional la mencionada facultad, queda excluido interpretar el artículo 6, apartado

de que se plantee un proceso en relación con el contrato que contiene dicha cláusula, el tribunal debe apreciar de oficio el carácter abusivo de la misma sin necesidad de que la parte interesada lo invoque, dado el carácter imperativo o de orden público de la disposición que establece la nulidad de tales cláusulas[5].

En esta línea ha declarado el TJUE que «la protección que la Directiva confiere a los consumidores se extiende a aquellos supuestos en los que el consumidor que haya celebrado con un profesional un contrato en el que figure una cláusula abusiva no invoque el carácter abusivo de la citada cláusula bien porque ignore sus derechos, bien porque los gastos que acarrea el ejercicio de una acción ante los tribunales le disuadan de defenderlos» (STJUE de 21 de noviembre de 2002, asunto Cofidis, ap. 34; también en el asunto Mostaza Claro, ap. 29).

Y así, «el objetivo perseguido por la Directiva que protege a los consumidores requiere de una intervención positiva por parte de los jueces para reemplazar el "equilibrio formal" que el contrato establece entre los derechos y obligaciones de las partes "por un equilibrio real" que pueda restablecer la igualdad entre éstas» (STJUE de 26 de octubre de 2006, asunto Mostaza Claro, ap. 36).

1, de la Directiva en el sentido de que el consumidor únicamente puede considerar que no está vinculado por una cláusula contractual abusiva si ha presentado una demanda explícita en ese sentido. En efecto, semejante interpretación excluiría la posibilidad de que el juez nacional apreciara de oficio el carácter abusivo de una cláusula contractual en el marco del examen de la admisibilidad de la demanda de la que conoce y sin petición expresa del consumidor con tal fin».

5. STJUE de 27 de junio de 2000, en los asuntos acumulados C-240/98 a C-244/98 (asunto Océano grupo editorial y Salvat Editores) «el Juez que conozca de un litigio relativo a un determinado contrato, en el que se estipule una cláusula abusiva, no pueda impedir la aplicación de esta cláusula por la mera razón de que el consumidor no haya planteado su carácter abusivo. Por el contrario, es preciso considerar que la facultad del Juez para examinar de oficio el carácter abusivo de una cláusula constituye un medio idóneo tanto para alcanzar el resultado señalado por el artículo 6 de la Directiva –impedir que el consumidor individual quede vinculado por una cláusula abusiva–, como para ayudar a que se logre el objetivo contemplado en su artículo 7, ya que dicho examen puede ejercer un efecto disuasorio que contribuya a poner fin a la utilización de cláusulas abusivas en los contratos celebrados por un profesional con los consumidores» (ap. 28).

O con otras palabras, en el asunto Pannon, antes citado, se declara «El Tribunal de Justicia declaró asimismo, en el apartado 26 de aquella sentencia, que el objetivo perseguido por el artículo 6 de la Directiva no podría alcanzarse si los consumidores tuvieran que hacer frente a la obligación de plantear por sí mismos el carácter abusivo de una cláusula contractual y que sólo podrá alcanzarse una protección efectiva del consumidor si el juez nacional está facultado para apreciar de oficio dicha cláusula» (ap. 23).

Consecuentemente, «el juez nacional deberá examinar de oficio el carácter abusivo de una cláusula contractual tan pronto como disponga de los elementos de hecho y de Derecho necesarios para ello. Cuando considere que tal cláusula es abusiva se abstendrá de aplicarla, salvo si el consumidor se opone» (STJUE, núm. C-243/2008, 4-6-2009) y deberá determinar si el contrato puede subsistir sin las cláusulas abusivas, y puede seguir siendo obligatorio para las partes en los mismos términos (art. 6.1 Directiva).

2. LAS CLÁUSULAS ABUSIVAS CON REPERCUSIÓN PROCESAL

2.1. LA CONSIDERACIÓN DE ABUSIVA DE LA CLÁUSULA DE SUMISIÓN EXPRESA DE COMPETENCIA TERRITORIAL INCLUIDA EN CONTRATOS CON CONSUMIDORES

Aunque la redacción del art. 3 de la Directiva podría llevar a pensar que las cláusulas abusivas aluden a los derechos y obligaciones que constituyen el contenido del respectivo contrato y que regulan las relaciones jurídico-materiales de los contratantes, desde bien pronto el TJUE consideró como cláusula abusiva aquella que atribuye la competencia territorial para conocer del litigio surgido entre el profesional y el consumidor a los tribunales del domicilio del primero.

En el asunto «Océano Salvat Editores» (STJUE de 27–06–2000), las demandantes (sendos grupos editoriales) habían incluido en los contratos de distribución de enciclopedias una cláusula de sumisión a los tribunales de su domicilio. Se trataba de una cláusula no negociada individualmente por el consumidor que actuaba en su perjuicio, al obligarle a litigar y a desplazarse a un lugar distinto del de su domicilio.

El tribunal declaró, en primer lugar, que se trababa de una cláusula abusiva: «De ello se deduce que una cláusula atributiva de competencia que sea incluida sin que haya sido objeto de una negociación individual en un contrato celebrado entre un consumidor y un profesional y que confiere competencia exclusiva a un Tribunal en cuyo territorio se encuentra el domicilio del profesional, debe considerarse abusiva a los efectos del artículo 3 de la Directiva, en la medida en que, a pesar de la exigencia de buena fe, crea, en perjuicio del consumidor, un desequilibrio importante entre los derechos y las obligaciones de las partes que se derivan del contrato» (ap. 24).

Y, en segundo lugar, declaró que dicha cláusula era apreciable de oficio por el tribunal en el momento de la admisión de la demanda, sin recaer sobre el consumidor la carga de invocar esa circunstancia para que pudiera ser apreciada por el tribunal: «El objetivo perseguido por el artículo 6 de la Directiva, que obliga a los Estados miembros a prever que las cláusulas abusivas no vinculen a los consumidores, no podría alcanzarse si éstos tuvieran que hacer frente a la obligación de plantear por si mismos el carácter abusivo de dichas cláusulas. En litigios cuya cuantía es a menudo escasa, los honorarios del abogado pueden resultar superiores a los intereses en juego, lo cual puede disuadir al consumidor de defenderse ante la aplicación de una cláusula abusiva. Si bien es cierto que, en algunos Estados miembros, las reglas de procedimiento permiten a los particulares defenderse a sí mismos en tales litigios, existe un riesgo no desdeñable de que, debido, entre otras cosas, a la ignorancia, el consumidor no invoque el carácter abusivo de la cláusula que se esgrime en su contra. De ello se deduce que sólo podrá alcanzarse una protección efectiva del consumidor si el Juez nacional está facultado para apreciar de oficio dicha cláusula» (ap. 26).

También en la STJUE de 4–6-2009, dictada en el asunto Pannon, se declaró el carácter abusivo de este tipo de cláusulas y su apreciación de oficio por el juez nacional. El asunto versaba sobre una cláusula de sumisión incluía en un contrato de abono de telefonía móvil que atribuía la competencia territorial para resolver los conflictos derivados del mismo a los tribunales del domicilio del profesional. En este caso, el TJUE afirmó, en primer lugar, que las cláusulas abusivas no vinculan al consumidor, no siendo necesario que el mismo haya impugnado previamente la cláusula para que no le resulte aplicable. Y, en segundo lugar, para el supuesto de que el profesional inicie un proceso que tenga por objeto las relaciones jurídicas surgidas de ese contrato, «El juez nacional deberá examinar de oficio el carácter abusivo de una cláusula contractual tan pronto como disponga de los elementos de hecho y de Derecho necesarios para ello. Cuando considere que tal cláusula es abusiva se abstendrá de aplicarla, salvo si el consumidor se opone. Esta obligación incumbe asimismo al juez nacional en el momento de la apreciación de su propia competencia territorial».

2.2. LA CONSIDERACIÓN DE ABUSIVA DE LA CLÁUSULA COMPROMISORIA INCLUIDA EN UN CONTRATO ENTRE UN EMPRESARIO Y UN CONSUMIDOR

Asimismo, el TJUE ha considerado como cláusula abusiva el convenio arbitral incluido en un contrato celebrado con consumidores, que actuaba en perjuicio del consumidor, y que no había sido negociado individualmente por este último.

En la Sentencia dictada en el asunto Mostaza Claro, se cuestionaba la validez de una cláusula compromisoria incluida en un contrato de telefonía móvil que sometía cualquier litigio derivado de ese contrato al arbitraje de la Asociación Europea de Arbitraje de Derecho y Equidad («AEADE»). Iniciado el procedimiento arbitral por el profesional, la demandada formuló alegaciones en cuanto al fondo, pero no impugnó la validez del convenio arbitral. Dictado el laudo y presentado el recurso de anulación por la demandada alegando la nulidad del convenio arbitral por el carácter abusivo del mismo, el juez nacional se cuestiona si es posible apreciar la nulidad de ese convenio cuando tal alegación no ha sido invocada por la parte en el previo procedimiento arbitral.

El TJUE entendió que si un órgano jurisdiccional nacional debe «en aplicación de sus normas procesales internas, estimar un recurso de anulación de un laudo arbitral basado en la inobservancia de normas nacionales de orden público, también debe estimar tal recurso basado en la inobservancia de las normas comunitarias de este tipo» (véase, en este sentido, la sentencia Eco Swiss, antes citada, apartado 37). Consecuentemente, «(...) un órgano jurisdiccional nacional que conoce de un recurso de anulación contra un laudo arbitral ha de apreciar la nulidad del convenio arbitral y anular el laudo si estima que dicho convenio arbitral contiene una cláusula abusiva, aun cuando el consumidor no haya alegado esta cuestión en el procedimiento arbitral, sino únicamente en el recurso de anulación» (ap. 39).

2.3. LA FIJACIÓN DE UN PLAZO PARA PODER ALEGAR O APRECIAR DE OFICIO EL CARÁCTER ABUSIVO DE UNA CLÁUSULA

En el asunto Cofidis (STJUE C-473/00, de 21 de noviembre de 2002), ante una cuestión planteada por un tribunal de instancia francés, el TJUE consideró que una norma procesal que fijaba un plazo preclusivo para que el tribunal apreciara el carácter abusivo de una cláusula o para que la parte planteara como excepción la nulidad de la misma era contrario a la Directiva 93/13 al impedir conseguir los objetivos de tal disposición: 35: «(...) en aquellos procedimientos que tengan por objeto el cumplimiento de cláusulas abusivas, incoados por profesionales contra consumidores, la fijación de un límite de tiempo a la facultad del juez para no aplicar tales cláusulas, de oficio o a raíz de una excepción propuesta por el consumidor, puede atentar contra la efectividad de la protección que es objeto de los artículos 6 y 7 de la Directiva. En efecto, para privar a los consumidores de dicha protección, a los profesionales les basta esperar a que haya expirado el plazo señalado por el legislador nacional y solicitar a continuación el cumplimiento de las cláusulas abusivas que siguen utilizando en los contratos. 36 Por consiguiente, debe considerarse que una norma procesal, que prohíba al juez nacional, al expirar un plazo de preclusión, declarar, de oficio o a raíz de una excepción propuesta por un consumidor, el carácter abusivo de una cláusula cuyo cumplimiento solicita el profesional, puede hacer excesivamente difícil la aplicación de la protección que la Directiva pretende conferir a los consumidores en los litigios en los que éstos sean demandados».

3. EL PROCESO MONITORIO COMO INSTRUMENTO QUE NO PERMITÍA LA EFECTIVIDAD DE LOS DERECHOS RECONOCIDOS POR LA DIRECTIVA 93/13 A LOS CONSUMIDORES

Con la LEC de 2000 se incorporó a nuestro sistema procesal civil la técnica monitoria consistente en una tramitación procedimental abreviada que permite obtener un título ejecutivo judicial cuando el deudor no ha atendido el requerimiento de pago ni ha formulado oposición para alegar las razones por las que entiende que no debe, en todo o en parte, la cantidad reclamada.

La regulación inicial de ese proceso monitorio establecía un límite cuantitativo al crédito que podía reclamarse a través de este proceso (30.000 euros), y atribuía la competencia para admitir la petición –acompañada del documento justificativo de la deuda– al órgano jurisdiccional. Reformas posteriores eliminaron el límite cuantitativo de la deuda y atribuyeron la función de apreciar si el documento acreditaba la deuda –y si el proceso monitorio resultaba adecuado– al Secretario judicial (LAJ). Lo primero determinó que este proceso, previsto originariamente para la reclamación de deudas dinerarias derivadas del tráfico comercial «entre profesionales y empresarios medianos y pequeños» (Exp. Motivos LEC, ap. XIX), se utilizara para la reclamación de elevadas cuantías procedentes, con frecuencia, de préstamos de financiación. Lo segundo determinó que tras el control de admisión por parte del Secretario judicial y ante la falta de reacción del deudor se creara un título ejecutivo que permitía iniciar el proceso de ejecución de acuerdo con las normas que regulan la ejecución de sentencias, con la imposibilidad de volver a discutir en un eventual proceso posterior la deuda reclamada en este monitorio (cosa juzgada).

Con la reforma de la LEC por la Ley 42/2015 este proceso monitorio ha sido objeto de reforma con el fin de adaptarlo a la doctrina emanada del TJUE. Conviene, no obstante, conocer cuál ha sido la cronología de las sentencias del TJUE que han influido en esta reforma.

Bajo la vigencia de la regulación originaria de este proceso monitorio, se plantea la petición de decisión prejudicial (auto de 29–11–2010) que da lugar a la doctrina del asunto Banesto (2012) centrada, como ahora veremos, en el control judicial de oficio de las cláusulas abusivas *in límite litis* del proceso monitorio. Esta sentencia aparece en un momento en el que la regulación de este proceso había sufrido una importante reforma por la Ley 13/2009, la cual había atribuido la admisión de la petición inicial de este proceso al Secretario judicial. Sobre la base de esta nueva regulación, se plantea otra cuestión que da lugar a la doctrina Finanmadrid (2016), que, a su vez, aparece en un momento en el que el proceso monitorio ya había sido reformado por la Ley 43/2015, para adaptarlo a la anterior doctrina Banesto.

3.1. EL ASUNTO BANESTO

En la STJUE de 14 de junio de 2012, dictada en el asunto Banesto, el consumidor había firmado una póliza de préstamo por importe de 30.000 euros con Banesto, para la adquisición de un vehículo. Tras el impago de siete cuotas de amortización del préstamo, la entidad bancaria decidió acordar el vencimiento anticipado de la deuda y reclamar, a través del proceso monitorio, una cantidad comprensiva del capital pendiente y de los intereses remuneratorios y moratorios. El JPI, al efectuar el control de admisión de la petición del proceso monitorio y conforme a doctrina reiterada del TJUE, declaró de oficio la nulidad de la cláusula de intereses moratorios por estimarla abusiva. Además, fijó el interés de demora en un 19 %, basándose en el interés legal y en el interés de demora establecidos en las Leyes de Presupuestos, requiriendo a la entidad demandante para que procediera a un nuevo cálculo del importe de los intereses para el período que se discutía en el litigio. La entidad bancaria recurrió en apelación el auto del juez, alegando que éste no podía apreciar de oficio la nulidad de esa cláusula en el momento de la admisión de la petición, ni podía modificar la cláusula del interés moratorio.

El TJUE declaró que una regulación procesal como la española que «no permite que el juez que conoce de una demanda en un proceso monitorio, aun cuando ya disponga de todos los elementos de hecho y de Derecho necesarios al efecto, examine de oficio –*in limine litis* ni en ninguna fase del procedimiento– el carácter abusivo de las cláusulas contenidas en un contrato celebrado entre un profesional y un consumidor, cuando este último no haya formulado oposición, puede menoscabar la efectividad de la protección que pretende garantizar la Directiva 93/13 (véase, en este sentido, la sentencia de 21 de noviembre de 2002, Cofidis, C-473/00, Rec. p. I-10875, apartado 35)» (asunto Banesto, ap. 53).

En segundo lugar, el TJUE apuntó los riesgos que, para la protección del consumidor, suponía atribuir a este último la carga de invocar la nulidad de esas cláusulas: «habida cuenta de la configuración general, desarrollo y peculiaridades del proceso monitorio, (...) existe un riesgo no desdeñable de que los consumidores afectados no formulen la oposición requerida, ya sea debido al plazo particularmente breve previsto para ello, ya sea porque los costes que implica la acción judicial en relación con la cuantía de la deuda litigiosa puedan disuadirlos de defenderse, ya sea porque ignoran sus derechos o no perciben cabalmente la amplitud de los mismos, o ya sea debido, por último, al contenido limitado de la demanda presentada por los profesionales en el proceso monitorio y, por ende, al carácter incompleto de la información de que disponen» (ap. 53).

Consecuentemente, «procede declarar que la normativa española controvertida en el litigio principal no resulta conforme con el principio de efectividad, en la medida en que hace imposible o excesivamente difícil, en los litigios iniciados a instancia de los profesionales y en los que los consumidores son parte demandada, aplicar la protección que la Directiva 93/13 pretende conferir a estos últimos» (ap. 56).

Por otra parte, en lo relativo a las consecuencias de apreciar el carácter abusivo de la cláusula, el TJUE declaró que no le corresponde al tribunal nacional integrar o modificar el contenido de la misma, sino considerarla no aplicable y determinar si el contrato puede subsistir sin la cláusula, pues la facultad de modificar tales cláusulas podría poner en peligro el objetivo perseguido por la Directiva: «(...) la mencionada facultad contribuiría a eliminar el efecto disuasorio que ejerce sobre los profesionales el hecho de que, pura y simplemente, tales cláusulas abusivas no se apliquen frente a los consumidores (...), en la medida en que los profesionales podrían verse tentados a utilizar cláusulas abusivas al saber que, aun cuando llegara a declararse la nulidad de las mismas, el contrato podría ser integrado por el juez nacional en lo que fuera necesario, garantizando de este modo el interés de dichos profesionales» (ap. 69).

3.2. LA REFORMA DEL PROCESO MONITORIO POR LA LEY 13/2009 QUE ATRIBUYE EL CONTROL DE ADMISIÓN DE LA PETICIÓN INICIAL AL SECRETARIO JUDICIAL (LAJ)

La Ley 13/2009, de 3 de noviembre, para la implantación de la nueva Oficina judicial, modificó el proceso monitorio y, en lo que ahora importa, atribuyó el control de admisión de esa petición al Secretario Judicial. Consecuentemente, la doctrina emanada del asunto Banesto (14–06–2012) resultaba de difícil encaje en esta nueva regulación: el deber del juez nacional de apreciar de oficio la existencia de cláusulas abusivas desde que tenga los elementos de hecho y de Derecho necesarios para ello, no era posible en un proceso cuya fase de admisión no correspondía al juez, y cuya fase posterior de ejecución se seguía por los trámites de la ejecución de sentencias, tramites que tampoco admitían ese control de oficio habida cuenta del carácter judicial del título ejecutivo y del efecto de cosa juzgada que la ley le atribuía.

El legislador español tuvo la oportunidad de incorporar la doctrina emanada del «asunto Banesto» con ocasión de la reforma de la LEC por la ley 1/2013, entre cuyos contenidos se encontraba la modificación del proceso de ejecución de título ejecutivo no judicial, a raíz de otra conocida sentencia del TJUE (asunto Aziz)[6]. Y esa falta de previsión en el proceso monitorio provocó discrepancias jurisprudenciales en cuanto a la posibilidad de examinar *in limine litis* el carácter abusivo de las cláusulas. Algunas resoluciones entendieron admisible ese examen de oficio en el momento inicial –pese a la falta de previsión legislativa[7]–, mientas que otras entendieron que no era posible ese examen al no disponer de todos

---

6. Como dijo la Exposición de Motivos de la ley 1/2013: «Este Capítulo recoge también la modificación del procedimiento ejecutivo a efectos de que, de oficio o a instancia de parte, el órgano judicial competente pueda apreciar la existencia de cláusulas abusivas en el título ejecutivo y, como consecuencia, decretar la improcedencia de la ejecución o, en su caso, su continuación sin aplicación de aquéllas consideradas abusivas. Dicha modificación se adopta como consecuencia de la Sentencia del Tribunal de Justicia de la Unión Europea de 14 de marzo de 2013, dictada en el asunto, por la que se resuelve la cuestión prejudicial planteada por el Juzgado de lo Mercantil núm. 3 de Barcelona respecto a la interpretación de la Directiva 93/13/CEE del Consejo, de 5 de abril de 1993».

7. El AAP de Madrid (Pleno) de 4 de marzo de 2013, resuelve el recurso de apelación contra el Auto dictado por el JPI núm. 92 de Madrid que había inadmitido la petición del proceso monitorio presentada por una financiera, por entender que, en aplicación de la doctrina Banesto, este proceso era «cauce procesal inadecuado para la reclamación de cantidad (...), derivada de un contrato celebrado con un consumidor, en cuanto que impide examinar la concurrencia de cláusulas abusivas». Presentado recurso de apelación, la AP de Madrid, estima el recurso y deja sin efecto el auto recurrido «para que el Juzgador «a quo» pueda examinar de oficio la concurrencia de cláusulas abusivas en perjuicio del consumidor estipuladas en el contrato de financiación, y de apreciarlas pueda declarar su nulidad, con las consecuencias en el contrato a que haya lugar y estime pertinentes, y derivadamente en la petición de procedimiento monitorio». Este auto cuenta con un voto particular, que se opone a la estimación por entender que la LEC no contemplaba ese trámite procesal: «discrepamos en consecuencia del auto de la mayoría, que entendemos dotado de una gran carga voluntarista, para eludir las consecuencias de la aplicación de la STJUE, y lo hace indicando que si se entendiera de forma distinta la regulación del juicio monitorio, se evitaría esas consecuencias, argumentación que no estimamos aceptable, por cuanto las normas procesales son de orden público y por ende de estricta observancia tanto para las partes como para los tribunales, que no sólo no pueden crear trámites procesales no previstos, salvo a efectos de subsanación, sino eludir la interpretación de normales procesales realizada, por quien se encuentra dotado de facultad para ello».

los elementos de hecho y de Derecho necesarios[8], siendo lo procedente diferir ese debate para la eventual oposición el deudor[9].

3.3. LA REFORMA DEL PROCESO MONITORIO POR LA LEY 42/2015, DE 5 DE OCTUBRE

Con esta reforma se ha insertado un incidente en el proceso monitorio dirigido a posibilitar el control judicial de las posibles cláusulas abusivas.

De acuerdo con el nuevo apartado 4 del art. 812 LEC: «Si la reclamación de la deuda se fundara en un contrato entre un empresario o profesional

---

8.   Así, el AAP de Barcelona (Sección 1.ª), núm. 14/2012, de 31 enero (JUR, 2012, 102402), estima el recurso de apelación contra el auto que había inadmitido una petición de proceso monitorio por considerar que el contrato de financiación incluía cláusulas abusivas: «Y si bien dicha cuestión no era pacífica en un comienzo, este Tribunal, en consonancia con otras secciones de esta Audiencia Provincial, ha proclamado que no es posible apreciar de oficio "ad limine" el carácter abusivo de una cláusula contractual para el consumidor. Pues aun cuando el carácter abusivo de una cláusula contractual integra una cuestión que por afectar al interés público y suponer una infracción de una norma imperativa puede ser apreciada incluso de oficio, ello no puede predicarse "ad limine", esto es en el momento inicial del proceso; como aquí acontece. (...) Además, aun cuando la legislación protectora de los consumidores ha acentuado la protección jurídica de éstos, el art. 10 bis exige que no hayan sido negociadas individualmente lo cual cuanto menos exige una alegación del eventual obligado; circunstancias que nos han de conducir a revocar la resolución recurrida, pues pese a que esta cumplidamente razonada, supone un exceso de celo en el control jurisdiccional "ab limine" de la validez de los contratos».

9.   AAP de Madrid (Sección 21.ª), núm. 77/2012 de 27 marzo (JUR 2012, 178632): En casos idénticos al presente, el criterio mantenido por las diversas Secciones de esta Audiencia Provincial es que no se puede inadmitir a trámite el escrito inicial del proceso monitorio por considerar nula la cláusula contractual de intereses. Así, se argumenta en el fundamento jurídico octavo del auto número 122/2011 de 9 de junio de 2011 de la Sección 14 de esta Audiencia Provincial de Madrid: «Hemos de tener en cuenta que no puede denegarse la petición de proceso monitorio por la apreciación de oficio de la nulidad de una cláusula que establece unos intereses moratorios, sobre la base de que pueden ser abusivos, en trámite de admisión ("in limine litis"), ya que se trata de un extremo que deberá ponerse de relieve, en su caso, en la oposición que haga el deudor, pues no puede olvidarse que la demanda de juicio monitorio abre paso a una fase de alegaciones del demandado ... no estamos en una fase declarativa con contradicción, sino en el inicio de un proceso en el que basta la buena apariencia jurídica de la deuda; y si ha mediado pacto contractual de intereses, no cabe, sin contradicción alguna, hacer declaración de nulidad del pacto que los establece, esto es, en el inicio del proceso, pues con ello se impide a la entidad acreedora alegar y probar, en su caso, la licitud del pacto, máxime cuando, en el caso de estimarse abusivo y nulo de pleno derecho, procede la integración del contrato sustituyendo la cláusula abusiva, que es la consecuencia de dicha declaración, lo que tampoco es materia que pueda efectuarse en trámite de admisión, ya que se vulneraría el principio de contradicción». También, AAP de Almería (Sección 1.ª) núm. 138/2011, de 1 diciembre (JUR 2013, 128583).

y un consumidor o usuario, el secretario judicial, previamente a efectuar el requerimiento, dará cuenta al juez para que pueda apreciar el posible carácter abusivo de cualquier cláusula que constituya el fundamento de la petición o que hubiese determinado la cantidad exigible. El Juez examinará de oficio si alguna de las cláusulas que constituye el fundamento de la petición o que hubiese determinado la cantidad exigible puede ser calificada como abusiva. Cuando apreciare que alguna cláusula puede ser calificada como tal, dará audiencia por cinco días a las partes. Oídas éstas, resolverá lo procedente mediante auto dentro de los cinco días siguientes. Para dicho trámite no será preceptiva la intervención de abogado ni de procurador. De estimar el carácter abusivo de alguna de las cláusulas contractuales, el auto que se dicte determinará las consecuencias de tal consideración acordando, bien la improcedencia de la pretensión, bien la continuación del procedimiento sin aplicación de las consideradas abusivas. Si el tribunal no estimase la existencia de cláusulas abusivas, lo declarará así y el secretario judicial procederá a requerir al deudor en los términos previstos en el apartado 1. El auto que se dicte será directamente apelable en todo caso».

3.4. EL ASUNTO «FINANMADRID»

En la STJUE de 18 de febrero de 2016, el litigio principal versaba sobre un contrato de préstamo que había firmado el consumidor con la entidad «Finanmadrid» para financiar la compra de un vehículo. A partir de determinado momento, el consumidor deja de abonar las cuotas de amortización, por lo que la entidad decide el vencimiento anticipado de la deuda y reclama, a través del proceso monitorio, la cantidad que consideraba adeudada. Seguidos los trámites de este proceso sin que los deudores atendieran el requerimiento de pago ni formulara oposición, el Secretario judicial dictó Decreto poniendo fin al monitorio, al que siguió la demanda de la entidad solicitando la ejecución de ese título.

El JPI núm. 5 de Cartagena (Murcia) plantea la cuestión prejudicial al TJUE indicando que la regulación española solo preveía la intervención del juez en el proceso monitorio cuando de los documentos que se acompañan a la petición se deduce que la cantidad no es correcta –en cuyo caso el Secretario judicial debe informar al juez de esta circunstancia–, o cuando el deudor formula oposición al requerimiento de pago. Además, como el Decreto del Secretario Judicial es un título ejecutivo judicial con fuerza de cosa juzgada, no cabe el control de oficio por parte del juez en el momento del despacho de la ejecución, pues esta posibilidad solo está prevista para la ejecución de títulos ejecutivos no judiciales ni arbitrales, estando equiparado el Decreto del Secretario judicial a una sentencia de condena con fuerza de cosa juzgada.

El TJUE afirmó en primer lugar, que la regulación del proceso monitorio no permitía el examen de oficio de las cláusulas abusivas ni en el momento inicial de la admisión del proceso monitorio ni en la ejecución posterior a ese proceso: «si bien es cierto que el sistema procesal español permite al deudor, en caso de que éste formule oposición en un proceso monitorio, alegar el carácter eventualmente abusivo de una cláusula del contrato en cuestión, este mismo sistema excluye la posibilidad de que pueda realizarse de oficio un control de ese carácter abusivo, tanto en el marco del proceso monitorio, cuando éste se da por finalizado mediante un decreto del secretario judicial, como en el marco de la ejecución del requerimiento de pago, cuando se formula ante el juez oposición a esa ejecución» (ap. 30).

Asimismo, afirma la citada sentencia que, en los casos en que el deudor no formula oposición, el proceso monitorio finaliza sin que en ningún momento pueda realizarse «un control de la existencia de cláusulas abusivas en un contrato celebrado entre un profesional y un consumidor. En consecuencia, si el juez que conoce de la ejecución del requerimiento de pago carece de competencia para apreciar de oficio la existencia de esas cláusulas, podría hacerse valer un título ejecutivo frente al consumidor sin que, en ningún momento del procedimiento, tenga la garantía de que se ha llevado a cabo esa apreciación (...)».

En tercer lugar, el TJUE apunta dos posibilidades para que la estructura del proceso monitorio permitiera cumplir los objetivos de la Directiva 93/13: «Así, tal protección efectiva de los derechos que se derivan de dicha Directiva sólo podría garantizarse en caso de que el sistema procesal nacional permita, en el marco del proceso monitorio o en el del procedimiento de ejecución del requerimiento de pago, un control de oficio del carácter potencialmente abusivo de las cláusulas contenidas en el contrato de que se trate».

En definitiva, «la Directiva 93/13 debe interpretarse en el sentido de que se opone a una normativa nacional, como la controvertida en el litigio principal, que no permite al juez que conoce de la ejecución de un requerimiento de pago apreciar de oficio el carácter abusivo de una cláusula contenida en un contrato celebrado entre un profesional y un consumidor, cuando la autoridad que conoció de la petición de juicio monitorio carece de competencia para realizar tal apreciación».

3.5. ¿ES ADECUADA LA REFORMA DEL PROCESO MONITORIO PARA ADAPTARLO A LA DOCTRINA DEL TJUE?

A la vista de la situación descrita cabe reflexionar si lo procedente para adaptar la estructura del proceso monitorio a las exigencias derivadas del

Derecho de la Unión era reformar ese proceso en la línea seguida por la ley 42/2015, o reconducir el mismo a la regulación originaria de la LEC que preveía un límite cuantitativo para las deudas que podían reclamarse a través del mismo y atribuía el control de admisión de la petición inicial al órgano jurisdiccional.

Con el incidente que se ha insertado en el proceso monitorio, nos encontramos con un procedimiento en el que tendremos un primer incidente para tratar exclusivamente el carácter abusivo de una cláusula, y un ulterior y eventual trámite de oposición del deudor en el que –entendemos– no cabrá oponer de nuevo esa cuestión, sino alegar las razones por las que el deudor entiende que no debe en todo o en parte la cantidad reclamada.

De otro lado, la doctrina del TJUE había apuntado como posibles opciones para la compatibilidad del proceso monitorio con el principio de efectividad, bien que el control inicial del proceso monitorio correspondiera al juez –de manera que éste pudiera apreciar de oficio el carácter abusivo de las cláusulas–, bien que la ejecución subsiguiente al monitorio permitiera esa apreciación, sea de oficio por el juez en el momento del despacho de la ejecución, sea a través de la oposición del deudor.

La primera de las opciones no haría más que reconducirnos al proceso monitorio originario que creó la LEC de 2000. La segunda opción pasaría por considerar que el título ejecutivo creado por el Secretario judicial no debe equipararse a los judiciales, ni tratarse como una sentencia de condena implícita, sino como un título ejecutivo no judicial para cuya ejecución está previsto, desde la reforma de la LEC por la ley 1/2013, el control judicial de oficio de las cláusulas abusivas en el momento del despacho de la ejecución, (art. 552.1 II LEC) y la posibilidad del deudor-ejecutado de plantear un incidente de oposición en el que alegar la existencia de cláusulas abusivas (art. 557.1.7° LEC).

Finalmente, cabe también reflexionar sobre la conveniencia de limitar la cuantía del crédito que puede ser reclamado a través del monitorio y de los límites para la aplicación de este proceso, que debería ser rechazado ante ciertas reclamaciones para las que lo procedente sería un declarativo ordinario. Acudir al proceso monitorio para la reclamación de deudas de cierta relevancia económica podría considerarse superfluo atendiendo a la previsible oposición del deudor y a la necesidad de reconducir el proceso al declarativo correspondiente por la cuantía. Sin embargo, la falta de oposición del deudor, ha sido aprovechada por el profesional demandante para obtener de manera rápida y con abreviación procedimental un título ejecutivo judicial. Como ha declarado también el TJUE: «55. De este modo, bastaría con que los profesionales presentaran la demanda en un proceso monitorio en lugar de hacerlo en el juicio civil ordinario para privar a los consumidores de la protección que pretende garantizar la Directiva 93/13, lo que resulta asimismo contrario a la jurisprudencia del Tribunal de Justicia según la cual las características específicas de los procedimientos judiciales que se ventilan entre los profesionales y los consumidores, en el marco del Derecho nacional, no pueden constituir un elemento que pueda afectar a la protección jurídica de la que estos últimos deben disfrutar en virtud de las disposiciones de la Directiva 93/13 (sentencia Pannon GSM, antes citada, apartado 34)».

Capítulo VI

La oposición en el procedimiento monitorio tras la necesaria reforma operada por la ley 42/2015, de 5 de octubre

JOSÉ BONET NAVARRO

Catedrático de Derecho Procesal
Universitat de Valéncia

SUMARIO: 1. APROXIMACIÓN A LA REFORMA DEL JUICIO VER-
BAL Y DEL MONITORIO OPERADA POR LA LEY 42/2015,
DE 5 DE OCTUBRE. 2. SOBRE LA TÉCNICA MONITORIA Y
EL ENLACE DE DOS PROCEDIMIENTOS FORMALMENTE
AUTÓNOMOS PERO MATERIALMENTE ENLAZADOS.
3. VALORACIÓN POSITIVA SOBRE LA MAYOR EXIGENCIA EN EL
ESCRITO DE OPOSICIÓN. 4. VALORACIÓN POSITIVA SOBRE EL
ENLACE ENTRE MONITORIO Y EL JUICIO VERBAL QUE DERIVA
DEL ESCRITO (DEMANDA) DE OPOSICIÓN.

«La prudencia es una virtud y no un arte», afirmaba el clásico griego Aristóteles, en el capítulo «De la prudencia» de su *Moral a Nicómaco*. Sin embargo, tras siglos de formulación de tan recomendable virtud, no se ejercita con la deseable regularidad.

La liviandad de ciertos temas puede de algún modo explicar algunas salidas de tono y críticas más abruptas y ruidosas que verdaderamente punzantes. Sin embargo, en un ámbito jurídico riguroso, la prudencia debería imperar algo más. Así, antes de utilizarse expresiones gruesas o de achacar de inconstitucionalidad a una determinada regulación, convendría estar prevenido frene al posible efecto *boomerang*, pues quizá lo criticable e inconstitucional sea al final el propio mal entendimiento o la interpretación errónea.

Sin que lo anterior suponga en absoluto una crítica a la crítica sino únicamente un modesto llamamiento a la prudencia así como a la moderación, y, sin eludir en absoluto ciertas críticas, en este trabajo me voy a ocupar, de la reforma operada por la Ley 42/2015, de 5 de octubre, en lo referente a la oposición en el procedimiento monitorio, en esta ocasión, resaltando principalmente las virtudes de esta necesaria reforma.

1. APROXIMACIÓN A LA REFORMA DEL JUICIO VERBAL Y DEL MONITORIO OPERADA POR LA LEY 42/2015, DE 5 DE OCTUBRE

Entre los preceptos afectados por el ansia reformadora en la legislatura que se supone que terminó en 2015, en el momento inmediatamente anterior a la legislatura más efímera en la historia política española, destaca con particular significación la reforma del juicio verbal, concretamente la introducción de la contestación escrita y, consiguiente o derivadamente, el trámite de oposición en el procedimiento monitorio, esto es, el apartado 2 del artículo 818 LEC.

La reforma en el juicio verbal gravita sobre temas diversos, como la contestación escrita, con posible renuncia de la vista; la necesidad de aportar minuta de la proposición de prueba, el trámite de conclusiones; el régimen de recursos de resoluciones sobre prueba; o la sucesión procesal cuando la ejecución ya está despachada. En el punto IV del Preámbulo de la Ley 42/2015, de 5 de octubre, se justifica la reforma del juicio verbal en general, junto a «introducir modificaciones en la a la tutela judicial efectiva... con la finalidad de reforzar las garantías derivadas del derecho constitucional», por venir «siendo demandadas por los diferentes operadores jurídicos». Además de esta indicación genérica, se limita a describir la reforma operada en el punto que nos ocupa: «debe destacarse la introducción de la contestación escrita, que deberá presentarse en el plazo de diez días, la mitad del establecido para el procedimiento ordinario, generalizando con ello la previsión que ya se recogía para determinados procedimientos especiales, lo que ha comportado la adecuación de todos los preceptos relacionados con el trámite del juicio verbal y de los procesos cuya regulación se remite al mismo, incluida la Ley 60/2003, de 23 de diciembre, de Arbitraje».

En lo referente al juicio verbal, conforme al artículo 438.1 y 4 LEC, una vez admitida la demanda, el Letrado de la Administración de Justicia –o Secretario judicial– «dará traslado de ella al demandado para que la conteste por escrito en el plazo de diez días conforme a lo dispuesto para el juicio ordinario. Si el demandado *no compareciere en el plazo otorgado será declarado en rebeldía conforme al artículo 496».* Y el demandado en dicho escrito de contestación, *«deberá pronunciarse, necesariamente, sobre la pertinencia de la celebración de la vista. Igualmente, el demandante deberá pronunciarse sobre ello, en el plazo de tres días desde el traslado del escrito de contestación. Si ninguna de las partes la solicitase y el tribunal no considerase procedente su celebración, dictará sentencia sin más trámites».* El día y hora de esta vista será señalada en el plazo de cinco días y se celebrará en el plazo máximo de un mes según dispone el artículo 440.1 LEC. Y se celebrará siempre que una de las partes lo solicite, sin perjuicio de que previamente a su celebración, *«cualquiera de las partes podrá apartarse de su solicitud por considerar que la discrepancia afecta a cuestión o cuestiones meramente jurídicas. En este caso se dará traslado a la otra parte por el plazo de tres días y, transcurridos los cuales, si no se hubieren formulado alegaciones o manifestado oposición, quedarán los autos conclusos para dictar sentencia si el tribunal así lo considera».*

De interés es igualmente que, coherente con todo esto, en líneas generales desaparece la demanda sucinta. Así, conforme al artículo 437.1 LEC, *«el juicio verbal principiará por demanda, con el contenido y forma propios del juicio ordinario, siendo también de aplicación lo dispuesto para dicho juicio en materia de preclusión de alegaciones y litispendencia».* Ello sin perjuicio de que cuando no sea preceptivo abogado y procurador (si bien de la literalidad de la norma parece condicionarse al hecho de que *«no se actúe con abogado y procurador»,* excluyendo los supuestos en los que a pesar de no ser preceptiva su intervención de hecho actúen estos profesionales), *«el demandante podrá formular una demanda sucinta, donde se consignarán los datos y circunstancias de identificación del actor y del demandado y el domicilio o los domicilios en que pueden ser citados, y se fijará con claridad y precisión lo que se pida, concretando los hechos fundamentales en que se basa la petición».*

Todo esto tiene su reflejo más o menos directo en el enlace con el juicio verbal de oposición que sigue al monitorio cuando se corresponda con las cuantías propias del mismo. Así, en coherencia con el régimen general de reducción o sustitución de la demanda sucinta, es que, conforme al artículo 815.1 LEC, se requerirá al deudor, entre otras cosas, ya no únicamente para que alegue *«sucintamente»,* sino *«de forma fundada y motivada».* Previsión que viene acompañada de la introducción del punto 4 del mismo artículo 815, para adecuarlo a las exigencias que derivan del Tribunal de Justicia de la Unión Europea[1]. De ese modo, *«si la reclamación*

---

1. Como es sabido, esta jurisprudencia impone el control de oficio de las cláusulas abusivas que causen, en detrimento del consumidor, un desequilibrio importante entre los derechos y obligaciones de las partes. Esto *«no solo exige facultar al juez para intervenir de oficio, sino que impone a este el deber de intervenir, lo que resultaba obligado para todos los*

de la deuda se fundara en un contrato entre un empresario o profesional y un consumidor o usuario, el secretario judicial, previamente a efectuar el requerimiento, dará cuenta al juez para que pueda apreciar el posible carácter abusivo de cualquier cláusula que constituya el fundamento de la petición o que hubiese determinado la cantidad exigible»[2].

Y, por último, se reforma el artículo 818.2 LEC para adecuarlo a la nueva configuración del juicio verbal en los mencionados artículos 438.1 y 4 así como artículo 440.1 ambos LEC. Así, en caso de que se formule oposición y *«la cuantía de la pretensión no excediera de la propia del juicio verbal, el secretario judicial dictará decreto dando por terminado el proceso monitorio y acordando seguir la tramitación conforme a lo previsto para este tipo de juicio, dando traslado de la oposición al actor, quien podrá impugnarla por escrito en el plazo de diez días. Las partes, en sus respectivos escritos de oposición y de impugnación de ésta, podrán solicitar la celebración de vista, siguiendo los trámites previstos en los artículos 438 y siguientes».*

En mi opinión, en líneas generales y al margen de consideraciones más de fondo o de detalle, las reformas introducidas en este punto merecen una valoración claramente positiva en cuanto previenen desigualdad y favorecen la contradicción. Es más, me sorprendente que tal mejora técnica no haya sido objeto de atención mucho antes.

---

tribunales» y *«... permitir que el Juez pueda, aun cuando no haya sido alegado por las partes en el procedimiento, declarar el control abusivo de las cláusulas, cualquiera que sea el procedimiento en el que se suscite, y cualquiera que sea la fase del procedimiento».* Parte reconociendo el papel del juez español como garante del derecho comunitario, de lo que deriva el control de oficio de las cláusulas abusivas (STJCE, de 9 de marzo de 1978, en el caso Simmenthal), ratificada por la STC 28/1991, de 14 de febrero. Asimismo, las facultades de intervención de oficio en el control de las cláusulas abusivas incluidas en las condiciones generales de contratos de adhesión en los que intervengan consumidores ha sido reconocida por el TJUE desde la STJCE de 27 de junio de 2000 (asuntos acumulados C-240/98, C-241/98, C-242/98, C-243/98 y C-244/98, caso Océano-Murciano Quintero); STJUE de 4 de junio de 2009, asunto C-243/08, caso Pannon, etc.). Control que se producirá cualquiera que sea el procedimiento y la fase en que se halle, es más, la Sentencia BANESTO –EDJ 2012/109012– declaró que el juez debe, si tiene los elementos de hecho y de derecho necesarios para declarar una cláusula abusiva, hacer ese control incluso antes de la admisión a trámite del procedimiento monitorio.

2.   A continuación, el juez y no el secretario judicial «examinará de oficio las cláusulas que constituye el fundamento de la petición o que hubiese determinado la cantidad exigible puede ser calificada como abusiva». Si apreciara la abusividad «dará audiencia por cinco días a las partes. Oídas éstas, resolverá lo procedente mediante auto dentro de los cinco días siguientes. Para dicho trámite no será preceptiva la intervención de abogado ni de procurador». Y «de estimar el carácter abusivo de alguna de las cláusulas contractuales, el auto que se dicte determinará las consecuencias de tal consideración acordando, bien la improcedencia de la pretensión, bien la continuación del procedimiento sin aplicación de las consideradas abusivas».

2. SOBRE LA TÉCNICA MONITORIA Y EL ENLACE DE DOS PROCEDIMIENTOS FORMALMENTE AUTÓNOMOS PERO MATERIALMENTE ENLAZADOS

Antes de entrar a comentar y valorar esta reforma resulta conveniente formular consideraciones previas sobre la operatividad y especialísima configuración de la técnica monitoria. El monitorio es, como todos reconocen, un proceso especial, y lo es, principalmente, porque altera la configuración procedimental que se diseña en los procesos comunes, tanto el verbal como el ordinario. Entender su particular configuración y autonomía quizá pueda servir para prevenir valoraciones sobre la técnica legislativa y hasta la inconstitucionalidad de la reforma en este punto[3], que puedan derivar, quizá, no tanto de una ley defectuosa o inconstitucional sino más bien del erróneo entendimiento del intérprete.

La técnica monitoria se basa genéricamente en la comunicación que, desde el órgano jurisdiccional (o, en su caso, notaría), se dirige al deudor, por el que se avisa de la existencia de un deber de prestación, principalmente pecuniario. Consecuencia de la misma, se le requiere para que la cumpla o, al menos, ofrezca razones de porqué no debe hacerlo; y, asimismo, se le advierte de las consecuencias del incumplimiento de ese deber.

Lo más relevante ahora es que el procedimiento se configura en atención a la eventual actitud del deudor. Si paga, se pondrá fin a las actuaciones; si no hace nada, se simplifica el procedimiento, pues procederá iniciar la ejecución como si se hubiera dictado expresamente una sentencia condenatoria; y si formula oposición, se pondrá fin al monitorio y se sustanciará en el procedimiento «común» que corresponda.

La técnica monitoria supone, entre otras cosas, la exigencia de una posición activa al obligado, y, por lo que ahora nos interesa, implica sustanciar la eventual oposición mediante un procedimiento formalmente autónomo aunque materialmente enlazado con el monitorio.

Con la finalidad de que solo se ocupen esfuerzos cuando sea necesario, porque el deudor formule efectivamente oposición, y además, sin que

---

3. Orriols García, Santiago, «El lastimoso juicio verbal derivado del monitorio. Denuncia de la nefasta reforma introducida por Ley 42/2015», en *Diario La Ley*, núm. 8746, 21 de abril de 2016, afirma, entre otras cosas, que la Ley 42/2015 supone en este punto nada menos que una «*grave falta de técnica procesal del legislador en la parte de la reforma que afecta al juicio verbal dimanante de la oposición monitoria, y concretamente de la nueva redacción de los arts. 815 y 818 de la LEC que nos plantea serias dudas de constitucionalidad*».

nada de esto limite sus posibilidades defensivas, la oposición pondrá fin al monitorio y permitirá abrir un nuevo proceso de una forma más (verbal) o menos (ordinario) automática para sustanciarla.

El problema técnico será enlazar dos procedimientos formalmente autónomos para sustanciar la oposición[4]. Lo bien cierto es que este enlace parte de la finalización de un proceso y el inicio de otro, de modo que, con independencia de cómo se denomine legalmente, el «escrito de oposición», al menos cuando el enlace procedimental es más intenso como ocurre cuando la cuantía no supere la propia del juicio verbal, funciona como una verdadera demanda con función «finalizadora» pero, sobre todo, «iniciadora» de un procedimiento. Su naturaleza como demanda permitía dar solución técnica, y no meramente intuitiva, a diversos problemas teóricos y prácticos. Así, podía entenderse el problema actualmente finiquitado sobre la posible «ampliación» de las alegaciones en la vista; y explicar la llamada «inversión formal del contradictorio». De hecho, este curioso enlace procedimental permite comprender una de las características que mayor perplejidad producen en este procedimiento especial (cuando la cuantía no supere la propia del juicio verbal) como es que el requerido-deudor se sitúe en la posición activa pero en esta ocasión para pedir la absolución; y el requirente-acreedor en la pasiva pretendiendo la condena.

3. VALORACIÓN POSITIVA SOBRE LA MAYOR EXIGENCIA EN EL ESCRITO DE OPOSICIÓN

Partiendo de estas consideraciones previas, estamos en condiciones óptimas para valorar la modificación del artículo 815.1 LEC donde se prevé que se requiera al deudor, entre otras cosas, no para que alegue «sucintamente» sino de forma «fundada y motivada». Previsión que no es más que una mera adaptación a la actual configuración del juicio verbal conforme a la nueva redacción del artículo 437.1 LEC. Si en líneas generales, salvo cuando *no se actúe con abogado y procurador*, desaparece la demanda sucinta para iniciar el juicio verbal, el escrito de oposición que además de poner fin al monitorio abre el juicio verbal cuando la cuantía lo permita, resulta absolutamente imprescindible que el escrito de oposición se adecue al régimen general del artículo 437.1 LEC.

Así y todo, en su total coherencia, merece ser criticada la previsión incondicionada de que la oposición se formule siempre de forma fundada

---

4.   Véase una idea inicial sobre esto ya en BONET NAVARRO, JOSÉ, «La relativa autonomía del «Juicio que corresponda» tras la oposición en los procedimientos monitorios», en *Problemas actuales del proceso iberoamericano I. Actas*, Málaga, 2006, pp. 373–86.

y motivada. Si el juicio verbal todavía podrá iniciarse mediante demanda sucinta en ciertos supuestos (cuando no se actúe con abogado y procurador), del mismo modo debía ser en el juicio posterior al monitorio. Al margen de que pueda perpetuar en este caso los problemas técnicos de eventual desigualdad y posible indefensión que se pretendían finiquitar, la configuración del escrito de oposición en el monitorio debería corresponderse exactamente con las exigencias de la demanda en el juicio verbal porque, en realidad, se trata de una misma realidad aunque sea con las necesarias adaptaciones.

Si, como se ha afirmado, con todo eso se provocan «quebraderos de cabeza» a los jueces de primera instancia, quizá sea por falta de comprensión sobre la muy especial tutela que se otorga a través del procedimiento monitorio.

4. VALORACIÓN POSITIVA SOBRE EL ENLACE ENTRE MONITORIO Y EL JUICIO VERBAL QUE DERIVA DEL ESCRITO (DEMANDA) DE OPOSICIÓN

Similar valoración ha de merecer la reforma en lo referente al enlace procedimental entre el monitorio y el juicio verbal para sustanciar la oposición, en la medida en que se limita a adaptar la regulación del juicio verbal previsto para sustanciar la oposición a –casualmente–, la general regulación de cualquier otro juicio verbal.

Sin ánimo de abundar en polémicas, resulta cuanto menos sorprendente la facilidad con la que se califica, o más bien se pretende descalificar, el hecho de que el requerido formule demanda-escrito de oposición y que el requirente pueda contestar a la misma. Que «*la situación descrita lleva a un absurdo y, casi siempre, a una indefensión*»[5], es algo no solo altamente discutible, sino que, en mi opinión, es en realidad fruto de la incomprensión sobre la operativa de la técnica monitoria y, en particular, del enlace entre dos procedimientos que, al servicio de dicha técnica, son formalmente autónomos aunque estén materialmente enlazados.

Ya resulta discutible negar la naturaleza de demanda a la petición de inicio del monitorio y al escrito de oposición. Ciertamente, la LEC no emplea esa denominación pero, en sus requisitos y en su función iniciadora de un proceso judicial, operan exactamente como demanda. Afirmar lo contrario exigiría tanto justificar previamente una eventual naturaleza no jurisdiccional del monitorio, como explicar en qué se diferencian

---

5. ORRIOLS GARCÍA, SANTIAGO, «El lastimoso juicio verbal derivado del monitorio. Denuncia de la nefasta reforma introducida por Ley 42/2015», cit.

sustancialmente la petición de monitorio y el escrito de oposición con una demanda de monitorio y de juicio verbal más allá de la mera lectura *ad pedem litterae* del texto legal.

Lo más relevante, con todo, es entender que el monitorio y el verbal de oposición son procesos formalmente autónomos pero que, como se hallan materialmente relacionados, están enlazados precisamente por el escrito de oposición. Escrito este que funciona como finalizador del primero e iniciador del segundo. No es cierto, por tanto, que *«la única y última fase de alegaciones consiste en un escrito de impugnación a la oposición del demandante»*. Aunque resulta indiscutible que esta estructura procedimental sea altamente especial y, si se quiere, *«realmente extraña»*, se presenta perfectamente coherente con la configuración de la técnica monitoria y el enlace que la eventualidad de la oposición provoca en dos procesos formalmente autónomos.

Cuestión distinta es que esta situación provoque o pueda provocar indefensión. En mi opinión, por especial que sea esta estructura, en absoluto implica ninguna suerte de desigualdad ni limitación particular en la contradicción que perjudique al deudor. Se trata únicamente de adaptar la regulación especial del monitorio, con todas sus particularidades, a la general configuración del juicio verbal en todo lo que implica introducir la contestación escrita en el mismo. Y en eso queda todo.

Convendría, en definitiva, entender el *modus operandi* de la técnica monitoria en lo referente al eventual enlace entre dos procedimientos formalmente autónomos para sustanciar la oposición cuando sea necesario. Observemos que el escrito de oposición tiene dos funciones fundamentales: la primera, provocar que se finalice el procedimiento monitorio; y la segunda, que se inicie el juicio verbal de oposición (se presupone que cuando la cuantía se corresponda con la propia del mismo). Por eso el escrito de oposición más que una contestación a la demanda –que lo es–, también constituye, sobre todo, una demanda de juicio verbal. El deudor con este escrito de oposición se convierte, pues, en demandante de oposición. Es así el actor. Y la regulación y tratamiento ha de ser coherente con este hecho, tanto en aspectos formales como, por ejemplo, ser quien primero hable, o quien, desde el estrado judicial, será visto a la derecha; hasta aspectos de fondo, debiendo acreditar los hechos defensivos (impeditivos, extintivos y excluyentes) como constitutivos de una más que atípica pretensión de que se dicte una sentencia de absolución o de no condena.

El acreedor, por su parte, se transformará en demandado de oposición. Los hechos inicialmente constitutivos de la previa pretensión de pago, se transformarán en defensivos frente a la pretensión absolutoria. El acreedor, como demandado, podrá aportar los documentos y demás pruebas que acrediten dicha pretensión de pago cuando no se encuentren ya aportados en el previo monitorio. Todo ello a los efectos de que se desestime la demanda del deudor y, por tanto, se condene al mismo al pago.

El deudor –requerido inicial y posterior demandante– tiene la capacidad de poner fin al monitorio pero en unidad de acto presenta demanda de absolución, con todas las cargas inherentes a dicha demanda. Por tanto, no se generarán desigualdades ni limitaciones respecto de cualquier otro demandante en aspectos como la carga de alegación y de acreditación, o la preclusión de una y otra.

Una vez el monitorio ha finalizado, al menos formalmente, se trata de sustanciar la pretensión defensiva por parte del deudor. Que el acreedor haya solicitado previamente la tutela judicial a través del monitorio resulta a todos los efectos irrelevante, pues formalmente el monitorio ha finalizado. Ahora empezamos de cero o, en realidad, de la pretensión absolutoria del deudor. Deudor que, eso sí, tiene la carga de adoptar una actitud activa si no quiere pagar ni que se abra una ejecución como si de una sentencia condenatoria se tratara por no hacer nada. De ese modo, además de no sufrir desventaja alguna, a su escrito se le atribuye un doble valor o ventaja para finalizar monitorio y para iniciar juicio verbal. Por supuesto, para este segunda ventaja, se prevén las lógicas exigencias, entre otras, de motivación propias de cualquier escrito con tales virtudes (básicamente las del art. 437 LEC y los correlativos). En fin, el escrito de oposición no es una contestación a la demanda al uso, sino que la oposición se articula mediante una demanda que abre un procedimiento formalmente autónomo. En realidad, algo muy parecido a una sustanciación incidental de la oposición.

Incluso es erróneo, salvo desde una lectura *ad pedem litterae*, negar el carácter de demanda que corresponde en esencia a la petición de apertura del proceso monitorio. Otra cosa es que haya otras «cosas» distintas a la demanda con sus mismos requisitos y finalidades. En definitiva, afirmar que «*el demandado, dicho simple y llanamente, tiene derecho a ser demandado en forma para que pueda exigírsele que conteste como tal demandado. Y esta realidad tan elemental y básica, la olvida el legislador*», solamente es posible sin haber entendido una realidad especial pero relativamente elemental y básica a estas alturas como es la técnica monitoria.

Y el mismo planteamiento procede respecto de otras manifestaciones de la técnica monitoria. En lo relativo al orden de alegaciones, al margen de su propia característica por la que se instrumenta un eventual juicio de oposición formalmente autónomo y que se abre por un escrito de oposición que es en realidad una demanda, no se produce alteración alguna sobre el «*orden lógico de un sistema coherente de alegaciones*», salvo que no estemos de acuerdo con la misma especialidad de la técnica monitoria. Pero si se entiende que el deudor es demandante de oposición y que su escrito –como demanda que es– ha de cumplir los requisitos propios de la misma para obtener los efectos que le corresponden como tal (abrir el juicio verbal de oposición), no cabrá afirmar con fundamento que se produce ninguna suerte de atentado, infracción, ni merma en el principio de contradicción ni en el derecho de defensa. Eso sí, los hechos defensivos adoptan la forma de constitutivos de la pretensión absolutoria, que para algo el deudor pretende su absolución en el juicio verbal. Y, por su parte, los hechos constitutivos de la condena se convierten en defensivos frente a la pretensión absolutoria por parte del deudor. Pero salvo esta «rareza» estructural –vista desde el punto de vista de los procedimientos comunes, porque a estas alturas el monitorio es de todo ya menos «raro»– no se produce alteración alguna respecto de las cargas que corresponden a cada una de las partes, máxime cuando a falta de otras pruebas, procedería la desestimación de la pretensión absolutoria pues no ha de olvidarse que se cuenta con el «principio» de prueba que representa el documento que en su momento aportó el acreedor para abrir el monitorio.

Hay quien parece que no le gusta que la técnica monitoria sea así, pero como está de moda decir, «es lo que hay», sin que observe particulares inconvenientes relevantes en comparación con el avance que implica la técnica monitoria para determinadas pretensiones de larga tradición de abuso por la parte favorecida por un proceso altamente garantista. En cualquier caso, yo pregunto: ¿Por qué no se puede exigir al demandado que argumente cumplidamente sus defensas de forma fundada y motivada como constitutivas de su pretensión absolutoria ante una pretensión monitoria cuando esta exigencia es plenamente coherente con la apertura de un juicio verbal?

Es cierto que la técnica monitoria es el mundo al revés. Pero lo es porque el legislador ha reaccionado ante la experiencia de deudores que en un noventa por ciento aproximadamente de las ocasiones mantenía una actitud pasiva como estrategia procesal, aprovechando la lentitud y la desgana del acreedor en instar el procedimiento. El deudor sabe qué es lo que se le requiere y por qué, para esto se le ha requerido de pago con base en un documento que contiene una obligación exigible. Tiene todas las cartas necesarias para, si lo considera oportuno, esto es, si es del diez por ciento que adoptaba una actitud activa, pretender la absolución pero como sujeto activo y no pasivo. Esto es en esencia la técnica monitoria. Y, en mi opinión, es intachable se mire por donde se mire, particularmente en cuanto a los derechos y garantías de las partes.

***

De otro lado, se afirma que en el ámbito de la oposición del procedimiento monitorio, y de la fundamentación de la demanda de absolución, no es posible alegar «excepciones» procesales. Nada más lejos de la realidad. Es cierto que la redacción del legislador en los preceptos que regulan el procedimiento monitorio es mejorable cuando no necesaria por vacía o inexistente. También es patente que el procedimiento monitorio ha finalizado –formalmente– por transformarse en otro procedimiento autónomo para sustanciar la oposición. Si el monitorio ha finalizado, difícil encaje tendrán los óbices, defensas y excepciones procesales de un proceso ya fenecido. Pero tal cosa no significa que las defensas procesales no sean admisibles para fundar con éxito la oposición en el escrito-demanda correspondiente (y, en su orden lógico, con carácter previo a las de fondo). Sin ánimo de exhaustividad, parece bastante claro que, a pesar de la inexistencia regulatoria específica al respecto, el deudor podrá haber formulado –se supone que previamente al escrito de oposición, salvo incurrir en sumisiones tácitas o en alguna preclusión– declinatoria por falta de jurisdicción o de competencia en todas y cada una de sus modalidades. Igualmente, en la medida en que subsistan, podrá alegar cualquier cuestión relativa a las capacidades (la famosa, aunque impropiamente denominada, *legitimatio ad procesum*) o la propia legitimación (también llamada *ud causam*); lo mismo la inadecuación del procedimiento especialmente del verbal de oposición cuando no proceda por la cuantía; la litispendencia o la cosa juzgada en atención, entre otros, a lo previsto en el artículo 816.2 LEC, cuando se esté pretendiendo o se haya resulto el tema en un proceso –monitorio o común– precedente. Incluso podría intentarse una declaración de nulidad del monitorio por no cumplir las exigencias para su inicio (como lo relativo al documento a los requisitos de la obligación o una defectuosa notificación). Así y todo, aunque sea difícil de imaginar, básicamente por el carácter formalmente autónomo del juicio verbal respecto del monitorio, no cabría descartar que alguna cuestión procesal específicamente prevista para el mismo y que no produzca indefensión derive en irrelevante a las alturas de iniciar el nuevo juicio verbal, pero, desde una perspectiva práctica, los presupuestos y requisitos procesales serán coincidentes, pudiéndose fundar la oposición en los mismos, incluso desde una interpretación adecuada de la autorización para alegar fundamentalmente «*las razones por las que, a su entender, no debe, en todo o en parte, la cantidad reclamada*».

Exactamente lo mismo ha de afirmarse sobre la petición de vista que deberán realizar las partes una vez iniciado por el deudor el juicio verbal de oposición como adaptación al contexto del procedimiento monitorio de las previsiones generales del juicio verbal. Si conforme al artículo 438.4 LEC el demandado, en el escrito de contestación *«deberá pronunciarse, necesariamente, sobre la pertinencia de la celebración de la vista. Igualmente, el demandante deberá pronunciarse sobre ello, en el plazo de tres días desde el traslado del escrito de contestación. Si ninguna de las partes la solicitase y el tribunal no considerase procedente su celebración, dictará sentencia sin más trámites»*; es coherente y correlativo que conforme al artículo 818.2.II LEC *«las partes, en sus respectivos escritos de oposición y de impugnación de ésta, podrán solicitar la celebración de vista, siguiendo los trámites previstos en los artículos 438 y siguientes»*. Basta con recordar una vez más que el deudor es el demandante, y el acreedor el demandado, para que se disipe en la nada cualquier crítica relativa a una posible indefensión, desigualdad o merma en la contradicción.

Y, en fin, lo mismo ocurre con la aportación de los documentos. El deudor es el demandante. ¿Alguien podría «presentarnos» a un demandante de juicio que como regla general no deba aportar junto a su demanda los documentos en que funda su pretensión, aunque, como en este caso, sea tan atípica, como la pretensión de absolución o de no condena? A pesar de que la redacción de los preceptos reguladores de todo esto podría ser algo más clara o expresa, una vez más ha de decirse que si el deudor es demandante de oposición no solo puede sino que tiene la carga de presentar los documentos en que funde su pretensión –casualmente– de forma idéntica a cualquier otro demandante, incluida la preclusiones a su aportación salvo las reglas generales. Esto justifica y explica unos de los pretendidos «misterios prácticos» de la oposición en el procedimiento monitorio: que el deudor demandante no pueda ampliar los motivos de oposición introduciendo hechos diferentes a los contenidos en su demanda, ni que pueda aportar en momentos posteriores documentos no aportados en la misma, salvo que ello sea posible excepcionalmente conforme a las reglas generales, esto es, aquellas de los hechos nuevos o de nueva noticias, *ex* artículos 286 y 270 LEC, respectivamente. Y, exactamente sucede igual con el acreedor, como demandado de juicio verbal, en su mal llamada «impugnación», esto es, en su contestación a la demanda de juicio verbal, deberá aportar los documentos en que se funden sus defensas frente a la pretensión absolutoria (básicamente arts. 264 y 265 LEC).

¿Dónde está, en todo esto, la alteración de alguna suerte de «lógica procesal básica» más allá de confusas denominaciones? ¿Dónde está la infracción y más patente del artículo 24 CE y la indefensión del deudor requerido –demandante y situado en la posición activa–? En mi opinión, no está más que en la incomprensión de la técnica monitoria. Desde luego, afirmar que el deudor ha de pedir la vista antes de ser demandado es totalmente absurdo. Como lo es considerarle en algún momento demandado por un acreedor cuando se limita a contestar o «impugnar», como muy impropiamente dice el artículo 818.2 LEC. E, igualmente, doblemente absurdo es, si cabe, buscar en qué lugar un demandante de juicio verbal puede formular una reconvención.

En fin, si es preciso como principio un entendimiento correcto sobre la operatividad del procedimiento monitorio, entre otras cosas para prevenir el verse perdido entre «galimatías» de sendas por mucho que nuevas perfectamente trazadas, parece bastante claro que conviene conocer la técnica monitoria previamente a lanzarse a formular consideraciones tan ruidosas como de escaso fundamento y mucho más si se pretende que no sean más propias de platós de televisión sino de artículos jurídicos medianamente rigurosos.

Capítulo VII

Tratamiento procesal de la falta de presentación electrónica de escritos procesales[1]

RAFAEL CASTILLO FELIPE

Profesor Doctor de Derecho Procesal

Universidad de Murcia

SUMARIO: 1. PLANTEAMIENTO. 2. ÁMBITO DEL DEBER DE PRESENTA-CIÓN ELECTRÓNICA DE ESCRITOS. *2.1. Ámbito subjetivo. 2.2. Ámbito objetivo.* 3. TRATAMIENTO PROCESAL DE LA FALTA DE PRESENTACIÓN ELECTRÓNICA DE ESCRITOS. *3.1. Considera-ciones generales. 3.2. Aparente contradicción entre el art. 273.5 LEC y el art. 43.3 LTICAJ en cuanto a la posibilidad de subsanación de la falta de presentación electrónica. 3.3. Premisas para una correcta interpretación y aplicación del art. 43.3 LTICAJ. 3.4. Posible colisión del art. 43.3 LTICAJ con el derecho a la tutela judicial efectiva.* 4. BIBLIOGRAFÍA.

1. PLANTEAMIENTO

En los últimos tiempos el desarrollo de las nuevas tecnologías ha tenido un impacto en la sociedad moderna que nadie se atrevería a negar. Dicho impacto ha provocado tanto la creación de nuevas formas de comunicación y relación entre los individuos como la transforma-ción de las ya existentes. El Derecho, que siempre avanza por detrás

---

1. Trabajo realizado en el marco del proyecto de investigación «Instrumentos para la tutela del emprendedor y del consumidor sin menoscabo de la debida protección del crédito en el ámbito de la justicia civil» (DER-2014–53758-R).

de la sociedad, no ha podido mantenerse ajeno a estos cambios, aunque ciertamente ha mostrado un grado mayor de impermeabilidad hacia los nuevos medios tecnológicos que aquél que se ha dado en otros campos de conocimiento[2]. Esta afirmación de carácter general es plenamente aplicable al proceso, que ha ido acogiendo paulatinamente aquellos instrumentos tecnológicos que podían resultar útiles, por un lado, para facilitar el ejercicio de la potestad jurisdiccional[3]; y por otro, para perfeccionar el funcionamiento de la llamada «Administración de la Administración de Justicia».

En este sentido, la Ley 42/2015, de 5 de octubre, de reforma de la Ley 1/2000, de 7 de enero, de Enjuiciamiento Civil –en lo sucesivo LREC–, ha supuesto el último hito en la inexorable implementación de las TICs en el ámbito de la justicia. La norma citada culmina, por el momento, el proceso de implantación definitiva de las nuevas tecnologías que propició con vocación general la Ley 18/2011, de 5 de julio, reguladora del uso de las tecnologías de la información y la comunicación en la Administración de Justicia –a partir de ahora, LTICAJ–. En particular los arts. 6.3 y 8 de dicha Ley introdujeron el deber de los profesionales de la Administración de Justicia y de los integrantes de la misma de emplear los medios electrónicos, si bien, supeditando el mismo a la disponibilidad de las plataformas electrónicas específicas (art. 33.5 LTICAJ)[4]. Por su parte, la LREC ha dispuesto expresamente el carácter preceptivo de la presentación electrónica

---

2. De hecho no faltan quienes anotan que el impacto de la tecnología provocará tarde o temprano, de manera que el texto quede redactado así: «De hecho no faltan quienes anotan que el impacto de la tecnología provocará tarde o temprano un cambio en los cimientos del proceso, esto es, en sus propios principios». En este sentido, vid., CALMON, P. «The future of the traditional Civil Procedure» en AA.VV., *Electronic Technology and Civil Procedure*, KENGYEL, M. y NEMESSÁNYI, Z. (dirs.), Springer, Dordrecht, 2012, pp. 67–87.

3. Para una panorámica de la evolución de las tecnologías de la información y comunicación –en adelante, TICs– en la Administración de Justicia, vid., GAMERO CASADO, E., «El objeto de la Ley 18/2011 y su posición entre las normas relativas a las tecnologías de la información», en AA.VV., *Las tecnologías de la información y la comunicación en la Administración de Justicia*, GAMERO CASADO, E., y VALERO TORRIJOS, J. (coords.), Thomson-Aranzadi, Cizur Menor (Navarra), 2012, pp. 45–88, especialmente, pp. 53 y ss.

4. No obstante, la idea de obligar a los profesionales de la justicia a emplear los medios electrónicos ya había surgido con mucha anterioridad. En concreto, con la *non nata* modificación del art. 230 de la Ley 6/1985, de 1 de julio, del Poder Judicial que se recogía en el Pacto de Estado para la Reforma de la Justicia de 28 de mayo de 2001, vid., GAMERO CASADO, E., «El ámbito de aplicación de la Ley 18/2011. El deber de relacionarse por medios electrónicos con la Administración de Justicia» en AA. VV., *Las Tecnologías de la Información y la Comunicación en la Administración de Justicia*, GAMERO CASADO, E. y VALERO TORRIJOS, J., (coords.), ob. cit., p. 166.

de la demanda, documentos y demás escritos que requiera la sustanciación del proceso (art. 273.1 LEC) a partir del 1 de enero de 2016 (Disposición Adicional primera y Disposición Final duodécima de la LREC).

Paralelamente, las normas citadas han establecido la sanción que acarrea el incumplimiento de la obligación de presentación electrónica de los escritos procesales: la LTICAJ, en su art. 43, y la LREC a través de la modificación de la introducción del número 5 del art. 273 de nuestra norma procesal civil. Si bien, la coordinación entre ambos preceptos en lo que se refiere a las posibilidades de subsanación no es total. De ahí la pertinencia de abordar el tema objeto de estudio. Y ello aun cuando sabemos que quizás esta investigación tenga un alcance temporal limitado, ya que parece posible vaticinar que un futuro –esperemos que no muy lejano– los profesionales estarán en su totalidad familiarizados con el uso de los medios electrónicos y, además, se reducirán los fallos que hoy por hoy afectan a la plataforma Lexnet[5]. Por tanto, en este ínterin, en que Lexnet todavía presenta numerosos taras y los profesionales y ciudadanos están todavía acostumbrándose a la forma electrónica de los actos procesales resulta de importancia analizar los preceptos antedichos.

2. ÁMBITO DEL DEBER DE PRESENTACIÓN ELECTRÓNICA DE ESCRITOS

2.1. ÁMBITO SUBJETIVO

El examen del objeto de esta comunicación requiere ahondar, por un lado, en el ámbito subjetivo de las normas antedichas, esto es, determinar quiénes son los sujetos que vienen obligados a presentar electrónicamente la demanda y el resto de escritos procesales; y por otro lado observar si este deber se impone para todas las actuaciones procesales y, en su caso, cuáles son sus límites. Todo ello con el objetivo de esclarecer cuándo se está ante un defecto en la forma del acto iniciador del procedimiento o de cualquier otro acto de parte que adopte forma escrita.

---

5. De estas taras da cuenta ya la jurisprudencia. Vid., en este sentido, el auto del Tribunal Supremo –en lo sucesivo, ATS–, Sala 1.ª, de 14 de septiembre de 2016, (referencia base de datos Aranzadi Instituciones –a partir de ahora: ref. A.I–: JUR 2016, 200279) y el ATS, Sala 1.ª, de 21 de septiembre de 2016 (ref. A. I: JUR 2016, 200449). Tanto en uno como en otro caso se había declarado desiertos los recursos extraordinarios por infracción procesal y casación al haber fallado el programa y no haber registrado los escritos de personación de los procuradores. El problema se suscitó por lo que el programa no había arrojado ningún error a los procuradores cuando registraron sus escritos de personación, de tal manera que éstos no tenían constancia de que sus escritos no figuraban en el mismo.

En cuanto al primer extremo mencionado, debemos atender al art. 6.3 LTICAJ y al art. 273.1 LEC. Como se indicó, el primer precepto estableció de manera genérica el deber de los profesionales de la justicia de emplear los sistemas y medios electrónicos que estuvieran disponibles. No obstante, no enunció qué sujetos habían de entenderse comprendidos dentro de este elenco de profesionales[6]. El reformado art. 273.1 LEC ha seguido también esta estela y en el se hace mención únicamente a los «profesionales de la justicia». Pero, afortunadamente, el núm. 3 de la norma citada resulta útil para acotar parte de esta expresión. En efecto, allí se alude, entre otros: a las personas que tienen obligación en todo caso de interactuar electrónicamente ante la Administración de Justicia. En concreto, se hace expresa mención a aquellos que ejerzan una actividad profesional para la que se requiera colegiación obligatoria para los trámites y actuaciones que se realicen con la Administración de Justicia; a los notarios y registradores, representantes de interesados obligados a relacionarse electrónicamente con los tribunales, etc. En lo que ahora interesa, tanto si se entiende que el 273.3 LEC quiere referirse a personas distintas de los profesionales de la justicia enunciados en el párrafo 1.º[7], como si se considera que parte de los profesionales del párrafo 1.º quedan comprendidos en la referencia que se localiza art. 273.3. c) a las profesiones que requieren colegiación obligatoria para realizar su actividad ante los tribunales, hay que concluir, aunque parezca una obviedad, que abogados y procuradores están obligados a presentar sus escritos a través de estos medios electrónicos. De hecho, así

---

6. Cfr., GAMERO CASADO, E., «El ámbito de aplicación de la Ley 18/2011. El deber de relacionarse por medios electrónicos con la Administración de Justicia» en AA. VV., *Las Tecnologías de la Información y la Comunicación en la Administración de Justicia*, GAMERO CASADO, E. y VALERO TORRIJOS, J., (coords.), ob. cit., p. 156, quien llama la atención sobre este extremo y da cuenta del informe del Consejo General del Poder Judicial al Anteproyecto de LTICAJ. Informe en el que el Consejo advertía también sobre la omisión.

7. A nuestro juicio es ésto lo que sucede. Tras la promulgación de la LTICAJ y la genérica mención de su art. 6.3 a los profesionales antedichos, se debatía sobre el alcance qué había de darse a la expresión. Entre otras cuestiones se planteaba si peritos, notarios y registradores, entre otros, debían quedar comprendidos en el ámbito de la norma citada. La doctrina se posicionó en torno a la cuestión abogando por interpretar restrictivamente el art. 6.3. Así las cosas, se reservó la expresión para aquellos profesionales que actuaban de manera continuada y como actividad principal ante los Tribunales y se entendió que estos eran los abogados, procuradores y graduados sociales. Por ello parece que el art. 279.3 LEC ha querido resolver las dudas que todavía subsistían en torno a los profesionales distintos de aquellos que asumen funciones de defensa y representación. Vid., sobre lo aquí expuesto GAMERO CASADO, E., «El ámbito de aplicación de la Ley 18/2011. El deber de relacionarse por medios electrónicos con la Administración de Justicia» en AA. VV., *Las Tecnologías de la Información y la Comunicación en la Administración de Justicia*, GAMERO CASADO, E. y VALERO TORRIJOS, J., (coords.), ob. cit., pp. 156–157.

lo dispuso posteriormente el art. 2 del Real Decreto 1065/2015, de 27 de noviembre, sobre comunicaciones electrónicas en la Administración de Justicia y en el ámbito territorial del Ministerio de Justicia y por el que se regula el sistema Lexnet, en cuyo art. 2 se define, a efectos de aplicación del Reglamento, quiénes pueden considerarse «profesionales de la justicia».

En segundo término, para los ciudadanos –entendemos que actúen sin estar asistidos por abogado y procurador–, el art. 33.1 LTICAJ dispuso el carácter potestativo del uso de los medios electrónicos. Empero, la LTICAJ dejó abierta la posibilidad de que por vía legal o reglamentaria pudiera establecerse la obligación de uso de aquellos cuando se tratase de personas jurídicas o colectivos de personas físicas que por razón de su capacidad económica o técnica tuviesen garantizado el acceso a los antedichos medios. Siguiendo lo dispuesto en esta previsión, la LREC ha ampliado el deber de uso de los medios electrónicos a las personas jurídica sin distinción alguna –lo cual puede ser bastante cuestionable–, entes sin personalidad, y ciudadanos que actúen en representación de sujetos obligados a comunicarse electrónicamente. Para las personas físicas (art. 273.3 LEC) que no sean profesionales o personas obligadas por razón del cargo al uso de medios electrónicos se ha conservado la facultad de opción entre la presentación física tradicional o por medios electrónicos, con posibilidad de variar el medio escogido en el curso del proceso. Alternativa que es ya una realidad desde el 1 de enero de 2017, por mor de lo dispuesto en la Disposición Final duodécima y por la Disposición Transitoria cuarta de la LREC[8].

2.2. ÁMBITO OBJETIVO

Por otra parte, el contenido objetivo del deber estudiado alcanza a la presentación de todo tipo de escritos y no sólo a la interposición de demanda, aunque cuando se trate de escrito que dé lugar al primer emplazamiento será necesario presentar las copias en formato físico (art. 273.4 LEC). Igualmente, no será exigible el deber en los casos en que sea la Ley la que exija o autorice la presentación en papel (art. 273.6 LEC).

Subsiste aquí la duda de si está obligación de presentar electrónicamente debería haberse excepcionado cuando se trate de actuaciones urgentes –v.gr., adopción de medidas cautelares (art. 730.2 LEC), medidas se aseguramiento de la fuentes de prueba (art. 297.2 LEC), práctica de prueba anticipada (art. 293 LEC)...–. Y es que aun cuando cabría pensar que la presentación electrónica será siempre más rápida que la presentación

---

8. Vid., el siguiente enlace: https://sedejudicial.justicia.es

física, lo cierto es que la falta de adaptación inicial de los profesionales al sistema Lexnet y los fallos técnicos que todavía hoy presenta éste aconsejarían haber dejado abierta esta vía para los casos reseñados, pues dichas imperfecciones técnicas pueden llegar a complicar la presentación frustrando la finalidad que persigue la actuación procesal urgente[9].

Una vez sea active para los ciudadanos que no sean profesionales de la justicia, ni actúen asistidos por éstos, las facultades de opción a las que se refiere el art. 33.1 LTICAJ, la Disposición Transitoria 4.ª de la LREC, y el art. 273.2 LEC, consideramos que habrá que entender que la opción escogida lo es para todas las actuaciones del proceso; dicho de otro modo: no cabrá optar por un sistema mixto en el que parte de los escritos se presenten telemáticamente y otra parte físicamente. Ello sin perjuicio de que el sistema escogido puede variarse de modo expreso e incluso parece que tácito en cualquier momento.

Por último, hay que tener en cuenta que el deber de interactuar de manera electrónica con la Administración de Justicia tiene como límite el respeto a las garantías del procedimiento en virtud de lo establecido en el art. 6.3. *in fine* LTICAJ. De ahí que cuando el inadecuado funcionamiento pudiera impedir la presentación o la correcta recepción deba ser siempre posible la presentación en formato papel, tal y como se extrae de las diversas normas en juego, entre otras, de los arts. 135.2 LEC y 12.2 del Real Decreto 1065/2015, de 27 de noviembre, sobre comunicaciones electrónicas en la Administración de Justicia y en el ámbito territorial del Ministerio de Justicia y por el que se regula el sistema Lexnet).

3. TRATAMIENTO PROCESAL DE LA FALTA DE PRESENTACIÓN ELECTRÓNICA DE ESCRITOS

3.1. CONSIDERACIONES GENERALES

Una vez estudiados el aspecto objetivo y subjetivo del deber y de la facultad de presentación electrónica de escritos, procede que analicemos la sanción legal que se anuda al incumplimiento de aquél. Tanto la LTICAJ, en su art. 43, como nuestra norma procesal civil, en su art. 273.5 LEC, equiparan la inobservancia del deber analizado con la falta de presentación,

---

9. Aunque no es nuestra finalidad proponer soluciones para todos los escenarios problemáticos que puede plantear la fulminante implantación de los medios electrónicos, sí diremos que en el caso de las medidas urgentes, dada la posibilidad de actuar sin postulación y defensa técnica (arts. 23.2.3.° y 31.2.° LEC), si el solicitante es persona física siempre podría presentar por sí mismo el escrito en formato físico (arts. 33.1 LTICAJ y 273.2 LEC).

previo intento de subsanación. Con ello, la exigencia de uso de los cauces electrónicos pasa a condicionar la eficacia del acto procesal de que se trate.

El requisito de forma externa al que venimos refiriéndonos será controlable tanto de oficio como a instancia de parte, aunque verdaderamente será difícil que su falta pase inadvertida al letrado de la administración de justicia o al juez –según cual sea el acto procesal en cuestión– durante el control inicial. Con todo, si ello sucediera, podría esgrimirse como defecto procesal en la contestación a la demanda; en la audiencia previa o en la vista si el vicio afectase a la contestación (art. 405.3 LEC); a través de los recursos (arts. 451 y ss.); e incluso mediante el incidente de oposición a la ejecución por defectos procesales (art. 559 LEC).

No obstante, nos parece dudoso que en los supuestos en los que se reconoce la facultad de opción –personas físicas que no actúen bajo la representación y dirección de profesionales de administración de justicia– haya que aplicar la misma sanción. Fundamentalmente, porque si se opta por la presentación electrónica y más tarde se presenta en papel la demanda, lo que habrá será un cambio tácito del modo de comunicarse con la Administración de Justicia. En este sentido, el propio art. 273.2 LEC permite variar el medio escogido en cualquier momento. El precepto no exige que el ciudadano realice una comunicación expresa indicando el cambio del cauce inicialmente escogido y de otra manera se estaría extendiendo indebidamente el ámbito de aplicación de los arts. 43 y 273.5 LEC. No obstante, quizás hubiera resultado adecuado consignar el deber del ciudadano de informar con la suficiente antelación acerca de la modificación de la vía elegida, so pena en otro caso de que rigieran dichos preceptos. Sobre todo a efectos de la correcta ordenación de la remisión y recepción de comunicaciones en lo que se refiere a la previsibilidad del cauce que se empleará para realizar las mismas.

A la vista de lo expuesto, se colige que el defecto procesal objeto de estudio sólo se producirá cuando los profesionales de la justicia, o las partes no representadas ni asistidas por éstos, que sean personas jurídicas o entidades sin personalidad, esto es, obligados a la presentación electrónica, omitan la misma sin que medie una causa justificada de interrupción del servicio o una disposición legal que les habilite a la presentación en formato físico del escrito. En sentido contrario, de darse la interrupción del servicio de comunicaciones no planificada o un funcionamiento anormal del mismo debe resultar posible la presentación en papel sin necesidad de que se requiera de subsanación.

Con ello se produce un curioso escenario, puesto que puede inferirse que el cumplimiento del requisito procesal de presentación electrónica queda supeditado al correcto funcionamiento del servicio –y no exclusivamente a la voluntad de la parte en observar el requisito–, desapareciendo su exigencia en otro caso.

3.2. APARENTE CONTRADICCIÓN ENTRE EL ART. 273.5 LEC Y EL ART. 43 LTICAJ EN CUANTO A LA POSIBILIDAD DE SUBSANACIÓN DE LA FALTA DE PRESENTACIÓN ELECTRÓNICA

Como se ha anotado, la falta de uso de los medios electrónicos para la presentación de escritos lleva aparejado que éstos se tengan por no presentados. No obstante, el art. 273.5 LEC indica que el Letrado de la Administración de Justicia concederá un plazo máximo de cinco días para que se subsane el defecto antes de acordar tan drástica consecuencia[10]. La disposición, tal cual está redactada, es inteligible y no ofrece dudas al intérprete. Sin embargo, el art. 43 LTICAJ enturbia la intelección de la norma, pues refiriéndose al mismo supuesto de hecho –quebrantamiento del deber de emplear medios electrónicos– introduce una limitación en las posibilidades de subsanación. En particular, el art. 43.1 LTICAJ dispone que el incumplimiento del deber de uso de las tecnologías por un profesional de la justicia en su primera comunicación con un órgano judicial será subsanable en un plazo máximo de cinco días. A continuación, el precepto citado señala que el órgano jurisdiccional, al conceder plazo de subsanación, apercibirá al obligado a emplear los medios electrónicos de que todas las comunicaciones con ese tribunal o ante cualquier otro del partido judicial y en cualquier proceso deberán realizarse por vía telemática. Finalmente, el art. 43.3 LTICAJ autoriza a rechazar de plano y sin posibilidad alguna de subsanación el segundo acto procesal que no observe el requisito de presentación electrónica[11]. Observamos, pues, como ambos preceptos aparecen a priori descoordinados. Un intento de coordinación puede lograrse teniendo en cuenta las siguientes premisas:

---

10. Aunque hasta el momento hay pocas resoluciones en las bases de datos de jurisprudencia que manejamos, lo cierto es que parece que tribunales son prudentes en la aplicación de la norma, vid., a modo de ejemplo, el caso que documenta el Auto del Juzgado de lo Mercantil número 1 de Palma de Mallorca, de 19 de septiembre de 2016 (ref. A. I: JUR 2016, 207910), en el que se requirió de subsanación hasta en tres ocasiones.

11. Vid., sobre el precepto citado: Gómez Amigo, L., «La tramitación electrónica de los procedimientos judiciales» en AA.VV., *Las Tecnologías de la Información y la Comunicación en la Administración de Justicia*, Gamero Casado, E. y Valero Torrijos, J. (coords.), ob. cit., pp. 613–658, especialmente, p. 654, donde el autor señala: «que sólo el primer incumplimiento por los profesionales de la justicia del deber de uso de las TICs es subsanable; y que el primer incumplimiento siempre es subsanable, aun cuando no se haya producido en la primera comunicación con el tribunal».

En primer lugar, el art. 43 LTICAJ, siguiendo su dicción literal, se aplica únicamente a los profesionales de la justicia, por lo que el régimen de subsanación para las personas jurídicas, entes sin personalidad y demás obligados que actúen sin abogado y procurador será el del art. 273.5 LEC, es decir, el quebrantamiento del deber de emplear medios electrónicos será subsanable en todo caso y no sólo la primera vez que se produzca. Por tanto, el eventual choque entre las disposiciones citadas se produce en lo que se refiere a las posibilidades de subsanación de los actos llevados a cabo por los denominados profesionales de la justicia.

En segundo término, y tomando en cuenta la idea que acabamos de expresar, podría intentar razonarse que los actos que realicen los profesionales de la justicia serán siempre subsanables. Tal criterio podría mantenerse argumentando que el art. 273 LEC es norma posterior al art. 43 LTICAJ. Empero, surge un inconveniente que nos impide acoger esta conclusión. El impedimento se extrae del dato objetivo de que la LREC, al tiempo que introdujo la nueva dicción del art. 273 LEC, también modificó el apdo. 1 del art. 43 LTICAJ con el fin de sincronizar los plazos máximos de subsanación que se preveían en uno y otro precepto[12]. Esta circunstancia hace difícil pensar que el legislador quisiera en aquel momento establecer la posibilidad de subsanación para los profesionales en los términos que se contienen en el art. 273.5 LEC, abandonando así el criterio primigenio consistente en que sólo se concedería una oportunidad de subsanar la primera vez que se desconociese el deber de emplear los medios electrónicos. Y es que si verdaderamente se hubiese pretendido expandir la posibilidad de subsanación se hubiera corregido también la redacción del art. 43 LTICAJ hasta hacerla coincidir con lo dispuesto en el art. 273.5 LEC, al igual que se hizo con el plazo que figuraba en el precepto. Por ello, parece que cabe inferir que en los supuestos en los que se omita el uso del medio telemáticos por parte de los profesionales y éstos hubieran sido ya apercibidos con anterioridad, no existirá plazo de subsanación. Conclusión que se extrae de la dicción literal del propio art. 43.3 LTICAJ, en la que se alude al rechazo de plano de la actuación de la que se trate. Sin duda, alguna la sanción que contempla el precepto parece del todo punto excesiva, puesto que el vicio que da lugar a la misma es en esencia subsanable, aun cuando el legislador haya querido entender otra cosa para reforzar el deber de emplear medios electrónicos[13].

---

12. En la redacción original del art. 43 LTICAJ el plazo máximo de subsanación que podía conceder el tribunal era de tres días.
13. En idéntica dirección, GAMERO CASADO, E., «El ámbito de aplicación de la Ley 18/2011. El deber de relacionarse por medios electrónicos», ob. cit., p. 175, quien

3.3. PREMISAS PARA LA CORRECTA INTERPRETACIÓN Y APLICA-CIÓN DEL ART. 43 LTICAJ

Así las cosas, delimitado el alcance del art. 43 LTICAJ conviene hacer varias precisiones adicionales sobre la aplicación del mismo por parte de nuestros tribunales, para finalizar, despúes, con una reflexión final sobre el acomodo del precepto a las exigencias del derecho a la tutela judicial efectiva del art. 24 de la Constitución española de 1978 –en adelante, CE–.

La primera de nuestras observaciones viene referida a la necesidad de interpretar literalmente el precepto y acotar la consecuencia jurídica que el mismo contempla al ámbito territorial por éste descrito, es decir, al partido judicial. Si bien no hay que olvidar que dentro del partido judicial la imposibilidad de subsanar se proyectará sobre todos los nuevos procesos en los que intervenga el profesional al que se apercibió, parece que con independencia del orden jurisdiccional ante el que éstos se sustancien. La precisión nos parece pertinente por cuanto existen órganos jurisdiccionales unipersonales organizados territorialmente sobre una base superior al partido judicial (art. 30 LOPJ). Baste pensar en los Juzgados de lo Mercantil (art. 86. bis LOPJ), o de lo Contencioso-Administrativo (art. 90 LOPJ) o en definitiva en cualquiera de los enumerados en el art. 3.1 de la Ley 38/1988, de 28 de diciembre, de Demarcación y Planta Judicial. En consecuencia, si la actuación indebidamente realizada en formato papel se presenta ante alguno de estos órganos constituidos sobre una base superior a la de la partido judicial y es alguno de ellos el que apercibe: ¿ha de extenderse la imposibilidad de subsanar a todos los partidos judiciales comprendidos en el ámbito territorial superior en que ejerce jurisdicción el juzgado o tribunal que emite el requerimiento? A nuestro juicio, tal opción no sería correcta y hay que desechar semejante extensión. Por tanto, lo realmente importante no es estrictamente el ámbito en que el tribunal que emite el requerimiento ejerce jurisdicción sino el municipio en que está ubicado físicamente dicho juzgado o tribunal, es decir en el que se emite el requerimiento. Obviamente dicho lugar siempre estará comprendido dentro de un partido judicial, aunque el tribunal que emita el requerimiento extienda su competencia a una provincia o comunidad autónoma o incluso a todo el territorio nacional, y al partido judicial en que se ubique el órgano es precisamente al que habrá que atender[14]. Con ello, aunque la

---

remarca el «restringidísimo carácter del art. 43 LTICAJ en lo que a las posibilidades de subsanación se refiere, sobre todo en comparación con el resto de disposiciones que regulan la relación de los ciudadanos con la Administración a través de medios electrónicos».

14. Así, un requerimiento emitido por la Audiencia Provincial de Murcia, cuyas Secciones, salvo la 5.ª ubicada en Cartagena, se encuentran en Murcia, se entendería que despliega sus efectos en Murcia, pero no el partido judicial de Cartagena.

solución pudiera parecer forzada, se logra restringir el alcance de la norma limitativa de las posibilidades de subsanación.

Nuestra segunda consideración adicional es de corte eminentemente práctico. En efecto, cabe pensar que para que proceda la inadmisión de plano de la segunda actuación procesal realizada obviando el uso de los medios electrónicos el órgano jurisdiccional al que se dirija el escrito habrá de tener constancia de que se produjo ya un requerimiento anterior. Pues bien, que el juez o tribunal disponga de esta información será harto difícil, lo que, por suerte, reduce en gran medida la operatividad del art. 43.3 LTICAJ. Con todo, cabe pensar en varios escenarios en los que el juez sí pueda conocer que existió un requerimiento previo, como sucedería cuando el apercibimiento lo haya emitido él –v. gr., presentación de demanda declarativa en formato físico que motiva el apercibimiento y posterior presentación de demanda de ejecución también en papel; o requerimiento en un segundo proceso declarativo que se sustancia ante el mismo juzgado que ya requirió al profesional renuente, entre otros– o cuando sea la parte contraria la que tenga constancia del requerimiento anterior y articule una excepción procesal para hacer valer tal circunstancia y lograr el archivo del proceso, o denuncie la circunstancia antedicha para conseguir la inadmisión del recurso o de la actuación de la que se trate –v. gr., si en un nuevo proceso entre partes distintas de aquéllas que litigaron en el proceso en que se produjo el apercibimiento los profesionales que representan y defienden a las partes son los mismos, de manera que uno de los abogados tenga constancia de que el letrado contrario fue apercibido en un proceso anterior–. De ahí que no quepa descartar totalmente el planteamiento de una excepción procesal al amparo del precepto objeto de estudio, sobre todo por la atractiva consecuencia que supondrá la terminación inmediata del litigio.

Ante tal escenario, la única vía de escape de la que dispondrá el sujeto que fue requerido en la primera ocasión será demostrar que concurría una interrupción del servicio o funcionamiento anormal del mismo que, en virtud de lo dispuesto en el art. 6.3 *in fine* y concordantes citados *supra*, le dispensaban de la presentación electrónica y autorizaban la presentación en formato papel.

3.4. POSIBLE COLISIÓN DEL ART. 43.3 LTICAJ CON EL DERECHO A LA TUTELA JUDICIAL EFECTIVA

Tras analizar algunas cuestiones relativas a la aplicación del art. 43.3 LTICAJ e intentar restringir el alcance del precepto, surge la duda de si el mismo es plenamente conforme con nuestro ordenamiento constitucional. Y es que resulta cuanto menos llamativo restringir las posibilidades de subsanación de un defecto que se considera por el propio legislador subsanable, como demuestra el hecho de que permita la subsanación en la primera ocasión en que este se produce. Ello significa que si del segundo acto procesal realizado indebidamente por escrito se dedujese a voluntad de cumplimiento a la que se refiere el art. 243.3 LOPJ se estaría impidiendo por un mero automatismo legal la posibilidad de subsanar el acto en cuestión, lo que puede resultar atentatorio, por desproporcionado, contra el derecho a la tutela judicial efectiva, reconocido por el art. 24 de la CE. Como se observa, la disposición objeto de análisis elimina el juicio de ponderación que ha de realizar el tribunal cuando se produce un defecto procesal susceptible de subsanación la segunda ocasión que éste se produzca, cercenando cualquier posibilidad de enmendar el vicio, lo cual insistimos de manera que quede redactado como sigue: lo cual, insistimos, aunque sea una consecuencia legalmente prevista puede resultar excesivo desde la óptica constitucional[15].

4. BIBLIOGRAFÍA

– CALMON, P. «The future of the traditional Civil Procedure» en AA.VV., *Electronic Technology and Civil Procedure*, KENGYEL, M. y NEMESSÁNYI, Z. (dirs.), Springer, Dordrecht, 2012, pp. 67–87.

– GAMERO CASADO, E., «El objeto de la Ley 18/2011 y su posición entre las normas relativas a las tecnologías de la información», en AA.VV., *Las tecnologías de la información y la comunicación en la Administración de Justicia*, GAMERO CASADO, E., y Valero Torrijos, J. (coords.), Thomson-Aranzadi, Cizur Menor (Navarra), 2012, pp. 45–88.

– GÓMEZ AMIGO, L., «La tramitación electrónica de los procedimientos judiciales» en AA.VV., *Las Tecnologías de la Información y la Comunicación en la Administración de Justicia*, GAMERO CASADO, E. y VALERO TORRIJOS, J. (coords.), Thomson-Aranzadi, Cizur Menor (Navarra), 2012, pp. 613–658.

---

15. La doctrina del Tribunal Constitucional en materia de subsanación de actos procesales es bien conocida. Por ello, baste traer a colación con espíritu sintético la Sentencia del Tribunal Constitucional –en adelante, STC– n.° 327/2005, de 12 de diciembre (ref. A. I: RTC, 2005, 327), en cuyo Fundamento Jurídico 3.° se recordó: «De este modo el derecho a la tutela judicial efectiva puede verse conculcado por aquellas normas que impongan condiciones impeditivas u obstaculizadoras del acceso a la jurisdicción, siempre que los obstáculos legales sean innecesarios y excesivos y carezcan de razonabilidad y proporcionalidad respecto de los fines que lícitamente puede perseguir el legislador en el marco de la Constitución (SSTC 4/1988, de 12 de enero [RTC 1988, 4], F. 5; 141/1988, de 29 de junio [RTC 1988, 141], F. 7)».

Capítulo VIII

Reformar la justicia civil sin reformar el proceso civil: el momento de las políticas judiciales[1]

RICARDO JUAN SÁNCHEZ

Prof. Titular de Derecho Procesal
Universidad de Valencia

1. INTRODUCCIÓN

Conseguir una justicia más ágil y eficiente debe hacerse en todo caso
con pleno respeto a las exigencias constitucionales sobre la jurisdicción y
esto en sí mismo representa un problema. Cuando por ejemplo la última

---

1. Trabajo realizado dentro del ámbito del proyecto de investigación «Acceso a la justicia y garantía de los Derechos en tiempos de crisis: de los procedimientos tradiciona-
les a los mecanismos alternativos» (DER2013–48284R) financiado por el Ministerio de
Economía y Competitividad.

reforma de la LOPJ por LO 7/2015 aumenta las facultades del CGPJ sobre ciertos aspectos del funcionamiento de los tribunales, se plantean diversas cuestiones respecto del binomio garantías de la independencia judicial y flexibilidad de funcionamiento que se exige a toda administración de justicia moderna. Pero el problema –o reto– que nos plantea cualquier imperativo constitucional ¿debe resolverse necesariamente en detrimento de este?

A dichas exigencias se suman los condicionantes organizativos y presupuestarios[2]. Además en este ámbito no puede operarse sin atender la perspectiva del ciudadano, pues por ejemplo esa misma LO 7/2015 puede provocar un alejamiento geográfico del justiciable respecto del tribunal.

Mediante las últimas reformas operadas se han introducido cambios sustanciales en la organización judicial sin respetar en algún caso los debidos procedimientos legales para ello, pero además el criterio rector de estas reformas no descansa en el aumento de la inversión pública, sino en la introducción de medidas de ahorro económico bajo la premisa central de hacer más con los mismos recursos, es decir, en aumentar el trabajo directo de los jueces.

Con el empeño de agilizar la justicia el preámbulo de la LO 7/2015 apela a la intención de contribuir a la reactivación económica del país, y para ello «*articula un paquete de medidas estructurales y organizativas*» muy variadas. De forma abierta en materia de justicia se apunta el legislador a a esta idea que desde los años 80 del siglo XX se impulsó desde las nuevas –entonces– teorías sobre la economía institucional avaladas por relevantes actores económicos como el Banco Mundial.

Por su parte el colectivo de los jueces decanos de toda España, actuando prácticamente como el único sector institucional de la justicia española que se dirige a la ciudadanía, tras sus reuniones anuales para la puesta en común de sus preocupaciones y la búsqueda de soluciones al estado del sector público que gestionan emite un documento de conclusiones que en su última edición dice, entre otras cosas lo siguiente: «*Los jueces decanos queremos mostrar nuestra profunda preocupación por la situación en la que se encuentra el sistema judicial en España. Así, después de treinta y cinco años de*

---

2. Los cambios normativos no bastan si no se acompañan de las debidas partidas presupuestarias. Sin embargo la LO 7/2015 pretende que los cambios que propone se implanten sin necesidad de generar nuevas exigencias financieras. Por su parte las reformas de la LECrim por la LO 13/2015 y la Ley 41/2015, ambas de 5 de octubre, pretenden introducir en nuestro ordenamiento procesal penal la segunda instancia generalizada ¡a *coste cero*!.

democracia todavía no ha llegado el momento de la justicia. Frente a la modernización de otras administraciones e infraestructuras que sitúan a nuestro país en los primeros puestos de los más avanzados, la justicia sigue esperando ...

Los Jueces Decanos como órganos de representación de los jueces estaremos siempre dispuestos a aportar nuestro trabajo y participar en la definición del nuevo modelo de organización judicial y su implantación. A tal fin instamos al CGPJ a que asuma y recupere el liderazgo que le corresponde como órgano vertebrador de la justicia en todo el territorio nacional...

Es incuestionable la situación de sobrecarga de trabajo que vienen sufriendo los órganos jurisdiccionales, agravada con la crisis económica iniciada en 2008. No se trata de un diagnóstico nuevo, la sobrecarga judicial es ya una patología histórica desatendida por todos los gobiernos...» –subrayados nuestros.

Lo expuesto es una muestra no exhaustiva de las cuestiones que podrían plantearse en torno a la adopción de cambios destinados a conseguir una mejor justicia y a su vez representan un ejemplo tanto del uso como de la ausencia de políticas judiciales.

En el presente capítulo pretendemos llamar la atención precisamente de cómo su uso, no centrado en la mera reforma de las leyes procesales, es imprescindible para que la justicia española se adapte a las exigencias de nuestra sociedad actual. Pero es más que probable que también sea necesario cambiar el diseño constitucional de ejercicio de esas políticas judiciales.

Además queremos analizar cuál es el grado de compatibilidad de esas políticas judiciales con los principios constitucionales, en particular con el derivado del derecho al juez predeterminado por la ley.

2. POLÍTICAS JUDICIALES Y JUSTICIA EFICIENTE: ¿PARA UN SERVICIO PÚBLICO?

«Podemos ver la Administración de Justicia desde dos perspectivas diferentes: como ejercicio de un poder público, pero también como un servicio al ciudadano en un estado democrático. No es lo mismo. Según la perspectiva que se adopte, la mirada levanta una realidad diferente»[3]. Estas palabras del sociológico Prats i Català nos sirven para señalar que la justicia no debe configurarse exclusivamente desde la perspectiva de un poder o potestad pública, como por otra parte hacen de forma casi exclusiva tanto la Constitución como la LOPJ.

---

3. PRATS I CATALÀ, J., «Gobernanza y Administración de Justicia», en *A Administración de Xusticia como servizo ao cidadán*, Xunta de Galicia, A Coruña, 2009, p. 17.

En un informe de 2010 del *Administrative Justice and Tribunals Council* se apunta la necesidad de empezar a distinguir entre la preocupación que el ciudadano tiene respecto de sus «derechos», y la preocupación que le asalta respecto de los «estándares del servicio» que obtiene del sistema judicial al que acude para la tutela de aquellos.

Además los diversos sondeos de opinión hechos sobre la consideración que tienen los ciudadanos de la Administración de Justicia son reveladores de la baja valoración que estos realizan.

Es posible que todo el esfuerzo destinado a construir unos sistemas conceptuales bien definidos de la potestad jurisdiccional y su ejercicio político hayan *impedido* que, sobre todo desde el ámbito jurídico-académico, se vea la justicia desde la óptica de un servicio público.

Sin embargo es preciso reclamar este tratamiento de la justicia como complemento necesario para el análisis y la crítica de las leyes orgánicas y procesales que se promulgan. Y por supuesto para la formulación de propuestas de mejora.

También es probable que la aproximación a la justicia como servicio público se vea de forma distinta si del análisis de los datos se dedujese que un buen porcentaje de sus usuarios son sociedades mercantiles y empresarios, es decir, que se trata de un servicio público esencial para el buen funcionamiento de la economía de un país y no es meramente un servicio de resolución de conflictos intersubjetivo inconexo con el contexto socioeconómico de un país. ¿Es posible que entonces se atienda a la justicia del mismo modo que se atiende a las infraestructuras viarias?

La política judicial debe formar parte del fomento y análisis que se hace del resto de políticas públicas, pero también es posible que una falta de determinación de la idea de políticas judiciales haya contribuido a su deficiente desarrollo.

¿Qué son las políticas judiciales? Sin ánimo de dar una respuesta cerrada a esta cuestión al menos no cabría dudar de que forman parte de estas políticas judiciales aquellas decisiones, tanto legislativas, reglamentarias y de gestión diaria de los tribunales enfocadas a un funcionamiento más eficaz y eficiente del complejo estructural que es la Administración de la Justicia.

Sin duda que también otras decisiones forman parte de las políticas judiciales, como lo es todo lo relativo al fortalecimiento de la independencia judicial. Pero aquí nos queremos centrar en aquellas decisiones tendentes a lograr una más rápida tramitación de los asuntos, una mejor comprensibilidad de lo que se hace, un abaratamiento de los procesos judiciales... Es decir, el fomento de lo que podríamos identificar de una manera un tanto imprecisa como «la mejora de resultados».

Ahora bien, como también ocurre en el contexto general de las políticas públicas, en las judiciales no está justificado que todo se reduzca a criterios más propios del mercado privado de servicios. Si bien el análisis económico del Derecho debe ser un elemento básico en el diseño de las políticas judiciales, y este no puede ser un elemento absolutamente determinante, es fácil comprobar como esos condicionantes aparecen entre las principios definidores de las políticas judiciales. Basta con ver como en el reciente Decálogo Iberoamericano Para una Justicia de Calidad se apuntan como elementos caracterizadores de una justicia de calidad la celeridad, la simplificación y la innovación.

La implantación e impulso de las TIC en el ámbito de la justicia es sin duda un claro ejemplo de política judicial enfocado principalmente tanto a la eficiencia del sistema como a conseguir un más fácil acceso a la justicia por el ciudadano. Es fácil pensar que una digitalización a fondo de los tribunales y sus pautas de trabajo contribuirán a una notable mejora de sus *resultados*. Pero como destacan tanto el Consejo Consultivo Europeo de Jueces (CCEJ) y la Comisión Europea para la eficiencia de la Justicia (CEPEJ), su implementación no solo requiere atención técnica y organizativa sino también de una atención normativa que no acabe alterando el verdadero ser del servicio de la justicia.

Siguiendo con los ejemplos, la LOPJ prevé una serie de posibilidades que permiten que la rigidez del sistema sea menor; pero alguna de esas medidas ponen en tela juicio el respeto de los principios constitucionales sobre el poder judicial. Limitándonos también a una mera enumeración de los mismos, se pueden citar: a) la especialización de juzgados de una misma sede judicial a través del art. 98 LOPJ; b) la existencia de jueces *volantes*, los llamados jueces de adscripción territorial creados por la LO 1/2009, de 3 de noviembre, que introdujo el art. 347 bis LOPJ; b) las prórrogas de jurisdicción (art. 212 LOPJ); c) las comisiones de servicio por razones de apoyo o refuerzo judicial (arts. 216 bis y ss.); c) los jueces sustitutitos y magistrados suplentes (arts. 231 LOPJ); d) la posibilidad de eximir a un órgano jurisdiccional del reparto de asunto (art. 167 LOPJ); e) todo lo relativo al régimen de licencias y permisos regulado en la propia LOPJ; entre otras.

Pero además esos ejemplos lo que ponen de manifiesto es que se trata de soluciones de menor coste presupuestario que la creación de nuevos tribunales o el incremento de la inversión en recursos personales y materiales[4], que en cambio sí estarían plenamente dentro de las exigencias constitucionales.

Para concluir este apartado queremos dejar constancia previa de una conclusión generalizada en buena parte de los países que emprenden cambios con el marchamo de aumentar la productividad de los tribunales: la resistencia, mayor o menor, de los principales implicados en su aplicación, esto es, los jueces[5].

Es por ello que también se pone el acento en ese colectivo a la hora de lograr una mayor concienciación sobre la condición de servicio público de la Administración de Justicia. Como se señala en el primer enunciado del Decálogo Iberoamericano Para una Justicia de Calidad antes mencionado, se trata de «Reconocer a la persona usuaria como razón de ser de la Justicia».

3. CAMBIOS NECESARIOS EN EL MODELO DE GESTIÓN DE LA ADMINISTRACIÓN DE JUSTICIA

El modelo actual de gestión de la Administración de Justicia en el que intervienen tres clases de actores políticos como son el Ministerio de Justicia, las Consejerías de las Comunidades Autónomas (CCAA) con competencia en justicia y el CGPJ, puede calificarse al menos como caótico, confuso, costoso, desigual, injustificado e inapropiado en muchos de sus aspectos. Cierto que dichos apelativos son fruto de apreciaciones subjetivas, pero están basadas en la consideración de ciertos elementos objetivos[6], y por supuesto que esas apreciaciones no tienen por qué ser compartidas. En cambio deberá estarse de acuerdo en que dicho modelo

---

4. Lo afirmamos como una mera constatación y no una crítica, pues «before adding more judges or more courts, we should be sure we are making the best and fullest use of those we have», POUND, R., «Principles and Outline of a Modern Unified Court Organization», en Journal of the American Judicature Society, 1940, p. 225.

5. Véase al respecto CONTINI, F. y MOHR, R., «Reconciling independence and accountability in judicial systems», en *Utrech Law Review*, vol. 3, núm. 2, 2007, p. 26 (disponible en www.utrechtlawreview.org).

6. Alguna de estas apreciaciones también pueden verse en las conclusiones que formulan los jueces decanos de España en sus respectivas reuniones anuales. Singularmente sobre la «falta absoluta de coordinación», puede verse el documento relativo a las XXIV jornadas celebradas el año 2014. En las conclusiones correspondientes al año 2015 se apunta también «la desigualdad entre los distintos territorios en materia de prestación de medios auxiliares, personales y materiales, de la Administración de

no es fruto de una voluntad deliberada y de un planteamiento previamente diseñado, discutido y desarrollado posteriormente por los sujetos implicados, sino que ha sido fruto de la improvisación provocada por los pronunciamientos del TC sobre la materia.

Consideramos necesario que se proceda a la reordenación de ese modelo a partir de unas premisas que no tienen por qué ser contrarias a la lectura constitucional del art. 149.1.5.ª CE hecha por el TC, esto es, que las CCAA *han de tener* competencias en materia de Administración de Justicia.

La peculiaridad del servicio público de la justicia por mor de la unidad jurisdiccional y la existencia de un único poder judicial –el estatal– impone que en este ámbito más que en otros la coordinación de las políticas sea imprescindible.

El juez realiza su actividad en un contexto en el que, salvo la aplicación del Derecho para la resolución de cada caso singular, todo lo demás escapa a sus decisiones. Ciertamente cabe presumir que todos los actores políticos implicados en la gestión de la justicia persiguen un mejor funcionamiento de la misma, pero dicho deseo no es una garantía de buen funcionamiento de la justicia.

No se trata de recuperar para el juez el papel que durante los siglos XIX y XX ha tenido sobre la gestión de los recursos personales y materiales de la justicia y sí la de introducir figuras internas con plena capacidad de gestión y autonomía de actuación. Estas figuras pueden ser tanto del ámbito judicial como ajeno al mismo, según sus responsabilidades, y debieran contar incluso con autonomía financiera sin perjuicio de las explicaciones y responsabilidades frente al actor político que lo designa.

En este sentido es muy llamativo el nulo papel que tiene el CGPJ en la distribución de las partidas presupuestarias entre los diferentes juzgados alejándose así del modelo que propugna el CCJE en su el Informe 10 (2007). Sencillamente se trata de un indicador de calidad de la justicia que España no cumple.

4. ALGUNOS DATOS PARA UNA COMPRENSIÓN DE LA SITUACIÓN DE LA JUSTICIA CIVIL ESPAÑOLA

A modo ilustrativo se exponen algunos datos (de elaboración propia a partir de los informes del CGPJ «La justicia dato a dato») sobre la situación de la justicia española y que resultarán muy útiles para valorar

---

Justicia, existiendo territorios en los que está función accesoria se ejecuta de forma eficaz y satisfactoria, a diferencia de lo que sucede en otros».

las diversas políticas judiciales que se realicen en este terreno, así como para el contraste con lo que se analizará en el resto de epígrafes de esta aportación.

Antes de su exposición conviene recordar que en el informe de 2015 de los jueces decanos de España también se apunta que, si bien es la jurisdicción social la que se encuentra en peor situación, «es necesario abordar medidas urgentes tendentes a superar la preocupante situación de los Juzgados de 1.ª Instancia y de lo Mercantil, absolutamente desbordados sin que se hayan creado juzgados ni aumentado el número de jueces en los últimos años a pesar de que el número de asuntos se ha incrementado ostensiblemente. A tal efecto se acompañan a las presentes conclusiones algunas reflexiones relativas a la situación de cada uno de dichos órganos judiciales».

Sin embargo los datos que a continuación se exponen apuntarían a que los cambios que requiere el orden civil deben ser de otra índole.

Primera figura: contraste entre la litigiosidad de los tribunales españoles y su planta judicial (2015). Todas las referencias vienen hechas al número de asuntos y al número de jueces y magistrados.

	Todos los órdenes	Orden civil	
Litigiosidad	8.555.341	1.909.900	22% del total
Planta judicial	5.459	2.924	53% del total

Segunda figura: contraste entre la litigiosidad civil y la planta de los tribunales civiles en algunas CCAA (2015).

	Litigiosidad		Planta judicial	
Andalucía	343.037	18%	339	18%
Madrid	279.606	15%	234	12%
Cataluña	275.753	15%	313	16%
Murcia	58.761	3,1%	59	3%
La Rioja	12.890	0,7%	12	0,6%

Tercera figura: algunos datos relativos a la justicia civil en determinados países europeos (Informe «European judicial systems – Edition 2014 (2012 data): efficiency and quality of justice»).

	TPI[1]	Localización[2]	TPI por cada 100.000 hab[3]	Localización por cada 100.000 hab[4]	TPI de escasa cuantía/% por cada 100.000 hab[5]
España	3807	763	5,1	1,7	1745/3,79%
Francia	1934	640	1,2	1,0	309/0,47%
Alemania	1015	1108	1,0	1,4	605/0,81%
Italia	1378	1736	2,1	2,3	846/1,42
Finlandia	82	38	0,5	1,5	27/0,50%

(1) Número total de tribunales de primera instancia.
(2) Número de sedes judiciales civiles.
(3) Número de tribunales de primera instancia por cada 100.000 habitantes
(4) Número de sedes judiciales civiles por cada 100.000 habitantes.
(5) Número de tribunales civiles con competencia en asuntos de escasa cuantía y el porcentaje de los mismos por cada 100.000 habitantes.

5. LA COMPATIBILIDAD DEL PRINCIPIO DEL JUEZ PREDETER-MINADO CON OTROS CRITERIOS DE GESTIÓN PÚBLICA: EFICIENCIA Y TRANSPARENCIA

Cuando la Constitución proclama el principio del juez legal predeterminado trata de resaltar un valor que no siempre ha estado garantizado en nuestro país: la imparcialidad del juez que conoce del caso concreto, garantía a su vez de la independencia que genéricamente se proclama en el art. 117.1 CE.

Este principio llevado a la categoría de derecho fundamental es garantía de la ausencia de interferencias externas en la asignación singular de los casos que se plantean ante los tribunales. Partiendo de la imposibilidad que tiene el ciudadano de elegir al juez que considere idóneo para sus intereses (*shop for judges* o *judge shooping*, en la terminología inglesa), también el poder político (incluso el interno a la propia organización judicial) ha de estar impedido de maniobrar en ese sentido. Y por supuesto las técnicas de gestión antes citadas y otras, en su caso, no han de brindar una oportunidad para ello.

En nuestro país, como también esencialmente en Italia y Alemania, ese principio va más allá de la prohibición de tribunales de excepción y se concreta en la existencia de una serie de reglas, legales unas y gubernativas otras, destinadas a objetivar al máximo posible la designación final del juez que ha de participar en la resolución de un caso concreto.

El principio del juez legal ordinario predeterminado es instrumental de la independencia judicial constitucionalmente proclamada y ningún sistema de justicia será más bueno, por más rápido que sea, por ejemplo, si no se garantiza la independencia de sus jueces. Pero por otra parte los responsables políticos y administrativos de la justicia también son requeridos por la ciudadanía para hacer de la justicia un servicio más satisfactorio de lo que es actualmente según los diversos instrumentos de medición de dicho grado de satisfacción, particularmente los realizados por la Unión Europea[7].

Por ello, el frustrado Anteproyecto de reforma integral de la Ley Orgánica del Poder Judicial (aprobado por el Gobierno español El 4 de abril de 2014) hacía la siguiente previsión en su art. 16 tras la proclamación de la independencia de los jueces y de la prohibición de dirigirles instrucciones generales u órdenes: «Artículo 16. Prevenciones de carácter administrativo o gubernativo. 1. Lo prescrito en el artículo anterior no obstará a que el Consejo General del Poder Judicial dirija a los Jueces *las prevenciones de índole meramente administrativa o gubernativa que estimare oportunas para el adecuado funcionamiento del servicio*. 2. De similar facultad dispondrán, dentro de su esfera de atribuciones, los órganos de gobierno interno de los Tribunales, de cuyo ejercicio darán cuenta al Consejo General del Poder Judicial» –cursiva nuestra.

Las diversas reformas que ha habido en orden a las sustituciones de jueces, las comisiones de refuerzo y la creación de los jueces de adscripción, ponen claramente de manifiesto la preocupación y los intentos del legislador en buscar soluciones para un mejor funcionamiento de un sistema inicialmente diseñado bajo parámetros rígidos, pero con el empeño de mantenerlo igual de garantista –lo que no ha de significar que necesariamente se consiga, ni una cosa ni la otra–, pues en otro caso sus reformas pueden verse frustradas con una declaración de inconstitucionalidad.

La *eficiencia* y *flexibilización* del sistema –conceptos exportados de otros ámbitos organizativos, esencialmente privados pero también públicos– son ejes rectores de la última reforma de la justicia, y el legislador lo reconoce abiertamente.

El legislador español es consciente de dónde puede introducir reglas de flexibilización. Así, por ejemplo, no es tan buena idea introducir ese tipo de mecanismos en la estructura orgánica de los propios tribunales, por ejemplo permitiendo la creación de juzgados *provinciales* pero con jurisdicción limitada a unos pocos partidos judiciales como siempre se ha

---

7.   Según *The 2015 EU Justice Scoreboard* la impresión que tienen los ciudadanos españoles sobre la independencia de su justicia es muy negativa y en dicho ranquin España ocupa el lugar 25 de un total de 28 países.

previsto en diversos artículos de la LOPJ; esto por lo general requiere de modificaciones legales (a través de la Ley de demarcación y planta), aunque también existen posibilidades de esta índole a través de los acuerdos del CGPJ; pero además ese tipo de actuaciones comportarán un mayor gasto público (creación y dotación de dicho órgano).

En cambio, es más sencillo y económico *mover jueces*, si se nos permite la expresión; introducir mecanismos que, sin modificar las estructuras orgánicas, autoricen a destinar más de un juez a un mismo juzgado; o disponer de jueces *volantes* para cubrir vacantes. O bien introducir la posibilidad de incidir en las normas de reparto para que un juzgado no vea incrementada su carga de trabajo; o cuando esta sea poca, extender su ámbito territorial de «jurisdicción»; etc.

Precisamente en esa línea de introducir mecanismos de flexibilización más ágiles (y económicos), la LO 7/2015 ha introducido un nuevo criterio como es la reagrupación de asuntos de una misma clase o materia en un único juzgado y eximirle del conocimiento de otros tipos de casos; incluso a nivel de toda una provincia, como se verá. Y solo mediante un acuerdo gubernativo. Piénsese que además del cambio estrictamente orgánico el justiciable deberá desplazarse como consecuencia de la concentración provincial de asuntos.

En este punto debemos pues recuperar la cuestión antes planteada sobre la compatibilidad de esas decisiones con el art. 24.2 CE.

Para ello seguimos el interesante estudio de ámbito europeo *The Right Judge for Each Case. A study of case assignament and impartiality in six European judiciaries* (Oxford) publicado por Langbroed y Fabri el año 2007, sobre asignación de casos desde la perspectiva de la eficiencia en diversos países –lamentablemente, España no figura entre ellos–.

Dichos autores afirman lo siguiente: «Las necesidades organizativas como la eficiencia y la flexibilidad no pueden aplicarse en detrimento de la independencia y la imparcialidad y obstruir la exigencia de que las sentencias han de cumplir con los estándares de calidad jurídica»[8]. Pero también son contundentes en la formulación del siguiente pronóstico: «*No doubt, the evolution of court organisations will inevitably reduce professional autonomy*» –pero, también señalan, a cambio, los jueces han de confiar en un mayor soporte de toda la estructura organizativa–[9]. No debe perderse

---

8. Langbroed, P. y Fabri, M., The Right Judge for Each Case. A study of case assignament and impartiality in six European judiciaries, European Journal of Legal Studies, Oxford, 2007, p. 17.

9. Langbroed, P. y Fabri, M., *The Right Judge...*, cit., p. 23.

de vista que la inamovilidad no es un privilegio laboral, es en todo caso una garantía institucional.

La aplicación de los criterios de eficiencia y flexibilidad en los países en los que los asuntos de primera instancia se atribuyen a los jueces integrantes de un órgano colegiado pero con capacidad de funcionamiento unipersonal –que podemos denominarlas *cortes judiciales*– se logra a través de mecanismos que por lo general también están previstos en la LOPJ, y que hemos citado antes a título de ejemplo, si bien con un grado superior de facilidad en su praxis diaria. En esos casos es el presidente de la corte el que, con mayor o menor discrecionalidad, según los casos, se encarga de la adscripción de los jueces a las diversas secciones o unidades de dicho órgano y de las sustituciones entre ellos, así como también ese presidente es el responsable de la asignación de los casos concretos entre esas secciones y unidades –el reparto aleatorio de asuntos suele descartarse por sus efectos negativos sobre la eficiencia del sistema, salvo en Dinamarca–. Incluso ese modelo organizativo confiere también mayor flexibilidad a esa figura para acordar medidas de refuerzo en una sección o unidad de la corte.

En cambio, en nuestro país, en el ámbito de los juzgados unipersonales –otra cosa ocurre con lo órganos colegiados– la posibilidad de que los gestores judiciales puedan desplazar jueces de uno de esos órganos a otro es más compleja, o incluso imposible. En otros países europeos es algo normal que se pueda *mover* a los jueces, dentro de ciertas garantías, entre las diversas secciones o unidades que componen la organización jurisdiccional-administrativa en la que se integran.

Con dicha estructura organizativa, por ejemplo en Dinamarca y Holanda, se parte de la idea de que la imparcialidad de todos los jueces de una misma corte está garantizada por igual y por lo tanto, ante cualquier sospecha de parcialidad son de aplicación exclusivamente los criterios de abstención y recusación de los jueces[10].

En este punto es preciso también hacer una mención relativa a la especialización de los tribunales. Esta se justifica particularmente por dos razones, una, por la creciente complejidad del Derecho y de los conflictos sociales a los que trata de responder, y otra, porque para el ciudadano genera mayor confianza la respuesta de un juez con especiales conocimientos en una determinada materia. No obstante existen estudios que dudan de que sea un buen criterio (Doménech/Mora), pero que ahora no podemos más que citar[11].

---

10. Langbroed, P. y Fabri, M., *The Right Judge...*, cit., p. 22.
11. Doménech Pascual, G. y Mora-Sanguinetti, J.S., «El mito de la especialización judicial», en *Indret: Revista para el Análisis del Derecho*, núm. 1, 2015.

Para justificar sus reformas se insiste mucho por el legislador actual en la necesidad de la especialización como fórmula de garantía de una mejor justicia, también más eficiente. Sin embargo los criterios de flexibilidad son contrarios a la especialización, pues para aquella resulta más ventajoso que cualquier juez pueda conocer de cualquier tipo de asunto (*judicial indefiniteness*). En este sentido debemos también remitirnos al trabajo antes mencionado de Doménech/Mora. Pero además puede ser incluso contradictorio que conjuntamente a las medidas de especialización de los tribunales las últimas reformas faciliten el uso de los jueces de adscripción territorial, que por definición han de ser generalistas. Y faltará siempre, por otra parte, que también la especialización pueda predicarse de los abogados que intervienen en esos asuntos.

Sin embargo cierta especialización sí es necesaria, no solo por la amplitud del Derecho como rama del saber, sino sobre todo atendiendo a las habilidades necesarias en ciertos ámbitos jurídicos más allá del conocimiento técnico-jurídico. Puede ser el caso de la violencia de género, los conflictos familiares... Esas habilidades son también distintas si se tiene el cometido de resolver muchos asuntos pero fáciles, que si se tienen que resolver pocos asuntos pero complejos, idea que dificulta que todo sea tan simple como asignar un mismo número de casos a todos los jueces. Además la especialización puede tener efectos positivos sobre la producción, aumentándola, pues para al juez especializado le resulta más rutinaria la resolución de los casos que se le asignan. En cambio, como hemos dicho, dificulta la flexibilidad en la asignación de casos[12].

En ciertos países la especialización se produce de hecho mediante la asignación de los casos por el presidente de una corte, resultando muy ilustrativo el caso de Inglaterra y Gales, países en los que es dicho responsable el que atribuye a un juez un caso en a «*his/her specialisation or skills and expertise*» y a «*his/her availability and commitment to other cases*»[13].

Pero la flexibilización y/o especialización no pueden ser los únicos valores a tener presentes en este debate. La compatibilidad entre los principios del juez legal predeterminado y los criterios de eficiencia hace que adquiera una notable relevancia el principio de la transparencia en la gestión de los tribunales.

Es un elemento esencial en la introducción de nuevos criterios de gestión de la justicia, pues de ese modo también se refuerza la idea de la

---

12. Langbroed, P. y Fabri, M., *The Right Judge...*, cit., p. 21.
13. Langbroed, P. y Fabri, M., *The Right Judge...*, cit., p. 67.

responsabilidad en la garantía de la imparcialidad judicial. Ambos criterios, transparencia y responsabilidad, están en la base de las modernas concepciones de las organizaciones públicas y también deben alcanzar el ámbito del poder judicial. Es el principal modo de generar confianza en el usuario de la justicia y del ciudadano en general.

De igual modo que el ejercicio de la función jurisdiccional con sometimiento exclusivo al ordenamiento jurídico exige una actuación responsable de los jueces y magistrados para lo que se les exige estar sometidos a la publicidad de sus actos y la motivación de los mismos (art. 120 CE), también los gestores judiciales deben actuar bajo ese mismo prisma. En nuestro país el foco de la responsabilidad siempre se ha puesto en el juez individual (su responsabilidad civil –ahora suprimida–, penal y disciplinaria) o, adicionalmente en la responsabilidad patrimonial de la Administración de justicia. Pero son muy raros los enfoques de una responsabilidad política –y ante los ciudadanos–, e incluso de otra índole, de los gestores judiciales, y es preciso insistir en ese punto[14].

En cambio puede decirse que la LOPJ contiene escasas previsiones sobre la publicidad de las actuaciones de los órganos de gobierno, y ninguna sobre su responsabilidad. En el caso de los acuerdos de las salas de gobierno sólo se prevé la publicidad de los acuerdos relativos al reparto de asuntos (art. 159.2), pero no del resto de acuerdos (art. 159.1). En otro tipo de medidas, como por ejemplo el nombramiento de jueces de adscripción territorial, la publicidad en el uso de estas figuras no es tanta: la designación de un juez de esta clase para cubrir una de las contingencias previstas en la LOPJ está completamente bajo la discreción del presidente, si bien este después debe dar cuenta a la sala de gobierno, y esta debe elevar al CGPJ un informe –¿anual?, la Ley no dice nada– sobre la situación y destino de esos jueces de (art. 347 bis). ¿Qué publicidad se le da a este tipo de informes? ¿Por qué no se remite este tipo de información también a los colegios de abogados?

En el caso de las comisiones de servicio para el refuerzo judicial de un juzgado –con o sin relevación de funciones– la publicidad debe extremarse ante una medida tan relevante. Por eso se prevé que ese tipo de decisiones se adopten por la Comisión Permanente del CGPJ y que previamente las salas de gobierno deben dar publicidad entre los jueces de su ámbito para que éstos manifiesten su interés al respecto (art. 216bis.3, 2.,

---

14. Sobre el debate de una nueva dimensión de la responsabilidad en el ámbito de la administración de justicia, no enfocada exclusivamente a su discrecionalidad en la aplicación de las leyes, sino también en el uso que se hace de los recursos públicos, véase también el ya citado CONTINI, F. Y MOHR, R., «Reconciling independence and accountability in judicial systems», cit., pp. 28 y ss.

1 LOPJ). En caso de concurrir más de uno de ellos la LOPJ fija los criterios conforme a los cuales la sala de gobierno debe tomar su decisión, que debe estar motivada (art. 216bis.3, 2). Ahora la LO 7/2015 también permite que, en casos excepcionales, el CGPJ pueda autorizar que además del juez de adscripción territorial también puedan participar en el refuerzo de los juzgados propios los jueces del programa voluntario de sustitución del juzgado reforzado (art. 216bis.3, 4 LOPJ); pero no específica un procedimiento para ello.

A este respecto en la práctica sí se puede observar el esfuerzo argumentativo que acompaña a dichas decisiones. Por ejemplo, en los acuerdos adoptados el 21 de agosto de 2015, para conceder dichos tipos de comisiones de servicios con relevación de funciones tanto en el juzgados de Valencia como de A Coruña, disponibles todos ellos en el portal web del CGPJ.

En definitiva, sí se siguen ciertos estándares de publicidad de los acuerdos adoptados para *mover* jueces, pero son muchos otros los ámbitos de decisión de los órganos de gobierno que escapan a dicha exigencia. Además también sería relevante que se publicase la carga de trabajo de todos los juzgados, no solo como forma adicional de explicar los acuerdos adoptados, sino también como manera de permitir a los propios jueces la comprobación de la equidad del sistema de reparto del trabajo –la denominada *balanced cases*, que también una manera de introducir eficiencia– y de reconocer el esfuerzo que hacen los distintos integrantes de la carrera judicial.

Aunque a simple vista pueda parecer otra cosa, la LO 7/2015 da un importante paso con la exigencia de que se publiquen semanalmente los señalamientos de las vistas, además de otras previsiones sobre el acceso a la información obrante en los tribunales. Además se potencia la estadística judicial y se pretende la «extracción automatizada» de todos los datos que deben figurar en los boletines estadísticos (art. 461.3-III LOPJ). Sin duda los decanatos judiciales pueden jugar un importante papel en este terreno.

6. UN EJEMPLO DE POLÍTICA JUDICIAL DE ALTA INCIDENCIA EN EL FUNCIONAMIENTO DE LOS JUZGADOS CIVILES DE PRIMERA INSTANCIA: *LOS TRIBUNALES PROVINCIALES DE INSTANCIA*

Como ya se ha visto, son varias las maneras de incidir en la distribución de la carga de trabajo de los tribunales para lograr un sistema más eficaz y eficiente. La reforma de la LOPJ por la LO 7/2015 ha introducido cambios de diversa naturaleza para lograr ese mismo fin. Dado que aquí no pueden ser objeto de comentario todos ellos, nos centramos en el que está llamado a tener un mayor impacto en el funcionamiento actual de los tribunales civiles. Nos referimos a la concentración provincial de la competencia, mediante decisión del CGPJ, para resolver determinados asuntos y materias en un único juzgado.

Antes de su análisis debemos señalar que desde la introducción de esta posibilidad en la LOPJ hasta la fecha (junio de 2016) el CGPJ no ha adoptado ningún acuerdo en dicho sentido.

El art. 98 LOPJ siempre ha contemplado que el CGPJ pudiera acordar la especialización de uno o varios juzgados, allí donde –en alusión a una misma sede judicial– exista más de uno de la misma clase, asumiendo ese o esos juzgados la jurisdicción exclusiva de determinados asuntos; o bien, de otra manera, que ese juzgado o juzgados se centraran en la ejecución de los pronunciamientos del resto de juzgados del mismo orden. Esa previsión continúa, pero se añade una gran novedad.

Ahora el CGPJ también podrá especializar órganos jurisdiccionales entre todos los existentes del mismo orden jurisdiccional en una provincia. De «manera excepcional» y por un «tiempo determinado», según dicho acuerdo «uno o varios Juzgados de la misma provincia y del mismo orden» asumirán en exclusiva la jurisdicción sobre determinadas «clases o materias de asuntos» y, en su caso, de su ejecución (nuevo art. 98.2 LOPJ). Por si no queda bastante claro cuál es el alcance territorial de este tipo de especialización el párrafo segundo del apartado 2 del art. 98 insiste en que asumirán la jurisdicción para esos casos aunque los mismos estuviesen atribuidos «a órganos radicados en distinto partido judicial» –en realidad dice la competencia, pero no es solo eso–.

Como las consecuencias de dicha decisión tendrán un efecto directo práctico sobre los funcionarios y el acceso del ciudadano a la justicia, la nueva redacción contempla que ello se acordará «sin perjuicio de las labores de apoyo que puedan prestar los servicios comunes constituidos o que se constituyan».

Aquí el cambio es considerable, sobre todo cuando afecta a los juzgados de primera instancia y aquellos otros con jurisdicción sobre determinados partidos judiciales de una misma provincia. Según el nuevo art. 98.2 LOPJ, en virtud de un acuerdo gubernativo se modifican las estructuras territoriales de unos órganos –aquellos a cuyo favor se amplía su circunscripción– y se priva de jurisdicción a otros –aquellos que cesarán en el conocimiento de los asuntos que legalmente tienen asignados–. En su día ya dudamos de que una ley ordinaria pudiera provocar unos cambios similares, por ejemplo, atribuyendo competencia para los asuntos en los que interviene como parte procesal una administración pública a favor solo de los juzgados de capital de provincia[15]. Ahora desde un punto de vista político-formal la situación es más grave. El CGPJ puede alterar temporalmente la estructura orgánica de ejercicio de la potestad jurisdiccional contemplada en la propia LOPJ.

El problema no es que el CGPJ no pueda predeterminar el órgano competente para determinados casos, de hecho se hace así siempre que se aprueban normas internas de reparto de asuntos; el problema está en la modificación de las previsiones legales de constitución y funcionamiento de ese órgano jurisdiccional. Pero al margen de las consideraciones de tipo orgánico-constitucional, nos interesa resaltar los efectos reales de esta novedad.

La salvaguarda del derecho al juez legal predetermino es evidente cuando el actual apartado 4 (antes el 3) del art. 98 LOPJ dice que los juzgados afectados continuarán conociendo, hasta su finalización, los procesos antes ellos pendientes[16].

La especialización se limita dentro de un mismo orden jurisdiccional a los juzgados que sean de la misma clase, así a los juzgados de primera instancia entre ellos, a los juzgados de lo mercantil entre ellos, etc., y se excluyen expresamente de esta posibilidad los juzgados de instrucción, pues para estos la especialización debe buscarse mediante medidas de exención de reparto o bien de refuerzo (art. 167.1 LOPJ).

Desde un punto de vista temporal este tipo de acuerdos tendrán efectos a partir del primer día del año siguiente a aquel en que se adopten –salvo que por razones de urgencia se acuerde otra cosa–. Pero su incidencia práctica más destacable es que permite reorganizar completamente el reparto de un mismo tipo de asuntos en toda una provincia sin tener que recurrir a la creación de juzgados por definición de base provincial pero con circunscripción limitada a determinados partidos judiciales de esa misma provincia, aquello que siempre han permitido los arts. 86 bis. 2, 89 bis. 1, 90.2, 92.1, 94.3. 96.1 de la LOPJ; o incluso más, permitirá rectificar de este modo las consecuencias de la creación de este tipo de juzgados.

---

15. Calderón Cuadrado, M.P. y Juan Sánchez, R., «Los Tribunales de Marcas Comunitarias y la norma de competencia del artículo 125.2 de la Ley de Patentes», en *Tribunales de Justicia*, núm. 10, 1997, pp. 965–972.

16. Durante la tramitación parlamentaria de esta reforma al grupo socialista enmendó la reforma la LOPJ precisamente con el argumento de la vulneración del derecho al juez «natural u ordinario predeterminado» (enmienda núm. 3, BOCG, 6 de mayo de 2015).

Salvo que se especialicen dos o más juzgados para un mismo ámbito territorial dentro de la misma provincia, este tipo de acuerdos hará prescindibles las normas gubernativas de reparto de asuntos.

Pensamos que de esta manera la reforma se está anticipando a la futura y posible creación de los denominados *Tribunales Provinciales de Instancia* para lo que contamos con precedente de la autorización que en 2014 hizo el CGPJ del denominado *Tribunal de Primera Instancia de lo Mercantil de Barcelona.* En ese caso, dado que la decisión se adoptó sin existir previsión legal alguna al respecto se hizo bajo la fórmula de un protocolo de actuación aceptado por todos los magistrados de los Juzgados de lo Mercantil de dicha ciudad. Dicho protocolo dice que «los magistrados se comprometen a actuar colegiadamente en los casos más importantes, sometiendo a la consideración no vinculante de sus compañeros –de la que podrán separarse libremente– las cuestiones de índole jurídico que se planteen a la hora de dictar resoluciones definitivas». De este modo se llega a decir en el protocolo que «el Tribunal de Instancia Mercantil de Barcelona se compone de una sección general, integrada por todos los jueces de lo mercantil, y de cuatro subsecciones especializadas». Además los magistrados participantes en dicha experiencia «se comprometen a recabar la opinión de sus compañeros en los asuntos de más dificultad o de mayor importe económico y, en caso de no seguir el criterio mayoritario, a hacer constar éste en la resolución y hacer un esfuerzo especial de justificación en caso de discrepancia».

Con las previsiones del art. 98.2 se está marcando, pensamos, el camino para la futura implantación de esos tribunales de primera instancia de carácter provincial. Es pues un anticipo de la anunciada reforma integral de la LOPJ que hasta ahora no ha entrado en el Parlamento y que sin duda, si se quiere dar un paso decisivo hacia ese esquema orgánico nada mejor que hacerlo de forma abierta y con todas las consecuencias, por ejemplo determinando las reglas objetivas para la designación del juez concreto que ha de conocer de una determinada clase de asuntos.

Capítulo IX

Modificaciones operadas por la Ley 42/2015, de 5 de Octubre: las capacidades conferidas a los procuradores y su incidencia en el proceso civil

EDUARDO SÁNCHEZ ÁLVAREZ

Profesor asociado de Derecho Civil
Universidad de Oviedo

SUMARIO: 1. INTRODUCCIÓN. 2. LA TUTELA JUDICIAL EFECTIVA. VELOZ MENCIÓN A SU CONCEPTO Y ELEMENTOS. UN SENDERO DE CONSTANTES REFORMAS LEGISLATIVAS. 3. LA FIGURA DEL PROCURADOR. ROL PROCESAL Y RÉGIMEN JURÍDICO. 4. UNO DE LOS NÚCLEOS DE LA REFORMA INTRODUCIDA EN LA LEY DE ENJUICIAMIENTO CIVIL: EL NUEVO DISEÑO DE LOS ACTOS DE COMUNICACIÓN JUDICIAL. *4.1. Actos de comunicación judicial que se ven afectados y régimen jurídico que se les otorga. 4.2. Proyección al procurador.* 5. RESULTADO PRÁCTICO. SU INSERCIÓN EN UN PROCESO CIVIL EN CRECIENTE DESJUDICIALIZACIÓN. *5.1. La administrativización del proceso civil. 5.2. La exclaustración del proceso civil.* 6. IDEA FINAL.

1. INTRODUCCIÓN

La legislación procesal viene experimentando en los últimos años un conjunto de imparables reformas que el proceso civil ha vivido con especial intensidad. La operada en la Ley de Enjuiciamiento Civil (LEC) mediante la Ley 42/2015, de 5 de octubre, erige un nuevo jalón de esta línea emprendida.

De poco sirve proclamar o reconocer los derechos si no llevan aparejada su garantía judicial[1]. Y este blindaje usa el proceso como medio y senda para su consecución final. El proceso permite encauzar, vertebrar, articular y conducir las pretensiones sujetas a la consideración judicial camino de la sentencia y, por ende, habilita la dispensación y logro práctico de la tutela judicial efectiva[2].

Paralelamente, la coyuntura histórica que venimos atravesando desde hace unos años, presidida por una profunda crisis que lleva a cuestionar abiertamente el propio paradigma socioeconómico español, agudiza la necesidad de un optimizado proceso civil. Esta institución jurídica se ha convertido en un mecanismo privilegiado con el que suturar situaciones conflictuales. Por tanto, al desbordar holgadamente sus resultados intereses privados para proyectarse sobre la sociedad en conjunto, la dotación de un adecuado diseño legislativo al instituto procesal civil resulta ser un elemento crucial. El proceso civil tiene que estar a la altura de su exigencia como colaborador en la consecución de un nuevo panorama socioeconómico. Y la actuación legislativa sobre el proceso regulado en la lec debe ser, más que nunca, minuciosamente analizada.

Ha de armarse una Justicia civil eficaz, estructurada de forma moderna y flexible, capaz de resolver solventemente los distintos supuestos que se le sometan, ágil, que brinde respuestas con calidad jurídica, que coadyuve y fomente al tráfico económico satisfaciendo créditos y derechos en tiempos razonables, y que no constituya un problema endémico del Estado sino una solución, al menos en parte, a todas las dificultades con quienes nos encontramos[3] a la par que, simultáneamente, es uno de los pilares de nuestro Estado social y democrático de Derecho. Ese rol dinamizador y protector, germen de una seguridad jurídica tantas veces en peligro, requiere una robusta y sostenida inversión pública en materia de Justicia

---

1.   «El núcleo fundamental de la función jurisdiccional consiste en la tutela y la actuación del Derecho objetivo (...) La resolución de controversias, sin más, no constituye objeto de la función jurisdiccional» (HERRERO PEREZAGUA, J. F: Lo jurisdiccional en entredicho, Thomson-Reuters Aranzadi, Pamplona, 2014, p. 15).

2.   BANACLOCHE PALAO, J: «Algunas reflexiones sobre el Anteproyecto de reforma parcial de la Ley de Enjuiciamiento Civil en materia de procuradores, juicio verbal y monitorio», Diario La Ley, n.° 8137, de 30 de julio de 2013.

3.   «Y es que, al final, tras un ataque a los derechos de los ciudadanos sólo nos quedará el Juez» (VIGUER SOLER, P. L: «El papel de la Justicia en la crisis económica (1)», Diario La Ley, n.° 8180, de 29 de octubre de 2013).

que, como es sabido, no ha sido precisamente sólida a lo largo de nuestra Historia y que, actualmente, depende de manera prácticamente integral de las distintas instancias ejecutivas que ejercen competencias concurrentes sobre ella.

Con la Ley 42/2015 se nos ha ofrecido una nueva *lex ómnibus*. Su objetivo radica en introducir reformas en estas materias: utilización de nuevas tecnologías de la comunicación en el ámbito procesal («*dar mayor relevancia al uso de los medios telemáticos o electrónicos, otorgando carácter subsidiario al soporte papel*», apartado primero de su Preámbulo), nueva regulación de los actos de comunicación procesal (objeto primordial de estudio en este trabajo), modificaciones en otras normas de carácter procesal civil (juicio verbal, proceso monitorio), retoques en el Código Civil (régimen de prescripción) y en las Leyes de Propiedad Horizontal, Jurisdicción Contencioso-administrativa y de Tasas en el ámbito de la Administración de Justicia. Por fin, mediante su Disposición final tercera se introducen innovaciones en la Ley 1/1996, de 10 de enero, de Asistencia jurídica gratuita.

2. LA TUTELA JUDICIAL EFECTIVA. VELOZ MENCIÓN A SU CONCEPTO Y ELEMENTOS. UN SENDERO DE CONSTANTES REFORMAS LEGISLATIVAS

Dado que el Estado asume en monopolio la defensa de los derechos, aboliendo la justicia privada, se hace necesaria la organización de un sistema instrumental que la albergue y también el reconocimiento a los ciudadanos del derecho a acudir a la Jurisdicción para recibir de ella la tutela judicial reclamable. La Constitución (CE) consagra indudablemente ambas laderas (*cfr.* artículos 24.1, 117.1, 117.3 y concordantes)[4]. De esa forma, la tutela *judicial* y *efectiva* ha de alcanzarse en el cauce de un proceso con todas las garantías, tal cual indica el tenor del artículo 24 CE. Se produce la constitucionalización de la protección de los derechos: surge un derecho subjetivo a la salvaguarda de otros derechos.

Este derecho fundamental comprende un contenido genérico, altamente complejo. Desglosándolo, nos toparemos con una cadencia u ordenación eminentemente cronológica: acceso a los Tribunales, obtención de una respuesta jurídicamente fundada previo seguimiento del *iter* legalmente prefijado, y ejecución de la sentencia firme arropada por su intangibilidad e inmodificabilidad (*cfr.* STC 182/1994, de 20 de junio –RTC 1994,

---

4. CORDÓN MORENO, F: «El derecho a obtener la tutela judicial efectiva», en la obra *Derechos procesales fundamentales*, CGPJ, Madrid, 2004, pp. 215 y ss.

182–)[5]. Además, la tutela judicial efectiva es un derecho prestacional: su ejercicio y dispensa se pliegan a la concurrencia de los requisitos que se establezcan casuísticamente en la legislación procesal en debida armonía con su contenido nuclear propio e indisponible *ope Constitutione* –STC 1/2007, de 15 de enero (RTC 2007, 1)–[6].

Los últimos años nos han brindado la oportunidad de comprobar cómo el legislador tiene al proceso en un continuo sendero de cambios. Lo constatan reformas como la operada en la Ley Orgánica del Poder Judicial –LOPJ– por la *Ley Orgánica 19/2003, de 23 de diciembre*; o la gigantesca modificación realizada en la integridad de la legislación rituaria por la *Ley 13/2009, de 3 de noviembre, de Reforma de la legislación procesal para la implantación de la nueva Oficina judicial*[7], quien en lo que a la LEC respecta procedió a modificar 337 de sus 827 artículos, junto a una de sus disposiciones adicionales y otra final. Se va rediseñando el proceso civil condicionando el derecho fundamental del artículo 24.1 CE[8], con la duda latente de si en algún momento se exceden fronteras constitucionales inaccesibles al legislador (*cfr.* SSTC 111/2006, de 5 de abril –RTC 2006, 111–; o 113/2006, de igual fecha –RTC 2006, 113–)[9].

---

5. SÁEZ LARA, C: *La tutela judicial efectiva y el proceso laboral*, Thomson-Civitas, Madrid, 2004, pp. 28 y ss.

6. Gráficamente, «ni el legislador puede poner obstáculos a este derecho que no respeten su contenido esencial, ni nadie que no sea el legislador puede crear impedimentos o limitaciones a su alcance, ya que solo por ley pueden regularse» (PICÓ I JUNOY, J: Las garantías constitucionales del proceso, Bosch, Barcelona, 2012, p. 60).

7. Cuyo efecto principal es privar del control y competencia de una multitud de actos insertados en el unívoco proceso a la autoridad judicial para entregarlos al letrado de la Administración de Justicia, cualificado jurídicamente pero organizado con criterios puramente administrativos e integrado inequívocamente en el Poder Ejecutivo *ex* art. 440 LOPJ, extremo ya reconocido en las SSTC 163/2012, de 20 de septiembre (RTC 2012, 163); o 224/2012, de 29 de noviembre (RTC 2012, 224). Un análisis detallado y crítico de esta grave cuestión en BLASCO SOTO, M.ª C: «La nueva estructura (o desestructura) del proceso. La admisión de la demanda en el proceso civil (Ley 13/2009, de 3 de noviembre)», Diario La Ley, n.° 7325, 21 de enero de 2010. En idéntica línea argumental, PERARNAU MOYA, J: «La deconstrucción del proceso civil: hacia un nuevo proceso civil. El nuevo sistema de impugnación de las resoluciones dictadas por el Secretario judicial», Diario La Ley, n.° 7476, 27 de septiembre de 2010.

8. «La Constitución se ocupa, tal y como ha advertido la doctrina, de darnos un armazón suficiente, aunque mínimo, del proceso; el resto del edificio hay que construirlo acudiendo a la llamada ley ordinaria» (CALAZA LÓPEZ, S: Garantías constitucionales del proceso judicial español, Colex, Madrid, 2011, p. 31).

9. «Tales requisitos y obstáculos (...) serían constitucionalmente válidos si, respetando el contenido del derecho fundamental, están enderezados a preservar otros derechos, bienes o intereses constitucionalmente protegidos y guardan la adecuada proporcionalidad con la finalidad perseguida (...) En cualquier caso, la interpretación y aplicación de tales requisitos legales debe realizarse de la forma más favorable

3. LA FIGURA DEL PROCURADOR. ROL PROCESAL Y RÉGIMEN JURÍDICO

Dada la intrínseca complejidad del Derecho y habida cuenta que el Estado goza de cualificados juristas para la defensa de sus pretensiones, las leyes procesales imponen como criterio general que el justiciable practique el acceso a la Jurisdicción representado por *procurador* y asistido de *letrado* (*cfr.* artículos 23 o 31 LEC). Abogacía y procura defienden y representan los derechos e intereses legítimos de los ciudadanos, abortando supuestos de indefensión de origen técnico-jurídica que, a buen seguro, se gestarían materialmente en su ausencia.

A esta exigencia de comparecer procesalmente a través de estos profesionales se la denomina *capacidad de postulación*, la cual no deja de suponer una carga procesal de las partes (con las modulaciones atemperativas legalmente predeterminadas, *vid.* p. ej. artículo 23.2 LEC). En una sociedad compleja, también se exige en este punto *profesionalización* capaz no sólo de asegurar la corrección técnico-jurídica prefijada por la ley, sino también la seguridad jurídica y su subsiguiente certeza, valor constitucional por sí mismo conforme al artículo 9.3 CE. Abogado y procurador se complementan para brindar un integral respaldo jurídico a su cliente: el primero se encarga de la protección jurisdiccional de sus peticiones, el segundo le representa formalmente con toda la amplitud asumible en Derecho.

El procurador se manifiesta como el *«representante activo y pasivo de la parte en el proceso»*[10]. La doctrina sitúa los orígenes históricos de este operador jurídico en el Medievo bajo la advocación de *personero*, figura cuya intervención resultaba precisa en la segunda y ulteriores instancias jurisdiccionales. Sin perjuicio de las matizaciones apreciables en cada país relativas a su concepción y funciones atribuidas, también tiene sus parientes en el Derecho comparado (pensemos en el *huissier de justice* en Francia y Bélgica, o en el *solicitador* en Portugal)[11].

---

a la efectividad de este derecho fundamental (SSTC 172/1995, de 21 de noviembre; 140/1995, de 28 de setiembre)» (PICÓ I JUNOY, J: Las garantías constitucionales..., op. cit. pp. 62 y 63).

10. MORENO CATENA, V. y CORTÉS DOMÍNGUEZ, V: *Introducción al Derecho Procesal*, Tirant lo Blanch, Valencia, 2008, p. 181.

11. De hecho, toda esta tendencia de ampliación funcional enlaza con una línea «europea de armonizar los sistemas jurídicos basándose en la figura del huissier de Justice, que es un agente o comisario de ejecución, encargado de notificar los actos del procedimiento y de proceder a la ejecución forzosa de los títulos ejecutivos y de las operaciones de embargo, funciones que asumen en España los procuradores dada su similitud profesional y estatutaria con los huissier» (ÁLVAREZ-BUYLLA BALLESTEROS, M: «La agilización y eficacia de los procesos: nuevas funciones asumidas por los

El artículo 122.1 CE remite a la LOPJ lo concerniente al *personal al servicio de la Administración de Justicia*. El Libro VII de la Norma orgánica se titula «*del Ministerio Fiscal y demás personas e instituciones que cooperan con la Administración de Justicia*», comprendiendo en su Título II a abogados y procuradores. La LOPJ ubica de una incuestionable manera a la procura como *cooperadora con la Administración de Justicia, pero en ningún caso inserta en ella*. No cabe estimar en una óptica sistemática y material que estos profesionales se hallen integrados de alguna forma en la Administración de Justicia. No hay ninguna dependencia orgánica de los procuradores respecto del Poder Judicial del Estado. Se trata de profesionales liberales de cualificación y cometido jurídico que *colaboran con* la Administración de Justicia, pero *no se hallan en* la Administración de Justicia. No pueden participar del ejercicio de la potestad jurisdiccional que constitucionalmente se halla reservada a Juzgados y Tribunales (artículo 117.3 CE) de los que, a diferencia de los Cuerpos funcionariales al servicio de la Administración de Justicia no integrantes de la judicatura, la procura no forma parte (artículo 437.2 LOPJ, *a contrario sensu*). Esos funcionarios judiciales se reglan por los Libros V y VI LOPJ, donde leemos inequívocamente que «*están vinculados a la Administración de Justicia por una relación estatutaria de carácter permanente*» (artículo 472.1 LOPJ), teniendo por encomienda básica labores de contenido procesal (artículos 452.1, 453, 454 o 475 a) LOPJ) que el propio articulado orgánico se encarga de desgranar con reglamentista minuciosidad (*v. gr.* artículos 476, 477, 478 LOPJ). La diferencia entre ambos grupos de operadores jurídicos parece insalvable. Su proyección constitucional, estimando participación o no en la potestad jurisdiccional, aun *latu sensu*, también.

Conforme al artículo 543 LOPJ, corresponde exclusivamente a los procuradores la representación de las partes en todo tipo de procesos, salvo cuando la ley autorice otra cosa. Se añade que podrán realizar los actos de comunicación a las partes del proceso que la ley les autorice. Sistematicemos la prevención orgánica y extraeremos tres ideas sustanciales:

- La primera de ellas consiste en las sendas remisiones a las leyes que la LOPJ efectúa, en régimen bastante incondicional.

---

procuradores y las reformas propuestas aprobadas por las Cortes», Diario La Ley, n.° 7450, de 21 de julio de 2010). Particularmente, no podemos rubricar esa asimilación y adjuntarla sin más a nuestros procuradores desde el justo instante en que erigen un grupo de operadores jurídicos que tiene por rasgo su carácter de profesional liberal, a diferencia de sus pretendidos homónimos europeos que sí gozan de la cualidad de funcionario público.

– La segunda pasa por subrayar que la función definitoria de la procura habita en la representación de las partes en el proceso, con las excepciones que legalmente puedan instaurarse.

– Por fin, se permite *ope legis* endosarles la responsabilidad de ejecutar actos de comunicación «*a las partes del proceso*».

Mediante Real Decreto 1281/2002, de 5 de diciembre, se aprueba el Estatuto General de los Procuradores de los Tribunales de España (en adelante, EGPT). Su art. 1 prevé que la procura constituye una profesión «*libre, independiente y colegiada que tiene como principal misión la representación técnica de quienes sean parte en cualquier clase de procedimiento*», si bien también es su responsabilidad –ya no principal, se sobreentiende– «*desempeñar cuantas funciones y competencias le atribuyen las leyes procesales en orden a la mejor administración de justicia, a la correcta sustanciación de los procesos y a la eficaz ejecución de las sentencias y demás resoluciones que dicten los Juzgados y Tribunales*», añadiéndose a estos conceptos jurídicos ciertamente indeterminados que tales competencias «*podrán ser asumidas de forma directa o por delegación del órgano jurisdiccional* –subráyese–, *de conformidad con la legislación aplicable*», lo que supone un nuevo ejercicio de amplio reenvío normativo.

El artículo 3 EGPT indica que son los procuradores de los Tribunales quienes, una vez válidamente incorporados a un Colegio: (1) Se encargan de la *representación* de sus poderdantes ante los Juzgados y Tribunales de cualquier orden jurisdiccional –labor principal, definitoria– (2) Se encargan del fiel cumplimiento de *aquellas funciones* o de la prestación de aquellos servicios que, como *cooperadores* –reálcese debidamente, *cfr. Supra*– de la Administración de Justicia, *les encomienden las leyes* –reenvío y, en consecuencia, tareas accesorias y perfectamente sujetas a la contingente oportunidad legislativa–. En concordancia, el art. 37.1 EGPT tipifica como deber del procurador «*desempeñar bien y fielmente la representación procesal que se le encomiende y cooperar con los órganos jurisdiccionales en la alta función pública de administrar justicia*» –una vez más, se mantiene ese binomio funcional–; y el art. 38.1 califica como deberes específicos de los procuradores «*todos aquéllos que les impongan las leyes en orden a la adecuada defensa de sus poderdantes y a la correcta sustanciación de los procesos y los demás que resulten de los preceptos orgánicos y procesales vigentes*» (nótese nuevamente el necesario paso por el tamiz que marque en estos casos la ley, desde la radical discrecionalidad).

En suma, se trata de profesionales incardinados al proceso, luego quizás con eventuales responsabilidades dentro de este instituto si la legislación lo previera, ejercitando una serie de cualificados deberes, colaborando y actuando ante los órganos jurisdiccionales[12].

4. UNO DE LOS NÚCLEOS DE LA REFORMA INTRODUCIDA EN LA LEY DE ENJUICIAMIENTO CIVIL: EL NUEVO DISEÑO DE LOS ACTOS DE COMUNICACIÓN JUDICIAL

La reforma de la LEC a quien dedicamos estas reflexiones parte en su Preámbulo del reconocimiento de la relevancia del operador jurídico que supone el procurador para nuestro Ordenamiento. Valorando su indudable existencia en nuestra historia jurídica, se busca potenciar sus labores procesales.

La idea nuclear que sustenta este aspecto de la Ley 42/2015, de 5 de octubre, radica en confiar al procurador, en su rol de colaboración con la Administración de Justicia, la *«realización de todas aquellas actuaciones que resulten necesarias para el impulso y la buena marcha del proceso»* (apartado III del Preámbulo). Así las cosas, la reforma de la LEC efectúa una decidida ampliación del elenco de atribuciones y obligaciones de los procuradores que, genéricamente, pasan a cubrir estos sectores: actos de *comunicación*, algunos actos de *ejecución* y otros de *cooperación y auxilio* a la Administración de Justicia. La procesalidad de citaciones, emplazamientos, actos ejecutivos o requerimientos tiene que quedar fuera de toda duda (*infra*), por lo que su localización natural ha de hallarse anexa a los funcionarios judiciales. Pero la legislación pasa a pautar que tales labores puedan desplegarse por otros profesionales no insertos orgánicamente en

---

12. Ello «pone de manifiesto la doble función de los procuradores de los Tribunales (...) el carácter público y privado de su función que se manifiesta, por una parte, representando a las partes en el proceso, y por la otra como colaboradores de la Administración de Justicia (...) De lo expuesto se infiere que la función pública del procurador no difiere, conforme a dicha resolución, de la que desempeñan otras instituciones como por ejemplo la Abogacía, concretándose la misma en la siguiente afirmación: «sirviendo a los intereses de los ciudadanos que demandan tutela judicial, a quienes representan, sirven también al interés público de la Justicia» (...) Reconoce (...) la doble faceta, pública y privada, de la representación procesal (...) Función privada: la procura (...) es una profesión libre, independiente y colegiada que tiene como principal misión la representación técnica de quienes sean parte en cualquier clase de procedimiento (...) Función pública: es también misión de la Procura desempeñar cuantas funciones y competencias le atribuyan las leyes procesales en orden a la mejor Administración de Justicia, a la correcta sustanciación de los procesos y a la eficaz ejecución de las sentencias y demás resoluciones que dicten los Juzgados y Tribunales. Estas competencias podrán ser asumidas de forma directa o por delegación del órgano jurisdiccional, de conformidad con la legislación aplicable» (SÁNCHEZ GARCÍA, J. C: «La función pública de los procuradores y los actos de comunicación», Revista Procuradores, Madrid, 2005, pp. 38 y ss.).

la estructura jurídica de la Administración de Justicia, se supone que sin que ese cambio subjetivo pueda tener como consecuencia una mutación objetiva de la naturaleza drásticamente procesal de ese plantel de actos de comunicación. El apartado III Preámbulo de la Ley explica que se refuerza el listado de atribuciones y obligaciones de los procuradores respecto de la realización de los actos de comunicación a las personas que *no son su representado* (pero a favor de su representado).

La reforma parte de la *dualidad* manteniendo las posibilidades de su realización bien por los funcionarios del Cuerpo de Auxilio judicial, bien por el procurador de la parte que así lo solicite –reténgase– a su costa. En ambos casos, permanecería incólume la dirección del letrado de la Administración de Justicia (dependencia funcional puntual, mas no orgánica). Se prevén exclusiones, pues este régimen resultará ajeno al Ministerio Fiscal o a procesos seguidos ante cualquier órgano jurisdiccional en los que rija lo dispuesto por el artículo 11 de la Ley 52/1997, de 27 de noviembre, de Asistencia jurídica del Estado e Instituciones Públicas.

Para efectuar todos esos potenciales actos de comunicación se otorga a los procuradores la *capacidad de certificación*, facultándoseles su práctica con el mismo alcance y efectos que los realizados por los funcionarios del Cuerpo de Auxilio judicial, lo que de inmediato les exime de la necesidad de verse asistidos por testigos y, consiguientemente, permite a ojos del legislador consecución de la anhelada agilización procesal.

Como principio sustentador de este esquema se selecciona la *voluntad de la parte* a la que el procurador represente. Solamente esa *voluntas* resuelve el acogimiento o no al sistema cuyo diseño se introduce en la LEC.

Huelga remachar cómo uno de los ejes sustentadores del proceso civil estriba en la práctica de los actos de comunicación. La importancia de unas buenas comunicaciones procesales se cose a los derechos y garantías reforzados a nivel constitucional dentro del derecho fundamental de contenido complejo que erige la tutela judicial efectiva. Particularmente, encaja con el derecho de defensa, habida cuenta que una efectiva notificación (en especial, si pensamos en aquélla de la que depende la personación en el proceso) modula condicionalmente su ulterior desarrollo, así como que su tramitación alcance mayor celeridad[13].

---

13. «Un instrumento capital de (...) correcta constitución de la relación jurídico procesal es, indudablemente, el régimen procesal de emplazamientos, citaciones y notificaciones a las partes de los distintos actos procesales que tienen lugar en el seno de un procedimiento judicial, pues sólo así cabe garantizar los indisponibles principios de contradicción e igualdad de armas entre las partes en litigio» (STC 186/2007, de 10 de septiembre –RTC 2007, 186–).

Compete al órgano judicial velar por el correcto desarrollo de estos hitos procesales, en cuanto aspecto insertable en el orden público procesal[14]. Hasta tal punto es capital esta tarea integralmente procesal que se remarca que lo determinante para apreciar una posible indefensión material reside en la actuación del Tribunal, no en la de las partes –STC 168/2008, de 15 de diciembre (RTC 2008, 168)–, y en que se hagan con todas las garantías y formalidades legalmente prevenidas.

La consecuencia en caso de incumplimiento es la eventual nulidad de actuaciones (artículos 238–240 LOPJ y 225–228 LEC, de consuno), al poder llegar a lesionar el gálibo constitucional. Sabido es que el artículo 166.1 LEC prevé que los actos de comunicación judicial serán nulos si no son practicados de conformidad con las disposiciones legales y, a sus resultas, puede causarse la indefensión proscrita por el artículo 24.1 *in fine* CE.

Extensivamente, si estos actos pueden quedar bajo la responsabilidad de otros profesionales que cooperan con la Administración de Justicia habrían de resultar vinculados por iguales estándares técnico-jurídicos en su ejecución, pues las disparidades subjetivas cederían ante el rotundo dato objetivo consistente en la comunicación que se realice, *ratione materiae*.

Doctrinalmente se esboza alguna línea que refuerza la posición jurídica del procurador en orden a considerarlo colocado en un punto intermedio de los intereses confluentes en el proceso, a saber, el interés de la parte a la que representa a que el curso procesal circule con agilidad camino de una sentencia favorable a sus pedimentos (con su subsiguiente ejecución, de ser precisa) y el interés del órgano jurisdiccional a que su actividad resuelva definitivamente el litigio surgido y sujeto a su valoración jurídica. Esa amalgama de factores en mutua interacción acarrearía que el procurador ejerciera un rol cercano a la actividad pública[15], fortaleciendo la viabilidad de este incremento de sus capacidades procesales[16]. De esta

---

14. «La responsabilidad recae sobre el órgano judicial, con independencia de que se refiera a una competencia del propio Juez, al Secretario judicial, o a la Oficina judicial» (ARIZA COLMENAREJO, M.ª J: «El acto de comunicación entre las funciones de los procuradores», Boletín del Ministerio de Justicia, n.º 2149, Madrid, 2012).

15. «Aunque parezca chocante el doble carácter de mandatario de parte y agente de notificación, la función del procurador en el proceso está más próxima al órgano judicial que a la parte, ya que en su actuación rige la necesidad de obrar con abstracción de la causa, colaborando con el Tribunal en la realización de los actos procesales; por ello, ante un posible conflicto de intereses en el cual pudiera encontrarse con un mandato contrario a la buena fe procesal, el procurador tiene el deber de actuar conforme a las exigencias procesales, ya que debe primar su papel de colaborador con la Administración de Justicia respecto del interés de defensa de la parte» (ÁLVAREZ-BUYLLA BALLESTEROS, M: «La agilización y eficacia...», op. cit.).

16. ARIZA COLMENAREJO, M.ª J: «El acto de comunicación...», *op. cit.* p. 14.

manera, se desactivaría la debilidad intrínseca que para el sistema pergeñado supone la ineluctable condición de representante de parte que el procurador siempre ostenta –*infra*–. Destaquemos un par de aspectos.

4.1. ACTOS DE COMUNICACIÓN JUDICIAL QUE SE VEN AFECTADOS Y RÉGIMEN JURÍDICO QUE SE LES OTORGA

La modificación que se opera en la LEC incide ante todo en su art. 152.1, que pasa a prever que «*los actos de comunicación se realizarán bajo la dirección del letrado de la Administración de Justicia, que será el responsable de la adecuada organización del servicio*». Es ese funcionario quien dirige y organiza la ejecución de los actos de comunicación judicial. Materialmente, esa ejecución correspondería bien a los funcionarios del Cuerpo de Auxilio judicial bien al procurador «*de la parte que lo solicite*». Hemos de notar una diferencia estimable en esta alternatividad: la LEC no condiciona que los funcionarios judiciales puedan practicar cualesquiera actos de comunicación judicial, pero que este cometido se despliegue por procuradores se supedita a la previa (y se sobreentiende que expresa) petición de parte.

La continuación de la *littera legis* del mismo remozado precepto ratificaría esta idea: «*en todo escrito que dé inicio a un procedimiento judicial, de ejecución, o a otra instancia, el solicitante deberá* –imperativamente– *expresar si interesa que todos* –nótese– *los actos de comunicación se realicen por su procurador*». Seguidamente, se indica que «*los solicitantes podrán de forma motivada y concurriendo justa causa, pedir la modificación del régimen inicial, procediendo el letrado de la Administración de Justicia, si lo considera justificado, a realizar los sucesivos actos de comunicación conforme a la nueva petición*». A nuestro juicio, este pasaje constituye uno de los nudos gordianos de la reforma, razón por la cual proponemos sistematizar sus previsiones:

– *Petición expresa de parte* para poder activar este mecanismo de comunicación. La LEC únicamente prefigura este paradigma como una posibilidad concedida a las partes litigantes, un derecho subjetivo cuya activación requiere acogimiento inequívoco luego, *a contrario sensu*, de no efectuarse esta petición no tendría lugar[17]. La cláusula de cierre del sistema radicaría en que siempre los medios humanos adscritos orgánicamente a la

---

17. Ha de matizarse que, *ex* artículo 26.2.8.° LEC, el procurador queda obligado a la realización de los actos de comunicación y otros actos de cooperación con la Administración de Justicia que su representado le solicite, o en interés de éste cuando «*así se acuerde en el transcurso del procedimiento judicial por el letrado de la Administración de Justicia* –léase de oficio-, *de conformidad con lo previsto en las leyes procesales*». Pero en el supuesto que se trata entendemos que ese reenvío genérico recala en el precepto que se comenta, es decir, el artículo 152.1 LEC.

Administración de Justicia contarían con capacidad legal para ejecutar estos actos.

– Necesidad de *reiteración de esta petición* (siendo revocable o formulable, a disposición de parte) al abrir la primera instancia, la fase ejecutiva o entablar otra instancia (p. ej. recursos devolutivos). La reformada LEC no permite que una declaración inicial de adhesión a este modelo de realización de actos de comunicación al tiempo de entablar la correspondiente acción (o personarse u oponerse a la ejercitada de contrario) goce de validez perpetuada a lo largo de la integridad del curso procesal. Al contrario, exige nuevo pronunciamiento en los momentos procesales ulteriores que el tenor legal detalla. Su viveza, pues, no coincide con la totalidad del *iter* procesal.

– Necesidad de efectuar *manifestación expresa en este sentido*, por lo que se confiere carácter de requisito procesal a este particular sin cuya cumplimentación se da a los autos el curso predeterminado en Derecho, que en este caso implica realización de esos actos por el funcionariado de la Administración de Justicia.

– *Aplicabilidad* de este régimen en idénticas condiciones jurídicas no sólo a demandantes/ejecutantes/recurrentes, sino también a demandados/ejecutados/recurridos. Así, se salvaguarda la inevitable igualdad procesal de las partes en contienda.

– *Modificabilidad condicionada* de la petición inicial, ya que esta operación ha de ser forzosamente motivada y con concurrencia de justa causa a apreciar por el letrado de la Administración de Justicia, quien aceptará este cambio si lo considera justificado y procederá en lo sucesivo a aplicar el régimen de actos de comunicación que corresponda (*v. gr.* pasar de su realización por procurador a que lo efectúen los funcionarios judiciales, o a la inversa). Entendemos que se exige el dictado de la resolución procesal que constituye el decreto con sus subsiguientes remedios impugnatorios (artículo 456.3 LOPJ), por cuanto el letrado de la Administración de Justicia habrá de razonar y argumentar jurídicamente la presencia de los requisitos legales antes de adoptar una determinación en el sentido apuntado.

A partir de esta renovada forma de entender la ejecución de actos de comunicación judicial, el art. 152.3 LEC previene que aquéllos se efectuarán (alternativamente) de alguna de las formas siguientes, «*según disponga esta ley*»: (1) *a través de procurador*, si se tratara de comunicaciones a quienes estén personados en el proceso con su representación; (2) remitiendo lo que haya de comunicarse mediante *correo, telegrama, correo electrónico o cualquier otro medio electrónico que permita dejar en autos constancia fehaciente* de la recepción, su fecha, hora y contenido de lo comunicado; (3) *entrega al destinatario de copia literal* de la resolución que se le haya de notificar, del *requerimiento* que el Tribunal o letrado de la Administración de Justicia le dirija, o de la *cédula de citación o emplazamiento*; o (4) en todo caso por *personal al servicio de la Administración de Justicia* a través de medios telemáticos, cuando se trate del Ministerio Fiscal, de la Abogacía del Estado, de los Letrados de las Cortes Generales y de las Asambleas legislativas o del Servicio Jurídico de la Administración de la Seguridad Social, de las demás Administraciones públicas de las Comunidades autónomas o de los entes locales, *«si no tuvieran designado procurador»*. En este último caso, se contrasta esa capacidad incondicional de los funcionarios de la Administración de Justicia para la realización de estos actos procesales.

Añade el art. 159.1 LEC que *«las comunicaciones que deban hacerse a testigos, peritos y otras personas que, sin ser parte en el juicio, deban intervenir en él se remitirán (...) al domicilio que designe la parte interesada (...) Estas comunicaciones serán diligenciadas por el procurador de la parte que las haya propuesto, si así lo hubiera solicitado»*, a lo que el art. 161.1 II LEC apostilla que *«la entrega se documentará por medio de diligencia que será firmada por el funcionario o procurador* –nótese la equiparación– *que la efectúe y por la persona a quien se haga, cuyo nombre se hará constar»*. Igualmente, si ese destinatario del acto de comunicación fuera hallado pero se negara a recibir la copia de la resolución, la cédula o rehúse firmar la diligencia correspondiente, *«el funcionario o procurador que asuma su práctica, le hará saber que la copia (...) queda a su disposición en la Oficina judicial, de todo lo cual quedará constancia en la diligencia»*. Cerrando este itinerario, pasa a prever el art. 161.4 LEC que *«en el caso de que no se halle a nadie en el domicilio al que se acuda para la práctica de un acto de comunicación, el letrado de la Administración de Justicia, funcionario o procurador, procurará averiguar si vive allí su destinatario»*. También a la hora de efectuar estas pesquisas la LEC igualaría plenamente al procurador con el personal al servicio de la Administración de Justicia.

La asimilación funcional es apabullante aunque el estatuto jurídico del procurador diste abismalmente del correspondiente al personal al servicio de la Administración de Justicia.

4.2. PROYECCIÓN AL PROCURADOR

Centrando estas prevenciones en la concreto sujeto jurídico que estudiamos, dispone el art. 23.4 LEC que corresponde a los procuradores *«la práctica de los actos procesales de comunicación, ejecución y la realización de tareas de auxilio y colaboración con los Tribunales»*. La locución transcrita actúa como un verdadero pórtico hacia las nuevas tareas que son endosables a la procura. Para la realización de los actos de comunicación, los procuradores ostentarán capacidad de certificación disponiendo asimismo de las credenciales necesarias. Finalmente, en el ejercicio de las funciones en el mismo relatadas, los procuradores deberán imperativamente actuar de forma personal e indelegable (una cosa es estimar que el procurador actúe por delegación de la Administración de Justicia, lo que permite la LEC, y otra que aquél, a su vez, delegue esa delegación, cosa prohibida tajantemente por la Norma procesal común), sin perjuicio de la posibilidad de sustitución por otro procurador, por lo que entendemos el precepto mencionado referido a la figura del Oficial del procurador o a un tercero.

Asimismo, se prevé que su actuación será impugnable ante el letrado de la Administración de Justicia conforme a la tramitación prevista en los artículos 452 y 453 LEC, es decir, recurso de reposición a resolver mediante decreto contra el cual se podrá interponer recurso de revisión (excepcionando el criterio general que es justamente el inverso, *cfr.* artículo 454 LEC), por lo que formalmente sigue siendo jurídicamente posible que exista conocimiento y supervisión estrictamente judicial de las actividades en liza, a la vista del dibujo legislativo con el que cuenta el recurso de revisión. Recordemos brevemente que este remedio impugnatorio, en sentido opuesto a lo que acaece en los supuestos de recursos de reposición resueltos por el letrado de la Administración de Justicia, implica directo conocimiento por parte del juzgador de la causa que lo motiva, ya que tanto su inadmisión *a limine* cuanto su resolución definitiva una vez tramitado se efectúan a través de una resolución drásticamente judicial (providencia o auto respectivamente, *cfr.* artículo 206.1 LEC).

Ahora bien, el bosquejo que la reforma introduce es abiertamente erróneo. No es posible jurídicamente que las *actuaciones* del procurador sean impugnables ante el letrado de la Administración de Justicia, ya que no se trata de *resolución* alguna. Es técnicamente inviable recurrir en reposición una mera actuación del procurador. Solamente se arbitra una extraña forma de impugnación donde quien haya sufrido la actuación del procurador (la contraparte) tendrá que presentar un escrito contra la determinación adoptada por el representante de su contrincante ante el letrado de la Administración de Justicia, quien daría el correspondiente traslado y resolvería lo que fuera menester (ahora ya sí, mediante una resolución procesal). Frente a la decisión del letrado de la Administración de Justicia cabría recurso de revisión a resolver por la autoridad judicial[18]. Curiosamente, cuando más se sacraliza la agilización procesal se introduce esta estéril y redundante multiplicación de impugnaciones.

---

18. Respecto a razones que justifiquen la posibilidad de interponer en todo caso recurso de revisión frente a los decretos del letrado de la Administración de Justicia que resuelvan previa reposición, *vid.* la reciente (y trascendente) STC 58/2016, de 17 de marzo (RTC 2016, 58), la cual sin duda dará pie a plantear cambios de orientación de grueso calado en relación al modelo procesal dimanante de la reforma de 2009.

A la hora de dilucidar si el procurador actúa como representante de parte o como comisionado del letrado de la Administración de Justicia, es decir del aparato judicial del Estado mismo, ha de primar el segundo enfoque. El procurador, como cooperador de los órganos jurisdiccionales, no se incardina evidentemente en la estructuración orgánica de la Administración de Justicia pero sí actúa en este caso, dentro del marco legalmente habilitado, como una suerte de apófisis funcional de la misma. Su obrar en este punto ha de regirse por la norma procesal y por el principio de legalidad, quizás por encima del mandato representativo que ostenta encarnando el interés de su poderdante en la defensa de sus posiciones jurídicas. En fin, la eventual nulidad –vid. Supra– sería derivable a la Administración de Justicia, sin perjuicio de la responsabilidad personal del procurador (disciplinaria, civil, penal) en cuanto autor material del acto defectuosamente ejecutado. De hecho, dispone el art. 168.2 LEC que «el procurador que incurriere en dolo, negligencia o morosidad en los actos de comunicación cuya práctica haya asumido o no respetare alguna de las formalidades legales establecidas, causando perjuicio a tercero, será responsable de los daños y perjuicios ocasionados y podrá ser sancionado conforme a lo dispuesto en las normas legales o estatutarias» (cfr. artículos 57–76 EGPT).

5. RESULTADO PRÁCTICO. SU INSERCIÓN EN UN PROCESO CIVIL EN CRECIENTE DESJUDICIALIZACIÓN

La institución del proceso civil está sufriendo unos embates legislativos lesivos para su insondable y constitucionalizada naturaleza jurídica. La reforma sobre la que estamos centrando nuestra atención en estas páginas es un elemento más que se suma a esta tendencia. Dos son los ejes en los que este fenómeno aparentemente académico pero realmente práctico resultan encasillables: la gubernativa *administrativización del proceso civil* (deconstrucción endógena por el diseño legislativo trazado) y, ahora, la huida o *exclaustración del proceso civil* de la Administración de Justicia.

El segundo de los elementos nombrados es el que se percibe con claridad en las funciones que se permite endosar al procurador, pero convendrá referirse brevemente también al primero de ellos para una visión más global del paradigma en que nos sumergimos.

5.1. LA ADMINISTRATIVIZACIÓN DEL PROCESO CIVIL

Si todos los jalones que integran el *iter* procesal civil se reparten entre judicatura y letrados de la Administración de Justicia, habrá que escudriñar en qué condiciones estatutarias se hallan esos sujetos jurídicos y valorar la proyección que este marco sustentador eyecta hacia esos erogados eslabones del aparentemente unívoco proceso. La normativa procesal define un proceso único, integral, unificado en textos legales rituales igualmente compactos y no disgregados, sin perjuicio de las interrelaciones y supletoriedades necesarias para poder aseverar la plenitud del sistema que se articula. Todos los pasos que se prefiguran legalmente constituyen etapas de un exclusivo curso procesal, formalmente incrustado en textos rituarios sistemáticamente estancos.

Pero el marco orgánico de los operadores jurídicos entre los que se reparten esos hitos no es homogéneo. Resulta indudablemente antagónico. La judicatura se halla presidida por una fortificada independencia, cuya presencia es precisa para una eficaz existencia de la separación de poderes y, por ende, de un Estado de Derecho (artículos 1 y 117.1 CE). Sin embargo, el letrado de la Administración de Justicia ha resultado sujeto a los principios de unidad de actuación y dependencia jerárquica (artículo 452.1 LOPJ). Los criterios rectores de ambos conjuntos de sujetos jurídicos son, sin más, el antónimo uno de otro.

Esa absoluta contraposición va a tener que reflejarse sobre el proceso civil. Si el conjunto de los pasos que lo integran desde su incoación hasta su conclusión quedan repartidos entre judicatura y letrados de la Administración de Justicia, los dos bloques materiales que se conformen una vez agrupados todos ellos en el par de correspondientes compartimentos quedarán influidos por el marco orgánico en que se desenvuelva la actividad de aquéllos. En uno de esos recipientes reinará la independencia. Mientras, en el otro lo hará su antítesis, la dependencia jerárquica. Los hitos procesales guardados por los Jueces seguirán disfrutando de una incondicional naturaleza procesal, en un sentido constitucionalmente estricto; los reservados al letrado de la Administración de Justicia se teñirán de un giro administrativo al estar bajo la custodia de un operador jurídico dependiente del Ministerio de Justicia, esto es, del Poder Ejecutivo, sin que las funciones intraprocesales que se le traspasan queden exentas de ser objeto de vinculantes órdenes, circulares, instrucciones... emitidas por las cúspides de ese Cuerpo de funcionarios que, obviamente, se hallan plenamente insertas en las estructuras ejecutivas del Estado –vid. artículo 463.2 a) LOPJ–[19].

En atención a esta distorsionante escisión legislativamente realizada, se quiebra la unidad del proceso, se rasga la formalmente unificada procesalidad de la legislación rituaria que, a pesar de argumentos puramente

---

19. A mayor abundamiento, SÁNCHEZ ÁLVAREZ, E: «Una reflexión sobre los crecientes poderes procesales de la Administración: estudio de la figura del Secretario General de la Administración de Justicia», *Revista Jurídica de Castilla y León*, n.° 31, Valladolid, 2013.

sistemáticos, queda dividida en dos bloques con muy pocos parecidos entre sí. El legislador deconstruye el proceso civil y le inocula una componenda gubernativa. Lo procesal, apegado a *lo judicial* y al *momento jurídico* del Estado, tiene ahora que cohabitar con su antagonista, *lo administrativo* enfilado hacia el *momento político* del Estado. En correlato, la tutela que se preste al ciudadano que impetre Justicia tal vez sea efectiva, pero desde luego no será radicalmente judicial como exige de forma incuestionable la letra constitucional.

5.2. LA EXCLAUSTRACIÓN DEL PROCESO CIVIL

Además, en el caso analizado se observa un fenómeno de *huida del proceso*, desbordamiento de su frontera natural que debe hallarse dentro de la Administración de Justicia *stricto sensu* para desparramarse por otros fundos ajenos a esta ubicación.

La labor justificativa de la existencia del procurador radica, dentro del dual sistema de postulación, en su actuación como representante de una parte en el proceso civil. Ninguna otra función puede desplegar desconexa, segregada o independiente de esta condición jurídica si no es a partir de este *prius*. No ostenta capacidad procesal alguna sin el precedente apoderamiento de una parte.

Ciertamente, no es descabellado estimar que la situación derecho-deber en la que se coloca el esquema postulatorio no goza de pleno emparentamiento con la defensa material en sentido riguroso, lo que simultáneamente da pie a considerar la procura más cercana al carácter de orden público de la Jurisdicción, de la función jurisdiccional y del instrumento del que se sirve para canalizarla y llevarla a cabo, que no es otro que el instituto del proceso. Así se esboza una cierta desconexión respecto a los intereses subjetivos de su poderdante, a quien le liga un contrato civil de mandato representativo. Conviene valorar hasta qué punto el procurador se ciñe a cumplir objetivamente la normativa procesal, engarzada al recto funcionamiento de la Justicia personificado aquí en la comunicación parte-órgano judicial y su propulsión hacia terceros.

A nuestro entender, esa opción doctrinal no debería ser pacíficamente admitida. Sin perder de vista el argumento orgánico de su no incardinación en la Administración de Justicia, con la que solamente *coopera*, resulta que el elemento primordial a ponderar se halla en que el procurador *no puede realizar ninguna actuación procesal sin la previa voluntad de parte* que se manifiesta ante todo habilitándole en el apoderamiento que activa su tarea justificativa, la representación. Cualquier otra labor procesal que a este profesional le quepa encomendar, aun bendecida legalmente, necesita perentoriamente la preexistencia de este requisito. La actuación procesal del procurador quizás es *jurídicamente objetiva* al regirse por normas que aseguren esa condición, *pero no es neutral* desde el justo instante en que siempre se vincula a la previa existencia, absolutamente inevitable, de una representación de su poderdante. El procurador *es la parte misma*, argumento que cuestiona la determinación legislativa, por ser dificultoso asumir que una figura *parcial* que busca el beneficio de su representado ejecute actos con efectos asépticos dentro del proceso.

Efectivamente, planteamos que no se trata de que el procurador goce en su elenco funcional de una híbrida naturaleza jurídica –representante de parte y colaborador de la Administración de Justicia–. Es tal vez asumible que el procurador conduzca y, desde su posición, impulse el proceso judicial, pero ese obrar precisa perentoriamente de una previa representación de su cliente. Quizás, jurídicamente, la certificación del procurador no habría de suponer fehaciencia alguna, no disfrutaría de la condición de documento oficial a efectos probatorios, no debería tener más valor que el de documento de parte que, caso de negación, no sería capaz de desplazar la *onus probandi* y forzaría a su beneficiario, esto es, el representado por el procurador en cuestión, a acreditar que esa actuación se ha realizado rectamente –*cfr.* artículos 317.5 y 319.2 LEC–.

Este crucial rasgo de no neutralidad de la procura, por contra, no concurre en el personal orgánicamente adscrito a la Administración de Justicia, quien igualmente cumple directamente disposiciones legales pero de forma desagregada de cualquier mandato representativo. Para estos funcionarios no hay interposición de un vínculo contractual privado entre la normación legal y la realización de un determinado acto procesal.

Acudamos a la figura de la *delegación* de funciones en la que hipotéticamente encuadrábamos estas tareas realizables por los procuradores dentro de las novedosas condiciones legales y contrastaremos que lo que está disponiendo la reforma analizada es que los actos de comunicación que le compete realizar al letrado de la Administración de Justicia sean materialmente delegables no sólo en los funcionarios de la Administración de Justicia (con su neutralidad y carácter público asegurados por su marco jurídico-estatutario) sino también en los procuradores, que entonces se convertirían en ejecutores de una competencia que no les es propia en sentido riguroso. El letrado de la Administración de Justicia no pierde en ningún caso el control de estos actos, siendo quien realmente los realiza en última instancia desde el momento en que se ejecutan bajo su dirección (artículo 152.1 LEC).

Creemos que la Ley 42/2015, de 5 de octubre, es consciente del conjunto de dificultades que encierra en sí y llega a reconocerlas aun de soslayo. En el apartado III de su Preámbulo leemos literalmente que «*los procuradores han ido asumiendo, a medida que la situación lo ha ido requiriendo, en virtud de su condición de cooperadores de la Administración de Justicia, un mayor protagonismo en las labores de gestión y tramitación de los procedimientos judiciales, desempeñando en parte funciones que hoy en día compatibilizan con su originaria función de representantes procesales de los litigantes*». Es conveniente extraer algunas ideas que enlazan el razonamiento legislativo y, a la par, le debilitan.

–Se reconoce la condición legal del operador jurídico que erige el procurador como cooperador con la Administración de Justicia, es decir, orgánicamente ajeno a la estructura judicial del Estado.

–Las funciones que se le quieren encomendar fiduciariamente se verbalizan con las expresiones «*labores de gestión y tramitación de los procedimientos judiciales*». Esa locución no puede resultar más sorpresiva. Justamente esas labores, gestión y tramitación de procedimientos judiciales, dan nombre a dos de los Cuerpos de funcionarios al servicio de la Administración de Justicia encargados de un elenco de funciones *procesales* perfectamente tasadas en la ley (artículos 475, 476 y 477 LOPJ), así como dotados de un marco jurídico-estatutario radicalmente inserto en el Derecho Público[20]. Poco parecido puede apreciarse entre esos operadores jurídicos y el procurador, *colaborador con* pero *no parte del* ejercicio de la potestad jurisdiccional exclusiva de Juzgados y Tribunales. Orgánicamente, gestores y tramitadores de la Administración de Justicia pertenecen a esa estructura. Por contra, el procurador no. ¿Cómo es posible entonces implementar una bifurcación de las mismas tareas entre dos grupos de operadores jurídicos con tan nula similitud entre sí?

–El legislador parece repartir unos mismos actos intraprocesales entre operadores jurídicos dispares. Más aún, eroga hitos del proceso –un instituto público– entre funcionarios y profesionales jurídicos drásticamente privados. El procurador es la parte, el funcionario no. El procurador difícilmente será imparcial y neutral. El funcionario es desde luego ambas cosas. De hecho, «*en todo caso*» una de sus incompatibilidades consiste en «*el ejercicio de la abogacía, procuraduría, o de la profesión de Graduado Social y empleos al servicio de Abogados, Procuradores y Graduados Sociales o cualquier otra profesión que habilite para actuar ante Juzgados y Tribunales*» (art. 498.3 b) 1.° LOPJ). ¿Por qué permitir que esa incompatibilidad no opere en sentido

---

20. *Cfr.* JIMENO BULNES, M: «*Los nuevos Cuerpos al servicio de la Administración de Justicia*», Revista Jurídica de Castilla y León, n.° 9, Valladolid, 2006.

inverso? Las pretendidas agilidades no pueden lograrse a costa de volatilizar mínimas formalidades que, en suma, constituyen *garantías* para el justiciable y la defensa judicial de los intereses confluentes en la *litis*. Y el artículo 24.1 CE exige forzosamente que el proceso judicial deba estar adornado de todas las garantías.

–El inciso final del argumentario legislativo ratifica sin más el colapso de la hibridez que el legislador pretende colmar cuando realza que estas tareas a agregar al elenco funcional de los procuradores se sumarán «*con su originaria función de representantes procesales de los litigantes*», *ergo* no pierden esa condición sin la que además ninguna otra labor autónoma pueden desempeñar en un proceso civil, justamente por no ostentar condición de funcionarios públicos. Es evidente que no se puede ser juez y parte a la vez, que un funcionario de la Administración de Justicia no puede ser letrado o procurador en un pleito que tramite... ¿por qué entonces sí cabe esta excentricidad con los procuradores? ¿Qué razonamiento habilita que una parte contendiente –que lo es– gestione y tramite actos no de parte en el proceso, que la trasciende por ser apero del Estado y su función jurisdiccional?

Si la parte misma, a través de su procurador y en base a la argumentación dogmática a la que se ha aludido, se encarga de realizar ese plantel de actos de comunicación judicial se hará de manera más veloz y diligente (va de suyo, se defienden los intereses particulares) y, de paso, se desahoga el cúmulo de asuntos de esa naturaleza que ha de despachar el funcionariado de la Administración de Justicia. Pero sin negar esa precisa agilización, ¿es constitucionalmente factible esta opción?

6. IDEA FINAL

El nuevo rumbo conferido a la LEC nos anuncia que solamente quien pueda permitírselo económicamente o, eventualmente, aquél que goce del beneficio de justicia gratuita podrá disfrutar de sus ventajas de celeridad. Observamos una tutela judicial civil gradada cualitativamente en base a criterios de capacidad económica y una subyacente *privatización* de aspectos medularmente fundidos al ejercicio de una potestad radicalmente estatal e indelegable, permitiéndose a profesionales liberales desplegar roles estrictamente estatales, públicos, propios del funcionariado al servicio de la Administración de Justicia. Todo apunta a una posible nueva mutación del proceso civil.

La LEC quizás consagra legalmente una quimera. Equipara magnitudes (operadores jurídicos diferentes realizando una única función) inequiparables. Se incluye a los procuradores en un recinto en que seguramente no pueden estar. Se les coloca en una estructura funcional –en la que no se hallan– bajo la pretendida dirección del letrado de la Administración de Justicia.

El artículo 1.1 CE propugna como uno de los valores superiores del Ordenamiento jurídico nacional *la justicia*, entendida como justicia material, reparadora, correctora de injustos jurídicos, de situaciones dañosas, fácticas, carentes de título... La forma de abordar y reparar judicialmente los desmanes patrimoniales sufridos a resultas de fenómenos como las llamadas cláusulas suelo insertas en préstamos hipotecarios, el control de oficio de cláusulas abusivas o de productos financieros altamente complejos, las modificaciones en el procedimiento hipotecario... ejemplifican que esa misión se consigue con razonable éxito mediante el proceso civil aunque debamos aspirar a mayor perfección. Desde el Derecho, se han brindado soluciones concretas a problemas de índole muy complicada. Observamos que hemos alcanzado logros, pero el legislador también suscita nuevas encrucijadas que deben superarse teniendo en cuenta que la subordinación de otros fines, por legítimos que resulten, al imperio de este elenco de valores y garantías ha de ser plena.

El ámbito del proceso civil afronta retos por resolver, también originados por el legislador, al no dudar en redefinirlo despojantemente (en que deje de ser judicial, pues estará entreverado por un operador jurídico a quien se desprecia su cualificación jurídica desde el momento en que es plenamente presentado como agente gubernativo por la legislación; o ahora habilitando que aspectos integrantes de ese unívoco itinerario puedan realizarse privadamente). ¿Se respeta así plenamente la tutela predeterminada constitucionalmente en sus mínimos, reforzada y petrificada en su rango?

Aunque en el proceso civil, como criterio genérico, confluyan intereses particulares, el instituto procesal *per se* es drásticamente estatal, público, e inserto en la Jurisdicción. Como recuerda BONET NAVARRO, la Jurisdicción, con su proceso, es garantía del derecho, el supremo cauce para su defensa, un reducto y fortín que a máximo nivel normativo la CE reconoce y consagra en forma de tutela judicial que, además, ha de ser efectiva[21]. Para que sirva a la defensa de los derechos, el proceso debe aquietarse a su naturaleza jurisdiccional y, por ende, pública. Su eficiencia y agilidad debe ser lograda, pero dentro de estos linderos.

Entendemos que esa devaluación cualitativa, centrada en las funciones endosadas a la procura en el régimen jurídico comentado en estas páginas,

---

21. BONET NAVARRO, Á: *La experiencia procesal del fracaso del Derecho*, Universidad de Zaragoza, 2015, pp. 35 y ss.

más que previsiblemente resulta potencialmente apta para contrariar los cánones constitucionales y ha de ser replanteada para corregir su errónea concepción, manteniendo a estos actos procesales en manos exclusivas del personal al servicio de la Administración de Justicia. El procurador es un operador jurídico con suficiente relevancia, con funciones propias, y no precisa desarrollar este nuevo tipo de capacidades que, a nuestra manera de ver, le resultan totalmente ajenas y postizas.

2ª PARTE

Instrumentos para una tutela eficiente de los intereses colectivos o difusos

Capítulo X

Litigiosidad masiva y proceso civil

MANUEL ORTELLS RAMOS

Catedrático de Derecho Procesal
Universitat de València

SUMARIO: 1. NUEVA REALIDAD SOCIOECONÓMICA Y PROCESO CIVIL. *1.1. ¿Cuáles son los retos? 1.2. Algunas respuestas.* 2. EL DESEQUILI-BRIO ACTUAL DE LAS RESPUESTAS DEL PROCESO CIVIL ANTE LAS NECESIDADES DE LOS LITIGIOS MASIVOS. 3. LOS PUNTOS DÉBILES DEL MODELO ESPAÑOL DE ACCIONES COLECTIVAS. *3.1. Dudas jurídicas: demasiadas y demasiado importantes. 3.2. El pequeño problema de la financiación de los costes procesales.* 4. UNA ANTIGUA TÉCNICA: LA ACUMULACIÓN OBJETIVO-SUBJETIVA DE PRE-TENSIONES PUESTA A PRUEBA. *4.1. Algunas razones de los jueces para no admitir la acumulación. 4.2. Las razones de la parte demandada para oponerse a la acumulación: la paja y el grano. 4.3. Los motivos que hay detrás de las razones y el núcleo de los problemas de los litigios en masa.* 5. DE CARA AL FUTURO.

1. NUEVA REALIDAD SOCIOECONÓMICA Y PROCESO CIVIL

El tema general del congreso invita a centrar la atención sobre el papel del proceso civil en una nueva realidad socioeconómica. ¿Sirve para satis-facer las necesidades de esa realidad? ¿Cómo habría que diseñar sus insti-tuciones para que pudiera atender a las mismas de manera eficiente?

Enfrentados con un planteamiento tan ambicioso, lo más prudente es acotar el estudio a alguno de los componentes del proceso civil más urgentemente interpelados por los requerimientos de cambio. Sin duda, un criterio razonable para realizar esa acotación es averiguar cuáles son las características de esa nueva realidad que requiere respuestas por parte de la justicia civil.

Este estudio[1] es una aproximación a esas características y a una parte del proceso civil español que, en la práctica, no está respondiendo adecuadamente a la nueva realidad.

1.1. ¿CUÁLES SON LOS RETOS?

A mi parecer, hay dos rasgos principales en la litigiosidad civil actual y previsiblemente en la futura: el importante crecimiento cuantitativo experimentado por la misma y su composición cualitativa, caracterizada por la frecuencia de casos seriados.

La tasa de litigiosidad civil en España se ha incrementado de manera notable desde que puede disponerse de información estadística merecedora de fiabilidad y tiende a mantener su incremento, salvo mínima variaciones coyunturales.

Respecto del siglo pasado, y considerando un período desde 1948 a 1969[2], los asuntos civiles raramente superaban en alguna anualidad el número de 2 por cada mil habitantes. En el período entre 1970 y 1980, la tasa de asuntos por mil habitantes siempre excedió del número de 2 y tendía a aproximarse a la cifra de 5[3]. Estas cifras eran, sin embargo, incompletas y debían corregirse al alza porque no incluían los asuntos tramitados por los Juzgados Municipales y Comarcales[4]. En el período entre 1983 y 1990, ya computados los asuntos presentados ante los Juzgados de Distrito, en los que se transformaron los juzgados antes mencionados, el número de asuntos civiles por mil habitantes osciló entre 9 y 13,46, preponderando el de 10,50[5]. En el período entre 1998 y 2003, la tasa de

---

1.   La redacción de este trabajo ha finalizado el 6 de septiembre de 2016. Este trabajo se ha realizado en el proyecto de investigación DER2015-69722-R (MINECO/FEDER), financiado por el Ministerio de Economía y Competitividad y el Fondo Europeo de Desarrollo Regional.

2.   Toharia Cortés, J.J., *Cambio social y vida jurídica en España*, Madrid, 1974, p. 173, presenta una tabla para ese período con el número de asuntos contenciosos ingresados en los Juzgados de Primera Instancia y la tasa de asuntos por cada mil habitantes.

3.   Véase la tabla que presenta Toharia Cortés, J.J., «¡*Pleitos tengas!..*». *Introducción a la cultura legal española*, Madrid, 1987, p. 76.

4.   Ortells Ramos, M., «Profesiones jurídicas, formación jurídica y litigiosidad de una sociedad en evolución: El caso de España», en *Revista de la Facultad de Derecho de la Pontificia Universidad Católica del Perú*, núm. 52, Diciembre-1998, Abril-1999, pp. 18 y 21.

5.   Teniendo en cuenta el número de asuntos registrados en cada año, tanto en Juzgados de Primera Instancia, como de Distrito mientras existieron, a partir de los datos

asuntos por mil habitantes era próxima al número de 20 en la mayor parte de anualidades, con clara tendencia a superar esa cifra[6]. La tendencia al crecimiento se confirma con los datos de las anualidades de 2004 a 2015[7], según los cuales la tasa excede en casi todas las anualidades de 30 asuntos por mil habitantes, tiende a aproximarse a los 40 asuntos y supera ese número en alguna anualidad.

Ese aumento de la litigiosidad va acompañado de un importante aspecto cualitativo: hay series de litigios que afectan a un número de personas a veces muy elevado, que tienen su origen en unos mismos hechos o que, de otro modo, comparten elementos comunes relevantes para su resolución.

Este aspecto cualitativo deriva de las transformaciones que ha experimentado el Derecho que rige las relaciones entre los miembros de la sociedad civil si se compara con la situación de finales del siglo XIX y principios del XX. A su vez, la causa principal de ese cambio radica en las importantes transformaciones producidas en la realidad social regulada, debidas al desarrollo social, económico y tecnológico. Esa realidad ha transitado desde un estadio en el que predominaban las relaciones jurídicas singularizadas y aisladas entre sí, hacia otro caracterizado por el predominio de relaciones jurídicas masivas, de situaciones jurídicas que afectan a conjuntos más o menos amplios de personas.

En el ámbito de los derechos de la persona, existen potentes procesos de toma de conciencia y de autoafirmación de los derechos civiles por diversos grupos sociales y que han conducido a legislaciones de protección de la igualdad frente a discriminación por diversas causas (raza, género, religión, discapacidad) y en diversos ámbitos de la vida social. También crece

---

de los Anuarios del Instituto Nacional de Estadística de 1990, 1993, 1995 y 1997 – accesibles en http://www.poderjudicial.es/cgpj/es/Temas/Estadistica-Judicial/ Estadistica-historica/– y los datos de población publicados por el INE, Anuario Estadístico 1990 -accesible en: http://www.ine.es/inebaseweb/treeNavigation.do? tn=157991&tns=158009#158009-, las tasas de asuntos registrados por cada mil habitantes son las siguientes para las anualidades que se indican: 1983: 9,03; 1984:10,48; 1985:11,03; 1986:10,44; 1987:10,65; 1988: 11,10; 1989:11,32; 1990:13,46.

6. A partir del número de asuntos ingresados en primera instancia de los que informan las estadísticas del CGPJ y los datos de población publicados por el INE, las tasas (número de asuntos por 1000 habitantes) son las siguientes para las anualidades que se indican: 1998: 23,17; 1999: 17,97; 2000: 19,03; 200: 17,10; 2002: 23,88; 2003: 26,78.

7. La información que ofrece la publicación del CGPJ, *La Justicia Dato a Dato, Año 2015*, accesible en http://www.poderjudicial.es/cgpj/es/Temas/Estadistica-Judicial/ Analisis-estadistico/La-Justicia-dato-a-dato, de cada uno de los años de la serie mencionada es la siguiente: 2004: 28'01; 2005: 29'54; 2006: 30'6; 2007: 32'0; 2008: 37'0; 2009: 43'3; 2010: 42'2; 2011: 38; 2012: 38'9; 2013: 35'4; 2014: 39'5; 2015: 42'3.

la necesidad de protección de los derechos de la personalidad –derecho a la intimidad personal y familiar– especialmente amenazados por avances tecnológicos de amplio potencial lesivo, como los medios de tratamiento automatizado de datos de carácter personal.

En el plano patrimonial la nueva realidad se caracteriza por una actividad contractual masiva con diferentes manifestaciones:

a) La producción industrial en masa, acompañada de la fuerte explotación de los recursos naturales, hace necesario el establecimiento de vínculos contractuales abundantes para relacionar a los distintos agentes de los procesos productivos y la estandarización de esos vínculos para optimizar los resultados.

b) Entre esos vínculos contractuales destacan los que regulan las relaciones laborales, necesariamente masificadas por los niveles de producción de bienes y servicios que se persigue alcanzar. Ligadas a esas relaciones aparecen otras –también masivas– para la protección frente a diversos riesgos relacionados con el trabajo.

c) La producción industrial en masa va acompañada de procesos de comercialización igualmente masificados y que tienden a establecer estándares contractuales.

d) El sector económico de los servicios se ha desarrollado también con las mismas características de masificación y tendencia a la estandarización contractual (transportes, turismo, servicios de telecomunicaciones y, muy destacadamente, por su importancia sistémica, los servicios financieros).

e) Obviamente, la masificación en la etapa de generación de bienes y servicios va dirigida a una última serie de operaciones contractuales masivas de adquisición de los mismos por los consumidores y usuarios.

Esas realidades generan unas necesidades de regulación que son atendidas en cada ordenamiento por normas sobre las relaciones laborales y de seguridad social vinculada a las mismas, las condiciones generales de la contratación –con una regulación que protege a los agentes económicos (fabricantes y prestadores de servicios) y a los consumidores y usuarios– y un régimen general de protección de los consumidores y usuarios. Son objeto de regulación más especializada –con fines de protección de diferentes agentes económicos, entre ellos, principalmente, de los consumidores– la prestación de servicios de telecomunicaciones, el mercado de la energía, la actividad de entidades dedicadas a servicios crediticios, a la gestión de fondos de inversión colectiva, las actividades de emisión y negociación de instrumentos financieros en mercados de valores, y, cerrando un intento no exhaustivo de enumeración, la prestación de servicios de seguro.

También en el plano patrimonial, el sistema económico está sujeto a unas reglas objetivas para garantizar su buen funcionamiento, cuya infracción también tiene una potencialidad lesiva de amplio espectro, frente a la que los ordenamientos responden mediante un régimen de prohibición de conductas contrarias a la libre competencia, destinado a proteger el buen orden de la economía, a los agentes económicos y a los consumidores y usuarios.

Por otra parte, la explotación intensiva de recursos naturales y determinadas tecnologías utilizadas en los procesos productivos, crean riesgos que amenazan a amplios grupos de población. De ahí, la necesidad de ordenaciones de protección del ambiente y sobre la explotación de la energía nuclear.

En fin, los avances tecnológicos, al tiempo que posibilitan la producción de sustancias curativas eficaces, pueden crear riesgos para la salud, lo que aconseja establecer un régimen específico de producción y comercialización de sustancias que puedan afectar a la salud pública. También son razones de salud pública las que, a partir de los conocimientos adquiridos mediante el progreso científico, justifican una regulación limitativa del consumo público del tabaco.

1.2. ALGUNAS RESPUESTAS

Una realidad con las características que, muy resumidamente, se acaban de describir y el Derecho que la ordena generan necesidades de aplicación del Derecho que pueden ser atendidas con técnicas muy diversas y no todas encuadradas en el régimen del proceso civil. En lo que sigue me limitaré a esbozar algunas de ellas.

a) El propio Derecho material que regula sectores de la realidad social con elevada potencialidad de originar litigios puede ser configurado de tal modo que reduzca el riesgo de litigiosidad. Menciono, a título de ejemplo, el régimen de responsabilidad civil por daños en accidentes de circulación. Un conjunto de componentes –responsabilidad objetiva, seguro obligatorio para daños personales, fondo de garantía para casos de falta de seguro y baremo legal preceptivo para la valoración de los daños personales– contribuye a facilitar los acuerdos entre compañías aseguradoras y perjudicados porque hace muy previsible el sentido y contenido de un eventual pronunciamiento judicial[8].

b) Si los intereses jurídicos exceden el ámbito individual y alcanzan la consideración de intereses sociales, colectivos, o hasta públicos –por la generalidad de las personas afectadas– el Estado puede asumir, a través del Poder ejecutivo y de la Administración pública, la función de imponer el cumplimiento de las normas legales mediante poderes de autorización o de prohibición de actividades, acompañados de poderes de sanción a quien haya realizado actividades no autorizadas o prohibidas. La Administración puede imponer sus resoluciones sin necesidad de acudir a los tribunales de justicia, como regla general y sin perjuicio del posterior control judicial. Éste es un modelo de actuación del Derecho que corresponde a la tradición jurídica de los países europeos de Derecho continental sobre el que H. Kelsen teorizó calificándolo como «administración indirecta»[9]. Si estas potestades administrativas de actuación del Derecho funcionan con efectividad, la consecuencia será la disuasión de conductas lesivas de los derechos e intereses jurídicos de un amplio número de personas y, en esa medida, la reducción de las situaciones en las que esas personas tengan la necesidad de pedir tutela judicial[10].

c) Enfrentada la justicia civil a un aumento creciente de la litigiosidad y, al mismo tiempo, al estancamiento e incluso disminución

---

8. La STC (Pleno) núm. 181/2000, de 29 junio (RTC 2000, 181), desestimó una cuestión de inconstitucionalidad del baremo preceptivo, recordando, en el fj. 13.°, las razones que excluyen que esa norma legal pueda considerase arbitraria; a saber: frente a la situación precedente en la que la disparidad de criterios judiciales generaba desigualdad e inseguridad jurídica, el baremo preceptivo, entre otras cosas, servía de marco «para alcanzar acuerdos transaccionales [...] reducir la litigiosidad».

9. H. KELSEN, *Teoría General del Derecho y del Estado*, utilizo una edición de México, 1969, (trad. GARCÍA MÁINEZ, E.), pp. 323–334.

10. Detrás de esto hay un mundo, pero no es este el momento de explorarlo. Remito a la aproximación que hice en ORTELLS RAMOS, M., «Protecting supra-individual legal interest: Enforcement action by public administration institutions, civil justice and a combination of protection systems», en GOTTWALD, P., HESS, B., Eds., *Procedural Justice*, Gieseking, Bielefeld, 2014, pp. 336–345, 368–386; en castellano en *Ius et Praxis*, año 17, núm. 2, 2011, pp. 425–434, 461–481. Por otra parte, la previsible mayor efectividad de la Administración para ejercitar potestades con finalidad preventiva de conductas ilícitas queda, a veces, claramente en entredicho. El BOE de 19 de abril de 2015 publicaba la parte dispositiva de la resolución sancionadora de la Comisión Nacional del Mercado de Valores a Caixa Galicia y a Caixanova por, entre otras cosas, infracciones consistentes en incumplimiento de específicas obligaciones de información en las operaciones de venta de ciertos productos financieros complejos desde el 1 de marzo de 2008 y el 13 de septiembre de 2013. A buenas horas, mangas verdes.

del gasto público asignado a su financiación[11], se ha reaccionado, por un lado, mediante la promoción de medios no judiciales de solución de controversias, como la mediación[12], y, por otro lado, con diversas iniciativas para mejorar la eficiencia de los servicios auxiliares de la jurisdicción –nuevas funciones de los antes llamados secretarios judiciales, nueva oficina judicial e informatización de las actividades procesales antes escritas–[13] y para optimizar el aprovechamiento de la capacidad de trabajo de los jueces –jueces de adscripción territorial, especialización y, en general, normas orientadas a facilitar una distribución más equilibrada de la carga de trabajo entre órganos jurisdiccionales, así como la agilidad de la respuesta ante las variaciones de esa carga–[14].

2. EL DESEQUILIBRIO ACTUAL DE LAS RESPUESTAS DEL PROCESO CIVIL ANTE LAS NECESIDADES DE LOS LITIGIOS MASIVOS

En todo caso, los litigios en masa constituyen un reto para la ordenación del proceso civil, tradicionalmente centrada en la singularidad de cada asunto litigioso.

Los problemas que plantea ese reto han sido afrontados, en Derecho español y hasta el momento, con desequilibrio en cuanto a la efectividad de las soluciones.

---

11. PASTOR PRIETO, S., «¿Penuria de medios? Un análisis empírico de los costes públicos y privados visibles y ocultos de la Justicia», *La justicia procesal*, CGPJ, Madrid, 2009, p. 353, indica que: «En términos nominales, el gasto se duplicó entre 2000 y 2007, un crecimiento superior al de todo el decenio 1990–2000. En términos reales, el aumento del gasto fue de casi un 70% entre 2000 y 2007, frente a algo menos del 40% en el decenio 1990–2000». Para anualidades posteriores, según los datos que ofrece CGPJ, *La Justicia Dato a Dato*, en las sucesivas ediciones correspondientes a los años que se mencionan a continuación –accesibles en http://www.poderjudicial.es/cgpj/es/Temas/Estadistica-Judicial/Analisis-estadistico/La-Justicia-dato-a-dato- los porcentajes de variación de las asignaciones presupuestarias para justicia respecto de la anualidad precedente han sido los siguientes: 2008: 9,66%; 2009: 4,3%; 2010: 7,5%; 2011: -3,87; 2012: -0,5%; 2013: -3,7%; 2014: -2,4%; 2015: -0,8%.

12. Sobre la efectividad de la mediación para reducir la litigiosidad y ciertas incoherencias en su regulación ORTELLS RAMOS, M., «La justicia civil en España. Avances, retrocesos, estancamiento», ponencia invitada para las Jornadas Iberoamericanas de Derecho Procesal, Recife, 15–17 septiembre 2016, pendiente de publicación, apartado VII.2.

13. ORTELLS RAMOS, «La justicia civil en España. Avances, retrocesos, estancamiento», cit., apartado III, 1, 2 y 3.

14. ORTELLS RAMOS, «La justicia civil en España. Avances, retrocesos, estancamiento», cit., apartado IV.

En parte, han sido tratados con notable éxito. Basta recordar algunos hitos de la breve historia del procedimiento monitorio en el proceso civil español y los porcentajes que alcanza este procedimiento sobre el conjunto de los procesos declarativos y sus resultados de pago o de rápida creación de título ejecutivo.

El modelo de respuesta a la litigiosidad masiva, en el caso del procedimiento monitorio, descansa, en primer lugar, en la constatación de que el funcionamiento de una economía avanzada implica un número muy elevado de transacciones que originan créditos dinerarios reclamables y, en segundo lugar, de que, según datos estadísticos o una intuición que se ha revelado acertada, un número muy elevado de tales reclamaciones no encuentra oposición por parte de los deudores. A partir de esos presupuestos se diseña un procedimiento que, rodeando en todo caso de la máxima garantía el derecho de defensa[15], posibilita que una larga serie de litigios que se ajustan a aquel modelo no sobrecargue a los tribunales con actividades procesales inútiles y permite que los demandantes obtengan la tutela judicial con mayor celeridad y menor coste[16].

Desde la entrada en vigor de la LEC/2000 el procedimiento monitorio –inicialmente limitado a reclamaciones de deudas dinerarias, liquidas, de importe no superior a cinco millones de pesetas y con alguna acreditación, en principio documental– demostró su utilidad para aliviar la carga de trabajo de los tribunales en la tramitación de los procedimientos declarativos.

Hasta 2010 el porcentaje de monitorios sobre el total de procedimientos declarativos creció del 29'5 % (2002) hasta el 61'2 % (2010)[17]. Además,

---

15. El Derecho español ha resuelto correctamente la protección del derecho a la contradicción, porque el requerimiento de pago debe ser notificado personalmente al designado como deudor o, de no hallarse el mismo ocasionalmente presente en su domicilio o lugar asimilado, a personas vinculadas al mismo y con el deber legal de entregarle el documento: CORREA DELCASSO, J. P., *El proceso monitorio en la nueva Ley de Enjuiciamiento Civil*, Marcial Pons, Madrid, 2000, pp. 170–185; BONET NAVARRO, J., *Los procedimientos monitorios civiles en Derecho español*, Thomson Reuters Aranzadi, Cizur Menor, 2014, pp. 113–118; PLANCHADELL GARGALLO, A., *La tutela del crédito en el proceso monitorio*, La Ley, Madrid, 2015, pp. 118–123.

16. Las diferencias en cuanto a trámites y duración del procedimiento para alcanzar un título ejecutivo son las que existen entre deber seguir, frecuentemente en rebeldía del demandado, el procedimiento adecuado por la cuantía hasta la sentencia –firme, si el ordenamiento no facilita la ejecución provisional–, frente a la rápida producción de un título ejecutivo en el caso de que el demandado no pague o no exprese positivamente su voluntad de litigar.

17. Para los datos hasta 2009, *Datos de Justicia. Boletín Información Estadística N.º 22-Noviembre 2010*, accesible en http://www.poderjudicial.es/cgpj/es/Temas/

de los procedimientos monitorios registrados anualmente, sólo porcentajes que, sumados, raramente han superado el 10 % en cada año desde la entrada en vigor de la LEC/2000, se han transformado, por la oposición del requerido de pago, en juicio ordinario o en juicio verbal, mientras que, a lo largo de esos años, porcentajes que han oscilado entre el 35'8 % y el 44'3 %, y más frecuentemente próximos a la última cifra, han terminado con la creación de título ejecutivo. El resultado de pago ha tenido, sin embargo, porcentajes decrecientes desde 2002 (20'4 %) hasta 2010 (7'7 %)[18].

Estos resultados de la técnica monitoria estimularon al legislador a ampliar su ámbito de aplicación en una doble dirección. Por un lado, una reforma de 2009 elevó a 250.000 euros el límite máximo de la deuda reclamable por este procedimiento, hasta que una reforma de 2011 ha eliminado totalmente ese límite. Por otra parte, la última reforma citada extendió la aplicación de la técnica monitoria a las pretensiones de desahucio arrendaticio por falta de pago[19].

Actualizando datos a 2014, los procedimientos monitorios comunes oscilan entre el 55 % y el 50 % de los procedimientos declarativos registrados en cada año[20], con porcentajes muy bajos de transformación a procedimientos declarativos comunes a instancia del requerido de pago[21] y con porcentajes de creación de títulos ejecutivos tendiendo hacia el 40 %[22].

Estadistica-Judicial/Analisis-estadistico/Datos-de-la-Justicia/Evolucion-del-proceso-monitorio—III—-N—22—noviembre-2010. Para los datos de 2010, *Memoria del CGPJ*, 2011, apartado «Panorámica de la justicia 2010», p. 12, accesible en http://www.poderjudicial.es/cgpj/es/Poder-Judicial/Consejo-General-del-Poder-Judicial/Actividad-del-CGPJ/Memorias.

18. Los datos pueden encontrarse en las ediciones de las correspondientes anualidades de CGPJ, *La Justicia Dato a Dato* –accesibles en http://www.poderjudicial.es/cgpj/es/Temas/Estadistica-Judicial/Analisis-estadistico/La-Justicia-dato-a-dato-.

19. BONET NAVARRO, *Los procedimientos monitorios civiles en Derecho español*, cit. pp. 209–228.

20. Específicamente: 2011: 55'5 %; 2012: 55 %; 2013: 50'4 %; 2014: 52'8 % (Fuente: Memorias del CGPJ de, respectivamente, 2012, 2013, 2014 y 2015, accesibles en http://www.poderjudicial.es/cgpj/es/Poder-Judicial/Consejo-General-del-Poder-Judicial/Actividad-del-CGPJ/Memorias).

21. Específicamente: 2011: 6'2 %; 2012: 7'6; 2013: 8'5; 2014: 8'4 (Fuente: *La Justicia Dato a Dato*, 2011, 2012, 2013 y 2014, respectivamente -accesibles en http://www.poderjudicial.es/cgpj/es/Temas/Estadistica-Judicial/Analisis-estadistico/La-Justicia-dato-a-dato-).

22. Específicamente: 2011: 38'2 %; 2012: 39'0 %; 2013: 40'3 %; 2014: 37'4 ((Fuente: *La Justicia Dato a Dato*, 2011, 2012, 2013 y 2014, respectivamente -accesibles en http://www.poderjudicial.es/cgpj/es/Temas/Estadistica-Judicial/Analisis-estadistico/La-Justicia-dato-a-dato-).

Es indudable que los prestadores de bienes y servicios cuentan con un medio extraordinariamente efectivo para la tutela judicial de los créditos que genera su actividad. Gran cantidad de créditos que pueden derivar en situaciones litigiosas que responden a un modelo estandarizado de deudor inactivo han encontrado en la técnica monitoria una reacción adecuada.

Por el contrario, no están siendo tan efectivas las soluciones destinadas a tratar la litigiosidad masiva de dirección inversa: la de los adquirentes de bienes y servicios que se prestan en régimen sustancialmente estandarizado contra los prestadores de los mismos, o la de los perjudicados contra los agentes causantes de daños masivos.

Los dos instrumentos que habilita el Derecho español presentan deficiencias. Es deficiente el instrumento más moderno; es decir, la legitimación, principalmente, de determinadas asociaciones para una petición de tutela judicial de los derechos e intereses jurídicos afectados de manera masiva. También ha funcionado con dificultad el instrumento más antiguo; a saber, la acumulación objetivo-subjetiva de pretensiones en una única demanda.

3. LOS PUNTOS DÉBILES DEL MODELO ESPAÑOL DE ACCIONES COLECTIVAS

Me referiré, en primer lugar, a cuáles son, en mi opinión, las causas que han obstaculizado el funcionamiento práctico del modelo español de acciones colectivas. Ese modelo es el que, desde el artículo 7.3 LOPJ y, en el proceso civil, desde la especificación de las previsiones de ese artículo mediante un bloque de preceptos de la LEC/2000, abre un camino para que una entidad diferente a cada singular interesado pretenda tutela judicial, involucrando con esa petición a un conjunto de personas cuyos derechos e intereses –o derechos e intereses en los que esas personas participan– hayan sido lesionados por una causa común.

No me propongo, según la metodología habitualmente aplicada en estudios jurídicos, entrar a debatir si una buena interpretación de las normas que rigen la materia permitiría superar los obstáculos a los que me referiré, sino detectar por qué es difícil llegar a interpretaciones que efectivamente consigan superarlos.

3.1. DUDAS JURÍDICAS: DEMASIADAS Y DEMASIADO IMPORTANTES

Una ordenación novedosa, que implica cambios esenciales respecto del proceso civil tradicional, ha de ser especialmente clara ante las cuestiones fundamentales a las que afecta. La imprecisión no fomentará su aplicación; es más, favorecerá la retracción de quienes han de activar las posibilidades que abre. En mi opinión, las dudas jurídicas que deja abiertas el régimen que comentamos frenan tanto a las asociaciones que reúnen los requisitos previos para estar legitimadas, como a los eventuales afectados por esta clase de tutela judicial.

3.1.1. Las dudas que pueden frenan a las asociaciones legitimadas

Las legitimaciones del artículo 11 LEC, con las normas relacionadas de los artículos 15, 256.6.ª, 221 y 519 LEC están previstas respecto de pretensiones de consumidores y usuarios[23]. Parece que el legislador considera esencial esa acotación de la legitimación, porque, cuando estimó que en otras materias jurídicas debía establecerla también, lo dispuso mediante norma expresa como la relativa a su extensión a las pretensiones de adherentes en materia de condiciones generales de la contratación[24]. Esta acotación legal proyecta dudas importantes sobre si una legitimación para pretender, en el proceso civil, tutela en favor de una pluralidad de titulares de derechos individuales afectados por una causa común existe también, y se hace efectiva con sujeción al régimen de las disposiciones mencionadas, en materias jurídicas diferentes a las fijadas por la LEC, en sí misma y en la norma que modificó la LCGC[25]. A veces la duda se refiere a si el caso está incluido en alguno de los supuestos legales de reconocimiento de esa legitimación, como, por ejemplo, si las personas o entidades que concurren a una oferta pública de acciones, respecto de la que se originan después reclamaciones por una causa común a las diversas adquisiciones, reúnen las cualidades que la ley requiere, de las que solo

---

23. Sobre dificultades para determinar esta calidad condicionante de las modalidades de legitimación del artículo 11 LEC, Juan Sánchez, R., *La legitimación en el proceso civil*, Aranzadi, Cizur Menor, 2015, pp. 372–376.

24. Téngase en cuenta que la Disp. Ad. 4.ª LCGC, introducida por la DA 6.ª Ley 1/2000, dispone que: «Las referencias contenidas en la Ley de Enjuiciamiento Civil a los consumidores y usuarios, deberán entenderse realizadas a todo adherente, sea o no consumidor o usuario, en los litigios en que se ejerciten acciones individuales o colectivas derivadas de la presente Ley de Condiciones Generales de la Contratación.

    Asimismo, las referencias contenidas en la Ley de Enjuiciamiento Civil a las asociaciones de consumidores y usuarios, deberán considerarse aplicables igualmente, en los litigios en que se ejerciten acciones colectivas contempladas en la presente Ley de Condiciones Generales de la Contratación, a las demás personas y entes legitimados activamente para su ejercicio».

25. Gutiérrez De Cabiedes, P., *Comentarios a la Ley de Enjuiciamiento Civil*, I, (Dir. Cordón Moreno, F., Armenta Deu, T., Muerza Esparza, J., Tapia Fernández, I.), Aranzadi, Elcano, 2001, pp. 145–146.

quedarían excluidos los inversores institucionales o cualificados. En otros supuestos, las dudas son más radicales, porque, en principio, la materia no tiene acogida en aquellas determinaciones de la LEC. Ocurre así, por ejemplo, respecto de la legitimación de asociaciones profesionales o representativas de intereses económicos para pretender, no al amparo del régimen de las condiciones generales de contratación, sino del Derecho de la competencia, tutela en favor de una pluralidad de titulares de derechos individuales perjudicados por una causa común; y respecto de la legitimación de asociaciones o grupos para pretender tutela de una pluralidad de afectados por actos ilícitos determinantes de responsabilidad extracontractual en sentido estricto.

Por otro lado, el presupuesto más importante para que entren en juego las legitimaciones del artículo 11 LEC respecto de pretensiones en favor de una pluralidad de titulares de derechos individuales es que estos titulares hayan sido «perjudicados por un hecho dañoso». La expresión tiene, de entrada, cierta limitación semántica: un hecho que causa daños parece ser una clásica descripción del presupuesto de la responsabilidad extracontractual –si se quiere, también contractual, si por conducta dañosa se entiende el incumplimiento o cumplimiento defectuoso de las obligaciones contractuales–, la consecuencia seria la indemnización del daño causado o la condena a prestación correspondiente al incumplimiento contractual. Han tenido que ser la jurisprudencia y la literatura jurídica las que superen esa limitación y concluyan que por «hecho dañoso» hay que entender, también, el que tiene consecuencias negativas sobre la validez y eficacia de un contrato y origina, según el régimen jurídico de tal «hecho», consecuencias de nulidad, anulación, rescisión o resolución, solas –con la liberación de obligaciones y responsabilidades derivadas– o acompañadas de condenas a prestación si procede[26]. De nuevo un obstáculo jurídico que parece superable. No obstante, si se toman en consideración las dificultades con las que se han enfrentado los intentos de acumular en un único acto de demanda pretensiones de varios demandantes y se observa que estas dificultades se basan en la puesta en cuestión de que la

---

26. Gascón Inchausti, F., *Tutela judicial de los consumidores y transacciones colectivas*, Civitas, Madrid, 2010, pp. 19–21, 109–115; Juan Sánchez, *La legitimación en el proceso civil*, cit., p. 382. Ese entendimiento de «hecho dañoso» se muestra también en el artículo 53 LGDCU que dispone que: «Serán acumulables a cualquier acción de cesación interpuesta por asociaciones de consumidores y usuarios la de nulidad y anulabilidad, de incumplimiento de obligaciones, la de resolución o rescisión contractual y la de restitución de cantidades que se hubiesen cobrado en virtud de la realización de las conductas o estipulaciones o condiciones generales declaradas abusivas o no transparentes, así como la de indemnización de daños y perjuicios que hubiere causado la aplicación de tales cláusulas o prácticas».

causa de pedir, una parte de ella y/o hechos constitutivos sean comunes a las varias pretensiones acumuladas[27], cabe sospechar que un intento de demandar haciendo valer las legitimaciones del artículo 11 LEC podría tener que enfrentarse con el obstáculo de que no hay un mismo y un solo «hecho dañoso» que haya «perjudicado» a los titulares de los derechos para los que se pide tutela.

Superadas las dudas jurídicas que acabo de mencionar, la asociación que se proponga demandar se enfrenta con el cumplimiento de los requisitos del artículo 15 LEC. Esto encierra dudas jurídicas de base salvo que se trate de demandas en favor de consumidores, usuarios y adherentes a condiciones generales de la contratación, porque el artículo 15 insiste en referirse solo a demandas en favor de esa clase de afectados, no a todas en las que se pida tutela en favor de una pluralidad de afectados por una causa común.

Por lo demás, el cumplimiento de los requisitos del artículo 15 se enfrenta a obstáculos económicos y jurídicos que se entrecruzan para disuadir intentos razonables de demandar. Además de asumir el importante coste de comunicar el proyecto de demandar a todos los interesados, de una forma que pueda acreditarse ante el juez, o de publicar la presentación de la demanda en los medios de comunicación con difusión en el ámbito territorial en el que se ha manifestado la lesión de los derechos[28], la entidad legitimada deberá superar varios obstáculos jurídicos.

El primero deriva de un problema de comprensión de las consecuencias del criterio distintivo de la perfecta determinación y de la fácil, o no fácil, determinación de los «perjudicados por el hecho dañoso», que utiliza el artículo 11.2 y 3 LEC para atribuir legitimación a las asociaciones

---

27. Sobre este posible obstáculo, GUTIÉRREZ DE CABIEDES, *Comentarios*, I, cit., pp. 148–149. Y, en este trabajo, el apartado 4.

28. GUTIÉRREZ DE CABIEDES, *Comentarios*, I, cit., pp. 216–217, quien, además, considera que, en el caso de interesados determinados o de fácil determinación, ha de realizarse tanto la publicidad del artículo 15.1 LEC, como la información del artículo 15.2 LEC. Crítica con la doble comunicación, a cargo del demandante, sin que el coste de la primera comunicación tenga calidad de costas, GONZÁLEZ CANO, M. I., *La tutela colectiva de consumidores y usuarios en el proceso civil*, Tirant lo Blanch, Valencia, 2002, p. 184. La publicación de la admisión de la demanda en diarios no oficiales no está incluida en las prestaciones de la asistencia jurídica gratuita, por lo que el demandante deberá asumir el coste: DE LUCCHI LÓPEZ-TAPIA, Y., *La tutela jurisdiccional civil de los intereses de consumidores y usuarios*, Edisofer, Madrid, 2005, p. 112; PLANCHADELL GARGALLO, *Las «acciones colectivas» en el ordenamiento jurídico español. Un estudio comparado*, Tirant lo Blanch, Valencia, 2014, pp. 149 y 163, lo que puede suponer un insuperable obstáculo para la petición de tutela judicial según este régimen.

de consumidores en general o a algunas cualificadas[29]. La determinación puede ser fácil, en el sentido de que existen los datos necesarios para hacerla y estos son accesibles para alguien que debe suministrar esa información, pero los «perjudicados» pueden ser miles y con gran dispersión geográfica. En el segundo caso, ¿podrá una asociación «no representativa» presentar una demanda con potencialidad para afectar a todos los «perjudicados»? ¿Tendrá la carga de hacerlo, aunque le fuera organizativamente más conveniente referir su demanda solo a una parte de los interesados acotada por determinada referencia geográfica o de otro modo?

En segundo lugar, la asociación que se proponga demandar puede necesitar información de datos para realizar la comunicación a los interesados –perjudicados perfectamente determinados o fácilmente determinables– que le exige la ley. Parecería que la diligencia preliminar del artículo 256.1.6.° LEC va a posibilitar un razonablemente fácil modo de satisfacer esa necesidad de información. No obstante, basta ver el caso resuelto por la STC 96/2012, de 7 de mayo, y la sentencia misma, para darse cuenta de las dificultades que habrá que arrostrar para conseguir la diligencia preliminar y su ejecución forzosa en caso de incumplimiento[30].

Después de haber publicado la información o, en su caso y si ha conseguido obtener los datos necesarios, de haber practicado la comunicación a los interesados determinados, la asociación que se proponga demandar puede encontrarse con que las cantidades destinadas a financiar estas actuaciones no han servido para que un número suficiente opte por ser incluido en la tutela pretendida.

Tal vez sería más exacto decir que la asociación, tras haber asumido esa pesada carga desconocerá a qué número de afectados por el «hecho dañoso» alcanzará la tutela que va a pretender. En efecto, la LEC es, de entrada, imprecisa en cuanto a si la afectación de la cosa juzgada y otros efectos de la sentencia que se dicte dependen de que los interesados

---

29. Crítico con esta distinción porque no se justifica en caso de demanda en tutela de pluralidad de derechos lesionados por causa común, GUTIÉRREZ DE CABIEDES, *Comentarios*, I, cit., pp. 158–159.

30. En el caso de la Sentencia del Tribunal Constitucional (Sala Primera) 96/2012 de 7 mayo de 2012, (RTC 2012, 96) se estimó el recurso de amparo interpuesto por BBVA contra auto de Juzgado de Primera Instancia por el que se resolvía requerir a esa entidad para que aportase al Juzgado, para su entrega a la parte actora, los listados en fichero electrónico de sus clientes personas físicas que hubieran contratado determinados productos financieros en relación con los cuales ADICAE proyectaba presentar pretensión de cesación y otras pretensiones acumuladas. Remito a los fundamentos jurídicos 9, 10 y 11 de la sentencia citada para la precisión de los requisitos que han de cumplirse para que la diligencia pueda ser obtenida y ejecutada sin lesionar el derecho fundamental a la protección de datos de carácter personal (art. 18.4 CE).

hayan declarado expresamente su voluntad de ser afectados por el resultado del proceso que inicia la asociación demandante (*opt-in*) o de que no hayan declarado su voluntad de ser excluidos de ese proceso (*opt-out*). La corriente doctrinal predominante entiende que se habría establecido un sistema *opt-out* defectuoso, por incompleta regulación de la facultad de exclusión[31]. No diré que esta conclusión sea incorrecta. Me limitaré a apuntar que ésta es la auténtica cuestión clave en el régimen de la materia que estamos considerando, que ese modo de regularla supone un limitación radical del que se considera contenido esencial del principio dispositivo –poder de control excluyente sobre la petición de tutela judicial de los derechos propios–, por lo que la falta de una configuración clara y completa del ejercicio de la facultad de exclusión o inclusión es muestra de una técnica legislativa más que deficiente, que tendrá como consecuencia la inaplicación, o una tortuosa aplicación, de la regulación (no) establecida.

Además, la inseguridad respecto de los interesados que van a quedar afectados por los resultados del proceso puede conducir a que, después de haber asumido la asociación los elevados costes de la publicación e

---

31.   La imprecisión legal convierte en cuestión dudosa lo que debería ser una nítida regulación para que una institución que es novedosa en nuestro ordenamiento funcionara sin problemas en la práctica. GUTIÉRREZ DE CABIEDES, *Comentarios*, I, cit., p. 158–159, 218, entiende que lo que subyace a la regulación de los arts. 11 y 15 LEC es una representación tácita o presunta de los titulares de los derechos, pero, en mi opinión, le falta definirse con claridad respecto de si la voluntad de otorgar esa representación se entendería manifestada tanto si el interesado declara su voluntad de conferirla, como si omite hacer una expresa declaración de la voluntad de no conferirla; lo que el autor indica en p. 220 –recordando, en el contexto de la explicación del artículo 15 LEC, que la cosa juzgada afectará tanto al comparecido, como al no comparecido– parece indicar que se inclina por la segunda opción. Y así, también, GONZÁLEZ CANO, *La tutela colectiva*, cit., p. 241; aunque, en p. 261, se muestra crítica con la falta de previsión de un sistema de autoexclusión. En parecido sentido, DE LUCCHI LÓPEZ-TAPIA, *La tutela jurisdiccional civil*, cit., p. 137. Para algunos autores la regulación no requiere un *opt-in*, pero tampoco permite un *opt-out*, sino que sólo deja a los titulares de los derechos individuales la posibilidad de defenderlos interviniendo en el proceso, de cuya pendencia se les ha informado: GARNICA MARTÍN, J., en *Comentarios a la nueva Ley de Enjuiciamiento Civil*, I, Iurgium, Barcelona, 2000, (FERNÁNDEZ-LÓPEZ BALLESTEROS, M. A., y otros, Coord.), p. 234; PLANCHADELL GARGALLO, *Las «acciones colectivas»*, cit., pp. 154–155; no obstante, habrá que reconocer que quienes se personen pueden desistir de la pretensión relativa a su propio derecho, lo que en sustancia significa un sistema *opt-out*, aunque, eso sí, con elevados costes de actuación. GASCÓN INCHAUSTI, *Tutela judicial de los consumidores*, cit., pp. 124–127, concluye que se ha establecido un sistema *opt-out*, con defectuosa o inexistente regulación de la forma de ejercicio, de modo que el llamamiento para hacer valer el derecho o interés individual se hace tanto a los efectos de personarse el interesado, como a los efectos de permitirle retirar del proceso la pretensión de tutela de su derecho individual; y en ese mismo sentido, JUAN SÁNCHEZ, *La legitimación en el proceso civil*, cit., p. 383.

información que la ley le impone, se encuentre con que el número de los interesados que puedan ser afectados sea muy bajo, de modo que a la asociación no le compensen los costes que, en parte, ya ha realizado, ni los que tendrá que asumir para continuar el proceso que inicia su demanda. Con ser este un problema relevante, en realidad la cuestión del coste de la actividad procesal para la asociación demandante es más radical como veremos en el siguiente apartado 3.2.

3.1.2. Las dudas que inciden sobre la actitud de los afectados

Otras causas que obstaculizan el funcionamiento del modelo español de acciones colectivas radican en la actitud de los propios titulares de los derechos que se afirman lesionados y cuya tutela la asociación se propone demandar.

Por un lado, los arts. 11, 15, 221 y 519 LEC incurren en una confusa referencia a los intereses colectivos y difusos junto a los intereses (derechos) individuales de una pluralidad de personas lesionados por una causa común[32]. Esa confusión puede provocar desconfianza y retraimiento en quienes tienen conciencia de que lo que quieren es obtener tutela de un derecho individual. Temen ver ese derecho perdido o disminuido en un magma colectivizado. Como máximo estarían dispuestos a colectivizar los costes para optimizarlos en la petición de tutela de varios derechos individuales[33].

Por lo demás, el artículo 15 LEC permite, con alguna limitación, la personación procesal individual de los interesados en los procesos iniciados por la demanda de la asociación. Es cierto que esta regulación se justifica por el respeto al derecho fundamental a la tutela judicial efectiva[34], pero también es cierto que aquella desconfianza frente a la acción judicial

---

32. Acerca de la imprecisión de la LEC a la hora de distinguir, y establecer con claridad un tratamiento diferente, entre tutela de intereses colectivos y difusos y tutela de derechos individuales plurales y conexos, GUTIÉRREZ DE CABIEDES, *Comentarios*, I, cit., pp. 140–145, 148, 157–158.

33. Los despachos profesionales, aunque probablemente por la razón distinta de las dificultades de admisión de demandas con pretensiones en acumulación objetivo subjetiva, en el caso de las reclamaciones por la salida a Bolsa de Bankia hicieron publicidad de sus servicios enfatizando la mayor expectativa de éxito de las demandas individuales y explotando la reticencia frente a la acción colectiva: http://bufetecastaneda.com/index.php/noticias/item/117-acciones-bankia-reclamacion; http://lorenzoabogados.com/afectados-bankia; http://www.navascusi.com/los-jueces-dicen-no-la-acumulacion-de-acciones-en-las-reclamaciones-contra-bankia; http://www.reclamacionesfinancieras.com/index.php/casos/acciones-bankia (última visita 1 agosto 2015).

34. GUTIÉRREZ DE CABIEDES, *Comentarios*, I, cit., p. 212.

colectiva puede fomentar las actividades procesales individuales, lo que abre la posibilidad de que se complique sobremanera la actividad procesal y pone en cuestión la eficacia de la regulación precisamente para el tratamiento de litigios masivos. Los problemas son similares, como veremos en el apartado 4.1, a los que puede plantear la técnica de la acumulación de procesos y que, sin embargo, no existen en la acumulación de pretensiones en la demanda que inicia el proceso. La salida habrá que buscarla en otros modos de respetar el contenido esencial de aquel derecho fundamental que no impongan, inevitablemente, que cada titular de un derecho individual afectado pueda realizar todos los actos procesales propios de un parte en un proceso de declaración.

3.2. EL PEQUEÑO PROBLEMA DE LA FINANCIACIÓN DE LOS COSTES PROCESALES

El coste de las actividades para comunicar el proyecto de demandar a todos los interesados o de publicar la presentación de la demanda en los medios de comunicación es, sin duda, importante. Con todo, el problema de los costes que ha de soportar una asociación que se proponga demandar al amparo de la regulación del artículo 11 LEC y concordantes es mayor y más radical.

Ciertamente las asociaciones que pueden estar legitimadas no tienen ánimo de lucro, pero obviamente eso no significa que no puedan –no necesiten, más bien– cubrir los costes de su propio funcionamiento y, específicamente, los de las actuaciones procesales que decidan asumir.

Pueden obtener el derecho a asistencia jurídica gratuita, con sujeción a las reglas generales (art. 2, c, 1.° LAJG; art. 37, d) LGDCU), pero hay costes –y no menores– que ese derecho no incluye –por ejemplo, los de publicación e información previa a los interesados–[35]. Hay otros costes que si que están comprendidos en el contenido de ese derecho –especialmente, los servicios de abogado–, pero el modo de financiarlos que la ley ha previsto no es apropiado a la entidad cualitativa de estos pleitos y a la cuantía que alcanzan. La retribución de los abogados del turno de oficio difícilmente podrá compararse con los honorarios del abogado de la contraparte en esta clase de pleitos, ni con los que un abogado podría percibir si fueran contratados libremente sus servicios.

Ciertamente, las asociaciones tienen la expectativa de obtener la condena en costas del demandado, pero, dejando a un lado el alea de esta condena, antes y durante la actividad procesal (art. 241.1 LEC) han de

---

35. Gutiérrez de Cabiedes, *Comentarios*, I, cit., p. 216.

empezar, y continuar, por pagar los costes con cargo a fondos propios o endeudándose.

Sería razonable pensar que los afectados en cuyo favor la asociación pide tutela judicial tienen el deber de participar en la financiación de los costes procesales. En efecto, las asociaciones no piden tutela judicial para ellas, sino para otros, para los consumidores y usuarios –para los adherentes, en su caso– «perjudicados por el hecho dañoso».

La primera dificultad que se plantea es la del título jurídico en el que las asociaciones demandantes podrían basar su derecho a ser resarcidas, por los titulares de los derechos cuya tutela han pretendido, de los costes que han asumido con ese fin. En el bloque normativo de los arts. 11, 15, 221 y 519 LEC, que un interesado haya ejercitado la opción de ser afectado por el resultado del proceso –aquél de cuyo proyecto de demanda ha sido notificado o de cuya pendencia se ha publicado información– implica que será afectado por la cosa juzgada de la sentencia que se dicte y que podrá beneficiarse de una pasarela simplificada a la acción ejecutiva, pero, dado que la parte es la asociación y no el interesado, éste no queda obligado, por el solo ejercicio del *opt-in*, a asumir los costes procesales.

Si la asociación pacta una contraprestación con los interesados que hubieran optado por ser afectados tendrá título jurídico para exigirles el pago, pero, aun entonces, necesitará acudir a las vías procesales ordinarias frente al interesado que no cumpla su obligación. No hay ningún específico medio procesal que facilite a la asociación conseguir el pago de sus servicios, del estilo, por ejemplo, del que establece el artículo 620.3 LEC para el tercerista de mejor derecho que se ha beneficiado de la actividad procesal del ejecutante, que no recibirá cantidad ninguna procedente de la ejecución si no consta que ha pagado al ejecutante la parte de costas que la ley pone a su cargo. Por otra parte, si un interesado que hubiera optado por ser afectado no quisiera pagar la debida contraprestación –porque no tiene contrato con la asociación o porque no quiere cumplirlo– la asociación no puede excluirle de ser afectado por los resultados del proceso.

Por fin, la parte actora está expuesta a la condena en costas, y parte actora lo es la asociación y no los interesados que han optado por resultar afectados[36]. Esto incrementa el riesgo de falta de cobertura económica y jurídica de la asociación a que nos acabamos de referir.

---

36. En general, sobre que sólo quienes son parte están sujetos a una eventual condena en costas, HERRERO PEREZAGUA, J. F., *Comentarios a la Ley de Enjuiciamiento Civil*, I, (Dir. CORDÓN MORENO, F., ARMENTA DEU, T., MUERZA ESPARZA, J., TAPIA FERNÁNDEZ, I.), Aranzadi, Elcano, 2001, p. 1310. Podría discutirse si, en los procesos que consideramos, parte es la asociación que presenta la demanda o lo son los plurales titulares de los derechos que se han hecho valer en la demanda, a los que la asociación estaría

Sin duda, todas las cuestiones que he planteado pueden tener una solución jurídica, a pesar de la falta de una expresa regulación legal que sería conveniente, y tal vez esa solución sea favorable a los legítimos intereses de las asociaciones demandantes. Pero eso no resuelve el problema práctico de que la inseguridad que proyectan sobre una materia tan razonablemente condicionantes de la toma de decisiones de una entidad privada, acabe por convertirse en un potente freno para sus iniciativas de demandar al amparo del artículo 11 LEC.

4. UNA ANTIGUA TÉCNICA: LA ACUMULACIÓN OBJETIVO-SUBJETIVA DE PRETENSIONES PUESTA A PRUEBA

El tratamiento de litigios masivos se ha orientado, también, hacia una técnica más tradicional, como es la acumulación de las pretensiones de varios legitimados activos en una única demanda.

Esta técnica ha sido aplicada en casos con un número de demandantes notable aunque no extraordinariamente elevado[37], y también en otros en los que el número de demandantes que acumulaban sus pretensiones en la demanda ascendía a 660[38] y a 2.570[39]. Ha sido la técnica preferida frente

---

representando. No obstante, si hubiera que concluir lo segundo, habría que explicar por qué el artículo 222.3 LEC hace expresa mención de los titulares de los derechos que fundamenten la legitimación de las partes en los casos del artículo 11 LEC, para extender a los mismos los efectos subjetivos de la cosa juzgada; esto hubiera sido radicalmente innecesario si la ley entendiera que las partes son esos titulares y que actúan representadas por la asociación que ha presentado la demanda.

37. SAP Soria (Sección 1.ª) 131/2012 de 8 noviembre, AC 2013, 113 (diecinueve demandantes con pretensiones de nulidad de contratos de cobertura de tipos de interés); SAP Madrid (Sección 9.ª) 361/2012 de 29 junio, AC 2012, 537 (cuarenta demandantes contra Uralita por daños por contaminación de amianto); SJMer Bilbao 20/2014 de 27 enero, AC 2014, 21 (setenta y un demandantes adquirentes de un producto financiero); AAP Madrid (Sección 19.ª) 75/2014 de 3 marzo, AC 2014, 788 (veintiocho demandantes respecto de contratos sobre producto financiero); AAP Madrid (Sección 12.ª) 820/2013 de 5 noviembre, AC 2013, 2193 (trece demandantes en declaración de nulidad de contratos con cláusulas swap); SAP Madrid (Sección 11.ª) 584/2013 de 21 octubre, AC 2013, 2391 (sesenta demandantes contra Uralita en pretensión de condena por intoxicación por amianto); SAP Álava (Sección 1.ª) 452/2011 de 15 septiembre, AC 2011, 2167 (diecisiete demandantes contra Banco Banif, S.A., por el quebranto padecido tras invertir en determinadas acciones); SAP Islas Baleares (Sección 3.ª) 29/2011 de 1 febrero, AC 2011, 340 (cincuenta y cuatro demandantes cuyo procedimiento se acumuló, después, a otro iniciado por 24 demandantes, con pretensiones de nulidad de los contratos de aprovechamiento por turnos de inmuebles).

38. Puede verse la noticia «El primer juicio colectivo de acciones contra Bankia se celebra el 4 de febrero de 2016» en http://www.bufeterosales.es (última visita 1 agosto 2015).

39. Me refiero al AJPI núm. 6 Valencia de 28 de julio de 2014, Id. Cendoj: 46250420 062014200001, que inadmitió demanda con pretensiones acumuladas de 2.570 demandantes y por cuantía total de 31.132.349 euros.

a la del artículo 11 y concordantes de la LEC en las peticiones de tutela judicial de los adquirentes de acciones en la oferta pública de suscripción de Bankia[40]. Su aplicación es contemplada en situaciones con gran potencialidad litigiosa en cuanto al número de demandantes, como el de los afectados por el trucaje de instrumentos de control de emisiones de automóviles fabricados por Volkswagen[41].

La utilización de la técnica de la acumulación inicial pretensiones para tratar situaciones de litigiosidad masiva comporta que la iniciativa la asumen despachos de abogados que se dotan de la organización y de la planificación necesarias para prestar el servicio rentabilizando su trabajo. En esa adaptación juegan un papel central la publicidad de los servicios[42], para atraer el número más elevado posible de eventuales clientes afectados por casos iguales o similares, y los pactos sobre costes del proceso y costas procesales.

La tendencia a encauzar el tratamiento de litigios en masa mediante la acumulación inicial de pretensiones, por una parte, ha encontrado una respuesta desigual de los tribunales, con predominio, hasta cierto momento, de una reacción negativa, y, por otra parte, ha instado a reflexionar sobre si el régimen de la acumulación está diseñado para compaginar eficiencia y respeto a los derechos fundamentales procesales de las partes en el tratamiento de litigios masivos.

---

40. Puede verse: http://avanzac.es/acciones-bankia; http://aliterabogados.com/reclamar-acciones-bankia; http://www.arriagaasociados.com/acciones-bankia; http://getafeabogados.com/reclamar-acciones-bankia-recupere-su-dinero; http://lucasabogados.es/reclamar-acciones-bankia;http://www.yvancosabogados.com/afectados-bankia; http://usuariosbanca.org/demanda-acciones-bankia (última consulta 1 agosto 2015). La Asociación Española de Accionistas Minoritarios de Empresas Cotizadas acude a un despacho profesional para evaluar y presentar demandas en favor de asociados afectados por la OPS de Bankia: http://www.cremadescal vosotelo.com/comunicacion/casos-de-interes/bankia.aspx (última visita 1 agosto 2015).

41. Pienso que lo que se anuncia como demanda colectiva en http://martinez-blanco.com/martinez-blanco/ es la preparación de una demanda con pretensiones acumuladas. Sobre las iniciativas de la OCU respecto de los daños por el trucaje de los automóviles fabricados por VW: http://www.ocu.org/movilizate/mentira-vw.

42. En general: http://www.derechonews.com/los-pequenos-despachos-de-abogados-aumentan-un-45-su-presencia-en-los-medios/ (última visita 22/06/2016); específicamente sobre la importancia de la publicidad de los servicios ofrecidos en algunos casos recientes de litigios en masa: http://www.elconfidencial.com/empresas/2015-10-09/bankia-calcula-que-pagara-350-millones-solo-en-costas-a-abogados-por-sus-lios-judiciales_1048460/ (última visita 03/02/2016), http://www.elconfidencial.com/empresas/2016-02-06/la-cara-b-de-arriaga-demandas-como-churros-y-abogados-cronometrados_1147150/ (última visita 08/02/2016).

4.1. ALGUNAS RAZONES DE LOS JUECES PARA NO ADMITIR LA ACUMULACIÓN

Considerando la incidencia que tiene la acumulación sobre el trabajo del juez y sus auxiliares, las resoluciones que subordinan la admisión de la acumulación a una concepción restrictiva del presupuesto de conexión entre pretensiones[43], aducen, principalmente, que (a) la acumulación no produce economía procesal sino «enorme confusión en el proceso por la variedad de elementos identificadores generando un verdadero caos e imposibilitando dar cumplimiento a los principios de congruencia o utilizar los propios efectos de la litispendencia o la cosa juzgada»[44], y que (b) puede afectar (cabe pensar que negativamente) al «derecho a un proceso sin dilaciones y quebrar el principio de inmediación de enjuiciarse conjuntamente en un solo procedimiento las 2570 acciones acumuladas»[45].

En realidad, la complejidad que genera la acumulación es muy diferente según las clases de la misma y precisamente la acumulación objetivo-subjetiva inicial en la posición demandante no solo es la que genera menor complejidad, sino que, considerada la serie de litigios que, de no admitirse la acumulación, pueden ser planteados con casos iguales o similares, reduce la complejidad de la actividad procesal.

Una acumulación de pretensiones en la demanda con varias partes en la posición actora simplifica la gestión del procedimiento porque la pluralidad de demandantes está personada con una única defensa y representación. Esto simplifica la realización de actos de comunicación del tribunal hacia las partes, la realización de actos procesales escritos por la posición actora, así como la actuación de su defensa técnica en los actos orales. Puede ocurrir lo contrario si las pretensiones acumuladas en la demanda se dirigen frente a una pluralidad de demandados. Y ocurre, en efecto, lo contrario si se produce una acumulación de procesos[46], cada uno de los cuales tenga partes diferentes a los otros. En estos dos últimos casos, los

---

43. Sobre la concepción de la conexión entre pretensiones como presupuesto de admisión de la acumulación objetivo-subjetiva, en la jurisprudencia anterior a la LEC/2000 y en el artículo 72 de esta ley, ORTELLS RAMOS, M., «Tratamiento de litigios masivos. A propósito de la litigiosidad por la OPS de Bankia», en *Iustel. Revista General de Derecho Procesal*, núm. 38, enero, 2016, pp. 26–34.

44. AAP Madrid, sección 19.ª, 24 febrero 2012, Id. Cendoj: 28079370192012200052, Fj. 3.°.

45. AJPI núm. 6 Valencia de 28 de julio de 2014, Id. Cendoj: 46250420062014200001, Fj.2.°.

46. Téngase en cuenta que el presupuesto de relación entre las pretensiones para acumular procesos iniciados separadamente es muy generoso en la LEC/2000; basta con que la conexión simple, que existe si el enjuiciamiento por separado puede dar lugar a «sentencias con pronunciamientos o fundamentos contradictorios, incompatibles o mutuamente excluyentes» (art. 76.1.2.° LEC) -véase GASCÓN, *La acumulación*

actos de comunicación se multiplican por el número de partes personadas separadamente, y lo mismo ocurre con la presentación de actos escritos y con las actuaciones de las defensas en actos orales, a lo que hay que añadir el incremento de las posibilidades de que se planteen incidentes y recursos.

Las dificultades derivadas de la acumulación inicial objetivo-subjetiva en la posición actora se refieren, más bien, a que la carga de trabajo que el juez –y, en cuanto a los poderes de dirección procesal que la ley le atribuye, el ahora llamado letrado de la administración de justicia– ha de asumir dentro de un único procedimiento aumenta y lo hace en proporción a lo que cada una de las pretensiones acumuladas tenga de diferente y específico en comparación con las demás.

Ahora bien, si el trabajo del juez se ha de manifestar en resoluciones escritas, la fijación de plazos legales para dictarlas o la regla de que, en ausencia de plazo legal, se deben dictar sin dilación, no son obstáculo para que el juez dedique el tiempo necesario para que su trabajo, más complejo o simplemente más abundante, sea correcto. Esos plazos son impropios y una eventual responsabilidad debe quedar excluida por el trabajo, más complejo o abundante, que requiere dictar la resolución en un procedimiento con acumulación (art. 211 LEC).

Si el trabajo del juez consiste en la presidencia y dirección de actos procesales sujetos a la forma de la oralidad (audiencias), la necesidad de practicar un gran número de medios de prueba debida a que las diferentes pretensiones acumuladas suscitan una gran cantidad de cuestiones de hecho controvertidas, sin duda puede afectar a la concentración (no a la inmediación), en cuanto proximidad entre la práctica de la prueba y la formación de la sentencia. Esta podría ser otra razonable excepción a la concentración, a la que, por cierto, el legislador ya ha establecido excepciones con el nuevo régimen de interrupción de las vistas introducido por la reforma del artículo 193.3 LEC en 2009[47].

En cuanto al riesgo de que la acumulación produzca dilaciones indebidas, hay que distinguir.

Las dilaciones del propio procedimiento en el que haya pretensiones acumuladas no pueden ser consideradas indebidas porque las origina la

---

de acciones, cit., pp. 123–133. Además, desde la reforma de 2009, puede ser acordado de oficio (art. 75 LEC).

47. ORTELLS RAMOS, M., en AA. VV., *Derecho procesal civil*, Thomson Reuters Aranzadi, Cizur Menor (Navarra), 2016, p. 302; ORTELLS RAMOS, «La justicia civil en España. Avances, retrocesos, estancamiento», cit., apartado II.2.B.

complejidad que acompaña a la acumulación. Por esa razón las eventuales quejas de las partes no serían atendibles. Tampoco sería razonable, ni parece probable, que se produzcan, las de las partes en la posición actora, porque han producido la acumulación; tampoco las de la parte o partes en la posición demandada porque las dilaciones les resultan favorables para utilizar, con amplitud, sus posibilidades de defensa.

Un aspecto distinto de las dilaciones indebidas es la incidencia que pueda tener la acumulación sobre la producción de esas dilaciones en los procedimientos en tramitación en determinada circunscripción territorial. En todo caso, esa incidencia será mayor si, en vez de un procedimiento con pretensiones acumuladas –que, obviamente, consumirá gran parte de capacidad de trabajo de alguno de los tribunales de la circunscripción– se favorece la tramitación de un elevado número de procedimientos separados. Con esta segunda solución crecerá la carga de trabajo de todos los tribunales de la circunscripción y, además, se perderá la oportunidad de aprovechar la actividad procesal sobre los aspectos comunes de las pretensiones acumulables, se multiplicarán las actividades de gestión procedimental, aumentará el riesgo de resoluciones contradictorias en la primera instancia y aumentará la carga de trabajo de los tribunales de grado superior por la multiplicación de las posibilidades de recurso contra las sentencias de los diferentes procedimientos.

4.2. LAS RAZONES DE LA PARTE DEMANDADA PARA OPONERSE A LA ACUMULACIÓN: LA PAJA Y EL GRANO

Las razones que arguye la parte demandada para oponerse a una acumulación objetivo-subjetiva de pretensiones en la posición actora tienen diferente grado de precisión y diferente consistencia.

La alegación de que la acumulación implica una constricción del derecho de defensa, se argumenta de un modo muy impreciso cuando se sostiene que ese modo de interponer las pretensiones fuerza a un tratamiento genérico de los casos en vez de permitir un tratamiento específico de cada pretensión[48].

Por sí solo, este argumento es incompleto para evidenciar una lesión del derecho de defensa. Aunque la formulación de las pretensiones en la demanda haya sido muy genérica, poco detallada en la exposición de los hechos concretos –comunes y particulares– relevantes para las varias

---

48. SAP Madrid (Sección 11.ª) núm. 584/2013 de 21 octubre, AC 2013, 2391, Fj. 7.º (se refiere al argumento del demandado, aunque no lo acoge); SAP Valencia (Sección 9.ª) núm. 119/2013 de 10 abril, AC 2013, 742, Fj. 3.º (acepta el argumento).

pretensiones[49], nada impide al demandado desarrollar una defensa todo lo analítica que considere conveniente para obtener la desestimación de todas las pretensiones, de parte de ellas o de partes de las mismas. Incluso puede aprovechar la imprecisión para obtener la desestimación.

Lesión del derecho de defensa sólo existirá si las normas, o el juez al aplicarlas, impiden al demandado que desarrolle su defensa con el alcance que se acaba de mencionar y sin más limitaciones que las generales. Esto puede ocurrir con algunos aspectos de la regulación del procedimiento con pretensiones acumuladas.

Es, en efecto, una regulación defectuosa la que omite una norma que, expresamente, establezca una ampliación del plazo legal de contestación a la demanda, adecuada al número de pretensiones acumuladas en la misma[50].

La contestación a la demanda, acto básico de la defensa del demandado, preclusivo, como regla general, de la formulación de sus alegaciones de hechos y de la proposición (por aportación) de la prueba documental y de soportes audiovisuales e informáticos, tiene un plazo legal de veinte días (art. 404.1 LEC), sin distinguir si la demanda contiene una sola pretensión o varias y qué número de las mismas. Esto no sólo es restrictivo de la defensa del demandado, sino también poco respetuosos con el trato igual de las partes en cuanto a su participación en la contradicción. Los demandantes han dispuesto del tiempo que han considerado oportuno para diseñar, y preparar en buena medida, una táctica de ataque, mientras que el demandado tendrá la carga de hacerlo en un plazo que la ley delimita sin justificación en ningún criterio racional, por cuanto ignora hasta los parámetros más objetivos de la complejidad (número de pretensiones a tratar en el procedimiento)[51].

Ese defecto debería ser corregido mediante una norma especial que autorizara al juez para ampliar el plazo de contestación en atención al

---

49. La SJMer Bilbao núm. 20/2014 de 27 enero, AC 2014, 21, Fj. 1.°, se refiere, en efecto, a que, en el caso, la demanda tenía esos defectos, aunque sin llegar a la imprecisión que, aplicando el artículo 424 LEC, hubiera impuesto sobreseer el procedimiento salvo subsanación.

50. SAP Valencia (Sección 9.ª) núm. 119/2013 de 10 abril, AC 2013, 742, Fj. 3.°; en el mismo sentido, AJPI núm. 6 Valencia de 28 de julio de 2014, Id. Cendoj: 46250420062014200001, Fj. 2.°. La SAP Madrid (Sección 11.ª) núm. 584/2013 de 21 octubre, AC 2013, 2391, Fj. 8.°, considera este argumento del demandado, pero advierte que, en el caso, éste dispuso de tres meses para contestar, como consecuencia de la suspensión por una declinatoria.

51. El defecto del régimen de la acumulación en la contestación a la demanda puede ser mucho más grave en los supuestos de acumulación exclusivamente objetiva, porque las pretensiones no han de ser ni siquiera conexas, sino que basta que no sean incompatibles entre si (art. 71.2, 3 y 4 LEC).

número de pretensiones acumuladas[52]. A la espera de esa reforma, una interpretación que permitiera la ampliación del plazo podría fundarse en lo dispuesto por el artículo 401.2 LEC para los supuestos de ampliación de la demanda, que concede un nuevo plazo de contestación cuando se produce esa ampliación.

En cuanto a las restricciones de otros derechos procesales de la parte demandada en caso de aplicación laxa de la técnica de la acumulación, al menos en el plano normativo no pueden considerarse fundadas:

1.°) Junto con el argumento impreciso de que el tratamiento genérico de los casos tiene consecuencias restrictivas sobre la prueba, se apunta que produce una restricción del derecho a la prueba, porque conduce a limitar la admisión de medios de prueba[53].

Las normas no establecen ninguna restricción especial de los medios de prueba admisibles en supuestos de acumulación. La limitación cuantitativa de las declaraciones testificales (art. 363 LEC) opera en función de cada hecho discutido. Es cierto que la utilidad del medio de prueba, que es uno de los presupuestos de admisión de los medios de prueba (art. 283.2 LEC), puede tener una especial oportunidad de ser aplicado en casos de acumulación[54], pero no deja de ser un presupuesto que limita la práctica de medios de prueba en general, no especialmente en tales casos.

---

52. Véanse, por ejemplo, las ampliaciones de plazos para los actos de alegación, empezando por el de contestación, que el artículo 119 de la nueva Ley de Patentes (Ley 24/2015, de 24 de julio) ha establecido por razón de la complejidad *in re ipsa* de los asuntos en materia de patentes.

53. Se ocupa de esta argumentación del demandado la SJMer Bilbao núm. 20/2014 de 27 enero, AC 2014, 21, Fj. 2.°.

54. Un caso de esa aplicación aparece, en mi opinión, en la SJMer Bilbao núm. 20/2014 de 27 enero, AC 2014, 21. La entidad demandada «se queja de la limitación de los medios de prueba que ha sufrido en este caso (pretendía que se tomase declaración a todos los demandantes y a todos los directores y gestores comerciales que intervinieron en cada una de las operaciones de compra)», pero el juez considera que esa queja no está justificada «puesto que, en cualquier caso, dicha limitación únicamente [puede] beneficiar a la propia demandada (salvo que la petición se fundamente en una estrategia procesal encaminada a multiplicar los asuntos y dificultar el acceso a la justicia de sus clientes, haciéndolos demandar individualmente)»; a continuación explica en qué consistió ese beneficio: «Ha tenido ocasión BBVA de seleccionar para su comparecencia como testigos a 5 de sus directores de oficina o agentes comerciales que intervinieron en la contratación. Ha tenido ocasión, por tanto, de escoger a los más informados de las características del producto y a los que mejor informaron a sus clientes. Además, ha declarado como representante legal el máximo responsable de valores de la entidad. Y, del otro lado, ha tenido la oportunidad de seleccionar también a cinco de sus clientes para interrogarles en el juicio, por lo que ha podido escoger a los de «mayor experiencia financiera», menor edad y a los que consideraba,

2.°) Otra restricción del derecho a la prueba derivaría de la falta de tiempo para preparar los medios de prueba y para practicarlos en el acto del juicio[55]. Ciertamente la ley es poco realista con sus previsiones temporales para la preparación de la práctica de los medios de prueba en el juicio (art. 429.2 LEC, aunque el artículo 182.4.4.° LEC hace referencia al tiempo necesario), pero esa dificultad no sólo se da –y se supera como es posible– en los procedimientos con acumulación. Por lo demás, no faltan normas que habilitan al tribunal para ajustar el número de sesiones del juicio y su duración a la necesidad de una extensa actividad probatoria (arts. 182.3.4.° y 5.°, 429.7.° LEC).

3.°) Por otro lado, se resalta la dificultad de cumplir con el principio de congruencia[56], cabe pensar que en su faceta de deber de pronunciamiento exhaustivo, dado que decidir específicamente sobre gran cantidad de pretensiones acumuladas exige un gran esfuerzo del juez. Próxima a esta dificultad se hallaría la de cumplir debidamente el requisito de la motivación[57].

Realmente, en estas dos materias las normas no solamente no restringen los correspondientes derechos procesales en supuestos de acumulación, sino que toman específicamente en consideración estos supuestos para enfatizar los deberes de pronunciamiento exhaustivo (arts. 218.3, 215.2 y 3 LEC) y de formular la motivación con suficiente grado de detalle (art. 218.2 LEC).

4.3. LOS MOTIVOS QUE HAY DETRÁS DE LAS RAZONES Y EL NÚCLEO DE LOS PROBLEMAS DE LOS LITIGIOS EN MASA

Detrás de las razones invocadas para oponerse a –y para no admitir– la acumulación de pretensiones de varios demandantes en una única demanda en supuestos de litigios en masa hay motivos que no se expresan

---

a partir de los expedientes de contratación, más consciente del producto que adquirían. Es decir, ha tenido la entidad financiera a su alcance los más idóneos medios de prueba para intentar acreditar que la información fue correcta, y no lo ha conseguido, pero no precisamente porque no se haya traído al proceso a todos los que pretendía».

55. Respondiendo a las alegaciones del demandado sobre estos puntos, SAP Madrid (Sección 11.ª) núm. 584/2013 de 21 octubre, AC 2013, 2391, Fj. 8.°.

56. Así AAP Madrid, sección 19.ª, 24 febrero 2012, Id. Cendoj: 28079370192012200052, Fj. 3.°; implícitamente, por su referencia al forzado «tratamiento genérico», SAP Valencia (Sección 9.ª) núm. 119/2013 de 10 abril, AC 2013, 742, Fj. 3.°, AJPI núm. 6 Valencia de 28 de julio de 2014, Id. Cendoj: 46250420062014200001, Fj. 3.°.

57. Respondiendo a la alegación del demandado sobre este punto, SAP Madrid (Sección 11.ª) núm. 584/2013 de 21 octubre, AC 2013, 2391, Fj. 8.°.

en los escritos procesales –de parte y judiciales–, pero que son los que realmente permiten entender aquellas actitudes. En ocasiones, la realidad corrobora hasta qué punto esos motivos son determinantes.

La parte demandada en litigios masivos tiene, de entrada, interés en que se mantenga un tratamiento separado de las diferentes (y abundantes) demandas. Mientras no haya quedado establecido un criterio de resolución contrario al demandado, cada demanda abre un proceso que puede terminar con una sentencia que le sea favorable. Ese interés es especialmente intenso si las demandas han de presentarse en un periodo relativamente breve (por razones de caducidad o de prescripción), porque, en tal caso, junto con la expectativa de obtener resoluciones diferentes, eventualmente favorables, el demandado puede acabar siendo beneficiado por la posibilidad de invocar la prescripción o la caducidad frente a las demandas tardías. Por lo demás, el establecimiento de un criterio de resolución predominante, que permita al demandado evaluar la conveniencia de su actitud ante las demandas, no solo puede alcanzarse mediante repetición de sentencias en el mismo sentido, sino también si se han resuelto en determinado sentido recursos contra las sentencias. Muy especialmente si ha habido alguna resolución en el recurso ante el tribunal de superior grado dentro del sistema y mucho más si el ordenamiento determina que los criterios establecidos por la resolución de ese tribunal tienen un valor vinculante para las resoluciones de los tribunales en casos iguales.

Es cierto que la carga del demandado de tenerse que enfrentar a sucesivas demandas iguales, o sustancialmente iguales, puede aumentar los costes procesales que ha de soportar. Pero las demandas separadas, junto a las diferentes posibilidades de éxito en cuanto al fondo, también dejan abiertas posibilidades de resarcirse de parte de estos costes, en función del éxito de su defensa. Por otra parte, el demandado suele hallarse en condiciones de rentabilizar estos costes. Su estructura organizativa le permite racionalizar su defensa, dirigirla unitariamente en los diferentes procedimientos y rentabilizar las actividades de preparación y presentación de los actos de defensa (alegaciones, pruebas, recursos).

La evolución de un importante caso reciente en España –las demandas de los adquirentes de acciones en la OPS de Bankia– ha ofrecido datos muy significativos que permiten identificar los problemas reales de los litigios en masa.

Con referencia a diciembre de 2014, se informaba de que 933 demandas se habían interpuesto frente a Bankia[58]. En la comparecencia del

---

58. «Bankia recibe 933 demandas contra su salida a bolsa», *Cinco días*, 2 marzo 2015.

presidente de la Comisión rectora del FROP, el 14 de abril de 2015, ante la Comisión de Economía y Competitividad del Congreso de los Diputados, los datos ya eran de 2424 demandas presentadas y de un 85% de sentencias contrarias a Bankia[59]. Un documento de Bankia registrado en la CNMV el 7 de julio de 2015 eleva la cifra de procedimientos a 17.632, de los cuales 28 iniciados por demandas con acumulación, al tiempo que informa de que han sido contrarias a la entidad 1220 de las 1280 sentencias dictadas[60].

Al presentar en enero de 2016 los resultados anuales de 2015, el presidente y el consejero-delegado de Bankia informaban de que el número de demandas de inversores minoristas era de 76.546, a las que se añadían 49 demandas de inversores del tramo institucional[61]. En el mismo contexto, aunque se reconocía que Bankia había sido vencida en el 93% de las demandas, la representación de la entidad expresaba su confianza en los recursos que tenía presentados[62].

El 3 de febrero de 2016 fueron publicadas dos sentencias de la Sala Primera del TS, desestimatorias de sendos recursos de Bankia, una de las cuales consideraba correcta la decisión de no suspender el proceso civil por prejudicialidad de la causa penal pendiente[63], y ambas sentencias[64] aceptaban, como resultado probatorio alcanzado por los tribunales de instancia, la apreciación de una divergencia sustancial entre la información contenida en el folleto de emisión y la situación financiera real de la entidad manifestada poco tiempo después del cierre de la OPS, concluyendo que ello daba base para entender concurrente un error invalidante del consentimiento y determinante de la anulación de los contratos de adquisición.

Poco después de esas sentencias, Bankia ofreció un arreglo extraprocesal a los demandantes inversores del tramo minorista consistente en, a

---

59. Cortes Generales. Diario de Sesiones del Congreso de los Diputados. Comisiones. Año 2015. X Legislatura. Núm. 783, pp. 5–6.
60. *Documento de registro Bankia S. A., aprobado e inscrito en el Registro Oficial de la CNMV con fecha 7 de julio de 2015*, accesible en http://www.cnmv.es/Portal/Consultas/Folletos/FolletosEmisionOPV, n.° registro oficial 10.557, p. 263.
61. http://www.elconfidencial.com/empresas/2016–02–01/bankia-cifra-en-500-millones-los-gastos-legales-por-las-demandas-de-su-salida-a-bolsa_1144730/ (última visita 03/02/2016).
62. http://www.elconfidencial.com/empresas/2015–11–02/bankia-ha-perdido-el-93-de-las-demandas-salida-a-bolsa_1080957/ (última visita 03/02/2016).
63. STS (Sala de lo Civil, Sección Pleno) 24/2016, de 3 febrero (RJ 2016, 1), Fj. 3.°.
64. STS (Sala de lo Civil, Sección Pleno) 24/2016, de 3 febrero (RJ 2016, 1), Fj. 4.° a 9.°; STS (Sala de lo Civil, Sección Pleno) 23/2016, de 3 febrero (RJ 2016, 2), Fj. 2.°.

cambio del desistimiento de la demanda, proceder a la devolución de la suma invertida, más el 1 por ciento de interés[65].

Esta actitud de la parte demandada viene a confirmar la falta de consistencia de la tesis, sistemáticamente sostenida al oponerse a la acumulación objetivo-subjetiva de pretensiones en una demanda, de la singularidad de los elementos relevantes del caso de cada uno de los adquirentes de acciones en la OPS. Si así fuera, carecería de sentido que, tras conocer el criterio del TS en dos casos –que, además, se iniciaron por demandas sin acumulación– el demandado decidiera ofrecer ese arreglo extraprocesal estándar a todos los demandantes adquirentes del tramo minorista.

Este cambio de actitud procesal de la parte demandada ha sido seguido de dos consecuencias sobre la materia, aparentemente colateral, de los costes y las costas procesales.

Por un lado, la oferta de Bankia ha abierto conflictos de intereses entre los inversores y los abogados a los que encargaron la dirección de sus asuntos, a causa de la incidencia que aceptar esa oferta puede tener sobre los acuerdos previos abogado-cliente en materia de costas[66].

Por otro lado, Bankia, que ha estado experimentando los graves efectos de las condenas en costas[67], ha reaccionado presentando una denuncia ante la Comisión Nacional de Mercados y de la Competencia contra algunos despachos de abogados, porque los elevados importes de los honorarios incluidos en las tasaciones derivadas de las condenas en costas constituían una práctica restrictiva de la competencia, cuyo efecto era mantener artificialmente elevados los precios de servicios prestados por los despachos en el marco de pleitos masa. La denuncia también se refiere a Colegios de Abogados, porque los criterios orientativos de fijación de honorarios «no prevén la existencia de litigios masivos y no ponderan a la baja en estos casos»[68]. Sin

---

65. Información en http://www.huffingtonpost.es/2016/02/29/bankia-arriaga-clien tes_n_9299230.html (última visita 01/03/2016).

66. Información en http://www.elconfidencial.com/empresas/2016–02–18/la-rendi cion-de-bankia-en-las-demandas-amenaza-el-negocio-del-modelo-arriaga_1154151/ (última visita 19/02/2016) y en http://www.huffingtonpost.es/2016/02/29/bankia-arriaga-clientes_n_9299230.html (última visita 01/03/2016).

67. En la presentación de resultados de 2015 se apuntó la cifra de 500 millones de euros: http://www.elconfidencial.com/empresas/2016–02–01/bankia-cifra-en-500-millo nes-los-gastos-legales-por-las-demandas-de-su-salida-a-bolsa_1144730/ (última visita 03/02/2016).

68. Información en http://www.elconfidencial.com/empresas/2016–02–02/bankia-con traataca-y-denuncia-a-arriaga-en-la-cnmc-por-inflar-las-costas-de-los-pleitos_ 1144928/ (última visita 03/02/2016), http://www.iustel.com/diario_del_derecho/ noticia.asp?ref_iustel=1154821&utm_source=DD&utm_medium=email&nl=1& utm_campaign=23/6/2016 (última visita 23/06/2016).

duda debe compartirse la apreciación que está en la base de la denuncia: en caso de litigios en masa el trabajo profesional no puede valorarse del mismo modo que en los litigios singulares, porque la mayor parte de aquel trabajo es repetitiva. De nuevo, como al considerar la reacción de Bankia ante las primeras sentencias del TS, hay que apuntar que la base de esa denuncia no es coherente con la tesis de la singularidad de cada caso, con su repercusión sobre el trabajo profesional necesario para la defensa, en la que Bankia, como parte demandada, solía basar su oposición a la acumulación.

En el plano de los intereses privados, una vez las partes aceptan que determinados asuntos presentan las características de litigios en masa, la atención se proyecta, de modo realista, sobre cuál debe ser el régimen adecuado para los costes y las costas de procesales en los correspondientes procesos.

El tratamiento de los litigios en masa involucra también intereses públicos. La falta de un régimen adecuado para los mismos –o la inaplicación de los existentes– comporta, de entrada y en todo caso, la dilapidación de los limitados recursos presupuestarios destinados a la Justicia, que, en estos casos, son utilizados en múltiples procedimientos tramitados separadamente para atender peticiones iguales, o sustancialmente iguales, de tutela judicial, y puede conducir, en el peor de los casos, a sentencias que infrinjan el principio de igualdad en la aplicación de la ley.

La escasa relevancia que han reconocido a esas razones las resoluciones que no han admitido la acumulación objetivo-subjetiva inicial de pretensiones induce a pensar que en las mismas ha incidido la circunstancia de que esa acumulación implica –especialmente en casos con número muy elevado de demandantes– que el procedimiento resultante genera una importante carga de trabajo para el juzgado, pero un único número en el registro de asuntos, razón por la cual esa carga no servirá para que el juez acredite un rendimiento individual con consecuencias retributivas[69], o, más allá de esta incidencia individual, afectará a la valoración estadística del rendimiento del juzgado, con eventuales consecuencias negativas sobre la creación de órganos jurisdiccionales en la demarcación. Que esta hipótesis es probablemente fundada lo revelan las iniciativas dirigidas a que se modifiquen las reglas que impiden una evaluación correcta de la carga de trabajo de los jueces, con efectos colaterales indeseables[70].

---

69. Sobre esta cuestión imprescindible consultar DOMÉNECH PASCUAL, G., *Juzgar a destajo. La perniciosa influencia de las retribuciones variables de los jueces sobre el sentido de sus resoluciones*, Civitas, Cizur Menor (Pamplona), 2009, *passim*.

70. Véase http://asuapedefin.com/2015/04/el-cgpj-estudiara-la-propuesta-de-asuape defin-y-adabankia-para-facilitar-las-demandas-acumuladas, con acceso al texto de la

5. DE CARA AL FUTURO

El tratamiento adecuado para los litigios masivos en el proceso civil español sigue siendo una cuestión pendiente.

La STS (Sala de lo Civil, Sección 1.ª) 564/2015, de 21 octubre, RJ 2015, 4893, contribuirá a despejar obstáculos que ha encontrado frecuentemente la técnica de acumulación inicial objetivo-subjetiva de pretensiones.

En el caso, un número de ochenta y un demandantes, de los cuales siete sociedades, demandaron a Bankinter SA con varias pretensiones en acumulación eventual, todas ellas referidas a las pérdidas sufridas por los actores como consecuencia de la adquisición, con la mediación y asesoramiento de Bankinter, de instrumentos financieros complejos emitidos por tres diferentes entidades financieras extranjeras. El Juzgado rechazó la oposición a la acumulación y dictó sentencia estimatoria de la demanda. La Audiencia Provincial anuló la sentencia y el procedimiento desde la indebida admisión de la acumulación.

El Tribunal Supremo estimó el recurso extraordinario por infracción procesal, fundado en la infracción del artículo 72 LEC, en relación con el derecho a la tutela judicial efectiva del artículo 24 CE. Veamos lo fundamental.

Para admitir la acumulación, dice el fj. 3.°.2:

> «lo determinante no es si existen o no diferentes relaciones jurídicas con algunos aspectos diferenciales, sino si existe una conexión entre las cuestiones controvertidas objeto de las acciones acumuladas en su aspecto fáctico con relevancia respecto de las pretensiones ejercitadas, que justifique el conocimiento conjunto de las acciones ejercitadas y evite de este modo la existencia de sentencias injustificadamente discordantes».

Concretamente en el caso, indica el fj. 3.°.4):

> «Pese a que efectivamente existen algunas diferencias entre las circunstancias concurrentes en las acciones acumuladas (cuantía de la inversión, emisor del concreto producto adquirido, algunas diferencias en la forma de contratar, etc.), los hechos que se alegan como más relevantes para fundar las pretensiones ejercitadas presentan una coincidencia que, unida a la uniformidad de las peticiones realizadas por los demandantes

---

«Propuesta para la mejora de los módulos de trabajo de jueces y magistrados ponderando la acumulación de acciones», presentada el 29 de abril de 2015 ante el CGPJ; http://www.lavanguardia.com/local/valencia/20150526/54431469072/afecta dos-por-acciones-bankia-reclaman-que-se-admitan-las-demandas-acumuladas.html (última visita 1 de agosto de 2015).

y a que están dirigidas frente a una misma entidad bancaria, cuya conducta incumplidora se considera por los demandantes como determinante para el éxito de las acciones ejercitadas, lleva a la conclusión de que, pese a encontrarnos ciertamente ante un caso límite, concurre el requisito de conexidad de la causa de pedir que justifica la acumulación subjetiva de acciones».

Ese modo de entender el presupuesto de la conexión está justificado porque, como explica el fj. 3.°.3:

«Se trata de supuestos en los que no está justificado que las acciones se tramiten en procesos diferentes, y que en cada uno de ellos haya de repetirse el interrogatorio de unos mismos demandados, unos mismos testigos o unos mismos peritos, sobre hechos sustancialmente idénticos, con el incremento de coste que supone para las partes (y en concreto para los demandantes a los que no se les permite acumular sus acciones) hacer comparecer en cada uno de los distintos procesos a los peritos que han emitido el informe (y a los testigos, si reclaman indemnización de los gastos que les supone tener que acudir repetidamente para ser interrogados en los juicios celebrados en los distintos Juzgados que conozcan de las acciones individualmente ejercitadas), y el riesgo de que la experiencia de las previas declaraciones en los litigios que se tramiten en primer lugar pueda de algún modo tener influencia negativa en el interrogatorio a que se les someta en los litigios posteriores, tanto en la parte activa, de quien interroga, como pasiva, de quien es interrogado.

Está tramitación conjunta evita también el riesgo de que demandas en las que la base fáctica con trascendencia en las acciones ejercitadas sea sustancialmente común, den lugar a sentencias que resuelvan la cuestión de modo diferente unas de otras.

Este tratamiento de la cuestión se explica por las razones que justifican la figura de la acumulación subjetiva de acciones, como son la economía procesal y la evitación de sentencias contradictorias».

De cara al futuro, el tratamiento procesal civil de litigios masivos, además del régimen de la acumulación inicial de pretensiones, con reformas que mejoren la garantía de la defensa del demandado en condiciones de igualdad (véase el apartado 4.2), debería contar con una pluralidad de técnicas, algunas ya reguladas por el Derecho español pero de modo inadecuado para ser efectivas (véase el apartado 3), otras inexistentes en el proceso civil español, aunque con ejemplos en Derecho comparado que merecen ser considerados.

Me limitaré a una breve mención de las que no han sido especialmente analizadas en este trabajo:

1.°) La tramitación preferente, como proceso modelo o sonda, de algún o algunos procesos cuyo objeto conduzca a la resolución de las cuestiones comunes más relevantes para una más extensa pluralidad de casos, con suspensión de los demás procesos relacionados. Esta técnica no está disponible en el proceso civil español, porque (art. 43 LEC) la suspensión de procesos civiles por razón del objeto de otro proceso civil en curso depende de que la resolución de este proceso sea prejudicial respecto de los procesos que se pretenda suspender y, además, requiere el acuerdo de las partes.

2.°) La acumulación de autos no tiene ninguno de los dos impedimentos mencionados. En cuanto al presupuesto de la relación entre los proceso es claro que, junto con la existencia de prejudicialidad, también justifica la acumulación la existencia de una «conexión que, de seguirse por separado, pudieren dictarse sentencias con pronunciamientos o fundamentos contradictorios, incompatibles o mutuamente excluyentes» (art. 77.1 LEC). Además, la acumulación puede acordarse de oficio por el tribunal que conoce del proceso más antiguo (art. 75 LEC). No obstante, está técnica, aparte del escaso estímulo para su aplicación que deriva del régimen de la evaluación del rendimiento de los jueces, también tiene inconvenientes con arreglo a su regulación actual. Por un lado, está la limitación de la competencia territorial imperativa que puede existir en favor de jueces que conocen de procesos que convendría acumular (art. 77.3 LEC). Por otro lado, y principalmente, aunque la técnica es adecuada para evitar la resolución contradictoria de cuestiones comunes, no es efectiva para simplificar la actividad procesal. Las partes en los procesos acumulados pueden continuar personadas con diferentes representación y defensa y, por tanto, pueden realizar actividad procesal diferenciada, con reiteraciones que solo puede controlar una compleja labor de dirección procesal.

3.°) Algunos ordenamientos extranjeros cuenta con instrumentos más específicos que, si bien tienen elementos de la acumulación de procesos y de la técnica del proceso modelo, introducen ajustes orientados a superar los inconvenientes de estas técnicas.

Tiene interés resaltar que, en todos los casos, se trata de regulaciones que surgieron, inicialmente, a partir de prácticas judiciales impulsadas por la necesidad de enfrentarse de manera eficiente con casos con un multitudinario número de demandantes. Basta mencionar, ahora, el régimen de la *Multidistrict Litigation (MDL)* en EE. UU.[71,] la *Group Litigation Order (GLO)* en Inglaterra[72,] y, por fin, con ámbito de aplicación limitado a los litigios originados en el funcionamiento del mercado de capitales, el procedimiento de la *KapMuG* alemana[73].

---

71. Con información sobre su origen, regulación y funcionamiento, KLONOFF, R. H., *Why most nations do not have U.S.-style class actions?*, Comunicación presentada en el Congreso Mundial de Derecho Procesal, Estambul, mayo de 2015, apartado III; MARCUS, R., «America's dynamic and extensive experience with collective litigation», en *Resolving mass disputes. ADR and settlement of mass claims*, Edward Elgard Pub. Ltd., 2013 (Hodges, Ch., Stadler, A. eds.), pp. 148–171.

72. Sobre su origen, actual ordenación y funcionamiento, ANDREWS, N., *On civil processes*, I, Intersentia, 2013, pp. 642–654; HODGES, CH., *The reform of class actions in European legal systems. A new framework for collective redress in Europe*, Hart Publishing, Oxford, 2008, pp. 53–67.

73. Sobre este procedimiento especial puede encontrarse una exposición ilustrativa en ORTELLS RAMOS, «Tratamiento de litigios masivos. A propósito de la litigiosidad por la OPS de Bankia», cit., pp. 40–45.

Capítulo XI

Protección jurisdiccional del consumidor frente al incumplimiento de las promotoras en la compraventa de viviendas adquiridas sobre plano. Especial referencia al sistema de avales*

RAFAEL CABRERA MERCADO

Profesor Titular de Derecho Procesal
Universidad de Jaén

SUMARIO: 1. CUESTIONES PREVIAS. 2. REQUISITOS PARA EL EJERCICIO DE LA ACCIÓN CIVIL. EVOLUCIÓN DE LA JURISPRUDENCIA. 2.1. *Cantidades entregadas a cuenta de pago.* 2.2. *Cuenta especialmente vinculada.* 2.3. *Legitimación pasiva: ejercicio contra la promotora/contra el banco avalista. Responsabilidad solidaria.* 2.4. *El aval.* 2.5. *Plazo de prescripción.* 2.6. *Tipo de interés aplicable. Dies a quo del cómputo.* 3. BREVE REFERENCIA A LA LEY 20/2015, DE 14 DE JULIO DE ORDENACIÓN, SUPERVISIÓN Y SOLVENCIA DE LAS ENTIDADES ASEGURADORAS Y REASEGURADORAS. 3.1. *Planteamiento.* 3.2. *Nuevo sistema de obligaciones para los promotores que perciban cantidades anticipadas.* 3.3. *Sobre la cancelación de la garantía.* 3.4. *Infracciones y sanciones.*

*   Artículo realizado en el seno de los Proyectos de Investigación: I+D+i del Plan Nacional: Las entidades locales, sus relaciones y competencias. Realidad, efectos y consecuencias de la racionalización y sostenibilidad financiera en clave nacional y europea) DER2016-74843-C3-1-R) y del Plan de Apoyo a la Investigación, Desarrollo Tecnológico e Innovación de la Universidad de Jaén "la mediación como alternativa a la judicialización de asuntos mercantiles y administrativos. Aspectos sustantivos y procesales" (UJA2014/06/04).

1. CUESTIONES PREVIAS

Desde una perspectiva económica podría decirse que el problema que nos ocupa no es sino una más de las consecuencias de la etapa vivida en nuestro país durante los años 2000 a 2012.

La primera fase de *boom* económico y gran desarrollo tomó sus bases fundamentalmente en el sector inmobiliario de construcción de viviendas. Durante más de diez años de forma ininterrumpida hasta aproximadamente el año 2007, la actividad inmobiliaria en España tuvo un extraordinario desarrollo que, junto con la enorme facilitación de la financiación, provocó la generalización de la compraventa de viviendas. Tal fue el volumen de demanda, que la escasez de producto terminado derivó en la compraventa de inmuebles sobre plano, cuya construcción estaba proyectada para el futuro y en la que los compradores realizaban pagos a cuenta anticipados a la entrega de la vivienda.

En una segunda fase de dicho periodo acontece lo que se ha venido a llamar *La Gran Recesión*, o crisis económica, que ha tenido incidencia en todos los ámbitos de la sociedad y especialmente en los sectores hipotecario y de crédito. En el año 2007 se produjo un rápido deterioro de la economía mundial que afectó a la paralización de la inversión en España, así como al encarecimiento de la financiación y a la reducción de la facilidad a su acceso, por lo que muchas empresas promotoras se vieron imposibilitadas para iniciar o terminar las viviendas proyectadas sobre las que ya habían recibido cantidades a cuenta del precio por parte de sus compradores.

Los compradores de estas viviendas –cuyas obras no llegaron a iniciarse, o se paralizaron por algún motivo– se dispusieron a emprender acciones legales para hacer valer su derecho, resolver sus contratos de compraventa y solicitar la recuperación de cantidades que habían entregado a cuenta del precio. Los afectados consiguieron de forma mayoritaria obtener éxito en sus reclamaciones judiciales, consiguiendo sentencias favorables por las que se declaraban resueltos sus contratos de compraventa y se condenaba a los promotores vendedores a devolver todas las cantidades que habían recibido a cuenta del precio total de la compraventa. Sin embargo, este éxito llevaba aparejada una importante dosis de frustración de cientos de afectados. Frustración, en primer lugar por no haber conseguido llegar a tener la vivienda que compraron, por haber tenido que invertir nuevos recursos para acudir a los Tribunales a hacer valer su derecho y por no poder hacer efectiva la Sentencia favorable obtenida, ya que los promotores que no pudieron entregar sus viviendas a tiempo se encuentran mayoritariamente en concurso de acreedores y no disponen de recursos suficientes para devolver las cantidades invertidas por los afectados.

La línea jurídica de defensa de esas personas tiene su fundamento en la Ley 57/1968 de 27 de julio, sobre percibo de cantidades anticipadas en la construcción y venta de vivienda, que cobra así bastantes años después de su promulgación, plena vigencia y actualidad. Esta Ley impone obligaciones a las empresas promotoras para que concierten un seguro o aval bancario que garantice a los compradores la recuperación de su dinero en caso de que las viviendas no se construyan o entreguen en el plazo acordado. Sin embargo, esta ley no solo impone obligaciones a las empresas promotoras sino que también lo hace sobre los bancos, a quienes les ordena vigilar que las promotoras cumplan con lo dispuesto en dicha Ley. Concretamente, el art. 1.2. de la Ley 57/68 establece, en su párrafo 2.°, que los bancos en los que las promotoras aperturen la cuenta especial deberán *«bajo su responsabilidad»* exigir el mencionado seguro o aval.

2. REQUISITOS PARA EL EJERCICIO DE LA ACCIÓN CIVIL. EVOLUCIÓN DE LA JURISPRUDENCIA

Como analizaremos a continuación la jurisprudencia atendiendo al «factor social» con el que se proclama nuestro Estado de Derecho según el art. 1 de nuestra Constitución y conforme al derecho a una vivienda digna consagrado en el art. 47 de la misma, ha interpretado la citada norma con el fin de proteger al consumidor frente los fraudes inmobiliarios. De modo que ante el incumplimiento de la promotora en su obligación contractual de finalizar y entregar la vivienda, y el incumplimiento en la mayoría de los casos de las obligaciones impuestas en la citada ley veremos que la respuesta de los tribunales ha sido tajante en defensa de los derechos del comprador.

Centrando los términos del conflicto podemos decir que se inicia con el incumplimiento de la empresa promotora de un conjunto de viviendas, cuando una vez vendidas a los adquirentes y habiendo entregado éstos cantidades de dinero a cuenta, la promotora no inicia o no concluye la ejecución de las mismas dentro del plazo acordado.

La primera cuestión que podríamos plantearnos es cuándo se produce el incumplimiento del contrato. Sobre este punto apreciamos ya la tendencia a proteger a ultranza la posición del consumidor. Hay que puntualizar a este respecto que la reciente STS 1 junio 2016 excluye del ámbito de protección de la Ley 57/68 a los profesionales del sector inmobiliario, y a quienes invierten en la compra de viviendas en construcción para revenderlas. Volviendo a lo anterior, el Tribunal Supremo tiene declarado que el mero retraso en la entrega se equipara a un incumplimiento absoluto aún cuando dicho retraso sea mínimo (STS 20 enero 2015), argumentando no ex art. 1124 CC sino ex art. 3 de la Ley 57/68. Nada que ver con la doctrina jurisprudencial aplicable desde antaño respecto al art. 1124 CC *«el retraso culpable ... no quita la posibilidad de cumplimiento tardío»* (STS 30 diciembre 1971). Esto es así siempre que el derecho a resolver se ejercite por el comprador antes de ser requerido por el vendedor para el otorgamiento de escritura pública por estar la vivienda ya terminada y en disposición de ser entregada aún después de la fecha estipulada para su entrega (STS de 5 de mayo de 2014, Rec. 328/2012). Si bien la doctrina que se asienta en la citada sentencia no excluye que la rescisión del contrato pueda denegarse, conforme a los principios generales, por mala fe o abuso de derecho del comprador.

Sentado lo anterior, constatado el incumplimiento de la promotora, el comprador dispone de dos vías de acción en los tribunales, la acción ejecutiva y la declarativa.

El artículo tercero de la ley establece que: *El contrato de seguro o aval unido al documento fehaciente en que se acredite la no iniciación de las obras o entrega de la vivienda tendrá carácter ejecutivo (...).* En consecuencia, si se le entregó aval de las cantidades entregadas, este constituye un título directamente ejecutable conforme al art. 517.2.9° LEC,... y por ello no es necesario acudir a un proceso declarativo, pudiendo directamente solicitar la ejecución mediante un proceso de ejecución de título no judicial, dirigido a cobrar del banco o entidad aseguradora las cantidades entregadas. En este sentido cabe señalar que esta vía ha tenido escasa utilización, pues en la gran mayoría de los casos el comprador inicia un proceso declarativo.

En este punto debemos señalar que se aprecia una evolución hacia la acción directa contra el banco. Inicialmente se comenzó a demandar mayoritariamente a la empresa promotora solicitando la resolución del contrato y devolución de cantidades. Sin embargo, estas condenas resultaban inútiles pues la realidad indica que cuando una empresa ha incumplido es generalmente por motivos de insolvencia de la propia empresa, que además, en la mayoría de los casos, cuando recae la sentencia condenatoria se encuentra ya disuelta, en liquidación o en concurso de acreedores, y por ello la ejecución de la sentencia contra la promotora no satisface al comprador. Nos encontramos entonces con procedimientos en los que el comprador inicia la acción contra el banco avalista para recuperar las cantidades entregadas, y aquí es donde la jurisprudencia ha sido más profusa, pues las entidades de crédito han ido realizando una férrea oposición a la pretensión de restitución del precio pagado, amparándose en argumentos relacionados con posibles defectos en el contrato de adquisición de la vivienda, prescripción de la acción, u oposición al cálculo de intereses. Detectamos así una serie de puntos de debate que son ya clásicos en este tipo de procedimientos civiles en primera y segunda instancia, muchos de los cuales han llegado al Tribunal Supremo y que merece la pena analizar con detalle al objeto de comentar la respuesta de la jurisprudencia más reciente en la materia.

2.1. CANTIDADES ENTREGADAS A CUENTA DE PAGO

Como hemos referido anteriormente el art. 1 de la Ley hace responsable, en el caso de que la construcción no se inicie o no se termine, bien a la compañía de seguros, bien a la entidad bancaria o caja de ahorros (ex art. 1.2.°) en la que se han ingresado las cantidades entregadas incluso en el caso de que no se haya emitido el correspondiente aval a que se refiere el primer apartado. En consecuencia, el requisito básico que tendrá que acreditar el demandante para proceder contra estas entidades es el pago. Conocedoras de esto, suele ser la falta de acreditación del pago el primer motivo de oposición de las entidades demandadas. A este respecto es preciso recordar que comúnmente el primer pago se hace con la firma del contrato, sirviendo dicho documento de carta de pago; contra esto, suele alegar la entidad de crédito la falta de legitimación activa y pasiva puesto que no se acredita el ingreso de las cantidades en la cuenta especialmente vinculada abierta en la entidad.

La jurisprudencia es clara en este punto, al considerar que la obligación de trasladar las cantidades entregadas a la cuenta vinculada abierta en la entidad avalista es de la promotora, de modo que acreditado por el demandante la entrega de la cantidad a la empresa promotora por cualquier medio de pago, como anticipos en metálico o letras de cambio (se refieren a la admisibilidad del descuento de letras aceptadas por compradores de viviendas sobre plano la STS 24 abril 2014, la STS 25 de noviembre 2014 y la STS 18 junio 2015), no puede oponerse al consumidor excepciones propias del incumplimiento de la promotora en sus obligaciones. Además de lo anterior, como veremos más adelante, la última jurisprudencia viene a cerrar aún más la cuestión, en defensa del consumidor, atribuyendo además al banco la responsabilidad de velar por el cumplimiento de esta responsabilidad de la promotora, atribuyendo al mismo la atribución de las consecuencias del incumplimiento de la obligación de abrir cuenta especial, ingresar en ella las cantidades recibidas y mantenerlas destinadas únicamente a los fines de la construcción.

2.2. CUENTA ESPECIALMENTE VINCULADA

Frecuentemente la empresa promotora de la vivienda no llegaba nunca a ingresar en la cuenta especial a que se refiere el apartado 2.º del art. 1 las cantidades entregadas por los compradores de las viviendas, o en caso de ingresarlas se hacía sin especificar el origen de dichos ingresos ni a qué vivienda en concreto correspondía el pago. Esta práctica contraria a la ley era utilizada luego por las entidades de crédito demandadas para oponerse a la devolución de las cantidades y ello pese a que los tribunales declararon desde el primer momento que esta es una obligación impuesta por la ley a la empresa vendedora y por tanto no puede oponerse a los compradores. Así lo confirma la STS 275/2015 de 13 de enero de 2015, criterio reiterado en la STS de 18 marzo 2015, que se pronuncia en los siguientes términos: «*el hecho de no haber ingresado el comprador las cantidades anticipadas en la cuenta especial no excluye la cobertura del seguro, dado que es una obligación que legalmente se impone al vendedor (...) siendo irrenunciable el derecho del comprador a que las cantidades ingresadas en esa cuenta especial queden así aseguradas*». Son innumerables las sentencias que acogiendo esta interpretación dan una cobertura total al comprador cerrando las posibilidades de ataque del banco avalista (STSJ Navarra de 22 de diciembre 2008, SAP, Teruel, 12 enero 2010, SAP Bilbao, 14 octubre 2013, entre otras).

Además de lo anterior, la entidad donde se abre la cuenta a la que deberían incorporarse las cantidades es la responsable, mediante una culpa «*in vigilando*» del cumplimiento por la promotora de las obligaciones que le impone el art. 1 de la ley, y responderá de la devolución de las mismas en todo caso, sin que pueda ampararse en el incumplimiento de la promotora a quien pudo exigirle tales garantías.

2.3. LEGITIMACIÓN PASIVA: EJERCICIO CONTRA LA PROMOTORA/CONTRA EL BANCO AVALISTA. RESPONSABILIDAD SOLIDARIA

Otra de las causas frecuentes de oposición aducidas por la entidad de crédito avalista es la falta de legitimación activa del comprador, alegando que la acción debe dirigirse contra la entidad promotora y no contra el banco, dado que el comprador no es parte en el contrato de aval. Este motivo de oposición cae por su propio peso al amparo del art. 1.2.º de la Ley 57/68, pues evidentemente aunque el comprador no es parte en el contrato de aval, sí es beneficiario, en tanto que el aval exigido por la citada ley tiene por finalidad la devolución de las cantidades entregadas por los compradores.

La jurisprudencia se ha encargado de solventar las posibles dudas y son múltiples las sentencias que concluyen que no es exigible tampoco la resolución previa del contrato de compraventa para hacer efectivo el aval que garantiza las cantidades entregadas a cuenta (*cfr.* STS de 9 de abril de 2003). No solo no lo exige la citada normativa sino que expresamente señala que la causa es indiferente, por lo que basta que quede acreditado que la construcción no se inicie o no llegue a buen fin en el plazo convenido. Como dice nuestro Tribunal Supremo en la Sentencia de pleno de 7 de mayo de 2014, fijando doctrina; «*cuando se demande exclusivamente al avalista en el juicio declarativo reclamando el importe del aval constituido al amparo de la Ley 57/1968 la entidad de crédito no podrá oponer las excepciones derivadas del art. 1853 del C. Civil, debiendo abonar las cantidades debidamente reclamadas y entregadas a cuenta*».

No nos encontramos ante un contrato de fianza al que sean aplicables los arts. 1822 y ss. CC; se trata de un aval especial, cuyo contenido y finalidad está impuesto imperativamente por la Ley con el único fin de proteger al consumidor y garantizar la efectiva devolución de cantidades. Queda por tanto excluida tanto la excepción de litisconsorcio pasivo necesario, de llamada a un tercero al proceso o falta de legitimación.

Se ha interpretado que conforme a lo dispuesto en el art. 1 de la Ley 57/68 la responsabilidad de la entidad bancaria debe declararse solidaria (STS 3 julio 2013, STS 7 mayo 2014).

2.4. EL AVAL

La Ley 57/1968 exige dos requisitos a los promotores de viviendas que pretendan obtener de los adquirentes entregas de dinero antes o durante la construcción. La primera es garantizar la devolución de dichas cantidades más cierto interés mediante un contrato de seguro o aval solidario prestado por entidad bancaria; y la segunda, percibir esas cantidades anticipadas por los adquirentes a través de una entidad bancaria, en la que habrán de depositarse en una cuenta especial.

La entidad avalista suele centrar sus motivos de oposición a la demanda en los posibles defectos del aval que se presenta por el demandante, siendo los más comunes la inexistencia de aval individualizado para cada vivienda concreta o falta absoluta de aval.

Otra de las cuestiones debatidas ha sido la aplicación de la Ley de Contrato de Seguro al aval o seguro emitido por la entidad de crédito o compañía aseguradora al amparo de lo dispuesto en el art. 1.2.° de la

Ley. En la línea de la finalidad de la Ley, que se orienta a la defensa del comprador, la jurisprudencia ha precisado que a este aval, como contrato suscrito entre la promotora y el banco, no le son de aplicación las disposiciones de la Ley de Contrato de Seguro que con frecuencia el banco ha querido imponer.

a) Aval entregado/falta de entrega de aval.

Actualmente la cuestión relativa a los posibles defectos en el aval se halla absolutamente superada, pues la jurisprudencia ha sido clara al atribuir al banco avalista lo que se ha llamado doble responsabilidad, *«como avalista y como depositario».*

La entidad bancaria tiene la obligación legal de cerciorarse –con carácter previo a la apertura de cuentas especiales, o a la realización de depósitos en ellas– de que el promotor ha asumido la obligación legal de garantizar la devolución de las cantidades entregadas a cuenta. Y esta obligación se establece *«bajo la responsabilidad»* de la entidad financiera, lo que no puede ser interpretado de modo distinto a hacerla responsable de los daños y perjuicios que se pudieran irrogar a los compradores en el caso de que, por no haberse constituido las garantías legalmente previstas, no pudieran obtener la restitución de lo anticipadamente pagado. Así lo confirma la doctrina jurisprudencial sentada en la STS 21 diciembre 2015, reiterada por otras posteriores como la STS 17 marzo 2016.

b) Aval individualizado para la vivienda adquirida/aval genérico para la promoción.

El debate sobre el aval genérico o individualizado ha sido uno de los puntos fuertes en la oposición verificada por los bancos demandados sosteniendo que el documento aportado por los demandantes es un aval genérico celebrado con una promotora en que se hace referencia a una promoción inmobiliaria, pero no constituye el aval exigido por la Ley. La jurisprudencia, siguiendo la finalidad tuitiva de la Ley, se ha pronunciado sobre esta controversia en todas las ocasiones a favor del consumidor, declarando que no son oponibles al comprador los incumplimientos de la promotora en su obligación de emitir avales individuales para cada vivienda (STS 23 octubre 2015, STS 22 abril 2016).

c) Aval original/ fotocopia de aval.

Atendiendo a una interpretación correcta de la ley conforme al ya comentado principio básico de protección del consumidor impone su aplicación flexible, sin que los derechos contenidos en la misma a los que se atribuye por el art. 7 el carácter de irrenunciables puedan restringirse por interpretaciones formalistas o rigoristas, carecen de validez las alegaciones que suele realizar el banco avalista o incluso la promotora relativas a que el documento aportado es una simple fotocopia de un aval o contrato cuyo original no se halla en poder del comprador.

d) Límite de aval.

Otra de las vías a las que acude el avalista demandado para fundamentar su falta de responsabilidad es la de atenerse a los límites fijados en el aval. A este respecto, podemos diferenciar entre límites cuantitativos y límites temporales.

Con respecto al primer tipo y a la luz de la interpretación que hacen nuestros Tribunales debemos referir que las entidades de crédito que en su día otorgaron este tipo de avales, se están viendo sujetos a una responsabilidad ilimitada y que supera con creces cualquier límite al que creyeron sujetarla inicialmente, y que solo finalizará cuando opere la prescripción (entre otras pueden citarse la SAP Madrid 27 diciembre 2007, la SAP Valencia de 26 de junio de 2009, y la STS 3 julio 2013).

Nos referimos a continuación a los supuestos en que el aval fija un límite temporal. Partiendo del principio básico de irrenunciabilidad de los derechos para el consumidor recogido en el art. 7 de la Ley 57/68, el establecimiento de un límite temporal estaría realizado en fraude de ley, dado el carácter tuitivo de la norma. El consumidor no puede verse perjudicado por un pacto entre el avalista y la promotora, y en consecuencia tal límite temporal vulnera la Ley de defensa de Consumidores y Usuarios, por ello ha de estimarse nulo y tenerse por no puesto (SAP Madrid, 2 julio 2013).

2.5. PLAZO DE PRESCRIPCIÓN

Respecto al plazo de prescripción de la acción del comprador para reclamar la cantidad entregada, las entidades de crédito han sostenido que resulta de aplicación el plazo de dos años previsto en el art. 23 de la Ley de Contrato de Seguro. Frente a esto, nuevamente la jurisprudencia es unánime al considerar que nos encontramos ante una modalidad especial de contrato de seguro o aval que viene configurado de forma imperativa por la Ley 57/68, cuyo fin es la protección del consumidor y en consecuencia no resultan aplicables las disposiciones que puedan perjudicar o restringir los derechos de aquel. Las Sentencias que abordan el tema se inclinan por fijar un inicio del cómputo favorable para el demandante, fijándolo en el momento en que los compradores conocieron el incumplimiento por la promotora.

La obligación del avalista con el comprador tiene naturaleza extracontractual, pues deriva de la ley y ante la falta de expresión concreta en la

Ley 57/1968 de un plazo para su ejercicio el plazo que debe aplicarse es el general conforme al art. 1964 del CC (STS 16 enero 2015). Este artículo se ha visto afectado con motivo de la entrada en vigor de la Ley 42/2015, de 5 de octubre de reforma de la Ley 1/2000, de 7 de enero, de Enjuiciamiento Civil, que modifica el plazo de prescripción para el ejercicio de las acciones personales que no tuvieron previsto un plazo especial, reduciéndose de quince a cinco años. De esta forma, si el momento en el que se ha producido el daño es posterior al 7 de octubre de 2015 (fecha de la entrada en vigor de la Ley 42/2015) el plazo para presentar la reclamación es de 5 años. Si por el contrario el momento en el que se ha producido el daño es anterior a la fecha referida, el plazo para presentar la reclamación será el menor de los dos siguientes: 15 años desde que se ha producido el daño o 5 desde la entrada en vigor de la Ley 42/2015.

2.6. TIPO DE INTERÉS APLICABLE. *DIES A QUO* DEL CÓMPUTO

Otra de las cuestiones que con frecuencia han sido debatidas en este tipo de procedimientos judiciales es la determinación del interés aplicable a las cantidades objeto de devolución.

En primer lugar debemos concretar la naturaleza de los intereses que nos ocupan. Atendiendo a su función, la doctrina española los divide en dos clases: intereses remuneratorios por un lado (son una contraprestación por el tiempo que una persona puede emplear el dinero recibido de otra), e intereses moratorios por otro (son debidos con carácter resarcitorio de daños producidos al acreedor por el retraso en el cumplimiento). Atendiendo a esta bipartición debemos señalar que los intereses que nos ocupan tienen carácter remuneratorio, en cuanto que su función es compensar al que entregó las cantidades por el hecho de verse privado de las mismas durante un determinado periodo de tiempo. Atendiendo a este carácter la SAP de Alicante 26 septiembre 2013, confirmada por la STS 23 julio 2015, refiere que tales intereses se devengan desde el día de la entrega de cada una de las cantidades.

Si partimos del apartado primero del art. 1 de la Ley, es obligación de la promotora «*garantizar la devolución de las cantidades entregadas más el seis por ciento del interés anual*», esto es un interés del 6% sobre la cantidad entregada a cuenta para la adquisición de la vivienda. Sentado lo anterior, la controversia se ha suscitado en los casos en que la entidad avalista o garante es una aseguradora. Ante la pretensión de condena con aplicación de los intereses por mora del asegurador previstos en el art. 20 de la Ley de Contrato de Seguro, dichas entidades se oponen radicalmente pretendiendo la aplicación del interés legal del dinero. En este sentido la STS de 13 de septiembre de 2013 aborda esta cuestión y declara plenamente aplicable a la aseguradora el interés previsto en el art. 20 de la Ley de Contrato de Seguro. Esta aplicación de los intereses de forma favorable al consumidor se ha visto ampliamente criticada por las aseguradores y entidades de crédito que arguyen que el resultado es abusivo y excesivamente gravoso.

3. BREVE REFERENCIA A LA LEY 20/2015, DE 14 DE JULIO DE ORDENACIÓN, SUPERVISIÓN Y SOLVENCIA DE LAS ENTIDADES ASEGURADORAS Y REASEGURADORAS

3.1. PLANTEAMIENTO

Como vemos, la Ley 57/1968, de 27 de julio, sobre percibo de cantidades anticipadas en la construcción y venta de viviendas, viene a ser el marco normativo español que ha venido regulando las relaciones existentes entre compradores de viviendas sobre plano, promotores y entidades bancarias concedentes de préstamos hipotecarios.

Con anterioridad a su existencia, la problemática de entrega anticipada de cantidades para la compraventa de viviendas sin finalizar venía regulado en el art. 1.271 del CC, referido a la compraventa de cosas futuras. Sin embargo, con la entrada en vigor de la Ley 57/1968 el legislador estableció una protección jurídica más específica. A posteriori, a través de la Disposición Adicional Primera de la Ley 38/1999, de 5 de noviembre, de Ordenación de la Edificación (LOE), se vino a reafirmar el sistema de garantías de la Ley 57/1968, señalando que deben prestarse en la promoción de toda clase de viviendas.

No obstante lo anterior, el legislador español ha dado un importante giro al marco normativo que hasta el momento ha imperado para dar paso a un régimen adaptado al nuevo contexto social. Nos referimos a la Ley 20/2015, de 14 de julio de ordenación, supervisión y solvencia de las entidades aseguradoras y reaseguradoras. Este texto, en vigor desde el 1 de enero de 2016, tenía por objeto adecuar nuestro derecho a las exigencias derivadas de la Unión Europea.

A través de la Ley 20/2015 se sustituye el texto refundido de la Ley de Ordenación y Supervisión de los Seguros Privados. No obstante, en lo que a nuestro objeto de estudio se refiere, nos centraremos en la Disposición Final Tercera de Modificación de la Ley 38/1999, mediante la que se introducen las reformas relativas al percibo de cantidades anticipadas y venta de viviendas pendientes de construcción. Desde la entrada en vigor de este nuevo texto normativo, todo lo relativo a la adquisición y venta de vivienda sobre plano y percibo anticipado de cantidades pasa a estar regulado no ya por la longeva Ley 57/1968, y las relacionadas, sino a través de la Ley 38/1999, de 5 de noviembre, de Ordenación de la Edificación con las modificaciones introducidas por esta reforma.

3.2. NUEVO SISTEMA DE OBLIGACIONES PARA LOS PROMOTORES QUE PERCIBAN CANTIDADES ANTICIPADAS

En primer lugar, y antes de referirnos al contenido de las obligaciones que se establecen tras esta reforma, es preciso señalar a qué figuras va destinada y alude la presente norma.

En los últimos años, con el objetivo de seguir promocionando la construcción de viviendas a pesar de la crisis económica, han proliferado las promociones de viviendas en régimen de comunidad de propietarios o sociedad corporativa. El legislador, conocedor de este nuevo contexto, ha querido introducirlas en esta nueva regulación a sabiendas que puede suponer la consolidación de otra vía de promoción de vivienda. Así, la Disposición Adicional Primera vincula expresamente a las comunidades de propietarios o sociedades corporativas que deberán cumplir las mismas obligaciones y ofrecer las mismas garantías que el resto de los antiguos promotores.

Como sabemos, la principal obligación que debe tener el promotor es la de garantizar la devolución de las cantidades entregadas como anticipo para la adquisición de viviendas. Así venía establecido en la Ley 57/68 y así se mantiene tras la reforma. No obstante, se introducen otras nuevas obligaciones que suponen cambios significativos. Así ahora, el legislador no solo indica que las cantidades deben ser garantizadas, sino que, también dispone desde cuándo deben garantizarse, estableciéndose que dentro de sus obligaciones se encuentra la de garantizar la de la devolución de las cantidades entregadas más los intereses legales *desde la obtención de la licencia de edificación.*

En definitiva, nos encontramos con una *limitación temporal* a partir del cual debe formalizarse la garantía. Esta limitación supone una novedad que no venía establecida en la regulación anterior. Hasta el momento, a la luz de la Disposición Adicional Primera de la Ley de Ordenación de la Edificación, se podía entender que la obligación de garantizar las cantidades por el promotor imperaba en todo momento. Sin embargo, tras la modificación, se establece un momento a partir del cual la garantía tiene que estar vigente de forma obligatoria, esto es, a partir de la expedición de la licencia de edificación que en realidad viene ligado al momento previo del comienzo de la construcción.

Y es que la segunda obligación que se impone a los promotores es la de percibir las cantidades anticipadas por los adquirentes a través de entidades de crédito en las que habrán de depositarse en cuenta especial, separada del patrimonio del promotor, y únicamente podrán disponer de ellas *«para las atenciones derivadas de la construcción de las viviendas»*. Ello no ha variado significativamente conforme a la anterior regulación.

Lo que sí se modifica es lo que se refiere al momento de apertura de estas cuentas o depósitos. El precepto continúa exponiendo que *«para la apertura de estas cuentas o depósitos la entidad de crédito, bajo su responsabilidad, exigirá la garantía a que se refiere la condición anterior»*. La cuestión está en que, como hemos visto, al remitirse a la condición anterior está estableciendo un límite temporal al momento de la obtención de la licencia de edificación. Con esta premisa, se plantea que la pretensión del legislador es que el promotor solo esté obligado a garantizar cantidades percibidas desde el momento en que se disponga la Licencia de Edificación, por cuanto solo se podrán aperturar cuentas especiales o depósitos desde entonces.

Por su parte, el legislador ha querido extender expresamente las mismas garantías aportadas por los adquirentes, incluyendo los impuestos aplicables más el interés legal del dinero.

Con esta reforma se pretenden superar determinados problemas que hasta la práctica han venido aconteciendo con el objetivo de dar mayores garantías al adquirente de vivienda sobre plano. Así, en el apartado dos de la Disposición Adicional Primera, se establece una diferenciación entre las dos posibles vías de garantías estableciendo unos requisitos inherentes a cada una para que surtan efectos legales.

Se diferencia por un lado, los requisitos exigibles para que los contratos de seguro de caución puedan servir de garantía de las cantidades anticipadas en la construcción y venta de viviendas; y por otro los requisitos para los casos en que las cantidades entregadas se encuentren garantizados mediante aval.

Los requisitos para el contrato de seguro de caución al que nos hemos referido en primer lugar se encuentran incorporados en 12 letras de la a) a la l), donde el legislador viene a determinar cada uno de los aspectos imprescindibles para su otorgamiento.

Analizando los cambios incorporados con la reforma podemos llegar a la conclusión que el legislador ha hecho suya parte de la jurisprudencia a la que hemos hecho referencia, para aplicarlo a la problemática de la garantía de las cantidades a través de aval, sobre los cuales nos referimos a continuación. Para no extendernos, nos centraremos en mencionar aquellas novedades que a nuestro criterio merecen ser mencionadas por los cambios que introduce con respecto a la actual regulación.

En primer lugar, como sucede con los contratos de seguro de caución, se establece que el aval debe otorgarse por la entidad de crédito para la cuantía total de las cantidades anticipadas, debiendo incluirse impuestos aplicables e incrementadas dichas cantidades en el interés legal del dinero desde la entrega efectiva del anticipo. Así quedan superados los problemas de limitación cuantitativa oponibles por las entidades de crédito.

En segundo lugar, el legislador también introduce la obligación de suscribir pólizas de seguros individuales por cada adquirente, con identificación del inmueble, por lo que ya no cabe realizar pólizas generales de seguro.

También se establece un orden para requerir de la devolución de las cantidades aportadas a cuenta, incluidos los impuestos aplicables y sus intereses, en los casos en los que la construcción no llegue a iniciarse o no llegue a buen fin. Así, si en el plazo de 30 días, una vez efectuado el requerimiento al promotor éste no procede a la devolución de las cantidades reclamadas, se abre la vía para reclamar al avalista el abono de la indemnización correspondiente, quien tendrá 30 días para proceder al abono. Solo para los supuestos en los que resulte imposible la reclamación previa al promotor se permite realizarla directamente al avalista.

Por último, y como novedad más relevante, se establece un plazo de caducidad del aval. Transcurrido este plazo el aval pierde su validez lo que supone la imposibilidad de reclamación contra el avalista.

Además, tras la reforma y con carácter general se incluye la obligación de información en todos los contratos para la adquisición de viviendas en que se pacte la entrega al promotor de cantidades anticipadas. Para ello se establecen una serie de aspectos que deben constar. Entre las obligaciones de información del promotor, se establece que al momento del otorgamiento del contrato de compraventa éste debe entregar al adquirente el documento que acredite la garantía, referida e individualizada a las cantidades que se hubieran anticipado a cuenta del precio. Se solventa así el problema que en la práctica sucede cuando tras reclamar a las entidades la devolución de las cantidades, éstas basan su oposición en la ausencia de aval individual, que aunque en la práctica está superado jurisprudencialmente, sigue siendo un argumento más para los avalistas.

3.3. SOBRE LA CANCELACIÓN DE LA GARANTÍA

Otro de los aspectos a destacar de este nuevo texto normativo viene incorporado en el apartado cinco de la Disposición Adicional Tercera, referido a la cancelación de la garantía. Con ello se viene a determinar el momento en el cual la garantía se cancela por la ausencia de objeto que traía su causa, esto es, por el cumplimiento del contrato de adquisición de vivienda.

El legislador, ha determinado que ese momento puede concretarse de diferentes formas, bien porque se expida la cédula de habitabilidad, porque se emita la licencia de primera ocupación u otro documento equivalente. Si bien el legislador también ha tenido en cuenta aquellos casos en los que a pesar de disponer de los documentos anteriores el adquirente rehusare de recibir la vivienda, solicitando la resolución del contrato con la correspondiente devolución de cantidades, quedando la vía judicial en el caso de que no fuera posible hacerlo efectivo de forma amistosa. Para evitar este tipo de situaciones el legislador ha entendido que si el adquirente rehúsa recibir la vivienda, se produce también la cancelación de la garantía.

3.4. INFRACCIONES Y SANCIONES

Con la reforma, se viene a incorporar además un régimen sancionador para los casos de incumplimiento de la obligación de constituir la garantía de la devolución de las cantidades entregadas anticipadamente para el caso de que la construcción no se inicie o no llegue a buen fin en el plazo convenido para la entrega de la vivienda.

En estos casos, la sanción que se impone supone el 25 por 100 de las cantidades cuya devolución deba ser asegurada, sin perjuicio de las sanciones que pudieran corresponder conforme a la legislación específica en materia de ordenación de la edificación. Además el legislador ha querido especificar que estos incumplimientos constituyen una infracción en materia de consumo, motivo por el cual también es de aplicación lo dispuesto en el régimen sancionador general sobre protección de los consumidores y usuarios[1].

---

1. Al terminar este artículo quisiera dar las gracias y mi reconocimiento a D. Juan Espejo Vergara (q.e.p.d.), Abogado del Despacho Martínez-Echevarría, fallecido prematuramente hace pocas fechas, verdadero autor intelectual de las ideas que aquí se expresan –junto con el Prof. Dr. Ignacio Gallego– y que tanto han ayudado a numerosos consumidores que se pusieron en sus manos para la defensa de sus derechos e intereses legítimos. Así mismo, mi agradecimiento a Dña. Rocío Camacho, Abogada en el mismo Despacho, que ha trabajado el tema con gran profundidad, siendo merecedora de la concesión del XII Premio Santiago Gutiérrez Anaya del que se han tomado muchas de las conclusiones que se plasman en el mismo.

Capítulo XII

El efecto de cosa juzgada de una sentencia colectiva sobre el procedimiento individual de ejecución hipotecaria

SERGI COROMINAS BACH

Profesor de Derecho Procesal
Universidad Católica San Antonio de Murcia (UCAM)

1. INTRODUCCIÓN

Las condiciones económico-financieras que toda entidad bancaria solicita a un cliente particular ante una demanda de financiación buscan garantizar el efectivo pago de la suma contractualmente establecida. No obstante, el «boom inmobiliario» y la posterior crisis económica acaecida han dejado entrever una contratación bancaria seriada y tristemente maquiavélica. Estas «multinacionales» del crédito pretenden minimizar el riego de cobro ante cualquier préstamo a partir de los rendimientos del trabajo del prestatario.

Una condición general de la contratación que sigue llenando ríos de tinta en las resoluciones de nuestros juzgados es la cláusula suelo, hasta tal punto que el propio Tribunal Supremo paralizó los recursos relacionados con ésta hasta obtener un pronunciamiento al respecto por parte del Tribunal de Justicia de la Unión Europea[1].

Sin embargo, los intereses mínimos que resultaban de la aplicación de estas cláusulas declaradas abusivas no eran suficientes para garantizar el lucro de éstas entidades en los contratos de préstamo suscritos con consumidores y usuarios.

El titular «Más ladrillo para la banca» refleja la consecuencia de la incorporación de una condición general de la contratación cuya aplicación conlleva la ejecución del bien hipotecado: la cláusula de vencimiento anticipado[2].

¿Qué requisitos deberá reunir una cláusula de vencimiento anticipado para ser ilícita? Y, en caso de que así se estime, ¿cuáles son las causas de oposición que el deudor hipotecario puede alegar en aras a conseguir el sobreseimiento del consiguiente proceso ejecutivo?

La respuesta a estas dos preguntas no solo justifica el siguiente estudio, sino que desvela la importancia de las acciones colectivas en la protección del ciudadano del siglo XXI, como veremos a continuación.

2. INTERESES COLECTIVOS. LA CONTRATACIÓN BAJO CONDICIONES GENERALES COMO AUTÉNTICO «MODO DE CONTRATAR»

El fenómeno jurídico de la contratación bajo condiciones generales se ha convertido en un auténtico «modo de contractar», tal y como describe

---

1. Así lo recogía la prensa nacional: http://www.abc.es/economia/abci-supremo-pa raliza-recursos-clausulas-suelo-hasta-europa-pronuncie-201604141326_noticia.html (02/11/2016).

2. Titular de la siguiente noticia: http://www.elmundo.es/economia/2016/06/13/ 575daf6222601d5b458b45e7.html (02/11/2016).

el magistrado ORDUÑA MORENO en la Sentencia del Tribunal Supremo de 25 de marzo de 2015[3]. Sin ánimo de reiterarme y, remitiéndome pues, al desglose del concepto y las características de las condiciones generales de la contratación realizado a tenor de dicha sentencia[4], en las siguientes líneas me centraré en la finalidad de esta normativa sectorial, lo que me permitirá, posteriormente, indagar en los intereses colectivos protegidos por la misma.

2.1. LA FINALIDAD DE LA LEGISLACIÓN SOBRE CONDICIONES GENERALES DE LA CONTRATACIÓN

La Ley núm. 7/1998, de 13 de abril, de Condiciones Generales de la Contratación (RCL 1998, 960) es la transposición de la Directiva 93/13/CEE, del Consejo, de 5 de abril de 1993, sobre cláusulas abusivas en los contratos celebrados con consumidores. Su finalidad es la tuición del adherente como parte débil en el contexto de la contratación bajo condiciones generales. Una protección que, como veremos más adelante, no sólo se fundamenta en el cese y la consiguiente reparación del daño producido a determinados consumidores y usuarios, sino que, sobre todo, pretende disuadir el uso de cláusulas consideradas abusivas por parte de los diferentes operadores del mercado y prevenir, de este modo, la efectiva lesión de aquellos intereses colectivos legalmente protegidos.

Una vez apuntada la finalidad de la regulación comunitaria y española en esta materia, es el momento de entrar a ver qué intereses colectivos salvaguarda esta legislación sectorial vigente.

2.2. TIPOLOGÍA DE INTERESES COLECTIVOS Y SU RESPECTIVA FÓRMULA DE TUTELA

El Derecho de protección de los consumidores y usuarios parte de la dicotomía entre: los intereses propiamente grupales y los intereses pluri-individuales homogéneos.

Los *intereses propiamente grupales*, en primer lugar, son aquellos intereses cuyo titular inmediato es un colectivo social protegido por las disposiciones contenidas en el ordenamiento jurídico. La Unión Europea, por su parte, los define como "aquellos intereses que no sean una acumulación

---

3. Voto Particular de la SSTS núm. 139/2015, de 25 marzo y núm. 406/2012, de 18 de junio.
4. COROMINAS BACH, S., «La tutela colectiva de los intereses afectados por las cláusulas suelo», en Manuel Espejo Lerdo de Tejada y Juan Pablo Murga Fernández (dir.), *Vivienda, préstamo y ejecución*, Navarra, Thomson-Aranzadi, 1.ª ed., pp. 893–915.

de intereses de particulares que se hayan visto perjudicados por una infracción" (Directiva 2009/22/CE[5]), llamándoles «intereses colectivos». Este acto comunitario codifica la regulación sectorial previa y, por ende, recoge también la intención de dejar fuera del paraguas tuitivo aquellos intereses individuales afectados pluralmente por conductas contrarias a la legislación *antitrust* (daños masivos).

En cuanto a la tutela jurisdiccional de este tipo de intereses, el legislador no debe articular un instrumento procesal para que todos los perjudicados puedan pretender la reparación de sus legítimos intereses en un solo proceso, sino un proceso colectivo que permita la intervención de otros legitimados o afectados y una eficacia *erga omnes* de la resolución que ponga fin al mismo, en aras a una mayor protección. El carácter no individualizable de estos intereses propiamente grupales, sin ánimos de anticipar lo que veremos más adelante, no obsta el posible efecto de cosa juzgada de la sentencia colectiva que recaiga sobre posteriores procesos individuales o colectivos. Asimismo, el legislador posibilita una tutela preventiva para este tipo de intereses.

Los *intereses pluriindividuales homogéneos*, por otro lado, son intereses individuales de cada uno de los consumidores y usuarios cuya afectación individual presenta elementos fáctico-causales comunes que requieren una tutela colectiva. En otras palabras, los *intereses pluriindividuales homogéneos* son intereses individuales de los miembros de un colectivo social legalmente protegido y afectados de un modo cuantitativo y/o cualitativamente igual por una determinada actividad empresarial.

La acción colectiva, en este caso, impide que la poca entidad de la indemnización en los llamados «daños masivos» pueda suponer una barrera en el acceso a la tutela judicial individual de los intereses afectados y permite, de este mañera, que todos los sujetos afectados individual y comúnmente por una actividad ilícita puedan unirse en una única posición y un solo proceso judicial[6].

---

5. Directiva 2009/22/CE del Parlamento Europeo y del Consejo de 23 de abril de 2009 (LCEur 2009, 612), relativa a las acciones de cesación en materia de protección de los intereses de los consumidores (DOUE L 110/30).

6. A nivel europeo, cabe destacar la reciente Recomendación de 11 de junio de 2013. En concreto, así lo establece el punto 14 de la Resolución del Parlamento Europeo, de 2 de febrero de 2012, sobre «Hacia un planteamiento europeo coherente del recurso colectivo» (2011/2089(INI)) (2013/C 239 E/05) y el considerando 11 de la Recomendación de la Comisión de 11 de junio de 2013 sobre los principios comunes aplicables a los mecanismos de recurso colectivo de cesación o de indemnización en los Estados miembros en caso de violación de los derechos reconocidos por el Derecho de la Unión (2013/396/UE) (DO L 201/60). A nivel español y a mero título de ejemplo,

A diferencia del trabajo publicado en materia de cláusulas suelo dónde trato ambos tipos de intereses[7], en el presente estudio quiero centrarme en los intereses propiamente grupales, ya que es el ejercicio de una acción colectiva que pretenda la nulidad y cese de una cláusula contractual en abstracto –supuesto paradigmático de este tipo de intereses– lo que puede conllevar una causa válida de oposición al posterior proceso individual de ejecución hipotecaria.

Aun así y a pesar de la fecha en que se aprobó toda la normativa en materia de Condiciones Generales de la Contratación, conviene destacar que esta legislación especial posibilita una tutela conjunta de ambos tipos de intereses colectivos, tal y como recoge el artículo 12 de la Ley de Condiciones Generales de la Contratación: *A la acción de cesación podrá acumularse, como accesoria, la de devolución de cantidades que se hubiesen cobrado en virtud de las condiciones a que afecte la sentencia y la de indemnización de daños y perjuicios que hubiere causado la aplicación de dichas condiciones.*

Dicho esto, pasemos a ver, a continuación, las características de los intereses propiamente grupales y la acción colectiva de cesación como forma de tutela efectiva.

3. CARACTERÍSTICAS DE LOS INTERESES PROPIAMENTE GRUPALES. LA ACCIÓN COLECTIVA DE CESACIÓN COMO SU TUTELA

Las particularidades de los intereses propiamente grupales condicionan la respectiva forma de tutela, por lo que cabe detenernos brevemente en sus rasgos definitorios para comprender el necesario carácter colectivo del consiguiente proceso judicial.

3.1. LOS INTERESES PROPIAMENTE GRUPALES. CARACTERÍSTICAS DEFINITORIAS

La primera característica a destacar de los intereses propiamente grupales es la existencia del colectivo afectado con anterioridad a la producción del daño. Esta particularidad posibilita que los sujetos legitimados para el ejercicio de las acciones recogidas en el artículo 12 de la Ley de

---

encontramos la STS 45/2012 en la que rotura de una prótesis implantada en la vena subclavia izquierda –*stent*– produce daños continuados al sujeto (FJ. 2).

7.   COROMINAS BACH, S., «La tutela colectiva de los intereses afectados por las cláusulas suelo», en Manuel Espejo Lerdo de Tejada y Juan Pablo Murga Fernández (dir.), *Vivienda, préstamo y ejecución*, Navarra, Thomson-Aranzadi, 1.ª ed., p. 893–915.

Condiciones Generales de la Contratación puedan exigir el cumplimiento judicial de esta regulación con carácter preventivo; esto es, una vez detectada la infracción de la normativa sectorial imperativa por parte de un operador en el mercado y antes de la producción de un daño real a los consumidores y usuarios[8].

En cuanto al objeto de los intereses propiamente grupales, su carácter indivisible impide la fragmentación del objeto en tantos integrantes del grupo como existan, ya que se trata de intereses que pertenecen a la colectividad como grupo en sí (intereses supraindividuales, en otras palabras)[9]. La indivisibilidad del objeto en los intereses propiamente grupales implica, a su vez, el carácter mediato de la relación entre los miembros integrantes del colectivo y el objeto de los intereses propiamente grupales. En consecuencia, el consumidor individual es simplemente uno de los sujetos integrantes del grupo social titular de este interés colectivo consistente en la protección de la totalidad de los consumidores y usuarios.

Por último, el carácter programático y abstracto de su objeto impide que pueda determinarse el valor de los intereses propiamente grupales afectados y, por consiguiente, imposibilita su tutela indemnizatoria. En este sentido, la acción colectiva indemnizatoria prevista en la normativa sobre Condiciones Generales de la Contratación constituye una forma de tutela de aquellos intereses individuales comúnmente afectados en un único proceso (también conocidos como *intereses pluriindividuales homogéneos*).

3.2. LA TUTELA DE LOS INTERESES PROPIAMENTE GRUPALES

Como acabamos de ver, los intereses propiamente grupales son titularidad de un grupo social en su totalidad como colectivo, por lo que la tutela de éstos se centrará en la protección de la posición de todo consumidor y usuario frente a una determinada actividad, en lo que doctrinalmente se ha llamado «control abstracto»[10]. Sin embargo, los efectos de la

---

8.   Desafortunadamente, en cuanto a la prevención de la producción de la afectación a los intereses pluriindividuales homogéneos, la infracción de la normativa imperativa realizada por la empresa únicamente se detecta, en la mayoría de casos, una vez se generan los daños a los consumidores particulares.

9.   BUJOSA VADELL, L.M., «La protección jurisdiccional de los intereses de grupo (colectivos y difusos): estado de la cuestión en España», en GIMENO SENDRA, V., «*El Tribunal Supremo, su doctrina legal y el recurso de casación*», Estudios Homenaje del Profesor Almagro Nosete, 2007, p. 609.

10. CARBALLO FIDALGO, M., *La protección del consumidor frente a las cláusulas no negociadas individualmente*, Bosch, Barcelona, 2013, pp. 245–262 y PORTELLANO DÍEZ, P., «Artículo 12. Acciones de cesación, retractación y declarativa», en MENÉNDEZ

sentencia que derive de este control abstracto pueden extenderse tanto a posteriores procesos colectivos, como individuales.

La acción colectiva de cesación es la más indicada para la protección de los intereses propiamente grupales de los consumidores y usuarios[11].

3.3. LA ACCIÓN COLECTIVA DE CESACIÓN EN MATERIA DE CONDICIONES GENERALES DE LA CONTRATACIÓN

De acuerdo con la Sentencia del Tribunal Supremo de 23 de diciembre de 2015, la acción colectiva de cesación ejercitada al amparo del artículo 12 LCGC requiere un control abstracto para depurar del tráfico mercantil condiciones generales de la contratación ilícitas. En consonancia con la doctrina italiana en esta materia[12], el ejercicio de esta acción conlleva, como presupuesto inicial de la orden de cesación, que el juez controle el posible carácter abusivo de las condiciones generales aplicadas (control de legalidad, de incorporación y de abusividad de las mismas); en el supuesto que alguna de éstas últimas resultara ser efectivamente abusiva, el juez condenará a la empresa infractora al cese del uso de la misma en todos los contratos suscritos por la entidad.

Así pues, se trata de una tutela de condena con un contenido dual: a la obligación de *non facere* que exige la pretensión de cesación debe sumársele, previamente, la pretensión merodeclarativa de ilicitud de la conducta. En este sentido, la acción colectiva de cesación aspira a: (1) proyectar efectos para evitar una futura contratación con cláusulas ilícitas (*efecto de prohibición*); e (2) impedir que se persista en la utilización de las mismas en contratos de pretérita suscripción que todavía tengan vigencia al tiempo de la demanda (*efecto de abstención*)[13].

El ejercicio de la acción de cesación puede buscar la obtención de pretensiones diversas, en función del momento en el que se presente la misma. Cuando aún se está llevando a cabo el uso de las condiciones

---

MENÉNDEZ, A., DIEZ-PICAZO, L., DE LEON, P., *Comentarios a la ley sobre condiciones generales de la contratación*, Civitas, Madrid, 2002, pp. 568 y ss.

11. ARIZA COLMENAREJO, M.J., *La acción de cesación como medio para la protección de consumidores y usuarios*, Aranzadi, Pamplona, 2012, pp. 135 y ss. y PICO I JUNOY, J., «Comentario al artículo 12 de la LCGC», en ARROYO MARTÍNEZ, I. y MIQUEL RODRÍGUEZ, J., *Comentarios LCGC*, Tecnos, Madrid, 1999, pp. 119–123.

12. VERARDI, C., «L'acceso alla giustizia e la tutela collettiva dei consumatori», en *Il diritto privato dell'Unione europea*, I, *Trattato di diritto privato*, a cura di BESSONE, Torino, 2000, p. 1361 y ARMONE, G.M., «Articulo 140», en *Codice del consumo*, a cura di CUFFORO, coordinatori BARBA E BARONESI, Milano, 2006, p. 528.

13. Sentencia del Tribunal Supremo núm. 705/2015, de 23 de diciembre.

generales abusivas, la finalidad de la acción de cesación será –como su propio nombre indica– el cese de las mismas[14]. Esta tutela, por otro lado, será preventiva en el supuesto que la entidad haya utilizado las condiciones abusivas pero no se haya producido aún daño alguno con su utilización. Por último, cuando la empresa ya no esté llevando a cabo dicha conducta ilegal, la acción de cesación para la tutela de los intereses propiamente grupales buscará únicamente impedir la reiteración de la conducta en el futuro[15].

Hasta aquí hemos visto el concepto, tipología, características y tutela de los intereses colectivos en la contratación bajo condiciones generales. Hecha esta necesaria introducción y parada, en las líneas que siguen nos centraremos en el control de abusividad que el ejercicio de la acción colectiva de cesación conlleva. En especial, cobra especial interés y crítica en este trabajo, el supuesto planteado por la reciente Sentencia del Tribunal Supremo de 23 de diciembre de 2015: el efecto sobre el proceso de ejecución hipotecaria individual de la declaración de abusividad de una cláusula de vencimiento anticipado incluida en un contrato de hipoteca.

Ante el uso de una cláusula de vencimiento anticipado en la contratación hipotecaria seriada, nuestro Tribunal Supremo establece el control abstracto que control abstracto de su abusividad para luego analizar el efecto que la estimación del carácter abusivo de esta cláusula puede tener sobre aquellos actos y procesos que se fundamenten en la misma.

4. EL PROCESO DE EJECUCIÓN HIPOTECARIA. LAS CAUSAS DE OPOSICIÓN

Tras la Ley 1/2014, de 14 de Mayo, de medidas para reforzar la protección a los deudores hipotecarios, reestructuración de deuda y alquiler

---

14. En tal caso, la acción de cesación de cláusulas contractuales lleva consigo la declaración de nulidad contractual (BUSTOS LAGO, J.M., «Comentario al artículo 53 del TRLGDCU», en BERCOVITZ RODRÍGUEZ-CANO, RODRIGO (Coord.), *Comentario del Texto Refundido de la Ley General para la Defensa de los Consumidores Usuarios y otras leyes complementarias (Real Decreto Legislativo 1/2007)*, Aranzadi, Pamplona, 2009, pp. 651 y ss.; CORDON MORENO, F., Aspectos procesales de la regulación legal de las condiciones generales de la contratación», en AJA, núm. 348, 25 de junio de 1998, p. 5; BARRÓN DE BENITO, J.L., *Ley sobre condiciones generales de la contratación. Aspectos procesales*, Dykinson, Madrid, 1999, p. 58; MARÍN LOPEZ, J.J., «Las acciones de clase en el Derecho Español», en *Indret*, 2001–3, p. 5; CABAÑAS GARCÍA, J.C., *Los procesos civiles sobre consumidores y usuarios y de control de las cláusulas generales de los contratos (con jurisprudencia asociada)*, Tecnos, Madrid, 2005, p. 109).
15. CAPONI, R., *Judicial and administrative collective enforcement: injunctions as tools for consumer protection in EU Law (Discussing Magdalena Bober's Dissertation)*, 2010.

social, el artículo 695 de la Ley de Enjuiciamiento Civil recoge un *numerus clausus* de cuatro causas de oposición ante el procedimiento de ejecución hipotecaria. Las tres primeras causas de oposición a este proceso ejecutivo especial se fundamentan, bien en elementos de índole económica (causa segunda), o bien en particularidades del bien hipotecado u obligación garantizada (causas primera y tercera).

No obstante, mi interés investigador en el derecho de protección de los consumidores y usuarios y la reciente jurisprudencia del Tribunal Supremo, me ha obligado a analizar la cuarta causa de oposición a este proceso ejecutivo: "el carácter abusivo de la cláusula contractual que constituye el fundamento de la ejecución o determine la cantidad exigible". El motivo de esta elección yace, más concretamente, en el hecho que la cláusula de vencimiento anticipado es una condición general de la contratación que puede, como he anticipado en líneas precedentes, constituir el fundamento de la ejecución hipotecaria. En este sentido, la declaración del carácter abusivo de una cláusula de vencimiento anticipado por aplicación de la cual se haya iniciado el respectivo proceso ejecutivo, podría constituir no sólo una causa legal de oposición a dicho proceso, sino incluso el sobreseimiento de éste último con las debidas consecuencias sobre la garantía hipotecaria subyacente.

Por consiguiente, cabe ver si la citada causa de oposición del artículo 694.4.ª de la Ley de Enjuiciamiento Civil puede representar, *de facto*, un reconocimiento expreso del efecto positivo de cosa juzgada de una sentencia colectiva sobre un proceso individual tan importante como la ejecución hipotecaria.

Como veremos más adelante, el efecto de cosa juzgada de una sentencia colectiva de cesación es *erga omnes* por la naturaleza de la tutela, por lo que uno podría llegar a pensar que esto no supone novedad alguna. Igualmente, una sentencia colectiva que acoja una tutela de nulidad y/o cesación puede afectar positiva o negativamente una futura acción indemnizatoria (ya sea ésta individual o colectiva). Sin embargo, el supuesto que recoge el artículo 694.4.ª de la LEC es diferente, ya que no estamos hablando de la preclusión que suponga la sentencia colectiva de cesación sobre una posterior pretensión idéntica o del efecto positivo de cosa juzgada de la misma sentencia sobre la ulterior reclamación individual por daños y perjuicios; el objeto principal del presente trabajo es, pues, la causa de oposición que supone la estimación de una pretensión colectiva de cesación por el carácter abusivo de las cláusulas utilizadas en la contratación bancaria seriada y el consiguiente sobreseimiento del posterior proceso de ejecución hipotecaria (art. 694.4.ª LEC).

Planteada la cuestión principal de este estudio, es necesario proseguir con el análisis del control de abusividad de una cláusula hipotecaria de vencimiento anticipado.

5. EL CONTROL DE ABUSIVIDAD DE UNA CONDICIÓN GENERAL DE LA CONTRATACIÓN

La normativa comunitaria en materia de protección de los consumidores y usuarios fue pionera en entender que, ante el ejercicio de una acción colectiva condenatoria de nulidad o cesación –o bien merodeclarativa de abusividad– de una Condición General de la Contratación, el juez debía someterla a un estricto examen en abstracto. Sin embargo, el carácter estático de la legislación de la Unión Europea ha obligado a que esta previsión legal fuera desarrollada jurisprudencialmente tanto por el Tribunal de Justicia de la Unión Europea, como por los Tribunales de los propios Estados miembros. En este sentido, cabe recordar la posición que ocupa el Tribunal de Justicia de la Unión Europea en el entramado jurisprudencial comunitario, en tanto que es el órgano enjuiciador de mayor rango en el panorama Europeo.

A lo que se refiere a la base legal, los artículos 3, 4 y 5 de la Directiva 93/13/CEE del Consejo, de 5 de abril de 1993, sobre las cláusulas abusivas en los contratos celebrados con consumidores recogen los criterios para determinar el carácter abusivo de una Condición General de la Contratación. El artículo 3.1, en primer lugar, establece que se consideraran abusivas aquellas Condiciones Generales de la Contratación que "pese a las exigencias de la buena fe, causan en detrimento del consumidor un desequilibrio importante entre los derechos y obligaciones de las partes que se derivan del contrato".

Asimismo, el artículo 4.1 de la Directiva 93/13 recoge las características que deberán tenerse en cuenta en el control de abusividad, tales como "la naturaleza de los bienes o servicios que sean objeto del contrato y considerando, en el momento de la celebración del mismo, todas las circunstancias que concurran en su celebración, así como todas las demás cláusulas del contrato, o de otro contrato del que dependa". Este punto es importante a efectos del control de abusividad, ya que la jurisprudencia ha establecido que la valoración del posible carácter abusivo de una cláusula no puede extenderse al plano de las circunstancias que acompañan el cumplimiento o ejecución del contrato (o meras hipótesis inferidas), sino que deberán tenerse en cuenta únicamente aquellas circunstancias concurrentes en el momento de celebración del contrato[16].

---

16. SSTS núms. 214/2014 y 213/2014, de 15 y 21 de abril, respectivamente y SSTJUE, de 21 febrero y 14 de marzo de 2013.

En cuanto a la transparencia, el artículo 4.2, en relación con el artículo 5 de la Directiva 93/13, establece que todas las cláusulas deberán estar redactadas siempre de forma clara y comprensible. Además, la interpretación debe hacerse siempre en el sentido más favorable para el consumidor. Jurisprudencialmente, el Tribunal Supremo ha tratado el control de transparencia en materia de cláusulas suelo, declarando su nulidad por falta de la misma[17]. La Comisión Europea, por su parte, ha afirmado que "el principio de transparencia puede aparecer como un medio para controlar la inserción de condiciones contractuales en el momento de la conclusión del contrato o el contenido de las condiciones contractuales"[18].

A nivel subjetivo, los elevados costes procesales y costas judiciales señalan la acción colectiva como la más indicada para solicitar la declaración de abusividad de aquella Condición General de la Contratación utilizada en la contratación seriada, ya que permite la tutela judicial conjunta de una pluralidad de situaciones fácticas con características comunes en un solo proceso.

Por esta misma razón, nuestro ordenamiento jurídico permite ejercitar una acción colectiva no sólo para declarar el carácter abusivo de una cláusula contractual, sino también para obtener una sentencia condenatoria de nulidad y cese en el uso de dicha cláusula, de acuerdo con el artículo 12 de la Ley de Condiciones Generales de la Contratación.

Recuperando en este punto la tesis inicial relativa a la posible causa de oposición a la ejecución hipotecaria por existencia de una cláusula de vencimiento anticipado declarada abusiva, el TJUE ha señalado que el control de abusividad de este tipo de cláusulas deberá centrarse en la esencialidad de la obligación incumplida, la gravedad del incumplimiento en relación con la cuantía y duración del contrato de préstamo y la posibilidad real del consumidor de evitar esta consecuencia (STJUE de 14 de marzo de 2013 (caso C-415/11).

Supongamos ahora que, atendiendo a estos criterios establecidos, el Tribunal estima la pretensión de una acción colectiva de cesación,

---

17. Véase: COROMINAS BACH, S., «La tutela colectiva», *op. cit.*
    El Tribunal Supremo ya se había pronunciado en ese sentido, al declarar la nulidad de condiciones generales por falta de transparencia (sentencias de la Sala Primera núm. 834/2009, de 22 de diciembre, y núm. 375/2010, de 17 de junio) y al considerar el control de transparencia como distinto del mero control de inclusión, en la sentencia núm. 406/2012, de 18 de junio, cuya doctrina fue reiterada en la núm. 221/2013, de 11 de abril.
18. Informe de la Comisión de 27 de abril de 2000 sobre la aplicación de la Directiva 93/13/CEE del Consejo, de 5 de abril de 1993, sobre las cláusulas abusivas en los contratos celebrados con consumidores.

determinando que la cláusula de vencimiento anticipado objeto del litigio es abusiva y, por ende, la entidad bancaria debe cesar en el uso de la misma. ¿Cuál es la consecuencia jurídica de la declaración de una cláusula contractual como abusiva? O, más concretamente, ¿qué sucedería con el consiguiente proceso de ejecución hipotecaria iniciado en base a la aplicación de una cláusula de vencimiento anticipado declarada abusiva?

La respuesta a la primera de las preguntas formuladas radica en el principio de eficacia que recoge la Directiva 93/13/CEE del Consejo, de 5 de abril de 1993, sobre las cláusulas abusivas en los contratos celebrados con consumidores y la integración excepcional del contrato en beneficio del consumidor que ha configurado la jurisprudencia del Tribunal de Justicia de la Unión Europea. Veámoslo.

6. EL PRINCIPIO DE EFICACIA EN LA DECLARACIÓN DE ABUSIVIDAD

El artículo 6.1 de la Directiva 93/13/CEE del Consejo, de 5 de abril de 1993, sobre las cláusulas abusivas en los contratos celebrados con consumidores establece lo siguiente:

«Los Estados miembros establecerán que no vincularán al consumidor, en las condiciones estipuladas por sus derechos nacionales, las cláusulas abusivas que figuren en un contrato celebrado entre éste y un profesional y dispondrán que el contrato siga siendo obligatorio para las partes en los mismos términos, si éste puede subsistir sin las cláusulas abusivas».

Este precepto recoge el llamado principio de eficacia, a través del cual se determina la nulidad de las cláusulas declaradas abusivas para que éstas no vinculen o afecten en modo alguno a los consumidores (STJUE de 14 de junio de 2012, asunto C-680/10). La finalidad de este principio es sancionar al operador jurídico que ha utilizado cláusulas abusivas en su contratación y, de éste modo, disuadir a este sujeto en su futuro uso. En otras palabras, existe un interés público consistente en la protección de los consumidores y usuarios que, en este supuesto, se concreta en evitar la reiteración de la utilización de cláusulas abusivas en la contratación con este colectivo legalmente protegido. Tanto es así que el principio de efectividad, a día de hoy, ostenta el rango de norma de orden público, después del debido desarrollo jurisprudencial (SSTJUE 6 octubre 2009, 30 mayo 2013, ATJU 16 noviembre 2010).

Ahora bien, el alcance real de este principio ha sido precisado sólo recientemente por la Comisión Europea, en su informe al asunto prejudicial C-154/15 que trae causa de la STS de 25 de marzo de 2015. En dicho informe, la Comisión aplica el concepto «no vinculación» (art. 6. 1 de la Directiva) a la ineficacia derivada del carácter abusivo de una cláusula suelo y concluye estableciendo, de un modo claro y resolutivo, que la declaración de abusividad "surte efectos ex tunc y no sólo desde la declaración de la abusividad de la cláusula en cuestión". Por consiguiente, la estimación por parte del Tribunal de una pretensión de ésta índole acarrea la sanción de nulidad de pleno derecho de la cláusula declarada abusiva, prevista en los artículos artículo 83 RDL 1/2007, Ley 3/2014, de 27 de marzo, Ley 7/1998, de 13 abril y artículo 1303 del CC (así lo recogen también las sentencias del Tribunal de Justicia de la Unión Europea de 26 de abril de 2011 y 14 de junio del mismo año). En palabras de la misma Comisión, una ineficacia meramente *ex nunc* «pondría en peligro el objetivo protector de la Directiva» y la «vaciaría de contenido».

La interpretación correcta del concepto de «no vinculación» que contempla la Directiva, por ende, prohíbe "cualquier otra valoración que restrinja o condicione el alcance de su función protectora respecto del consumidor adherente"[19]. La ineficacia derivada de la cláusula abusiva requiere, entonces, una «desvinculación plena» de los efectos y consecuencias jurídicas que directamente despliega la cláusula abusiva en el marco del contrato celebrado –posición que defendí personalmente en el capítulo de libro publicado a tenor de la Sentencia del Tribunal Supremo de 25 de marzo de 2015, donde argumentaba que la nulidad de un cláusula abusiva debía suponer la proyección temporal de su ineficacia al momento de celebración del contrato[20]. Una opinión compartida con el magistrado ORDUÑA MORENO al defender, en el voto particular de la citada sentencia, la eficacia *ex tunc* de la obligación de restitución de la entidad prestamista respecto a los intereses cobrados en exceso por aplicación de la «cláusula suelo» declarada abusiva después del citado control de transparencia.

No obstante, es necesario contemplar un ulterior y más importante efecto de la declaración de abusividad de una condición general de la contratación: la proyección de la ineficacia en el ámbito «material» o, en otras palabras, sobre aquellos actos o negocios realizados cuya validez y eficacia traiga causa o se sustenten directamente en la cláusula declarada abusiva. Dentro de estos supuestos, se hallaría, sin lugar a dudas, la proyección de la cláusula de vencimiento anticipado declarada abusiva sobre el proceso individual de ejecución hipotecaria iniciado en base a la misma.

---

19. Voto Particular del magistrado ORDUÑA MORENO en la Sentencia del Tribunal Supremo núm. 139/2015, de 25 marzo.
20. COROMINAS BACH, S., «La tutela colectiva», *op. cit.*

La respuesta a esta cuestión debe ser idéntica a la planteada respecto al alcance temporal de la nulidad, en cuanto una limitación de la proyección de la nulidad sobre determinados actos o negocios que han nacido a partir de la aplicación de cláusula declara nula representaría también una evidente matización del carácter *ex tunc* de la ineficacia derivada y la consiguiente vulneración del carácter disuasorio de esta regulación tuitiva.

Ahora bien, en el supuesto descrito en relación a la cláusula de vencimiento anticipado, la proyección de la ineficacia de la declaración de la abusividad no sólo acarrearía una causa de oposición válida al proceso de ejecución hipotecaria y, como acabo de apuntar, su debido sobreseimiento, sino que, como es lógico, esto conllevaría el perjuicio de la garantía hipotecaria y, por ende, sería necesario un ulterior juicio declarativo para poder abrir, de nuevo, la vía ejecutiva (art. 1129 CC). ¿Tiene el juez, en este supuesto o en cualquier otro de características similares, la potestad de integrar el contrato sustituyendo la cláusula abusiva por una disposición supletoria de Derecho nacional y evitar, de este modo, las posibles consecuencias negativas derivadas de la nulidad de pleno derecho?

7. LA INTEGRACIÓN EXCEPCIONAL EN BENEFICIO DEL CONSUMIDOR

De entrada, la respuesta debe ser negativa, en cuanto el artículo 83 del TRLGDCU subraya la nulidad de pleno derecho de las cláusulas abusivas ("se tendrán por no puestas"), sin perjuicio de la vigencia del contrato – siempre que pueda subsistir "sin dichas cláusulas."

Esta regulación encuentra su ratio en la sentencia del TJUE de 30 de abril de 2014, dónde el Alto Tribunal sólo autoriza la integración de la cláusula abusiva por una disposición supletoria de Derecho nacional (1) cuando la ineficacia se proyecte a un elemento esencial del contrato principal; y (2) la integración permita la subsistencia de éste sólo en beneficio de los intereses del consumidor adherente, conforme a la finalidad y al efecto disuasorio perseguidos por la Directiva 93/13[21].

El ATJUE de 11 de junio de 2015, asimismo, acierta en diferenciar entre el plano de valoración o calificación del carácter abusivo de la cláusula y la posibilidad judicial de integrar las consecuencias derivadas de la

---

21. El apartado 83 de la sentencia del TJUE de 30 de abril de 2014 establece: «En cambio, si en una situación como la del asunto principal no se permitiera sustituir una cláusula abusiva por una disposición supletoria y se obligara al juez a anular el contrato en su totalidad, el consumidor podría quedar expuesto a consecuencias especialmente perjudiciales (restitución del capital prestado), de modo que el carácter disuasorio derivado de la anulación del contrato podría frustrarse».

cláusula una vez ésta ha sido declarada abusiva. En el primer caso, el juez nacional puede valorar los criterios anteriormente citados en relación al carácter abusivo de una cláusula. En el segundo plano, por el contrario, la integración contractual por parte del juez nacional se permite única y excepcionalmente cuando «la nulidad de este última obligara al juez a anular el contrato en su totalidad en perjuicio de los intereses de los consumidores» (STJUE 21 de enero de 2015)[22].

Recuperemos ahora la pregunta que formulábamos al principio de este apartado: en el supuesto de la proyección de la ineficacia de la declaración de la abusividad de una cláusula de vencimiento anticipado sobre el proceso de ejecución hipotecaria, ¿tiene el juez la potestad de integrar el contrato sustituyendo la cláusula abusiva por una disposición supletoria de Derecho nacional y evitar, de este modo, la necesidad de iniciar un proceso declarativo para poder volver a abrir este procedimiento ejecutivo especial sobreseído (art. 1129 CC)?

De acuerdo con todo lo apuntado, la respuesta debe ser también negativa, ya que la anulación del contrato en su totalidad únicamente perjudicaría a la entidad bancaria, en cuanto ésta última debería iniciar un ulterior procedimiento de declaración para poder abrir la vía ejecutiva contra el deudor hipotecario.

No obstante, el Tribunal Supremo opta por integrar, paradójicamente y conforme al artículo 693.2 de la LEC, una cláusula de vencimiento anticipado declarada ilícita por su proyección sobre el posterior proceso individual de ejecución. ¿En beneficio del consumidor? De ninguna manera: en único beneficio de la entidad bancaria, por lo que, a mi parecer y a tenor de todo lo apuntado anteriormente, la continuidad de este proceso ejecutivo por aplicación de una disposición legal nacional supone, sin lugar a dudas, la efectiva integración de una cláusula abusiva que supone un grave perjuicio para el consumidor.

8. LA SENTENCIA DEL TRIBUNAL SUPREMO DE 23 DE DICIEMBRE DE 2015: INFRACCIÓN DEL DERECHO COMUNITARIO Y VULNERACIÓN DE LA DOCTRINA DEL TJUE

El razonamiento apuntado por el Tribunal Supremo en la sentencia de 23 de diciembre de 2015 sorprende y más cuando el propio Alto Tribunal acogió una posición opuesta en relación al carácter abusivo de ciertas cláusulas contractuales que establecían exorbitados intereses de demora.

---

22. La STS núm. 265/2015, de 22 de abril y el ATJUE 11 junio de 2015 siguen el mismo criterio.

En base al artículo 7 de la Directiva 93/13, el Tribunal Supremo afirmó que la mera reducción, por parte del juez, del importe de la pena convencional impuesta al consumidor por aplicación de la cláusula relativa a los intereses de demora eliminaría el efecto disuasorio que ejerce la no aplicación de dicha cláusula convencional (STJUE 11 de junio de 2015).

Asimismo, el propio artículo 3.1 de la citada Directiva resulta concluyente y unívoco en cuanto obliga al juez nacional a eliminar todas las consecuencias oportunas de una cláusula contractual declarada abusiva y, por esta misma razón, nula de pleno derecho. Una nulidad cuyo alcance no puede cuestionarse y menos limitarse, en cuanto el principio de efectividad pertenece al ámbito del orden público de la Directiva (artículo 6 de la misma).

El TJUE, por su parte, concibe el concepto de «no vinculación», como la garantía de la «total desvinculación» para el consumidor de los efectos perjudiciales derivados de la aplicación de una cláusula abusiva. Por esta misma razón, en el supuesto de hecho objeto de estudio, la respuesta de nuestro Alto Tribunal debería haber sido la no aplicación de la cláusula de vencimiento anticipado declarada nula y la eliminación de todos los efectos producidos por el despacho indebido de la ejecución, aunque esto conllevara la pérdida de la garantía hipotecaria y que la entidad bancaria tuviera que iniciar un procedimiento declarativo contra el deudor para el cobro de una determinada cantidad. Y es que, de acuerdo con la Sentencia del Tribunal Supremo núm. 470/2015, de 7 de septiembre, un beneficio para el consumidor es el único motivo por el que el juez, ante la apreciación del carácter abusivo de una condición general de la contratación, puede aplicar una norma supletoria de Derecho Nacional para la integración del contrato y asegurar, así, su subsistencia.

El magistrado ORDUÑA MORENO, en el voto particular de la Sentencia del Tribunal Supremo de 23 de diciembre de 2015, entiende que el Tribunal Supremo ha desnaturalizado conceptualmente el control de abusividad en dicha sentencia, en cuanto ha permitido la continuación de un procedimiento iniciado por aplicación de una cláusula declarada abusiva. Yo, voy un poco más allá y, mientras sigo preguntándome en que beneficia al consumidor la continuación del procedimiento de ejecución hipotecaria, afirmo que la decisión de nuestro Alto Tribunal neutraliza la efectividad y función del *acquis communautaire* compuesto por los artículos 6.1 y 7 de la Directiva 93/13 y la extensa y clara jurisprudencia del TJUE hasta aquí desarrollada.

Capítulo XIII

Las cuestiones prejudiciales sobre la cláusula suelo: problemas de cosa juzgada ante un posible pronunciamiento del TJUE favorable a la retroactividad plena de la declaración de nulidad[1]

ALBERTO JOSÉ LAFUENTE TORRALBA

Profesor de Derecho Procesal
Universidad de Zaragoza

---

1. Este trabajo es fruto del proyecto de investigación "Obstáculos y restricciones del acceso a la justicia y de la solución jurídica de los conflictos" (DER2013-44385-R), del Ministerio de Economía y Competitividad, que dirige el Profesor Juan F. Herrero Perezagua.

1. RESUMEN

Como es sobradamente conocido, la jurisprudencia del Tribunal de Justicia de la Unión Europea recaída en interpretación de la Directiva 93/13/CEE, de 5 de abril, sobre las cláusulas abusivas en los contratos celebrados con consumidores, ha supuesto profundas transformaciones en nuestro proceso civil. La doctrina del Tribunal comunitario ha alterado sustancialmente la dinámica de la ejecución forzosa, al permitir discutir en su seno la validez o nulidad de las cláusulas supuestamente abusivas que pudiera contener el título ejecutivo; e, igualmente, ha «dado la vuelta» a principios y reglas que hasta hace poco se consideraban axiomáticos en nuestro modelo de enjuiciamiento civil, como son los principios dispositivo y de aportación de parte, la preclusión y la cosa juzgada.

El objeto de este trabajo versa sobre la última institución aludida y el modo en que puede verse afectada por la jurisprudencia supranacional en materia de cláusulas abusivas. Como aclaración preliminar, hay que precisar que el estudio que se realizará en las siguientes páginas no se refiere a un problema ya existente, sino que anticipa el análisis de problemas que previsiblemente se plantearán en un futuro próximo. No se trata, pues, de especular sobre asuntos de «Derecho-ficción», sino de presentar situaciones que, con un alto grado de probabilidad, se plantearán a corto o medio plazo y de avanzar criterios para solventarlas. A este respecto, es sabido que la doctrina sobre la retroactividad limitada de la cláusula suelo contenida en la STS de 9 de mayo de 2013 y reiterada en sentencias posteriores ha sido objeto de diversas cuestiones prejudiciales que, en el momento actual, se hallan pendientes de decisión. Dada la solidez de los argumentos en los que se sostienen tales cuestiones, así como las observaciones escritas de la Comisión Europea de 13 de julio de 2015 en las que se censura severamente la doctrina de nuestro órgano casacional, parece oportuno preguntarse qué sucederá si finalmente el TJUE estima que la limitación del efecto restitutorio de la nulidad es contrario al Derecho comunitario y, por tanto, impone la devolución íntegra de lo cobrado en virtud de estas cláusulas. Concretamente habrá de esclarecerse si, en dicha hipótesis, el fallo del TJUE afectará también a las sentencias firmes que siguieron la doctrina del Tribunal Supremo y, en consecuencia, negaron a los consumidores el reembolso de los pagos anteriores a mayo de 2013: ¿esos consumidores podrán volver a reclamar las cantidades inicialmente denegadas? ¿O, por el contrario, lo impedirá la eficacia excluyente de la cosa juzgada? A estos interrogantes se procurará dar respuesta, no sin advertir que las conclusiones que se alcancen serán forzosamente provisionales a la espera del pronunciamiento del Tribunal de Luxemburgo.[2]

2. EL PUNTO DE PARTIDA: LA DOCTRINA SOBRE LA «RETROAC-TIVIDAD LIMITADA» DE LA DECLARACIÓN DE NULIDAD DE LA CLÁUSULA SUELO

Es conocida la enorme litigiosidad que ha traído consigo la inserción masiva en los contratos de préstamo hipotecario de cláusulas limitativas de la variabilidad del interés remuneratorio (las denominadas «cláusulas suelo»). El debate en torno a su carácter abusivo fructificó en la famosa STS de 9 de mayo de 2013[3] que, lejos de zanjar la polémica, ha alimentado la confusión en torno a la validez y eficacia de este tipo de cláusulas.

Si bien dicha sentencia declaró en principio la licitud intrínseca de la cláusula suelo, sin embargo abrió la puerta a su anulación en la medida en que se hubiera incorporado al contrato sin la debida transparencia, estableciendo un filtro tan exigente que equivalía *de facto* a una «cuasi universalización» del carácter abusivo de este tipo de cláusulas[4]. Con

---

2. Meses después de la entrega de este trabajo se ha dictado la STJUE de 21 de diciembre de 2016 (asuntos acumulados C-154/15, C-307/15 y C-308/15), en cuya virtud la Directiva 93/13/CEE "debe interpretarse en el sentido de que se opone a una juris-prudencia nacional que limita en el tiempo los efectos restitutorios vinculados a la declaración del carácter abusivo (…) de una cláusula contenida en un contrato cele-brado con un consumidor por un profesional, circunscribiendo tales efectos resti-tutorios exclusivamente a las cantidades pagadas indebidamente en aplicación de tal cláusula con posterioridad al pronunciamiento de la resolución judicial mediante la que se declaró el carácter abusivo de la cláusula en cuestión". La hipótesis de la que parte este trabajo, por tanto, es ahora una realidad, por lo que adquieren pleno sentido e inmediata aplicación práctica las consideraciones que a continuación se realizan.

3. El Tribunal Supremo ha dado continuidad a la doctrina sentada en esta sentencia en varios pronunciamientos posteriores (SSTS de 8–9-2014 [RJ 2014, 4660], de 24–3-2015 [RJ 2015, 845], de 25–3-2015 [RJ 2015, 735] y de 29–4-2015 [RJ 2015, 2042]).

4. Así lo sostienen voces autorizadas de la doctrina civilista. A este respecto, señala PERTÍÑEZ VÍLCHEZ que el nivel de transparencia e información requerido por la STS 9–5-2013 es tan exigente que, de acuerdo con la práctica que ha sido habitual en la comercialización de préstamos hipotecarios con cláusulas suelo, se antoja muy complicado que las entidades financieras puedan probar en procesos individuales que el consumidor concreto suscribió el contrato con pleno conocimiento de causa sobre la existencia de la cláusula, su influencia en el coste real del crédito, su inci-dencia en la ejecución del contrato y la previsible evolución del tipo de referencia. Por ello, el autor concluye que el criterio seguido por el Tribunal Supremo lleva a una «cuasi universalización del carácter abusivo de la cláusula suelo en los contratos

todo, el punto más controvertido de este fallo jurisprudencial se focalizó, como sabemos, en la limitación del efecto restitutorio de la declaración de nulidad: soslayando la regla general del art. 1303 CC, que obliga a la plena restitución de prestaciones y la vuelta a la situación anterior a la aplicación de la cláusula nula, como si ésta jamás hubiera existido, el Alto Tribunal optó por limitar en el tiempo las consecuencias de la nulidad. A resultas de ello, la obligación de devolver el exceso de intereses percibidos al amparo de la cláusula suelo quedó acotada a las cantidades devengadas a partir de mayo de 2013, siendo por tanto inatacables los pagos realizados con anterioridad a esa fecha. Como justificación de este criterio, el Tribunal Supremo apeló a la buena fe de las entidades prestamistas y al riesgo de «trastornos graves» del orden público económico que podrían derivarse de una restitución total.

3. CUESTIONAMIENTO DE ESTA DOCTRINA ANTE EL TJUE

La dudosa compatibilidad de esta solución con la normativa comunitaria en materia de cláusulas abusivas se ha traducido en una profunda división de pareceres entre nuestras Audiencias, que han oscilado entre el apego estricto a la doctrina del Tribunal Supremo y la tesis favorable a la devolución íntegra de lo cobrado, desde la activación de la cláusula y sin ningún tipo de limitación temporal. Esta caótica situación ha abocado, como era previsible, al planteamiento a lo largo del último año de varias cuestiones prejudiciales ante el TJUE[5], en las que se discute la conformidad de esa doctrina jurisprudencial con los arts. 6 y 7 de la Directiva 93/13/CEE, sobre cláusulas abusivas en los contratos celebrados con consumidores.

---

de préstamo hipotecario» (vid. PERTÍÑEZ VÍLCHEZ, F., «Falta de transparencia y carácter abusivo de la cláusula suelo en los contratos de préstamo hipotecario», en *InDret*, núm. 3 de 2013, p. 15). En sentido similar, opina DE TORRES PEREA que el Tribunal Supremo pone el listón tan alto, que es prácticamente insuperable, de modo que el resultado final es fácil de entender: en todo supuesto en que se haya incluido en un contrato de hipoteca una cláusula suelo en los últimos años ineludiblemente está destinada a ser declarada abusiva (DE TORRES PEREA, J. M., «Nulidad de cláusula suelo por falta de transparencia fundada en una insuficiente información del cliente bancario. En especial, sobre la idoneidad de su impugnación mediante el ejercicio de la acción de cesación», en *Revista Jurídica Valenciana*, núm. 2, 2014, p. 48).

5. Se trata de la cuestión prejudicial promovida por el Juzgado de lo Mercantil núm. 1 de Granada mediante auto de 25 de marzo de 2015 (asunto C-154/14); las promovidas por la Audiencia Provincial de Alicante mediante autos de 10 y 14 de junio de 2015 (asuntos C-307/15 y C-308/15); o la promovida por la Audiencia Provincial de Cantabria mediante auto de 17 de julio de 2015 (asunto C-431/15), entre otras.

De las citadas cuestiones prejudiciales, la remitida por el Juzgado de lo Mercantil núm. 1 de Granada en marzo de 2015 es la que se encuentra en la fase más avanzada de tramitación. Ya ha recibido las observaciones escritas de la Comisión Europea y varios Estados miembros. Asimismo, se ha celebrado la vista el pasado 26 abril y el Abogado General Paolo Mengozzi ha anunciado que hará públicas sus conclusiones el 12 de julio de 2016. Así las cosas, es previsible que para finales de año se publique la sentencia y conozcamos el criterio del TJUE acerca de la limitación del efecto restitutorio de la nulidad propugnada por nuestro Tribunal Supremo.

4. PUNTOS DÉBILES DE LA DOCTRINA SOBRE LA RETROACTI-VIDAD LIMITADA

Desde luego, nos movemos en un terreno de incertidumbre, en el que cualquier reflexión que se haga está sujeta a lo que finalmente determine la Corte de Luxemburgo. Sin embargo, no es necesario ejercer dotes de adivinación o realizar especulaciones cabalísticas para anticipar la alta probabilidad de que el Tribunal comunitario concluya que la doctrina jurisprudencial sobre los efectos de la cláusula suelo se opone al sentido de la Directiva 93/13/CEE. Lo corroboran diversos argumentos, de los que dan buena cuenta los órganos remitentes de las distintas cuestiones prejudiciales, así como algunos antecedentes tomados de la propia jurisprudencia del TJUE.

En efecto, la postura de nuestro Tribunal Supremo tiene numerosos puntos débiles, a la vista de los cuales parece ciertamente difícil que salga airosa de su examen ante el TJUE. En primer lugar, es clara su oposición al art. 6 de la Directiva 93/13/CE, que proclama la no vinculación del consumidor a las cláusulas declaradas abusivas: si se impide al consumidor reclamar el exceso de intereses que pagó antes de mayo de 2013, eso es tanto como afirmar que la cláusula le ha estado vinculando durante un dilatado período de tiempo. Se vulnera también la doctrina reiterada del TJUE según la cual la cláusula abusiva debe eliminarse sin más, sin que quepa integrarla o moderar su alcance[6]. Se vulnera asimismo el principio de equivalencia, según el cual las reclamaciones fundadas en Derecho comunitario no pueden recibir peor trato que el previsto para reclamaciones equivalentes fundadas en Derecho nacional: en el caso que nos ocupa, lo que hace el Tribunal Supremo es excluir a las cláusulas suelo declaradas abusivas del efecto previsto con carácter general para toda nulidad

---

6. SSTJUE de 14 de junio de 2012 (caso *Banesto*) y 30 de mayo de 2013 (caso *Jahani BV*).

contractual por nuestra legislación interna (art. 1303 CC), por lo que no les está dando ese trato equivalente que exige el TJUE.

Por otra parte, aunque el Tribunal comunitario ha declarado la posibilidad excepcional de limitar en el tiempo los efectos de sus sentencias cuando concurra buena fe en los círculos interesados y riesgo de trastornos graves, es dudoso que estos parámetros se cumplan en el caso planteado. En lo que atañe al requisito de la buena fe, la perplejidad que produce el planteamiento del Tribunal Supremo puede resumirse en una pregunta: ¿acaso es posible que alguien *abuse de buena fe*? En buena lógica, ambos conceptos se repelen mutuamente y no parece, desde luego, que puedan confluir en una misma conducta. Sin embargo, es esto lo que viene a decir el Alto Tribunal: que el predisponente obró de buena fe al ocultarle al consumidor información esencial sobre cláusulas llamadas a influir decisivamente en la economía del contrato. Dicho razonamiento no resulta fácil de cohonestar con el art. 7 CC, en el que se contraponen claramente las actuaciones respetuosas con la buena fe (apartado 1.º) y las constituvas de abuso de derecho o ejercicio antisocial del mismo (apartado 2.º). Tampoco se aviene con el concepto legal de cláusula abusiva, entre cuyos elementos estructurales se encuentra, precisamente, la contrariedad a las exigencias de la buena fe[7].

En cuanto al riesgo de trastornos graves, no parece que aquél pueda simplemente presumirse o considerarse notorio como hace el Tribunal Supremo, sino que se requiere una prueba cumplida a fin de acreditar la realidad y dimensión del riesgo. Además, en la valoración de estos extremos el TJUE es extraordinariamente riguroso, como se desprende de sus propios precedentes jurisprudenciales. Una sentencia reciente, recaída en un litigio que involucraba también al Estado español, puede servirnos para ilustrar ese rigor: se trata de la STJUE de 27 de febrero de 2014 (asunto C-82/12), relativa al popularmente conocido como «céntimo sanitario». En aquel caso, el Gobierno español y la Generalitat de Catalunya solicitaron al TJUE que limitase en el tiempo los efectos de su sentencia pues la obligación de devolver el impuesto, cuyo rendimiento alcanzó alrededor de 13.000 millones de euros entre 2002 y 2011, ponía en peligro la financiación de la sanidad pública en las Comunidades Autónomas. La respuesta del Tribunal comunitario fue negativa, con un razonamiento

---

7. Así resulta del art. 82.1 del Texto Refundido de la Ley General para la Defensa de los Consumidores y Usuarios (RDLeg. 1/2007, de 16 de noviembre), a tenor del cual «se considerarán cláusulas abusivas todas aquellas estipulaciones no negociadas individualmente y todas aquéllas prácticas no consentidas expresamente que, en contra de las exigencias de la buena fe causen, en perjuicio del consumidor y usuario, un desequilibrio importante de los derechos y obligaciones de las partes que se deriven del contrato».

que cabe extrapolar perfectamente a la problemática de la cláusula suelo: en primer lugar, con cita de otros pronunciamientos anteriores, recordó que «las consecuencias financieras que podrían derivarse para un Estado miembro de una sentencia dictada con carácter prejudicial no justifican, por sí solas, la limitación en el tiempo de los efectos de esa sentencia»; y, seguidamente, añadió que «si ello no fuera así, *las violaciones más graves recibirían el trato más favorable*, en la medida en que son éstas las que pueden entrañar las consecuencias económicas más cuantiosas para los Estados miembros» (apartados 48 y 49). El argumento utilizado por el TJUE, como vemos, es tan sencillo como demoledor: de aceptarse la limitación de efectos, resultaría que cuanto más generalizada estuviera la lesión del Derecho comunitario y más se prolongase en el tiempo, más leves serían (paradójicamente) las consecuencias para el infractor.

Las comparaciones son inevitables: si en el caso que acaba de describirse, que afectaba directamente a la Hacienda Pública y comprometía la financiación de nuestro sistema sanitario, el criterio del TJUE fue tan estricto, ¿por qué habría de ser más flexible en el caso de la cláusula suelo? Téngase en cuenta, además, que el impacto económico de la restitución de los intereses percibidos sería muy inferior a las estimaciones realizadas en el caso del céntimo sanitario; que la situación actual de la Banca, tras el programa de saneamiento al que ha sido sometida, es muy distinta de la existente en 2013; que en la mayoría de los casos los cobros indebidos se compensarían con el capital pendiente, sin exigir ningún reembolso o transferencia de saldo por parte de las entidades prestamistas; y que sería factible, en fin, el establecimiento de un sistema de devolución escalonada o gradual, medida que permitiría amortiguar las repercusiones económico-financieras sin privar a los consumidores de lo que legítimamente se les debe.

5. PROBLEMAS PROCESALES ANTE UN EVENTUAL PRONUNCIAMIENTO DEL TJUE CONTRARIO A LA DOCTRINA SOBRE LA RETROACTIVIDAD LIMITADA

5.1. EL DIFÍCIL ESCOLLO DE LA COSA JUZGADA

A la luz de cuanto acaba de decirse, vemos que la imposición por parte del Tribunal europeo de una retroactividad plena de la declaración de nulidad no es una posibilidad más o menos remota, sino que se perfila como un escenario plausible y realista. Y, siendo así, parece oportuno adelantar *ad cautelam* algunas consideraciones sobre los problemas procesales que, en su momento, podrían plantearse.

Algunos de estos problemas están vinculados, precisamente, con el instituto de la cosa juzgada. Como antes se ha dicho, buena parte de nuestras Audiencias Provinciales han seguido la doctrina del Tribunal Supremo y, en consecuencia, han estimado parcialmente las pretensiones de devolución fundadas en la nulidad de la cláusula suelo, limitando la condena a los intereses devengados desde mayo de 2013. Del mismo modo, numerosos consumidores han transigido con las entidades de las que son clientes: han preferido aceptar la oferta del prestamista de devolver tan sólo lo cobrado a partir de aquella fecha y renunciar al ejercicio de ulteriores acciones judiciales, conscientes de la orientación jurisprudencial en esta materia y de las sombrías perspectivas de una demanda de restitución total. Ante un panorama semejante, la reacción ante un posible pronunciamiento del TJUE favorable a la retroactividad plena es fácil de prever: como es natural, los primeros exigirán a las entidades financieras el reintegro de lo que inicialmente se les negó, es decir, de los pagos anteriores a mayo de 2013; los segundos, por su parte, intentarán resolver la transacción al amparo de la cláusula *rebus sic stantibus*, alegando que el error en el que ha incurrido nuestro Tribunal Supremo, finalmente declarado por la Corte de Luxemburgo, constituye un cambio de circunstancias de entidad suficiente como para alterar la base del negocio.

Centrando el análisis en la primera de las situaciones propuestas, las dificultades con las que tropezará esa nueva reclamación del consumidor saltan a la vista: si hay ya una sentencia que limita los efectos de la nulidad y ordena devolver sólo una parte de lo pedido, y esa sentencia ha ganado firmeza, la cosa juzgada impedirá volver a reclamar lo que en un principio se rechazó, que es la restitución de la *totalidad* de las cantidades derivadas de la aplicación de la cláusula suelo.

Es sabido que las decisiones revestidas de cosa juzgada, como garantía de la seguridad jurídica, deben permanecer incólumes en todo caso, fuera de los excepcionales supuestos que motivan la revisión de sentencias firmes (art. 510 LEC). Esa intangibilidad de la cosa juzgada se mantiene, incluso, ante sobrevenidos giros jurisprudenciales. Éstos no justifican, en ningún caso, la reapertura de pleitos definitivamente cerrados, dado el clima de incertidumbre que ello generaría entre los justiciables: cualquier cambio de criterio de las instancias superiores bastaría para resucitar, en cualquier momento, el debate sobre cuestiones ya zanjadas. No existiría estabilidad en las relaciones jurídicas y todo derecho judicialmente reconocido quedaría bajo una sempiterna espada de Damocles, a expensas de futuras innovaciones jurisprudenciales. Esta importancia de la cosa juzgada se manifiesta con toda su intensidad en el art. 40.1 de la Ley Orgánica del Tribunal Constitucional (LO 2/1979, de 3 de octubre), en virtud del cual «las sentencias declaratorias de la inconstitucionalidad de Leyes, disposiciones o actos con fuerza de Ley no permitirán revisar procesos fenecidos mediante sentencia con fuerza de cosa juzgada en los que se haya hecho aplicación de las Leyes, disposiciones o actos inconstitucionales, salvo en el caso de los procesos penales o contencioso-administrativos referentes a un procedimiento sancionador en que, como consecuencia de la nulidad de la norma aplicada, resulte una reducción de la pena o de la sanción o una exclusión, exención o limitación de la responsabilidad». Como vemos nuestro legislador, en su empeño por preservar el principio de seguridad jurídica, llega al extremo de hacer prevalecer la cosa juzgada sobre la propia jurisprudencia del Tribunal Constitucional: hay que respetar la cosa juzgada, aunque ello suponga sacrificar el interés de quienes han sufrido la aplicación de una norma inconstitucional.

Parece que la solución ha de ser similar en aquellos casos en que la sentencia firme colisione con una resolución posterior del TJUE, derivada de la correspondiente cuestión prejudicial, en la que se haga una interpretación del Derecho comunitario contradictoria con la efectuada en su día por el órgano nacional: es decir, cuando se ponga de manifiesto *a posteriori* que éste ignoró o se equivocó al interpretar una norma de Derecho comunitario aplicable al caso. En este supuesto parece que, en principio, no podrá revisarse el litigio ya decidido con fuerza de cosa juzgada, aunque ello permitiera subsanar la infracción o errónea interpretación del Derecho comunitario en la que hubiera incurrido el juez nacional.

Contamos con un pronunciamiento reciente de nuestro Tribunal Supremo que apunta en esa dirección: se trata de la STS (Sala 1.ª) de 18 de febrero de 2016. Sucintamente, los hechos fueron los siguientes: dos empresas demandaron a otras dos por atentar contra sus derechos de patente sobre un producto farmacéutico. El asunto llegó al Tribunal Supremo que, en sede casacional, estimó parcialmente la demanda, consideró infringida la patente y condenó solidariamente a las demandas a retribuir de forma equitativa a las actoras. Sin embargo, esta sentencia se dictó sin esperar a que el TJUE resolviera la cuestión prejudicial C-414/11, derivada de un pleito en el que se planteaba una problemática similar, pese a que la existencia de esta cuestión había sido previamente anunciada a la Sala 1.ª. El TJUE acabó respondiendo a la cuestión formulada en un sentido que divergía de lo resuelto por el Tribunal Supremo, cuya decisión hubiera sido distinta de haber aguardado al fallo del Tribunal comunitario, con el consiguiente perjuicio a las demandadas compelidas a pagar una indemnización a la que no deberían haber sido condenadas.

En esta tesitura, una de las empresas demandadas decidió interponer demanda de revisión, que constituye el objeto de la sentencia que ahora analizamos. El grueso de su fundamentación está dedicado a justificar la imposibilidad de subsumir el supuesto planteado en el *numerus clausus* de motivos de revisión, concretamente en el ordinal 1.° del art. 510 LEC (recobro u obtención, después de pronunciada la sentencia, de documentos decisivos de los que no se hubiere podido disponer por fuerza mayor o por obra de la parte a cuyo favor se hubiere dictado). A juicio del Tribunal Supremo, la demanda de revisión no puede prosperar porque: a) una sentencia del TJUE no es un «documento» a los efectos procesales pretendidos, sino una resolución jurisdiccional que establece una determinada doctrina legal; b) esa sentencia es de fecha posterior a la resolución que se pretende revisar, en contra de la doctrina del Tribunal Supremo, que exige la preexistencia del documento; c) tampoco es un documento retenido por la otra parte, ni su falta de disposición por el demandante se debió a fuerza mayor. Seguidamente, el Tribunal Supremo realiza un examen «a vuelapluma» de la jurisprudencia comunitaria, del que concluye sumariamente que el TJUE no ha desarrollado una doctrina que permita fundar la revisión de resoluciones firmes en una sentencia posterior de dicho Tribunal. Finalmente, recalca que en nuestro ordenamiento jurídico no existe previsión legal que autorice algo semejante y recuerda que el legislador español ha tenido ocasión reciente de hacerlo. Sin embargo, únicamente ha previsto un mecanismo especial de revisión cuando se trata de una sentencia del Tribunal Europeo de Derechos Humanos (apartado 2.° del art. 510 LEC, introducido por la LO 7/2015, de 21 de julio), sin extender esta solución a las sentencias del TJUE.

5.2. ASPECTOS DISCUTIBLES, INCONVENIENTES Y DISFUNCIONES QUE PROVOCA EN EL CASO ESTUDIADO LA APLICACIÓN ESTRICTA DE LA COSA JUZGADA

Si asumimos la aplicación de la función negativa de la cosa juzgada en una hipótesis como la que estamos analizando, las sentencias firmes que siguieron la doctrina de nuestro Tribunal Supremo sobre los efectos de la cláusula suelo devendrían «intocables» ante un ulterior fallo del TJUE que declarase la oposición de esa doctrina al Derecho comunitario. Como consecuencia de ello, numerosos consumidores quedarían excluidos del efecto restitutorio pleno de la declaración de nulidad que consagrara el TJUE. Esta solución presenta varios aspectos discutibles y hace surgir algunos inconvenientes que, a mi juicio, aconsejan un replanteamiento de la cuestión.

En primer lugar, no puede obviarse que en muchos procedimientos los consumidores han solicitado al órgano enjuiciador el planteamiento de la correspondiente cuestión prejudicial, a fin de suspender el dictado de la sentencia hasta que el TJUE examine la legitimidad de la doctrina cuestionada desde el prisma del Derecho comunitario. Sin embargo, son muy pocos los tribunales que han accedido a dicha solicitud, optando por acatar sin más esa doctrina en vez de plantear una cuestión cuya necesidad y pertinencia, como hemos visto, son más que evidentes. La imposibilidad de estos consumidores de acogerse a un futuro fallo del TJUE favorable a la retroactividad plena de la declaración de nulidad es especialmente injusta, pues esa imposibilidad, derivada de la cosa juzgada, no les es imputable: lo es al órgano judicial que no planteó, debiendo hacerlo, la oportuna cuestión prejudicial. Es criticable que los justiciables se vean perjudicados por la pasividad de los propios órganos jurisdiccionales nacionales, cuando éstos han desatendido indebidamente la importancia de una duda relativa al Derecho comunitario.

En segundo lugar, es palmaria la desigualdad que puede generar entre los consumidores la aplicación estricta de la cosa juzgada: aquellos prestatarios que demandaron ya a sus entidades y obtuvieron una sentencia firme no podrán volver a reclamar, aunque la doctrina que les fue aplicada se declare contraria al Derecho de la Unión; en cambio, los que demanden una vez resueltas por el TJUE las cuestiones en trámite podrán exigir la restitución total de lo pagado en concepto de cláusula suelo, en el caso que el Tribunal comunitario –como es previsible– así lo reconozca. De esta forma, y paradójicamente, los más diligentes –por su prontitud en detectar el abuso y demandar a la entidad bancaria– recibirán un trato más desfavorable que quienes demoraron el ejercicio de la acción.

No es ésta, sin embargo, la única disparidad de trato que puede producirse. En la práctica, y a medida que la doctrina del Tribunal Supremo ha ido asentándose, numerosos consumidores han optado por «autolimitarse» y ceñir su pretensión restitutoria a los intereses devengados desde mayo de 2013. Razones de peso les han inducido a actuar así, como la necesidad de asegurarse el reintegro de las costas –excluido en los casos de estimación parcial de la demanda (art. 394.2 LEC)– o evitar la interposición de recursos por parte de las entidades financieras. Como es obvio, dicha conducta se ha dado especialmente en los territorios de aquellas Audiencias conocidamente proclives a aplicar la doctrina de la retroactividad limitada: allí el intento de lograr una restitución total aparece *ab initio* abocado al fracaso, lo cual ha terminado condicionando la estrategia procesal de los consumidores. Quienes hayan actuado así podrán beneficiarse de un futuro pronunciamiento del TJUE declaratorio de la retroactividad plena y exigir las cantidades que en un principio no reclamaron, a no ser que consideremos –cosa muy discutible– que el hecho de reclamar parte de un crédito comporta una renuncia tácita a la porción restante. Puesto que ésta sería una petición nueva, no deducida en el anterior proceso, no quedaría cubierta por la cosa juzgada; tampoco se vería alcanzada por la regla de preclusión del art. 400 LEC, pues con arreglo a éste sólo precluye la posibilidad de alegar otros hechos y fundamentos jurídicos, no la de formular peticiones. Ahora bien, sentado esto, el agravio comparativo vuelve a aflorar: los consumidores que defendieron desde el principio su derecho a la devolución íntegra de lo cobrado tropezarán con el escollo de la cosa juzgada, en tanto que quienes se conformaron con la doctrina del Tribunal Supremo tendrán vía libre para reclamar. Nuevamente la cosa juzgada se traduce en un castigo a la diligencia del consumidor, pues la futura sentencia del TJUE puede favorecer más a quienes se aquietaron a una doctrina contraria al Derecho comunitario que a quienes la discutieron y combatieron sin éxito.

En otro orden de cosas, el TJUE ha insistido en que uno de los objetivos que persigue la Directiva 93/13/CEE es ejercer un efecto disuasorio que contribuya a poner fin al uso de cláusulas abusivas por parte de los profesionales. Teniendo en cuenta el alto número de procesos relativos a la cláusula suelo concluidos a lo largo de estos años, y considerando que la inserción de estas cláusulas fue especialmente frecuente en el preludio de la crisis económica (años 2008/2009), cabe preguntarse si efectivamente se ha cumplido esa finalidad disuasoria. Si, al socaire de la cosa juzgada, se blinda la posición de las entidades financieras condenadas a devolver tan sólo una parte de lo cobrado, el resultado es claro: en un nutrido número de casos, esas entidades se habrán beneficiado de la aplicación de una cláusula nula durante un prolongado período de tiempo, reteniendo las cantidades indebidamente percibidas a lo largo de varios años. Ello, a mi juicio, diluye completamente el citado efecto disuasorio, al hacer rentable económicamente la predisposición de una cláusula abusiva. Nada más contrario al espíritu de la Directiva.

Se dirá que las consideraciones anteriores no bastan para justificar una quiebra de la cosa juzgada, dado que ello comprometería uno de los principios esenciales del Estado de Derecho, como es la seguridad jurídica. Sin embargo, esta aseveración ignora a mi juicio un aspecto importante: en este caso la seguridad jurídica ya se ha visto fracturada y la exclusión de la cosa juzgada no serviría para ahondar esa fractura, sino justamente para repararla. La seguridad jurídica se ha visto alterada, en mi opinión, por una triple infracción en la que ha incurrido nuestro Tribunal Supremo: primero, por la decisión *contra legem* de establecer un régimen de restitución parcial en los supuestos de nulidad contractual, en contra de lo que claramente dispone el art. 1303 CC; segundo, por vulnerar los arts. 6 y 7 de la Directiva 93/13/CEE y la jurisprudencia que los interpreta; y tercero, por la recalcitrante infracción de su deber, como órgano superior de la jurisdicción nacional, de plantear cuestión prejudicial ante el TJUE para someter a su examen una doctrina tan difícilmente conciliable con el Derecho comunitario. Desde esta perspectiva, si el TJUE acaba declarando la ilegitimidad de la doctrina sobre los efectos de la cláusula suelo, la aplicación estricta de la cosa juzgada no constituirá un tributo a la seguridad jurídica: más bien servirá para petrificar situaciones en las que se ha ignorado la primacía del Derecho comunitario; situaciones, en definitiva, contrarias a la seguridad jurídica.

5.3. REPLANTEAMIENTO DEL PROBLEMA A LA LUZ DE LA JURIS-PRUDENCIA DEL TJUE: EL VALOR TRASCENDENTAL, AUNQUE RELATIVO DE LA COSA JUZGADA Y SU CONCILIACIÓN CON LOS PRINCIPIOS DE PRIMACÍA Y EFECTIVIDAD DEL DERECHO COMUNITARIO

Llegados a este punto del análisis, es momento de conocer la jurisprudencia del TJUE relativa al instituto de la cosa juzgada a fin de comprobar si ésta ha de operar de forma incondicionada; o si, por el contrario, puede sufrir alguna modulación cuando los tribunales nacionales hayan llevado a cabo interpretaciones desviadas del Derecho comunitario, precisamente para evitar que la desviación se perpetúe. El examen de esta jurisprudencia puede brindarnos herramientas útiles para abordar la problemática de la cláusula suelo.

A este respecto, el TJUE ha proclamado en reiteradas ocasiones la necesidad de respetar el principio de autonomía procesal, en cuya virtud la configuración de los procesos que se desenvuelven ante las respectivas jurisdicciones nacionales es incumbencia exclusiva de los Estados miembros. La institución de la cosa juzgada queda enmarcada en este principio y, por tanto, cada Estado ostenta la competencia para determinar qué resoluciones la producen, sus efectos y el alcance de éstos.

Por otra parte, el Tribunal comunitario ha tenido ocasión de resaltar la importancia de la cosa juzgada en los ordenamientos nacionales en cuanto instrumento de salvaguardia de la seguridad jurídica. En este sentido, ha señalado que «con el fin de garantizar tanto la estabilidad del Derecho y de las relaciones jurídicas como la buena administración de justicia, es necesario que no puedan impugnarse las resoluciones judiciales que hayan adquirido firmeza tras haberse agotado las vías de recurso disponibles o tras expirar los plazos previstos para dichos recursos»[8].

No obstante, el propio TJUE reconoce que la cosa juzgada no es un valor absoluto y debe conjugarse con el principio de efectividad, en cuya

---

8.   Vid. STJCE de 16 de marzo de 2006 (caso *Kapferer*), apartado 20.

virtud la regulación procesal interna no puede estar articulada de tal manera que haga imposible o excesivamente difícil en la práctica el ejercicio de los derechos reconocidos por el ordenamiento comunitario. Las legislaciones internas no pueden dar a la cosa juzgada una amplitud tal que ponga en peligro el interés de la Unión en la correcta aplicación de sus normas. El Tribunal de Luxemburgo no acepta, en definitiva, que la cosa juzgada se utilice para minar la efectividad del Derecho europeo con obstáculos que no estén razonablemente justificados por el principio de seguridad jurídica[9]. Si bien se trata de una línea jurisprudencial de contornos todavía difusos y muy apegada a las circunstancias de cada caso, en ella el TJUE ha admitido *excepcionalmente* la posibilidad de revisar situaciones decididas con fuerza de cosa juzgada, incluso por las más altas instancias judiciales de los Estados miembros, a fin de remediar el desconocimiento o vulneración del ordenamiento comunitario en que hayan incurrido los tribunales nacionales[10].

No faltan ejemplos de lo dicho. A este respecto, fue pionera la STJCE de 13 de enero de 2004 (caso *Kühne & Heinz NV*), que se dictó en respuesta a la cuestión prejudicial planteada por un tribunal holandés. El litigio del que trae causa puede sintetizarse así: la empresa Kühne & Heinz exportó productos pecuarios a terceros países durante varios años, percibiendo por ello las restituciones a la exportación previstas en el Derecho comunitario. Sin embargo, posteriormente las autoridades holandesas modificaron la clasificación arancelaria del producto y exigieron a la empresa que devolviera los importes recibidos. La empresa interpuso recurso administrativo contra la nueva clasificación, por entenderla disconforme con el Derecho de la Unión, y acudió después a los tribunales nacionales, que desestimaron sus pretensiones. Tres años más tarde, y a raíz de otro litigio, el Tribunal comunitario dictó una sentencia de la que resultaba que, efectivamente, las autoridades y tribunales holandeses habían clasificado erróneamente la mercancía exportada por Kühne & Heinz. La empresa se dirigió entonces a la Administración para solicitar el pago de las cantidades que, indebidamente, le habían obligado a reembolsar. Denegada esta

---

9. Vid. la STJCE de 3 de septiembre de 2009 (caso *Olimpiclub*), en especial sus apartados 24 a 32.

10. Esta línea jurisprudencial está fundamentalmente integrada por las las SSTJCE de 13 de enero de 2004 (caso *Kühne & Heitz NV*), 16 de marzo de 2006 (caso *Kapferer*), 12 de febrero de 2008 (caso *Kempter*), 13 de marzo de 2008 (caso *Vereniging*), 3 de septiembre de 2009 (caso *Olimpiclub*) y 6 de octubre 2009 (caso *Asturcom*). Para el análisis de estos pronunciamientos y la comprensión de sus implicaciones en el instituto de la cosa juzgada, se recomienda vivamente la lectura de FERRERES COMELLA, V., «Las posibilidades de revisar sentencias judiciales firmes por infracción del Derecho de la Unión Europea», en *Actualidad jurídica Uría Menéndez*, 2010, núm. 25, págs. 75 a 80.

solicitud, la empresa volvió a acudir al tribunal holandés competente, que decidió promover la correspondiente cuestión prejudicial. El objeto de la cuestión era, en esencia, saber si resultaba procedente revisar las decisiones firmes adoptadas por los órganos nacionales cuando, posteriormente, se evidenciaba su oposición al Derecho comunitario. La respuesta del Tribunal europeo fue afirmativa, siempre y cuando se dieran estas cuatro condiciones: a) que el Derecho nacional disponga la facultad de reconsiderar la resolución; b) que la resolución controvertida haya adquirido firmeza a raíz de una sentencia de un órgano jurisdiccional nacional que resuelve en última instancia; c) que dicha sentencia esté basada en una interpretación del Derecho comunitario que, a la vista de la jurisprudencia del TJUE posterior a ella, sea errónea y se haya adoptado sin someter la cuestión al Tribunal de Justicia con carácter prejudicial; d) que el interesado se haya dirigido al órgano administrativo inmediatamente después de haber tenido conocimiento de dicha jurisprudencia.

Otra sentencia que hace prevalecer la correcta aplicación del Derecho comunitario sobre la cosa juzgada es la STJCE de 18 de julio de 2007 (caso *Lucchini*), derivada de la cuestión prejudicial planteada por un tribunal italiano. En este caso, la sociedad Lucchini solicitó ante las autoridades nacionales una ayuda de Estado para la modernización de determinadas instalaciones siderúrgicas, ayuda que le fue concedida con carácter provisional. Debido al retraso en el abono de la subvención, Lucchini demandó a las autoridades competentes ante el *Tribunale civile e penale di Roma*, que reconoció el derecho de la actora a percibir la ayuda reclamada y condenó a las autoridades a su pago. Sin embargo, estando pendiente este proceso, la Comisión Europea adoptó una decisión en cuya virtud declaraba incompatible con el mercado común la ayuda prevista a favor de Lucchini, decisión que no fue tenida cuenta en la sentencia dictada por el tribunal italiano. Recurrida por las autoridades concernidas, dicha sentencia fue confirmada por la *Corte d'apello di Roma* y, puesto que no fue recurrida en casación, adquirió fuerza de cosa juzgada. Posteriormente y a requerimiento de la Comisión Europea, que instó a las autoridades italianas a recuperar las ayudas, se dictó resolución administrativa revocatoria de su concesión. A resultas de ello Lucchini volvió a los tribunales, que decidieron plantear cuestión prejudicial a fin de determinar si la autoridad de cosa juzgada de la sentencia dictada por la *Corte d'apello* podía impedir la recuperación de una ayuda declarada contraria al Derecho comunitario. La respuesta del TJUE fue contundente: consideró que los tribunales italianos no eran competentes para pronunciarse sobre la compatibilidad con el mercado común de las ayudas solicitadas por Lucchini; en cuanto al efecto de cosa juzgada, recogido en el art. 2909 del *Codice Civile*, recordó que a los órganos jurisdiccionales nacionales les corresponde interpretar las disposiciones del Derecho nacional, en la medida de lo posible, de forma que contribuyan a la ejecución del Derecho comunitario; y, finalmente, señaló que el juez nacional encargado de aplicar, en el marco de su competencia, las disposiciones de Derecho comunitario, está obligado a garantizar la plena eficacia de estas normas dejando inaplicada en caso de necesidad cualquier disposición contraria de la legislación nacional. En definitiva, la fuerza de cosa juzgada no debía primar sobre el Derecho de la Unión ni obstaculizar la recuperación de una ayuda concedida en contravención del mismo.

El siguiente hito está constituido por la STJCE de 3 de septiembre de 2009 (caso *Olimpiclub*), en la que nuevamente se relativiza la autoridad de la cosa juzgada. En este supuesto la sociedad Olimpiclub, dedicada a construir y gestionar instalaciones deportivas, celebró un contrato de comodato con una asociación sin ánimo de lucro vinculada con ella, en cuya virtud se transfería a ésta la gestión de un complejo deportivo. La Administración tributaria italiana consideró que, bajo la apariencia de un acuerdo lícito, las partes perseguían en realidad eludir el pago del IVA, por lo cual imputó a Olimpiclub la totalidad de los ingresos obtenidos durante una serie de ejercicios fiscales y practicó las oportunas liquidaciones complementarias. Olimpiclub emprendió diversos procesos ante los tribunales que, en apretada síntesis, llevaron a la siguiente situación: la Corte de Casación italiana se encontraba por una parte con dos sentencias firmes referidas a ejercicios fiscales distintos del que ahora se enjuiciaba, en las cuales se daba la razón a Olimpiclub por no haberse demostrado una intención fraudulenta. En virtud de la interpretación jurisprudencial del art. 2909 del *Codice Civile*, la cosa juzgada de esos pronunciamientos no se limitaba al ejercicio fiscal controvertido, sino que se extendía a otros períodos impositivos en los que se plantearan cuestiones similares. Sin embargo, si la Corte de Casación se atenía a esta concepción de la cosa juzgada en el litigio sometido a su conocimiento, ello le impediría tomar en consideración la jurisprudencia comunitaria surgida con posterioridad sobre prácticas abusivas vinculadas con el IVA, en concreto la sentencia de 21 de febrero de 2006 (caso *Halifax*). Ante esta disyuntiva el tribunal italiano decidió plantear la pertinente cuestión prejudicial, a fin de dilucidar si se opone al Derecho de la Unión una disposición como el art. 2909 del *Codice Civile*, relativa a la cosa juzgada, cuando ésta consagra un resultado contrario al ordenamiento comunitario, frustrando la aplicación del mismo. En su respuesta a la cuestión suscitada, el TJUE comienza resaltando la importancia de la cosa juzgada y la necesidad de respetarla con carácter general, así como la inclusión de esta figura en el principio de autonomía procesal de los Estados miembros. Sin embargo, también pone de manifiesto la importancia del principio de efectividad, al que deben ajustarse las legislaciones procesales nacionales. Según el TJUE, la doctrina jurisprudencial que extiende el alcance de la cosa juzgada a ejercicios fiscales distintos del litigioso no respeta el principio de efectividad: la aplicación de esa doctrina tendría como consecuencia que, en el caso de que una sentencia se basase en una aplicación incorrecta del Derecho comunitario, ese error se perpetuaría en los ejercicios sucesivos sin que fuera posible su corrección. El Tribunal de Luxemburgo considera que obstáculos de tal envergadura a la aplicación de las normas comunitarias sobre el IVA no pueden estar razonablemente justificados por el principio de seguridad jurídica.

La tensión entre cosa juzgada y principio de efectividad vuelve a aflorar en un último pronunciamiento, constituido por la reciente STJUE de 18 de febrero de 2016 (caso *Finanmadrid*). Su interés a efectos de este estudio es evidente, dado que dimana de una cuestión prejudicial planteada por un juez español y, además, entronca directamente con el tema de las cláusulas abusivas. En este caso se trataba de determinar si el decreto del secretario judicial que pone fin al procedimiento monitorio, que produce cosa juzgada en virtud de lo dispuesto en el art. 816.2 LEC, impedía al juez controlar la existencia de cláusulas abusivas en la ejecución posterior. Una vez más, el TJUE considera que «este sistema de aplicación de la cosa juzgada en el marco del proceso monitorio no resulta conforme con el principio de efectividad, en la medida en que hace imposible o excesivamente difícil, en los litigios iniciados a instancia de los profesionales y en los que los consumidores son parte demandada, aplicar la protección que la Directiva 93/13 pretende conferir a estos últimos» (apartado 55).

5.4. UN ÚLTIMO REMEDIO: ¿RESPONSABILIDAD PATRIMONIAL DEL ESTADO POR INCUMPLIMIENTO INEXCUSABLE DE SUS OBLIGACIONES EN MATERIA DE CLÁUSULAS ABUSIVAS?

De lo expuesto hasta ahora se desprende que la «sacralidad» de la cosa juzgada puede ceder, aunque sea excepcionalmente, cuando entra en conflicto con el Derecho comunitario. Cuando menos, el recorrido jurisprudencial realizado en el apartado anterior ofrece elementos interpretativos suficientes para reconsiderar el papel de la cosa juzgada en nuestro sistema procesal y, llegado el caso, defender la posibilidad de los consumidores de aprovechar un futuro fallo del TJUE favorable a la retroactividad plena, aun cuando aquéllos cuenten ya con sentencias firmes que limitan en el tiempo los efectos de la nulidad.

Sin embargo, es obvio que esa posibilidad resulta incierta y su éxito no está, ni mucho menos, asegurado. Por ello, conviene plantearse la viabilidad de otras fórmulas. A este respecto, empieza a vislumbrarse una vía subsidiaria para el resarcimiento del consumidor, en los casos en que éste resulte perjudicado como consecuencia de un deficiente control jurisdiccional de posibles cláusulas abusivas. La «espita» ha sido abierta por el asunto C-168/15, derivado de una cuestión prejudicial promovida por un tribunal eslovaco y del que, por el momento, sólo contamos con las conclusiones del Abogado General Nils Wahl. Lo que vamos a exponer, por tanto, son una serie de ideas que todavía se hallan en fase embrionaria y a las que el TJUE, como no podía ser de otro modo, habrá de dar forma definitiva[11].

Sucintamente, el pleito de origen versa sobre la ejecución forzosa fundada en un laudo arbitral, el cual condenaba a la deudora al pago de una suma pecuniaria derivada de un contrato de crédito al consumo. En dicho contrato figuraban al parecer diversas cláusulas abusivas, como la estipulación de someterse a un arbitraje que se desarrollaría en un lugar muy alejado del domicilio de la deudora y la fijación de un interés de demora del 91,25 % anual. Presentada demanda ejecutiva ante los tribunales eslovacos, ésta fue estimada, dándose comienzo a la ejecución forzosa. Posteriormente, la deudora presentó una demanda contra el Ministerio de Justicia en la que solicitaba una indemnización por los perjuicios derivados de una vulneración del Derecho comunitario imputable al órgano judicial, ya que éste acogió las demandas de ejecución sin controlar, como era su obligación, las cláusulas abusivas contenidas en el contrato. De ahí el planteamiento de la presente cuestión prejudicial, en la que el órgano remitente pregunta por la procedencia de la pretensión indemnizatoria.

En sus conclusiones, presentadas el 14 de abril de 2016, el Abogado General precisa en primer lugar que la responsabilidad del Estado miembro únicamente es exigible en el caso excepcional de que el órgano al que se imputa la infracción *resuelva en última instancia*. De esta manera, la responsabilidad únicamente se desencadena en presencia de una situación que suponga el fracaso del sistema judicial entendido en su conjunto (apartado 41). Esta conclusión es igualmente válida tanto en el supuesto de que el órgano jurisdiccional haya incumplido su deber de plantear la oportuna cuestión prejudicial, como cuando sea el cumplimiento del Derecho material de la Unión lo que esté en cuestión, en este caso la Directiva 93/13/

---

11. Con posterioridad a la entrega de este trabajo, la citada cuestión prejudicial ha sido resuelta a través de la STJUE de 28 de julio de 2016, en la que se recogen sustancialmente los planteamientos del Abogado General. En el caso concreto enjuiciado, no obstante, el Tribunal comunitario entiende que no ha habido una violación suficientemente caracterizada del Derecho Comunitario, pues cuando el tribunal eslovaco incoó la ejecución forzosa aún no existía una jurisprudencia que, de modo terminante, estableciera la imperatividad del examen de oficio de posibles cláusulas abusivas.

CEE, que obliga a los jueces nacionales a controlar las cláusulas potencialmente abusivas y, en su caso, inaplicarlas (apartado 42).

En segundo lugar, la responsabilidad se vincula en todo caso a la existencia de una *violación suficientemente caracterizada* del Derecho comunitario. Para determinar si la violación efectivamente reviste ese carácter, el Abogado General utiliza varios parámetros: por una parte, debe atenderse al grado de claridad y precisión de la norma vulnerada, para lo cual habrá que ver si existe una jurisprudencia inequívoca del TJUE sobre la cuestión sometida al juez nacional; por otra parte, ha de tenerse en cuenta el conjunto de circunstancias particulares que concurran en el caso planteado, tales como el margen de apreciación que la norma vulnerada deje a los órganos nacionales y el carácter flagrante, intencional y/o excusable del incumplimiento alegado (apartado 61). El Abogado General añade otros elementos: a su juicio, la violación del Derecho de la Unión puede considerarse manifiestamente caracterizada cuando ha perdurado a pesar de haberse dictado una sentencia prejudicial o una jurisprudencia reiterada del TJUE en la materia de las que resulte el carácter de infracción del comportamiento controvertido (apartado 62). Asimismo, habrá que fijarse en la conducta de la persona supuestamente perjudicada y los esfuerzos que ha realizado para evitar o cuando menos limitar el alcance del daño (apartados 75 y 76).

En definitiva, conviene tener muy presentes los razonamientos realizados en este procedimiento prejudicial así como el desarrollo que, ulteriormente, les dé el TJUE. De ello puede depender la prosperabilidad de futuras reclamaciones de responsabilidad patrimonial dirigidas contra el Estado español, por haber limitado indebidamente –a través de sus órganos jurisdiccionales– la protección que la Directiva 93/13/CEE brinda a los consumidores.

Capítulo XIV

Intervención procesal en procesos promovidos para la defensa de derechos e intereses colectivos y difusos de consumidores y usuarios[1]

JULIO SIGÜENZA LÓPEZ

Profesor Titular de Derecho Procesal
Universidad de Murcia

---

1.   El presente trabajo forma parte del Proyecto de Investigación «Instrumentos para la tutela del emprendedor y del consumidor sin menoscabo de la debida protección del crédito en el ámbito de la justicia civil», financiado por el Ministerio de Economía y Competitividad (DER2014–53758-R).

1. PREÁMBULO

§1. Que solo es posible hacer justicia, es decir: dar a cada uno lo suyo[2], si se conoce la verdad de lo sucedido es una máxima de la que difícilmente puede discreparse. Que la estructura dinámica del proceso jurisdiccional tiene como finalidad fijar una «verdad» que sirva de fundamento a la decisión judicial, también. Y que la corrección y garantía de acierto de dicha decisión se incrementará notablemente si los litigantes disponen de adecuadas oportunidades para alegar e intentar acreditar lo que a su derecho convenga es, asimismo, una regla generalmente aceptada.

§2. El ordenamiento procesal debe, así, favorecer el debate de los contendientes y proteger debidamente los derechos de quienes discrepan en juicio, garantizando que todos tengan las mismas oportunidades de ataque y de defensa y que ninguno disponga de más ventajas que el resto.

Entre las muchas seguridades que proporciona a los pleiteantes se encuentra, sin duda alguna, la de que el proceso únicamente se desarrolla –al menos, en su inicio– entre los sujetos jurídicos que determina el actor en su escrito de demanda, sin intromisiones ni perturbaciones de otros distintos a los señalados por él, que, por tal razón, por dicha circunstancia, son extraños a la disputa procesal.

§3. Sin embargo, si se reflexiona con detenimiento, enseguida se caerá en la cuenta de que no todos los sujetos que son extraños a un proceso jurisdiccional se encuentran en la misma situación y que, por ello, resulta adecuado distinguir entre los que son absolutamente ajenos a la controversia procesal y a la decisión que le pone fin, y los que, por el contrario, precisamente por encontrarse respecto del proceso o de los derechos que en él se discuten en una determinada situación, no lo son.

§4. Dicha evidencia, nada irrelevante y plena de interés práctico, pone de manifiesto la conveniencia de referirse a unos y otros sujetos con términos disímiles, pareciendo adecuado, por lo anteriormente expuesto, denominar *ajenos al proceso* a los primeros y *terceros* a los segundos[3].

Desde este punto de vista, netamente procesal, tercero es aquel que no es parte en un proceso jurisdiccional pero al que no le es indiferente –jurídicamente hablando– el resultado del mismo; o, si se prefiere, el sujeto jurídico que, sin ser actor o demandado en una disputa suscitada ante la

---

2.   «Iustitia est constans et perpetua voluntas ius suum quique tribuendi» (Ulpiano, *1, reg.D. 1.1.10*).

3.   Vid. FERNÁNDEZ, M. A., en *Derecho Procesal Civil* (con De la Oliva Santos), t. I, Ed. Ceura, Madrid 1992, esp. pág. 510.

jurisdicción, puede verse afectado por la decisión que resuelva aquélla. En definitiva, un *extraño* a la controversia procesal que no es ajeno a la materia objeto del proceso ni a su desenlace; un sujeto que no participa en la contienda jurisdiccional pero al que concierne su resultado[4].

§5. El ordenamiento jurídico no es indiferente a cuanto acaba de apuntarse y, por ello, intenta proteger el interés de dichos terceros. Procura hacerlo, básicamente, de dos maneras: limitando los efectos de la actividad procesal a quienes han sido parte litigante en un proceso jurisdiccional; y permitiendo que, concurriendo determinados requisitos, quienes sean titulares de un interés digno de protección tengan la oportunidad de comparecer en juicio y alegar lo que a su derecho convenga con el propósito de evitar que en ese proceso, al que no fueron llamados, puedan acordarse decisiones que puedan perjudicarles[5], posibilidad que se articula a través de la llamada «intervención procesal».

§6. La intervención procesal se configura, así, como un instrumento de tutela de aquellos que, sin ser parte en un litigio, son titulares de un interés digno de protección. Pero no solo de ellos. Pues, en determinadas ocasiones, como tendremos ocasión de comprobar seguidamente, también puede favorecer los intereses de alguna de las partes en disputa. La decisión de qué concretos intereses son merecedores de auxilio y, en su caso, de si la intervención es el instituto más adecuado para dispensarlo, o si, por el contrario, existen otros mecanismos más apropiados a tal fin, corresponde al legislador, que es el que debe regular, en su caso, en qué supuestos resulta apropiada. Y no se trata de una tarea sencilla, pues cualquier regulación que se haga de dicha figura debe ponderar debidamente las consecuencias de dicha ordenación, que puede alterar la configuración inicial del pleito realizada por el actor. Ese necesario y delicado equilibrio entre todos los elementos que han de tenerse en cuenta es el que, sin duda, explica por qué nuestra actual Ley de Enjuiciamiento Civil no contempla todos los supuestos de intervención procesal que, al menos en teoría, pueden concebirse. Ya que, con absoluta abstracción de nuestro

---

4.   De ahí que no lo sea quien, sin ser parte inicial en una causa debatida ante la jurisdicción, solo desea estar al tanto de lo que ésta decida en relación con ella.

5.   El tercero tiene la carga de alegar el interés que, a su juicio, justifica su injerencia en el proceso que, en principio, concierne a otros, debiendo indicar si desea intervenir como demandante o como demandado, sin que sea válido que pida ser admitido en él como «"parte interesada", categoría indefinida que, naturalmente, la Ley no contempla; el postulante debe expresar la posición que desea ocupar, ya que no corresponde a esta Sala decidir la posición procesal –demandante o demandado– que presumiblemente pueda interesarle» (ATS de 13 de enero de 2009 [Cendoj, Roj: ATS 4892/2009], Pte. Sr. Salas Carceller).

derecho positivo, a cuya regulación luego nos referiremos, suele distinguirse entre intervención voluntaria e intervención provocada; dentro de la primera, entre intervención principal[6] e intervención adhesiva, y, al hablar de ésta última, entre intervención adhesiva simple e intervención adhesiva litisconsorcial.

§7. Nuestra principal ley procesal civil regula en sus artículos 13, 14, 15 y 15 bis un singular régimen procesal para la intervención de terceros.

En las líneas que siguen nos ocuparemos de la intervención de los mismos en los procesos promovidos para la defensa o protección de derechos e intereses colectivos y difusos de consumidores y usuarios.

---

6. En abstracto, la intervención principal se originaría si un tercero interpusiera una demanda frente a quienes son parte en un proceso ya iniciado solicitando una tutela jurídica incompatible con la pretendida por el actor en dicho pleito; o, en palabras del Tribunal Supremo, «cuando un tercero por medio de una demanda independiente se atribuye para sí, total o parcialmente, el objeto de un proceso pendiente, en virtud de un derecho contra ambas partes del mismo» (cfr. las SSTS de 23 de enero de 1989 [Cendoj, Roj: STS 9124/1989], Pte. Sr. Carretero Pérez; y 8 de abril de 1994 [Cendoj, Roj: STS 22205/1994], Pte. Sr. Barcala Trillo-Figueroa), tal y como sucedería, por ejemplo, si alguien demandase a quienes discuten judicialmente la propiedad de un bien pidiendo que se declare que es él el propietario del mismo.
    La complejidad que conlleva –ya que supondría el ejercicio de tres acciones distintas: la que el actor dirigió en su día frente al demandado; la que el tercero dirige frente al actor; y la que el tercero dirige frente al demandado–, la falta de un perjuicio real para quien pudiese querer utilizar esta figura, y, en consecuencia, de un interés jurídico que deba ser jurídicamente tutelado –ya que la sentencia que pudiese llegar a dictarse en el proceso *inter alios* en ningún caso perjudicaría sus derechos e intereses, ni le provocaría menoscabo alguno–, y el que las hipotéticas ventajas que pudiese reportar pueden alcanzarse a través del expediente de la acumulación de procesos, son algunas de las razones que, posiblemente, explican por qué no se encuentra regulada en nuestro derecho, no obstante la opinión de algunos autores, que consideran que su ordenación sería muy conveniente –por cuanto evitaría trámites superfluos y que pudiesen dictarse pronunciamientos de contenido parcialmente divergente o incluso absolutamente contradictorios (así se han pronunciado, entre otros, FAIRÉN GUILLÉN. V., «Notas sobre la intervención principal en el proceso civil», en *Estudios de Derecho Procesal*, Madrid 1955, esp. págs. 175 y ss.; y SERRA DOMÍNGUEZ, M., «Intervención de terceros en el proceso», en *Estudios de Derecho Procesal*, Barcelona 1969, esp. págs. 213 y 219)–, y lo manifestado por el Tribunal Supremo en algunas sentencias, en las que afirma –equivocadamente, a nuestro parecer– que las tercerías de dominio constituyen una modalidad de intervención principal, voluntaria, *ad excludendum* y *post judicium* (vid., entre otras, las SSTS de 17 de mayo de 1978 [RJ 1978, 1860], Pte. Sr. Rodríguez Solano y Espín; y 15 de junio de 2005 [RJ 2005, 4282], Pte. Sr. Auger Liñán).
    Con todo, no debe dejar de apuntarse que ordenamientos jurídicos tan relevantes como el alemán sí regulan esta clase de intervención procesal –vid. el § 64 de la ZPO–, aun cuando es poco frecuente en la práctica (HESS, B., y JAUERNIG, O., en *Manual de Derecho procesal civil*, Ed. Marcial Pons, Madrid 2015, esp. pág. 491).

2. CONSIDERACIONES GENERALES SOBRE LA INTERVEN-CIÓN PROVOCADA EN NUESTRO ORDENAMIENTO PROCE-SAL CIVIL

§8. En los casos de intervención voluntaria, la participación procesal del tercero es consecuencia de una decisión espontánea, adoptada sin incitación alguna, de quien originariamente no es demandante ni demandado. Sin embargo, como se indicó inicialmente, no son éstos los únicos supuestos en los que cabe que un tercero intervenga en un proceso civil en el que se enfrentan otros, pues también cabe que dicha participación traiga causa de una notificación realizada por el tribunal que conoce del pleito, a instancia de alguno de los sujetos jurídicos que lo protagonizan, en la que se comunica a un extraño a la contienda jurisdiccional la existencia del mismo para que, si lo considera pertinente, pueda comparecer y participar en él.

§9. Como acaba de subrayarse, dicha comunicación solo puede tener lugar a petición de alguno de los sujetos jurídicos enfrentados en el proceso –ocupen la posición procesal que ocupen, la de demandante o la de demandado–; nunca por iniciativa del órgano jurisdiccional llamado a decidir el mismo, que –eso sí– si considera que el tercero puede resultar afectado por la decisión que está llamado a dictar, o perjudicado por un uso fraudulento del proceso por quienes son sus iniciales protagonistas, puede comunicarle la existencia de éste para que, tras la pertinente deliberación, decida si solicita ser admitido en él como interviniente adhesivo (cfr. el art. 150 de la LECiv).

La diferencia entre ambos supuestos es evidente: en la intervención provocada, al menos tal y como está regulada en nuestro ordenamiento jurídico, la iniciativa corresponde a las partes, que son las únicas que pueden solicitar al tribunal que se llame al proceso a una persona extraña a él, decidiendo posteriormente el órgano jurisdiccional si dicha llamada se encuentra justificada y efectivamente procede; en el supuesto regulado en el art. 150 de la LECiv, por el contrario, no media petición alguna de parte, notificándose de oficio la pendencia del proceso *«a las personas que, según los mismos autos, puedan verse afectadas por la resolución que ponga fin al procedimiento»*, para que, si lo tienen a bien, soliciten intervenir en él o, en su caso, cuando menos, tengan cumplida noticia del mismo.

La llamada intervención provocada es, así, una intervención facultativa o potestativa. Y lo es en un doble sentido. Pues, así como la parte que en cada caso puede interesarla –el demandante en unas hipótesis, el demandado en otras– es libre para solicitar que se llame, en su caso, a determinado tercero, también éste es libre para decidir si, ante la llamada realizada, se incorpora, o no, al proceso. Todo ello sin perjuicio, claro está, de que, cualquiera que sea su decisión, pueda verse vinculado por el contenido de la sentencia que llegue a dictarse.

§10. La llamada que se hace en estos casos al tercero supone una invitación a que participe en un proceso jurisdiccional en principio ajeno a él; una incitación a que se involucre en dicho proceso; un estimulo a que lo haga. De ahí que resulte adecuado denominarla «intervención provocada», como también lo sería nominarla *intervención inducida, sugerida o motivada*, denominaciones todas ellas sin duda preferibles a las de *intervención obligada, coactiva o forzosa*, por las que también es conocida[7], toda vez que, en rigor, el «provocado» no tiene ninguna obligación de comparecer: lo hace si lo desea, tras sopesar las ventajas e inconvenientes que ello puede depararle. Nadie puede exigirle que lo haga, ni de su incomparecencia puede derivarse declaración de rebeldía alguna; se personara en la causa si quiere, pues, en realidad, solo tiene la carga de hacerlo para cuidar debidamente sus intereses y evitar las consecuencias desfavorables que su incomparecencia podría depararle[8].

§11. Existe, por tanto, intervención provocada cuando un sujeto jurídico extraño a un proceso ya iniciado se incorpora a él como consecuencia de

---

7. Cfr. ZAVALA TOYA, S., «Intervención de terceros, extromisión procesal y sucesión», en *Themis, Revista de Derecho*, núm. 29, 1994, esp. págs. 173–186; y MAGRO SERVET, V., «La posición del tercero llamado al proceso a instancia de la parte demandada», en *Práctica de los Tribunales*, núm. 113, Sección Estudios, marzo-abril 2015, LA LEY 1499/2015 [consultado en línea el 15 de marzo de 2016]. También se emplea esta terminología, entre otras, en las siguientes resoluciones: SAP de Málaga de 3 de diciembre de 2004 (Cendoj, Roj: SAP MA 902/2004), Pte. Sr. Bote Saavedra; SAP de Málaga de 1 de marzo de 2005 (Cendoj, Roj: SAP MA 822/2005), Pte. Sra. Suárez-Bárcena Florencio; SAP de Tarragona de 28 de abril de 2005 (Cendoj, Roj: SAP T 765/2005), Pte. Sr. Vigo Morancho; SAP de Tarragona de 10 de junio de 2005 (Cendoj, Roj: SAP T 923/2005), Pte. Sr. Galán Sánchez; SAP de Alicante 30 de noviembre de 2006 (Cendoj, Roj: SAP A 4700/2006), Pte. Sr. Gil Muñoz; y SAP de Palma de Mallorca de 3 de abril de 2013 (Cendoj, Roj: SAP IB 702/2013), Pte. Sr. Oliver Barceló.

8. En efecto. Intervenir en un proceso no constituye en ningún caso un deber ni una obligación; es una carga: quien lo hace, lo hace porque quiere, porque lo desea, voluntariamente, sea con mayor o menor agrado. De ahí que, en puridad, toda intervención sea voluntaria. La distinción entre «intervención espontánea» e «intervención provocada» no se encuentra, pues, en la nota de voluntariedad, pues, en una y otra, quien interviene lo hace porque lo desea; la diferencia radica en que, en un caso, la iniciativa para intervenir en un pleito pendiente la toma directamente el tercero y en el otro la adopta tras la invitación de quienes ya son parte en él.
    En relación con el concepto, los caracteres y los efectos de la intervención provocada puede consultarse la STS de 26 de junio de 1993 (RJ 1993, 5383), Pte. Sr. Morales Morales.

la llamada realizada por el tribunal que conoce del mismo, tras la petición formulada a tal fin por alguno de los protagonistas principales de aquél.

§12. Así sucede al menos en nuestro país, en el que no se sigue el modelo italiano, en el que se distingue la denominada intervención provocada a instancia de parte, en la que son los contendientes procesales los que piden al tribunal que inste la intervención del tercero, y la llamada intervención provocada por orden del tribunal, en la que es éste el que dispone de oficio que se llame al tercero[9].

El modelo español es, por tanto, distinto al que rige en el país alpino: permite que quienes son parte en un proceso puedan solicitar al tribunal que conoce del mismo que se notifique su pendencia a un tercero para que éste pueda participar en él como interviniente; no contempla que dicha notificación pueda ordenarse de oficio por el órgano jurisdiccional; pero, no obstante lo anterior, sí autoriza que el tribunal pueda comunicar la existencia del pleito a determinados terceros para que éstos, tras la oportuna reflexión, decidan si les interesa solicitar ser admitidos en él como intervinientes, haciendo uso de la posibilidad prevista en el art. 13 de la LECiv.

§13. Nuestro ordenamiento regula esta figura en el artículo 14 de la LECiv, lo que constituye un indudable avance en relación con la normativa precedente, que no se refería a ella en ningún precepto.

Sin embargo, pese a la novedad que ello supone, la regulación realizada en dicho precepto –como tendremos ocasión de comprobar seguidamente– es insuficiente e insatisfactoria.

Es insuficiente, al menos, por dos razones. En primer lugar, porque no refiere en qué supuestos resulta admisible esta clase de intervención, limitándose a señalar que puede tener lugar en aquellos en que lo permita «la ley», lo que, si bien puede considerarse inicialmente un acierto –ya que implica reconocer que no existen supuestos tasados, habida cuenta que el legislador puede disponer alguno en cuanto lo considere conveniente–, impide conocer las razones a que obedece este instituto y los requisitos que deben concurrir para que sea admisible. Y, en segundo término, porque esa falta de definición del modelo de intervención provocada que se regula en nuestro país impide conocer debidamente el propósito que se persigue con esta figura y, en consecuencia, la función que está llamada a cumplir, así como los presupuestos que deben concurrir para que tenga lugar.

---

9.   Vid. los arts. 106 y 107 del Código de Procedimiento Civil italiano, titulados, respectivamente, «Intervento su istanza di parte» e «Intervento per ordine del giudice».

Y es insatisfactoria porque, como consecuencia de lo anterior, no puede determinarse con el detalle que sería deseable qué consecuencias se derivan de la llamada al tercero y, en su caso, de su intervención en el pleito, lo que provoca confusión y desconcierto, existiendo decisiones judiciales –como se verá más adelante– que niegan al interviniente la condición de parte, o que consideran que no puede ser condenado en costas, y otras que mantienen el criterio opuesto.

§14. De acuerdo con lo previsto en dicho precepto, para que pueda hablarse de intervención provocada deben concurrir los siguientes requisitos:

A. <u>Existencia de norma legal</u> que expresamente permita que quienes intervengan en un pleito como actor o como demandado puedan llamar a un tercero para que éste, si así lo desea, pueda participar en él.

B. <u>Petición expresa de alguno de los que se encuentran legitimados para interesar dicha llamada</u> dentro del plazo legalmente previsto para ello.

C. <u>Decisión del tribunal</u>, tras dar audiencia a los sujetos jurídicos que ocupan la posición procesal actora, en los casos en los que la llamada al tercero haya sido interesada por algún demandado.

Si en dicha resolución se acuerda notificar al tercero la existencia del pleito, así deberá hacerse, dándole la oportunidad de comparecer en el proceso y actuar en él conforme a su interés.

D. <u>Comparecencia del tercero en el pleito</u>.

§15. Sentado lo anterior, estamos en condiciones de examinar los supuestos de intervención procesal previstos en nuestro derecho para la protección de derechos e intereses de consumidores y usuarios.

3. INTERVENCIÓN EN PROCESOS PROMOVIDOS PARA LA DEFENSA DE DERECHOS E INTERESES COLECTIVOS Y DIFUSOS DE CONSUMIDORES Y USUARIOS

3.1. CONSIDERACIONES PREVIAS

§16. El artículo 15 de la LECiv contempla distintos supuestos *especiales* de intervención provocada, que se añaden a los que dicho texto prevé en su artículo 14, con los que se encuentran indudablemente relacionados pero de los que se distinguen, asimismo, notablemente.

Se encuentran relacionados con los supuestos a los que se refiere el legislador en el mencionado artículo 14 de la LECiv porque, como éstos, pueden dar lugar a una intervención provocada de quienes hasta entonces son terceros y, por tanto, extraños a la contienda procesal, tipo de intervención procesal que tiene lugar cuando dichos sujetos jurídicos se incorporan a un proceso pendiente entre otros en virtud de la llamada que se le hace al amparo de una norma legal que expresamente prevé su llamamiento.

Pero se distinguen claramente de ellos, al menos, en tres aspectos.

De un lado, en que la llamada al proceso a quienes tengan la condición de «perjudicados» resulta preceptiva –es decir: no tiene carácter facultativo, como sucede en las hipótesis en que puede tener lugar al amparo de lo previsto en el artículo 14 de la LECiv–, por lo que debe ser acordada por el letrado de la Administración de Justicia, medie o no petición de parte, lo que no impide –claro está– que pueda ser interesada por el actor en su escrito de demanda tras haber indicado en éste la clase de acción que ejercita, si la misma tiene por finalidad tutelar intereses colectivos o difusos y, en el primer supuesto, si comunicó a los interesados su propósito de interponer la demanda con anterioridad a que se iniciase el proceso.

De otro, en el sujeto obligado a realizarla, el letrado de la Administración de Justicia, que, como se ha dicho, debe efectuarla por mandato legal, lo que supone una importante diferencia con las hipótesis previstas en el repetido artículo 14 de la LECiv, en las que la intervención solo puede tener lugar si es solicitada por quienes tengan la condición de parte actora o de parte demandada, y, posteriormente, autorizada por el órgano jurisdiccional que conozca de la causa.

Y, finalmente, en que, si tras el mencionado aviso, el tercero desea intervenir en el pleito, su participación no se produce de forma inmediata, como sucede en los supuestos *usuales* de intervención provocada: solo tendrá lugar si, tras la petición realizada por el interesado, por considerar que le conviene atender la convocatoria realizada por el letrado de la Administración de Justicia, así lo autoriza la autoridad judicial competente, quien decidirá lo que considere más ajustado a derecho tras dar oportunidad a las partes personadas de expresar su parecer y examinar si el peticionario tiene capacidad para actuar en juicio y ha acreditado su condición de afectado, lo que implica que ostente la condición de consumidor o usuario, no en sentido vulgar –es decir, general o común[10]–, sino en

---

10. Según el *Diccionario de la lengua española*, es consumidor «quien adquiere productos de consumo o utiliza ciertos servicios» y usuario el «que usa algo» o «tiene derecho a usar de una cosa ajena con cierta limitación» (cfr. su vigésima tercera edición).

su acepción jurídica[11], criterio que, como es lógico, podrá ser impugnado: en reposición, obviamente por quien se haya opuesto a dicho parecer, si acepta la solicitud,; y en apelación si, por el contrario, la deniega, toda vez que el auto en que se adopte dicho criterio tiene carácter de definitivo.

§17. En cualquier caso, como acaba de apuntarse, en los casos previstos en el artículo 15 de la LECiv, la llamada «*a quienes tengan la condición de perjudicados por haber sido consumidores del producto o usuarios del servicio*» que haya dado lugar al litigio resulta obligada por haberlo dispuesto así el legislador (el que se haya expresado en términos imperativos –«*se llamará*»– no deja margen a la duda), realizándose a expensas del demandante, quien deberá asumir su coste, sin perjuicio de que, posteriormente, pueda incluirlo en la tasación de costas, si hubiere lugar a ello.

§18. La razón de tan singular precepto, en el que se contempla una regulación procesal específica, distinta de la establecida con carácter general en el artículo 14 de la LECiv para los supuestos de intervención provocada, radica en el deseo del legislador de regular mecanismos eficaces para la defensa de los derechos e intereses de consumidores y usuarios, protección que hace extensiva a todo adherente, aunque no sea consumidor o usuario, en los litigios en los que se ejerciten acciones individuales o colectivas derivadas de la Ley de Condiciones Generales de la Contratación (disposición final sexta, apartado 5, de la LECiv).

§19. En concreto, el art. 15 LECiv regula la intervención de los consumidores y usuarios en los procesos que se inicien a instancia de alguno de

---

11. Aunque la LECiv se refiere en numerosos preceptos a los consumidores y usuarios, en ninguno de ellos define qué ha de entenderse por consumidor y usuario. Posiblemente, por considerarlo innecesario al estar ambos conceptos delimitados en la legislación sustantiva. De ahí que deba estarse a lo dispuesto en el artículo 3 del Real Decreto Legislativo 1/2007, de 16 de noviembre, por el que se aprueba el texto refundido de la Ley General para la Defensa de los Consumidores y Usuarios y otras leyes complementarias, en el que expresamente se señala que «son consumidores o usuarios las personas físicas que actúen con un propósito ajeno a su actividad comercial, empresarial, oficio o profesión. Son también consumidores a efectos de esta norma las personas jurídicas y las entidades sin personalidad jurídica que actúen sin ánimo de lucro en un ámbito ajeno a una actividad comercial o empresarial», de donde se deduce que tiene la condición de consumidor o usuario toda persona física o jurídica que adquiere un bien de un empresario o profesional, o que utiliza ese bien o es destinatario de un servicio, con una finalidad no profesional, actuando en un ámbito del tráfico de todo punto ajeno a su actividad empresarial o profesional.
    A ello debe añadirse, como ya se apuntó, que, por disponerlo así la disposición adicional cuarta de la Ley 7/1998, de 13 de abril, sobre condiciones generales de la contratación, las referencias contenidas en la Ley de Enjuiciamiento Civil a los consumidores y usuarios, deben entenderse realizadas a todo adherente, sea o no consumidor o usuario, en los litigios en que se ejerciten acciones individuales o colectivas derivadas de la Ley de Condiciones Generales de la Contratación.

los sujetos legitimados *ex* art. 11 de dicho texto legal, quienes, no obstante, conforme a lo dispuesto en este último precepto, tienen la posibilidad de defender individualmente sus legítimos derechos e intereses. Y lo hace porque, pese a dicha eventualidad, la sentencia que se dicte en un proceso promovido por asociaciones o entidades legalmente constituidas para la protección de consumidores o usuarios[12], o por grupos de afectados, extenderá sus efectos tanto a los pleiteantes como «*a los sujetos, no litigantes, titulares de los derechos que fundamenten la legitimación de las partes conforme a lo previsto en el artículo 11 de esta Ley*» (artículo 222.3 de la LECiv), razón por la cual resulta preciso regular un mecanismo que permita a esos sujetos intervenir en dichos litigios.

En consecuencia, dicho precepto está destinado, por un lado, a regular la intervención de quienes ostenten la condición de perjudicados –por haber consumido un producto o hecho uso de un servicio– en procesos promovidos para la protección de derechos e intereses colectivos y difusos de consumidores y usuarios; y, por otro, a determinar cómo deben publicitarse los procesos promovidos por asociaciones o entidades constituidas para la protección de esos derechos o intereses o por grupos de afectados.

---

12. De acuerdo con lo dispuesto en el artículo 23 del TRLGDCU, son asociaciones de consumidores y usuarios las organizaciones sin ánimo lucro que, constituidas conforme a lo previsto en la legislación sobre asociaciones y reuniendo los requisitos específicos exigidos en dicha norma y sus normas de desarrollo y, en su caso, en la legislación autonómica que les resulte de aplicación, tengan como finalidad la defensa de los derechos e intereses legítimos de los consumidores, incluyendo su información, formación y educación, bien sea con carácter general, bien en relación con bienes o servicios determinados. Así como las entidades constituidas por consumidores con arreglo a la legislación de cooperativas, que respeten los requisitos básicos exigidos en la referida ley y entre cuyos fines figure, necesariamente, la educación y formación de sus socios, y estén obligadas a constituir un fondo con tal objeto, según su legislación específica.
     A lo anterior ha de añadirse: a) que, de conformidad con el artículo 24.2 de dicho texto, a efectos de lo previsto en el artículo 11.3 de la LECiv, tendrán la consideración legal de asociaciones de consumidores y usuarios representativas las que formen parte del Consejo de Consumidores y Usuarios, salvo que el ámbito territorial del conflicto afecte fundamentalmente a una comunidad autónoma, en cuyo caso se estará a su legislación específica; b) que las asociaciones de consumidores y usuarios de ámbito estatal y todas aquéllas que no desarrollen principalmente sus funciones en el ámbito de una comunidad autónoma, deben figurar inscritas en el Registro Estatal de Asociaciones de Consumidores y Usuarios que se gestiona en el Instituto Nacional del Consumo; y c) que, de acuerdo con lo previsto en el artículo 37 del referido TRLGDCU, las asociaciones de consumidores y usuarios de ámbito supraautonómico, legalmente constituidas e inscritas en el Registro Estatal de Asociaciones de Consumidores y Usuarios tendrán derecho, en los términos que legal o reglamentariamente se determinen, a «Representar, como asociación de consumidores y usuarios, a sus asociados y ejercer las correspondientes acciones en defensa de los mismos, de la asociación o de los intereses generales, colectivos o difusos, de los consumidores y usuarios».

§20. A tal fin, con el propósito de conseguir que, en estos casos, quienes *«tengan la condición de perjudicados por haber sido consumidores del producto o usuarios del servicio que dio origen al proceso»* puedan hacer valer su derecho e interés individual, el legislador dispone que, admitida la demanda, el letrado de la Administración de Justicia publicará dicha admisión *«en medios de comunicación con difusión en el ámbito territorial en el que se haya manifestado la lesión de aquellos derechos e intereses»* (artículo 15.1 de la LECiv)[13], lo que – como antes se dijo– se hará con cargo al actor, por disponerlo así el artículo 241.1 de la LECiv, quien solo recuperará dicho gasto si se condena en costas a aquel frente al que se dirija la demanda[14], aspecto que, sin duda, puede constituir un importante obstáculo económico para que las asociaciones o entidades constituidas para la protección de los derechos e intereses de los consumidores y usuarios y los grupos de afectados pueden ejercitar su derecho a obtener una tutela judicial efectiva[15].

§21. Nada dice la ley, sin embargo, sobre la forma en que dicho llamamiento ha de realizarse, por lo que queda al arbitrio del letrado de la Administración de Justicia la elección de los medios de comunicación en que debe efectuarse[16]; si el aviso debe, o no,

---

13. Aunque es posible que dicha publicación se acuerde en el mismo decreto en el que el letrado de la Administración de Justicia disponga admitir a trámite el escrito de demanda, parece más adecuado que ambas decisiones se adopten por separado, de modo que el llamamiento se ordene una vez sea firme el mencionado decreto, en resolución posterior e independiente.

14. En efecto, los gastos derivados de estos anuncios pueden considerarse, sin impedimento alguno, costas procesales, en virtud de lo dispuesto en el artículo 241.1.2.° de la LECiv, precepto que se refiere a los desembolsos que deben realizarse para la «inserción de anuncios o edictos que de forma obligatoria deban publicarse en el curso del proceso», como los que han de realizarse a quienes tengan la condición de «perjudicados por haber sido consumidores del producto o usuarios del servicio que dio origen al proceso» para que puedan participar en éste (cfr. el artículo 15.1 de la LECiv).

15. Para paliar este inconveniente, se ha propuesto que el gasto que supone dicha publicación sea asumido por el Estado o con cargo a un fondo para la protección y defensa de los consumidores y usuarios, que podría crearse para distintos fines (cfr. GUTIÉRREZ DE CABIEDES É HIDALGO DE CABIEDES, P., en *Comentarios a la Ley de Enjuiciamiento Civil* [coord. por F. Cordón Moreno y otros], vol. I, 2.ª ed., Ed. Thomson-Aranzadi, Navarra 2011, esp. págs. 214 y 215).

16. Según el Diccionario de la lengua española, los «medios de comunicación» son instrumentos de transmisión pública de información, por lo que lo son los periódicos, las emisoras de radio y televisión, internet, etc. (cfr. su vigésima tercera edición).
    Sentado lo anterior, debe precisarse que, aunque la ley emplea el término «medios de comunicación», ello no significa necesariamente que el llamado deba realizarse, al menos, en dos de ellos, pues puede entenderse perfectamente que, en este caso, el sustantivo plural se ha utilizado de forma genérica. De ahí que sea razonable entender que debe ser el letrado de la Administración de Justicia el que, en cada caso, adopte la decisión que estime más adecuada en función de las circunstancias

reiterarse[17]; y el territorio en el que éste ha de difundirse[18]; cuestiones – todas ellas– que deberán decidirse motivadamente, siempre con el propósito de que la convocatoria tenga la máxima publicidad posible, a fin de que puedan tener noticia de la misma aquellos a los que va dirigida.

Y, aunque la ley únicamente dispone que lo que ha de comunicarse es «*la admisión de la demanda*», parece razonable entender que, además de este extremo, en el aviso deberá señalarse qué juzgado conoce del asunto, cuál es el número del procedimiento, quién ha presentado la demanda, frente a quién se ha formulado ésta, qué clase de acción se ha ejercitado, qué se pide y los hechos en los que se fundamenta la petición, y, además, en el caso concreto del supuesto regulado en el artículo 15.3 de la LECiv, el plazo en el que los posibles perjudicados por haber sido consumidores del producto o usuarios del servicio que ha dado lugar al proceso pueden hacer valer su derecho o interés individual. Pues solo así puede quedar cumplido el propósito con el que se hace la convocatoria.

§22. A cuanto antecede ha de añadirse que una peculiaridad de estos procesos es la de que en ellos puede intervenir el ministerio fiscal, si considera que concurre el interés social que justifica su intervención, cuestión que deberá valorar la fiscalía tras la comunicación que, por mandato legal, le hará el tribunal que conozca de estos litigios, a fin de que pondere «*la posibilidad de su personación*» (artículo 15.1 *in fine* de la LECiv).

§23. Sentadas las anteriores normas generales, el legislador específica reglas singulares para dos peculiares supuestos a los que, a continuación, dedicaremos nuestra atención: aquellos en los que los perjudicados por el hecho dañoso estén determinados o sean fácilmente determinables; y aquellos otros en los que el hecho dañoso perjudique a una pluralidad de personas indeterminadas o de difícil determinación.

---

concurrentes: siempre de forma motivada y tratando de compaginar el propósito que se pretende con la difusión del anuncio (que quienes tengan la condición de «perjudicados» conozcan la existencia del pleito para que, si lo desean, puedan intervenir en él) con el anhelo de que ésta se consiga con el menor costo posible.

17. Como en el caso anterior, ante el silencio de la ley al respecto, lo más razonable es que sea el letrado de la Administración de Justicia el que adopte la decisión que parezca más acertada a la vista de las circunstancias que en cada caso concurran.

18. Lo realmente relevante es que se publique la admisión de la demanda en medios de comunicación que tengan difusión en el ámbito territorial «en el que se haya manifestado la lesión», por lo que, una vez más, será el buen criterio del letrado de la Administración de Justicia encargado de realizar el llamamiento el que deberá decidir, a la vista del concreto supuesto de que se trate, el ámbito territorial en el que debe realizarse la difusión de dicha noticia.

No obstante, antes de ello procede aclarar que, aunque el artículo 15 de la LECiv dispone que el llamamiento tiene por finalidad que los posibles perjudicados hagan valer en el proceso «*su derecho o interés individual*», esto no se producirá de forma automática por el hecho de que comparezcan a la llamada[19], ya que, como antes apuntamos, su incorporación debe ser aprobada por el tribunal, que resolverá lo que proceda mediante auto, previa audiencia de las partes personadas, tras comprobar si concurren los debidos presupuestos procesales y si el interesado ha acreditado su condición de afectado por el hecho dañoso[20].

Aceptada la intervención, el solicitante participará en el pleito como demandante y, en consecuencia, podrá realizar los actos procesales inherentes a tal condición, si bien, si lo hace en un juicio promovido para la defensa de intereses colectivos de consumidores y usuarios, solo podrá realizar aquellos «*que no hubieren precluido*» en el momento de su incorporación (cfr. el artículo 15.2 de la LECiv), por haberlo dispuesto así el legislador, posiblemente con la finalidad de que una eventual solicitud de intervención tardía no perturbe el desarrollo de estos procesos, que, normalmente, por sus propias características, suelen revestir gran complejidad.

3.2. INTERVENCIÓN PROCESAL EN PROCESOS PROMOVIDOS POR ASOCIACIONES O ENTIDADES CONSTITUIDAS PARA LA DEFENSA DE LOS DERECHOS E INTERESES DE CONSUMIDORES Y USUARIOS, O POR GRUPOS DE AFECTADOS, EN LOS QUE LOS PERJUDICADOS POR EL HECHO DAÑOSO ESTÉN DETERMINADOS O SEAN FÁCILMENTE DETERMINABLES

§24. Así, en el caso concreto de procesos iniciados para la defensa de derechos e intereses de consumidores y usuarios en los que los perjudicados por el hecho dañoso se encuentren determinados o sean fácilmente determinables, se establece que, con anterioridad a la presentación de la demanda, quienes deseen entablarla deberán comunicar su propósito «*a todos los interesados*», a fin de que éstos puedan «*intervenir en el proceso en cualquier momento*» y realizar los actos procesales que no hayan precluido en el instante en que se incorporen al proceso (artículo 15.2 de la LECiv).

---

19. En efecto, hasta que el tribunal no admita la personación del solicitante, éste sigue ostentando la condición procesal de tercero, pues no puede ser parte quien quiere sino quien cumple las condiciones necesarias para serlo, cuestión que, en lo que ahora analizamos, solo puede controlar aquél.

20. Como el lógico, el solicitante solo deberá acreditar *prima facie* su interés legítimo en la resolución del litigio, sin que quepa valorar en este momento procesal si efectivamente procede otorgarle el amparo que solicita, ya que ésta es una cuestión de fondo que, como tal, deberá decidirse más adelante.

§25. Del análisis conjunto de lo previsto en los dos primeros apartados del artículo 15 de la LECiv resulta, por tanto, que, en estos procesos, deben efectuarse dos llamamientos: uno con anterioridad a la presentación de la demanda, que, como se ha dicho, debe realizarse «*a todos los interesados*», a los que debe comunicarse el propósito de presentar la misma; y otro, una vez se haya admitido aquélla, que, como también se ha apuntado, debe hacerse «*publicando la admisión de la demanda en medios de comunicación con difusión en el ámbito territorial en el que se haya manifestado la lesión de aquellos derechos e intereses*».

Sin duda, el propósito que se persigue con ello es laudable y bienintencionado: se pretende que todos los posibles perjudicados por un hecho dañoso tengan cumplida noticia de que otros afectados, o asociaciones o entidades constituidas para la defensa de derechos e intereses de consumidores y usuarios, han iniciado –o van a iniciar– un proceso jurisdiccional en el que van a discutirse cuestiones que pueden interesarles para que estén debidamente informados de ello y, si lo desean, puedan intervenir en el litigio cuando lo consideren oportuno.

Sin embargo, si se reflexiona con detenimiento sobre lo que acaba de apuntarse, enseguida se repara en que la previsión legal presenta asimismo notables inconvenientes, que, precisamente por el perjuicio que conllevan, no deben silenciarse y es preciso tener en cuenta. Repárese, en primer lugar, en que la reiteración de llamamientos puede ser, en más de un supuesto, superflua, y, en consecuencia, innecesaria, precisamente por la repetición que supone. Repárese, asimismo, en el importante gasto económico que la realización de dos avisos, coincidentes en lo esencial, necesariamente supone. Y téngase en cuenta, finalmente, el dato, nada irrelevante, de que el coste del primero de ellos, el que de acuerdo con la legislación vigente debe realizarse antes de que se presente la demanda, debe ser íntegramente soportado por quien, de acuerdo con dicha regulación, se ve obligado a comunicar su voluntad de interponer la misma, ya que no podrá resarcirse de dicho desembolso –ni en todo, ni en parte– ni en el hipotético supuesto de que se vea favorecido por la sentencia que llegue a dictarse, al no permitirlo la normativa existente en materia de condena en costas (singularmente, el art. 241 de la LECiv).

§26. A lo anterior debe añadirse, en relación con esa primera comunicación, que la misma ha de realizarse a los «*perjudicados por el hecho dañoso*» y que consiste, básicamente, en el anuncio de que se desea presentar la demanda[21].

---

21. Requisito calificado de «ineludible» en el AAP de La Coruña de 6 de marzo de 2013 (Cendoj, Roj: AAP C 8/2013), Pte. Sr. Fernández-Montells Fernández; que, según

Nada más se dice, ni nada más se añade al respecto. De donde se deduce que el aviso puede tener lugar del modo que el obligado a hacerlo considere más pertinente[22], siempre y cuando, eso sí, exista constancia de su realización, ya que posteriormente deberá acreditarse dicho extremo ante el órgano jurisdiccional[23], a fin de que el tribunal correspondiente

---

se indica en la SAP de Madrid de 24 de noviembre de 2008 (Cendoj, Roj: SAP M 15883/2008), Pte. Sr. Sobrino Blanco, el actor «deberá aducir en la fundamentación fáctica de la demanda y justificar acompañando a la misma demanda, conforme a lo establecido por los artículos 264 y siguientes de la Ley de Enjuiciamiento Civil, los correspondientes soportes documentales, ya que esta comunicación previa es la que va a permitir al consumidor o usuario intervenir en el proceso».

Según se indica en la SAP de Valencia de 23 de junio de 2008 (Cendoj, Roj: SAP V 2657/2008), Pte. Sra. Gaitón Redondo, lo que se debe comunicar es «la intención de demandar y los términos en que ello se iba a hacer», extremos que deben acreditarse posteriormente «el cumplimiento de tal requisitos en el momento de la presentación de la demanda –ex artículo 403.3 LEC–».

22. Basta con que se realice en términos razonables de acuerdo con las circunstancias que concurran en cada supuesto, lo que no significa, sin embargo, que cualquier comunicación sea válida, ya que la simple comunicación por correo certificado con acuse de recibo puede no ser suficiente, toda vez que no deja constancia de su contenido, al igual que ocurre con la que se remite por fax. De ahí que sea conveniente realizarla a través de sistemas que permitan una comunicación fehaciente con valor probatorio, como, por ejemplo, el burofax.

Con todo, como antes señalamos, será necesario atender a las condiciones presentes en cada caso para entender cumplido, o no, el requisito. Así lo hizo la Audiencia Provincial de Gerona en su auto de 18 de enero de 2006 (Cendoj, Roj: AAP GI 9/2006), Pte. Sr. Fernández Font, en el que consideró que se había satisfecho suficientemente por cuanto la actora aportó, «salvo error u omisión de esta Sala, hasta cincuenta y dos acuses de recibo de las cartas remitidas a sus asociados poniendo en su conocimiento la presentación de la demanda. Ha remitido otra comunicación por correo electrónico, ha convocado una asamblea de asociados con idéntico fin y ha colocado igual comunicación en su página web. Con todo ello parece que ha cumplido *de modo razonable* con la indicada exigencia, siempre y cuando no se efectúen interpretaciones de un tan extremo rigor que acaben chocando con el mismo derecho a la tutela judicial efectiva prevista en el artículo 24.1 de la Constitución, lo que implica que los requisitos procesales hayan de interpretarse en la forma más favorable a la eficacia de tal derecho» (la cursiva es nuestra).

23. En efecto, la lectura de lo dispuesto en el artículo 15.2 de la LECiv no deja margen a la duda: el demandante debe acreditar ante el órgano jurisdiccional en su escrito de demanda que, con anterioridad a dicho momento, comunicó «a todos los interesados» su voluntad de presentarla, debiendo entenderse que dicha obligación solo se encuentra realmente cumplida cuando la notificación expresó la voluntad de demandar, el sujeto frente a quien dicha demanda se presentará, el objeto concreto de la reclamación, el lugar en el que se formulará, la condición de perjudicado del destinatario de la misma y la posibilidad que, por dicha circunstancia, tiene de intervenir en el proceso que se va a entablar. En igual sentido: AAP de Madrid de 28 de mayo de 2008 (Cendoj, Roj: AAP M 6896/2008), Pte. Sr. Saraza Jimena, en el que se indica que «ha de ser una comunicación personal, realizada a todos los interesados, en la que deberá darse al destinatario noticia suficiente de su objeto, es decir, de la presentación

pueda determinar si se ha cumplido debidamente la condición legalmente prevista –toda vez que se trata de «un requisito de procedibilidad o accionabilidad, previo a la presentación de la demanda»[24], y, como tal, apreciable de oficio[25]–, lo que, obviamente, se decidirá tras analizar las circunstancias concurrentes en cada supuesto, análisis en el que, a nuestro entender, debería ponderarse no solo si se ha hecho saber la intención o propósito de demandar, que es lo que propiamente exige la ley, sino también si se ha informado debidamente sobre determinados extremos que resultan esenciales. En concreto, a quién se demandará, en qué hechos se fundamentará la petición y qué concreta acción se ejercitará. Ya que, si se atiende a la finalidad perseguida por el legislador, que, según se dice en el propio precepto, no es otra que la de permitir que, «*tras el llamamiento*», los perjudicados por el hecho dañoso puedan intervenir en la causa, puede entenderse que lo que realmente se pretende con dicho requisito no es tanto que se notifique que se desea demandar –información a todas luces

---

de la demanda, del objeto de dicha demanda, de la condición del destinatario como perjudicado y afectado por ella, siendo válida cualquier forma, con tal de que quede constancia escrita de la notificación».

24. Cfr. el AAP de La Coruña de 15 de febrero de 2013 (Cendoj, Roj: AAP C 2/2013), Pte. Sra. Ruíz Tovar. También la SAP de Madrid de 13 de octubre de 2014 (Cendoj, Roj: SAP M 12121/2014), Pte. Sr. Arroyo García, en la que se manifiesta que se trata de un extremo que debe acreditarse «suficientemente»; y la SAP de Valencia de 23 de junio de 2008 (Cendoj, Roj: SAP V 2657/2008), Pte. Sra. Gaitón Redondo, en la que reitera que «su fundamento no es otro que en esos procesos de defensa de intereses generales de consumo dar la oportunidad a cada consumidor afectado (perjudicado) por el bien o servicio causa de la tutela pedida en el proceso, a intervenir en el mismo para aprovechando dichos trámites, deducir su derecho subjetivo o individual ... ».
   Por su parte, la SAP de Madrid de 24 de noviembre de 2008 (Cendoj, Roj: SAP M 15883/2008), Pte. Sr. Sobrino Blanco, estima que la inobservancia de este requisito «no sólo impide al tribunal determinar –y conocer–, con certeza y seguridad, el verdadero contenido de las pretensiones que se quieren hacer valer en el proceso y dictar la correspondiente sentencia congruente conforme a las reglas establecidas en el artículo 221 de la Ley de Enjuiciamiento Civil, sino que origina una evidente merma del derecho de defensa de los demandados, ya que al verse impedidos de conocer, de modo efectivo, el contenido concreto y el alcance de las pretensiones de condena que se formulan contra ellos –pues se ignora respecto a qué concretos contratos se insta la resolución y qué concretas cantidades han de pagar o devolver, y a quién han de efectuar tal pago o devolución–, se les limita –si no se les priva, absolutamente– la posibilidad de formular alegaciones, oponer excepciones y, en definitiva, utilizar todos los medios de defensa que estimasen pertinentes. En la medida de todo ello, resulta incuestionable la concurrencia de la excepción procesal invocada de defecto legal en el modo de proponer la demanda, que consecuentemente, ha de ser acogida, haciendo innecesario el examen de los demás motivos de impugnación de la sentencia».

25. Vid. la STS de 29 de diciembre de 2010 (Cendoj, Roj: STS 7551/2010), Pte. Sr. Corbal Fernández. En igual sentido: SAP de Valencia de 23 de junio de 2008 (Cendoj, Roj: SAP V 2657/2008), Pte. Sra. Gaitón Redondo.

insuficiente por sí sola– como que los destinatarios de la comunicación tengan cumplida noticia de los datos necesarios para que, si lo desean, pueda comparecer en las actuaciones, circunstancias que solo pueden trasladárseles una vez se haya admitido a trámite la demanda, ya que solo entonces puede informárseles debidamente de cuál es el objeto de ésta, de cuál es el órgano jurisdiccional ante el que va a sustanciarse el proceso y de la identidad del sujeto jurídico al que efectivamente se ha demandado, así como de la posible condición de perjudicados de aquellos a quienes se convoca, a los que deberá indicárseles asimismo la posibilidad que la ley les reconoce de poder intervenir en el litigio como demandantes, si así lo desean.

De cuanto acaba de exponerse se deduce sin dificultad que, en nuestra opinión, bastaría con que se realizase un único llamamiento en el caso que analizamos; y que dicha convocatoria, a nuestro entender, debería tener lugar después de que se hubiese admitido a trámite la demanda. A dichas propuestas cabría añadir un tercera sugerencia que consideramos que complementaria debidamente las dos anteriores: la de que, una vez que se hubiese admitido a trámite la demanda, se suspendiesen las actuaciones por el tiempo prudencial que acordase el tribunal que conociese del caso, en atención a las circunstancias que concurriesen en cada supuesto, para que el actor pudiese comunicar a los posibles interesados los datos a que antes no referimos. Solo así se compaginaría adecuadamente –así lo creemos– el propósito del legislador que mencionamos anteriormente con la efectiva tutela de los consumidores y usuarios que pudiesen verse afectados y la posibilidad legalmente reconocida de que, si lo desean, puedan personarse en las actuaciones.

Dicha interpretación tendría, además, una ventaja añadida: permitiría una interpretación más laxa de lo dispuesto en el artículo 15.1 de la LECiv y, en consecuencia, que el llamamiento que en dicho precepto se dispone pudiese efectuarse en menos medios de comunicación de los que, en otras condiciones, debería realizarse, o durante menos tiempo, con el consiguiente ahorro que ello conllevaría para el actor que, en este caso, a diferencia de lo que sucede ahora con el gasto que conlleva el primer aviso, sí podría recuperar el importe del desembolso realizado si posteriormente el demandado es condenado en costas.

§27. La ley guarda silencio sobre las consecuencias jurídicas que conlleva la omisión del deber de comunicar previamente «*a todos los interesados*» el propósito de plantear la demanda.

Sin duda, podría pensarse que, puesto que se trata de una comunicación que la ley prevé con carácter preceptivo, el incumplimiento de esta condición debe determinar la inadmisión de la demanda en la que no se acredite debidamente haberla efectuado. Sin embargo, dicha conclusión –que nos parece acertada– solo parece posible si se interpreta de forma flexible –y, por tanto, ajena a lecturas limitativas, estrictas o dogmáticas– lo dispuesto en el artículo 403 de la LECiv y se entiende, consecuentemente, que, junto con la demanda, deben acompañarse los documentos que justifiquen que se ha realizado la mencionada comunicación previa y que, si no se hace así, la falta de acreditación inicial de este requisito puede ser enmendada en el plazo que, a tal efecto, habrá de concederle el letrado de la Administración de Justicia (artículo 231 de la LECiv), posibilidad que, en nuestra opinión, también debería concederse en el caso de que el actor alegase que los consumidores son indeterminados o de difícil determinación; el demandado respondiese que sí están determinados o son fácilmente determinables y que, pese a ello, no se cumplió la obligación de comunicarles el propósito de interponer la demanda antes de que se iniciase el pleito; y el tribunal participase de dicha opinión, supuesto en el cual debería acordar la suspensión del proceso, bien en la audiencia previa –si el juicio se sigue por los cauces del juicio ordinario–, bien en el acto de la vista –si, por el contrario, se trata de un juicio verbal–.

§28. Con el propósito de facilitar el aviso previo legalmente exigido en estos casos, la Ley de Enjuiciamiento Civil prevé la posibilidad de solicitar una diligencia preliminar que permite concretar la identidad de las personas afectadas, en aquellos supuestos en que, no estando determinadas, sean fácilmente determinables: nos referimos a la prevista en el artículo 256.1.6.ª de dicho texto, conforme al cual, cuando el que pretenda iniciar «un proceso para la defensa de los intereses colectivos de consumidores y usuarios» solicite dicha medida, el tribunal adoptará las decisiones pertinentes «para la averiguación de los integrantes del grupo, de acuerdo a las circunstancias del caso y conforme a los datos suministrados por el solicitante, incluyendo el requerimiento al demandado para que colabore en dicha determinación»[26], con las consecuencias previstas en el artículo 261.5 de la LECiv, según el cual,

---

26. Con todo, como se indica en el AAP de Madrid de 20 de diciembre de 2012 (Cendoj, Roj: AAP M 20932/2012), Pte. Sr. Zarzuelo Descalzo, «La adopción de dicha diligencia preliminar está sujeta a los requisitos generales del artículo 258 de la Ley de Enjuiciamiento Civil y, en consecuencia: a) debe ser adecuada a la finalidad que persigue el solicitante; b) ha de concurrir justa causa; y c) debe apreciarse interés legítimo», parámetros que deben ser debidamente ponderados en cada supuesto, por lo que no cabe inadmitir a trámite la solicitud con el argumento de que afecta a datos protegidos por la ley 15/1999, ya que, en tal caso, «resultaría inviable la protección que recoge la nueva LEC 1/2000, posterior a aquella, de cuyos preceptos claramente se desprende la orientación de la misma de permitir a través de asociaciones la defensa de intereses difusos o generales, que sería imposible de elegir una limitada interpretación de la ley procesal» (AAP de Madrid de 13 de mayo de 2009 [Cendoj, Roj: AAP M 9351/2009], Pte. Sr. Ruiz Jiménez).

ante la negativa del requerido o de cualquier otra persona a llevar a cabo la diligencia ordenada, el tribunal ordenará que se acuerden las medidas de intervención necesarias, «*incluida la de entrada y registro, para encontrar los documentos o datos precisos, sin perjuicio de la responsabilidad penal en que se pudiera incurrir por desobediencia a la autoridad judicial*».

§29. En cualquier caso, debe recordarse que el artículo 15.2 de la LECiv únicamente se refiere a aquellos supuestos en los que estén determinados o sean «*fácilmente determinables*» los perjudicados por el hecho dañoso de que se trate: solo en tales hipótesis exige la ley que se haya notificado previamente a los afectados el propósito de presentar la demanda. Lo que, ciertamente, contrasta con lo que se dispone en el apartado 3 del mismo precepto para los casos en los que los afectados sean «*una pluralidad de personas indeterminadas o de difícil determinación*», en los que, al contrario de los que acabamos de mencionar, no se requiere dicha comunicación previa.

Una diferencia tan relevante como la que se acaba de apuntar exige, necesariamente, que se determine, con claridad y precisión, en qué supuestos cabe entender que son «*fácilmente determinables*» los posibles perjudicados y en qué otros, por el contrario, no cabe obtener dicha conclusión, lo que resulta preciso –como antes se indicó– para dilucidar qué requisitos cabe exigir al accionante en cada caso.

Sin duda, podría responderse que ello dependerá de la mayor o menor dificultad que conlleve identificar a los posibles damnificados, no tanto de cuál sea su número, lo que, si bien puede parecer inicialmente acertado, no constituye sin embargo un criterio definitivo, pues también podría sostenerse que todo lo que comporta una especial laboriosidad –y, ciertamente, cuántos más sujetos jurídicos haya que identificar, mayor será la tarea a realizar– implica, a su vez, una singular complejidad.

La ausencia de un criterio que permita contestar de forma definitiva y única a la cuestión sobre la que reflexionamos aconseja abordar el problema que plantea sin respuestas preconcebidas, que a nada conducen, y resolverlo caso por caso, en función de las circunstancias que en cada supuesto concurran: solo si se hace así podrán ponderarse debidamente las consecuencias jurídicas de la respuesta que se dé (que, como es lógico, serán distintas según se considere que la identificación de los posibles afectados es sencilla o, por el contrario, compleja), que, si se adopta en función de criterios singularmente rigurosos, puede llegar a afectar al ejercicio del derecho a la jurisdicción que todos tenemos reconocido[27].

---

27. En similares términos: AAP de Gerona de 18 de enero de 2006 (Cendoj, Roj: AAP GI 9/2006), Pte. Sr. Fernández Font.

§30. Obviamente, recibida la comunicación, el consumidor o usuario que se encuentre afectado por el hecho dañoso podrá actuar del modo que estime más conveniente a su interés, lo que supone que podrá integrarse en el grupo de afectados por el hecho dañoso que manifiesta su voluntad de presentar la demanda (cfr. el artículo 6.1.7.ª de la LECiv); adherirse a ésta, una vez haya sido interpuesta por las asociaciones de consumidores y usuarios habilitadas para ello, las entidades legalmente constituidas que tengan por objeto la defensa o protección de aquéllos o los grupos de afectados que, al efecto, se hayan constituido (vid. el artículo 11.2 de la LECiv); intervenir en el pleito una vez éste se haya iniciado, realizando aquellos actos procesales que no hayan precluido en el instante en que se produzca su incorporación al proceso (artículo 15.2 de la LECiv)[28]; o mantenerse al margen de éste, sí así lo desea.

3.3. INTERVENCIÓN PROCESAL EN PROCESOS PROMOVIDOS POR ASOCIACIONES O ENTIDADES CONSTITUIDAS PARA LA DEFENSA DE LOS DERECHOS E INTERESES DE CONSUMIDORES Y USUARIOS, O POR GRUPOS DE AFECTADOS, EN LOS QUE LOS PERJUDICADOS POR EL HECHO DAÑOSO NO ESTÁN DETERMINADOS O SON DIFÍCILMENTE DETERMINABLES

§31. A su vez, el apartado tercero del artículo 15 de la LECiv regula determinadas especialidades del llamamiento que procede realizar cuando el hecho dañoso ha perjudicado a un conjunto de personas indeterminadas o de difícil determinación y de la intervención que dichos sujetos jurídicos pueden tener en los procesos iniciados a tal fin.

En concreto, en dicho precepto se dispone que la mencionada convocatoria –que, de acuerdo con lo señalado en el primer apartado del mismo artículo, debe realizarse una vez se haya presentado la demanda– suspenderá el curso de las actuaciones *«por un plazo que no excederá de dos meses»* y que el letrado de la Administración de Justicia determinará en cada caso, *«atendiendo a las circunstancias o complejidad del hecho y a las dificultades de determinación y localización de los perjudicados»*, sin que quepa

---

28. Lógicamente, si se acepta la interpretación que defendimos *ut supra*, podrían acumular acciones a las ya ejercitadas por las asociaciones, entidades o grupos que hayan promovido el proceso –posibilidad permitida por el artículo 401 de la LECiv–, incrementándose notablemente sus posibilidades de actuación.

   De no admitirse aquélla, parece claro que podrán formular alegaciones complementarias en la audiencia previa –si la causa se tramita por el cauce del juicio ordinario– o en el acto de la vista –si lo hace por el procedimiento propio del juicio verbal–, habida cuenta el tiempo que normalmente transcurre desde que se inicia el pleito y se contesta a la demanda y dichas actuaciones tienen lugar.

admitir en un momento posterior la personación individual de aquellos consumidores o usuarios que no hubiesen acudido al llamamiento realizado, que, no obstante, si lo desean, podrán posteriormente hacer valer sus derechos o intereses conforme a lo dispuesto en los artículos 221 y 519 de la LECiv.

§32. La citada regla suscita determinadas dudas, habida cuenta la indeterminación con la que se expresa el legislador.

§33. La primera de ellas tiene que ver con la razón por la que, en estos casos, a diferencia de lo que sucede en los que hemos analizado anteriormente, el llamamiento suspende el curso de las actuaciones por un plazo determinado, que, en ningún supuesto, según dispone el legislador, puede exceder de dos meses.

Posiblemente la explicación se encuentre en que, siendo indeterminadas o difícilmente determinables, las personas que pueden encontrarse perjudicadas por el hecho dañoso, el legislador ha considerado que ésta es la mejor opción para que pueda conocerse la existencia del pleito y para que los posibles perjudicados puedan decidir si se incorporan o no al proceso, bien adhiriéndose al grupo o asociación que lo haya promovido, bien actuando individualmente. Lo que, por lo demás, resulta coherente con el hecho de que el propio precepto disponga que la duración de la suspensión se determinará, caso por caso, por el letrado de la Administración de Justicia, «*atendiendo a las circunstancias o complejidad del hecho y a las dificultades de determinación y localización de los perjudicados*»[29].

§34. La segunda radica en el momento a partir del cual debe comenzar a contarse el citado plazo.

En principio, parece que ha de empezar a contarse a partir del día en que tenga lugar el llamamiento, no a partir de la fecha en que el letrado de la Administración de Justicia acuerde que éste tenga lugar.

Sin embargo, como puede ocurrir que la llamada se produzca por medio de varios anuncios, separados en el tiempo, bien sea en uno o varios medios de comunicación, lo más razonable es que, en estos casos, se compute desde la fecha en que se haya publicado el último de ellos[30],

---

29. Con todo, como señala SAMANES ARA, si bien resulta razonable supeditar la determinación del plazo a la complejidad del hecho, pues, a mayor dificultad, mayor plazo parece que ha de concederse, no lo es que su fijación se haga depender del mayor o menor inconveniente en determinar y localizar a los perjudicados, «ya que nadie va a intentar localizarlos ni determinarlos» (en *Las partes en el proceso civil*, Ed. La Ley, Madrid 2000, esp. pág. 155).
30. En igual sentido: PLANCHADELL GARGALLO, A., «La intervención de los consumidores afectados en los procesos colectivos», en J.-L. Gómez Colomer, S. Barona

que es, sin duda, la interpretación que favorece en mayor medida el que los posibles perjudicados por el hecho dañoso puedan hacer valer su derecho o interés individual.

§35. Una tercera incertidumbre viene determinada por el hecho de que, transcurrido el repetido plazo, sea cual sea su duración –aunque, como se ha dicho, tiene un tiempo máximo determinado que no cabe superar–, no se admitirá ninguna personación individual de consumidores o usuarios que afirmen ser perjudicados por haber consumido el producto o utilizado el servicio que haya dado lugar al proceso. En concreto, por la causa por la que el legislador ha establecido dicha regla.

Posiblemente la razón se encuentre en que, al desconocerse quiénes son los sujetos jurídicos que pueden querer intervenir en la causa, el legislador ha querido evitar que ésta pueda sufrir sucesivas y continuas interrupciones –tantas como peticiones pudiesen producirse– que puedan enlentecerla excesivamente.

Sin embargo, tal argumento –que, en principio, parece razonable– parte de una premisa cuanto menos discutible: la de que, en estos casos, al no conocerse los sujetos que pueden querer intervenir en el proceso, pueden producirse más impedimentos que en aquellos otros en los que están determinados o pueden concretarse con facilidad, lo cual, aunque posiblemente sea cierto, no deja de ser una presunción relativa que, precisamente por serlo, no tiene por qué ser cierta en todos los casos.

A esta primera censura puede añadirse otra: la de que dicha restricción puede quebrantar el derecho de defensa reconocido en artículo 24.2 de la CE, crítica que podría rebatirse argumentando que la limitación legal se encuentra compensada con la posibilidad de que los consumidores y usuarios que no hayan intervenido en el pleito pueden, no obstante, beneficiarse de la sentencia de condena que, en su caso se haya dictado, en función de lo dispuesto en los artículos 221.1.1.ª y 519 de la LECiv[31]. Lo que, si bien

---

Vilar, M.ª P. Calderón Cuadrado y J. Montero Aroca (coord.), *El derecho procesal español del siglo XX a golpe de tango. Juan Montero Aroca: liber amicorum, en homenaje y para celebrar su LXX cumpleaños*, Ed. Tirant lo blanch, Valencia 2012, esp. pág. 779.

31. El alcance de los efectos de la cosa juzgada cuando se trata del ejercicio de acciones colectivas plantea cuestiones de difícil resolución, pues, por una parte, es necesario garantizar el principio de seguridad jurídica, en que tiene su asiento esta institución, y, por otra, resulta evidente el propósito del legislador de que el reconocimiento de nuevas formas de legitimación para el ejercicio de estas acciones no suponga una restricción a la protección de los derechos de los consumidores. En relación con esta cuestión es singularmente relevante el criterio expresado en la STS de 17 de junio de 2010 (Cendoj, Roj: STS 4216/2010), Pte. Sr. Xiol Ríos, en la que se declara que de lo anterior se sigue «que la consideración de los requisitos exigidos tradicionalmente por esta Sala para la consideración de la cosa juzgada, especialmente el de identidad

es formalmente cierto, desconoce que, de conformidad con lo previsto en el artículo 222.3 del mismo texto legal, los efectos de la cosa juzgada de la resolución que llegue a dictarse se extiende a los sujetos no litigantes tanto si la misma es favorable como si no lo es, y, en consecuencia, que dicha restricción puede perjudicar a éstos cuando la sentencia es desfavorable[32].

De ahí que sea razonable la eliminación de esta cortapisa, cuya abrogación propugnamos.

---

subjetiva, no resuelve de forma automática la cuestión, para la que caben diversas soluciones legislativas, por lo que es necesario examinar cuál es el régimen que la LEC establece en esta materia.

El artículo 11.2 LEC (al que se ajusta la legitimación esgrimida por la parte demandante, según resolvió el Juzgado) establece que «[c]uando los perjudicados por un hecho dañoso sean un grupo de consumidores o usuarios cuyos componentes estén perfectamente determinados o sean fácilmente determinables, la legitimación para pretender la tutela de esos intereses colectivos corresponde a las asociaciones de consumidores y usuarios, a las entidades legalmente constituidas que tengan por objeto la defensa o protección de éstos, así como a los propios grupos de afectados».

Podría sostenerse que, según el artículo 15 LEC, tras el llamamiento al proceso que se ordena hacer a quienes tengan la condición de perjudicados por haber sido consumidores del producto o usuarios del servicio que dio origen al proceso, para que hagan valer su derecho o interés individual, la sentencia produce efectos de cosa juzgada respecto de todos ellos, puesto que no se establece, a diferencia de lo que ocurre en el caso de perjudicados indeterminados (artículo 15.3 LEC), que, aunque no se personen, podrán hacer valer sus derechos o intereses conforme a lo dispuesto en los arts. 221 y 519 de esta Ley.

Sin embargo, esta Sala entiende que si, como presupuesto de la condena o como pronunciamiento principal o único, se declara ilícita o no conforme a la ley una determinada actividad o conducta, este posible efecto de cosa juzgada respecto de todos los perjudicados debe quedar restringido a los casos en que la sentencia determine que, conforme a la legislación de protección a los consumidores y usuarios, la declaración ha de surtir efectos procesales no limitados a quienes hayan sido partes en el proceso correspondiente. Solo así tiene sentido la previsión del artículo 221.2 LEC.

En caso de no efectuarse el pronunciamiento de que la declaración ha de surtir efectos procesales no limitados a quienes hayan sido partes en el proceso correspondiente, teniendo en cuenta que el ejercicio de este tipo de acciones tiene un carácter instrumental dirigido a la protección de los consumidores, hay que entender que la LEC opta por considerar que su alcance subjetivo, desde el punto de vista procesal, no puede limitarse a la personalidad de la entidad que la ejercita ni a los perjudicados que hayan comparecido o que aquella haya incluido en la demanda. En suma, como opina un sector relevante de la doctrina, en este supuesto el requisito de la identidad subjetiva para determinar la concurrencia de litispendencia o cosa juzgada, por tratarse del ejercicio de acciones colectivas por parte de entidades que las ejercitan en beneficio de consumidores concretos, debe determinarse en función de los sujetos perjudicados en quienes se concrete el ejercicio de la acción».

32. En este punto es singularmente ilustrativa la opinión de ANDRÉS CIURANA, B., y CALDERÓN CUADRADO, M.ª P., «La sentencia dictada en procesos promovidos por asociaciones de consumidores y usuarios», en S. Barona Vilar (coord.), *Tutela de los consumidores y usuarios en la nueva Ley de Enjuiciamiento Civil*, Ed. Tirant lo Blanch, Valencia, 2002, esp. pág. 360.

§36. Otra cuestión que suscita el precepto que analizamos es la de si la simple personación en las actuaciones habilita sin más a los consumidores y usuarios que hayan acudido al llamamiento para intervenir en las actuaciones.

Al igual que hemos sostenido anteriormente, al tratar la intervención de consumidores y usuarios en los procesos entablados para la protección de derechos e intereses colectivos, consideramos que tampoco en este caso la intervención puede ser automática y que resulta preciso, por el contrario, que el juez que conozca de la causa examine si concurren *prima facie* las condiciones necesarias para ello, dictando al efecto el correspondiente auto, que será, en su caso, el título que habilite para hacerlo.

Es más, si se piensa con atención, en el caso que nos ocupa, lo más razonable es que dicho auto se dicte una vez haya concluido el plazo estipulado por el letrado de la Administración de Justicia para poder personarse en la causa, lo que conllevará que, una vez consumido éste, y antes de que se alce la suspensión en su día acordada, se dé traslado de las peticiones a las partes personadas para que se pronuncien sobre ellas[33], resolviéndose posteriormente en un solo auto lo que proceda sobre cada una de las solicitudes realizadas. Ésta es, sin duda, la solución más práctica.

§37. Como antes apuntamos, el artículo 15.3 de la LECiv veda la intervención de consumidores y usuarios en los procesos iniciados para la defensa de intereses difusos después de que haya concluido el plazo concedido para acudir al llamamiento efectuado por el letrado de la Administración de Justicia, «*sin perjuicio de que éstos puedan hacer valer sus derechos e intereses conforme a lo dispuesto en los artículos 221 y 519 de esta ley*».

§38. El artículo 519 de la LECiv regula, así, el segundo momento procesal en el que los afectados –obviamente, aquellos que no lo hubiesen hecho ya– pueden personarse en las actuaciones e intervenir en el pleito.

De acuerdo con dicho precepto, cuando en las sentencias de condena dictadas en estos litigios no se hubiese determinado «*los consumidores o usuarios individuales beneficiados por aquélla, el tribunal competente para la ejecución, a solicitud de uno o varios interesados y con audiencia del condenado, dictará auto en el que resolverá si, según los datos, características y requisitos establecidos en la sentencia, reconoce a los solicitantes como beneficiarios de la condena. Con testimonio de este auto, los sujetos reconocidos podrán instar la*

---

33. El problema que se plantea aquí es que, al suspenderse el curso del proceso como consecuencia del llamamiento y realizarse éste para que los posibles perjudicados «hagan valer su derecho o interés individual» (artículo 15.1 de la LECiv), la decisión se adoptará sin el concurso del demandado, que, si bien puede tener noticia del pleito, aún no habrá tenido ocasión de personarse en las actuaciones.

ejecución. El Ministerio Fiscal podrá instar la ejecución de la sentencia en beneficio de los consumidores y usuarios afectados».

Tal y como establece la propia norma, la determinación de si el solicitante puede, o no, beneficiarse por la sentencia que se haya dictado depende, en primer lugar, de que así lo solicite el propio interesado, lo cual es lógico, al menos, por dos razones: en primer lugar, porque, como es obvio, no se conoce quiénes pueden ser los posibles beneficiarios; y, en segundo término, porque así lo exige el principio de justicia rogada imperante en nuestro ordenamiento, salvo que alguna norma disponga lo contrario en casos especiales (cfr. el artículo 216 de la LECiv).

Nada dice el artículo sobre el momento a partir del cual puede realizarse dicha petición y el instante a partir del cual ya no es posible formularla.

En relación con el momento a partir del cual puede solicitarse, entendemos que la solución más adecuada y entrada en razón pasa por entender que podrá solicitarse una vez sea firme la sentencia de la que el peticionario pretende beneficiarse[34], y que podrá instarse mientras no haya transcurrido el plazo de caducidad establecido en el artículo 518 de la LECiv: es decir, durante los cinco años siguientes a la firmeza de la sentencia invocada por el peticionario[35].

Sí especifica, por el contrario, el trámite que ha de seguirse antes de tomar una decisión sobre la cuestión planteada, significando al respecto

---

34. En igual sentido: SAP de Madrid de 17 de mayo de 2006 (Cendoj, Roj: SAP M 5476/2006), Pte. Zapater Ferrer, en la que se señala: «La facultad de personación individual o colectiva de los afectados en cualquier momento del procedimiento, implica que, si se produce una vez dictada sentencia, para obtener la condición de beneficiarios, es necesario que dicha resolución adquiera firmeza; instándose después su reconocimiento y ejecución al amparo de los artículos 517, 519, 538 y siguientes de la Ley de Enjuiciamiento Civil. Como la sentencia recaída no es firme y ni siquiera se está ejecutando provisionalmente, la solicitud es improcedente en este momento procesal». Comparten dicho criterio, entre otras muchas resoluciones, los AAP de Madrid de 12 de enero de 2006 (Cendoj, Roj: AAP M 12/2006), Pte. Sr. Almazan Lafuente, y de 25 de enero de 2006 (Cendoj, Roj: AAP M 1111/2006), Pte. Sra. Alfaro Hoys, en el que expresamente se señala que «Tampoco puede servir como argumento el carácter facultativo del término empleado «podrán» instar la ejecución, por ser evidente que, de instarla estando pendiente la firmeza de la sentencia, vulneraría el citado artículo 517, afectando por ende a la más elemental seguridad jurídica precisamente por la complejidad subjetiva y objetiva de estos litigios».

35. Dicha posibilidad comporta ciertamente una gran complejidad, pues supone que, durante ese tiempo, los eventuales beneficiarios por la sentencia dictada podrán solicitar que se reconozca tal condición, con los problemas de prioridad que ello puede conllevar y con la posibilidad de que su petición se tramite mientras se desarrolla la ejecución instada por el ejecutante.

que, formulada la solicitud, y tras dar audiencia a las partes –aunque la ley solo dice que debe darse audiencia al condenado, lo que resulta lógico ya que es él el que, en su caso, deberá cumplir lo que se acuerde, en virtud del principio de igualdad de partes, parece razonable entender que también deberá darse audiencia al primitivo actor, esto es: al favorecido por la sentencia de condena–, se resolverá por auto sin más trámites, resolución que, conforme al artículo 567 de la LECiv, podrá impugnarse en apelación sin que por ello se suspendan las actuaciones ejecutivas, salvo que el ejecutado acredite que la decisión frente a la que se alza puede producirle daños de difícil reparación, supuesto en el cual el tribunal que hubiere despachado la ejecución podrá acordarla.

3.4. EXCEPCIONES EN AQUELLOS CASOS EN QUE SE EJERCITE UNA ACCIÓN DE CESACIÓN

§39. Tras exponer las reglas que acabamos de analizar, el legislador dispone que lo previsto en ellas no resulta de aplicación en «*los procesos iniciados mediante el ejercicio de una acción de cesación para la defensa de los intereses colectivos y de los intereses difusos de los consumidores y usuarios*» (artículo 15.4 de la LECiv).

Lo que supone que, en dichos procesos, no habrá ni comunicación previa (si los intereses que se pretende proteger son colectivos) ni, en cualquier caso, llamamiento general a través de la publicación de la admisión de la demanda.

§40. La correcta intelección de este precepto exige realizar, cuando menos, dos precisiones: una primera referida al concepto y contenido de las llamadas «acciones de cesación»; y otra, posterior, relativa a quiénes pueden ejercitarlas.

a) En relación con el concepto y contenido de las acciones de cesación.

Lo primero que debe subrayarse es que las acciones de cesación son acciones colectivas, es decir: acciones destinadas a tutelar derechos e intereses supraindividuales de los consumidores y usuarios, que, como todas las que lo son, tienen la finalidad de permitir que pueda reaccionarse frente a conductas ilícitas contrarias a dichos derechos e intereses y el propósito último de evitar que se extienda el perjuicio causado y vuelvan a repetirse comportamientos lesivos similares en detrimento del conjunto de los consumidores.

Como sabemos, ese interés plural al que nos referimos se presenta en la práctica con dos perfiles claramente diferenciados, ya que, conforme a lo previsto en el artículo 11 de la LECiv, cuando los afectados por un hecho dañoso son un grupo de consumidores cuyos componentes están perfectamente determinados o resultan fácilmente determinables, nos hallamos ante intereses colectivos, mientras que, si están indeterminados o son difícilmente determinables, los intereses en liza se califican de difusos.

Y es precisamente la naturaleza comunal de estas acciones la que justifica que sea el legislador el que determine a quién o a quiénes corresponde su titularidad, es decir, quién o quiénes pueden ejercitarlas. Lo que explica por qué los textos legales, además de reconocer que pueden ejercitarse pretensiones de carácter colectivo, delimitan qué sujetos jurídicos se encuentran legitimados para ello.

Pues bien, la primera y más relevante categoría de esas acciones colectivas son, precisamente, las acciones de cesación «*para la defensa de los intereses colectivos y de los intereses difusos de los consumidores y usuarios*», acciones que, en nuestro ordenamiento, pueden ejercitarse con la finalidad de hacer cesar una conducta antijurídica o con el deseo de que se prohíba su reiteración (cfr. el artículo 53 del TRLGDCU).

En el primer caso, se ejercitará la acción cuando un profesional o empresario realice alguna actuación contraria a los derechos o intereses de los consumidores legalmente definidos, con el propósito de obtener una doble tutela: por un lado, la condena del demandado a cesar en dicha conducta; por otro, la prohibición expresa de que ésta vuelva a repetirse.

En el segundo, y dado que el comportamiento dañoso ha cesado ya, la pretensión contendrá la petición de prohibir su repetición, siempre que concurran indicios suficientes que hagan temer su reiteración de modo inmediato.

Todo lo cual evidencia que bajo la expresión «*acción de cesación*» el legislador español regula dos posibles pretensiones diversas: una de estricta cesación, y otra de carácter prohibitorio o inhibitorio.

b) En relación con los sujetos jurídicos que pueden ejercitarlas.

Como anteriormente apuntamos, la naturaleza comunal de estas acciones justifica que sea el legislador el que determine quién o quiénes pueden ejercitarlas en cada caso.

Y, así, con carácter general, ha reconocido dicha posibilidad a los siguientes sujetos jurídicos: a) El Instituto Nacional de Consumo y los órganos o entidades correspondientes de las comunidades autónomas y de las corporaciones locales que son competentes en materia de defensa de los consumidores y usuarios. b) Las asociaciones de consumidores y usuarios que reúnan los requisitos establecidos en el Real Decreto Legislativo 1/2007, de 16 de noviembre, por el que se aprueba el texto refundido de la Ley General para la Defensa de los Consumidores y Usuarios y otras leyes complementarias, o, en su caso, en la legislación autonómica reguladora de esta materia. c) El ministerio fiscal. d) Las entidades de otros Estados miembros de la Unión Europea constituidas para la protección de los intereses colectivos y de los intereses difusos de los consumidores y usuarios que estén habilitadas, mediante su inclusión en la lista publicada a tal fin en el Diario Oficial de la Unión Europea[36].

Además, en distintos textos legales ha ampliado dicha facultad a personas físicas o jurídicas titulares de un derecho o interés legítimo[37]; a *«grupos de consumidores o usuarios afectados, en los casos y condiciones previstos en la Ley de Enjuiciamiento Civil»*[38]; a *«asociaciones o corporaciones de empresarios, profesionales y agricultores que estatutariamente tengan encomendada la defensa de los intereses de sus miembros»*; e, incluso, a las Cámaras de Comercio, Industria o Navegación y a los colegios profesionales legalmente constituidos[39], lo que supone que son muchos –y muy distintos– los autorizados a ejercitar este tipo de acciones.

§41. Aclarado lo anterior, procede examinar a continuación si, en los procesos iniciados mediante el ejercicio de alguna de las acciones de cesación anteriormente señaladas, cabe la intervención de consumidores o usuarios a título individual, si llegasen a tener conocimiento de la causa por cualquier medio.

Desde luego, ha de reconocerse que el hecho de que no exista comunicación previa a la demanda (si los derechos e intereses que se desean proteger son colectivos) ni, en cualquier supuesto, llamamiento a los posibles perjudicados mediante la publicación de la admisión de la misma en medios de comunicación con difusión en el ámbito territorial en el que se haya manifestado la lesión de aquellos derechos e intereses, dificulta en

---

36. Cfr. el artículo 54.1 del TRLGDCU.
37. Vid. los artículos 31.a) de la Ley 34/2002, de 11 de julio, de servicios de la sociedad de la información y de comercio electrónico; y 106.3.e) de la Ley 29/2006, de 26 de julio, de garantías y uso racional de los medicamentos y productos sanitarios.
38. Artículo 31.b) de la Ley 34/2002, de 11 de julio, de servicios de la sociedad de la información y de comercio electrónico
39. Cfr. el artículo 16 de la Ley 7/1998, de 13 de abril, sobre condiciones generales de la contratación.

gran medida –y en nada favorece– que dicha intervención procesal pueda tener lugar.

En cualquier caso, lo relevante es determinar si es posible y, en caso afirmativo, en qué supuestos.

En principio, a tenor de lo dispuesto en el artículo 15.4 de la LECiv, parece que la respuesta ha de ser negativa. Pues una primera lectura de dicho precepto permitiría sostener que la norma no solo exceptúa de la necesidad de comunicar el propósito de presentar la demanda (en el caso de que se pretenda la tutela de derechos e intereses colectivos) y del deber de publicar su admisión en medios de comunicación con difusión en el ámbito territorial en el que se haya manifestado la lesión de los derechos e intereses –colectivos o difusos– en cuyo favor se actúa, sino que también veda la posible intervención procesal de consumidores y usuarios a título individual.

Sin embargo, no creemos que éste haya sido el deseo del legislador. O, al menos, que haya sido su intención en todos los casos. De un lado, porque la Exposición de Motivos de la ley 39/2002, de 28 de octubre, que fue la que adicionó el último apartado del artículo que comentamos, explica que dicha añadidura se realiza con el propósito de que dichos llamamientos no impidan la celeridad con la que deben tramitarse los procesos en los que se ejercite alguna acción de cesación, no con otros objetivos[40]. De otro, porque, aunque sea en supuestos muy concretos, permite que puedan ejercitar esta clase de acciones las personas físicas que sean titulares de algún derecho o interés legítimo, lo que debería permitirles intervenir, cuando menos, en dichos procesos.

Lo que sí se permite, ya que el legislador específicamente lo ha previsto, es que todas las entidades que se encuentran legitimadas para ejercitar alguna acción de cesación en materia de cláusulas abusivas, contratos celebrados fuera de establecimiento mercantil, venta a distancia, garantías en la venta de productos y viajes combinados, puedan personarse en los procesos promovidos por otra de ellas, si lo estiman oportuno para la defensa de los intereses que representan[41], lo que, obviamente, en su caso, solo podrá realizarse a través del instituto de la intervención procesal.

---

40. Vid. el apartado II de la Exposición de Motivos de la Ley 39/2002, de 28 de octubre, de trasposición al ordenamiento jurídico español de diversas directivas comunitarias en materia de protección de los intereses de los consumidores y usuarios,
41. Cfr. el artículo 54.3 del TRLGDCU.

3ª PARTE
Nuevos horizontes en la ejecución forzosa

Capítulo XV
La subasta electrónica

FAUSTINO CORDÓN MORENO

Catedrático de Derecho Procesal

Universidad de Navarra

1. INTRODUCCIÓN

a) Las subastas judiciales están reguladas en los artículos 644 y ss. de la LEC como uno de los sistemas –el más importante– de realización de los bienes en el procedimiento de apremio[1]; la subasta está prevista

---

[1]. Tratándose de cualesquiera bienes distintos de los previstos en los artículos 634 (bienes que pueden ser objeto de entrega directa) y 635 (enajenación de acciones y participaciones sociales), su realización se llevará a cabo en la forma convenida entre las partes e interesados y aprobada por el tribunal y, a falta de convenio, mediante su enajenación por medio de persona o entidad especializada o en subasta judicial (art. 636. 1 y 2). La introducción de las alternativas a la subasta constituye una de las innovaciones más importantes introducidas en el procedimiento de apremio por la

también en los casos de venta extrajudicial de bienes ante Notario (art. 129 de la Ley Hipotecaria) y los artículos 108 a 111 de la Ley 15/2015, de 2 de julio de 2015, de Jurisdicción Voluntaria, regula las llamadas subastas voluntarias, para los casos en que deba procederse, fuera de un procedimiento de apremio, a la enajenación en subasta de bienes o derechos determinados, a instancia del propio interesado. Pues bien, la Ley 19/2015 de 13 Julio de medidas de reforma administrativa en el ámbito de la Administración de Justicia y del Registro Civil, ha introducido una innovación fundamental: la regulación de la subasta judicial electrónica en el procedimiento de apremio[2], aunque aplicable a los demás tipos de subastas, que ha sido desarrollada posteriormente por el Real Decreto 1011/2015 de 6 noviembre que regula el procedimiento para formalizar el sistema de consignaciones en sede electrónica de las cantidades necesarias para tomar parte en las subastas judiciales y notariales[3].

b) La Ley apareció publicada en el BOE del 14 de julio de 2015, y entró en vigor el 15 de octubre del mismo año. Su texto recoge un conjunto de medidas que, según el Preámbulo, son necesarias para la puesta en marcha del nuevo sistema de subastas (electrónicas) y se agrupan en el primero de los dos artículos de que consta, el más extenso con diferencia[4].

LEC/2000. La Ley manifiesta su preferencia por el convenio y, en su defecto, por la realización a través de persona o entidad especializada, aunque sigue considerando la subasta como forma natural para la realización de los bienes, como se deduce con toda claridad de la norma del apartado tercero de este artículo 636 y también de la aplicación a estos sistemas alternativos de muchas de las disposiciones previstas para ella.

2.   La subasta judicial electrónica tiene su antecedente en el programa piloto de subastas electrónicas de la región de Murcia, si bien estas tenían un carácter mixto al aceptarse pujas presenciales en la propia Oficina Judicial y telemáticas a través de internet. Ahora, con la ley, desaparecen las pujas presenciales.

3.   Este Real Decreto establece el procedimiento de constitución, gestión y devolución, cuando proceda, por vía telemática de los depósitos exigidos por la normativa vigente para participar en las subastas electrónicas, cualquiera que sea su tipo (voluntarias o dentro de un proceso de ejecución) y la clase de bien subastado y tanto hayan sido acordadas en vía judicial como notarial. El procedimiento se simplifica descargando de trabajo a la oficina judicial: el interesado, una vez registrado como usuario del Portal de Subastas, ordena a su entidad bancaria la constitución del depósito del 5 por 100 del valor de tasación de los bienes que se exige para participar en la subasta, recibiendo un recibo telemático cuando esa cantidad es transferida a la cuenta de depósitos de la Agencia Tributaria. Al concluir la subasta, el vencedor debe completar el resto del precio total para que se le adjudique el bien, mientras que, a través de la Agencia Tributaria, se devuelven automáticamente los depósitos a los postores que no hayan resultado vencedores y no hayan hecho reserva de la puja, por si se produce el incumplimiento del postor que hubiere resultado vencedor.

4.   En el segundo de los artículos se incorporan las reformas que afectan a la Ley 20/2011, de 21 de julio, del Registro Civil, que ahora no interesa considerar.

Además, contiene cuatro disposiciones adicionales, la primera relativa a la firma mediante claves previamente concertadas en al ámbito del Portal de Subastas dependiente de la Agencia Estatal Boletín Oficial del Estado, y la segunda a la protección de datos de carácter personal en las subastas electrónicas (la tercera y cuarta, sobre la actualización del libro de familia y sobre el no incremento de medios, no interesan en este momento); tres disposiciones transitorias, de las que solo mencionaré la primera, que regula el régimen de las subastas en los procesos pendientes; y diez disposiciones finales, de las que hay que destacar la tercera, que da una nueva redacción a las letras a) y f) del apartado 2 del artículo 129 de la LH, que regula la venta extrajudicial ante notario (la mal llamada ejecución extrajudicial), en la que la Ley 1/2013, de 14 de mayo ya había incorporado la subasta electrónica.

Con la reforma que ahora se introduce en este precepto de la LH se da nueva redacción a las letras a) y f) de su apartado 2: el primero relativo al valor de tasación de la finca para que sirva de tipo en la subasta, y el segundo al control por el notario del eventual carácter abusivo de alguna de las cláusulas del préstamo hipotecario que constituya el fundamento de la venta extrajudicial o que hubiese determinado la cantidad exigible[5].

c) El escaso tiempo que lleva en vigor el nuevo régimen de las subastas electrónicas ha puesto de manifiesto algunas de las muchas ventajas que el sistema tiene, pero también, de modo especial, sus deficiencias. Me parece que todavía es pronto para realizar un análisis crítico del mismo que, por supuesto, debe partir de la consideración de que la reforma era estrictamente necesaria. Por eso, en las páginas que siguen me limitaré a exponer los aspectos fundamentales de su regulación legal.

2. LA SUBASTA ELECTRÓNICA EN LA LEY 19/2015

«La subasta –dice el nuevo artículo 622, II LEC– se llevará a cabo, en todo caso, de forma electrónica en el Portal de Subastas, bajo la responsabilidad del Secretario judicial» y conforme a las reglas contenidas en los también nuevos artículos 648 y 649 de la LEC. La Ley regula la subasta electrónica de bienes muebles y la de inmuebles tanto en el proceso ordinario de ejecución como en el de ejecución hipotecaria, en el que, conforme a lo dispuesto en el artículo 691.4 LEC, siempre se aplicarán las

---

5.   En tal caso, se limitará a ponerlo en conocimiento del deudor, del acreedor y en su caso, del avalista e hipotecante no deudor, a los efectos oportunos, suspendiendo la venta extrajudicial cuando cualquiera de las partes acredite haber planteado ante el Juez el carácter abusivo de dichas cláusulas contractuales.

normas de la subasta de inmuebles, aunque los bienes hipotecados sean muebles. En todos los casos, según el Preámbulo de la Ley 19/2015, la nueva regulación «persigue dos claros objetivos: por un lado, la transparencia del procedimiento y, por otro, la obtención del mayor rendimiento posible de la venta de los bienes».

Este tipo de subasta –continúa el Preámbulo– «tiene hoy innumerables ventajas, pues permite multiplicar la publicidad de los procedimientos, facilitar información casi ilimitada tanto de la subasta como del bien y, lo más importante, pujar casi en cualquier momento y desde cualquier lugar, lo que genera un sistema más eficiente para todos los afectados»[6]. Y estas ventajas sobresalen si se la compara con la subasta presencial, «porque ésta última adolece, hoy por hoy, de serios inconvenientes»; además de la falta de publicidad, que «dificulta enormemente la concurrencia, lo que genera, a su vez, una escasa participación», destaca la limitación de acceso, «que complica la participación a los que concurran en persona o representados, en su caso, al obligarles a estar en un lugar, día y hora determinados», y la rigidez del procedimiento, que «adolece de un rigor formalista hoy superado».

Y todas estas características lo son sin menoscabo de la seguridad jurídica: la subasta electrónica «no tiene menos garantías jurídicas que la presencial». Desde el principio –continúa el Preámbulo– se produce una identificación inequívoca de todos los que intervienen, mediante certificado reconocido de firma electrónica o mediante firma con sistemas de claves previamente concertadas. El sistema garantiza con certificado electrónico todas y cada una de las transacciones, en las que un sello determinará el momento exacto en el que tuvieron lugar; «el certificado reconocido de firma electrónica, unido al sello de tiempo y a la trazabilidad de todos los procesos, garantiza de forma absoluta la transparencia del procedimiento. Sin perjuicio de la existencia de un responsable de la subasta –en este caso, el Secretario judicial– al que debe suministrársele la información necesaria para que pueda supervisar que el procedimiento se ha desarrollado correctamente». Además, concluye el Preámbulo, «el organismo encargado de la llevanza del Portal de Subastas es la Agencia Estatal Boletín Oficial del Estado, lo que también aportará al nuevo procedimiento confianza y garantía».

---

6. Como se ha subrayado, la existencia de un único portal de subastas permitirá al ciudadano conocer todo tipo de subastas en las que pueda estar interesado e intervenir en ellas con más facilidad ya que bastará que se dé de alta en un único lugar para poder participar en todo tipo de subastas y no deberá desplazarse a la sede judicial para realizar las pujas.

3. DESARROLLO DE LA SUBASTA ELECTRÓNICA

3.1. CONVOCATORIA Y PUBLICIDAD DE LA SUBASTA

a) La convocatoria se realiza por el Letrado de la Administración de Justicia mediante decreto (art. 644, I LEC). Una vez firme esta resolución, frente a la que cabrá interponer recurso de reposición (art. 562.1–1.° LEC), la convocatoria de la subasta se anunciará en el BOE, disponiendo la Ley que el anuncio servirá de notificación al ejecutado no personado (art. 645.1)[7]. A tal fin, el juzgado remitirá el anuncio al BOE con el contenido sucinto previsto en el art. 646.1 LEC y requerirá al ejecutante para que pague la tasa de publicación. Una vez pagada, el anuncio se publicará en el BOE, iniciándose así la subasta[8].

La publicidad se realiza, por tanto, a través del boletín oficial, aunque no se excluye que puedan utilizarse otros medios, públicos y privados, que sean adecuados a la naturaleza y valor de los bienes que se pretende realizar (v. art. 645.1, II LEC).

Igualmente, a efectos informativos, se publicará el anuncio de la subasta en el Portal de la Administración de Justicia, en el que se incorporará, de manera separada para cada una de las subastas, «el edicto, que incluirá las condiciones generales y particulares de la subasta y de los bienes a subastar, así como cuantos datos y circunstancias sean relevantes para la misma, y necesariamente el avalúo o valoración del bien o bienes objeto de la subasta que sirve de tipo para la misma» (v. el art. 668.2 para el caso de subasta de inmuebles, y art. 691.2 para los procedimientos por deudas garantizadas con hipoteca sobre establecimiento mercantil).

Estos datos –dice la ley– deberán remitirse al Portal de Subastas de forma que puedan ser tratados electrónicamente por este para facilitar y ordenar la información. En el edicto y en el Portal de Subastas se hará constar igualmente que se entenderá que todo licitador acepta como bastante la titulación existente o asume su inexistencia, así como las consecuencias

---

7. No, en cambio, al personado; la referencia del precepto a la firmeza del decreto exige que el mismo haya sido notificado al ejecutado. En cualquier caso, es discutible que, a la vista de la jurisprudencia constitucional sobre los actos de comunicación, este tipo de notificación sea suficiente, por lo menos en los casos en los que el domicilio del ejecutado no personado sea conocido o pueda ser investigado sin especiales dificultades.

8. Nada dice la Ley acerca de si existe algún plazo preclusivo para la publicación ni tampoco se prevé la posibilidad de que el Juzgado, de oficio o a instancia del ejecutante, pueda controlar de alguna forma este tiempo.

de que sus pujas no superen los porcentajes del tipo de la subasta establecidos en el artículo 650 (o el 670 en el caso de subasta de inmuebles) (art. 646.2 667.1 y 691.2 LEC).

Para el caso de subasta de inmuebles dispone el art. 667.2 LEC: «El Portal de Subastas se comunicará, a través de los sistemas del Colegio de Registradores, con el Registro correspondiente a fin de que este confeccione y expida una información registral electrónica referida a la finca o fincas subastadas que se mantendrá permanentemente actualizada hasta el término de la subasta, y será servida a través del Portal de Subastas. De la misma manera, si la finca estuviera identificada en bases gráficas, se dispondrá la información de las mismas».

c) Dispone la regla 5.ª del art. 648 que el ejecutante, el ejecutado o el tercer poseedor, si existe, podrán, bajo su responsabilidad y, en todo caso, a través de la oficina judicial ante la que se siga el procedimiento, enviar al Portal de Subastas toda la información de la que dispongan sobre el bien objeto de licitación, procedente de informes de tasación u otra documentación oficial, obtenida directamente por los órganos judiciales o mediante Notario y que a juicio de aquéllos pueda considerarse de interés para los posibles licitadores. También podrá hacerlo el Secretario judicial por su propia iniciativa, si lo considera conveniente.

3.2. ¿QUÉ REQUISITOS SE EXIGEN PARA PARTICIPAR EN LA SUBASTA ELECTRÓNICA?

Son dos:

a) Estar dado de alta en el sistema. Como ya he dicho, al enviar el anuncio al BOE, la subasta se dará de alta en el Portal de Subastas, que será único para todas ellas, cualquiera que sea su clase, y en el que se podrán ver todas las que estén convocadas sin necesidad de registrarse.

El registro será necesario, en cambio, para participar. Al respecto, dice el art. 648, regla 4.ª: «Para poder participar en la subasta electrónica, los interesados deberán estar dados de alta como usuarios del sistema, accediendo al mismo mediante mecanismos seguros de identificación y firma electrónicos de acuerdo con lo previsto en la Ley 59/2003, de 19 de diciembre, de firma electrónica, de forma que en todo caso exista una plena identificación de los licitadores. El alta se realizará a través del Portal de Subastas mediante mecanismos seguros de identificación y firma electrónicos e incluirá necesariamente todos los datos identificativos del interesado».

Al darse de alta se facilitará un usuario y una contraseña para poder acceder al Portal desde dispositivos móviles.

b) El segundo requisito es estar en posesión de la correspondiente acreditación, para lo que será necesario haber consignado el 5 por ciento del valor de los bienes. La consignación se realizará por medios electrónicos a través del Portal de Subastas, que utilizará los servicios telemáticos que la Agencia Estatal de la Administración Tributaria pondrá a su disposición, quien a su vez recibirá los ingresos a través de sus entidades colaboradoras (arts. 647.1.3 y 669.1). Como ya dije, el Real Decreto 1011/2015, de 6 de noviembre, regula el procedimiento para formalizar el sistema de consignaciones en sede electrónica de las cantidades necesarias para tomar parte en las subastas (judiciales y notariales).

A los ejecutantes se les identificará de forma que les permita comparecer como postores en las subastas dimanantes del procedimiento de ejecución por ellos iniciado sin necesidad de realizar consignación (art. 648, regla 4.ª).

3.3. ¿DÓNDE TIENE LUGAR LA SUBASTA ELECTRÓNICA?

La subasta tendrá lugar en el Portal dependiente de la Agencia Estatal Boletín Oficial del Estado para la celebración electrónica de subastas, a cuyo sistema de gestión tendrán acceso todas las Oficinas judiciales. Cada subasta, dice la ley, estará dotada con un número de identificación único. (art. 648, regla 1.ª).

Todos los intercambios de información que deban realizarse entre las Oficinas judiciales y el Portal de Subastas se realizarán de manera telemática.

3.4. ¿CUÁNDO SE INICIA LA SUBASTA?

La subasta se abrirá transcurridas, al menos, veinticuatro horas desde la publicación del anuncio en el BOE, cuando haya sido remitida al Portal de Subastas la información necesaria para el comienzo de la misma (art. 648, regla 2.ª).

3.5. ¿CÓMO SE HACEN LAS PUJAS O POSTURAS?

Deberán tenerse en cuenta las reglas tercera y sexta del art. 648 LEC:

a) Una vez abierta la subasta solamente podrán realizarse pujas electrónicas con sujeción a las normas de esta Ley en cuanto a tipos de subasta, consignaciones y demás reglas que le fueren aplicables.

b) El postor en el momento de presionar la pestaña de «Pujar» deberá introducir sus datos bancarios, procediéndose a realizar la transferencia desde su cuenta a la Agencia Tributaria de la consignación del 5% fijada como requisito de puja, que será inmediatamente devuelta al finalizar el plazo de la subasta si no fuere la ganadora, salvo que haya utilizado la opción de reservarla.

c) Las pujas se pueden hacer en nombre propio o de un tercero, con o sin reserva de postura, por importe superior, igual o inferior a la postura más alta ya realizada. Al realizarla deberá indicar si consiente o no la reserva de su consignación para el caso en que el mejor postor no cumpla en plazo el pago del resto del precio, en el bien entendido de que si la puja es igual o inferior ello implica automáticamente que se hace reserva de postura. Se enviarán telemáticamente a través de sistemas seguros de comunicaciones al Portal de Subastas, que devolverá un acuse técnico (un SMS o un e-mail) al postor, con inclusión de un sello de tiempo, del momento exacto de la recepción de la postura y de su cuantía.

d) En todo caso el Portal de Subastas informará durante su celebración de la existencia y cuantía de las pujas.

e) El acreedor, únicamente podrá hacer pujas si previamente ha participado un postor.

3.6. ¿CUÁL ES LA DURACIÓN DE LA SUBASTA?

La subasta admitirá posturas durante un plazo de veinte días naturales (art. 649.1), aunque no se cerrará hasta transcurrida una hora desde la realización de la última postura, siempre que ésta fuera superior a la mejor realizada hasta ese momento, aunque ello conlleve la ampliación del plazo inicial de 20 días naturales, por un máximo de 24 horas.

Es discutible que el criterio del legislador de prever días naturales para la duración de la subasta y las veinticuatro horas del día para poder efectuar pujas sea el más acertado. En cualquier caso, ha suscitado numerosas críticas, especialmente entre los procuradores[9], sin que se llegue a entender la razón por la que no se han tenido en cuenta los días hábiles.

3.7. ¿PUEDE SUSPENDERSE LA SUBASTA ELECTRÓNICA?

a) Sí, a solicitud de las partes, por aplicación de las normas generales, y siempre cuando el Secretario judicial tenga conocimiento de la declaración de concurso del deudor (art. 649.1 y 691.4 y 5).

b) La suspensión de la subasta por un periodo superior a quince días llevará consigo la devolución de las consignaciones, retrotrayendo la situación al momento inmediatamente anterior a la publicación del anuncio. La reanudación de la subasta se realizará mediante una nueva publicación del anuncio como si de una nueva subasta se tratase (arts. 649.2 y 669.4)[10].

3.8. ¿CÓMO CONCLUYE LA SUBASTA?

La subasta se cierra cuando transcurre el plazo antes visto. En la fecha del cierre de la subasta y a continuación del mismo, el Portal de Subastas remitirá al Letrado de la Administración de Justicia información certificada de la postura telemática que hubiera resultado vencedora. En el caso de que el mejor licitador no completara el precio ofrecido, el Portal de Subastas le remitirá información certificada sobre el importe de la siguiente puja por orden decreciente y la identidad del postor que la realizó, siempre que este hubiera optado por la reserva de postura a que se refiere el párrafo segundo del apartado 1 del artículo 652 (art. 649.3).

---

9. Se ha denunciado, con razón, que, al tratarse de días naturales, el último para efectuar pujas puede caer en sábado, domingo, o cualquier fiesta significativa, lo que obliga a todos los interesados a estar frente al ordenador entre las 23 y las 24 horas para ver si se realiza una puja que, en su caso, mejore la anterior.

10. Como se ha dicho (lo han denunciado también especialmente los procuradores), como consecuencia de haberse establecidos días naturales, la subasta puede estar viva durante periodos inhábiles (por ejemplo, durante el mes de agosto) en los que las partes no tendrán acceso al juzgado para solicitar la suspensión del procedimiento por estar en vías de acuerdo. Y pueden surgir especiales dificultades cuando se quiera suspender una subasta que finaliza en domingo, porque solo el Letrado de la Administración de Justicia responsable de la subasta puede dar instrucciones al portal de subastas para que la misma quede suspendida y no será fácil contactar con él el fin de semana.

Terminada la subasta y recibida la información, el Letrado de la Administración de Justicia dejará constancia de la misma, expresando el nombre de quienes hubieran participado y de las posturas que formularon.

3.9. EL SISTEMA DE COMUNICACIONES O NOTIFICACIONES

Destaca, igualmente, en la regulación legal el impulso a las comunicaciones y notificaciones electrónicas entre el Portal de Subastas y los diversos intervinientes en el proceso. Dispone, por ejemplo, el art. 667.2. «El Portal de Subastas se comunicará, a través de los sistemas del Colegio de Registradores, con el Registro correspondiente a fin de que este confeccione y expida una información registral electrónica referida a la finca o fincas subastadas que se mantendrá permanentemente actualizada hasta el término de la subasta, y será servida a través del Portal de Subastas. De la misma manera, si la finca estuviera identificada en bases gráficas, se dispondrá la información de las mismas. En el caso de que dicha información no pudiera ser emitida por cualquier causa transcurridas cuarenta y ocho horas desde la publicación del anuncio, se expresará así y se comenzará la subasta, sin perjuicio de su posterior incorporación al Portal de Subastas antes de la finalización de la subasta».

4. MODIFICACIONES INTRODUCIDAS POR LA LEY 42/2015, DE 5 DE OCTUBRE, DE REFORMA DE LA LEC

Las modificaciones que introduce en el proceso de ejecución, y dentro de él, en la subasta, afectan a los siguientes preceptos:

a) El artículo 648 LEC, que había sido modificado por la Ley 19/2015, de 13 de julio, que incorporó la subasta electrónica y las reglas conforme a las cuales se realiza, resulta modificado, aunque solo para precisar, en la regla sexta, que el portal de subastas sólo publicará la puja más alta entre las realizadas hasta ese momento.

b) Igualmente se modifica el art 649, sobre desarrollo y terminación de la subasta (electrónica), también en cuestiones de detalle. Así, en su regla primera se precisa que la subasta no se cerrará hasta transcurrida una hora desde la realización de la última postura, «siempre que ésta fuera superior a la mejor realizada hasta ese momento»; en la regla tercera, se establece que el portal de subastas solo remitirá información al secretario judicial sobre las posturas que hubieran optado por la reserva de postura a que se refiere el párrafo segundo del apartado 1 del artículo 652, en el caso de que el mejor licitador no completara el precio ofrecido; y en la cuarta se dispone ahora que, terminada la subasta y recibida la información, el Secretario judicial dejará constancia de la misma, «expresando el nombre del mejor postor y de la postura que formuló».

En cualquier caso, obsérvese la deficiente técnica legislativa porque estos dos artículos (648 y 649; también el 656), que contienen la gran novedad de la subasta electrónica (las reglas por las que se regula), fueron introducidos por la precedente Ley 19/2015, de 13 de julio, que entraba en vigor el 15 de octubre de 2015 (v. su disp ... final 10.ª), es decir con posterioridad a la reforma que ahora expongo contenida en la Ley 42/2015, que entró en vigor al día siguiente de su publicación en el BOE (6 de octubre de 2015).

c) El apartado 1 del artículo 660, sobre la forma de practicarse las comunicaciones, que había sido redactado por la Ley 19/2015, de 13 de julio, ve ahora cómo se modifica su párrafo segundo, que queda del siguiente modo: «A efectos de lo dispuesto en el presente artículo, cualquier titular registral de un derecho real, carga o gravamen que recaiga sobre un bien podrá hacer constar en el Registro un domicilio en territorio nacional en el que desee ser notificado en caso de ejecución. Esta circunstancia se hará constar por nota al margen de la inscripción del derecho real, carga o gravamen del que sea titular. También podrá hacerse constar una dirección electrónica a efectos de notificaciones. Habiéndose señalado una dirección electrónica se entenderá que se consiente este procedimiento para recibir notificaciones, sin perjuicio de que estas puedan realizarse en forma acumulativa y no alternativa a las personales. En este caso, el cómputo de los plazos se realizará a partir del día siguiente de la primera de las notificaciones positivas que se hubiese realizado conforme a las normas procesales o a la Ley 18/2011, de 5 de julio, reguladora del uso de las tecnologías de la información y la comunicación en la Administración de Justicia. El establecimiento o cambio de domicilio o dirección electrónica podrá comunicarse al Registro en cualquiera de las formas y con los efectos referidos en el apartado 2 del artículo 683 de esta Ley».

Capítulo XVI

Consideraciones acerca de la tercería de dominio y el procedimiento declarativo en el supuesto de la hipoteca constituida *a non domino*[1]

MANUEL ESPEJO LERDO DE TEJADA

Catedrático de Derecho civil.
Universidad de Sevilla

SUMARIO: 1. PLANTEAMIENTO DEL PROBLEMA. 2. LA RESPUESTA DEL SISTEMA PROCESAL A LA FALTA DE TITULARIDAD DEL HIPOTECANTE. 2.1. *La regulación de la tercería de dominio y de las acciones de nulidad de la hipoteca.* 2.2. *La anotación preventiva de la demanda de nulidad de la hipoteca y el problema específico de su cancelación.* 3. JURISPRUDENCIA Y DOCTRINA OFICIAL CONSULTADA. 4. BIBLIOGRAFÍA CONSULTADA.

1. PLANTEAMIENTO DEL PROBLEMA

Dice el art. 593.1 LEC, relativo a la ejecución singular, que la necesaria pertenencia del bien al ejecutado se puede fundamentar en variados indicios y signos externos de los que razonablemente se deduzca; frente a esta solución, en la garantía hipotecaria, dicha pertenencia se habrá de

1. El presente estudio se ha realizado en el marco del Proyecto de Investigación *Sujetos e instrumentos del tráfico privado (VII): Mercado inmobiliario y crisis económica* (DER 2015–66043-P), financiado por el Ministerio de Economía y Competitividad del Gobierno de España.

basar de un modo u otro en la titularidad registral del hipotecante, quien se aprovecha de ella, pues participa en la constitución de la hipoteca mediante su consentimiento contractual. Teniendo en cuenta todo esto, fácilmente se percibe que será excepcional que el hipotecante no sea el titular del inmueble, mientras que en la ejecución singular puede ser más frecuente, por lo que la tercería de dominio resulta una incidencia de muy diferente importancia en ambas ejecuciones. Pese a ello, la posibilidad de que la hipoteca no se constituya correctamente, constituye un problema trascendente en la práctica y sugestivo en su tratamiento teórico; también lo es entonces el tratamiento procesal de dicho problema: si el planteamiento de un litigio sobre ello es o debe ser una causa de suspensión de la ejecución hipotecaria.

Partiremos, por tanto, de la eventualidad de que el constituyente de la hipoteca no fuera propietario del inmueble, como exige el art. 1857 CC; una situación que, cuando se presenta, va a impedir que el derecho real de hipoteca haya nacido y, por consiguiente, debiera también impedir su ejecución, todo ello excepto si el defecto de titularidad ha quedado salvado por la aplicación del art. 34 LH. Es decir: como existe una apariencia de hipoteca válida, el verdadero titular del inmueble hipotecado que la considere mal constituida porque estime aplicable la primera norma e inaplicable la segunda, debe tomar la iniciativa ejercitando alguna acción judicial que declare que no ha existido hipoteca e impida su ejecución.

¿Cuál o cuáles son estas acciones y qué efectos producen?

Hay que distinguir dos casos según si la ejecución de la hipoteca se ha iniciado o no. Si esta última no ha comenzado, será una acción declarativa; en cambio, si la ejecución se hubiera puesto en marcha, y atendemos a la configuración legal de la tercería de dominio (art. 595 LEC), debiera ser esta la acción elegida, por ser la que permite demostrar al demandante que es el titular antes de la constitución de la hipoteca. Como es sabido, frente a esta inicial conclusión, una norma especial de la ejecución hipotecaria (el art. 696 LEC) impide el ejercicio de la tercería de dominio en la mayoría de los casos que se pueden presentar, con lo que necesitaríamos utilizar, también entonces, un procedimiento declarativo ordinario.

La diferencia más importante entre ambas vías procesales es la siguiente: la tercería de dominio, y no el procedimiento declarativo, produce de suyo la suspensión de la ejecución; por tanto la pendencia de un declarativo ni impide el inicio de la ejecución hipotecaria, ni, ya iniciada, la suspende. Ahora bien, desde el punto de vista fáctico cualquiera aprecia que una ejecución hipotecaria relativa a una hipoteca que está siendo judicialmente discutida, en su existencia misma, no puede ser una ejecución normal.

En efecto, si los hipotéticos postores conocen la existencia del litigio será prácticamente imposible que participen en la subasta; por consiguiente, la adjudicación del bien al acreedor ejecutante será lo normal, con los problemas que el régimen normativo acerca de la tasación y del valor de adjudicación del mismo al acreedor comporta[2]. Pero es que si los postores participaran, no será muy aventurado pensar que lo harán a la baja, con lo que el resultado económico será también perjudicial. En cambio si los postores no pueden conocer la pendencia del litigio, ciertamente podría llegarse al final de la ejecución, y es factible que adquieran el bien *a non domino*. No obstante, si esta imposibilidad de conocimiento obedeciera a la existencia de trabas normativas para dar publicidad al litigio existente, habría que justificar que estas restricciones legales son razonables.

Cualquiera aprecia que la importancia teórica y práctica del conflicto objeto de estas páginas es altísima: se dan cita en él unos aspectos meramente civiles, otros relativos a la publicidad registral, y, finalmente, otros puramente procesales; todos los cuales presentan una dificultad dogmática indudables. Chocan en concreto, en este punto, la protección del crédito garantizado con hipoteca con la defensa de los derechos reales objeto de la garantía; y se deben coordinar, para solucionar el presente conflicto, principios tan centrales como el mecanismo de transmisión y constitución de los derechos reales, el papel en dicho mecanismo de la publicidad registral (meramente publicadora y no constitutiva), la protección registral de los adquirentes (art. 34 LH), así como las características propias de la ejecución hipotecaria, que es un procedimiento con limitadas posibilidades de suspensión, lo que se manifiesta, precisamente, en el tratamiento legal de la tercería de dominio. Finalmente, será preciso tener presente, asimismo, el régimen de la anotación preventiva de la demanda acerca de un procedimiento declarativo en el que se discute sobre la válida constitución de la hipoteca. En concreto: el significado que tenga dicha anotación en el procedimiento de ejecución, así como su posible cancelación como efecto de la adjudicación. Sobre toda la materia, sobrevuela además, la necesidad de respetar la doctrina constitucional acerca del proceso de ejecución hipotecario, a tenor de la cual se debería garantizar, dentro de la misma ejecución, o a través de un procedimiento declarativo diferente, la efectiva defensa judicial de los derechos subjetivos de todos los

---

2. Sobre los referidos problemas de valoración: MARTÍNEZ DE AGUIRRE, C., «Principios inspiradores de la hipoteca, crisis económica y normas de excepción», en ESPEJO LERDO DE TEJADA, M./MURGA FERNÁNDEZ, J.P. (Dir.), *Vivienda, préstamo y ejecución*, Pamplona, Aranzadi, 2016, pp. 292 y ss.; DÍAZ FRAILE, J.M., «La deuda hipotecaria ante su ejecución: la tasación del bien hipotecado», en ESPEJO LERDO DE TEJADA, M./MURGA FERNÁNDEZ, J.P. (Dir.), *Vivienda, préstamo y ejecución*, cit., pp. 345 y ss.

interesados, entre los que se debe contar señaladamente el derecho de propiedad del *verus dominus*.

2. LA RESPUESTA DEL SISTEMA PROCESAL A LA FALTA DE TITULARIDAD DEL HIPOTECANTE

2.1. LA REGULACIÓN DE LA TERCERÍA DE DOMINIO Y DE LAS ACCIONES DE NULIDAD DE LA HIPOTECA

Pretendemos abordar la descripción del sistema procesal español en lo que concierne fundamentalmente a la defensa del propietario de un bien que ha sido hipotecado sin su consentimiento, por haberlo sido por quien es titular registral, pero no es titular real. En concreto, la ejecución hipotecaria, ¿puede iniciarse o proseguirse en esas circunstancias? Si la respuesta fuera positiva, ¿en qué condiciones se realiza dicha ejecución, por ejemplo, cómo se realiza la tasación del bien? ¿Qué efectos puede tener la adjudicación del bien hipotecado si posteriormente se produjera una resolución judicial que declare mal constituida la hipoteca?

Es un hecho normativo que en los procedimientos de ejecución hipotecaria la posible contradicción de los interesados es muy limitada, ya que se trata legalmente de poner todos los medios para que cuanto antes se celebre la subasta del inmueble, evitando las maniobras dilatorias; todo lo cual, no debe impedir al titular del dominio de la finca defenderse en el juicio declarativo ordinario, que sería su adecuado mecanismo de tutela, aunque, en la concepción legal, su uso no entorpece la ejecución. De modo que, aunque se admita legalmente la suspensión de la ejecución mediante la tercería de dominio, ello se hace para muy limitados casos, con lo que quedan fuera de ese mecanismo los supuestos más numerosos.

Esta idea restrictiva, todavía vigente en nuestro ordenamiento, es incluso previa a la existencia de un procedimiento específico de ejecución para la hipoteca: en efecto, la Ley Hipotecaria de 1869, en la que no existía ese procedimiento especial de ejecución, introdujo una restricción específica para la interposición de la tercería de dominio si se ejecutaba una hipoteca. Ante la pervivencia legal de este principio normativo del procedimiento de ejecución, que lo hace especialmente resistente contra las maniobras que lo intenten obstaculizar, sería necesario articular el conjunto del sistema para que la defensa del verdadero titular sea real y eficazmente posible, es decir, no lo sea tan solo de un modo meramente nominal; y, además adecuar el procedimiento de ejecución a la aparición sobrevenida de esta importante controversia. La gran ventaja de la interposición de la tercería de dominio, es que la simple admisión de su demanda paraliza el procedimiento de ejecución (art. 696.2 LEC), que solamente proseguirá una vez resueltas las dudas, dotando por tanto de claridad a los efectos de la ejecución; frente a ello, remitir al verdadero dueño a un procedimiento declarativo, presenta el inconveniente no solamente de no paralizar la ejecución, sino también de hacer inseguro el régimen jurídico que rige su prosecución, lo cual afecta a todas las partes implicadas.

Así, desde el punto de vista del que sostiene ser verdadero dueño, el sistema legalmente previsto supone un retraso en la posibilidad de obtener la publicidad de la pendencia del procedimiento declarativo, pues esta publicidad depende de la adopción como medida cautelar de la anotación preventiva de su demanda (y hasta que esto se logre puede haber transcurrido cierto tiempo). Si pensamos en que se ha interpuesto la tercería de dominio y se inadmite o desestima, remitimos al interesado al declarativo, le obligamos a pedir en este la anotación preventiva de demanda, y a esperar que efectivamente se acuerde su práctica y de hecho se practique; estamos propiciando un retraso en su protección que puede resultar determinante para que se produzca la definitiva pérdida de su derecho.

Desde el punto de vista del postor, el régimen legal deja en la sombra si el adjudicatario va o no a adquirir el bien con independencia del resultado del pleito declarativo; y, sobre todo, si va a poder o no recuperar el precio abonado en caso de que la adquisición no se produjera; finalmente, tampoco se regula frente a quien puede ejercer esa eventual pretensión de restitución.

Desde el punto de vista del acreedor ejecutante: toda esta incertidumbre en la regulación va a repercutir en el precio obtenido en la subasta, si es que llega a existir postor, y también en sus posibilidades de cobro inmediato (existe la amenaza de que se retenga el importe obtenido, mediante la medida cautelar regulada en el art. 698 LEC).

Incluso, desde el punto de vista del órgano encargado de la ejecución la normativa es insegura. En efecto, supongamos, como sucede en la práctica, que se interpone una tercería y, por no cumplir con los exigentes requisitos del art. 696 LEC, resulta inadmitida, o que la tercería se admite, pero luego se desestima; en estas hipótesis, puede constar ya al órgano la existencia de un título que pone en cuestión la validez de la hipoteca (pensemos incluso en una escritura pública), aunque la norma procesal no le permita tomarlo en consideración a los efectos de paralizar la ejecución. Ante esta situación, ¿cómo no dar publicidad de este hecho en el anuncio de la subasta? Naturalmente parece que debe afirmarse la necesidad de dar publicidad a esa cuestión. Por otro lado, desde el punto de vista del mismo órgano, y teniendo en cuenta las dudas sobre el régimen de la subasta que hemos mencionado antes, ¿puede aceptarse la tasación hecha por las partes del contrato de hipoteca, *ex* art. 682.2.1.º LEC? ¿Sería esta una tasación hecha por los interesados, como requiere esa norma, cuando aparece quien dice ser propietario del bien? ¿No faltaría precisamente su intervención como tal interesado?

Se trata de dificultades prácticas de mucha consideración, y que derivan del intento legal, mal llevado a cabo, de coordinar dos ideas: la de proteger al titular real del bien, pero sin menoscabar la posición del titular de la hipoteca, y permitir a este último la prosecución de la ejecución. A nuestro juicio, la consecución del objetivo perseguido por las normas (evitar dilaciones indebidas) no es fácilmente alcanzable sin detrimento del derecho de defensa del eventual propietario; pero si se atiende a esto último, promoviendo la adecuada publicidad de la pendencia de un procedimiento declarativo de la manera más sencilla y rápida posible, necesariamente se hace incierto el resultado de la ejecución y, de hecho, se compromete su prosecución.

Por otra parte, en la vigente LEC subsiste un esquema normativo, que puede inducir, y de hecho induce a muchos, a confusión acerca del objeto del procedimiento declarativo. Así, en una buena parte de la doctrina se considera que, salvo en las circunstancias especiales delimitadas por el art. 696 LEC, es imposible la defensa del verdadero dueño, o se deriva dicha protección a mecanismos que no permiten la recuperación del bien, pues el significado del art. 698 LEC sería un simple remedio indemnizatorio[3]. De manera que la frontera que separa la posibilidad de que el titular logre la recuperación del inmueble, o tenga que conformarse con la retención de las sumas obtenidas en la ejecución, la marcaría la existencia o no de la nota marginal de expedición del certificado de cargas, a partir de la cual ya no es posible la primera posibilidad[4].

Otros afirman que es perfectamente lógica la solución de la primera de las normas, ya que la hipoteca constituye un derecho real que ha sido

---

3.   GÓMEZ GÁLLIGO, F.J., «La normalización del Derecho Hipotecario Procesal. La ejecución ordinaria e hipotecaria en la nueva Ley de Enjuiciamiento», *RCDI*, n.º 659, 2000, p. 1911; RAMÓN CHORNET, J.C., «La oposición a la ejecución hipotecaria en la nueva LEC 2000», *La ejecución, los procesos hipotecarios y aspectos registrales en la nueva ley de enjuiciamiento civil*, Estudios de Derecho judicial, 31, Consejo General del Poder Judicial, Madrid, 2000, pp. 481 y ss.

4.   Así, RIVERA FERNÁNDEZ, M., *La ejecución de la hipoteca inmobiliaria*, Madrid, Dilex, 2004, pp. 560 y ss.; GARCÍA GARCÍA, J.M., *Código de legislación inmobiliaria, hipotecaria y del Registro Mercantil*, I, 8.ª edición, Cizur Menor (Navarra), 2014, p. 410, nota 313., también, p. 1550, nota 523.

adquirido por un tercero, fiado de quien el Registro consideraba como titular, y de buena fe, «por lo que prima en todo caso la protección del titular de la hipoteca (artículo 34 LH) salvo, excepcionalmente, frente a quienes también tuvieran su derecho de dominio anterior también inscrito»[5]. Lo que, en realidad, supone negar, contra toda evidencia, la posibilidad misma del problema que nos estamos planteando en estas páginas; problema que se produce, en realidad en todos aquellos casos en que se logre demostrar que los requisitos del art. 34 LH no se cumplen en el acreedor hipotecario.

Hay, también, quienes consideran que fuera del margen diseñado por el art. 696 LEC lo que le cabe al verdadero dueño es únicamente la acción penal por el delito de estafa o el procedimiento civil de reclamación de daños y perjuicios[6].

Hay, también quienes piensan que la utilización de la vía del juicio ordinario con anterioridad al inicio de la ejecución hipotecaria para entorpecer dicha ejecución habría de reputarse fraudulenta[7].

Finalmente, a veces nada se advierte sobre las posibilidades que pueda tener el verdadero propietario del bien, pese a que se ponen de manifiesto las especialísimas restricciones que adornan la tercería de dominio dentro de la ejecución hipotecaria[8].

Las soluciones anteriores, de admitirse, revelarían un importante defecto del sistema procesal si es que quisiera asegurar, como debe, la defensa efectiva de los derechos subjetivos; pero en nuestra opinión, el sistema vigente garantiza que el verdadero dueño, en el caso en que resultara imposible interponer la tercería de dominio, tiene a su disposición el

---

5.   Cfr. Panisello Martínez, J., «El procedimiento para la ejecución de los bienes hipotecados y pignorados», en *La ejecución hipotecaria. Análisis, procedimiento, ejecución y formularios* (director, Francisco José Sospedra Navas), Cizur Menor (Navarra), Civitas, 2.ª ed., 2012, p. 584.

6.   Así Adan Domènech F., *La ejecución hipotecaria*, Bosch, Barcelona, 2009, p. 428; Cruz Gallardo, B., *Principios hipotecarios y particularidades de la ejecución hipotecaria sobre los consumidores. Práctica registral y procesal*, Las Rozas (Madrid), La Ley, 2014, pp. 807 y 809; aunque en p. 805 afirma, en contradicción con ello, y aceptando el criterio de la STS 9 junio 2006, que es erróneo pensar que el título que sirva de base a la tercería deba estar inscrito en el Registro antes de la constitución de la garantía pues bastaría simplemente que el título fuera anterior en fecha.

7.   Así Martín Diz, F., *La ejecución de la garantía hipotecaria sobre bienes inmuebles. Su tratamiento legal en la nueva Ley de Enjuiciamiento Civil*, Granada, Comares, 2000, p. 600.

8.   Cedeño Hernán, M., «Las especialidades de la ejecución sobre bienes inmuebles hipotecados», en *El proceso de ejecución forzosa. Problemas actuales y soluciones jurisprudenciales* (coordinador Álvaro Gutiérrez Berrinches, Madrid, La Ley, 2015, pp. 913–914.

procedimiento declarativo ordinario[9], que habría de conducir a la restitución de la cosa, si ello procediera; así como la práctica de la anotación preventiva de demanda[10], y la subsistencia de la misma hasta la resolución de la controversia. No vemos, además, cómo otra solución pueda permitir la defensa de los derechos subjetivos afectados por la ejecución.

El limitado acceso a la tercería de dominio comportaría que el *verus dominus* se habría de conformar con el mero resarcimiento, y con la pérdida de su derecho sobre la cosa, solamente si el art. 698 LEC se interpretara que reduce las medidas cautelares utilizables en un procedimiento sobre la nulidad de la hipoteca a una: la retención de la suma que se haya obtenido en la ejecución de la hipoteca. Ahora bien, la regulación de esa específica medida cautelar no significa que sea la única; si la norma trata (entre otros supuestos) de una acción de nulidad de la hipoteca, que pretende la recuperación del inmueble, dicha medida carecería en este caso de utilidad, ya que al *verus dominus* obtener la suma recabada en la ejecución, como compensación por haber perdido el bien, no le supone satisfacción. Y ello no solamente porque recibir una suma de dinero no es el objeto de su pretensión, sino también por la habitual devaluación que sufre la cosa en la subasta. De esta manera, si entendiéramos así las normas, sin beneficio alguno para el acreedor ejecutante, que no podrá cobrar, el propietario habría perdido la propiedad de la finca hipotecada y tampoco lograría resarcirse de su valor real.

En realidad, la regulación expresa de esta medida cautelar no debe condicionar el tipo de acciones que se pueden ejercitar en el procedimiento declarativo que son muy variadas. A nuestro juicio la referencia normativa a esa medida cautelar se hace indispensable por una razón de coherencia: si la norma ha dicho que ninguna acción suspende o paraliza el procedimiento de ejecución, pero se quiere reservar la suma obtenida en la subasta a garantizar las resultas del procedimiento declarativo, había que decirlo expresamente, porque ¡se quiere más suspensión de la ejecución que retrasar que el acreedor cobre!

Esta medida cautelar sólo es razonable cuando la discrepancia que se pretenda resolver en el procedimiento declarativo tenga un resultado

---

9.   Giménez Gómiz, G., «El procedimiento judicial sumario del artículo 131 de la Ley Hipotecaria. Especial referencia a las causas de suspensión 1.ª y 2.ª recogidas en el artículo 132 de la mencionada Ley», en *Estudios sobre derecho procesal*, vol. 3 (dirigido por Ignacio Díez-Picazo Giménez y Julián Martínez-Simancas y Sánchez), Madrid, 1996, p. 2964.

10. También Morell y Terry, J., *Comentarios a la Legislación hipotecaria*, 2.ª edición, tomo 4, Madrid, Reus, 1930, p. 147; García García, J.M., *El procedimiento judicial sumario de ejecución de hipoteca*, Madrid, 1994, pese a que en la p. 343 aluda solamente a la retención, en p. 282 admite asimismo la anotación preventiva de la demanda de nulidad de la hipoteca.

pecuniario; en cambio, en el supuesto de la acción de nulidad de la hipoteca, no parece que tenga sentido pedirla, ya que no beneficiaría al demandante, sino al adjudicatario en la subasta. En efecto, el ejercicio de la acción por el demandante puede llevar consigo que, si se estima la demanda, el adjudicatario se haya quedado sin la cosa; si, correlativamente, el dinero que pagó se ha entregado al acreedor, pudiera también perderlo. De modo que esta medida solo sería razonable para garantizar la devolución de esa cantidad al adjudicatario en el supuesto de que se estime la acción del demandante; por eso resulta difícil pensar que el actor considere interesante esta medida, cuando él simplemente ha accionado para recobrar la cosa.

Por ello nos parece acertado decir, sobre el art. 698 LEC, que «la finalidad puramente resarcitoria de la medida cautelar puede resultar insuficiente para satisfacer el interés del (...) interesado de que se trate»[11]; esto es en «los casos en que la reclamación versa sobre la nulidad del título por el que se despacha ejecución»[12]; supuestos en los que «podrá solicitar la anotación preventiva de la demanda, con el fin de advertir al posible adquirente del bien en la ejecución de la ilicitud de ésta»[13]. Efectivamente, esto resulta lo coherente con la defensa del verdadero propietario en una acción que versa sobre la válida constitución de la hipoteca, y que pretende liberar la cosa de ese gravamen. Sería extraño que el actor deba conformarse con percibir una suma que, en la totalidad de los supuestos, ni siquiera agota el valor real del bien. Y ello, ¿para qué?, ¿a quién beneficiaría una solución como esta? ¿Acaso al acreedor ejecutante, que no va a percibir nada? Por otro lado, ¿a cargo de quién quedaría el resarcimiento completo del verdadero dueño?

Estamos asimismo de acuerdo con lo que «el amparo del acreedor hipotecario frente al tercero con título anterior a la inscripción de la hipoteca, pero inscrito después, tiene su fundamento en el artículo 34 LH. El tercero propietario del bien deberá acudir para la defensa de sus derechos al juicio que corresponda (art. 698)»[14]. Todo lo cual se debe completar recordando

---

11. CORDÓN MORENO, F., en CORDÓN MORENO, F./ARMENTA DEU, T./ MUERZA ESPARZA, J.J./TAPIA FERNÁNDEZ, I., *Comentarios a la Ley de Enjuiciamiento Civil*, Volumen II, 2.ª edición, Pamplona, 2011, p. 635. Parecidamente, DE LA PUENTE ALFARO, F., «La ejecución de la hipoteca por el procedimiento sumario y la demanda de nulidad de título o de nulidad de actuaciones», *RCDI*, 1997, n.° 643, pp. 2141.

12. CORDÓN MORENO, loc. cit.; DE LA PUENTE ALFARO, F., «La ejecución de la hipoteca por el procedimiento sumario y la demanda de nulidad de título o de nulidad de actuaciones», cit., p. 2153.

13. CORDÓN MORENO, loc. cit.; HERBOSA MARTÍNEZ, I., *El despacho de la ejecución hipotecaria. Causas de oposición y suspensión*, Madrid, Colegio de Registradores de la Propiedad y Mercantiles de España, Centro de Estudios, 2006, pp. 538–539.

14. CORDÓN MORENO, op. cit., p. 632; parecidamente CRESPO ALLUÉ, F., en LORCA NAVARRETE, A.M., *Comentarios a la Nueva Ley de Enjuiciamiento Civil*, III, Valladolid, 2000, pp. 3569–3570.

que el juicio que corresponda puede versar incluso sobre la nulidad de la hipoteca: lo cual, en realidad, supondrá litigar sobre la aplicación o no al acreedor hipotecario de todos los requisitos exigidos por el art. 34 LH[15], y nos reconduce a la posibilidad de emplear la anotación preventiva de la demanda como medida cautelar; y a la necesidad de analizar el discutido régimen que deba tener la cancelación de esta última.

Las restricciones para el ejercicio de la tercería de dominio[16], conllevan que difícilmente se pueda iniciar siquiera este remedio procesal[17]. Esta

---

15. Porque, naturalmente, es posible la protección del acreedor hipotecario sobre la base del art. 34 LH pero ello solamente si se dan los requisitos de este último, como afirma, con referencia a la STS 25 octubre 1991 (RJ 1991/7239), Blasco Gascó, F.P., *La hipoteca inmobiliaria y el crédito hipotecario*, Valencia, Tirant lo Blanch, 2000, p. 61; Cordero Lobato, E., «Comentario al art. 1857», en Bercovitz (coord.), *Comentarios al Código Civil*, Tomo IX, Valencia, 2013; Peña Bernaldo de Quirós, M., *Derechos reales. Derecho hipotecario*, II, Madrid, 2001, p. 126. No solamente habrá que apreciar si existe o no la buena fe, único supuesto al que alude Crespo Allué, F., en Lorca Navarrete, A.M., *Comentarios a la Nueva Ley de Enjuiciamiento Civil*, III, cit., pp. 3569–3560.

16. Roca Sastre, R.M./Roca-Sastre Muncunill, L./Bernà i Xirgo, J., *Derecho Hipotecario*, Tomo X, 9.ª edición, Barcelona, 2009, pp. 415–416; Martín Diz, F., *La ejecución de la garantía hipotecaria sobre bienes inmuebles*, cit. pp. 606–607.

17. Ya en los debates de un Proyecto de reforma de la Ley Hipotecaria, inspirado en la Ley Hipotecaria de Ultramar, que se produjo en la Legislatura 1904–1905 afirmó Rodríguez Muñoz: «¿Cómo ha podido inscribirse el crédito hipotecario cuando el tercerista tiene su dominio inscrito con anterioridad? Este caso es absolutamente imposible»: *Leyes Hipotecarias y Registrales de España*, II-I, Madrid, 1989, p. 176. García García, J.M., *El procedimiento judicial sumario de ejecución de hipoteca*, cit., p. 343, quien llega a afirmar que es una causa de suspensión a la que no se refiere ninguna Sentencia; también Montero Aroca, J., *Procedimiento judicial sumario del artículo 131 de la Ley Hipotecaria (doctrina, jurisprudencia y formularios)*, Valencia, Tirant lo Blanch, 1998, p. 1087 afirma que en la jurisprudencia que ha examinado no se acordó la suspensión ni una sola vez, o muy rara vez: Montero Aroca, J., *Las ejecuciones hipotecarias en la nueva Ley de enjuiciamiento civil*, Valencia, Tirant lo Blanch, 2001, p. 1056. Afirman, asimismo, la irrelevancia práctica de la tercería: Adan Domènech, F., *La ejecución hipotecaria*, cit., p. 429; Banacloche Palao, J., «Contradicción y oposición en el procedimiento del artículo 131 de la Ley Hipotecaria», *Tribunales de Justicia*, 8–9/1997, pp. 842–843; Crespo Allué, F., en Lorca Navarrete, A.M., *Comentarios a la Nueva Ley de Enjuiciamiento Civil*, III, cit., p. 3569; Giménez Gómiz, G., «El procedimiento judicial sumario del artículo 131 de la Ley Hipotecaria. Especial referencia a las causas de suspensión 1.ª y 2.ª recogidas en el artículo 132 de la mencionada Ley», en *Estudios sobre derecho procesal*, vol. 3 (dirigido por Ignacio Díez-Picazo Giménez y Julián Martínez-Simancas y Sánchez), Madrid, 1996, pp. 2963; Gómez Gálligo, F.J., «La normalización del Derecho Hipotecario Procesal. La ejecución ordinaria e hipotecaria en la nueva Ley de Enjuiciamiento», cit., pp. 1889–1890 y 1897; Herbosa Martínez, I., *El despacho de la ejecución hipotecaria*, cit., p. 462; Jurado Jurado, J.J., *Procedimiento de ejecución directa sobre bienes inmuebles hipotecados*, Barcelona, Bosch, 2001, p. 411; Monserrat Valero, A., *El procedimiento judicial sumario de ejecución hipotecaria (art. 131 LH)*, Pamplona, Aranzadi, 1998, p. 296; Monserrat Valero, A., *Las novedades de la ejecución hipotecaria en la LEC 2000*, Civitas, Madrid, 2002, p. 163; Ramos Chaparro,

idea fue mencionada por la STC 18 diciembre 1981 (RTC 1981, 41) al afirmar que la tercería de dominio tal como estaba regulada en el art. 132 LH entonces vigente, que no difiere sustancialmente de la regulación actual, vendría a responder «*a un improbable error del Registrador, ya que ha de tratarse de inscripción anterior a la del crédito*», y se encuentra comúnmente repetida por la doctrina, que indica que solamente procederá el ejercicio de la tercería de dominio en los casos de doble inmatriculación o de un grave error registral: inscribir la hipoteca pese a que la finca esté inscrita a favor de persona distinta del hipotecante[18].

Esta reducción de los supuestos de la tercería es probablemente coherente con la literalidad de la norma, aunque llegue a un resultado muy poco convincente desde el punto de vista sistemático, por más que parezca admisible incluso a nuestro Tribunal Constitucional. Prescindamos de los errores del Registrador, desconocidos en la realidad, y valga para demostrar nuestra afirmación el supuesto más frecuente que se podría presentar en la práctica, que es la doble inmatriculación. Pues bien, a tenor del precepto, solamente podría interponer la tercería de dominio el titular registral que alegara que su propia inscripción o la de su causante es anterior a la de la garantía; tenemos así que, en una situación de doble inmatriculación, estaría legitimado para interponer la tercería solamente ese titular; en cambio, si el tercero tuviera su título o el de su causante inscrito con posterioridad a la hipoteca, no estaría legitimado. Pero sabemos que se afirma generalmente que la solución de la doble inmatriculación no se debería guiar por la prioridad en la inscripción, sino por una confrontación entre los títulos en conflicto[19]. En suma, el problema se debiera resolver o siempre en un procedimiento declarativo ordinario, cuya anotación

---

E., *La garantía real inmobiliaria. Manual sistemático de la hipoteca*, Cizur Menor (Navarra), 2008, p. 663; Ramón Chornet, J.C., «La oposición a la ejecución hipotecaria en la nueva LEC 2000», cit., p. 442; Rivera Fernández, M., *La ejecución de la hipoteca inmobiliaria*, Madrid, Dilex, 2004, pp. 534–535. Hay quien afirma, sin ambages, que el régimen viene a significar que «no caben tercerías de ningún tipo»: García Rubio, B., «El procedimiento ejecutivo en reclamación de un crédito hipotecario», en *Estudios sobre derecho procesal*, vol. 3, cit., p. 2792.

18. La idea procede de Morell y Terry, J., *Comentarios a la Legislación hipotecaria*, 2.ª edición, tomo 4, Madrid, Reus, 1930, p. 147; García García, J.M., *El procedimiento judicial sumario de ejecución de hipoteca*, cit., pp. 340 y ss.; Díaz Fraile, J.M., *Ejecución judicial sobre bienes hipotecados*, cit., pp. 760–762; Richard González, M., en Fernández-Ballesteros López, M.A. y otros, *Comentarios a la nueva Ley de Enjuiciamiento Civil*, III, Barcelona, 2000, p. 3141.

19. En ese sentido, Ramón Chornet, J.C., «La oposición a la ejecución hipotecaria en la nueva LEC 2000», cit., p. 442, nota 36. Y, también, García García, J.M., *El procedimiento judicial sumario de ejecución de hipoteca*, cit., p. 341; así como Arrieta Sevilla, L.J., *La doble inmatriculación registral*, Cizur Menor (Navarra), Aranzadi, 2009, p. 74: «será necesario examinar los títulos civiles sobre los que se fundan los derechos del

preventiva de demanda fuera posible[20]; o siempre en la tercería de dominio. Ahora bien, reservar esta última para el caso en que concurra una circunstancia que no es determinante de la solución de fondo, carece por completo de justificación.

Algunos autores dicen que el art. 696 LEC admite la tercería siempre que exista «un título de propiedad fehaciente anterior a la constitución de la garantía y ello vaya acompañado de una certificación registral expresiva de la inscripción»[21]; sin aclarar suficientemente el curso temporal en que las respectivas inscripciones de la hipoteca y la titularidad se deben haber producido. La interpretación más general entiende, de acuerdo con la literalidad de la norma, que la tercería no puede prosperar aunque exista un título fehaciente previo a la garantía si no resultara inscrito antes que esta[22]. Esto último es lo que la jurisprudencia suele mantener, aunque habitualmente las Sentencias no se detengan en aclarar si hubo o no una inscripción del derecho del tercerista que sea posterior a la hipoteca: STS 26 abril 1997 (RJ 1997, 3862). En la jurisprudencia menor, impera también esta interpretación literal; entre otras muchas: AAP Cantabria 8 mayo 2012 (AC 2013, 267), SAP Toledo 17 mayo 2012 (JUR 2012, 25018), AAAP Madrid 7 mayo 2013 (AC 2014, 2178) y 22 junio 2015 (AC 2015, 958) y SAP Asturias 22 junio 2015 (JUR 2015, 249606), si bien no en todos estos casos era clara la fecha del título del tercerista, ni en todos había inscripción registral del mismo.

En cualquier caso, la idea más difundida para abordar los problemas de la tercería es la siguiente: «no se puede entrar a resolver sobre si los actores eran o no dueños conforme a la normativa civil y sustantiva al tiempo de constituirse la hipoteca, o si ésta era nula por haber sido constituida por quien carecía ya de poder de disposición sobre la cosa, sino que debe limitarse, por imperativo legal, a constatar si los terceristas están protegidos por una inscripción de dominio»: SAP Málaga 5 diciembre 2003 (JUR 2004, 66971).

No obstante, se ha defendido también otra postura que otorga mucho mayor margen de operatividad a la tercería de dominio: el título alegado

---

tercerista y el ejecutado». En la jurisprudencia se puede ver la reciente STS 1 marzo 2016 (RJ 2016, 927).

20. Así lo sostiene De Pablo Contreras, P., *Curso de Derecho Civil (III). Derechos reales*, Madrid, 2014, p. 378.

21. Díez-Picazo, *Fundamentos del Derecho Civil Patrimonial*, VI, Cizur Menor (Navarra), 2012, p. 486.

22. Jurado Jurado, J.J., *Procedimiento de ejecución directa sobre bienes inmuebles hipotecados*, cit., p. 412; Ramos Chaparro, E., *La garantía real inmobiliaria. Manual sistemático de la hipoteca*, cit., p. 663.

por el tercerista deberá ser de fecha fehaciente anterior a la hipoteca, y estar inscrito, pero esto último no necesariamente antes que la hipoteca, pues esa exigencia llevaría al absurdo, ya que es una hipótesis casi imposible[23]. La solución ha sido adoptada y argumentada por alguna STS aislada[24], resuelve un problema real, y cuenta con cierto fundamento normativo en el propio art. 696 LEC, pero no es perfecta, porque no atiende a la totalidad de los casos en los que la cosa sea ajena al hipotecante. Es una interpretación que siempre requeriría la inscripción registral del título del tercerista, y eso no se habrá conseguido a tiempo en algunas ocasiones[25]. En cambio, pese a lo que se dice, la solución no está en contra de la literalidad de la norma[26], porque según el art. 696 LEC cabe interponer la tercería en dos casos

---

23. Así, De Pablo Contreras, P., *Curso de Derecho Civil (III). Derechos reales*, cit., p. 379: «la tercería de dominio atiende al problema que plantea la inexactitud de la inscripción de la hipoteca atendiendo a su fecha y a la del título de propiedad del tercerista»; De Pablo Contreras, *Hipoteca, su ejecución y dación en pago*, Cizur Menor (Navarra), 2014, pp. 79 y ss.; Cordero Lobato, E, en Carrasco Perera, A./Cordero Lobato, E./Marín López, M.J, *Tratado de los derechos de garantía*, I, 3.ª edición, Cizur Menor (Navarra), 2015, I, p. 1140, haciéndose eco de la doctrina de la STS 9 junio 2006. Critica esta solución García García, J.M., *Código de legislación inmobiliaria, hipotecaria y del Registro Mercantil*, I, cit., p. 1548, nota 520.

24. STS 9 junio 2006 (RJ 2006, 2381). En la STS 28 febrero 2006 (RJ 2006, 696), en un caso que añade al problema la complejidad propia de los casos de la permuta de suelo por edificación futura, se aceptó discutir en el marco de una tercería un caso en el que «los hoy recurrentes no instaron en su momento inscripción alguna de su derecho resultante de la escritura de permuta»; aunque la prueba «permite cuando menos cuestionar que en el caso examinado el otorgamiento de dicha escritura equivaliera a la entrega del local, pues de la propia escritura resultaba otra cosa (...), o que los hoy recurrentes adquirieran la propiedad del local en cuestión por su posesión material, como se aduce en el motivo segundo, pues tal circunstancia no se declara probada por la sentencia recurrida».

25. Por ejemplo, cuando se cuente solamente con titulación privada, que no puede hacerse valer en la tercería: Díaz Fraile, J.M., *Ejecución judicial sobre bienes hipotecados*, cit., pp. 762. Vid., sobre este supuesto de un título privado, STS 10 octubre 1996 (RJ 1996, 7552): «no es posible, en línea de principio, ejercitar, como ocurre en autos, una tercería de dominio para impugnar la existencia registral de una hipoteca sobre el inmueble cuyo dominio se postula –en todo caso, sería factible, según repetido art. 132.2 [LH], con base a un título inscrito–». También STS 26 septiembre 1991 (RJ 1991, 6069) y AAAP Valencia 27 enero 2015 (JUR 2015, 131182) y Granada 14 diciembre 2015 (JUR 2016, 114673). En estos casos, tener que esperar a contar con el título público arruinará en la mayoría de los casos las posibilidades de defensa del tercerista.

26. Se pudiera alegar que los requisitos de la norma no permiten una interpretación flexible como en general, no en referencia a la concreta doctrina de esta Sentencia, lo entienden Adan Domènech F., *La ejecución hipotecaria*, cit., p. 427; Carrasco García, F.A., en Marín Castán, F. (director), *Comentarios a la ley de Enjuiciamiento civil*, Valencia, Tirant lo Blanch, 2015, p. 3080, que se basa para ello en el criterio del art. 698 LEC que remite las reclamaciones diferentes a las contempladas en el art. 696 LEC al declarativo ordinario.

alternativos: cuando la inscripción del tercerista sea anterior a la de la hipoteca, o cuando lo que sea anterior a esta sea la inscripción del causante del tercerista. Esto último, literalmente entendido, permitiría examinar, en el procedimiento de tercería y no en el declarativo, si la constitución de la hipoteca se ha realizado *a non domino*, supuesto que el titular registral hipotecante ya no era titular real en el momento en que hipoteca la finca. Pero, indudablemente, pese a que esta interpretación sea preferible a la mayoritaria, en la jurisprudencia parece no haber gozado de aceptación[27].

Existen también dudas acerca del momento final en que es factible la interposición de la tercería. Se ha sostenido como más razonable la fecha de la aprobación del remate, aunque también se dice que la referencia del art. 596 LEC al momento de la transmisión del derecho real hace dudar de si habrá que ampliar ese plazo hasta el momento en que exista testimonio del auto de adjudicación[28]. En realidad, siendo la tercería de dominio una figura tan escasamente relevante en la práctica, opinamos que apenas tiene trascendencia resolver esta difícil cuestión en la ejecución hipotecaria, a diferencia de lo que sucede en la ejecución ordinaria[29]. La razón: a estas alturas ya sabemos que el procedimiento declarativo ordinario es el remedio casi exclusivo que tiene el verdadero titular a su disposición.

2.2. LA ANOTACIÓN PREVENTIVA DE LA DEMANDA DE NULIDAD DE LA HIPOTECA Y EL PROBLEMA ESPECÍFICO DE SU CANCELACIÓN

Siendo así que el procedimiento declarativo ordinario es el remedio habitual al alcance del verdadero titular, su publicidad mediante la anotación preventiva resulta muy relevante. Frente a la posibilidad de su práctica algunos autores han alegado que resultaría muy perturbadora de la ejecución hipotecaria, y que se basaría en una comprensión equivocada

---

27. STS 28 septiembre 2006 (RJ 2006, 8717), en un caso en que la cesión de la finca a un Ayuntamiento en escritura pública fue anterior a la hipoteca, pero fue inscrita después de esta, se advirtió «la inidoneidad de la vía de la tercería de dominio para impugnar la constitución de hipoteca sobre la finca del pleito». Nos quedamos en la duda de qué pudiera haber sucedido en el caso al que se refiere la STC 9 mayo 1995 (RTC 1995, 69) si el usufructuario hubiera ejercitado la tercería de dominio.

28. MONSERRAT VALERO, A., *Las novedades de la ejecución hipotecaria en la LEC 2000*, cit., pp. 162–163.

29. Valga la remisión sobre este problema a MURGA FERNÁNDEZ, J.P., *Subasta judicial y transmisión de la propiedad*, Cizur Menor (Navarra), Aranzadi, 2015, *passim*. También nos hemos referido a esta cuestión en *La tercería de dominio y la transmisión de inmuebles. La defensa de los derechos reales en la ejecución singular*, Cizur Menor (Navarra), 2015, pp. 209 y ss.

de los mecanismos procesales[30]. En definitiva, esta tesis propugna o que no se practicaran dichas anotaciones preventivas, o que todas ellas sean canceladas sin excepción al término de la ejecución, a despecho de la letra del art. 131 LH, que no tendría sentido y debiera no ser aplicada[31].

Para esta opinión, se deben limitar todos los mecanismos que «eternicen» el procedimiento de ejecución, ya que la adquisición del adjudicatario no puede quedar pendiente del procedimiento declarativo que tarde en resolverse varios años, y las ventas judiciales no pueden ser revocables, ya que eso rebajaría las posturas y desvirtuaría la subasta[32]. En suma, se sigue diciendo, no sería procedente la anotación de la demanda en la que se postule la declaración de que no ha sido constituida regularmente, ya que la Sentencia declarativa no puede afectar a la enajenación judicial realizada[33].

A nuestro juicio esta opinión pone el dedo en la llaga cuando dice que la celebración de una subasta amenazada, para los que participen en ella, en sus resultados transmisivos tiene poco sentido. También es aceptable decir que la condicionalidad de la adquisición que se podría lograr en la subasta rebaja la cuantía de las posturas. Pero todo ello no supone más que una nueva constatación de la realidad contradictoria de nuestro ordenamiento, que ordena que se celebre la subasta en estas condiciones. Lo cual nos puede llevar a dos conclusiones contrapuestas: o bien a impedir la eficacia real del litigio sobre la válida constitución de la hipoteca, que es lo que se propugna en esta opinión que criticamos, o a permitir la anotación preventiva de la demanda que inicia el procedimiento declarativo, y entonces admitir sus efectos propios. Para lo primero opinamos que no hay razones en el sistema; pues las que se alegan no nos parecen fundamentadas suficientemente, y ni siquiera es una opción deseable desde el punto de vista de política jurídica.

Pretenden apoyar esta criticable solución dos razones: primera, que las adquisiciones en las subastas deben ser inatacables, al menos en aquellos aspectos que deriven de la certificación de dominio y cargas. Pero esta idea

---

30. RAMÓN CHORNET, J.C., «La oposición a la ejecución hipotecaria en la nueva LEC 2000», cit., pp. 483 y ss.
31. RAMÓN CHORNET, J.C., «La oposición a la ejecución hipotecaria en la nueva LEC 2000», cit., pp. 488 y 497; parecidamente GÓMEZ GÁLLIGO, F.J., «La ejecución hipotecaria en el proyecto de reforma de la Ley de Enjuiciamiento Civil», en VVAA, *Cuestiones procesales y registrales en la ejecución hipotecaria*, Estudios de Derecho judicial, 23, Consejo General del Poder Judicial, Madrid, 1999, p. 263.
32. RAMÓN CHORNET, J.C., «La oposición a la ejecución hipotecaria en la nueva LEC 2000», cit., p. 483–484.
33. RAMÓN CHORNET, J.C., «La oposición a la ejecución hipotecaria en la nueva LEC 2000», cit, p. 485.

ni corresponde con la realidad de ningún principio o norma de nuestro ordenamiento jurídico, ni siquiera es conveniente. Más bien sucede, y es bueno que así sea, que la adquisición en la subasta es tan segura o insegura como pueda serlo cualquier otra adquisición onerosa, ni más ni menos, pues ello dependerá de si el adquirente reúne los requisitos de protección establecidos por el art. 34 LH[34]. Y la segunda razón, que el ordenamiento solamente concedería al dueño una única medida cautelar, que sería la retención de la que habla el art. 698.2 LEC[35], es una explicación que cae por su propio peso, pues para desmentirla basta consultar el art. 131 LH.

De todos modos, el ataque a la eficacia de la anotación preventiva se ha producido por otro flanco, abierto por la literalidad de la nueva LEC, y las reformas que introdujo en la LH. Nos referimos a su cancelación, cuando es posterior a la nota marginal de expedición de la certificación de dominio y cargas, como resultado de la adjudicación. La necesaria cancelación cuenta con valedores desde el punto de vista teórico, es la práctica habitual avalada por algunas RRDGRN, y puede apoyarse en algunos argumentos literales que ofrece la legislación vigente. No obstante, en contra de ella jugarían principios sistemáticos que están bien explicados, claro está que con anterioridad a la reforma procesal del año 2000, en la STS 18 noviembre 1993 (RJ 1993, 9149).

Es conveniente dedicar atención a esta, aunque el litigio que resolvió se refería no exactamente a nuestro problema sino al de una anotación preventiva de demanda adoptada en un procedimiento en que se impugnaba el préstamo hipotecario por usura[36], porque los argumentos utilizados son perfectamente aplicables a nuestro caso:

> primero, «*la demanda de nulidad del préstamo hipotecario... permite asegurar las resultas del juicio mediante su anotación preventiva al amparo del art. 42, núm. 1, de la Ley Hipotecaria*»;

---

34. O, más bien, habría que decir que cierta ventaja sí tiene el adjudicatario, pues también puede adquirir válidamente apoyándose en el hecho de que el acreedor hipotecario mereciera la protección del art. 34 LH., aunque a él mismo le faltara, por ejemplo, la buena fe o la propia inscripción.

35. Es mucho más razonable decir que «Nada obsta, sin embargo, a que el actor utilice otras posibilidades para la defensa de sus intereses no contempladas en dicho precepto, cual es la anotación preventiva de demanda que, ciertamente, no interrumpe el curso del procedimiento en marcha»: así DE LA PUENTE ALFARO, F., «La ejecución de la hipoteca por el procedimiento sumario y la demanda de nulidad de título o de nulidad de actuaciones», cit., p. 2159.

36. Existe un debate acerca de la subsistencia o no de la garantía del préstamo, hipotecaria o personal, una vez que ha sido declarado usurario, puesto que la restitución del principal sigue siendo necesaria; al problema nos hemos referido en ESPEJO LERDO DE TEJADA, M., «El contenido financiero del préstamo y la protección del deudor hipotecario: algunas cuestiones actuales», *RCDI*, Año n.º 91, N.º 748, 2015, pp. 631–632.

segundo, «*la anotación de demanda tiene un doble contenido, el procesal conforme al cual se asegura que la sentencia que en su día recaiga tendrá la misma eficacia que si se hubiere dictado ya el día de la presentación de la demanda, mereciendo por esto la calificación de medida cautelar, y el contenido substantivo a través del cual se consigue la ventaja que proporciona el principio de prioridad registral para el caso también de obtener resolución favorable a la modificación tabular*»;

tercero, «*la anotación de demanda no produce cierre registral (...) puesto que los derechos a que se refiere pueden ser objeto de transmisiones aunque, como se ha dicho, subordinadas al resultado del proceso y efectos de la anotación pendiente*»;

cuarto, *la nota marginal de expedición del certificado de dominio y cargas* «*tampoco produce cierre registral, puesto que su alcance es sólo informar a posteriores adquirentes acerca de la existencia del proceso de ejecución y hacer las veces de notificación. Da a conocer (...) que el proceso judicial sumario ha comenzado para que los terceros posteriores adquirentes usen de su derecho en la forma que les convenga. En modo alguno produce cierre registral ni paraliza las facultades dispositivas del deudor, pero impide a los adquirentes invocar de buena fe el principio de publicidad hipotecaria*»;

quinto, «*cuando, como en este caso, tras la expedición de la certificación y la extensión de la nota marginal se anota preventivamente la demanda de nulidad (...) cuyo vigoroso contenido permite la declaración de nulidad de la hipoteca, para que sea cierta tal declaración se ha de extender naturalmente a todo el proceso de ejecución que culmina en la subasta. Y quienes acuden a la subasta pueden hasta ese mismo día tratar de conocer cuanto el Registro recoja, posible por no producirse el cierre, y no pueden alegar la fe pública registral en apoyo de su pretensión contraria a la anotación de demanda*»; y finalmente,

sexto, «*el Juzgado que ejecutó la hipoteca pudo ordenar sin identificarlas (art. 233 del Reglamento Hipotecario) que se cancelen todas las anotaciones e inscripciones posteriores a la fecha de la certificación, pero eso siempre que éstas no deban subsistir por alguna causa, (...) que esta excepción debe reconocerse al caso planteado en autos se apoya en que el Juez del procedimiento sumario conoció en los propios autos la existencia de la demanda de nulidad del contrato de préstamo con garantía hipotecaria, y que los rematantes no adquirieron el derecho de propiedad hasta después de practicada la anotación preventiva, por lo que su derecho estaba subordinado al resultado de la demanda*»[37].

---

37. En el mismo sentido, AAP Zamora 22 junio 1995 (AC 1995, 1178). Vid., también STS 21 febrero 2012 (RJ 2012, 4985), sobre el significado de dicha anotación en cuanto a la información que presta a los terceros. Y también, en el mismo sentido, y relación con la anotación preventiva de una querella en que se discutía sobre la validez de la hipoteca, la RDGRN 11 mayo 2001 (RJ 2001, 4791). Pero, en ocasiones bajo la regulación procesal anterior sí se cancelaban esas anotaciones, dando lugar al problema de que no podía lograse una nueva anotación preventiva ya que el adjudicatario no había

Ciertamente, tanto en la legislación procesal como en la hipotecaria, la necesidad de la cancelación parece afirmarse claramente, pero frente a la literalidad, está el hecho de que los preceptos deben ser racionalmente entendidos y eso obliga en este caso a una interpretación restrictiva acerca de cuáles sean los asientos cuya cancelación proceda[38]. Para el art. 674.2 LEC «*el Secretario judicial mandará la cancelación de todas las inscripciones y anotaciones posteriores, incluso las que se hubieran verificado después de expedida la certificación prevenida en el artículo 656*»; mientras que para el art. 134 LH «*El testimonio del decreto de adjudicación y el mandamiento de cancelación de cargas, determinarán la inscripción de la finca o derecho a favor del adjudicatario y la cancelación de la hipoteca que motivó la ejecución, así como la de todas las cargas, gravámenes e inscripciones de terceros poseedores que sean posteriores a ellas, sin excepción, incluso las que se hubieran verificado con posterioridad a la nota marginal de expedición de certificación de cargas en el correspondiente procedimiento*»; y, específicamente, el art. 131 LH dice: «*Las anotaciones preventivas de demanda de nulidad de la propia hipoteca o cualesquiera otras que no se basen en alguno de los supuestos que puedan determinar la suspensión de la ejecución quedarán canceladas*».

Estas previsiones normativas solamente se pueden referir a las cargas posteriores a la hipoteca, de acuerdo con la rúbrica del art. 674 LEC, lo que corrobora el nombre que legalmente se otorga al mandamiento de cancelación, que lo es «de cargas»; de modo que lo procedente es entender estas normas, como dirigidas a hacer efectivo el principio de que la ejecución de la hipoteca comporta la purga de las hipotecas y derechos que sean posteriores a ella[39]. En cambio, si se quiere interpretar bien la norma hay que sostener que la anotación preventiva de demanda no debiera ser cancelada, porque, más que una carga posterior, es un mecanismo de publicidad de un procedimiento sobre la validez del derecho de hipoteca que se ejecuta, y, por consiguiente, sobre la legitimidad del ejercicio de la facultad de realización del valor que se hace efectivo a través de la ejecución[40].

Por lo tanto, hay que optar por esta explicación: al permitirse legalmente la anotación preventiva[41], se hace con todas las consecuencias que

---

sido demandado en el procedimiento de nulidad: RDGRN 19 junio 2002 (RJ 2002, 8912).

38. PEÑA BERNALDO DE QUIRÓS, M., *Derechos reales. Derecho hipotecario*, II, cit., pp. 179–180.

39. PEÑA BERNALDO DE QUIRÓS, M., *Derechos reales. Derecho hipotecario*, II, cit., p. 180.

40. PEÑA BERNALDO DE QUIRÓS, M., *Derechos reales. Derecho hipotecario*, II, cit., p. 181.

41. Y antes del vigente art. 131 LH, ello derivaba de la interpretación unánime: vid. RIVERA FERNÁNDEZ, M., *La ejecución de la hipoteca inmobiliaria*, cit., p. 560, o de la práctica procedimental: MONTERO AROCA, J., *Procedimiento judicial sumario del artículo 131 de la Ley Hipotecaria (doctrina, jurisprudencia y formularios)*, cit., pp. 1176 y ss. Este

derivan de este asiento registral; si se está discutiendo judicialmente sobre la validez de la hipoteca, ni tiene sentido seguir adelante (incondicionalmente) con un procedimiento de ejecución que se debe basar precisamente en dicha validez, ni tampoco resulta sensato impedir la eficacia de los mecanismos cautelares que puedan garantizar que la resolución sobre la acción declarativa ejercitada surta los efectos jurídico-reales que le son propios. Es verdad que esto pone en cuestión que sea conveniente que la subasta se celebre en estas circunstancias, pero la previsión de la Ley es evitar todo lo que la entorpezca, y en este sistema la anotación preventiva asume el papel de garante de la condicionalidad de todos los efectos de la subasta; no hay otra salida si se quiere ser coherente tanto con el sistema de constitución de los derechos reales (que no requieren su publicidad registral para su válida existencia), con el requisito normativamente impuesto a la hipoteca (la titularidad del hipotecante), así como la configuración legal de la protección de los terceros que confían en el Registro de la Propiedad; en este último caso puede estar el acreedor hipotecario pero solamente si concurren unos requisitos que, lógicamente, pueden ser debatidos judicialmente.

La mayoría de la doctrina admite que no se cancele la anotación preventiva de demanda practicada previamente a la nota marginal de inicio del procedimiento de ejecución[42], sea cual fuere el objeto de la demanda, es decir, se trate o no de supuestos que comporten suspensión de la ejecución[43], y esto sería claro que resulta de la letra de la ley. En cambio, cuando la anotación preventiva sea posterior a la nota marginal, muchos aceptan que esa –la cancelación– sea la solución legal[44]; ello comportaría

---

último autor la considera una práctica «perfectamente admisible», ya que favorece «la efectividad de la sentencia que se dicte en el proceso declarativo» (así en p. 1182); aunque antes había afirmado que quizá está forma de actuar sea contraria «a lo dispuesto por el legislador», que dispondría «que la finca subastada y adjudicada habría salido de modo irreversible de la propiedad del ejecutado»; de modo que la única consecuencia del proceso declarativo sería que «el dinero obtenido en la subasta se entregaría, no al ejecutante, sino al ejecutado» (pp. 1176–1177). ¿Y en el caso de que el declarativo esté instado por el tercero al que en estas páginas nos estamos refiriendo?

42. Peña Bernaldo de Quirós, M., *Derechos reales. Derecho hipotecario*, II, cit., p. 182; Ramos Chaparro, E., *La garantía real inmobiliaria. Manual sistemático de la hipoteca*, cit., p. 667; Toribio Fuentes, F., «Comentario al art. 131 LH» en Domínguez Luelmo, A. (dir.), *Comentarios a la Ley Hipotecaria*, cit., p. 1211.

43. Montero Aroca, J., *Tratado de ejecuciones hipotecarias*, cit., pp. 1196–1197.

44. Monserrat Valero, A., *Las novedades de la ejecución hipotecaria en la LEC 2000*, cit., p. 143; Montero Aroca, J., *Tratado de ejecuciones hipotecarias*, cit., p. 1197; Toribio Fuentes, F., «Comentario al art. 131 LH» en Domínguez Luelmo, A. (dir.), *Comentarios a la Ley Hipotecaria*, Cizur Menor (Navarra), 2.ª edición, 2016, p. 1211; García García, J.M., *Código de legislación inmobiliaria, hipotecaria y del Registro Mercantil*, I, cit., p. 410,

que la sentencia estimatoria de la nulidad solamente afectará al rematante o adjudicatario en cuanto que ellos han podido conocer la existencia de la demanda, pero no en cambio a los subadquirentes que resultarán protegidos por el Registro de la Propiedad[45]. Desde luego esta solución dificulta la ejecución de la Sentencia, al menos en algunos casos, y, en definitiva cuestiona el fundamento de la constitucionalidad del procedimiento de ejecución, en cuanto que para el Tribunal Constitucional no se puede impedir que los interesados gocen del mecanismo defensivo del procedimiento declarativo ordinario, que de este modo se desactivaría en la práctica[46].

La solución aquí propugnada no se acepta actualmente en el funcionamiento ordinario del Registro de la Propiedad. La RDGRN 11 mayo 2001 (RJ 2001, 4791) consideró correcto no cancelar la anotación preventiva en un supuesto regido por el anterior sistema procesal, pero afirmó por primera vez, que: «*no debe aquí silenciarse el hecho de que, respecto de los procedimientos ejecutivos hipotecarios nacidos bajo el imperio de la nueva Ley de Enjuiciamiento Civil, será de aplicación su artículo 669 y que, conforme a él, la solución sólo podrá seguir siendo ésta cuando la anotación sea anterior a la nota de expedición de certificación de cargas*»[47]. Esta interpretación de la

---

nota 313: «si se practica con posterioridad a la nota marginal de expedición de certificación de cargas, no pueda subsistir después de la ejecución»; GÓMEZ GÁLLIGO, F.J., «La normalización del Derecho Hipotecario Procesal. La ejecución ordinaria e hipotecaria en la nueva Ley de Enjuiciamiento», cit., pp. 1909–1911; RIVAS TORRALBA, R.A., *Aspectos registrales del proceso de ejecución*, Barcelona, 2012, p. 596.

45. HERBOSA MARTÍNEZ, I., *El despacho de la ejecución hipotecaria*, cit., pp. 541 a 543; JURADO JURADO, J.J., *Procedimiento de ejecución directa sobre bienes inmuebles hipotecados*, cit., p. 425; DOMÍNGUEZ LUELMO, A., en TORIBIOS FUENTES, F. (director), *Comentarios a la Ley de Enjuiciamiento Civil*, Valladolid, Lex Nova, 2014, 2.ª edición, p. 1374; RAMOS CHAPARRO, E., *La garantía real inmobiliaria. Manual sistemático de la hipoteca*, cit., pp. 666–667.

46. Cfr. PEÑA BERNALDO DE QUIRÓS, M., *Derechos reales. Derecho hipotecario*, II, cit., pp. 182–183; RAMOS CHAPARRO, E., *La garantía real inmobiliaria. Manual sistemático de la hipoteca*, cit., p. 666. Sobre la referida doctrina constitucional, vid. LARRONDO LIZARRAGA, J.M., «Doctrina del Tribunal Constitucional sobre el procedimiento del artículo 131 de la Ley Hipotecaria. Exposición sistemática», en VVAA, *Cuestiones procesales y registrales en la ejecución hipotecaria*, Estudios de Derecho judicial, 23, Consejo General del Poder Judicial, Madrid, 1999, pp. 279 y 303–304; RIVERA FERNÁNDEZ, M., *La ejecución de la hipoteca inmobiliaria*, cit., p. 563: «¿qué sentido tiene permitir la posibilidad de que se acuerde una anotación preventiva de demanda si a continuación se anula su eficacia disponiéndose su cancelación?»

47. Aplicó el mismo criterio, y emitió un parecido juicio sobre la nueva LEC, la RDGRN 18 marzo 2002 (RJ 2002, 6186). En la RDGRN 27 marzo 2002 (RJ 2002, 6161), se sostuvo la no cancelación bajo el sistema anterior a la actual LEC «sin que se prejuzgue la solución que habrá de darse cuando resulte aplicable la nueva Ley de Enjuiciamiento Civil». Todavía en el caso de la RDGRN 13 enero 2005 (RJ 2005, 1106) la anotación

vigente LEC se ha terminado imponiendo en las RRDGRN 20 julio 2005 (RJ 2005, 9776) y 18 septiembre 2013 (RJ 2013, 7617); si bien esta última justifica que en la venta extrajudicial la solución es la contraria por subsistir en el Reglamento Hipotecario alguna norma que le brinda apoyo. Llama la atención que esta dirección de la doctrina oficial se aquiete dócilmente a una interpretación literal de la ley.

Para defender la cancelación, se nos dice que la misma se justifica por estar ordenada en una ejecución hipotecaria, que «*es un proceso bajo la decisión de la autoridad judicial, conforme al principio constitucional de tutela judicial efectiva*» [así RDGRN 18 septiembre 2013 (RJ 2013, 7617)]. Explicación que no resulta convincente, ya que en el procedimiento de ejecución la autoridad judicial no puede intervenir tomando decisiones sobre los derechos de los terceros (salvo en el caso del art. 696 LEC); por tanto no debiera tampoco decidir sobre la cancelación de una anotación preventiva que publica la existencia de un procedimiento, diferente al de ejecución, al que la normativa expresamente remite a dichos terceros. Es tanto como decir que los terceros, que no pueden defenderse en la ejecución, en realidad tampoco lo pueden hacer fuera de ella; o, por el contrario, que esos terceros sí se están defendiendo en la ejecución, o que la cancelación no les afecta; nada de lo cual puede ser cierto. Por lo demás, teniendo en cuenta que el decreto de adjudicación y el mandamiento de cancelación de cargas son expedidos por el Secretario judicial (cfr. art. 674 LEC), tampoco se puede compartir que con ellos esté garantizada la tutela, judicial, de los derechos de los terceros.

Ahora bien, ¿realmente las normas imponen la cancelación de las anotaciones preventivas posteriores a la nota marginal? Nos parece que ante la abundancia de argumentos sistemáticos que apoyan la no cancelación es necesario repensar los resultados de la interpretación literal. La solución dependerá de cómo debe entenderse la expresión del art. 131 LH acerca de las anotaciones preventivas que se practiquen en algunos de los supuestos que pueden determinar suspensión de la ejecución. Es cierto que la norma es confusa, pues si existe un supuesto en que es posible la suspensión de la ejecución, en principio sería necesario utilizar ese remedio y no el procedimiento declarativo[48], por lo que se ha llegado a decir que la referencia a estas anotaciones preventivas que subsisten, aunque se practiquen después

---

preventiva de demanda no se canceló, si bien la Sentencia no pudo oponerse al cesionario del remate por no haber sido demandado y por haber caducado entre tanto la anotación preventiva de la demanda.

48. Así RAMÓN CHORNET, J.C., «La oposición a la ejecución hipotecaria en la nueva LEC 2000», cit., p. 486.

de la nota marginal, es más teórica que otra cosa, ya que todas las anotaciones preventivas se cancelarán, puesto que el legislador quiere dar la mayor eficacia posible al proceso de ejecución, de modo que los actos ejecutivos no puedan quedar desconocidos ni siquiera en un procedimiento declarativo[49], lo cual aunque termina salvando la coherencia de las normas, nos parece inadmisible. Para algunos autores la expresión tendría explicación en los casos en que no se haya adoptado judicialmente la suspensión, lo que solamente puede producirse en la causa criminal, pues en el caso de ejercitarse una tercería, la denegación de suspensión comporta la desestimación de la tercería[50], mientras que si se ha admitido la demanda, la suspensión se ha producido, y no es necesario el proceso declarativo[51].

Por más que se pueda admitir que la literalidad de la norma admite algunas de estas explicaciones parciales, el texto de la misma es tan imperfecto que pretender sacar su sustancia reguladora de su mera letra resulta un empeño imposible; por lo que se impone realizar una interpretación sistemática. Bajo esa perspectiva, resulta necesario mantener en el Registro la anotación preventiva de demanda de nulidad de la hipoteca por las razones que estamos explicando[52], y cabe sostenerlo en la substancia realmente suspensiva de la presente anotación, aunque expresamente la norma no reconozca este efecto. Pero si el tercero ha demandado a los titulares registrales de derechos reales contradictorios con el suyo, y entre ellos al titular de la hipoteca, lo que se decida en el procedimiento ha de tener fuerza bastante no solamente para poner en cuestión la ejecución, sino para excluir su procedencia, ya que la hipoteca constituida *a non domino* no es válida, fuera de los casos del art. 34 LH, por lo que tampoco puede generar una válida adquisición en la subasta[53]. Según la norma podría proseguirse con la ejecución, pues esta no se suspende, pero los

---

49. Montero Aroca, J., *Tratado de ejecuciones hipotecarias*, cit., p. 1199.
50. Herbosa Martínez, I., *El despacho de la ejecución hipotecaria*, cit., pp. 545–546.
51. Montero Aroca, J., *Tratado de ejecuciones hipotecarias*, cit., p. 1198.
52. Así también, De Pablo Contreras, *Hipoteca, su ejecución y dación en pago*, cit., pp. 84 y ss.
53. Peña Bernaldo de Quirós, M., *Derechos reales. Derecho hipotecario*, II, cit., pp. 182 y ss.; De Pablo Contreras, P., *Curso de Derecho Civil (III). Derechos reales*, cit., p. 377; Jurado Jurado, J.J., *Procedimiento de ejecución directa sobre bienes inmuebles hipotecados*, cit., p. 421; Roca Sastre, R.M./Roca-Sastre Muncunill, L./Bernà i Xirgo, J., *Derecho Hipotecario*, Tomo VII, 9.ª edición, Barcelona, 2009, p. 382: *sensu contrario* parece que claramente se deduce su opinión de que una acción de nulidad de la hipoteca, objeto de anotación preventiva conlleva su eficacia frente al adjudicatario. Era esta también la solución propugnada antes de la LEC: Monserrat Valero, A., *El procedimiento judicial sumario de ejecución hipotecaria (art. 131 LH)*, cit., p. 271.

efectos de la misma quedan necesariamente supeditados al resultado del litigio, cabe decir que se resuelven o deshacen si la hipoteca finalmente es declarada nula.

Se advierte, pues, en toda esta materia, la existencia de dos visiones doctrinales diferentes entre las que es necesario optar. Para la primera, en la normativa actualmente vigente, la tercería de dominio no puede determinar si el actor es o no dueño al tiempo de constituirse la hipoteca, es decir si ésta última es nula por haber sido constituida por quien carecía del poder de disposición sobre la cosa. Y que debe limitarse la tercería a constatar si los terceristas están protegidos por una inscripción de dominio previa en su fecha a la hipoteca. Todo lo cual es cierto, pero esta opinión da un paso más: considerar que sería deseable que aquí se agotara la respuesta del ordenamiento a la pretensión del verdadero dueño, y de esta posición derivan todos los intentos más o menos matizados de vender cara cualquier concesión adicional a la defensa del mismo.

En cambio, según la segunda tesis, que estimamos adoptada por el ordenamiento y, que además es preferible, la discusión sobre esos extremos relativos a la validez de la hipoteca debe ser siempre posible en un procedimiento declarativo ordinario que, además, pueda contar con la adecuada publicidad registral. A partir de aquí, lo que sucede es que no se encuentra legalmente resuelta la influencia que este declarativo tenga sobre la ejecución hipotecaria, pues disponer que no tiene la virtualidad de suspenderla no soluciona de manera concreta y precisa los problemas prácticos que suscita el hecho de proseguirla, sobre todo cuando en el procedimiento declarativo se decida de modo firme que la hipoteca está mal constituida. A nuestro juicio es obvio que la solución de todos estos problemas se debería abordar por el legislador de un modo claro. Por otra parte en estas páginas no se ha podido dar una opinión detallada sobre todos estos problemas, pero se puede afirmar como regla general que ante una sentencia estimatoria de las pretensiones del verdadero propietario deben deshacerse las consecuencias de la subasta: el demandante recobrará el bien libre de cargas (supuesto que no haya aparecido un tercero protegido), y el adjudicatario debe recuperar el precio abonado. En este caso, necesariamente quedaría sacrificado el interés del acreedor hipotecario, lo cual está perfectamente justificado, porque estamos ante alguien que se ha constatado judicialmente que no ha merecido la protección del art. 34 LH. La única ventaja que la prosecución de la subasta le reportaría al acreedor se produciría si se desestima la pretensión ejercitada en el procedimiento declarativo; eso supuesto, si la ejecución había llegado a su fin, podrá retener lo que hubiera cobrado o el bien hipotecado cuando le hubiera sido adjudicado; si no hubiera cobrado, por haber quedado retenida la suma obtenida en la subasta o por otra razón, podrá hacerlo entonces sin más trámites. Ciertamente son ventajas por las que probablemente se habrá pagado un alto precio, ya que han supuesto proseguir la ejecución en una situación de incertidumbre sobre si procederá o no deshacer sus efectos.

3. JURISPRUDENCIA Y DOCTRINA OFICIAL CONSULTADA

A) Tribunal de Justicia de la Unión Europea

STJUE (Sala Primera) 14 marzo 2013 (TJCE 2013\89)

STJUE (Sala Primera) 17 julio 2014 (TJCE 2014\106)

STJUE 29 octubre 2015 (JUR 2015\248737)

B) Tribunal Constitucional

STC 18 diciembre 1981 (RTC 1981\41)

STC 9 mayo 1995 (RTC 1995\69)

C) Tribunal Supremo

STS 15 marzo 1958 (Roj: STS 189/1958 - ECLI:ES:TS:1958:189)

STS 14 junio 1984 (RJ 1984/3239)

STS 17 octubre 1989 (RJ 1989\6928)

STS 26 marzo 1991 (RJ 1991\2446)

STS 26 septiembre 1991 (RJ 1991\6069)

STS 8 noviembre 1991 (RJ 1991\8148)

STS 18 noviembre 1993 (RJ 1993\9149)

STS 10 octubre 1996 (RJ 1996\7552)

STS 29 enero 1997 (RJ 1997\145)

STS 26 abril 1997 (RJ 1997\3862)

STS 28 noviembre 1997 (RJ 1997\8430)

STS 14 junio 2000 (RJ 2000\4413)

STS 20 junio 2001 (RJ 2001/4346)

STS 25 octubre 2004 (RJ 2004\7033)

STS 28 febrero 2006 (RJ 2006\696)

STS 4 mayo 2006 (RJ 2006\2209)

STS 9 junio 2006 (RJ 2006\2381)

STS 28 septiembre 2006 (RJ 2006\8717)

STS 16 marzo 2007 (RJ 2007/1856)

STS 20 marzo 2007 (RJ 2007/1849)

STS 10 octubre 2007 (RJ 2007\6812)

STS 15 julio 2008 (RJ 2008\3365)

STS 31 marzo 2011 (RJ 2011, 4252)

STS 21 febrero 2012 (RJ 2012\4985)

STS 22 febrero 2013 (RJ 2013\1609)

STS 10 abril 2015 (RJ 2015\2595)

STS 19 mayo 2015 (RJ 2015\2612)

STS 1 marzo 2016 (RJ 2016\927)

STS 3 junio 2016 (RJ 2016\2320)

D) Audiencias provinciales

AAP Zamora 22 junio 1995 (AC 1995\1178)

SAP Málaga 5 diciembre 2003 (JUR 2004\66971)

AAP Cantabria 8 mayo 2012 (AC 2013\267)

SAP Toledo 17 mayo 2012 (JUR 2012\25018)

AAP Madrid 7 mayo 2013 (AC 2014\2178)

AAP Valencia 27 enero 2015 (JUR 2015\131182)

AAP Madrid 22 junio 2015 (AC 2015\958)

SAP Asturias 22 junio 2015 (JUR 2015\249606)

AAP Granada 14 diciembre 2015 (JUR 2016\114673)

SAP Pontevedra 21 abril 2016 (JUR 2016\120265)

E) Dirección General de los Registros y del Notariado

RDGRN 11 mayo 2001 (RJ 2001\4791)

RDGRN 18 marzo 2002 (RJ 2002\6186)

RDGRN 27 marzo 2002 (RJ 2002\6161)

RDGRN 19 junio 2002 (RJ 2002\8912)

RDGRN 13 enero 2005 (RJ 2005\1106)

RDGRN 20 julio 2005 (RJ 2005\9776)

RDGRN 4 julio 2011 (RJ 2011\4886)

RDGRN 18 septiembre 2013 (RJ 2013\7617)

RDGRN 23 octubre 2014 (RJ 2014\6104)

4. BIBLIOGRAFÍA CONSULTADA

ADAN DOMÈNECH F., *La ejecución hipotecaria*, Bosch, Barcelona, 2009.

ALBALADEJO GARCÍA, M., "La nulidad de los préstamos usurarios", *ADC*, 1995, pp. 33–49.

ARIAS LOZANO, D., "Algunas consideraciones sobre el procedimiento del artículo 131 de la Ley Hipotecaria", en *Estudios sobre derecho procesal*, vol. 3 (dirigido por Ignacio DÍEZ-PICAZO GIMÉNEZ y Julián MARTÍNEZ-SIMANCAS Y SÁNCHEZ), Madrid, 1996, pp. 2751–2773.

ARRIETA SEVILLA, L.J., *La doble inmatriculación registral*, Cizur Menor (Navarra), Aranzadi, 2009.

ASENCIO MELLADO, J.M., *Derecho Procesal Civil*, Valencia, Tirant lo Blanch, 2015.

BANACLOCHE PALAO, J., "Contradicción y oposición en el procedimiento del artículo 131 de la Ley Hipotecaria", *Tribunales de Justicia*, 8–9/1997, pp. 835–847.

CASERO LINARES, L., *El proceso de ejecución hipotecaria en la ley de enjuiciamiento civil*, Barcelona, Bosch, 2014.

CARRASCO PERERA, A., *Derecho de contratos*, Pamplona, Aranzadi, 2010.

CARRASCO PERERA, A./CORDERO LOBATO, E./MARÍN LÓPEZ, M.J, *Tratado de los derechos de garantía*, I, 3ª edición, Cizur Menor (Navarra), 2015.

CEDEÑO HERNÁN, M., "Las especialidades de la ejecución sobre bienes inmuebles hipotecados", en *El proceso de ejecución forzosa. Problemas actuales y soluciones jurisprudenciales* (coordinador Álvaro GUTIÉRREZ BERRINCHES, Madrid, La Ley, 2015, pp. 825–917.

CLEMENTE MEORO, M.E., *Doble inmatriculación de fincas en el registro de la propiedad*, Valencia, Tirant lo Blanch, 2007.

Cordero Lobato, E., "Comentario al art. 1857", en Bercovitz (coord.), *Comentarios al Código Civil*, Tomo IX, Valencia, 2013.

Cordón Moreno, F., en Cordón Moreno, F./Armenta Deu, T./ Muerza Esparza, J.J./Tapia Fernández, I., *Comentarios a la Ley de Enjuiciamiento Civil*, Volumen II, 2ª edición, Pamplona, 2011.

Crespo Allué, F., en Lorca Navarrete, A.M., *Comentarios a la Nueva Ley de Enjuiciamiento Civil*, III, Valladolid, 2000.

Cruz Gallardo, B., *Principios hipotecarios y particularidades de la ejecución hipotecaria sobre los consumidores. Práctica registral y procesal*, Las Rozas (Madrid), La Ley, 2014.

De La Oliva, A., y otros, *Comentarios a la Ley de Enjuiciamiento Civil*, Madrid, 2001.

De la Puente Alfaro, F., "La ejecución de la hipoteca por el procedimiento sumario y la demanda de nulidad de título o de nulidad de actuaciones", *RCDI*, 1997, n° 643, pp. 2139–2196.

Delgado Echeverría, J., *Comentarios al Código Civil y Compilaciones Forales* (dirigidos por Manuel Albaladejo y Silvia Díaz Alabart), Tomo XVII, vol. 2°, arts.1281 a 1314, 1995, Madrid, Edersa.

Delgado Echeverría, J./Parra Lucán, M. A., *Las nulidades de los contratos*. Madrid, Dykinson, 2005.

De Pablo Contreras, P., *Curso de Derecho Civil (III). Derechos reales*, Madrid, 2014.

– *Hipoteca, su ejecución y dación en pago*, Cizur Menor (Navarra), 2014.

Díaz Fraile, J.M., "La deuda hipotecaria ante su ejecución: la tasación del bien hipotecado", en Espejo Lerdo de Tejada, M./Murga Fernández, J.P. (Dir.), *Vivienda, préstamo y ejecución*, Pamplona, Aranzadi, 2016, pp. 345 y ss.

– *Ejecución judicial sobre bienes hipotecados*, Madrid, 2000.

– "Nota sobre los posibles inconvenientes de cerrar el Registro de la Propiedad a las anotaciones preventivas de demanda de nulidad de las hipotecas en caso de que se soliciten una vez iniciado el procedimiento judicial sumario", *Boletín Colegio de Registradores*, n° 48, mayo 1999, pp. 1189–1192.

Díez-Picazo, L., *Fundamentos del Derecho Civil Patrimonial*, VI, Cizur Menor (Navarra), 2012.

Domínguez Luelmo, A. (dir.), *Comentarios al Código civil*, Valladolid, 2010.

– (dir.), *Comentarios a la Ley Hipotecaria*, Cizur Menor (Navarra), 2ª edición, 2016.

ESPEJO LERDO DE TEJADA, M., *La tercería de dominio y la transmisión de inmuebles. La defensa de los derechos reales en la ejecución singular*, Cizur Menor (Navarra), 2015.

– "El contenido financiero del préstamo y la protección del deudor hipotecario: algunas cuestiones actuales", *RCDI*, Año n° 91, N° 748, 2015, pp. 605–644.

– "Prioridad registral y buena fe. Valor jurídico de la inscripción de la hipoteca. Comentario a la Sentencia del Tribunal Supremo de 26 de enero del 2000" en CLEMENTE MEORO, M. E., *Estudios de Derecho Inmobiliario Registral en Homenaje al profesor Celestino Cano Tello*, Valencia, 2002, Editorial Tirant lo blanch, pp. 187–198.

FERNÁNDEZ-BALLESTEROS LÓPEZ, M.A. y otros, *Comentarios a la nueva Ley de Enjuiciamiento Civil*, III, Barcelona, 2000.

GARBERÍ LLOBREGAT, J., *El proceso de ejecución forzosa en la Ley de Enjuiciamiento Civil. Comentarios, jurisprudencia y formularios generales al libro III ("De la ejecución forzosa") de la Ley 1/2000, de 7 de enero, de Enjuiciamiento Civil*, 6ª Edición, Cizur Menor (Navarra), 2016.

GARCÍA GARCÍA, J.M., *El procedimiento judicial sumario de ejecución de hipoteca*, Madrid Civitas, 1994.

– "El Registro de la Propiedad y los procedimientos de realización del valor. Dos enmiendas imprescindibles al Proyecto de Ley de Enjuiciamiento Civil", *Lunes 4.30*, n° 257, 1999, pp. 11–21.

– *Código de legislación inmobiliaria, hipotecaria y del Registro Mercantil*, I, 8ª edición, Cizur Menor (Navarra), 2014.

GARCÍA RUBIO, B., "El procedimiento ejecutivo en reclamación de un crédito hipotecario", en *Estudios sobre derecho procesal*, vol. 3 (dirigido por Ignacio DÍEZ-PICAZO GIMÉNEZ y Julián MARTÍNEZ-SIMANCAS Y SÁNCHEZ), Madrid, 1996, pp. 2775–2795.

GIMÉNEZ GÓMIZ, G., "El procedimiento judicial sumario del artículo 131 de la Ley Hipotecaria. Especial referencia a las causas de suspensión 1ª y 2ª recogidas en el artículo 132 de la mencionada Ley", en *Estudios sobre derecho procesal*, vol. 3 (dirigido por Ignacio DÍEZ-PICAZO GIMÉNEZ y Julián MARTÍNEZ-SIMANCAS Y SÁNCHEZ), Madrid, 1996, pp. 2937–2975.

Gómez Gálligo, F.J., "La ejecución hipotecaria en el proyecto de reforma de la Ley de Enjuiciamiento Civil", en VVAA, *Cuestiones procesales y registrales en la ejecución hipotecaria, Estudios de Derecho judicial*, 23, Consejo General del Poder Judicial, Madrid, 1999, pp. 215–272.

– "La normalización del Derecho Hipotecario Procesal. La ejecución ordinaria e hipotecaria en la nueva Ley de Enjuiciamiento", *RCDI*, n° 659, 2000, pp. 1857–1926.

Gordillo Cañas, A., "El principio de fe pública registral (II)", *ADC*, 2008-III, pp. 1057 y ss.

Herbosa Martínez, I., *El despacho de la ejecución hipotecaria. Causas de oposición y suspensión*, Madrid, Colegio de Registradores de la Propiedad y Mercantiles de España, Centro de Estudios, 2006.

Herrero Perezagua, J.F., "Principios de la ejecución hipotecaria y la protección del consumidor", en Espejo Lerdo de Tejada, M./Murga Fernández, J.P. (Dir.), *Vivienda, préstamo y ejecución*, Pamplona, Aranzadi, 2016, pp. 303 y ss.

Jurado Jurado, J.J., *Procedimiento de ejecución directa sobre bienes inmuebles hipotecados*, Barcelona, Bosch, 2001.

Larrondo Lizarraga, J.M., "Doctrina del Tribunal Constitucional sobre el procedimiento del artículo 131 de la Ley Hipotecaria. Exposición sistemática", en VVAA, *Cuestiones procesales y registrales en la ejecución hipotecaria, Estudios de Derecho judicial*, 23, Consejo General del Poder Judicial, Madrid, 1999, pp. 273–310.

Leyes Hipotecarias y Registrales de España, Madrid, 1989 a 1991.

Manzano Solano, A., "Cancelación de asientos como consecuencia de la ejecución hipotecaria", en VVAA, *Cuestiones procesales y registrales en la ejecución hipotecaria, Estudios de Derecho judicial*, 23, Consejo General del Poder Judicial, Madrid, 1999, pp. 311–430.

Marín Castán, F. (director), *Comentarios a la ley de Enjuiciamiento civil*, Valencia, Tirant lo Blanch, 2015.

Martín Diz, F., *La ejecución de la garantía hipotecaria sobre bienes inmuebles. Su tratamiento legal en la nueva Ley de Enjuiciamiento Civil*, Granada, Comares, 2000.

Martínez de Aguirre, C., "Principios inspiradores de la hipoteca, crisis económica y normas de excepción" en Espejo Lerdo de Tejada, M./ Murga Fernández, J.P. (Dir.), *Vivienda, préstamo y ejecución*, Pamplona, Aranzadi, 2016, pp. 259 y ss.

MONSERRAT VALERO, A., *El procedimiento judicial sumario de ejecución hipotecaria (art. 131 LH)*, Pamplona, Aranzadi, 1998.

– *Las novedades de la ejecución hipotecaria en la LEC 2000*, Civitas, Madrid, 2002.

MONTERO AROCA, J., *Tratado de ejecuciones hipotecarias*, Valencia, Tirant lo Blanch, 2009.

– *Las ejecuciones hipotecarias en la nueva Ley de enjuiciamiento civil*, Valencia, Tirant lo Blanch, 2001.

– *Procedimiento judicial sumario del artículo 131 de la Ley Hipotecaria (doctrina, jurisprudencia y formularios)*, Valencia, Tirant lo Blanch, 1998.

MORELL Y TERRY, J., *Comentarios a la Legislación hipotecaria*, 2ª edición, tomo 4, Madrid, Reus, 1930.

MURGA FERNÁNDEZ, J.P., *Profili civilistici della vendita giudiziale di beni immobili in Italia e in Spagna*, Bolonia (tesis doctoral), 2014. Disponible en: http://amsdottorato.unibo.it/6272/1/TESI_PROFILI_CIVILISTICI_DELLA_VENDITA_GIUDIZIALE._Marzo_2014._Juan_Pablo_Murga_Fern%C3%A1ndez.pdf

– *Subasta judicial y transmisión de la, propiedad*, Cizur Menor (Navarra), Aranzadi, 2015.

– "Desafectación tácita de bienes de dominio público y la configuración del presupuesto de la buena fe de principio de fe pública registral: a propósito de la S.T.S. de 12 de enero de 2015 (RJ 2015/185)", *Boletín del Colegio de Registradores de España*, n° 15, marzo 2015, pp. 175–179.

– "La configuración de la buena fe del tercero hipotecario: breves notas en defensa de su concepción *ética*", en *Cuestiones actuales de Derecho Patrimonial desde una perspectiva ítalo-española* (coord. Murga Fernández, J.P./Tomás Tomás, S.), Valencia, 2013, pp. 103–120.

– "Operatividad del principio de fe pública registral en el ámbito de la venta judicial de cosa ajena: acogimiento jurisprudencial de la doctrina uniforme sentada sobre la materia de 2007", en *Revista Aranzadi de Derecho Patrimonial*, 2012, n° 28, pp. 365–385.

PANISELLO MARTÍNEZ, J., "El procedimiento para la ejecución de los bienes hipotecados y pignorados", en *La ejecución hipotecaria. Análisis, procedimiento, ejecución y formularios* (director, Francisco José SOSPEDRA NAVAS), Cizur Menor (Navarra), Civitas, 2ª ed., 2012, pp. 375–626.

PEÑA BERNALDO DE QUIRÓS, M., *Derechos reales. Derecho hipotecario*, II, Madrid, 2001.

RAMÓN CHORNET, J.C., "La oposición a la ejecución hipotecaria en la nueva LEC 2000", *La ejecución, los procesos hipotecarios y aspectos registrales en la nueva ley de enjuiciamiento civil, Estudios de Derecho judicial*, 31, Consejo General del Poder Judicial, Madrid, 2000, pp. 397–505.

RAMOS CHAPARRO, E., *La garantía real inmobiliaria. Manual sistemático de la hipoteca*, Cizur Menor (Navarra), 2008.

RIVAS TORRALBA, R.A., *Aspectos registrales del proceso de ejecución*, Barcelona, 2012.

RIVERA FERNÁNDEZ, M., *La ejecución de la hipoteca inmobiliaria*, Madrid, Dilex, 2004.

ROCA SASTRE, R.M./ROCA-SASTRE MUNCUNILL, L./BERNÀ I XIRGO, J., *Derecho Hipotecario*, Tomos VII y X, 9ª edición, Barcelona, 2009.

SIGÜENZA LÓPEZ, J., "La necesidad de repensar el actual sistema de ejecución hipotecaria", en ESPEJO LERDO DE TEJADA, M./MURGA FERNÁNDEZ, J.P. (Dir.), *Vivienda, préstamo y ejecución*, Pamplona, Aranzadi, 2016, pp. 497 y ss.

TORIBIOS FUENTES, F. (director), *Comentarios a la Ley de Enjuiciamiento Civil*, Valladolid, Lex Nova, 2014, 2ª edición.

VILLAGRASA ALCAIDE, C., *La deuda de intereses*, Barcelona, EUB, 2002.

Capítulo XVII
Ejecución de títulos extrajudiciales

ANTONIO SALAS CARCELLER

Magistrado Sala 1.ª TS

1. DETERMINACIONES PREVIAS

En la ejecución de títulos extrajudiciales se plantea un problema fundamental a la hora de determinar las posibilidades que asisten al deudor ejecutado para, tras consumarse la ejecución sobre su patrimonio, iniciar un proceso declarativo con la finalidad de dejar sin efecto –en todo o en parte– una ejecución que pudiera resultar injusta pese a estar amparada en un título de tal clase al que la ley ha dado tal efectividad.

Entran aquí en conflicto, por un lado, los intereses del acreedor que cuenta con un título escrito y privilegiado que inicialmente demuestra por sí la existencia de la obligación; y, por otro, los del deudor que ha sido sujeto pasivo de una reclamación en un proceso de ejecución, al cual hay que prestar tutela judicial en orden a la posibilidad de demostrar que –pese a la existencia del título– el resultado de tal ejecución es injusto, y ello por la concurrencia de otras circunstancias que pudieran desvirtuar la existencia en todo o en parte de la obligación que aparece incorporada al mismo.

El artículo 517 LEC enumera los títulos que llevan aparejado el privilegio de la ejecución. Algunos son de carácter judicial o similar (laudos arbitrales o acuerdos de mediación) y sobre ellos, lógicamente, no se plantea de ordinario la posibilidad de acudir a un proceso declarativo posterior dada la naturaleza de lo que se ejecuta.

Otros son de carácter extrajudicial y dicha norma recoge como tales los siguientes:

4.° Las escrituras públicas, con tal que sea primera copia; o si es segunda que esté dada en virtud de mandamiento judicial y con citación de la persona a quien deba perjudicar, o de su causante, o que se expida con la conformidad de todas las partes.

5.° Las pólizas de contratos mercantiles firmadas por las partes y por corredor de comercio colegiado que las intervenga, con tal que se acompañe certificación en la que dicho corredor acredite la conformidad de la póliza con los asientos de su libro registro y la fecha de éstos.

6.° Los títulos al portador o nominativos, legítimamente emitidos, que representen obligaciones vencidas y los cupones, también vencidos, de dichos títulos, siempre que los cupones confronten con los títulos y éstos, en todo caso, con los libros talonarios.

La protesta de falsedad del título formulada en el acto de la confrontación no impedirá, si ésta resulta conforme, que se despache la ejecución, sin perjuicio de la posterior oposición a la ejecución que pueda formular el deudor alegando falsedad en el título.

7.° Los certificados no caducados expedidos por las entidades encargadas de los registros contables respecto de los valores representados mediante anotaciones en cuenta a los que se refiere la siempre que se acompañe copia de la escritura pública de representación de los valores o, en su caso, de la emisión, cuando tal escritura sea necesaria, conforme a la legislación vigente.

Instada y despachada la ejecución, no caducarán los certificados a que se refiere el párrafo anterior.

Pues bien, despachada una ejecución contra quien aparezca como deudor por uno de los referidos títulos, se abre un trámite de posible oposición por motivos procesales o por motivos de fondo.

Si la oposición se produce exclusivamente por defectos procesales, no se planteará el problema de la posibilidad de un juicio declarativo posterior en relación con lo resuelto por el tribunal que conoce del proceso de ejecución. Si se hubiera estimado la oposición, es claro que lo que hará el acreedor es reclamar en un juicio declarativo en la forma que resulte procedente.

Como destaca el profesor Cordón Moreno en los Comentarios a la Ley de Enjuiciamiento Civil (Editorial Aranzadi), constituye una característica común a ambos tipos de ejecución (fundada en títulos judiciales o extrajudiciales) la limitación de los motivos de oposición a la misma, a través de los cuales se pretende hacer valer por el ejecutado la ausencia de presupuestos de la acción ejecutiva. Añade que, como ocurría en el juicio ejecutivo anterior, la tutela que se imparte a través del incidente de oposición al fondo de la ejecución (que ahora se unifica extendiéndose también a la basada en judiciales o asimilados) es una tutela sumaria, quedando abierta la vía del declarativo para que el ejecutado pueda hacer valer cualesquiera hechos o actos no comprendidos en los motivos expresamente previstos (artículo 564 LEC). Considera que se trata de una opción del legislador con el fin de que no resulte entorpecido el proceso de ejecución por un incidente de oposición que, de no existir la limitación, se convertiría (especialmente cuando se trate de títulos extrajudiciales) en un auténtico proceso declarativo en el seno del mismo. De ahí que el ámbito reservado al juicio declarativo posterior queda circunscrito a las cuestiones que no pudieron plantearse en el proceso de oposición pues los motivos de oposición se presentan como «numerus clausus».

Por su parte, el profesor Montero Aroca al referirse a la sumariedad de la oposición por motivos de fondo (El nuevo proceso civil Ley 1/2000), sostiene que el incidente declarativo intercalado en el proceso de ejecución tiene naturaleza sumaria, en el sentido estricto de esta palabra. En efecto, se limitan las alegaciones de las partes, es decir, las causas de oposición que puede formular el ejecutado, se limitan los medios de prueba, pues normalmente la única admitida es la documental, se limita consiguientemente la cognición judicial y todo ello tiene que, suponer que el auto decidiendo la oposición no produce cosa juzgada material. Esto es –según Montero Aroca– lo que quiere decir el artículo 561.1 LEC cuando se refiere a que el auto se pronuncia «a los solos efectos de la ejecución». Es posible, por tanto, según Montero Aroca, un proceso declarativo plenario posterior en el que cualquiera de las partes plantee cualquier cuestión relativa a la existencia y contenido de la relación jurídica material.

Según Montero, sentado lo anterior, el contenido del artículo 564 LEC no añade nada útil. Como establece dicha norma, las causas que no pueden oponerse a la ejecución y que afectan a la existencia y contenido de la relación jurídica material, pueden hacerse valer en el proceso que corresponda. Sostiene dicho autor que no añade nada útil porque en ese proceso declarativo posterior puede debatirse respecto de todos los hechos o actos jurídicos que afecten a los derechos de la parte ejecutante y a las obligaciones del ejecutado, siempre que no estén cubiertos por la cosa juzgada material de un anterior proceso declarativo, e independientemente de que se alegaran o no en el incidente declarativo intercalado en el proceso de ejecución.

La profesora Senés Montilla afirma al respecto (Estudios de Derecho Judicial 53/ 2004) que, en consonancia con el carácter tasado de la oposición a la ejecución, la Ley deja subsistente la posibilidad de entablar un proceso declarativo posterior que, eventualmente, podría suponer la revocación de la ejecución consumada. Añade que el ámbito del proceso de declaración está doblemente delimitado: positivamente, sólo serán admisibles los hechos y actos jurídicos que procesalmente cabría calificar como hechos nuevos, esto es, aquéllos que no están afectados por la cosa juzgada –ya directamente por haber sido objeto de debate (art. 222.2 LEC), ya indirectamente por preclusión (art. 400.2 LEC)– o han sobrevenido con posterioridad a la constitución del título ejecutivo. Debe tratarse, además, de hechos jurídicamente relevantes respecto del crédito del ejecutante o la obligación del ejecutado, esto es, hechos que afecten a la existencia o exigibilidad de la acción ejecutiva. Negativamente, en cambio, ha de tratarse de hechos o actos jurídicos que no formen parte de los motivos oponibles, debiendo excluirse además, las pretensiones impugnatorias de carácter procesal que deben canalizarse a través de los medios de impugnación previstos en el artículo 562 de la Ley.

La consideración legal del proceso declarativo que trae causa de un proceso de ejecución no es absolutamente novedosa en nuestro sistema procesal, pues la jurisprudencia del Tribunal Supremo con motivo de la interpretación del antiguo artículo 1479 de la LEC había tenido ocasión de pronunciarse sobre los límites de la privación del efecto de cosa juzgada en el «juicio ejecutivo», y paralelamente, venía concluyendo la admisibilidad del declarativo posterior en los términos rubricados por la nueva Ley.

En la regulación del juicio cambiario, según dispone el artículo 827 de la LEC, la sentencia firme que se dicte producirá efectos de cosa juzgada respecto de las cuestiones que pudieron ser en él alegadas y discutidas, pudiéndose plantear las cuestiones restantes en el juicio correspondiente, pero en la demanda de oposición se puede alegar frente al tenedor la concurrencia de todas las causas o motivos a que se refiere el artículo 67 de la Ley Cambiaria y del Cheque, o sea todas las excepciones basadas en las relaciones personales existentes entre las partes. Es cierto que en el caso del proceso cambiario la LEC dispone expresamente que la sentencia que se dicte producirá efectos de cosa juzgada, lo que no hace para el auto que se dicta en el proceso de ejecución resolviendo la oposición formulada.

2. DIFERENCIAS ENTRE LA LEC 1881 Y LA LEC 2000

La sentencia de la Sala 1.ª (Civil) del Tribunal Supremo de 11 marzo 2003 (RJ 2003, 2570) reiteró una doctrina, ya expresada en numerosas resoluciones, en relación con el efecto de cosa juzgada material que correspondía a las sentencias dictadas en el juicio ejecutivo previsto en la Ley de Enjuiciamiento Civil de 1881.

El artículo 1479 de dicha Ley establecía que las sentencias dictadas en los juicios ejecutivos no producirán la excepción de cosa juzgada, quedando a salvo su derecho a las partes para promover el ordinario sobre la misma cuestión.

Dicha norma, por lo tanto, venía literalmente a excluir todo efecto de cosa juzgada material a la resolución firme recaída en el proceso de carácter ejecutivo; pero la jurisprudencia del Tribunal Supremo vino a corregir en la práctica la generalidad de tal pronunciamiento bajo la afirmación de que la exclusión de «cosa juzgada» únicamente resultaría predicable de aquellas cuestiones que no pudieron ser planteadas en el juicio ejecutivo (ej: excepción de contrato en parte o irregularmente cumplido por el acreedor cartulario) y no afectaría a las cuestiones que efectivamente se opusieron y resolvieron en dicho proceso e incluso para las que, aun no opuestas, hubieran podido serlo. Se configuraba así el juicio declarativo posterior como un remedio frente a la posible injusticia que pudiera derivar del hecho de seguir adelante una ejecución aun cuando quien fuera deudor según el título tenía razones para oponerse al pago del crédito que se le reclamaba; las que, sin embargo, no podía hacer valer en el estrecho marco del juicio ejecutivo, dado su carácter sumario y la limitación que en cuanto al planteamiento de excepciones regía para el mismo.

Constituye expresión de tal doctrina, entre otras, la citada STS,1.ª de 11 de marzo de 2003, que viene a decir, en su fundamento jurídico primero «in fine», que «*en definitiva y atendida la doctrina jurisprudencial sobre el artículo 1479 de la Ley de Enjuiciamiento Civil (Sentencias de 6 de noviembre de 1981 [RJ 1981, 4465]; 29 de mayo de 1984 [RJ 1984, 2802]; 12 de abril de 1994 [RJ 1994, 2794], y 15 de julio de 1995 [RJ 1995, 5585], entre otras) ha de perecer el motivo por cuanto la cosa juzgada material se extiende a la totalidad de las cuestiones con posibilidad de planteamiento en el juicio ejecutivo, aunque no lo hubieran sido ...*».

Otra sentencia de la misma Sala de 12 de marzo de 2002 (RJ 2002, 2475) enunciaba dicha doctrina en los siguientes términos: «*El artículo 1479 de la Ley de Enjuiciamiento Civil de 1881, aplicable al caso e invocado por la recurrente se refiere a la fase declarativa, pero no a la ejecutiva, de modo, que, con las correcciones que a su aparente amplitud, ha impuesto la jurisprudencia, su contenido no puede ser otro que el resolver acerca de excepciones o motivos de nulidad que no se hubieran podido tratar en el marco limitado de las defensas que tal juicio autoriza. En este segundo juicio no pueden volverse a reproducir los defectos o faltas del título, ni las excepciones que entran en el ámbito de lo que es materia del juicio ejecutivo (sentencias del Tribunal Supremo de 24 de junio de 1914, 10 de noviembre de 1921, 13 de noviembre de 1926, 6 de febrero de 1928, 20 de abril de 1949, 26 de noviembre de 1953 (RJ 1953, 2699), 2 de marzo de 1955 (RJ 1955, 756), 5 de junio de 1956 (RJ 1956, 2468), 17 de noviembre de 1960 (RJ 1960, 3747), 8 de febrero de 1964 (RJ 1964, 636), 5 de mayo de 1967 (RJ 1967, 3258), 6 de octubre de 1977 (RJ 1977, 300), 6 de noviembre de 1981 (RJ 1981, 4466), 29 de mayo de 1984 (RJ 1984, 2802), ni es posible que ninguna de las partes soliciten en el juicio plenario posterior la nulidad de las actuaciones realizadas en el sumario antecedente (sentencias del Tribunal Supremo de 14 de noviembre de 1990 (RJ 1990, 8711), 24 de febrero de 1992 (RJ 1992, 1424)»*.

La nueva Ley de Enjuiciamiento Civil de 7 enero de 2000 prescinde del juicio ejecutivo como tal e instaura un nuevo sistema, distinguiendo entre la ejecución de títulos judiciales y la de títulos no judiciales. Estos últimos están comprendidos, como se ha dicho, en los apartados 4.°, 5.°, 6.° y 7.° del artículo 517 de la Ley (escrituras públicas, pólizas de contratos mercantiles, títulos al portador o nominativos, certificados de valores) –si bien el apartado 9.° contempla la posibilidad de «otros documentos» que lleven aparejada ejecución en virtud de lo dispuesto en ésta o en otra Ley– y el proceso de ejecución que sobre ellos ha de seguirse se asemeja al anterior juicio ejecutivo que, como es sabido, presentaba una primera fase de cognición limitada y una segunda de apremio propiamente dicho, cuando se mandaba seguir adelante la ejecución previamente despachada.

Cabía preguntarse qué eficacia habría de tener dicha doctrina jurisprudencial en los supuestos en que la ejecución de los títulos extrajudiciales se siga ya por el sistema instaurado en virtud de la nueva Ley. La pregunta era si puede plantearse en el nuevo sistema un proceso declarativo posterior para obtener una resolución materialmente justa frente a la posible injusticia provisionalmente impuesta por la necesaria celeridad privilegiada de la ejecución; y, en tal caso, qué alcance o ámbito ha de reconocerse a ese nuevo juicio.

La Ley de Enjuiciamiento Civil de 7 de enero de 2000 contiene al respecto una norma en su artículo 564, cuya aparente confusión, quizás derivada de una excesiva generalidad, no impide al intérprete descubrir que en realidad viene a establecer una regulación similar a la del antiguo artículo 1479 de la LECiv 1881, complementada con la incorporación de la doctrina jurisprudencial a que nos estamos refiriendo, pues no se desprende otra cosa de la rúbrica de dicho artículo («Defensa jurídica del ejecutado fundada en hechos y actos no comprendidos en las causas de oposición a la ejecución»). Su tenor literal es el siguiente: «*Si, después de precluidas las posibilidades de alegación en juicio o con posterioridad a la producción de un título ejecutivo extrajudicial, se produjesen hechos o actos, distintos de los admitidos por esta Ley como causas de oposición a la ejecución, pero jurídicamente relevantes respecto de los derechos de la parte ejecutante frente al ejecutado o de los deberes del ejecutado para con el ejecutante, la eficacia jurídica de aquellos hechos o actos podrá hacerse valer en el proceso que corresponda*».

Ya no se habla de «cosa juzgada» como hacía el artículo 1479 LEC 1881, ya que el efecto de cosa juzgada material está reservado para las sentencias firmes dictadas en los procesos de declaración (artículo 222 LEC) aun cuando en algún supuesto, como el de la tercería de dominio (artículo 603 LEC) se hable de «cosa juzgada» en relación con una resolución dictada en forma de auto, aunque para negarle dicho efecto.

El caso contemplado en el artículo 564 de la LEC 2000, para poder dar lugar a un nuevo proceso que pueda subsanar la injusticia de una ejecución, requiere la concurrencia de los siguientes elementos: 1.º) La existencia de hechos o actos jurídicamente relevantes respecto de los derechos del ejecutante o los deberes del ejecutado; 2.º) Que tales hechos o actos sean posteriores al momento preclusivo para formular alegaciones en juicio (en el caso de los títulos judiciales de ejecución) o al momento de creación de un título ejecutivo extrajudicial; y 3.º) Que tales hechos o actos no puedan ser alegados mediante las causas de oposición a la ejecución previstas en la Ley de Enjuiciamiento Civil (artículos 556, 557 y 558).

La posible apertura de un nuevo proceso en que se pueda discutir el resultado de una ejecución dimanante de un título judicial (generalmente, sentencia) no afecta al respeto a la cosa juzgada producida por la sentencia firme recaída en el juicio, pues la misma afecta a la situación jurídica y de hecho vigente en la fecha en que se formulan las alegaciones y pretensiones propias de cada una de las partes y en tal sentido permanece invariable, mientras que la posibilidad de acudir al nuevo proceso está condicionada por el nacimiento de nuevas circunstancias que no se pudieron tener en cuenta en aquel momento al surgir con posterioridad a la finalización de la fase de alegaciones.

3. LA DOCTRINA SENTADA POR LA STS, 1.ª NÚM. 462/2014, DE 24 DE NOVIEMBRE

El 5 de octubre de 2010 las compañías mercantiles «Onage Promociones e Inversiones S.L.», «Baher 93 S.L.» y «Crismora S.L.» presentaron demanda contra la entidad «Caja de Ahorros y Monte de Piedad del

Círculo Católico de Obreros de Burgos» (en cuyos derechos, obligaciones y acciones se ha subrogado la entidad «Banco Grupo Cajatres S.A.) solicitando se dictara sentencia por la que, en definitiva, se dejara sin efecto lo acordado en proceso de ejecución de título extrajudicial consistente en un póliza de crédito, respecto de la cual la entidad concedente había declarado el vencimiento anticipado en virtud de una cláusula contractual que la demandante consideraba oscura y que había sido interpretada indebidamente en contra de sus intereses, según afirmaban las demandantes.

La demandada compareció y contestó a la demanda destacando desde un principio que el proceso declarativo se promovió extemporáneamente un año después de haberse iniciado el procedimiento ejecutivo tramitado en el Juzgado de Primera Instancia respecto de la misma póliza de crédito en la que se encontraba la cláusula que ahora se decía «oscura», oponiéndose a continuación en cuanto al fondo.

Seguido el proceso, el Juzgado de Primera Instancia dictó sentencia desestimatoria de la demanda, absolviendo a la parte demandada por considerar que existía «cosa juzgada» al amparo de los artículos 421.1, párrafo segundo y 222.4 de la LEC.

Las entidades demandantes recurrieron en apelación y la Audiencia Provincial desestimó el recurso.

Contra la anterior sentencia interpusieron las demandantes recurso extraordinario por infracción procesal y recurso de casación.

El Tribunal Supremo confirma dicha desestimación en la citada sentencia de pleno dictada en fecha 24 de noviembre de 2014, tras rechazar los recursos interpuestos.

Afirma inicialmente la sentencia que: «*Como quiera que el fundamento de tal desestimación fue, en esencia, que lo alegado en dicha demanda de juicio ordinario podía haber sido opuesto por las hoy demandantes en el proceso de ejecución de títulos no judiciales anteriormente promovido contra ellas por la entidad de crédito hoy demandada, la primera cuestión sobre la que habrá de pronunciarse esta Sala será si efectivamente esa falta de oposición a la ejecución justificaba la desestimación de la demanda de juicio ordinario*». En definitiva si, habiendo tenido la parte posibilidad de articular su oposición en el juicio ejecutivo, el hecho de no haberlo hecho le impide acudir con posterioridad al proceso declarativo para plantear la misma oposición.

Se pone de manifiesto por la sentencia que lo pretendido por las mercantiles demandantes era la declaración de que la cláusula de vencimiento anticipado inserta en la póliza de crédito de 12 de marzo de 2007 redactada por la demandada «Caja Círculo» y suscrita por «Onage» como obligada principal y «Baher» y «Crismora» como fiadoras, por un principal de 10.000.000 de euros y con un período trimestral de liquidación de intereses, era una cláusula oscura, que no podía ser interpretada en el sentido de que el impago de una sola cuota constituyera causa de vencimiento anticipado del crédito. Como consecuencia de ello se solicitaba la declaración de ineficacia de la resolución contractual y del vencimiento anticipado del crédito declarados con fecha 25 de noviembre de 2009 por «Caja Círculo» ante el impago parcial de una sola liquidación de intereses, concretamente la practicada a fecha 12 de septiembre de 2009, y ello sin haber hecho previo requerimiento de pago alguno ni haber notificado la declaración de vencimiento anticipado ni la resolución del contrato de crédito.

La sentencia, tras reflejar los argumentos mediante los cuales, inicialmente el Juzgado y posteriormente la Audiencia, entendieron que la demanda debía ser desestimada al no haber sido alegada la misma cuestión en el proceso de ejecución, se plantea los posibles efectos de «cosa juzgada» de la resolución dictada en aquel proceso.

Cita sentencias anteriores de la Sala como las de 13 febrero 2012 RJ 2012, 3912), 9 marzo 2012 (RJ 2012, 4636), 24 abril 2013 (RJ 2013, 4606) y otras que se refieren a los efectos del artículo 1479 LEC 1881.

Considera la Sala que de una interpretación conjunta y sistemática de las normas aplicables en relación con las precedentes sentencias se desprende: 1) Que las circunstancias relativas al vencimiento de la obligación, y por tanto a su carácter exigible, que resulten del propio título no judicial en que se funda la ejecución, o de los documentos que deben acompañarlo, son oponibles en el proceso de ejecución; y 2) Que el ejecutado que, habiendo podido oponerlas, no lo hubiera hecho, no podrá promover un juicio declarativo posterior pretendiendo la ineficacia del proceso de ejecución.

Pone de manifiesto que hay autores de la doctrina científica y resoluciones de las Audiencias Provinciales que sostienen una posición contraria, y que la expresión « ...a los solos efectos de la ejecución... », del art. 561 LEC apoya la posición contraria, pero afirma que también es cierto que la redacción del art. 564 LEC, y sobre todo el control de oficio que los arts. 549, 551 y 552 imponen al juez, llevan a concluir que el ejecutado puede oponer la falta de los requisitos que el juez debe controlar de oficio, entre los que se encuentran los de los arts. 571 a 574 LEC sobre exigibilidad y liquidez de la deuda.

Así la falta de oposición del ejecutado, pudiendo haberla formulado, determinará la improcedencia de promover un juicio declarativo posterior pretendiendo la ineficacia del proceso de ejecución seguido contra él, dado el carácter de principio general de lo dispuesto en el apdo. 2 del art. 400 LEC en relación con su art. 222; y en coherencia con lo anterior, si la oposición sí se formula pero se rechaza única y exclusivamente porque las circunstancias que consten en el propio título no pueden oponerse en el proceso de ejecución, entonces el ejecutado sí podrá promover un juicio declarativo posterior sobre la misma cuestión. En suma, esta Sala considera que su doctrina jurisprudencial sobre el art. 1479LEC de 1881 debe ser mantenida en la interpretación del art. 564 de la vigente LEC de 2000.

En el mismo sentido se pronuncia, utilizando además iguales argumentos, la sentencia núm. 463/2014 de 28 noviembre, igualmente dictada por el pleno de la Sala.

4. CONCLUSIONES

La posición del Tribunal Supremo sobre la cuestión ha quedado clara tras el dictado de las sentencias que se citan y viene a coincidir con la doctrina tradicional sentada a partir de la interpretación que se vino dando al anterior artículo 1479 LEC 1881.

Por ello, si el legislador quiso modificar el sistema y abrir la posibilidad plena e incondicionada de un proceso declarativo posterior en que, con plenitud de conocimiento, pudieran alegarse de nuevo –o incluso reproducirse– las causa por las que el deudor –según el título ejecutivo– consideraba que no lo era o que lo era en menor cuantía que la que dio lugar a la ejecución, debió expresarse con mayor claridad y no introducir la norma confusa del artículo 564 LEC que parece no tener sentido alguno si efectivamente cabía en todo caso la posibilidad de acudir a un proceso declarativo posterior.

El artículo 561 LEC establece que la resolución que se dicte sobre la oposición por motivos de fondo lo será «a los solos efectos de la ejecución». Dicha expresión puede interpretarse en el sentido de que solo se refiere al acreedor que, si ve rechazada su pretensión ejecutiva, puede acudir a un proceso declarativo posterior para reclamar el crédito sin privilegio procesal alguno. Difícilmente podrá negársele esa posibilidad al acreedor.

Ahora bien, del mismo modo puede entenderse que tal posibilidad se ha querido abrir en todo caso a acreedor y a deudor. No resultaría ni siquiera entorpecedor para los derechos del acreedor que el deudor pudiera acudir a un posterior juicio declarativo para discutir lo que no planteó en el juicio ejecutivo o –por qué no decirlo– incluso lo que planteó y le fue rechazado, si se tiene en cuenta que –como en el caso resuelto por la sentencia TS– se trataba de una reclamación de varios millones de euros que, por la simple razón de derivar de una escritura pública de concesión de crédito, da lugar a una resolución que manda seguir adelante la ejecución mediante simple auto, que no tiene acceso a casación.

La iniciación de un posterior proceso por el deudor para deshacer los efectos de una ejecución que considera injusta puede carecer de sentido y de razón, pero en ese caso se arriesga el deudor a sufrir una condena en costas que pueden ser cuantiosas, mientras que el acreedor –que ya ha cobrado en la ejecución– únicamente sufre el perjuicio de un nuevo pleito. Por el contrario, esa posibilidad –si el legislador finalmente se la reconoce– podrá contribuir a una mayor tutela judicial.

5. JURISPRUDENCIA Y DOCTRINA OFICIAL CONSULTADA

A) Tribunal de Justicia de la Unión Europea

STJUE (Sala Primera) 14 marzo 2013 (TJCE 2013, 89)

STJUE (Sala Primera) 17 julio 2014 (TJCE 2014, 106)

STJUE 29 octubre 2015 (JUR 2015, 248737)

B) Tribunal Constitucional

STC 18 diciembre 1981 (RTC 1981, 41)

STC 9 mayo 1995 (RTC 1995, 69)

C) Tribunal Supremo

STS 15 marzo 1958 (Roj: STS 189/1958-ECLI:ES:TS:1958:189)

STS 14 junio 1984 (RJ 1984, 3239)

STS 17 octubre 1989 (RJ 1989, 6928)

STS 26 marzo 1991 (RJ 1991, 2446)

STS 26 septiembre 1991 (RJ 1991, 6069)

STS 8 noviembre 1991 (RJ 1991, 8148)

STS 18 noviembre 1993 (RJ 1993, 9149)

STS 10 octubre 1996 (RJ 1996, 7552)

STS 29 enero 1997 (RJ 1997, 145)

STS 26 abril 1997 (RJ 1997, 3862)

STS 28 noviembre 1997 (RJ 1997, 8430)

STS 14 junio 2000 (RJ 2000, 4413)

STS 20 junio 2001 (RJ 2001/4346)

STS 25 octubre 2004 (RJ 2004, 7033)

STS 28 febrero 2006 (RJ 2006, 696)

STS 4 mayo 2006 (RJ 2006, 2209)

STS 9 junio 2006 (RJ 2006, 2381)

STS 28 septiembre 2006 (RJ 2006, 8717)

STS 16 marzo 2007 (RJ 2007/1856)

STS 20 marzo 2007 (RJ 2007/1849)

STS 10 octubre 2007 (RJ 2007, 6812)

STS 15 julio 2008 (RJ 2008, 3365)

STS 31 marzo 2011 (RJ 2011, 4252)

STS 21 febrero 2012 (RJ 2012, 4985)

STS 22 febrero 2013 (RJ 2013, 1609)

STS 10 abril 2015 (RJ 2015, 2595)

STS 19 mayo 2015 (RJ 2015, 2612)

STS 1 marzo 2016 (RJ 2016, 927)

STS 3 junio 2016 (RJ 2016, 2320)

D) Audiencias provinciales

AAP Zamora 22 junio 1995 (AC 1995, 1178)

SAP Málaga 5 diciembre 2003 (JUR 2004, 66971)

AAP Cantabria 8 mayo 2012 (AC 2013, 267)

SAP Toledo 17 mayo 2012 (JUR 2012, 25018)

AAP Madrid 7 mayo 2013 (AC 2014, 2178)

AAP Valencia 27 enero 2015 (JUR 2015, 131182)

AAP Madrid 22 junio 2015 (AC 2015, 958)

SAP Asturias 22 junio 2015 (JUR 2015, 249606)

AAP Granada 14 diciembre 2015 (JUR 2016, 114673)

SAP Pontevedra 21 abril 2016 (JUR 2016, 120265)

E) Dirección General de los Registros y del Notariado

RDGRN 11 mayo 2001 (RJ 2001, 4791)

RDGRN 18 marzo 2002 (RJ 2002, 6186)

RDGRN 27 marzo 2002 (RJ 2002, 6161)

RDGRN 19 junio 2002 (RJ 2002, 8912)

RDGRN 13 enero 2005 (RJ 2005, 1106)

RDGRN 20 julio 2005 (RJ 2005, 9776)

RDGRN 4 julio 2011 (RJ 2011, 4886)

RDGRN 18 septiembre 2013 (RJ 2013, 7617)

RDGRN 23 octubre 2014 (RJ 2014, 6104)

6. BIBLIOGRAFÍA CONSULTADA

ADAN DOMÈNECH F., *La ejecución hipotecaria*, Bosch, Barcelona, 2009.

ALBALADEJO GARCÍA, M., «La nulidad de los préstamos usurarios», *ADC*, 1995, pp. 33–49.

ARIAS LOZANO, D., «Algunas consideraciones sobre el procedimiento del artículo 131 de la Ley Hipotecaria», en *Estudios sobre derecho procesal*, vol. 3 (dirigido por Ignacio DÍEZ-PICAZO GIMÉNEZ y Julián MARTÍNEZ-SIMANCAS Y SÁNCHEZ), Madrid, 1996, pp. 2751–2773.

ARRIETA SEVILLA, L.J., *La doble inmatriculación registral*, Cizur Menor (Navarra), Aranzadi, 2009.

ASENCIO MELLADO, J.M., *Derecho Procesal Civil*, Valencia, Tirant lo Blanch, 2015.

BANACLOCHE PALAO, J., «Contradicción y oposición en el procedimiento del artículo 131 de la Ley Hipotecaria», *Tribunales de Justicia*, 8–9/1997, pp. 835–847.

CASERO LINARES, L., *El proceso de ejecución hipotecaria en la ley de enjuiciamiento civil*, Barcelona, Bosch, 2014.

CARRASCO PERERA, A., *Derecho de contratos*, Pamplona, Aranzadi, 2010.

CARRASCO PERERA, A./CORDERO LOBATO, E./MARÍN LÓPEZ, M.J, *Tratado de los derechos de garantía*, I, 3.ª edición, Cizur Menor (Navarra), 2015.

CEDEÑO HERNÁN, M., «Las especialidades de la ejecución sobre bienes inmuebles hipotecados», en *El proceso de ejecución forzosa. Problemas actuales y soluciones jurisprudenciales* (coordinador Álvaro GUTIÉRREZ BERRINCHES, Madrid, La Ley, 2015, pp. 825–917.

CLEMENTE MEORO, M. E., *Doble inmatriculación de fincas en el registro de la propiedad*, Valencia, Tirant lo Blanch, 2007.

CORDERO LOBATO, E., «Comentario al art. 1857», en BERCOVITZ (coord.), *Comentarios al Código Civil*, Tomo IX, Valencia, 2013.

CORDÓN MORENO, F., en CORDÓN MORENO, F./ARMENTA DEU, T./ MUERZA ESPARZA, J.J./TAPIA FERNÁNDEZ, I., *Comentarios a la Ley de Enjuiciamiento Civil*, Volumen II, 2.ª edición, Pamplona, 2011.

CRESPO ALLUÉ, F., en LORCA NAVARRETE, A.M., *Comentarios a la Nueva Ley de Enjuiciamiento Civil*, III, Valladolid, 2000.

CRUZ GALLARDO, B., *Principios hipotecarios y particularidades de la ejecución hipotecaria sobre los consumidores. Práctica registral y procesal*, Las Rozas (Madrid), La Ley, 2014.

DE LA OLIVA, A., y otros, *Comentarios a la Ley de Enjuiciamiento Civil*, Madrid, 2001.

DE LA PUENTE ALFARO, F., «La ejecución de la hipoteca por el procedimiento sumario y la demanda de nulidad de título o de nulidad de actuaciones», *RCDI*, 1997, n.° 643, pp. 2139–2196.

DELGADO ECHEVERRÍA, J., *Comentarios al Código Civil y Compilaciones Forales* (dirigidos por Manuel ALBALADEJO y Silvia DÍAZ ALABART), Tomo XVII, vol. 2.°, arts.1281 a 1314, 1995, Madrid, Edersa.

DELGADO ECHEVERRÍA, J./PARRA LUCÁN, M. A., *Las nulidades de los contratos*. Madrid, Dykinson, 2005.

DE PABLO CONTRERAS, P., Curso de Derecho Civil (III). Derechos reales, Madrid, 2014.

– *Hipoteca, su ejecución y dación en pago*, Cizur Menor (Navarra), 2014.

DÍAZ FRAILE, J.M., «La deuda hipotecaria ante su ejecución: la tasación del bien hipotecado», en ESPEJO LERDO DE TEJADA, M./MURGA FERNÁNDEZ,

J.P. (Dir.), *Vivienda, préstamo y ejecución*, Pamplona, Aranzadi, 2016, pp. 345 y ss.

– *Ejecución judicial sobre bienes hipotecados*, Madrid, 2000.

– «Nota sobre los posibles inconvenientes de cerrar el Registro de la Propiedad a las anotaciones preventivas de demanda de nulidad de las hipotecas en caso de que se soliciten una vez iniciado el procedimiento judicial sumario», *Boletín Colegio de Registradores*, n.° 48, mayo 1999, pp. 1189–1192.

Díez-Picazo, L., *Fundamentos del Derecho Civil Patrimonial*, VI, Cizur Menor (Navarra), 2012.

Domínguez Luelmo, A. (dir.), *Comentarios al Código civil*, Valladolid, 2010.

– *Comentarios a la Ley Hipotecaria*, Cizur Menor (Navarra), 2.ª edición, 2016.

Espejo Lerdo de Tejada, M., La tercería de dominio y la transmisión de inmuebles. La defensa de los derechos reales en la ejecución singular, Cizur Menor (Navarra), 2015.

– «El contenido financiero del préstamo y la protección del deudor hipotecario: algunas cuestiones actuales», *RCDI*, Año n.° 91, N.° 748, 2015, pp. 605–644.

– «Prioridad registral y buena fe. Valor jurídico de la inscripción de la hipoteca. Comentario a la Sentencia del Tribunal Supremo de 26 de enero del 2000» en Clemente Meoro, M. E., *Estudios de Derecho Inmobiliario Registral en Homenaje al profesor Celestino Cano Tello*, Valencia, 2002, Editorial Tirant lo blanch, pp. 187–198.

Fernández-Ballesteros López, M.A. y otros, *Comentarios a la nueva Ley de Enjuiciamiento Civil*, III, Barcelona, 2000.

Garberí Llobregat, J., *El proceso de ejecución forzosa en la Ley de Enjuiciamiento Civil. Comentarios, jurisprudencia y formularios generales al libro III (»De la ejecución forzosa») de la Ley 1/2000, de 7 de enero, de Enjuiciamiento Civil*, 6.ª Edición, Cizur Menor (Navarra), 2016.

García García, J.M., *El procedimiento judicial sumario de ejecución de hipoteca*, Madrid Civitas, 1994.

– «El Registro de la Propiedad y los procedimientos de realización del valor. Dos enmiendas imprescindibles al Proyecto de Ley de Enjuiciamiento Civil», *Lunes 4.30*, n.° 257, 1999, pp. 11–21.

– Código de legislación inmobiliaria, hipotecaria y del Registro Mercantil, I, 8.ª edición, Cizur Menor (Navarra), 2014.

GARCÍA RUBIO, B., «El procedimiento ejecutivo en reclamación de un crédito hipotecario», en *Estudios sobre derecho procesal*, vol. 3 (dirigido por Ignacio DÍEZ-PICAZO GIMÉNEZ y Julián MARTÍNEZ-SIMANCAS Y SÁNCHEZ), Madrid, 1996, pp. 2775-2795.

GIMÉNEZ GÓMIZ, G., «El procedimiento judicial sumario del artículo 131 de la Ley Hipotecaria. Especial referencia a las causas de suspensión 1.ª y 2.ª recogidas en el artículo 132 de la mencionada Ley», en *Estudios sobre derecho procesal*, vol. 3 (dirigido por Ignacio DÍEZ-PICAZO GIMÉNEZ y Julián MARTÍNEZ-SIMANCAS Y SÁNCHEZ), Madrid, 1996, pp. 2937-2975.

GÓMEZ GÁLLIGO, F.J., «La ejecución hipotecaria en el proyecto de reforma de la Ley de Enjuiciamiento Civil», en VVAA, *Cuestiones procesales y registrales en la ejecución hipotecaria, Estudios de Derecho judicial*, 23, Consejo General del Poder Judicial, Madrid, 1999, pp. 215-272.

– «La normalización del Derecho Hipotecario Procesal. La ejecución ordinaria e hipotecaria en la nueva Ley de Enjuiciamiento», *RCDI*, n.° 659, 2000, pp. 1857-1926.

GORDILLO CAÑAS, A., «El principio de fe pública registral (II)», *ADC*, 2008-III, pp. 1057 y ss.

HERBOSA MARTÍNEZ, I., *El despacho de la ejecución hipotecaria. Causas de oposición y suspensión*, Madrid, Colegio de Registradores de la Propiedad y Mercantiles de España, Centro de Estudios, 2006

HERRERO PEREZAGUA, J.F., «Principios de la ejecución hipotecaria y la protección del consumidor», en ESPEJO LERDO DE TEJADA, M./MURGA FERNÁNDEZ, J.P. (Dir.), *Vivienda, préstamo y ejecución*, Pamplona, Aranzadi, 2016, pp. 303 y ss.

JURADO JURADO, J.J., *Procedimiento de ejecución directa sobre bienes inmuebles hipotecados*, Barcelona, Bosch, 2001.

LARRONDO LIZARRAGA, J.M., «Doctrina del Tribunal Constitucional sobre el procedimiento del artículo 131 de la Ley Hipotecaria. Exposición sistemática», en VVAA, *Cuestiones procesales y registrales en la ejecución hipotecaria, Estudios de Derecho judicial*, 23, Consejo General del Poder Judicial, Madrid, 1999, pp. 273-310.

Leyes Hipotecarias y Registrales de España, Madrid, 1989 a 1991.

MANZANO SOLANO, A., «Cancelación de asientos como consecuencia de la ejecución hipotecaria», en VVAA, *Cuestiones procesales y registrales en la ejecución hipotecaria, Estudios de Derecho judicial*, 23, Consejo General del Poder Judicial, Madrid, 1999, pp. 311-430.

Marín Castán, F. (director), *Comentarios a la ley de Enjuiciamiento civil*, Valencia, Tirant lo Blanch, 2015.

Martín Diz, F., *La ejecución de la garantía hipotecaria sobre bienes inmuebles. Su tratamiento legal en la nueva Ley de Enjuiciamiento Civil*, Granada, Comares, 2000.

Martínez de aguirre, C., «Principios inspiradores de la hipoteca, crisis económica y normas de excepción» en Espejo Lerdo de Tejada, M./ Murga Fernández, J.P. (Dir.), *Vivienda, préstamo y ejecución*, Pamplona, Aranzadi, 2016, pp. 259 y ss.

Monserrat Valero, A., *El procedimiento judicial sumario de ejecución hipotecaria (art. 131 LH)*, Pamplona, Aranzadi, 1998.

– *Las novedades de la ejecución hipotecaria en la LEC 2000*, Civitas, Madrid, 2002.

Montero Aroca, J., *Tratado de ejecuciones hipotecarias*, Valencia, Tirant lo Blanch, 2009.

– *Las ejecuciones hipotecarias en la nueva Ley de enjuiciamiento civil*, Valencia, Tirant lo Blanch, 2001.

– *Procedimiento judicial sumario del artículo 131 de la Ley Hipotecaria (doctrina, jurisprudencia y formularios)*, Valencia, Tirant lo Blanch, 1998.

Morell y Terry, J., *Comentarios a la Legislación hipotecaria*, 2.ª edición, tomo 4, Madrid, Reus, 1930.

Murga Fernández, J.P., Profili civilistici della vendita giudiziale di beni immobili in Italia e in Spagna, Bolonia (tesis doctoral), 2014. Disponible en: http://amsdottorato.unibo.it/6272/1/TESI_PROFILI_CIVILISTICI_DELLA_VENDITA_GIUDIZIALE._Marzo_2014._Juan_Pablo_Murga_Fern%C3%A1ndez.pdf

– *Subasta judicial y transmisión de la, propiedad*, Cizur Menor (Navarra), Aranzadi, 2015.

– «Desafectación tácita de bienes de dominio público y la configuración del presupuesto de la buena fe de principio de fe pública registral: a propósito de la S.T.S. de 12 de enero de 2015 (RJ 2015/185)», *Boletín del Colegio de Registradores de España*, n.° 15, marzo 2015, pp. 175–179.

– «La configuración de la buena fe del tercero hipotecario: breves notas en defensa de su concepción *ética*», en *Cuestiones actuales de Derecho Patrimonial desde una perspectiva ítalo-española* (coord. Murga Fernández, J.P./Tomás Tomás, S.), Valencia, 2013, pp. 103–120.

– «Operatividad del principio de fe pública registral en el ámbito de la venta judicial de cosa ajena: acogimiento jurisprudencial de la doctrina uniforme sentada sobre la materia de 2007», en *Revista Aranzadi de Derecho Patrimonial*, 2012, n.° 28, pp. 365–385.

PANISELLO MARTÍNEZ, J., «El procedimiento para la ejecución de los bienes hipotecados y pignorados», en *La ejecución hipotecaria. Análisis, procedimiento, ejecución y formularios* (director, Francisco José SOSPEDRA NAVAS), Cizur Menor (Navarra), Civitas, 2.ª ed., 2012, pp. 375–626.

PEÑA BERNALDO DE QUIRÓS, M., *Derechos reales. Derecho hipotecario*, II, Madrid, 2001.

RAMÓN CHORNET, J.C., «La oposición a la ejecución hipotecaria en la nueva LEC 2000», La ejecución, los procesos hipotecarios y aspectos registrales en la nueva ley de enjuiciamiento civil, Estudios de Derecho judicial, 31, Consejo General del Poder Judicial, Madrid, 2000, pp. 397–505.

RAMOS CHAPARRO, E., La garantía real inmobiliaria. Manual sistemático de la hipoteca, Cizur Menor (Navarra), 2008.

RIVAS TORRALBA, R.A., Aspectos registrales del proceso de ejecución, Barcelona, 2012.

RIVERA FERNÁNDEZ, M., *La ejecución de la hipoteca inmobiliaria*, Madrid, Dilex, 2004.

ROCA SASTRE, R.M./ROCA-SASTRE MUNCUNILL, L./BERNÀ I XIRGO, J., *Derecho Hipotecario*, Tomos VII y X, 9.ª edición, Barcelona, 2009.

SIGÜENZA LÓPEZ, J., «La necesidad de repensar el actual sistema de ejecución hipotecaria», en ESPEJO LERDO DE TEJADA, M./MURGA FERNÁNDEZ, J.P. (Dir.), *Vivienda, préstamo y ejecución*, Pamplona, Aranzadi, 2016, pp. 497 y ss.

TORIBIOS FUENTES, F. (director), *Comentarios a la Ley de Enjuiciamiento Civil*, Valladolid, Lex Nova, 2014, 2.ª edición.

VILLAGRASA ALCAIDE, C., *La deuda de intereses*, Barcelona, EUB, 2002.

Capítulo XVIII

Tratamiento procesal de la cesión del crédito litigioso en el proceso de ejecución[1]

CARMEN SENÉS MOTILLA

Catedrática de Derecho Procesal
Universidad de Almería

SUMARIO: 1. INTRODUCCIÓN. 2. RÉGIMEN SUSTANTIVO DE LA CESIÓN DEL CRÉDITO LITIGIOSO. 2.1. *Fundamento y naturaleza jurídica del derecho del deudor a extinguir el crédito litigioso objeto de cesión.* 2.2. *Ámbito de aplicación del artículo 1535 del CC.* 2.3. *El carácter litigioso del crédito.* 3. EL RECONOCIMIENTO JUDICIAL DEL DERECHO DEL DEUDOR A LA EXTINCIÓN DEL CRÉDITO LITIGIOSO. 4. TRATAMIENTO PROCESAL DE LA CESIÓN DEL CRÉDITO LITIGIOSO EN EL PROCESO DE EJECUCIÓN. 4.1. *La sucesión procesal del cesionario.* 4.2. *Cauce procesal para el reconocimiento del derecho a extinguir el crédito litigioso.* 5. BIBLIOGRAFÍA.

1. INTRODUCCIÓN

La realidad que toma en consideración este estudio es la generalización por las entidades de crédito, de la cesión a terceros –en particular, fondos de inversión extranjeros– de los créditos concertados con consumidores que tienen carácter litigioso. Siendo la cesión, en principio, ajena al proceso jurisdiccional, analizaremos las implicaciones que dicha cesión tiene –o puede tener– en la ejecución que se sigue contra el consumidor, así como,

---

1.   Estudio realizado en el marco del Proyecto «Tratamiento procesal de las cláusulas abusivas y de los instrumentos financieros complejos» (DER2014–51957-P), Ministerio de Economía y Competitividad (Gobierno de España).

daremos cuenta de las dudas que se ciernen, una vez más, sobre el proceso de ejecución español, ya sea la ejecución ordinaria, o la especial hipotecaria.

Desde el punto de vista normativo, la problemática procesal de la cesión proviene del artículo 1535 del Código Civil, que reconoce el derecho del deudor a extinguir el crédito litigioso pagando al cesionario el precio que pagó, las costas que se le hubiesen ocasionado y los intereses del precio desde el día en que fue satisfecho. A salvo la previsión legal de un plazo para que el deudor ejercite este derecho –nueve días desde que el cesionario le reclame el pago–, ni el Código Civil ni la Ley de Enjuiciamiento Civil disponen un tratamiento procesal específico para este supuesto, que habrá de solventarse con arreglo a las normas generales de los respectivos procesos declarativo y de ejecución. Por razones obvias, la definición que incluye el Código Civil de «crédito litigioso» no forma parte del tratamiento procesal del derecho que se reconoce al deudor, dado que esa cualidad del crédito –su carácter litigioso– constituye el supuesto de hecho de la norma.

Como no podría ser de otra manera, la problemática procesal que se cierne sobre la cesión del crédito litigioso, en particular, en el proceso de ejecución, hunde sus raíces en el régimen jurídico de la cesión de este objeto singular; régimen que estimamos conveniente abordar –siquiera de forma sucinta–, en aras de clarificar su incidencia en los institutos procesales afectados.

2. RÉGIMEN SUSTANTIVO DE LA CESIÓN DEL CRÉDITO LITIGIOSO

2.1. FUNDAMENTO Y NATURALEZA JURÍDICA DEL DERECHO DEL DEUDOR A EXTINGUIR EL CRÉDITO LITIGIOSO OBJETO DE CESIÓN

Con origen histórico en la *Lex Anastasiana* –de donde toma su equívoca denominación de «retracto anastasiano»–, el fundamento del derecho del deudor a extinguir el crédito litigioso es doble. Por una parte, persigue dispensar al deudor un trato de favor o de humanidad frente a la especulación de los compradores de créditos en litigio; y por otra, pretende favorecer la finalización del proceso mismo, favoreciendo con ello el restablecimiento de la paz social[2].

---

2. Esta segunda finalidad de *pronta terminación de los procesos* es resaltada por González Pacanowska, que acertadamente hace notar cómo sirve de hilo conductor para acotar los presupuestos para el ejercicio del «retracto», así como para determinar sus efectos (GONZÁLEZ PACANOWSKA, I., «Artículos 1535–1536», en *Comentarios al Código Civil*

Aunque su ubicación en el Código Civil ha sido cuestionada, la jurisprudencia y buena parte de la doctrina civilista coinciden en resaltar que el derecho que el artículo 1535 reconoce al deudor no es un verdadero retracto –no obstante la similitud con el plazo para el ejercicio del retracto legal (art. 1524 CC)– porque no hay subrogación de éste en la posición del cesionario (STS de 31 de octubre de 2008[3]), sino genuino *derecho a extinguir el crédito* mediante el reembolso del coste de la cesión (precio, intereses y costas). Precisamente porque no es un retracto legal, algunos tribunales relegan al deudor de la carga de consignar el precio de la cesión, si fuere conocido, para poder instar su reconocimiento en el proceso declarativo[4].

Excluida la consideración de retracto, la doctrina habla de *autorización legal* al deudor para realizar un pago parcial con plenos efectos liberatorios, o si se quiere, una quita autorizada por la ley en atención a finalidades superiores de velar por la moralidad del tráfico[5]; y se habla también de *privilegio* de extinguir la deuda por un precio inferior al que se adeuda[6]. A nuestro parecer, la singularidad de este derecho como *poder jurídico* de actuación frente al cesionario, así como, el plazo limitado para su ejercicio apuntan a la categoría del *derecho potestativo*[7], el cual adolece de falta de tratamiento procesal específico en el proceso de ejecución.

–Bercovitz Rodríguez-Cano, Dir.–, Tirant lo Blanch, Valencia, 2013, Tomo VIII, pág. 10868).

Sobre el origen histórico del artículo 1535, así como sobre la conveniencia de limitar el ámbito de aplicación del derecho a extinguir el crédito litigioso a las personas físicas, v. Romero García-Mora, G., «Retracto de créditos litigiosos. Caracterización del crédito retraíble», en *Revista Aranzadi Doctrinal*, N.° 4/2010, apartado II (BIB 2010, 1072).

3.   STS (1.ª) N.° 976/2008, de 31 de octubre (Roj: STS 5693/2008.)

4.   En este sentido, v. SSAP Madrid (12.ª) N.° 337/2014, de 26 de junio (Roj: SAP M 8069/2014) y N.° 62/2015, de 18 de febrero (Roj: SAP M 1961/2015). En sentido contrario, se muestran a favor de la consignación, SAP Madrid (9.ª) de 7 de octubre de 2002 (Roj: SAP M 11567/2002); SAP Barcelona (19.ª) N.° 376/2006, de 19 de octubre (Roj: SAP B 12020/2006) y SAP Las Palmas de Gran Canaria (5.ª) N.° 345/2001, de 19 de mayo (Roj: SAP GC 1549/2001).

5.   García Cantero, G., «Artículos 1535–1536», en *Comentarios al Código Civil y Compilaciones forales* (Albaladejo y Díaz Alabart, Dirs.), Madrid, 1980, Tomo XIX, pág. 696 y ss., al que sigue Martínez Valencoso, L.M., «Artículo 1535–1536», en *Código Civil Comentado* (Cañizares/De Pablo/Orduña/Valpuesta, Dirs.), Civitas Thomson Reuters, Cizur Menor (Navarra), 2016, Volumen IV, pág. 321.

6.   Romero García-Mora, *Retracto de créditos litigiosos. Caracterización del crédito retraíble, op. cit., passim*; Mochales Blasco, A., y Orive López-Altuna, R., «Retracto de crédito litigioso en la cesión de un crédito hipotecario que extingue un préstamo personal», en *Anuario contencioso para abogados. Los casos más relevantes en 2009 de los grandes despachos*, La Ley, Madrid, 2010 (http://laleydigital.laley.es, Ref. 12182/2011).

7.   Sobre el origen de los derechos potestativos en la doctrina alemana y sus notas definitorias, v. Cañizares Laso, A., *La caducidad de los derechos y acciones*, Civitas, Madrid, 2001, págs. 50 y ss.

2.2. ÁMBITO DE APLICACIÓN DEL ARTÍCULO 1535 DEL CÓDIGO CIVIL

Atendido el tenor literal del artículo 1535 cuando se refiere al «crédito litigioso», se ha debatido su posible aplicación a negocios jurídicos que no involucren un derecho de crédito propiamente dicho. A este respecto, el Tribunal Supremo ha reconsiderado un posicionamiento restrictivo inicial y se ha decantado por una interpretación amplia del precepto, entendiendo que se refiere a «todos los derechos y acciones individualizados y transmisibles» (STS de 31 de octubre de 2008)[8]. Precisamente en razón de esa necesaria individualización, el Tribunal ha entendido que el artículo 1535 no es aplicable cuando el crédito ha sido transmitido conjuntamente con otros, en bloque, por sucesión universal, ya *mortis causa*, ya en las diversas formas de transformación societaria de personas jurídicas (STS de 1 de abril de 2015, dictada respecto de un supuesto de segregación societaria)[9].

Respecto a la dimensión temporal del vínculo obligacional, el Tribunal Supremo también ha clarificado «que la estructura del "crédito litigioso" presupone la existencia de una relación de naturaleza obligacional y la pendencia del cumplimiento exacto de la prestación finalidad de aquélla, sea porque el pago aún no se puede exigir, sea porque el pago no se ha efectuado voluntariamente, y un debate judicial iniciado y no resuelto acerca de la existencia, naturaleza, extensión, cuantía, modalidades, condiciones o vicisitudes de la expresada relación, pero ha de hacerse constar que nunca cabe referir el concepto a una relación jurídica ya agotada o consumida» (STS de 28 de febrero de 1991)[10].

Por su parte, los juzgados y tribunales han rechazado la aplicación del 1535 cuando el crédito forma parte de la transmisión en bloque del patrimonio de una sociedad concursada[11], así como en el caso de la venta en

---

8. STS (1.ª) N.º 976/2008, de 31 de octubre (Roj: STS 5693/2008). La doctrina de esta sentencia desplaza la interpretación restrictiva que sostuvo la Sala Primera, en Sentencia de 4 de febrero de 1952, excluyendo del ámbito de aplicación del artículo 1535 los contratos bilaterales.

    Respecto de esta interpretación amplia del Tribunal Supremo, se ha sostenido la descontextualización que resulta de la aplicación del artículo 1535 en el panorama actual de la cesión de créditos, abogándose por la restricción de su aplicación al crédito dinerario simple, además de a los deudores personas físicas (ROMERO GARCÍA-MORA, *Retracto de crédito litigioso. Caracterización del crédito retraíble, op. cit.,* apartado IV).

9. STS (1.ª) N.º 165/2015, de 1 de abril de 2015 (Roj: STS 1420/2015).
10. STS (1.ª) N.º 149/1991, de 28 de febrero (Roj: STS 13134/1991).
11. SSAP Lugo (1.ª) N.º 360/2015, de 25 de septiembre y N.º 369/2015, de 1 de octubre de 2015 (Roj: SAP LU 673/2015 y SAP LU 725/2015).

globo de bienes o derechos (art. 1532 CC), siendo controvertida –doctrinalmente y en la praxis judicial–, la incardinación de la transmisión de carteras de créditos en esta modalidad de venta.

Por lo demás, téngase en cuenta que, en el ámbito de los créditos bancarios, la ley ha excluido la aplicación del artículo 1535 a la transmisión de los créditos litigiosos a las sociedades de gestión de activos [art. 29.4 b) *Ley 11/2015, de 18 de junio, de recuperación resolución de entidades de crédito y empresas de servicios de inversión*].

Como quiera que en los últimos años se haya generalizado en la práctica bancaria la cesión de carteras de créditos, los tribunales se han visto en la tesitura de tener que resaltar la prevalencia de la cesión individual de derechos que está detrás de las denominadas «cesiones globales», que no por rubricarse bajo tal denominación dejan de consistir en una cesión individualizada de cada uno de los varios créditos objeto de cesión (aquellos que aparecen reflejados en los documentos o soportes digitales anexos a la escritura pública que documenta la transmisión)[12]. A este respecto, la doctrina ha destacado como singularidad de la venta en globo, que se trata de una venta de la universalidad de un conjunto de bienes y/o derechos sin enumeración taxativa de cada uno de los elementos que lo integran o componen[13]. Factor este al que cabría adicionar la conexión de los elementos que la componen, ausente en los créditos que integran la cartera objeto de transmisión, pues ninguna conexión existe entre ellos que no sea la titularidad del acreedor cedente.

La concurrencia de una cesión individualizada es decisiva para que nazca el derecho del deudor a extinguir el crédito, y por más que la rúbrica «cesión global» –o similar– sugiera una venta en globo, lo cierto es, que atendida la falta de conexión entre los elementos que integran la cartera, estimamos que seguimos en el ámbito de la cesión individual, o mejor, de las cesiones de tantos créditos individualizados cuantos conformen la cartera consensuada entre cedente y cesionario.

Cuestión diferente a la cesión individualizada de los créditos es el precio fijo que suelen pactar las partes en aras de sus respectivos intereses: al vendedor le interesará la transmisión plena de la cartera, con la consiguiente liberación de los riesgos de ésta e incremento de la cuenta de

---

12. En este sentido, v. SAP Barcelona (19.ª) N.° 98/2011, de 2 de marzo (Roj: SAP B 3895/2011; AAP Madrid (18.ª) N.° 186/2015, de 25 de mayo (Roj: AAP M 426/2015) y AAP Valencia (7.ª) N.° 160/2015, de 15 de julio (AC 2016, 12).

13. Diéguez Oliva, R., «Artículo 1532», en *Código Civil Comentado* (Cañizares/De Pablo/ Orduña/Valpuesta, Dirs.), Civitas Thomson Reuters, Cizur Menor (Navarra), 2016, Volumen IV, pág. 317.

resultados con el producto de la venta, en tanto que, al comprador no le interesa realizar una venta en globo que restrinja la responsabilidad del vendedor por los defectos del todo o de la mayor parte –y no por cada crédito cedido–[14].

Prima facie, la cesión de la cartera de créditos por un precio único parece inconciliable con el derecho del deudor a la extinción de su deuda. Pero a nuestro parecer, esa indeterminación inicial –que incuestionablemente lo es– no puede erigirse en un obstáculo insalvable para que el deudor pueda extinguir el crédito reembolsando al cesionario el coste de la cesión, y correlativamente, para que éste –cesionario– quede sujeto al ejercicio de ese derecho (*derecho potestativo*)[15]. Hasta tal punto es así, que también para determinar la responsabilidad del cedente por el crédito defectuoso es precisa la determinación del precio de compra, y en defecto de que se hubiera pactado uno singular (más habitual en el ámbito de los hipotecarios), se estará al precio medio de la cartera[16]. Luego, no parece razonable, y menos aún equitativo, que una misma estimación pueda ser válida en el marco de la negociación de cedente y cesionario, y sea inviable para el deudor y perniciosa para el ejercicio de un derecho que la ley le reconoce de forma incondicional –a salvo el ejercicio en plazo–[17].

---

14. En este sentido, Pérez López, A., Moya Fernández, A.J., y Trigo Sierra, E., «Cuestiones prácticas de las ventas de carteras de créditos», en *Actualidad Jurídica Uría Menéndez*, N.° 33, 2012, págs. 45 y ss.; estudio que es muy ilustrativo de la operativa de las cesiones de carteras de créditos.

15. Para solventar ese obstáculo, y consiguiente aplicación retroactiva de la solución, se ha propuesto llevar a la reforma de la Ley Concursal una nueva presunción *iuris tantum* de que el precio individual resulta del prorrateo entre el importe nominal total de la cartera cedida y el principal de cada crédito (Corral, C., «La transparencia y los fondos buitre. Consideraciones de *lege ferenda*», en *http://www.notariosyregistradores. com/web/secciones/opinion/la-transparencia-y-los-fondos-buitre/*).

16. Pérez López, A., Moya Fernández, A.J., y Trigo Sierra, E., *Cuestiones prácticas de las ventas de carteras de créditos, op. cit.*, pág. 54.

17. En relación con la regulación del «*retrait litigieux*» del derecho francés, así lo estima Serrano de Nicolás, entendiendo que corresponderá al juez determinar si el precio de cada crédito es determinable, en función de los elementos precisos y concretos; e incluso sostiene que, atendida la homogeneidad –de los créditos– y dado que no se adquieren individualizados sino en globo (sic), salvo prueba concluyente en contrario, el precio sería determinable, a prorrata, de lo que se debe todavía por principal frente al precio total de la cesión (Serrano de Nicolás, A., «Cesión de créditos, novación extintiva y subsistencia de garantías», en *Revista de Derecho vLex*, N.° 134, julio de 2015; VLEX-577785871). En este mismo sentido, Soler Solé, que apunta la determinación del precio de forma proporcional entre el precio global de la cesión, el nominal pendiente de cobro de todos los créditos y el nominal pendiente de cobro del crédito objeto de la ejecución (Soler Solé, G., «Cesión de cartera de créditos litigiosos (Subrogación procesal y derecho de retracto del deudor)», en *Revista de Derecho vLex*, N.° 136, septiembre de 2015; VLEX-582442455).

2.3. EL CARÁCTER LITIGIOSO DEL CRÉDITO

Cualquiera que sea la naturaleza que se reconozca al derecho del artículo 1535 es evidente que el supuesto de hecho del que depende es que la cesión tenga por objeto un «crédito litigioso», entendiéndose por tal, en su acepción común, el «que está en pleito», el «que está en duda y se disputa»[18]. Pero esta acepción gramatical, con ser expresiva del carácter controvertido del crédito queda desplazada por la interpretación auténtica que incorpora el Código Civil, según la cual, «se tendrá por litigioso un crédito desde que se conteste a la demanda relativa al mismo». Esta definición técnico-jurídica ha sido objeto de interpretación por la jurisprudencia del Tribunal Supremo; y también, por las Audiencias, dado que son minoritarias las sentencias de la Sala Primera que han tenido ocasión de ocuparse de este precepto.

El análisis de las resoluciones judiciales pone de manifiesto que son varios los factores implicados en el carácter litigioso de un crédito, de los cuales nos ocupamos a continuación.

2.3.1. La modalidad del procedimiento y la conducta procesal del deudor cedido

La referencia del Código Civil al instituto de la contestación a la demanda revela con nitidez que el legislador está tomando en consideración el proceso declarativo y una conducta concreta del demandado, cual es, la oposición a la demanda. En el sentido expuesto, tradicional es la doctrina del Tribunal Supremo que limita el carácter litigioso del crédito al supuesto en que la reclamación tiene lugar en el proceso de declaración; carácter litigioso que se mantendrá en tanto exista litispendencia, es decir, en tanto no se ponga fin al procedimiento mediante resolución firme. Significativa es al respecto, la Sentencia de 16 de diciembre de 1969, que además de confirmar la doctrina expuesta, incide en la exclusión de la actividad ejecutiva como idónea para integrar el carácter litigioso del crédito:

> «... aunque en sentido amplio, a veces se denomina "crédito litigioso" al que es objeto de un pleito, bien para que en este se declare su existencia y exigibilidad, o bien para que se lleve a cabo su ejecución, sin embargo, en el sentido restringido y técnico que lo emplea el artículo 1.536 de nuestro Código Civil, "crédito litigioso", es aquél que habiendo sido reclamada judicialmente su existencia y exigibilidad por su titular, es contradicho o negado por el demandado, y precisa de una sentencia firme que lo declare

---

18. Diccionario de la Lengua Española, Real Academia Española, voz, «litigioso».

como existente y exigible; es decir, el que es objeto de un "Litis pendencia", o proceso entablado y no terminado, sobre su declaración.

(...) una vez determinada por sentencia firme, la realidad y exigibilidad jurídica del crédito, cesa la incertidumbre respecto a esos esenciales extremos, y desaparece la necesidad de la protección legal que, hasta aquel momento se venía dispensando a la transmisión de los créditos, y pierden estos su naturaleza de litigiosos, sin que a ello obstase que haya de continuar litigando para hacerlos efectivos y que subsista la incertidumbre sobre su feliz ejecución, que dependerá ya, del sujeto pasivo; es decir, que el carácter de "crédito litigioso", se pierde tan pronto queda firme la sentencia que declaró su certeza y exigibilidad, o tan pronto cese el proceso por algún modo anormal, como es, por ejemplo la transacción»[19].

Como quiera que en el caso de autos la controversia sobre la previa transacción se hubiera dilucidado en un proceso arbitral, y el interesado en hacer valer el derecho del artículo 1535 hubiera interpuesto demanda de nulidad frente al laudo, el Tribunal Supremo se plantea, como hipótesis, la eventualidad de que el crédito pudiera haber recuperado el carácter litigioso por causa de tal impugnación, y concluye, que tal recuperación no es admisible, «porque, entonces, quedaría al arbitrio de cualquier deudor, el convertir en litigioso su crédito, si le bastara promover una demanda de nulidad del proceso en que se hubiese declarado su certeza, o del negocio jurídico en que se hubiese constituido».

Sin entrar a rebatir los términos en que el Código Civil define el carácter litigioso del crédito (*in claris non fit interpretatio*), llamamos la atención sobre el régimen de ejecución forzosa contemporáneo a su promulgación –Ley de Enjuiciamiento Civil de 1881– y las abultadas carencias que presentaba la regulación de la «ejecución de sentencias» (arts. 919 y siguientes), en el doble sentido de no contemplar medios adecuados para la efectiva realización de las prestaciones no pecuniarias –amén de la remisión en bloque al «juicio ejecutivo» para las dinerarias– y carecer de un cauce de oposición a los títulos ejecutivos de factura judicial. Estos factores propiciaron, durante décadas, que la ejecución forzosa fuera considerada como un conjunto de actuaciones meramente procedimentales, que no permitía albergar en su seno el enjuiciamiento de cuestiones relevantes que aparecían como postulados elementales de justicia.

De tal situación, da buena cuenta la Exposición de Motivos de la Ley de Enjuiciamiento Civil de 2000, que abundando en la novedad de las causas de oposición a la ejecución de sentencias y otros títulos judiciales,

---

19. STS (1.ª) N.° 690/1969, de 16 de diciembre (Roj: STS 1385/1969).

pone de manifiesto la razón de su introducción: «se trata, como se ve, de unas pocas y elementales causas, que no pueden dejar de tomarse en consideración, como si la ejecución de una sentencia firme pudiera consistir en operaciones automáticas y resultase racional prescindir de todo cuanto haya podido ocurrir entre el momento en que se dictó la sentencia y adquirió firmeza y el momento en que se inste la ejecución» (EM, XVII).

Sirvan las anteriores consideraciones, no para hacer cuestión de la pervivencia del carácter litigioso del crédito más allá de la sentencia firme –de la que nos ocuparemos a continuación–, cuanto para advertir de la influencia que pudo tener en la redacción del Código Civil un entendimiento tal de la actividad ejecutiva y su proyección sobre la *sentencia de remate* dictada en el antiguo *juicio ejecutivo*, considerado por un sector de la procesalística española como un proceso de declaración especial.

Salvando las distancias que separan el régimen de ejecución forzosa vigente en la fecha en que fue dictada la Sentencia del Tribunal Supremo transcrita y la configuración de la oposición a la ejecución de títulos judiciales hoy vigente, cabría cuestionar si la doctrina jurisprudencial expuesta se extiende también al proceso de ejecución. Y a nuestro parecer, la respuesta debe seguir siendo afirmativa, en la medida en que los motivos de oposición que recoge el artículo 556 de la Ley de Enjuiciamiento Civil atienden a una realidad diferente al crédito controvertido en el proceso declarativo, cual es la subsistencia y exigibilidad de la acción ejecutiva, atendidos *hechos posteriores* a la producción del título ejecutivo (pago, cumplimiento o transacción) o el mero transcurso del tiempo desde que pudo ser ejercitada (caducidad)[20].

En otro orden de consideraciones, en algunas Audiencias comienza a abrirse paso una corriente que admite el carácter litigioso del crédito que se reclama en el proceso de ejecución por título extrajudicial, en la medida en que el despacho de la ejecución no viene precedido por una previa decisión judicial y puede cuestionarse en el procedimiento ejecutivo la existencia, exigibilidad y cuantía del crédito. Tal es la consideración de la Audiencia Provincial de Madrid (12.ª), en Sentencia de 18 de febrero de 2015, comprensiva tanto de la ejecución ordinaria por título extrajudicial como de la especial hipotecaria[21]; y abundando en ella, el tribunal incide en la ampliación de los motivos de oposición que ha experimentado la Ley tras permitirse al ejecutado que haga valer la existencia de cláusulas

---

20. La misma conclusión es aplicable a la ejecución provisional de sentencias, cuyos motivos de oposición son ajenos a la cuestión *de fondo* controvertida en el proceso declarativo (art. 528 LEC).

21. SAP Madrid (12.ª) N.° 62/2015, de 18 de febrero (Roj: SAP M 1961/2015).

abusivas en el título ejecutivo. En la misma línea, este mismo tribunal también se muestra favorable a considerar litigioso el crédito subyacente en el ejercicio de la acción civil *ex delicto* en el proceso penal (Sentencia de 26 de junio de 2014)[22].

También la Sección 10.ª de la Audiencia Provincial de Madrid, en Auto de 4 de noviembre de 2015 parece admitir, de forma implícita, el carácter litigioso del crédito reclamado en vía ejecutiva, al negarle dicho carácter, precisamente, tras constatar la falta de oposición del deudor en el proceso de ejecución hipotecaria[23].

Por su parte, la Audiencia Provincial de Barcelona (19.ª), en Sentencia de 2 de marzo de 2011, extiende la doctrina jurisprudencial sobre el carácter litigioso del crédito respecto de la oposición a la ejecución fundada en un título extrajudicial (póliza de afianzamiento), aunque lo niegue, en el supuesto de autos, al haber recaído resolución firme en el incidente de oposición[24].

Sobre este particular, somos proclives a admitir que también el crédito reclamado y controvertido en el proceso de ejecución por título extrajudicial pueda merecer la calificación de litigioso, aunque una cosa es admitir tal consideración y otra concluir que el procedimiento ejecutivo, en el estado actual de la legislación, sea el cauce adecuando para el ejercicio del derecho a extinguir el crédito *ex* artículo 1535. Como puso de manifiesto la Exposición de Motivos de la Ley de Enjuiciamiento Civil, los motivos de oposición a la ejecución de títulos extrajudiciales se apoyan en estrictas consideraciones de justicia –al igual que la oposición a los judiciales– pero en modo alguno disminuye la eficacia de aquéllos como auténticos títulos ejecutivos, ni puede revestir esta oposición la amplitud propia de un proceso declarativo, con merma de la eficacia de una auténtica ejecución forzosa (EM, XVII). Ciertamente, la coherencia del sistema de tutela jurisdiccional civil queda a salvo mediante la posibilidad del deudor de entablar un proceso declarativo haciendo valer motivos diferentes de los que pueden fundamentar la oposición conforme a la ley (art. 564 LEC). Aunque a nuestro parecer, la configuración vigente del proceso de ejecución está requerida de una flexibilización para el supuesto de la cesión del crédito reclamado en vía ejecutiva, so pena de frustrar los objetivos perseguidos desde antaño por el Código Civil: evitación de la especulación con créditos litigiosos y finalización de los procesos pendientes.

En todo caso, si se admite que el carácter litigioso del crédito puede derivar de su reclamación en el proceso de ejecución, hay que tener

---

22.   SAP Madrid (12.ª) N.º 337/2014, de 26 de junio (Roj: SAP M 8069/2014).
23.   AAP Madrid (10.ª) N.º 375/2015, de 4 de noviembre (Roj: AAP M 872/2015).
24.   SAP Barcelona (19.ª) N.º 98/2011, de 2 de marzo (Roj: SAP B 3895/2011).

presente que la sola incoación del procedimiento es insuficiente a tales efectos –al igual que lo es la sola incoación del declarativo–, siendo preciso que el crédito sea *controvertido* por el deudor mediante oposición a la ejecución. Precisamente, esta falta de oposición del deudor es esgrimida por la Audiencia Provincial de Badajoz (2.ª), en Sentencia de 5 de febrero de 2016, como fundamento de la desestimación de la demanda en la que el actor hacía valer el derecho del artículo 1535 del Código Civil[25].

Por último, el carácter litigioso del crédito requiere del deudor una oposición material o *de fondo*, que podrá referirse a la existencia, cuantía y exigibilidad de éste, siendo insuficiente, a estos efectos, una defensa meramente procesal[26]. Esta exigencia es matizada por el Tribunal Supremo –*obiter dictum*–, en Sentencia de 31 de octubre de 2008, entendiendo que debe admitirse también la oposición tácita de la rebeldía (*ex* art. 496.2 LEC)[27].

2.3.2. Los sujetos contendientes

La definición que aporta el Código Civil sobre el carácter litigioso del crédito involucra decididamente al acreedor inicial (cedente) y al deudor cedido, que habrán de intervenir en el proceso en su condición de *partes procesales* (no de meros representantes). Como expresa la Audiencia Provincial de Madrid (12.ª), en Sentencia de 18 de febrero de 2015, «solo cuando entre acreedor y deudor existe controversia, puede entenderse litigioso el crédito, y sólo en ese ámbito cobra su sentido propio el derecho a extinguirlo en caso de cesión, pues sólo en ese caso la incertidumbre sobre el crédito se da entre los interesados en el cobro y en el cumplimiento, y en fin, únicamente en este supuesto el ejercicio del retracto da lugar tanto a la extinción del crédito como del proceso». De ahí que el proceso entablado por un tercero en el que se cuestione el crédito pueda «tener efectos reflejos más o menos inmediatos», pero no entrañe el supuesto tomado en consideración por el Código Civil, que era que el deudor que está cuestionando el crédito se vea compelido al pago, no por el acreedor originario sino por otro[28].

Además, a los efectos del artículo 1535, no es irrelevante la posición que el acreedor cedente y el deudor cedido ocupen en el procedimiento:

---

25. SAP Badajoz (2.ª) N.° 42/2016, de 5 de febrero (Roj: SAP BA 100/2016). En el mismo sentido se manifiesta, *obiter dictum*, el AAP Madrid (10.ª) N.° 375/2015, de 4 de noviembre (Roj: AAP M 872/2015), que fue dictado en relación con la denegación de la sucesión procesal instada por el cesionario en el proceso de ejecución.
26. En sentido contrario, GARCÍA CANTERO, «Artículos 1535 al 1536», en *Comentarios, op. cit.*, apartado II.
27. STS (1.ª) N.° 976/2008, de 31 de octubre de 2008 (Roj: STS 5693/2008).
28. SAP Madrid (12.ª) N.° 62/2015, de 18 de febrero (Roj: SAP M 1961/2015).

el cedente debe ocupar la posición activa y el cedido la pasiva, pues de no ser así, le bastaría al deudor con anticiparse en la incoación de un procedimiento sobre la existencia del crédito para conferirle carácter litigioso y «*autogenerarse*» el derecho a extinguirlo reembolsando el coste de la cesión. A este respecto, el Tribunal Supremo, en Sentencia de 28 de febrero de 1991, ha incidido en la distinción que alberga el Código Civil entre la venta de un crédito litigioso –y su ubicación en los artículos 1535 y 1536– y la venta de cosas litigiosas, cuyos contratos no están sujetos al retracto derivado de la litigiosidad, sino a posible rescisión en las determinadas circunstancias que expresa el artículo 1291[29].

3. EL RECONOCIMIENTO JUDICIAL DEL DERECHO DEL DEUDOR A LA EXTINCIÓN DEL CRÉDITO LITIGIOSO

El derecho que el artículo 1535 del Código Civil reconoce al deudor está requerido de reconocimiento judicial, pues es poco probable que el cesionario, por iniciativa propia, minore la cuantía de la reclamación al deudor, ya sea en el ámbito judicial o extrajudicial. Así lo confirma la práctica judicial, y en particular, la que viene sucediéndose en los últimos años con ocasión de la sucesión procesal del cesionario en el proceso de ejecución. Las consideraciones que siguen atienden, no obstante, al reconocimiento del derecho en el proceso declarativo, dado que la legislación actual no prevé un cauce para hacerlo valer en el procedimiento de ejecución.

Como cuestiones generales, el reconocimiento judicial del derecho a extinguir el crédito ha suscitado controversias sobre la legitimación, sobre el plazo para su ejercicio y sobre la necesidad de consignar el precio y demás cantidades objeto de reembolso al cesionario.

Respecto de la legitimación, la Audiencia Provincial de Madrid, en la citada Sentencia de 18 de febrero de 2015, ha considerado que tratándose del crédito garantizado con hipoteca están legitimados para el reconocimiento del derecho, además del deudor, el hipotecante no deudor y el tercer poseedor, en la meda en que ambos son responsables del pago. El fundamento de esta legitimación no es otro que el carácter accesorio del derecho de hipoteca (también de la prenda o privilegio), de suerte que, la venta o cesión del crédito comprende también la de los derechos accesorios (art. 1528 CC)[30].

---

29. STS (1.ª) N.° 149/1991, de 28 de febrero (Roj: STS 13134/1991).
30. Sobre las particularidades de la cesión del crédito hipotecario, y en particular, sobre su instrumentalización en escritura pública, inscripción en el Registro de la Propiedad (art. 149 LH) y efectos extintivos de la garantía –que no de la deuda– si el cesionario no es una entidad de crédito, v. SERRANO DE NICOLÁS, *Cesión de créditos, novación extintiva y subsistencia de garantías, op. cit.*

En cuanto al plazo para el ejercicio del derecho, el Código prescribe nueva días «contados desde que el cesionario le reclame el pago». Respecto de este plazo –que es de caducidad–, los tribunales han resaltado la diferencia en el *dies a quo* del cómputo del citado plazo que lo separa del retracto de comuneros o colindantes, pues mientras que en el retracto el cómputo lo inicia el conocimiento de la venta por el retrayente (art. 1524 CC), en el derecho del artículo 1535 el cómputo no se inicia en tanto no se acceda a la sucesión procesal del cesionario y se conozca el precio de la compra, único momento a partir del cual queda formalizada la relación jurídico-procesal entre el cesionario y el deudor cedido[31].

Aun cuando el acceso del cesionario a la posición procesal del cedente constituya un *prius* en la reclamación judicial del cesionario, el plazo para el ejercicio del derecho a extinguir el crédito no se inicia en tanto la reclamación no se produzca conforme al precio de la compra[32]. Esta consideración, ciertamente, favorece la protección del deudor, evitando la caducidad de un derecho cuya dimensión económica desconoce. Pero tal circunstancia no obsta que el deudor pueda entablar las acciones declarativas conducentes a la determinación del precio de la cesión y el reconocimiento del derecho a extinguir el crédito, pues en otro caso, la falta de notificación por el cedente y/o el cesionario del precio se erigiría en un obstáculo que haría ilusoria la posibilidad de *desactivar* la reclamación. Tal el supuesto de ejercicio de acciones declarativas que subyace en la Sentencia de la Audiencia Provincial de Barcelona (19.ª), de 2 de marzo de 2011, la cual, no obstante, ratificó la desestimación de la demanda por el juzgador de instancia al no tener el crédito carácter litigioso por haber recaído resolución firme en el incidente de oposición a la ejecución[33].

---

31. En este sentido, v. SAP M (12.ª) N.º 337/2014, de 26 de junio (Roj: SAP M 8069/2014). En el mismo sentido, en la SAP de Almería (3.ª) N.º 10/2010 (Roj: SAP AL 68/2010), el tribunal desestima el recurso del deudor frente a la sentencia que apreció la caducidad en el ejercicio del derecho del artículo 1535, precisamente, por entender que la solicitud por el cesionario de sucesión procesal en la ejecución provisional instada por el cedente, acompañando el contrato de cesión del crédito, determinó el inicio del cómputo para su ejercicio.

32. A este respecto, González Pacanowska pone de manifiesto como el Código Civil adoptó para el supuesto del crédito litigioso la solución propugnada por el Proyecto de Código de 1851 para el retracto legal y supeditó el inicio del cómputo al *requerimiento* que hicieren el vendedor o el comprador, entendido como notificación de la transmisión efectuada y de sus condiciones, con el fin de favorecer la seguridad jurídica y evitar los fraudes (GONZÁLEZ PACANOWSKA, «Artículos 1535–1536», en *Comentarios, op. cit.*, pág. 10875; con cita de DÍEZ RUBIO, C.M., *Ejercicio y efectos de los tanteos y retractos legales*, Dykinson, Madrid, 2000, págs. 162 y ss.).

33. v. SAP Barcelona (19.ª) N.º 98/2011, de 2 de marzo (Roj: 3895/2011).

En todo caso –insistimos–, el inicio del plazo de ejercicio del derecho requiere que el deudor tenga conocimiento pleno de la transmisión y no sólo un conocimiento tangencial, desprovisto de todos los datos esenciales de la cesión[34].

Por último, en cuanto a la necesidad de que el deudor consigne el precio de la cesión si fuere conocido, algunos tribunales rechazan cualquier asimilación del derecho del artículo 1535 con la acción de retracto (*ex* art. 266.2.° LEC), y concluyen la inexigibilidad de la consignación para su ejercicio (SSAP Madrid, de 26 de junio de 2014 y 18 de febrero de 1015, antes citadas).

4. TRATAMIENTO PROCESAL DE LA CESIÓN DEL CRÉDITO LITIGIOSO EN EL PROCESO DE EJECUCIÓN

La materia que va ser objeto de análisis parte de una premisa, cual es el carácter litigioso del crédito reclamado en el proceso de ejecución por título extrajudicial. Como vimos anteriormente, la flexibilización del concepto de crédito litigioso para albergar también la reclamación que se hace valer en vía ejecutiva es todavía incipiente, pero constituye un *prius* en el tratamiento procesal de este singular estado del crédito, pues negada tal posibilidad huelga indagar sus implicaciones procesales. Por su parte, la restricción del tratamiento procesal a los títulos extrajudiciales obedece a la consideración, antes expuesta, de que el carácter litigioso del crédito no perdura más allá de la finalización del proceso declarativo mediante resolución firme.

Varias son las instituciones procesales que se invocan como afectadas por la cesión del crédito reclamado en vía ejecutiva, aunque en puridad, la mayor o menor amplitud de éstas dependerá del concepto mismo que se sostenga sobre el crédito litigioso.

4.1. LA SUCESIÓN PROCESAL DEL CESIONARIO

Efectuada la cesión, la entrada del cesionario en el escenario procesal tiene lugar mediante sucesión procesal de éste en la posición del ejecutante-cedente.

Hasta la reforma del artículo 540 de la Ley de Enjuiciamiento Civil encontrábamos pronunciamientos discrepantes de las Audiencias sobre

---

34. SSAP Madrid (19.ª) N.° 452/2009, de 9 de octubre (Roj: 12839/2009) y (9.ª) de 7 de octubre de 2002 (Roj: SAP M 11567/2002); SAP Barcelona (19.ª) N.° 376/2006, de 19 de octubre (Roj: SAP B 12020/2006) y SAP Las Palmas de Gran Canaria (5.ª) N.° 345/2001, de 19 de mayo (Roj: SAP GC 1549/2001).

la viabilidad de la sucesión procesal una vez que se hubiera despachado la ejecución contra el deudor cedido. El origen de la discrepancia radicaba en el tenor del citado artículo que solo preveía la sucesión, ya en la posición activa o pasiva del proceso, *para el despacho de la ejecución*, abriendo la puerta a la posible aplicación supletoria del artículo 17 de la Ley de Enjuiciamiento Civil cuando la sucesión era solicitada con posterioridad a dicho acto. Como da cumplida cuenta la Audiencia Provincial de Valencia (6.ª), en Auto de 20 de mayo de 2014, un sector de Audiencias se mostraba proclive a esta aplicación supletoria; otro era de parecer adverso, y un tercero, en el que se alinea el tribunal, sostenía una postura intermedia, accediendo a la sucesión siempre que se tratase de cesiones individuales, no complejas[35]. Este problema puede considerarse superado tras la reforma del artículo 540 –mediante Ley 42/2015, de 5 de octubre–, que en su nueva redacción autoriza la viabilidad de la sucesión para el despacho de la ejecución o para su *continuación* o *prosecución* (apartados 1, 2-II y 3).

En cambio, subsiste la problemática judicial y doctrinal sobre si la sucesión procesal del cesionario está subordinada a que se brinde al deudor la posibilidad de extinguir el crédito mediante el reembolso del coste de la cesión, lo cual habría de comportar que se le haya notificado la cesión e identificado el precio de ésta. Por derivación, se cuestiona también el poder de actuación del juez ejecutor respecto del control, en su caso, de tales exigencias. Aunque estas cuestiones son comunes a la cesión de créditos, han adquirido especial relevancia en los últimos años en los supuestos en que el deudor es un consumidor, por cuanto la configuración del procedimiento ejecutivo le depara un marco insuficiente para la defensa de su derecho.

Antes de abordar las cuestiones polémicas, estimamos conveniente realizar una breve consideración sobre el alcance y efectos del control judicial de la sucesión, que podríamos sintetizar en los siguientes términos: *a)* Dado que la sucesión material tiene lugar al margen del proceso –ya por un hecho o negocio jurídicos–, el control judicial de ésta siempre tiene lugar a instancia de parte, y según se infiere del artículo 540.3 de la Ley de Enjuiciamiento Civil, a instancia del ejecutante o ejecutado cuya sucesión (material) se haya producido, aunque en la práctica judicial se admita también la solicitud efectuada por el cesionario; *b)* El ámbito del control judicial es el propio de «los requisitos exigidos para su validez» –de la sucesión material–; control que el juez ejecutor habrá de efectuar sobre la base de los documentos aportados por el solicitante. Se trata, por tanto, de un control de legalidad, que como tal, no alcanza la conveniencia u oportunidad de los intereses involucrados en la cesión, si su origen fuera negocial, ni los efectos o consecuencias

---

35.   v. AAP V (6.ª) N.º 90/2014, de 20 de mayo (Roj: AAP V 138/2014).

que pueda deparar en el ámbito material; y, *c)* Tanto si el juez accede a la sucesión «sin más trámites», como si por considerar insuficientes los documentos aportados fueran necesarios la audiencia al deudor y al cesionario, y un pronunciamiento expreso sobre la sucesión procesal, el enjuiciamiento sobre ésta será eficaz «a los solos efectos del despacho o de la prosecución de la ejecución» (*incidenter tantum*), es decir, sin comprometer el derecho del deudor a oponerse a la ejecución por la falta de presupuestos procesales en el ejecutante-sucesor (*ex* art. 559.1–2.° LEC), ni prejuzgar la validez de la cesión ni los efectos o consecuencias jurídicas que ésta pueda deparar (en particular al deudor cedido)[36].

Sobre la base de estas consideraciones estimamos abonadas las resoluciones de los tribunales que rechazan que la sucesión procesal se subordine al acreditamiento de la notificación al deudor de la cesión y de su precio, así como que el juez deba requerir la subsanación de la falta de aportación de estos extremos[37]. En el sentido expuesto, la Audiencia Provincial de Madrid (13.ª), en Auto de 8 de abril de 2010, rechaza que la notificación de la cesión al deudor constituya un presupuesto de su validez, invocando la doctrina del Tribunal Supremo que reitera, que la cesión de créditos puede hacerse válidamente sin el conocimiento previo del deudor (arts. 1205 y 1527 CC) y aun contra su voluntad, sin que la notificación a éste tengo otro alcance que obligarle con el nuevo acreedor, no reputándose pago legítimo desde aquel momento el efectuado a favor del cedente (STS de 5 de febrero de 2014)[38]. Comparten también este mismo criterio la Audiencia Provincial de Cádiz (8.ª), en Auto de 6 de julio de 2011 y la Sección 18.ª de la Audiencia Provincial de Madrid, en Auto de 25 de mayo de 2015[39].

---

36. Las resoluciones judiciales ponen de manifiesto que los documentos que sirven de fundamento a la solicitud de sucesión procesal son la copia parcial de la escritura de cesión o el testimonio o certificación notarial de ésta; documentos que acreditan la identidad de los contratantes y el crédito reclamado en ejecución, pero no el precio de la cesión.

37. En sentido contrario Martínez de Santos, que considera el precio como un presupuesto procesal, y no como requisito del derecho al retracto (Martínez de Santos, A., «El acceso al proceso de ejecución de las «cesiones de créditos en masa» a los llamados «fondos buitres», en *Diario La Ley*, N.° 8786, de 20 de junio de 2016 (La Ley Digital, D-245, pág. 7). También Sánchez García, que admite la posibilidad de que el juez acuerde de oficio que se requiera a la entidad cesionaria para que facilite la oportuna información sobre los datos de la cesión (Sánchez García, J., «De nuevo sobre la cesión de los créditos litigiosos», en *Revista de Derecho vLex*, N.° 142, marzo de 2016; VLEX-631372639).

38. v. AAP M (13.ª) N.° 50/2010, de 8 de abril (Roj: 5338/2010) y STS (1.ª) N.° 43/2014, de 5 de febrero (Roj: STS 497/2014).

39. AAP Cádiz (8.ª) N.° 85/2011, de 6 de julio (Roj: AAP CA 1276/2011) y AAP Madrid (18.ª) N.° 186/2015, de 25 de mayo (Roj: AAP M 426/2015).

Por lo que respecta al acreditamiento del precio de la cesión, el Auto de la Audiencia Provincial de Valencia (9.ª), de 28 de abril de 2015, pone el acento en la *facultad potestativa* del deudor de ejercitar el derecho del artículo 1535 del Código Civil –entre otros argumentos–, para rechazar que el juez ejecutor pueda exigir, *ex officio*, el acreditamiento del precio de la cesión; sin perjuicio de que tenga que extremar el examen de los presupuestos a los que esta subordinada conforme a la ley: «ha de estar acreditada la cesión (en documento fehaciente), identificado perfectamente el crédito, plenamente determinada y concretada la cantidad por la que se solicita que continúe la ejecución, con aportación de los documentos necesarios en que se apoyen tales asertos». Y este rigor es exigible hasta el punto que «cualquier fórmula genérica de solicitud o que ignore las concretas circunstancias concurrentes (sumas ya abonadas, conceptos ya liquidados u otras análogas) debería comportar la repulsa de lo pretendido, si no son plenamente aclaradas las discrepancias y concretados tales extremos por quien pretende la sucesión»[40]. En esta línea se manifiesta también la Sección 7.ª de esta Audiencia, en Autos de 6 y 15 de julio de 2015[41].

También la Audiencia Provincial de Girona (1.ª), en el Auto de 22 de marzo de 2016, rechaza que la notificación de la cesión al deudor y el acreditamiento del precio sean presupuestos para que el cesionario sea admitido como sucesor del ejecutante-cedente[42].

Sea cual sea la opinión que merezcan estos pronunciamientos –que compartimos–, estimamos que el trámite de alegaciones al consumidor-ejecutado *ex* artículo 540.3 de la Ley de Enjuiciamiento Civil no es el cauce adecuado para hacer valer el derecho del artículo 1535 del Código Civil, siquiera sea por su carácter eventual y por la limitada eficacia del pronunciamiento judicial (*incidenter tantum*). Pero sobre todo es inadecuado, porque cuando la sucesión tiene lugar antes del despacho de la ejecución, inconciliables son el tiempo en que habrán de hacerse valer tales alegaciones y el carácter litigioso del crédito, que solo concurrirá si el ejecutado, *a posteriori*, formaliza oposición *de fondo* a la ejecución que se sigue contra él.

4.2. CAUCE PROCESAL PARA EL RECONOCIMIENTO DEL DERECHO A EXTINGUIR EL CRÉDITO LITIGIOSO

Cuestión diferente a los presupuestos de la sucesión procesal es si la configuración actual del proceso de ejecución, y en particular, la falta de

---

40. AAP Valencia (9.ª) N.° 280/2015, de 28 de abril (Roj: AAP V 144/2015).
41. AAP Valencia (7.ª) N.° 144/2015, de 6 de julio (Roj: AAP V 298/2015) y N.° 160/2015, de 15 de julio (AC 2016, 12).
42. AAP Girona (1.ª) N.° 71/2016, de 22 de marzo (Roj: AAP GI 33/2016).

un cauce que permita al consumidor-ejecutado hacer valer el derecho a extinguir la deuda que contrajo frente al profesional es compatible con la *Directiva 93/13/CEE sobre cláusulas abusivas en los contratos celebrados con consumidores*. Y ello, porque es común denominador en las Audiencias que este derecho no puede ser invocado en el proceso de ejecución y que su ejercicio ha de ventilarse en el procedimiento declarativo que corresponda.

Siendo incuestionable que el reconocimiento del derecho del artículo 1535 permite al deudor extinguir el crédito de forma más ventajosa[43], se han residenciado en el Tribunal de Justicia de la Unión Europea sendas cuestiones prejudiciales en las que los jueces proponentes, desde ópticas diferentes, cuestionan el régimen jurídico de la cesión del crédito litigioso y su incidencia en el proceso de ejecución, a la luz de la Directiva 93/13/CEE y de los artículos 38 y 47 de la Carta de los Derechos Fundamentales de la Unión Europea (relativos a la protección de los consumidores y el derecho a la tutela judicial).

Ambas cuestiones han sido promovidas en el marco de sendos procedimientos de ejecución, aunque como decíamos, la forma de proposición es diferente. Veamos, de forma sucinta, la argumentación de los jueces proponentes:

La primera cuestión fue promovida por el Juzgado de Primera Instancia N.º 11 de Vigo en el marco de un proceso de ejecución hipotecaria e incide, de forma directa, en las gravosas consecuencias para el consumidor de los términos del artículo 1535 del Código Civil y su inaplicación en el proceso de ejecución. En concreto, el juez proponente cuestiona: 1.ª) Una determinada interpretación jurisprudencial del artículo 1535: la que limita el carácter litigioso del crédito al que es controvertido en el proceso declarativo; 2.ª) Una concreta norma del Código Civil: el artículo 1535 en cuanto permite que la cesión del crédito litigioso tenga lugar sin notificación fehaciente al deudor del hecho de la cesión, de su causa o título jurídico, sin acreditamiento del precio cierto por el que ha sido adquirido, ni señalamiento del descuento realizado; y, 3.ª) Una posible interpretación de la doctrina del propio Tribunal de Justicia en la Sentencia de 9 de marzo de 1978 (asunto 106/77, Simmenthal): interpretación jurisprudencial que aboca a la inaplicación del citado artículo del Código Civil si fuera contrario a la Directiva (además de a los citados artículos 38 y 47 de la Carta de los Derechos Fundamentales de la Unión Europea). En particular, el seno de esta tercera pregunta, el juez proponente relaciona la carga que le

---

43. Ello se debe a que es pauta generalizada en la cesión de carteras de créditos que el cesionario obtiene un descuento en la cuantía de éstos, precisamente, por la inseguridad y mayores gastos que comporta el cobro de los créditos litigiosos.

supone al consumidor tener que entablar un proceso declarativo contra el nuevo titular del crédito para el reconocimiento de su derecho, y además, tener que hacerlo en el plazo de caducidad de nueve días tras la notificación de la cesión y con los costes que de ello se derivan (abogado, procurador, tasas judiciales, determinación del juzgado competente cuando el cesionario no tiene domicilio en España...).

Esta cuestión ha sido resuelta por el Tribunal de Justicia mediante Auto de 5 de julio de 2016[44], en el que el Tribunal ha entendido, por una parte, que el artículo 1535 del Código Civil es «una disposición imperativa que se aplica entre las partes contratantes con independencia de su elección o en defecto de un pacto al respecto»; y por otra, que «ni el artículo 1535 del Código Civil ni la jurisprudencia nacional que lo interpreta pretenden determinar la amplitud de las facultades del juez nacional para apreciar el carácter abusivo de una cláusula contractual». Ambas razones llevan al Tribunal de Justicia a concluir que el citado artículo no entra en el ámbito de aplicación de la Directiva 93/13/CEE[45].

La segunda cuestión fue promovida por el Juzgado de Primera Instancia N.° 38 de Barcelona en el marco de un proceso de ejecución fundado en una póliza de préstamo sin garantía hipotecaria[46]. En lo que ahora nos interesa[47], el juez proponente cuestiona la «práctica empresarial» de cesión o compra de los créditos sin ofrecer al consumidor la posibilidad de extinguir la deuda reembolsando al cesionario el precio, intereses, gastos (sic) y costas del proceso, así como la compra por un precio exiguo, sin conocimiento y consentimiento del deudor, omitiendo su plasmación como condición general o cláusula abusiva impuesta en el contrato, y sin permitirle participar en la operación a modo de retracto.

---

44. ATJUE (Sala Quinta) de 5 de julio de 2016 (C-7/16, Banco Popular Español y PL Salvador/Giraldez Villar y Martínez Baz).

45. Merece ser destacada la interpretación del Tribunal de Justicia sobre la exclusión del ámbito de aplicación de la Directiva de las disposiciones nacionales imperativas (art. 1.2 de la Directiva). Según el Tribunal, esta exclusión «se justifica por el hecho de que es legítimo presumir que el legislador nacional ha establecido un equilibrio entre el conjunto de derechos y obligaciones de las partes en determinados contratos, equilibrio que el legislador de la Unión ha decidido expresamente preservar (véanse las sentencias de 21 de marzo de 2013, RWE Vertrieb, C-92/11, EU:C:2013:180, apartado 28, y de 30 de abril de 2014, Barclays Bank, C-280/13, EU:C:2014:279, apartado 41)» (apartado 22).

46. Asunto C-96/16, Banco de Santander/Demba y Godoy Bonet.

47. La cuestión suscita también la compatibilidad con la Directiva de la doctrina jurisprudencial que para préstamos sin garantía real, considera abusiva la cláusula que establece un interés de demora superior en dos puntos al remuneratorio, así como el devengo de ese hasta el completo pago de lo adeudado para el caso en que se declare la nulidad por abusividad de la cláusula de intereses de demora.

Repárese, que aunque no se invoque de forma expresa el artículo 1535, y se cuestione una práctica empresarial omisiva *por partida doble* (por falta del consentimiento del deudor en la compra y por falta de notificación del precio y de la oportunidad de extinguir la deuda), estimamos que la omisión de la plasmación de la práctica empresarial *como condición general o cláusula abusiva impuesta en el contrato* a la que alude el juez proponente, no es sino la otra cara de un hipotético clausulado abusivo cuyo contenido habría de ser, precisamente, eximir al cesionario del cumplimiento de unos requisitos que el Código Civil no requiere[48]. Por esta razón creemos, que lo que se está cuestionando vuelve a ser, una vez más, el régimen de la cesión del crédito litigioso. A diferencia de la anterior, esta cuestión ha sido admitida a trámite y está a la espera de resolución por el Tribunal de Justicia[49].

---

48. En la práctica, las cláusulas generalizadas son otras: las relativas a la cesión por el deudor de sus datos personales a terceros para la transmisión del crédito. La operatividad de este clausulado es evidente, porque la inexistencia de dicha cláusula imposibilitaría la cesión de tales datos por exigencias de la normativa sobre protección de datos de carácter personal.

    Precisamente en el marco de la protección de datos personales pudiera estar la clave de que revierta la falta de transparencia que en la actualidad preside la cesión de carteras de créditos, por cuanto la aplicación del *Reglamento (UE) 2016/679 del Parlamento Europeo y del Consejo, de 27 de abril de 2016, relativo a la protección de las personas físicas en lo que respecta al tratamiento de sus datos personales y a la libre circulación de estos datos y por el que se deroga la Directiva 95/46/CE (Reglamento general de protección de datos),* intensifica el tratamiento leal y transparente de los datos personales en el ámbito de la contratación.

49. Así se infiere, del Auto del Presidente del Tribunal de Justicia, de 13 de julio de 2016, por el que se desestima la solicitud del juzgado proponente de que la primera cuestión prejudicial planteada (cesión de crédito) se tramite mediante el procedimiento acelerado –conforme a lo establecido en el artículo 23 bis del Estatuto del Tribunal de Justicia de la Unión Europea y en el artículo 105, apartado 1, del Reglamento de Procedimiento del Tribunal–. Frente a los argumentos invocados por el juzgado a favor del procedimiento acelerado, el Tribunal de Justicia reitera su jurisprudencia anterior, en el sentido de que, «... *el elevado número de personas o de situaciones jurídicas susceptibles de verse afectadas por la resolución que debe dictar un órgano jurisdiccional remitente, tras haber solicitado al Tribunal de Justicia que se pronuncie con carácter prejudicial, no puede constituir, en cuanto tal, una circunstancia excepcional capaz de justificar la aplicación del procedimiento acelerado (véanse, entre otros, los autos del Presidente del Tribunal de Justicia de 21 de septiembre de 2006, KÖGÁZ y otros, C-283/06 y C-312/06, no publicado, EU:C:2006:602, apartado 9; de 11 de noviembre de 2014, Banco Primus, C-421/14, no publicado, EU:C:2014:2367, apartado 10, y de 12 de febrero de 2015, Fernández Oliva y otros, C-568/14 a C-570/14, no publicado, EU:C:2015:100, apartado 18)»;* así como, que «... *los intereses económicos mencionados por el órgano jurisdiccional remitente, por importantes y legítimos que sean, tampoco permiten considerar satisfecho el requisito relativo a la existencia de una circunstancia excepcional (véanse, en este sentido, los autos del Presidente del Tribunal de Justicia du 21 de septiembre de 2006, KÖGÁZ y otros, C-283/06 y C-312/06, no publicado, EU:C:2006:602, apartado 9, y de 12 de febrero de 2015, Fernández Oliva y otros, C-568/14 a C-570/14, no publicado, EU:C:2015:100, apartado 16)»* (apartados 18 y 19).

Sea cual fuere el pronunciamiento del Tribunal de Justicia, en el marco de la Directiva 93/13/CEE[50], desde el punto de vista del derecho nacional, estimamos conveniente disipar cualquier duda sobre la posible extensión del tratamiento procesal-ejecutivo de las cláusulas abusivas a las prácticas empresariales *supuestamente* abusivas. Decimos con propiedad «supuestamente», haciéndonos eco de la disparidad de criterio doctrinal sobre si una práctica empresarial es susceptible de control contenido (no obstante el tenor del artículo 82 de la *Ley General para la Defensa de los consumidores y usuarios*: «se considerarán abusivas... todas aquellas prácticas no consentidas expresamente»)[51].

Ahora bien, incluso admitiendo el carácter abusivo de una práctica empresarial, el contenido de abusividad habría de ser la omisión de los actos que posibiliten al consumidor el ejercicio del derecho a extinguir el crédito mediante reembolso del coste de la cesión; pero como el crédito no tendría carácter litigioso hasta que no fuera controvertido en el proceso de ejecución, «entraríamos en bucle» –permítasenos la expresión–, pues si la oposición a la ejecución es causa del carácter litigioso del crédito, el incidente de oposición no podrá servir de cauce para el reconocimiento de un derecho que habría de depender de la estimación de que la práctica empresarial es abusiva.

En contra de la asimilación de las prácticas empresariales y las cláusulas contractuales abusivas cabría apuntar además, las dudas que se ciernen sobre los sujetos frente a los que habría que esgrimir la abusividad de las prácticas, pues aunque el derecho a extinguir el crédito lo tiene el deudor frente al cesionario, resulta evidente que en la notificación de la cesión y sus contenidos también está involucrado el cedente (normalmente, obligado frente al cesionario a facilitar la sucesión procesal).

A las consideraciones anteriores hay que añadir la fórmula legal de los motivos de oposición por abusividad de las cláusulas contractuales, limitada a las cláusulas *contenidas en el título ejecutivo* y que sean relevantes

---

50. Téngase en cuenta que, aunque el Estado español haya incrementado el nivel de protección de los consumidores al sancionar con la nulidad de pleno derecho «las prácticas no consentidas expresamente» que sean abusivas, dichas prácticas no entran en el ámbito de aplicación de la Directiva, que solo persigue armonizar la legislación de los Estados respecto de las «cláusulas abusivas en los contratos celebrados entre empresario y consumidores» (v. arts. 1.1 y 8 de la Directiva).

51. A favor del control de contenido se muestra MIQUEL GONZÁLEZ, J.M.ª, «Artículo 82», en *Comentarios a las normas de Protección de los Consumidores y Usuarios* (CÁMARA LAPUENTE, Dir.), Colex, Madrid, 2011, págs. 712 y ss.; en contra, CARRASCO PERERA, A., *Derecho de contratos*, Aranzadi Thomson-Reuters, Cizur Menor (Navarra), 2010, págs. 815 y ss.

para la ejecución (arts. 557.1–7.ª y 695.1–4.ª LEC)[52]. Y es que, si bien se mira, la realidad que comporta el derecho del deudor a extinguir el crédito litigioso no es el pago (*hecho extintivo* de la responsabilidad del deudor-cedido para con el ejecutante-cesionario)[53]. Es un *derecho potestativo* que confiere al deudor el poder de actuar frente al cesionario y someterle a los efectos de su ejercicio –extinción del crédito y finalización del proceso–; pero como tal *derecho* –que no hecho[54]– está requerido de reconocimiento judicial.

La naturaleza de *derecho potestativo* del derecho a extinguir el crédito litigioso abona el establecimiento de un cauce para su ejercicio *en el proceso de ejecución*, cuya configuración –estimamos– podría inspirarse en el procedimiento de tercería, en particular, la de mejor derecho. Entiéndase bien, que en modo alguno estamos postulando la consideración de *tercero* del deudor-cedido, que incuestionablemente seguirá siendo parte pasiva en el procedimiento que continúe a instancia del cesionario-ejecutante.

---

52. Repárese en que el nivel de protección de la Directiva sobre cláusulas abusivas en los contratos celebrados con consumidores y de la Ley General para la Defensa de los derechos de los consumidores y usuarios es diferente. Como su propio nombre indica, la Directiva persigue la protección del consumidor en el ámbito de los contratos celebrados entre profesionales y consumidores (art. 1.1), pudiendo los Estados miembros adoptar o mantener, en el ámbito de la Directiva, disposiciones más estrictas que sean compatibles con el Tratado, con el fin de garantizar al consumidor un mayor nivel de protección (art. 8.1 de la Directiva). A este respecto, la LGDCU ha ampliado la protección de los consumidores y usuarios frente a las «prácticas no consentidas expresamente», aunque tal ampliación, por si sola, es insuficiente para entender que las prácticas empresariales entran en el motivo de oposición relativo a las cláusulas abusivas, máxime cuando ni siquiera la totalidad de éstas están comprendidas en dicho motivo.

    En particular, sobre la limitación de las cláusulas abusivas que pueden hacerse valer en el proceso de ejecución, v. SENÉS MOTILLA, C., «Cláusulas abusivas y ejecución hipotecaria», en *Práctica de Tribunales*, N.º 120, mayo-junio de 2016 (LA LEY 1611/2016).

53. En este sentido, manifiesto nos parece el error en que incurre la Audiencia Provincial de Álava (1.ª), en Auto de 28 de enero de 2016, al considerar que la pretensión del deudor de abonar el importe del crédito que considera litigioso supone «alegar el pago de la deuda» previsto por la LEC como motivo de oposición de fondo a la ejecución del título no judicial (resolución citada por SÁNCHEZ GARCÍA, *De nuevo sobre la cesión de los créditos litigiosos, op. cit.*).

54. Repárese, en que ejercitando el derecho a extinguir el crédito, el deudor lejos de perseverar en la contienda judicial reconoce la existencia de éste, al menos en la cuantía del reembolso. De ahí que se haya apuntado la proximidad de esta figura con el allanamiento parcial (GONZÁLEZ PACANOWSKA, «Artículos 1535.1536», en *Comentarios, op. cit.*, pág. 10878); aunque conviene precisar su diverso tratamiento y eficacia procesal, por cuanto no podrá ser rechazado por el tribunal por entrañar fraude de ley o lesión del interés general ni comportará la continuación del procedimiento por la cuantía adicional al reembolso, toda vez que la extinción de la deuda es total y su consecuencia es que se ponga fin a la ejecución (art. 570).

Pero dado que el ejercicio del derecho depende de actos externos al procedimiento y concernientes al cedente y al cesionario, creemos razonable asimilar su tratamiento procesal al propio de las tercerías, si quiera sea por la regularidad con que habrá discurrido el procedimiento ejecutivo, tanto en lo que respecta a la sucesión procesal como al despacho de la ejecución (como regular es el despacho de la ejecución en favor del ejecutante en la tercería de mejor derecho).

Sin pretender ahora perfilar los posibles trámites a seguir, así como las instituciones implicadas en el reconocimiento del derecho a la extinción del crédito litigioso, avanzamos algunos de los que podrían ser sus elementos configuradores. En primer lugar, la verificación inicial del carácter litigioso del crédito por haber sido admitido a trámite el escrito de oposición a la ejecución material o *de fondo* del deudor[55]. En segundo lugar, la conveniencia/exigencia de que la demanda se dirija también frente al cedente si, por traer causa el cesionario de una transmisión global de créditos, fuera abonada su colaboración para la determinación del precio de la cesión, en línea con la modulación que alberga la Ley de Enjuiciamiento Civil para la demanda de tercería de mejor derecho (art. 617.2). En tercer lugar, el contenido plural de la resolución estimatoria de la demanda del deudor, que habría de declarar la existencia misma del derecho, con determinación de la cantidad que debe ser reembolsada al cesionario, seguida, en su caso, de la orden de entrega de la cantidad que hubiera consignado el deudor, la cual servirá de título para que el letrado de la Administración de Justicia acuerde la finalización del procedimiento ejecutivo (art. 570 LEC).

Una cuestión relevante queda aún pendiente, cual es la determinación del *tiempo* durante el que el deudor podría hacer valer el derecho a extinguir el crédito. Aunque no tenemos conclusión firme al respecto, nos atrevemos a apuntar como momento de inicio, la admisión a trámite de la oposición a la ejecución, y como momento final, la decisión de ésta mediante resolución firme. El momento inicial sería acorde con la exigencia de que el crédito sea litigioso; el final nos parece razonable atendida la seguridad jurídica que comporta la firmeza de la resolución que acuerde la continuación de la ejecución por cantidad determinada (cfr. art. 561.1, 1.ª y 3.ª LEC).

---

55. La exigencia de oposición material se apoya en la jurisprudencia del Tribunal Supremo, que como vimos, rechaza el carácter litigioso del crédito con apoyo en la oposición de carácter procesal. En sentido contrario, SOLER SOLÉ (*Cesión de cartera de créditos litigiosos, op. cit.*), que confiere también virtualidad para la consideración del crédito litigioso al escrito en el que el deudor interese el ejercicio del derecho de retracto (*sic*).

La reforma del proceso de ejecución que proponemos quizás genere desconcierto, por artificiosa, en relación con su limitada eficacia práctica, pues ciertamente serán minoría los deudores que puedan hacer frente al reembolso del coste de la cesión. Pero creemos, que no otra cosa *permite*, y a la vez *impone*, una norma como el artículo 1535 del Código Civil, que es fruto del acarreo histórico y cuya subsistencia es cuestionada, pero que en tanto se mantenga requiere un tratamiento procesal adecuado en sede ejecutiva, si quiera sea para acallar el reproche de connivencia con la especulación que suscita la regulación vigente.

BIBLIOGRAFÍA

– CAÑIZARES LASO, A.: *La caducidad de los derechos y acciones*, Civitas, Madrid, 2001.

– CORRAL, C.: «La transparencia y los fondos buitre. Consideraciones de *lege ferenda*», en http://www.notariosyregistradores.com

– DIÉGUEZ OLIVA, R.: «Artículo 1532», en *Código Civil Comentado* (Cañizares/De Pablo/Orduña/Valpuesta, Dirs.), Civitas Thomson Reuters, Cizur Menor (Navarra), 2016.

– DÍEZ RUBIO, C.M.: *Ejercicio y efectos de los tanteos y retractos legales*, Dykinson, Madrid, 2000.

– GARCÍA CANTERO, G.: «Artículos 1535–1536», en *Comentarios al Código Civil y Compilaciones forales* (Albaladejo y Díaz Alabart, Dirs.), Madrid, 1980.

– GONZÁLEZ PACANOWSKA, I., «Artículos 1535–1536», en *Comentarios al Código Civil* (Bercovitz Rodríguez-Cano, Dir.), Tirant lo Blanch, Valencia, 2013.

– MARTÍNEZ DE SANTOS, A.: «El acceso al proceso de ejecución de las «cesiones de créditos en masa» a los llamados «fondos buitres», en *Diario La Ley*, N.° 8786, de 20 de junio de 2016.

– MARTÍNEZ VALENCOSO, L.M., «Artículo 1535–1536», en *Código Civil Comentado* (Cañizares/De Pablo/Orduña/Valpuesta, Dirs.), Civitas Thomson Reuters, Cizur Menor (Navarra), 2016.

– MOCHALES BLASCO, A. y ORIVE LÓPEZ-ALTUNA, R.: «Retracto de crédito litigioso en la cesión de un crédito hipotecario que extingue un préstamo personal», en *Anuario contencioso para abogados. Los casos más relevantes en 2009 de los grandes despachos*, La Ley, Madrid, 2010.

– Pérez López, A., Moya Fernández, A.J., y Trigo Sierra, E.: «Cuestiones prácticas de las ventas de carteras de créditos», en *Actualidad Jurídica Uría Menéndez*, N.º 33, 2012.

– Romero García-Mora, G.: «Retracto de créditos litigiosos. Caracterización del crédito retraíble», en *Revista Aranzadi Doctrinal*, N.º 4/2010.

– Sánchez García, J.: «De nuevo sobre la cesión de los créditos litigiosos», en *Revista de Derecho vLex*, N.º 142, marzo de 2016.

– Senés Motilla, C.: «Cláusulas abusivas y ejecución hipotecaria», en *Práctica de Tribunales*, N.º 120, mayo-junio de 2016.

– Serrano de Nicolás, A.: «Cesión de créditos, novación extintiva y subsistencia de garantías», en *Revista de Derecho vLex*, N.º 134, julio de 2015.

– Soler Solé, G.: «Cesión de cartera de créditos litigiosos (Subrogación procesal y derecho de retracto del deudor)», en *Revista de Derecho vLex*, N.º 136, septiembre de 2015.

Capítulo XIX

La mediación en la ejecución hipotecaria: ¿es legal, es válida, es posible?

FEDERICO ADÁN DOMÈNECH

Profesor Agregado de Derecho Procesal, acreditado como Catedrático
Universidad Rovira i Virgili

SUMARIO: 1. INSTAURACIÓN DE LA MEDIACIÓN COMO MEDIDA PALIA-TIVA DEL DEUDOR HIPOTECARIO. 2. INTERROGANTES RES-PECTO DE LA VALIDEZ Y LEGALIDAD DE LA MEDIACIÓN EN LOS PROCESOS DE EJECUCIÓN HIPOTECARIA INCOADOS EN PARTIDOS JUDICIALES DE CATALUÑA. *2.1. Primer problema: determinación de la condición jurídica del deudor hipotecario. 2.2. Segundo problema: ámbito de la potestad legislativa de la Generalitat de Cataluña. 2.3. Tercer problema: regulación de requisitos de procedimentalidad por una cámara legislativa autonómica. 2.4. Cuarto problema: afectación del derecho a la tutela judicial efectiva.* 3. PROBLEMAS DE APLICACIÓN DEL A MEDIACIÓN. *3.1. Legitimación activa para solicitar la mediación. 3.2. Supuestos en que procede la mediación. 3.3. Administración garante de la mediación. 3.4. Finalidad de la mediación. 3.5. Plazo para llegar a acuerdos en la mediación. 3.6. Finalización de la mediación. 3.7. Tramitación de la mediación. 3.8. Documentos que deben acompañar a la demanda ejecutiva.*

1. INSTAURACIÓN DE LA MEDIACIÓN COMO MEDIDA PALIA-TIVA DEL DEUDOR HIPOTECARIO

La Ley 20/2014, de 29 de diciembre, para la mejora de la protección de las personas consumidoras en materia de créditos y préstamos hipotecarios, vulnerabilidad económica y relaciones de consumo, modifica la

Ley 22/2010, de 20 de julio, del Código de Consumo de Cataluña, adicionando el precepto 132–4, en el cual se regula la institución de la mediación con carácter previo a la incoación de la ejecución hipotecaria de vivienda familiar. La regulación de la mediación en el Código de Consumo de Cataluña plantea interrogantes tanto en cuanto a su incidencia procesal y tramitación como en relación a la validez de su instauración como requisito de procedimentalidad de la utilización de una concreta modalidad ejecutiva como es la hipotecaria.

2. INTERROGANTES RESPECTO DE LA VALIDEZ Y LEGALIDAD DE LA MEDIACIÓN EN LOS PROCESOS DE EJECUCIÓN HIPOTECARIA INCOADOS EN PARTIDOS JUDICIALES DE CATALUÑA

2.1. PRIMER PROBLEMA: DETERMINACIÓN DE LA CONDICIÓN JURÍDICA DEL DEUDOR HIPOTECARIO

Con anterioridad al análisis de las medidas legislativas concretas, deviene necesario prefijar el marco normativo en que se dictan las reglas que afectan a la ejecución hipotecaria. Estas reglas son reguladas en el Código de Consumo de Cataluña, –instaurando la mediación con carácter previo a la incoación de la ejecución hipotecaria–, y en la Ley 24/2015, de 29 de julio, de medidas urgentes para afrontar la emergencia en el ámbito de la vivienda y la pobreza energética, –regulando requisitos previos al inicio de la ejecución y procesos alternativos a la misma–. En ambos textos normativos, se considera a la persona que contrata con una entidad bancaria como consumidor y, por ende, las deudas derivadas del pago de las obligaciones contraídas por la formalización de un préstamo hipotecario como deudas derivadas de una relación de consumo.

2.2. SEGUNDO PROBLEMA: ÁMBITO DE LA POTESTAD LEGISLATIVA DE LA GENERALITAT DE CATALUÑA

La legislación en materia de consumo no constituye una de las materias enunciadas como de competencia exclusiva del Estado en el artículo 149.1 CE. Es por ello, que en virtud de la cláusula establecida en el tercero de los apartados del mismo precepto, Cataluña puede asumir como exclusiva y propia la materia de consumo, siempre que se regule vía Estatuto de Autonomía.

En base a esta distribución competencial entre Estado y Comunidad Autónoma en materia de consumo, deviene necesario analizar cómo se regula la materia que tratamos en los ordenamientos jurídicos estatales y autonómicos. A nivel estatal, no existe ninguna norma que imponga la obligación de la mediación en el ámbito del consumo. Asimismo, la Ley 5/2012, de 6 de julio, de mediación en asuntos civiles y mercantiles, excluye de su aplicación, expresamente, en el artículo 2.2 letra d) a la mediación en materia de consumo.

Por su parte, a nivel autonómico, el Estatuto de Autonomía de Cataluña, de acuerdo con la autorización del tercer apartado del precepto 149 CE, se atribuye en su artículo 123, la competencia exclusiva en materia de consumo, que incluye en todo caso: a) La defensa de los derechos de los consumidores y los usuarios, proclamados por el artículo 28, y el establecimiento y la aplicación de los procedimientos administrativos de queja y reclamación; b) La regulación y el fomento de las asociaciones de los consumidores y usuarios y su participación en los procedimientos y asuntos que les afecten; c) La regulación de los órganos y los procedimientos de mediación en materia de consumo; d) La formación y la educación en el consumo; y e) La regulación de la información en materia de consumidores y usuarios.

De esta forma, la Ley 20/2014, de 29 de diciembre, que adiciona al Código de consumo el artículo 132–4, instaurando la mediación en las ejecuciones hipotecarias, no hace más que convertir en una realidad, la previsión contenida en el artículo 123 letra c) del Estatuto de Autonomía de Cataluña, que faculta al Parlamento catalán a regular los procedimientos de mediación en materia de consumo.

En consecuencia, de lo anteriormente expuesto, se llega a la conclusión de que es perfectamente ajustado a la legalidad vigente que se regule a nivel autonómico la mediación de consumo en materia de ejecución hipotecaria.

2.3. TERCER PROBLEMA: REGULACIÓN DE REQUISITOS DE PROCEDIMENTALIDAD POR UNA CÁMARA LEGISLATIVA AUTONÓMICA

Otro de los interrogantes que se plantearía respecto de la instauración de la exigencia de la mediación para ambas partes contratantes, derivaría de la consecuencia de que su práctica se convertiría en un requisito de admisibilidad procedimental. Nos encontramos en un supuesto similar al anterior, que se concretaría en determinar si una Comunidad Autónoma ostenta potestad para regular un requisito que condicione la utilización de un determinado procedimiento judicial.

Analizando de nuevo el artículo 149 CE, el mismo cataloga de competencia exclusiva del Estado en su ordinal 6 la Legislación mercantil, penal y penitenciaria; legislación procesal, sin perjuicio de las necesarias especialidades que en este orden se derive de las particularidades del derecho sustantivo de las Comunidades Autónomas. Partiendo de la literalidad de este precepto, pueden establecerse dos teorías diferenciadas.

La primera de ellas, sostendría que la regulación de la mediación debe ser englobada como un aspecto de la legislación procesal, por afectar a la incoación de un juicio, pues, en definitiva, se erige como un elemento externo que condiciona la instauración de una vía procesal y la posible tutela judicial efectiva de las entidades acreedoras. Según esta teoría, se estaría invadiendo, por parte de la Comunidad Autónoma, competencias propias de la legislación procesal para regular en un texto normativo ajeno, un elemento que, en todo caso, debería estar regulado en la interinidad de la Ley de Enjuiciamiento Civil. En consecuencia, la instauración de la mediación como requisito previo debería legislarse a nivel estatal, por ser las leyes procesales aplicables, de forma homogénea, a todo el territorio estatal.

En contrapartida, una segunda teoría abogaría por defender que la regulación de la mediación no debería ser configurada como una reforma de la legislación procesal, pudiendo, en consecuencia, regularse a nivel autonómico. Línea de argumentación que puede justificarse en los siguientes motivos:

En primer lugar, la instauración de la mediación en materia de consumidores es de carácter extraprocesal por ser una institución ajena al procedimiento de ejecución hipotecaria, al no establecerse como una fase más de su tramitación, diferente sería que se pretendiese que la misma se efectuase una vez incoada la ejecución. En segundo lugar, la instauración de la mediación se efectúa en un Decreto independiente a las leyes procedimentales, en este caso a la Ley de Enjuiciamiento Civil, y, por ende, no se modifica la legislación procesal que es la atribución que se efectúa al Estado como materia exclusiva. Finalmente, partiendo del hecho de que el derecho al consumo no es una disciplina jurídica propia, pues, en definitiva, el mismo constituye una materialización o instrumentalización de los contratos civiles o mercantiles, podría defenderse una postura encaminada a reconocer las especialidades propias del derecho de consumo autonómico. Si bien es cierto que el artículo 149 CE atribuye en sus ordinales 6 y 8 como competencia exclusiva del Estado, la legislación mercantil, penal y penitenciaria; legislación procesal, y legislación civil respectivamente, tal regla general decae ante las especialidades y particularidades del derecho sustantivo propio de las Comunidades Autónomas. De esta forma, si se permite a las comunidades autónomas legislar sobre su derecho civil propio, y el derecho al consumo no es más que una instrumentalización del mismo, también debería autorizarse a legislar sobre el mismo, considerando la instauración de la mediación como una especialidad a la competencia exclusiva del Estado.

2.4. CUARTO PROBLEMA: AFECTACIÓN DEL DERECHO A LA TUTELA JUDICIAL EFECTIVA

De exigirse la mediación de forma obligatoria a todas las partes, y con carácter previo a la incoación de la ejecución hipotecaria, se podría plantar el interrogante de si su exigencia supone una vulneración del derecho a la tutela judicial efectiva de los ciudadanos, por establecer límites de acceso a los Tribunales.

La respuesta a tal cuestión debe ser rotunda, en el sentido de afirmar que no existiría vulneración alguna del derecho de acceso a los Tribunales. La reclamación de las obligaciones derivadas de un préstamo hipotecario presenta hasta cinco posibles alternativas, una de carácter extrajudicial y las restantes judiciales, pudiéndose reclamar a través de un proceso declarativo ordinario, de la ejecución ordinaria, de la ejecución hipotecaria e, incluso, a través de un proceso monitorio.

La ejecución hipotecaria se configura como una modalidad especial del proceso ejecutivo, y, por tanto, condicionada su utilización a la concurrencia de una serie de requisitos, algunos regulados en Leyes sustantivas y otros en la propia Ley procesal, como son, entre otros: la exigencia de la expedición de la primera copia de la escritura pública con carácter ejecutivo, según los artículos 17 de la Ley del notariado y 233 del Reglamento del notariado; la constancia del domicilio del deudor y del precio de tasación de la vivienda en la escritura pública, conforme al precepto 682 de la Ley procesal; siendo, en consecuencia, la realización de la mediación, de exigirse con carácter obligatorio, un requisito más de una vía procesal especial.

La falta de cumplimiento de alguno de estos presupuestos no imposibilita al acreedor acudir a la vía judicial, sino que solamente le resultaría vetada una modalidad procedimental concreta, como es la ejecución hipotecaria, que como vía especial se encuentra condicionada a la concurrencia de unos extremos concretos.

3. PROBLEMAS DE APLICACIÓN DE LA MEDIACIÓN

3.1. LEGITIMACIÓN ACTIVA PARA SOLICITAR LA MEDIACIÓN

Uno de los principales problemas que podían plantearse en la práctica forense con la aplicación del artículo 132–4 del Código de consumo, se concretaba en determinar quién ostenta la legitimación activa para solicitar la mediación. Esta problemática es fruto de la falta de uniformidad terminológica existente entre la redacción del artículo 132–4 del Código de consumo de Cataluña y la literalidad de la norma 15 del Decreto 98/2014, de 8 de julio, regulador del procedimiento de mediación en las relaciones de consumo, texto legal que se erige como la norma genérica en cuanto a la tramitación de los procesos de mediación en Cataluña.

Este último texto legal, en su precepto 15, sostiene que *el procedimiento de mediación de consumo se inicia a petición de la persona consumidora*, mientras que el Código de consumo regula la legitimación en el apartado tercero del artículo 132–4, al sostener que *las partes en conflicto, antes de interponer cualquier reclamación administrativa o demanda judicial, deben acudir a la mediación o pueden acordar someterse al arbitraje*. El término *partes* no especifica a quién le corresponde la legitimación para solicitar la mediación, planteándose el interrogante de si corresponde solamente al consumidor o, por el contrario, a cualquiera de los sujetos contratantes del préstamo hipotecario.

Como era de prever esta cuestión no se encontraba exenta de problemas en cuanto a su aplicación, situación que ha obligado a la Agencia Catalana de Consumo de la Generalitat de Cataluña ha pronunciarse sobre la misma, ante una consulta efectuada por Caixabank S.A., formulada en los siguientes términos: *¿quiénes son las personas que ostentan la legitimación activa para promover el procedimiento de mediación de consumo para resolver extrajudicialmente de conflictos diamantes del impago de préstamos o créditos hipotecarios sobre la vivienda habitual del deudor?*

La respuesta de la Agencia Catalana de Consumo de la Generalitat de Cataluña se ajusta a las reglas generales del procedimiento de mediación, establecidas en el artículo 15 del Decreto 98/2014, de 8 de julio, afirmando que *El decreto 98/2014, de 8 de julio, sobre el procedimiento de mediación prevé que la solicitud del inicio del procedimiento de mediación estará en manos exclusivamente del consumidor. En ningún caso, la empresa reclamada podrá iniciar el procedimiento de mediación, sino que su posición está enmarcada en aceptarla o rechazarla en el plazo de 30 días que prevé el artículo 20 del mismo decreto.*

3.2. SUPUESTOS EN QUE PROCEDE LA MEDIACIÓN

La exigencia de la práctica de la mediación regulada en el artículo 132–4 del Código de consumo no es absoluta, sino que la misma resulta aplicable con dos limitaciones.

En primer lugar, el acreedor hipotecario, como hemos manifestado anteriormente, no tiene la obligación de acudir al proceso especial de ejecución hipotecaria para reclamar su crédito, sino que ostenta otras vías alternativas, tanto judiciales como extrajudiciales. Así, a nivel judicial, el acreedor hipotecario ostenta hasta cuatro posibles alternativas: a) iniciar un proceso declarativo; b) incoar un juicio monitorio; c) instar la ejecución ordinaria; y d) incoar una ejecución hipotecaria.

Con independencia de las ventajas o inconvenientes de la utilización de una u otra posibilidad, se podrían justificar, en cuanto a la necesidad de realizar obligatoriamente o no la mediación con carácter obligatorio, dos posturas. Por un lado, defender que la mediación es necesaria para todos los procesos judiciales, pues el apartado primero del artículo 132–4 del Código de consumo establece la necesidad de su realización previa a *cualquier* procedimiento judicial, el término *cualquier* abarcaría todas las modalidades procedimentales, o por el contrario, defender una segunda postura más restrictiva, que se concretaría en sostener que la mediación sólo resulta necesaria para las ejecuciones hipotecarias, por resultar la única vía procedimental que menciona de modo expreso la norma.

En segundo lugar, una vez determinada la preceptividad de la mediación sólo para las ejecuciones hipotecarias, la misma tampoco resulta obligatoria para todas ellas, pues sólo se exige a un ámbito concreto de las ejecuciones hipotecarias, esto es, únicamente respecto de aquellas que pretenden la enajenación de viviendas habituales.

Esta limitación es acorde con la política legislativa realizada a nivel del ordenamiento jurídico interno, en especial en la Ley 1/2013, en la que se instauran medidas protectoras del deudor hipotecario ante ejecuciones de viviendas habitual frente a las enajenaciones de viviendas que no ostentan tal condición.

Esta circunstancia comporta la coexistencia de dos regulaciones hipotecarias paralelas, la relativa a la ejecución de viviendas habituales, más garantista con la figura del deudor, y la relativa a las viviendas no habituales, con mayor protección para el sujeto que ostenta la condición de acreedor.

3.3. ADMINISTRACIÓN GARANTE DE LA MEDIACIÓN

La responsabilidad de instaurar los mecanismos y medios para la efectiva realización de la mediación se encomienda a las administraciones públicas catalanas y servicios públicos de consumo, de acuerdo con lo establecido en el apartado primero del artículo 132–4 del Código de consumo. No obstante, consideramos que esta previsión resulta demasiado amplia, pues permite que cualquier administración que tenga instaurado el sistema de mediación pueda celebrar la misma, con independencia de su ámbito territorial y categoría. A nuestro entender, deberían concretarse diferentes aspectos.

En primer lugar, reglamentar el procedimiento de mediación a seguir, unificando los mismos y evitando disparidad de mediaciones según sea la administración o servicio público que la efectué, pues muchas de estas administraciones y servicios públicos tienen sus propios estatutos reguladores de la mediación. Este primer problema ha sido resuelto por la respuesta de la Agencia Catalana de Consumo a la consulta efectuada por Caixabank, al establecer, de forma expresa, que cuando se trate de mediaciones de consumo, las mismas deberán ser tramitadas de acuerdo con el procedimiento establecido en el Decreto 98/2014 de 8 de julio.

En segundo lugar, resulta preciso determinar las características y conocimientos de los mediadores, y en tercer lugar, especificar si la mediación efectuada resulta válida para acreditarse ante cualquier Juzgado o Tribunal, con independencia de la competencia territorial de éstos, o, si por el contrario, debe adscribirse las administraciones públicas o servicios públicos a los diferentes partidos judiciales.

A nuestro entender, este servicio de mediación debería asumirlo la Generalitat de Catalunya, estableciendo delegaciones territoriales, unificando así el sistema de mediación hipotecario.

3.4. FINALIDAD DE LA MEDIACIÓN

La finalidad de la mediación es acorde con la política legislativa existente en el ámbito hipotecario de los últimos años, concretándose en favorecer y potenciar la adopción de medidas e instrumentos que permitan ayudar al deudor hipotecario.

En este sentido, el apartado segundo del artículo 132–4 del Código de consumo enumera los dos objetivos básicos de la mediación, bien buscar acuerdos entre las partes que hagan viable que la persona consumidora conserve la propiedad de la vivienda o, bien subsidiariamente, asegurar la posibilidad de mantener su uso y disfrute.

A efectos de dotar al mediador de instrumentos que garanticen o cuanto menos faciliten la mediación, se concede a las partes o el órgano de resolución extrajudicial de conflictos, la potestad de solicitar un *informe de evaluación social que determine los riesgos sociales y económicos derivados del proceso de lanzamiento*. La redacción de este informe deberá efectuarse a partir de los datos obtenidos de los servicios sociales básicos sobre la situación de la persona o unidad familiar.

Este informe no debe ser una mera radiografía de la situación económica, sino que el Código de consumo le exige la plasmación de una propuesta de viabilidad o liquidación de la deuda, incluyendo la dación en pago como solución. El informe redactado por los servicios públicos de consumo de Cataluña no resulta vinculante, sino que se presenta como una alternativa a la enajenación forzosa.

Es preciso destacar, en este punto, un error existente en el articulado del Código de consumo, pues cuando el artículo 132–4 del mismo cuerpo legal, prevé la posibilidad de solicitar el informe de evaluación social, establece que deberá efectuase en los términos del precepto 133–6, cuando este no existe, debiendo referirse, en todo caso, a la norma 131–3 del mismo cuerpo legal.

En el artículo 131–3.1 del Código de consumo se prevé la posibilidad de que ante el fracaso de la mediación no se llegase a un acuerdo, iniciándose un procedimiento judicial, los informes de *evaluación social y las propuestas de viabilidad pueden ser requeridos y considerados por la autoridad judicial o bien pueden ser aportados por las partes en dicho procedimiento judicial*. No obstante, consideramos de escasa eficacia tal previsión legislativa, pues el Juez no puede imponer dichas propuestas a una de las partes e improbablemente éstas las aceptarán cuando han sido objeto de rechazo en la fase de negociación, en todo caso, sí pueden servir para que el órgano judicial pueda atribuir mala fe a alguna de las partes en el procedimiento de mediación, si observa la corrección de las medidas propuestas y la negativa injustificada de alguna de las partes a su admisión y aplicación en detrimento de la otra.

3.5. PLAZO PARA LLEGAR A ACUERDOS EN LA MEDIACIÓN

El legislador establece un plazo de tiempo máximo para la tramitación de la mediación. El plazo viene fijado en el apartado tercero del artículo 132–4 del Código de consumo, concretándose en tres meses que empezarán a contar desde la notificación del acuerdo de inicio de la mediación. Notificación que debe corresponder a la administración pública competente o servicio público al que se le encomiende la mediación.

Consideramos acertado fijar un tiempo máximo de negociación, pues de lo contrario, alguna de las partes, actuando de mala fe, podría prolongar su tramitación evitando la presentación de la correspondiente demanda ejecutiva. A pesar de ello, consideraríamos conveniente haberse previsto la posibilidad de prorrogarse este plazo bajo causas justificadas, más y cuando, la celeridad en la mediación y en la obtención de medios que faciliten su finalización exitosa no siempre dependerá de las partes, piénsese en los supuestos, en que tal como prevé el apartado segundo del artículo 132–4 del Código de consumo, se solicite un informe de evaluación social con un análisis socioeconómico del deudor.

Si de acuerdo con la interpretación del artículo 132–4 del Código de consumo que efectúa la Agencia Catalana de Consumo, la legitimación para solicitar la mediación sólo le corresponde al consumidor, debe preverse la posibilidad de que el mismo, la solicite ante una inminente incoación de la ejecución hipotecaria por parte del acreedor. Si existen suficientes motivos fundados de la utilización de esta institución jurídica, de manera fraudulenta o temeraria, para retrasar la enajenación de la vivienda, tal comportamiento debería ser sancionado por ser contrario a las reglas de la buena fe procesal reguladas en el artículo 11 de la Ley Orgánica del Poder Judicial y 247 de la Ley de Enjuiciamiento Civil.

De aceptarse la tesis que hemos planteado en este trabajo, en el sentido de conceder la legitimación activa también al acreedor ejecutante, otro de los problemas prácticos que podría plantearse se concretaría en si en el momento en que se solicita la mediación se cumplen los requisitos legales para solicitar la ejecución hipotecaria. Piénsese en los supuestos de hipotecas en que se pacta un vencimiento anticipado tras el impago de tres cuotas o un número de cuotas de importe equivalente a tres meses. En el momento de solicitarse la iniciación de la mediación debe acreditarse el efectivo impago de las tres mensualidades o, por el contrario, podría solicitarse la mediación ante el impago de una mensualidad, sabiendo el acreedor que ante la insolvencia del deudor durante el transcurso de los tres meses máximos que puede prolongarse la mediación se cumplirá el impago de las tres cuotas mensuales.

A nuestro entender, en el momento de procederse a solicitar la mediación deben cumplirse todos los requisitos legalmente exigidos para proceder a la incoación de la ejecución hipotecaria, a efectos de no desnaturalizar la mediación, por varios motivos, en primer lugar, se produciría un fraude legal, al utilizar los acreedores fraudulentamente una previsión legal para acreditar el impago de tres mensualidades, en segundo lugar, se desnaturalizaría la finalidad de la mediación que no es otra que intentar llegar un acuerdo, que en cierta medida flexibilice la delicada situación del deudor en beneficio del acreedor hipotecario, y en tercer lugar, por intentarse una mediación respecto de una ejecución hipotecaria que no podría en algún caso ser admitida a trámite, supuesto que acontecería en los casos en que el deudor pagase alguna de las mensualidades que vencen durante la tramitación de la mediación, sin cumplirse el requisito de tres cuotas impagadas para proceder al vencimiento anticipado, por lo que se negociaría por una hipoteca no ejecutable.

3.6. FINALIZACIÓN DE LA MEDIACIÓN

Una vez realizada la mediación, la misma puede finalizar con acuerdo o sin él. Para los casos de falta de entendimiento resultará expedita la vía judicial y, en concreto, entre otras posibilidades la incoación de una ejecución hipotecaria.

El éxito de la mediación deberá reflejarse en un escrito, que en función de las directrices del artículo 132–3 del Código de consumo, resulta vinculante para todas las partes, pudiéndose formalizar en un documento escrito firmado por ellas y la persona mediadora. La firma de la persona mediadora deja constancia del compromiso a que se ha llegado. Los acuerdos son ejecutivos de acuerdo con la normativa sobre mediación. En el mismo sentido, se manifiesta el precepto 30 del Decreto 98/2014, de 8 de julio, sobre el procedimiento de mediación en las relaciones de consumo, remitiéndose a la normativa genérica de mediación en relación al carácter ejecutivo de los acuerdos de mediación.

La Ley 5/2012, de 6 de julio, de mediación en asuntos civiles y mercantiles, si bien no resulta de aplicación por excluir de su ámbito de aplicación a las materias de consumo, sí en su artículo 25.1 establece que las partes podrán elevar a escritura pública el acuerdo alcanzado tras un procedimiento de mediación, formalizándose como título ejecutivo. Es por ello, que si legalmente es permisible que determinados acuerdos obtenidos fruto de la mediación sean elevados a escritura pública, no debería existir óbice para que circunstancia similar se produzca con los acuerdos conseguidos en materia de consumo.

Sin embargo, consideramos de difícil aceptación que la entidad financiera apruebe un nuevo título ejecutivo en que se modifiquen las condiciones de la escritura pública en que consta la garantía hipotecaria por los siguientes motivos:

En primer lugar, porque se produciría una alteración del título ejecutivo por novación, y, en segundo lugar, y, como consecuencia de lo anterior, la entidad financiera podría encontrarse ante la imposibilidad de no poder acudir a una ejecución hipotecaria por tener un título ejecutivo con unos actos ejecutivos diferentes a la garantía hipotecaria, o, en caso de incoar la misma, asumir el riesgo de que prosperen las posibles excepciones a la ejecución hipotecaria del deudor en base a motivos de carácter sustantivo –extinción de la garantía u obligación inicial– o excepciones procesales –invalidez de los actos ejecutivos por sustanciarse en un procedimiento inadecuado al ser los actos ejecutivos diferentes, debiéndose acudir a la ejecución ordinaria como consecuencia de la novación del título ejecutivo–.

En base a los motivos anteriormente expuestos, tanto si el acuerdo obtenido en la mediación se formaliza en título ejecutivo como sino no, serán acuerdos que no tendrán como consecuencia la pérdida de la garantía hipotecaria, pues, en todo caso, la entidad financiera subordinará la validez de los pactos alcanzados al mantenimiento de la misma, de lo contrario, las mediaciones se verían siempre abocadas al fracaso por la poca predisposición de las entidades acreedoras.

3.7. TRAMITACIÓN DE LA MEDIACIÓN

Las reglas que deben regir la celebración de la mediación han sido señaladas por la propia Agencia Catalana de Consumo al contestar a la pregunta de Caixabank S.A., en la que se preguntaba si en los supuestos de créditos o préstamos hipotecarios sobre la vivienda habitual en los cuales el consumidor ejercite efectivamente su legitimación activa exclusiva y decida solicitar la mediación, ¿la entidad financiera estará a los establecido en el procedimiento y plazos establecidos en el artículo 132–4.3 de la Ley 20/2014, de 29 de diciembre, de modificación de la Ley 22/2010. Del Código de consumo de Cataluña?

La respuesta de la Agencia Catalana de Consumo sostiene la aplicación de los trámites regulados en el artículo 132–4 del Código de Consumo y en el Decreto 98/2014, de 8 de julio, regulador del procedimiento de mediación en las relaciones de consumo.

3.8. DOCUMENTOS QUE DEBEN ACOMPAÑAR A LA DEMANDA EJECUTIVA

La realización de la mediación previa a la presentación de la demanda ejecutiva modifica los documentos que deben acompañarse a este escrito para que el órgano judicial proceda a despachar ejecución.

De acuerdo con el apartado segundo del artículo 685 LEC, a la demanda ejecutiva debían acompañarse el título o títulos de crédito, revestidos de los requisitos que esta Ley exige para despachar ejecución, en concreto, la escritura pública en la que se consigne la garantía hipotecaria, siempre y cuando, en la escritura conste un precio de tasación y el domicilio del deudor, así como los documentos útiles o convenientes para la ejecución, el poder del procurador y los relativos a la notificaciones de operaciones liquidatorias y del saldo deudor en caso de intereses variables.

Con la entrada en vigor del artículo 132–4 del Código de consumo también será preceptivo acompañar el documento que acredite el intento de mediación y su finalización sin acuerdo, siempre y cuando, el consumidor haya solicitado la realización de la mediación. De no acompañarse estos documentos, consideramos, en favor del principio *pro actione*, que con anterioridad a la denegación del despacho de ejecución por no concurrir los requisitos legalmente establecidos, de acuerdo con el artículo 552 LEC, se conceda plazo al demandante para subsanar tal omisión.

En contrapartida, cuando la demanda la presente directamente la entidad financiera, sin que el consumidor haya solicitado la mediación, no deberá acompañarse documento justificativo alguno de la mediación, como consecuencia de la postura sostenida por la Agencia Catalana de Consumo que no faculta a la entidad acreedora a solicitar la misma.

El problema que se puede plantear es si una vez presentada la demanda, el deudor solicita la realización de la mediación. A nuestro entender, esta solicitud devendría extemporánea, resultando la presentación de la demanda un factor preclusivo de la mediación.

Capítulo XX

El reconocimiento y ejecución de laudos arbitrales en la Ley de Cooperación Jurídica Internacional en materia civil

GERALDINE BETHENCOURT-RODRÍGUEZ

Personal investigador del área de Derecho Mercantil
Universidad CEU San Pablo

SUMARIO: 1. INTRODUCCIÓN. 2. EXEQUÁTUR DEL LAUDO ARBITRAL: UNA PANORÁMICA GENERAL. 3. ÁMBITO DE APLICACIÓN DE LA LEY DE COOPERACIÓN JURÍDICA INTERNACIONAL: EL CARÁCTER SUBSIDIARIO EN SEDE DE ARBITRAJE. 4. COMPETENCIA PARA CONOCER DEL PROCEDIMIENTO DE EXEQUÁTUR Y EJECUCIÓN DE LAUDOS EXTRANJEROS. *4.1. Exequátur. 4.2. Ejecución.* 5. PROCEDIMIENTO APLICABLE PARA LA SUSTANCIACIÓN DE LAS SOLICITUDES DE EXEQUÁTUR. 6. NOVEDADES QUE MEJORAN EL PROCEDIMIENTO DE EXEQUÁTUR DEL LAUDO ARBITRAL EXTRANJERO. *6.1. El procedimiento de no reconocimiento del laudo. 6.2. El reconocimiento incidental del laudo arbitral. 6.3.El reconocimiento parcial del laudo arbitral.* 7. CONCLUSIONES.

1. INTRODUCCIÓN

Ante los problemas de lentitud que plantea la justicia ordinaria a la hora de resolver conflictos, cada vez son más las empresas e instituciones que deciden optar por mecanismos de resolución de controversias que se sitúan al margen de la jurisdicción ordinaria como, por ejemplo, el arbitraje. Este mecanismo como forma privada de solución de conflictos ha tenido gran aceptación y difusión; tanto es así, que es hoy el medio natural de resolver las disputas en el ámbito del comercio internacional[1]. Entre las razones que motivan a los operadores de los negocios internacionales a optar por este mecanismo pueden destacarse: la elección de un foro neutral, la celeridad, la confidencialidad[2], la elección de árbitros

---

1. En lo relativo al concepto de «arbitraje comercial internacional», cabe referirse a la Ley Modelo elaborada por la Comisión de Naciones Unidas para el Derecho Mercantil Internacional (CNUDMI), sobre Arbitraje Comercial Internacional. Se trata de un texto normativo regulador del procedimiento arbitral y dirigido a constituir un ejemplo legislativo para los diferentes ordenamientos jurídicos de todo el mundo, con independencia de su naturaleza, estructura y funcionamiento, con el objetivo de homogeneizar las distintas normas arbitrales a nivel internacional en aras de perfeccionar este instrumento de resolución de conflictos en el marco de las relaciones comerciales internacionales. Esta norma establece que un arbitraje es internacional si las partes en el acuerdo arbitral tienen, en el momento de la celebración de ese pacto, sus establecimientos en Estados distintos; o bien el lugar del arbitraje, si éste fue determinado en el acuerdo arbitral, y/o el lugar de cumplimiento de una parte sustancial de las obligaciones derivadas de la relación comercial están fuera del Estado en el que las partes tienen sus establecimientos. También será internacional un arbitraje en el que las partes hayan acordado expresamente que la cuestión objeto del procedimiento tiene relación con más de un Estado (art. 1.3). *Vid.* FERNÁNDEZ ROZAS, J.C., «El arbitraje comercial internacional entre la autonomía, la anacionalidad y la deslocalización», *Revista Española de Derecho Internacional*, vol. LVII, 2005, págs. 605–637. La Ley Modelo recoge además, en una nota a pie de página al artículo 1, que debe llevarse a cabo una interpretación en sentido amplio del término «comercial» para que el mismo abarque todo tipo de relaciones comerciales, tengan o no un origen contractual. En este sentido, el término puede referirse a cualquier operación comercial de intercambio o suministro de bienes o servicios, acuerdos de distribución, representación o mandato comercial, arrendamiento de bienes de equipo con opción a compra o *leasing*, transferencia de créditos para su cobro o *factoring*, construcción de obras, ingeniería, banca, servicios financieros y actuariales, acuerdos de concesión, inversión, asociaciones de empresas, cooperación industrial o comercial o transporte de mercaderías o pasajeros por vía férrea, marítima, aérea o por carretera.

2. El arbitraje es un sistema de resolución de controversias que se concibió como confidencial, de tal manera que las partes pudieran resolver sus disputas y evitar que las mismas salieran a la luz con el objetivo, en muchos casos, de eludir el impacto mediático. Por un lado, se trata de un elemento positivo, en tanto que las diferencias que surgen de relaciones privadas no trascienden al ámbito público y ello convierte al arbitraje en un instrumento atractivo para las empresas en aras de proteger su imagen y estatus; pero, por otro, la no publicación de la gran parte de los laudos arbitrales conlleva la inexistencia, en la práctica, de una «jurisprudencia arbitral» que permita un correcto y normal desarrollo de esta disciplina jurídica. A ello cabe añadir que, durante los últimos años, ha proliferado el concepto de «interés público» de los laudos arbitrales, sobre todo en los arbitrajes de inversión en los que interviene un Estado soberano como parte, ya que cada vez más se exige que los ciudadanos conozcan en qué pleitos actúa su Estado y cuáles han sido los resultados de los mismos. Para asegurar la confidencialidad del arbitraje, se recomienda incluir tal concepto de manera expresa en el acuerdo arbitral. *Vid.* FERNÁNDEZ ROZAS, J.C.: «Trayectoria

con conocimientos técnicos en la relación fundamental[3], la flexibilidad de los procedimientos, la mayor injerencia de la autonomía de la voluntad de los contratantes[4], la emisión de una resolución arbitral final y vinculante, que produce efectos de *res judicata* y, por tanto, no cabe recurso de modo que únicamente es posible su impugnación si ha existido algún defecto en el proceso[5], y, especialmente, la posibilidad de ejecutar internacionalmente tanto las cláusulas como los laudos arbitrales[6].

y contornos del mito de la confidencialidad en el arbitraje comercial», *Revista de Arbitraje Comercial y de Inversiones*, vol. II, núm. 2, 2009, págs. 335–378.

3. Una ventaja que otorga el arbitraje con respecto a la jurisdicción ordinaria es que la elección de los árbitros se lleva a cabo, entre otros, con base en unos criterios de especialización, de tal manera que se pretende que, ante asuntos de derecho comercial complejo, las personas encargadas de tomar las decisiones tengan una alto grado de conocimiento de la disciplina en la que se enmarca el objeto del procedimiento.

4. El arbitraje descansa sobre el principio de autonomía de la voluntad de las partes por lo que son las mismas las que acuerdan el sistema de elección de los árbitros y les otorgan un «poder de decisión» que puede ser más o menos amplio y que vendrá delimitado en el pacto arbitral. *Vid.* SANTOS VIJANDE, J.M.: «El número impar y la imparcialidad como límites a la autonomía de la voluntad en la designación de árbitros», *Revista Internacional de Estudios de Derecho Procesal y Arbitraje*, núm. 2, 2010, págs. 1–22. Si el acuerdo arbitral se celebra con anterioridad al surgimiento de la disputa, nos encontramos ante una «cláusula compromisoria» que puede estar o no incluida, en su caso, en el propio contrato principal regulador de la relación comercial; mientras que si el pacto arbitral se celebra con posterioridad al surgimiento de la controversia, nos encontraremos ante un «compromiso arbitral», si bien, en normativas arbitrales «antiformalistas», como la española, a efectos prácticos esta diferenciación no tiene mayor relevancia.

5. BERNARDO SAN JOSÉ, A.: «Principales efectos del laudo arbitral: cosa juzgada y ejecutabilidad», *Revista de Arbitraje Comercial y de Inversiones*, vol. I, 2008, pág. 116.

6. El tribunal arbitral deberá asegurar, la emisión de un laudo susceptible de reconocimiento y ejecución que cumpla con los requisitos temporales y formales aplicables en cada caso. En este sentido, la Ley Modelo elaborada por la Comisión de Naciones Unidas para el Derecho Mercantil Internacional (CNUDMI), sobre Arbitraje Comercial Internacional (en adelante, Ley Modelo), recoge que la validez de la resolución arbitral pasa por el cumplimiento de unos requisitos *ad solemnitatem* ya que el laudo debe emitirse por escrito, tiene que estar motivado y firmado por los árbitros, debe establecerse la fecha y el lugar sede del arbitraje, ha de hacerse público en caso de que ambas partes lo consientan, o si así se requiere por imperativo legal o judicial, o con el objetivo de proteger un derecho legítimo, y también ha de ser comunicado a las partes (art. 34 Ley Modelo). Cada normativa arbitral establece sus propios requisitos, por ejemplo, en el Reglamento de la CCI se establece un plazo de seis meses prorrogable para la emisión del laudo. No obstante, las partes pueden acordar el mencionado plazo de manera que los árbitros deban dar cumplimiento al mismo para asegurar la validez de su decisión; sin embargo, ello podría provocar bien que los árbitros no tuviesen el tiempo suficiente para resolver, lo que conllevaría la emisión de un laudo inválido por no haber dado cumplimiento a la voluntad de las partes en cuanto al tiempo, bien podría el tribunal otorgar tal celeridad al proceso que la parte perdedora del arbitraje intentara una impugnación en base a que no le ha sido posible presentar

En el marco de un procedimiento arbitral, es evidente que la posibilidad de obtener un laudo que sea reconocido y pueda ser efectivamente ejecutado es el principal objetivo de la parte que prevaleció en un arbitraje internacional. Sin embargo, en muchas ocasiones la obtención de un laudo favorable marca apenas la mitad del camino que debe recorrer la parte ganadora para obtener una satisfacción efectiva de sus intereses, ya que si la sentencia arbitral debe ser ejecutada en un tercer Estado, la misma tendrá que ser sometida a un procedimiento de homologación cuyo objeto es confirmar o rechazar los efectos de esa decisión extranjera en el Estado en el que se pretende la ejecución.

Las Convenciones internacionales remiten al Derecho interno la regulación de los procedimientos para el reconocimiento y ejecución de la sentencia arbitral[7]. A este respecto, la Convención de Nueva York de 10 de Junio de 1958 (en adelante, Convención de Nueva York) es contundente y establece que es una cuestión que deberá ser reglada por el Derecho de cada país[8]. Ahora bien, la Convención exige al legislador que dicha

---

sus alegaciones y ejercer sus derechos de forma adecuada; por ello se recomienda que se establezca un plazo flexible que simplemente constituya una guía temporal y no una obligación taxativa. *Vid.* MOSES, M. L.: *The Principles and Practice of International Commercial Arbitration*, Cambridge University Press, Nueva York, 2012, pág. 195.

En cualquier caso, un árbitro que emite un laudo que no puede reconocerse y/o ejecutarse por haber actuado de manera dolosa o negligente tendrá dificultades para ser elegido con el objetivo de dirimir una nueva controversia. Los árbitros, que reciben sus honorarios de las partes, deben ganarse una reputación en base a su trabajo y actuación en los procedimientos arbitrales para que, de nuevo, los sujetos parte en un contrato decidan confiarles la resolución de sus disputas. *Vid.* INTERNATIONAL BAR ASSOCIATION, *Directrices de la IBA sobre los Conflictos de Intereses en el Arbitraje Internacional*. Aprobadas por el Consejo de la Internacional Bar Association el 22 de mayo de 2004.

7. El reconocimiento y la ejecución de laudos arbitrales extranjeros en España están regulados en el Convenio de Nueva York de 10 de junio de 1958. Así lo advierte la Ley 60/2003, de 23 de diciembre, de Arbitraje (en adelante, Ley de Arbitraje). En este sentido, la ley establece que «[e]l exequátur de laudos extranjeros se regirá por el Convenio sobre reconocimiento y ejecución de las sentencias arbitrales extranjeras, hecho en Nueva York, el 10 de junio de 1958, sin perjuicio de los dispuesto en otros convenios internacionales más favorables a su concesión, y se sustanciará según el procedimiento establecido en el ordenamiento procesal civil para el de sentencias dictadas por tribunales extranjeros» (art. 46.2 Ley de Arbitraje).

8. Existen numerosos Tratados Internacionales relativos al reconocimiento y ejecución de laudos arbitrales extranjeros, pero ninguno de ellos goza de la aceptación internacional que ostenta la Convención de Nueva York. Se trata de un texto normativo de gran relevancia que constituye parte importante de la «infraestructura jurídica» del arbitraje comercial internacional. El objeto de este Tratado es el reconocimiento y ejecución de «laudos extranjeros», esto es, sentencias arbitrales que hayan sido dictadas en un Estado distinto del que se pretende tal reconocimiento

regulación no puede contener condiciones más onerosas que para las sentencias nacionales, en función del efecto unificador y beneficioso que la Convención pretende[9].

En España el procedimiento para el reconocimiento y ejecución de sentencias dictadas por tribunales extranjeros se regulaba en los artículos 951 a 958 de la Ley 1/2000, de 7 de enero, de Enjuiciamiento Civil (en adelante, Ley de Enjuiciamiento Civil). Ésta establecía expresamente en su disposición derogatoria que los mencionados preceptos continuarían en vigor hasta que se aprobara la Ley sobre Cooperación Jurídica Internacional en materia civil. El 31 de julio de 2015 se publicó en el Boletín Oficial del Estado la Ley 29/2015, de 30 de julio, de Cooperación Jurídica Internacional en materia civil (en adelante, Ley de Cooperación Jurídica Internacional). El objetivo de esta normativa ha sido doble: por un lado, cumplir tanto con la obligación de cooperación que emana del Derecho internacional general como con el mandato contenido en la disposición final vigésima de la Ley de Enjuiciamiento Civil, y, de hecho, pendiente desde la promulgación de la Ley Orgánica del Poder Judicial en el año 1985 y, por otro, proporcionar al ordenamiento jurídico de una regulación moderna sobre esta materia.

---

y ejecución y que deriven de las diferencias que surjan entre personas físicas o jurídicas, así como a aquellas resoluciones arbitrales que no sean consideradas como sentencias nacionales en el Estado en el que se solicita el reconocimiento y ejecución (art. 1.1 Convención de Nueva York). La norma se refiere siempre a «sentencia arbitral» e indica que este término no define únicamente a las resoluciones arbitrales emitidas por los árbitros elegidos por las partes sino también por aquellos «órganos arbitrales permanentes» a los que las mismas hayan sometido la controversia (art. 1.2 Convención de Nueva York). Vid., a este respecto, VIRGÓS SORIANO, M., «Arbitraje comercial internacional y convenio de nueva york de 1958», La Ley: Revista jurídica española de doctrina, jurisprudencia y bibliografía, núm. 2, 2007, pág. 1682.

9. El artículo III de la Convención de Nueva York establece que «[c]ada uno de los Estados contratantes reconocerá la autoridad de la sentencia arbitral y concederá su ejecución de conformidad con las normas de procedimiento vigentes en el territorio donde la sentencia sea invocada, con arreglo a las condiciones que se establecen en los artículos siguientes. Para el reconocimiento o la ejecución de las sentencias arbitrales a que se aplica la presente Convención, no se impondrán condiciones apreciablemente más rigurosas ni honorarios o costas más elevados que los aplicables al reconocimiento o a la ejecución de las sentencias arbitrales nacionales». El segundo inciso del artículo III tiene dos consecuencias: por un lado, estimular una interpretación jurisprudencial conforme con el Tratado que permita eliminar obstáculos en la práctica respecto del reconocimiento de laudos extranjeros y, por otro, apoyar las iniciativas legislativas para introducir un régimen autónomo más favorable para las sentencias extranjeras. Vid. MERINO MERCHÁN, J. F., y CHILLÓN MEDINA, J. M.ª.: Tratado de Derecho arbitral, 4.ª ed., Civitas, Cizur Menor, 2014, pág. 1869.

Se trata de una ley que nace con el ánimo de aportar seguridad jurídica, así como con la finalidad de superar históricos defectos técnicos del sistema español de Derecho internacional privado e incorporar soluciones novedosas con las que afrontar adecuadamente la complejidad del tráfico jurídico externo[10].

Con la finalidad de abordar el impacto de la Ley de Cooperación Jurídica Internacional en el procedimiento de reconocimiento y ejecución de laudos arbitrales, se hará referencia, en primer lugar, a los rasgos característicos del exequátur del laudo arbitral, en segundo lugar, se analizará el ámbito de aplicación del nuevo régimen de cooperación y su carácter subsidiario en sede de arbitraje, y en tercer y último lugar, se abordará la configuración del exequátur a la luz del reciente cambio normativo con la finalidad de exponer las novedades que la Ley de Cooperación Jurídica Internacional ha supuesto para el arbitraje.

2. EXEQUÁTUR DEL LAUDO ARBITRAL: UNA PANORÁMICA GENERAL

En un entorno globalizado en el que en una misma relación comercial pueden intervenir sujetos pertenecientes a diferentes jurisdicciones es lógico que existan laudos arbitrales emitidos en un Estado que intenten ser ejecutados en otro Estado distinto. En este sentido, con frecuencia la parte ganadora del arbitraje detecta la existencia de bienes o derechos cuya titularidad ostenta la parte perdedora en un Estado distinto del lugar sede del arbitraje y decide solicitar la iniciación del procedimiento de exequátur del laudo en esa jurisdicción al objeto de que los tribunales

---

10. La Ley de Cooperación Jurídica Internacional ha regulado todas las materias en relación con las cuales era perentoria desde hace ya tiempo la necesidad de disponer de una regulación completa, coherente y adaptada a la realidad de los tiempos; y, además, era conveniente agruparlas en un texto normativo único, que fuera lo más comprensivo posible. A juicio de GASCÓN INCHAUSTI sólo se echa en falta la regulación de la competencia judicial internacional para poder sostener que la Ley de Cooperación Jurídica Internacional contiene el régimen jurídico general interno de la litigación civil internacional en nuestro ordenamiento. Esta última materia permanece en la Ley Orgánica del Poder Judicial, aunque se ha visto igualmente «puesta al día» a través de la Ley Orgánica 7/2015, de 21 de julio, por la que se modifica la LOPJ (BOE de 22 de julio): el antiguo artículo 22 ha sido sustituido por los nuevos artículos 22 a 22 nonies, que regulan con más detalle la competencia internacional de nuestros tribunales civiles y han aproximado su régimen jurídico aún más a las previsiones contenidas en el Reglamento UE 1215/2012. *Vid.* GASCÓN INCHAUSTI, F.: «Reconocimiento y ejecución de resoluciones judiciales extranjeras en la ley de cooperación jurídica internacional en materia civil», *Cuadernos de Derecho Transnacional*, vol. 7, núm. 2, 2015, págs. 158–187.

competentes del lugar reconozcan y ejecuten tal decisión y, en su caso, ordenen la enajenación de esos bienes o derechos en su favor en aras de ver satisfechas sus legítimas pretensiones.

El exequátur se configura como el procedimiento para declarar a título principal el reconocimiento de una resolución extranjera y, en su caso, autorizar su ejecución en España (art. 42 Ley de Cooperación Jurídica Internacional)[11]. Se trata de un procedimiento de naturaleza especial y de carácter declarativo, cuyo objeto queda limitado al control que el tribunal realiza de los elementos extrínsecos o exteriores de la decisión extranjera que se trata de homologar. La ejecución queda fuera del procedimiento o, por lo menos, de este específico trámite, el cual deberá seguirse siempre conforme a lo establecido para las sentencias nacionales[12]. En esta línea, el Tribunal Supremo señala que: «[e]sta Sala ha declarado con reiteración, como ya hiciese el Tribunal Constitucional en su ámbito de competencias (STC 132/91), que el procedimiento de exequátur tiene una naturaleza meramente homologadora en la medida en que con él se obtiene una resolución declarativa de la eficacia de la decisión extranjera en España, en principio con el alance y contenido propio de los efectos que el ordenamiento de origen dispensa a dicha decisión, que de este modo puede hacerse valer en España con dicha extensión, alcance y contenido...»[13]. Por tanto, el exequátur no hace más que «permitir» en España la eficacia que la decisión extranjera tiene en el país de origen[14].

---

11. En relación al procedimiento de exequátur, vid., entre otros, GASCÓN INCHAUSTI, F.: «El exequátur ante el Tribunal Supremo (Un repaso de la jurisprudencia reciente)», *Tribunales de justicia: Revista española de derecho procesal*, núm. 4, 2000, págs. 461–474; JUÁREZ PÉREZ, P.: *Reconocimiento de sentencias extranjeras por el régimen autónomo español: del Tribunal Supremo a los Juzgados de Primera Instancia*, Colex, Madrid, 2007; ORTEU CEBRIÁN, F. Y ALÍAS GAROZ, M.I., *Exequátur de laudos arbitrales extranjeros al amparo del Convenio de Nueva York de 10 de junio de 1958. Doctrina de la Sala Primera del Tribunal Supremo*, Bosch, Madrid, 2003, págs. 95 y ss.; REMIRO BROTÓNS, A.: *Ejecución de sentencias extranjeras en España. La jurisprudencia del Tribunal Supremo*, Tecnos, Madrid, 1974.

12. El legislador a través de la Ley de Arbitraje de 2003 subsanó el negativo y distorsionante efecto que mantenía la ley de 1988 al establecer dos regímenes de reconocimiento y ejecución de laudos extranjeros, olvidándose, así, de la vigencia universal de la Convención de Nueva York.

13. Auto del Tribunal Supremo, de 20 de marzo de 2002, ROJ ATS 5445/2002, F.J. 5, en relación al exequátur de un laudo inglés.

14. La doctrina a este respecto sostiene que el exequátur es un simple mecanismo de extensión de efectos. *Vid.* GARCIMARTÍN ALFÉREZ, F.J., y SÁNCHEZ FERNÁNDEZ, S., «Sobre el reconocimiento en España de laudos arbitrales extranjeros anulados o suspendidos En el estado de origen», *Cuadernos de Derecho Transnacional*, vol. 8, núm. 1, 2016, p. 115.

El juez no está autorizado para revisar el fondo de la sentencia arbitral que se somete a su reconocimiento con el fin de que sea homologada[15]. Su examen debe versar únicamente sobre las condiciones de regularidad de emisión del laudo. Ahora bien, el hecho de que la Convención de Nueva York tenga como punto de partida la presunción de validez y eficacia del laudo arbitral, ello no implica que deba reconocerse de forma automática y sin ningún tipo de control de los laudos extranjeros.

Las causas de denegación del reconocimiento son muy limitadas. La Convención contempla, por un lado, causas que son objeto de control *ex officio* y que protegen intereses generales, el orden público y la no-arbitrabilidad de la controversia (art. V.2) y, por otro, causas que protegen intereses individuales, y para que sean valoradas por el juez deben ser alegadas y probadas por la parte que se opone el exequátur (art. V.1)[16].

En definitiva, a la luz de la Convención de Nueva York es evidente que se pretende favorecer el reconocimiento y ejecución de laudos arbitrales extranjeros y para ello parte de una presunción de validez y eficacia del laudo arbitral. Esta presunción se concreta, fundamentalmente, a través de cuatro premisas: un número limitado de motivos para la denegación del exequátur, hacer recaer sobre el demandado en el procedimiento de exequátur la carga de la prueba, permitir expresamente el exequátur del

---

15. El carácter de procedimiento meramente homologador ha sido declarado con frecuencia por el Tribunal, vetando de raíz cualquier revisión de fondo, que no esté circunscrita a esta función de control externo. De esta forma, el principio de la autonomía del arbitraje como institución queda establecido y notablemente reforzado.

16. La posibilidad de recurrir a acciones de anulación para remediar las vulneraciones del proceso, de la igualdad de las partes y de las nociones más elementales de justicia, constituye un mecanismo que permite afianzar la legitimidad y la confianza en el arbitraje internacional. No obstante, la interposición de una acción de anulación implica poner en contacto a las partes y al laudo con los tribunales estatales, estadio del cual aquéllas quisieron voluntariamente sustraerse. En este sentido, surge el problema de que una interpretación y aplicación inadecuada de las causas de anulación pueda conducir a que el juez nacional indague en la labor arbitral. En consecuencia, si bien, por un lado, el trámite de la anulación se encuentra justificado por constituir una garantía de protección de los derechos más fundamentales de las partes en un proceso de solución de controversias y, por tanto, una forma de superar los posibles riesgos que pueden derivar de la arbitrariedad y la desviación de los parámetros del debido proceso por parte de los árbitros; lo cierto es que, por otro lado, la arbitrariedad y la posible tendencia nacionalista de los jueces estatales pueden generar dudas acerca de la legitimidad de la orden de anulación. Para un estudio pormenorizado y reciente de la causas de denegación del exequátur en el Convenio de Nueva York, *vid.* GARCIMARTÍN ALFÉREZ, F.J., y SÁNCHEZ FERNÁNDEZ, S., «Sobre el reconocimiento en España de laudos arbitrales extranjeros anulados o suspendidos En el estado de origen», *op. cit.*, págs. 114 y ss.

laudo arbitral recurrido en el país de origen, y, la concesión de un amplio margen de discrecionalidad al juez del exequátur.

3. ÁMBITO DE APLICACIÓN DE LA LEY DE COOPERACIÓN JURÍDICA INTERNACIONAL: EL CARÁCTER SUBSIDIARIO EN SEDE DE ARBITRAJE

El nuevo régimen de cooperación jurídica internacional contempla el procedimiento judicial de exequátur. La Ley de Cooperación Jurídica Internacional distingue entre reconocimiento y exequátur, atribuyendo al primero un carácter más bien automático[17]. Por primera vez se hace referencia en el texto normativo al término «exequátur»[18]. Además no sólo se hace referencia a este término sino que, además, se define expresamente como «el procedimiento para declarar a título principal el reconocimiento de una resolución judicial extranjera y, en su caso, para autorizar su ejecución» (art. 44.1 Ley de Cooperación Jurídica Internacional). De esta forma se engloban en la definición de exequátur dos conceptos: por un lado, el reconocimiento y, por otro, su ejecución. A este respecto, la norma establece que estas dos acciones se podrán acumular en el escrito de demanda, es decir, se podrá pedir tanto el reconocimiento como la ejecución de la sentencia extranjera. Ahora bien, la ley advierte de manera expresa que

---

17. Para GASCÓN INCHAUSTI, la Ley de Cooperación Jurídica Internacional –de forma similar a lo que sucede en el ámbito del Derecho europeo– permite advertir la existencia de varias modalidades de reconocimiento o, si se prefiere, de varias formas de conseguir que las decisiones dictadas en otro Estado desplieguen sus efectos –excepto el ejecutivo– en España. A su juicio, a la luz de la normativa se puede hablar de reconocimiento «automático», de reconocimiento «incidental» y de reconocimiento «a título principal». *Vid*. GASCÓN INCHAUSTI, F.: «Reconocimiento y ejecución de resoluciones judiciales extranjeras en la ley de cooperación jurídica internacional en materia civil», *op. cit.*, págs. 165–168.

18. A este respecto, BONILLO GARRIDO destaca que el término exequátur es una expresión que, desde siempre, desde el Derecho romano, se ha utilizado en la práctica forense, pero que jamás se había recogido en el cuerpo de la Ley. *Vid*. BONILLO GARRIDO, L.: «Comentarios relativos al Anteproyecto de Ley de Cooperación Jurídica Internacional», *Diario La Ley*, núm. 1014, 2015, pág. 15.

GASCÓN INCHAUSTI señala que «reconocimiento y exequátur son, en todo caso, figuras distintas, que operan en función del tipo de decisión de que se trate y de las necesidades del litigante. No obstante, ambas sirven a un fin común, el de permitir la circulación entre Estados de las decisiones judiciales y de ciertos títulos ejecutivos extrajudiciales. Los requisitos que se establecen para esa circulación pueden ser más o menos severos en función de la eficacia que se busca (más duros, por supuesto, cuando se pretende la ejecución) y, por supuesto, varían también en función del nivel de confianza recíproca que exista entre los sistemas judiciales involucrados». *Vid*. GASCÓN INCHAUSTI, F.: «Reconocimiento y ejecución de resoluciones judiciales extranjeras en la ley de cooperación jurídica internacional en materia civil», *op. cit.*, pág. 160.

no se procederá a la ejecución hasta que se haya dictado resolución decretando el exequátur (art. 54.1 Ley de Cooperación Jurídica Internacional)[19].

La Ley de Cooperación Jurídica Internacional está condicionada por su carácter subsidiario (art. 2), que de acuerdo con su preámbulo, éste responde al principio de especialidad, y se relaciona con su naturaleza de legislación marco general. La enumeración no exhaustiva de las normas que se consideran especiales y que prevalecen sobre esta ley aparece recogida en la disposición adicional primera. Las normas incluidas son las siguientes: a) Los artículos 199 a 230 de la Ley 22/2003, de 9 de julio, Concursal; b) Los artículos 25 a 31 de la Ley 54/2007, de 28 de diciembre, de Adopción Internacional; c) Los artículo 94 a 100 de la Ley 20/2011, de 21 de julio, del Registro Civil; d) El artículo 67, apartado 1, del texto refundido de la Ley General para la Defensa de los Consumidores y Usuarios y otras normas complementarias, aprobado por el Real Decreto Legislativo 1/2007, de 16 de noviembre; e) El artículo 46 de la Ley 60/2003, de 23 de diciembre, de Arbitraje; f) Las normas de la Ley y Reglamento Hipotecarios, así como del Código de Comercio y del Real Decreto 1784/1996, de 19 de julio, por el que se aprueba el Reglamento del Registro Mercantil, reguladoras de la inscripción de documentos extranjeros en cuanto sean compatibles con lo dispuesto en esta ley; y g) Las normas de Derecho Internacional privado contenidas en la Ley de Jurisdicción Voluntaria.

Si bien del artículo 2.c) de la Ley de Cooperación Jurídica Internacional se deriva que todas las normas mencionadas resultan de aplicación preferente, lo cierto es que la coordinación entre esta Ley con alguna de esas leyes especiales, así como la interpretación conjunta de estos diversos textos legales no están exentas de dificultades. A este respecto, el arbitraje no es una excepción, y los artículos 41 a 55 del texto exigirán una particular reinterpretación en su aplicación al exequátur de la sentencia arbitral.

---

19. Conforme a la nueva normativa, la previa obtención del exequátur es imprescindible para que una resolución judicial firme extranjera pueda ser ejecutada en España (art. 50.1 Ley de Cooperación Jurídica Internacional). Este requisito no representa una novedad, ya que la regulación anterior establecía que era necesaria una resolución judicial, el auto de exequátur, de naturaleza constitutiva procesal, que atribuyera fuerza ejecutiva en España a la resolución judicial extranjera. Ahora bien, lo que si se produce es un cambio de enfoque en la medida en que la regulación no se configura como un sistema de «condiciones» para el exequátur (como sucedía en la Ley de Enjuiciamiento Civil de 1881), sino que se parte más bien de una regla favorable a la declaración de ejecutividad, a no ser que se aprecie la concurrencia de ciertas causas de denegación, que son comunes al reconocimiento y al exequátur, plasmadas en el artículo 46 Ley de Cooperación Jurídica Internacional. *Vid.* GASCÓN INCHAUSTI, F.: «Reconocimiento y ejecución de resoluciones judiciales extranjeras en la ley de cooperación jurídica internacional en materia civil», *op. cit.*, pág. 171.

Es importante destacar que a pesar de que la Ley de Cooperación Jurídica Internacional no hace referencia de manera expresa al arbitraje en su articulado, su aplicación y relevancia en este ámbito se pone de manifiesto en dos hechos fundamentales. En primer lugar, porque como ya se ha mencionado, la disposición derogatoria única expresamente prevé la derogación de los artículos 951 a 958 de la Ley de Enjuiciamiento Civil; preceptos que, como es bien sabido, son los que regulaban el procedimiento de exequátur del laudo arbitral extranjero. En segundo lugar, porque al no existir ni tratado internacional ni norma especial de Derecho interno que regule esta cuestión, el nuevo régimen de cooperación entre autoridades previsto en la Ley es aplicable al arbitraje.

4. COMPETENCIA PARA CONOCER DEL PROCEDIMIENTO DE EXEQUÁTUR Y EJECUCIÓN DE LAUDOS EXTRANJEROS

4.1. EXEQUÁTUR

La Ley 60/2003, de 23 de diciembre, de Arbitraje (en adelante, Ley de arbitraje) atribuye la competencia para el reconocimiento de laudos o resoluciones arbitrales extranjeros a la Sala de lo Civil y de lo Penal del Tribunal Superior de Justicia de la Comunidad Autónoma del domicilio o lugar de residencia de la parte frente a la que se solicita el reconocimiento o del domicilio o lugar de residencia de la persona a quien se refieren los efectos de aquellos (art. 8.6).

Asimismo, la Ley de Arbitraje establece que el exequátur de laudos extranjeros se regirá por la Convención de Nueva York, sin perjuicio de lo dispuesto en otros convenios internacionales más favorables a su concesión, y se sustanciará según el procedimiento establecido en el ordenamiento procesal civil para el de sentencias dictadas por tribunales extranjeros (art. 46.2 Ley de Arbitraje).

En relación a la primera remisión, cabe señalar que los tratados internacionales multilaterales, esto es, la Convención de Nueva York y el Convenio Europeo de Ginebra sobre Arbitraje Comercial Internacional de 21 de Abril de 1961, no contienen normas respecto a la atribución de competencia internacional a órganos judiciales de los Estados miembros para el conocimiento del exequátur de laudos arbitrales.

Tampoco el Reglamento UE 1215/2012 sobre ejecución de resoluciones con fuerza ejecutiva de un Estado Miembro de la Unión Europea resulta aplicable al respecto pues su artículo 1.2 apartado d) expresamente excluye de su ámbito de aplicación al arbitraje.

Por otra parte, respecto de la remisión que hace la Ley de Arbitraje al procedimiento establecido en el ordenamiento procesal civil para el exequátur de las sentencias dictadas por tribunales extranjeros, como ya se ha expuesto anteriormente, la norma aplicable es la Ley de Cooperación Jurídica Internacional (artículos 52 a 55). Los preceptos que regulan el procedimiento judicial de exequátur establecen que la competencia para el conocimiento de las solicitudes de exequátur de resoluciones judiciales extranjeras corresponde a los Juzgados de Primera Instancia (artículo 52.1) y a los Juzgados de lo Mercantil cuando las resoluciones versen sobre materias de su competencia (artículo 52.2).

A la luz de lo expuesto es evidente que la regulación normativa en materia de competencia requiere de una labor interpretativa que permita aclarar si los tribunales competentes para conocer de las solicitudes de exequátur son, bien los Juzgados de Primera Instancia y en el caso de las resoluciones que versen sobre materias de competencia de los Juzgados de lo Mercantil sobre estos recae la competencia, bien la Sala de lo Civil y de lo Penal de los Tribunales Superiores de Justicia.

Si se defiende la aplicación en bloque de los preceptos de la Ley de Cooperación Jurídica Internacional al procedimiento judicial de exequátur de laudos extranjeros, resultaría que la competencia para conocer de las solicitudes de exequátur de las sentencias arbitrales habría quedado notablemente alterada, respecto de su régimen anterior contenido en el artículo 955 de la Ley de Enjuiciamiento Civil. Esto supondría que se volvería a la situación anterior a la Ley 11/2011, de 20 de mayo, de reforma de la Ley 60/2003, de 23 de diciembre, de Arbitraje y de regulación del arbitraje institucional en la Administración General del Estado, es decir, situación en la cual la competencia recaía sobre los Tribunales de Primera Instancia. Es importante recordar, que la reforma de la Ley de Arbitraje tuvo como propósito impulsar el arbitraje, y para ello llevó a cabo una reasignación de las funciones judiciales. Con este objetivo se estableció que la competencia para conocer de las solicitudes el exequátur de los laudos extranjeros se atribuía a las Salas de lo Civil y de lo Penal de los Tribunales Superiores de Justicia, manteniéndose en los Tribunales de Primera Instancia la competencia de ejecución[20].

Así las cosas, a nuestro juicio, a pesar de la nueva regulación, entendemos que la competencia para el reconocimiento de laudos extranjeros continúa atribuida a las Salas de lo Civil y Penal de los

---

20. Estos cambios dieron lugar a dar una nueva redacción al artículo 8 de la Ley 60/2003, de 23 de diciembre, de Arbitraje, así como a modificar la Ley de Enjuiciamiento Civil de 3 de febrero de 1881.

Tribunales Superiores de Justicia de conformidad con lo dispuesto en la Ley Orgánica del Poder Judicial cuyo artículo 73.1 en su apartado c), introducido por la Ley Orgánica 5/2011 de 20 de Mayo complementaria de la Ley Orgánica 11/2011 de reforma de la Ley 60/2003 de Arbitraje, establece la competencia de las Salas de lo Civil y Penal de los Tribunales Superiores de Justicia para conocer de las funciones de apoyo y control del arbitraje que se establezcan en la ley, así como de las peticiones de exequátur de laudos o resoluciones arbitrales extranjeros, a no ser que, con arreglo a lo acordado en los tratados o las normas de la Unión Europea, corresponda su conocimiento a otro Juzgado o Tribunal[21].

Además, en la medida en que debe prevalecer la ley especial, esto es, la Ley Orgánica del Poder Judicial, no puede invocarse la derogación establecida en la Disposición Derogatoria Única, apartado 2, de la Ley 29/2015 de Cooperación Jurídica Internacional sin quebrantar el principio de jerarquía normativa pues la ley ordinaria no puede modificar una ley orgánica vigente[22].

En conclusión, entendemos que a pesar de la derogación normativa del artículo 955 de la Ley de Enjuiciamiento Civil que se contiene en la Disposición Derogatoria Única de la Ley 29/2015, la competencia para el conocimiento del procedimiento de exequátur de laudos extranjeros sigue deferida a las Salas de lo Civil y Penal de los Tribunales Superiores de Justicia, actuando como Salas de lo Civil no siendo de aplicación los números 1 y 2 del artículo 52 de la Ley de Cooperación Jurídica Internacional por ser contradictorios con el artículo 73.1 c) de la Ley Orgánica del Poder Judicial.

---

21. La Ley Orgánica 7/2015, de 21 de julio, por la que se modifica la Ley Orgánica 6/1985, de 1 de julio, del Poder Judicial no introduce ninguna novedad en el artículo 73.1 c). El texto permanece inalterado y en vigor en la actualidad. Es importante destacar, que este precepto prevé la posibilidad de que el conocimiento de estos procesos puedan atribuirse a otro Juzgado o Tribunal pero dicha atribución de competencia a órgano distinto de los Tribunales Superiores de Justicia debe venir determinada por tratados o normas de la Unión Europea.

22. A este respecto, DE MIGUEL ASENSIO señala que a pesar de que la Ley de Cooperación Jurídica Internacional solo hace referencia en materia de arbitraje al artículo 46 de la Ley de Arbitraje, a su juicio, otras disposiciones de nuestro ordenamiento que prevén un trato diferenciado para los laudos arbitrales extranjeros resultarán de aplicación preferente a las reglas generales sobre exequátur de la normativa de cooperación, y entre ellas precisamente destaca el artículo 73.1 de la Ley Orgánica del Poder Judicial. *Vid.* DE MIGUEL ASENSIO, P. A.: «Coordinación de la Ley de Cooperación Jurídica Internacional en material civil con la legislación especial», *Revista Española de Derecho Internacional*, vol. 68/1, 2016, pág. 104.

4.2. EJECUCIÓN

La Ley de Arbitraje establece que de acuerdo a lo previsto en el apartado 2 del artículo 545 de la Ley de Enjuiciamiento Civil, la competencia para conocer de la ejecución forzosa de laudos o resoluciones arbitrales corresponde al Juzgado de Primera Instancia del lugar en que se haya dictado (art. 8.4)[23]. Por su parte, la Ley de Cooperación Jurídica Internacional establece que la competencia para conocer de la ejecución de las resoluciones extranjeras corresponde al Juzgado de Primera Instancia y a los Juzgados de lo Mercantil cuando las resoluciones versen sobre materias de su competencia (art. 52). No obstante, no se procederá a la ejecución hasta que se haya dictado resolución decretando el exequátur.

A la luz de la Ley de Cooperación Jurídica Internacional, la demanda de exequátur y la solicitud de ejecución podrán acumularse en el mismo escrito (art. 54.1). Sin embargo, con la entrada en vigor de esta ley la acumulación en la misma demanda de exequátur de la solicitud de reconocimiento y de la solicitud de ejecución del laudo no será posible, ya que la competencia para conocer del procedimiento de exequátur de las resoluciones judiciales y documentos públicos extranjeros corresponde a los Juzgados de Primera Instancia y los Juzgados de lo Mercantil conforme a los criterios que establece dicha ley (arts. 52.1 y 52.2). Por el contrario, en el ámbito del laudo la competencia para conocer de una y otra solicitud corresponde a órganos judiciales diferentes. La competencia para el reconocimiento de la sentencia arbitral se reserva a las Salas de lo Civil y Penal de los Tribunales Superiores de Justicia, mientras que de la ejecución se encarga el Juzgado de Primera Instancia. Así las cosas, lo que se echa de menos a la luz del nuevo régimen de cooperación jurídica es un párrafo similar al contemplado en su momento por el artículo 958 de la Ley de Enjuiciamiento Civil. El mencionado precepto señalaba que otorgándose el exequátur se comunicará el auto por certificación a la Audiencia. El objetivo es que ésta dé la orden correspondiente al Juez de Primera Instancia del partido en que esté domiciliado el condenado en la sentencia, o del partido en que deba ejecutarse, a fin de que tenga efecto lo en ella mandado.

---

23. Redacción conforme a la modificación operada por el número uno del artículo único de Ley 11/2011, 20 mayo, de reforma de la Ley 60/2003, de 23 de diciembre, de Arbitraje y de regulación del arbitraje institucional en la Administración General del Estado («BOE» 21 mayo).

    El citado precepto 545.2 de la Ley de Enjuiciamiento Civil establece que cuando el título objeto de una ejecución forzosa sea un laudo arbitral, será competente para denegar o autorizar la ejecución y el correspondiente despacho el Juzgado de Primera Instancia del lugar en que se haya dictado el laudo.

En el supuesto de que se entendiera aplicable lo estipulado en el artículo 52 de la Ley de Cooperación Jurídica Internacional respecto a la competencia para conocer de la solicitud del exequátur de laudos extranjeros, habría que plantearse si la competencia para la ejecución de los laudos que hubieran obtenido el exequátur, quedaría repartida entre los Juzgados de Primera Instancia y los Juzgados de lo Mercantil. Para dar respuesta a la cuestión planteada es necesario remitirnos nuevamente a la Ley Orgánica del Poder Judicial, concretamente a los artículos 85 y 86 ter.

El primero de los preceptos mencionados establece que los Juzgados de Primera Instancia conocerán en el orden civil de las solicitudes de reconocimiento y ejecución de sentencias y demás resoluciones judiciales extranjeras y de la ejecución de laudos o resoluciones arbitrales extranjeros, a no ser que, con arreglo a lo acordado en los tratados y otras normas internacionales, corresponda su conocimiento a otro Juzgado o Tribunal (art. 85.5).

Por su parte, el segundo de los preceptos a los que se ha hecho mención, establece las normas de competencia aplicables a los Juzgados de lo Mercantil (art. 86 ter). El apartado tercero dispone que estos órganos judiciales tendrán competencia para el reconocimiento y ejecución de sentencias y demás resoluciones judiciales extranjeras, cuando éstas versen sobre materias de su competencia, a no ser que, con arreglo a lo acordado en los tratados y otras normas internacionales, corresponda su conocimiento a otro Juzgado o Tribunal (art. 86 ter).

Así pues, la Ley Orgánica del Poder Judicial no atribuye competencia a los Juzgados de lo Mercantil para conocer sobre la solicitud de exequátur y la ejecución de laudos arbitrales extranjeros, en tanto que, por una parte, no se contempla dicho supuesto entre los que atribuyen la competencia a los Juzgados de lo Mercantil en su artículo 86 ter y, por otra, el artículo 85 atribuye expresamente a los Juzgados de Primera Instancia la ejecución de los laudos o resoluciones arbitrales extranjeras.

Por tanto, a nuestro juicio, una vez el laudo arbitral haya sido objeto de homologación a través del procedimiento de exequátur, corresponde en exclusiva su ejecución a los Juzgados de Primera Instancia, cualquiera que sea la materia sobre la que versen tales laudos.

5. PROCEDIMIENTO APLICABLE PARA LA SUSTANCIACIÓN DE LAS SOLICITUDES DE EXEQUÁTUR

El procedimiento de exequátur según se desprende de la Ley de Cooperación Jurídica Internacional es de carácter escrito, y se inicia mediante demanda a instancia de cualquier persona que acredite un interés legítimo contra aquella parte o partes frente a las que se quiera hacer valer el laudo extranjero (art. 54 Ley de Cooperación Jurídica Internacional). La demanda debe ajustarse a los requisitos del artículo 399 de la Ley de Enjuiciamiento Civil sobre la demanda y su contenido.

Conviene recordar que, como ya se ha puesto de manifiesto anteriormente, a pesar de que la Ley de Cooperación Jurídica Internacional no hace referencia de manera expresa al arbitraje en su articulado, su aplicación no es objeto de debate, cuestión diferente es que su configuración genere dudas en sede arbitral. Las razones que se pueden esgrimir para sostener que nada se opone a aplicar para el exequátur del laudo el procedimiento que se regula en la Ley de Cooperación Jurídica Internacional son las siguientes (arts. 54 y ss.):

En primer lugar, la Ley de Arbitraje no contempla un procedimiento específico para el reconocimiento y ejecución de los laudos o resoluciones arbitrales internacionales. Es más, la mencionada ley se remite en su artículo 46 a las normas establecidas para el reconocimiento y ejecución de sentencias extranjeras. En la actualidad estas normas no son otras que las recogidas en los preceptos 52 a 55 de la Ley de Cooperación Jurídica Internacional.

En segundo lugar, la ausencia de normas que puedan hacer incompatible el procedimiento que en dichos preceptos se regula con las competencias que ostentan los Tribunales Superiores de Justicia, a excepción de la posibilidad de acumulación de la acción ejecutiva a la demanda de reconocimiento[24].

Por tanto, sería aplicable para sustanciar las solicitudes de reconocimiento de laudos extranjeros el procedimiento establecido en el artículo 54 de la Ley de Cooperación Jurídica Internacional con excepción de la acumulación de la acción de ejecución que no podrá ejercitarse simultáneamente y habrá de plantearse ante el Juzgado de Primera Instancia, que resulte competente territorialmente, una vez que se haya reconocido el laudo.

No obstante, si bien el carácter de regulación nueva, general y completa del exequátur en la Ley de Cooperación Jurídica Internacional (exp.

---

24. A este respecto, conviene traer a colocación el artículo 73.1.1.ª de la Ley de Enjuiciamiento Civil, ya que conforme a dicho precepto no es posible la acumulación de acciones cuando la jurisdicción o competencia para conocer de alguna de las acciones esté atribuida a órgano jurisdiccional distinto, que es el caso que nos ocupa como se ha puesto de manifiesto en el apartado referente a la competencia para conocer del procedimiento de exequátur y ejecución de laudos extranjeros.

de mot. VIII) permite sostener que hay razones para defender que el procedimiento de reconocimiento y ejecución contemplado en el nuevo régimen de cooperación puede ser aplicable al laudo arbitral, lo cierto es que hay quien entiende que el legislador no ha tenido en cuenta que la norma sería también de aplicación al laudo arbitral, ya que determinados preceptos no están adecuados a la realidad actual del reconocimiento del laudo arbitral. A continuación se exponen con carácter sucinto algunos motivos que dan lugar a esta afirmación:

En primer lugar, la Ley de Cooperación Jurídica Internacional establece que el Ministerio Fiscal intervendrá siempre en los procesos de exequátur, a cuyo efecto se le dará traslado de todas las actuaciones (art. 54.2). Ahora bien, en sede de arbitraje parece que la actuación del Ministerio Fiscal en el procedimiento de exequátur del laudo resulta innecesaria. Esta afirmación se sustenta en la naturaleza de los conflictos que se resuelven a través de este mecanismo alternativo a la jurisdicción ordinaria. Con carácter general, las cuestiones que se tratan por medio de este mecanismo son de carácter económico entre operadores privados y, por tanto, no parece que exista interés alguno digno de ser preservado por el Ministerio Fiscal y que en consecuencia justifique su intervención[25].

En segundo lugar, el demandado en el procedimiento de exequátur de un laudo arbitral dispone de treinta días para demostrar si conforme a su criterio concurre alguno de los motivos de denegación previstos en el artículo V de la Convención de Nueva York (art. 54.5 Ley de Cooperación Jurídica Internacional). A este respecto, el Tribunal Supremo ha reconocido la conveniencia de otorgar un turno de réplica al demandante con el objetivo de que, una vez haya conocido los motivos de denegación que la parte demandada alega, pueda exponer lo que a su derecho convenga. Sin embargo, la Ley de Cooperación Jurídica Internacional no ha tenido en consideración las observaciones que en este sentido han sido emitidas por parte del Tribunal Supremo, que si bien se ha negado al reconocimiento del turno de réplica con base al tenor literal del ex artículo 956 de la Ley de Enjuiciamiento Civil a admitir tal posibilidad, lo cierto es que admite lo oportuno que sería su reconocimiento por parte del legislador[26]. Así pues,

---

25. En las disputas sometidas a la valoración del tribunal arbitral no suelen darse ninguno de los intereses que se enumeran en el artículo 541 de la Ley Orgánica del Poder Judicial, básicamente, derechos de los ciudadanos y del interés público tutelado por la ley.

26. El auto de 3 de febrero de 2004 del Tribunal Supremo señala que «el respeto al principio de contradicción y de igualdad de armas en el proceso que forman parte de las garantías procesales constitucionalmente consagradas (...) determinan la necesidad de dar traslado a la parte que solicita el reconocimiento, sobre la que pesa únicamente,

esta disyuntiva se habría resuelto si en el nuevo régimen de cooperación se hubiera reconocido el derecho de réplica del demandante en un párrafo adicional al artículo 54.5 de la Ley de Cooperación Jurídica Internacional.

Por último, los requisitos de los documentos que deben acompañar a la demanda, a nuestro juicio, si bien difiere de lo contemplado en la Convención de Nueva York, lo cierto es que el tratamiento establecido por la Ley de Cooperación Jurídica Internacional es más favorable. Por un lado, la Convención de Nueva York dispone que se acompañe sentencia y acuerdo arbitral en forma auténtica, por el original debidamente legalizado, o por copia que reúna las condiciones requeridas para su autenticidad [art. IV, 1.a) y b)], con traducción para el caso de que la sentencia y el acuerdo no estuviesen en el idioma del país receptor[27]. De esta forma, la Convención prevé que las traducciones del laudo y convenio arbitral sean oficiales. Por otro lado, la Ley de Cooperación Jurídica Internacional al enumerar los documentos que deben acompañar a la demanda de exequátur de la sentencia judicial remite al artículo 144 de la Ley de Enjuiciamiento Civil en relación a la traducción de los documentos a presentar [(art. 54.1.d)]. El régimen previsto en este precepto se caracteriza por su flexibilidad, pues admite la traducción hecha privadamente. Solo en caso de discrepancia sobre el contenido de la misma, el Secretario judicial ordenará, respecto de la parte que exista discrepancia, la traducción oficial del documento. A nuestro juicio, si bien parece que no existe problemas de aceptar las condiciones establecidas en el Derecho interno en tanto que son más favorable, la forma más objetiva de determinar si la a

---

y en principio, la carga de alegar y acreditar la concurrencia de los presupuestos de homologación que se establecen en el art. IV, en relación con el art. II del Convenio, de las causas de oposición al exequátur que ha opuesto la parte frente a la que se sirven para desvirtuarlas; pero con ello no se abre un sucesivo, recíproco e inagotable trámite de alegaciones y de prueba entre las partes, sino que en los actos procesales que se han expuesto precluyen las oportunidades de defensa de una y otra». En sentido contrario, el auto de declaración de la Audiencia Provincial de Madrid, de 22 de diciembre de 2009, Sección 10.ª.

27. Esta exigencia de la Convención de Nueva York concuerda con el carácter del convenio arbitral como presupuesto de legitimidad de las actuaciones arbitrales y punto de referencia para la eficacia y validez del laudo finalmente recaído en un proceso arbitral. Según el texto de la propia Convención (art. II) el convenio arbitral debe revestir la forma de un acuerdo por escrito firmado por las partes o contenido en un canje de cartas o telegramas 113). A lo que cabría añadir, y consiguientemente acreditar en el procedimiento de exequátur, cualquier otra forma válida de configuración del convenio arbitral sea, por referencia a condiciones generales de contratación u otros que son normalmente admitidos por la jurisprudencia nacional en aplicación de la Convención de Nueva York 114).Estos caracteres del convenio arbitral son considerados por nuestra jurisprudencia como ineludibles, únicamente cumplidos con la aportación del convenio o de una copia que aúne las condiciones para su autenticidad.

traducción podrá o no ser una traducción privada, es acudir a la jurisprudencia comparada que ha tenido que resolver esta cuestión. En este sentido, se ha estimado que una correcta interpretación del artículo VII de la Convención de Nuevo York exige la aceptación de la traducción privada, ya que el mencionado precepto apela por la aplicación de la legislación interna si ésta es más favorable[28]. Por tanto, como ya se adelantaba en un principio, debería aceptarse la aplicación del artículo 54.4 de la Ley de Cooperación Jurídica Internacional en el contexto del exequátur del laudo arbitral extranjero.

6. NOVEDADES QUE MEJORAN EL PROCEDIMIENTO DE EXEQUÁTUR DEL LAUDO ARBITRAL EXTRANJERO

6.1. EL PROCEDIMIENTO DE NO RECONOCIMIENTO DEL LAUDO

Entre las novedades de la Ley de Cooperación Jurídica Internacional, destaca la regulación por primera vez en nuestro ordenamiento procesal interno del procedimiento de no reconocimiento. Se trata de un procedimiento que permite al demandante solicitar, en vez del reconocimiento, el no reconocimiento del laudo arbitral.

En la medida en que lo habitual es que el demandante solicite el reconocimiento del laudo, la solicitud de no reconocimiento de la sentencia arbitral se cataloga como un procedimiento excepcional.

Así pues, por un lado, tenemos la posibilidad de interponer la acción de anulación del laudo, esto se traduce en la opción de iniciar un procedimiento rescisorio de anulación de la sentencia arbitral ante los órganos jurisdiccionales competentes del Estado sede del arbitraje de acuerdo con las causas o motivos que se indican en la norma arbitral aplicable[29]. Por otro lado, la

---

28. Las exigencias de forma de la Convención de Nueva York (art. IV) son de carácter tasado, esto es, los tribunales competentes no pueden requerir ningún otro documento que no sean los indicados en dicho precepto. Ahora bien, algunos tribunales son flexibles en la interpretación del artículo IV de la Convención. Así la jurisprudencia norteamericana ha interpretado los requisitos contenidos en ese precepto con extrema liberalidad admitiéndose incluso simples copias del laudo y del convenio sin ninguna otra exigencia. Los tribunales norteamericanos consideran estos requisitos de forma como innecesariamente restrictivos y contradictorios con una lectura lógica de la norma y de su finalidad.

29. En algunos ordenamientos jurídicos como el español, la única vía de impugnación directa de la sentencia arbitral es la acción de anulación (al margen del recurso de revisión de su firmeza). No obstante, este procedimiento es compatible con otras vías indirectas de oposición en sede de reconocimiento y/o ejecución del laudo.

posibilidad de instar a título principal el no reconocimiento del laudo. Esta nueva posibilidad proporciona al demandante una opción adicional en su estrategia procesal, ya que éste podrá, bien instar la nulidad del laudo en el Estado en que haya sido dictado, bien instar únicamente el no reconocimiento del laudo ante los tribunales españoles, e incluso puede hacer uso de ambas opciones y, por tanto, instar tanto la nulidad del laudo en el país de origen como el no reconocimiento ante los tribunales españoles.

Esta nueva opción legislativa permite que la parte interesada en el no reconocimiento, no quede a expensas de la voluntad de la parte demandante del reconocimiento, momento en el que podría hacer valer su oposición al mismo en calidad de demandado. De esta forma, antes de que se pueda iniciar el procedimiento de exequátur se podrá instar el no reconocimiento del mismo. Conceder a la parte interesada en el no reconocimiento del laudo la posibilidad de actuar como demandante sin tener que depender de los intereses de la parte legitimada para interesar el reconocimiento del mismo, es una opción que técnicamente no plantea inconveniente alguno. Antes al contrario, parece una opción tan justa como razonable.

Por último, es preciso señalar que la declaración de no reconocimiento (al igual que la declaración de reconocimiento) a título principal no produce los limitados efectos que son propios del reconocimiento incidental, sino que el auto de exequátur tiene eficacia vinculante general[30].

6.2. EL RECONOCIMIENTO INCIDENTAL DEL LAUDO ARBITRAL

La Ley de Cooperación Jurídica Internacional admite el reconocimiento automático o sin procedimiento especial, en el que éste es posible sin necesidad de tramitar el procedimiento de exequátur. De esta forma, se regula por primera vez en nuestro ordenamiento procesal interno el reconocimiento incidental por parte del juez que conozca de un procedimiento judicial en el que se plantee el reconocimiento de una resolución extranjera (art. 44.2). Mediante el reconocimiento incidental pretende hacerse valer, por tanto, el efecto de cosa juzgada de la resolución extranjera. Así pues, el reconocimiento incidental del laudo se plantea, principalmente, en aquellos supuestos en los que se interpone a título principal una demanda ante los tribunales españoles sobre una cuestión ya resuelta por un colegio arbitral en el extranjero.

El reconocimiento incidental en el marco de un procedimiento judicial, la Ley de Cooperación Jurídica Internacional no requiere la tramitación del incidente conforme a las artículos 388 y siguientes de la Ley de Enjuiciamiento

---

30. DE MIGUEL ASENSIO, P. A.: «Coordinación de la Ley de Cooperación Jurídica Internacional en material civil con la legislación especial», *op. cit.*, pág. 104.

Civil. Por tanto, puede decidirse de manera más sencilla directamente en el marco del concreto procedimiento en el que se solicite el reconocimiento. Esto evidentemente facilita la eficacia de las resoluciones extranjeras[31].

Por último, es conveniente señalar que nuestro legislador ha previsto en el nuevo régimen de cooperación, del mismo modo que se contempla en los Reglamentos europeos, que la eficacia del reconocimiento incidental queda limitada a lo resuelto en el proceso principal, y en consecuencia, nada impide que se solicite el exequátur como procedimiento que permite obtener una declaración general de reconocimiento[32].

6.3. EL RECONOCIMIENTO PARCIAL DEL LAUDO ARBITRAL

El reconocimiento parcial tanto de sentencias judiciales como de laudos arbitrales es una realidad jurisprudencialmente asentada a nivel comparado. En este sentido, hay quienes han afirmado que la admisión del reconocimiento parcial por parte de nuestro ordenamiento constituye un indudable avance, ya que permite satisfacer mejor los intereses de quienes en sede de arbitraje han visto reconocidas sus pretensiones, y a su vez aporta una mayor seguridad jurídica y certidumbre[33].

7. CONCLUSIÓN

El régimen de reconocimiento y ejecución de sentencias extranjeras ha experimentado una notable evolución. Desde el marco de las legislaciones

---

31. A juicio de GASCÓN INCHAUSTI, el énfasis del término «incidental» debe ponerse sólo en la idea de que la decisión se toma en el mismo proceso en que se pretende el reconocimiento; pero eso no excluye el debate contradictorio y plenario de las partes acerca de la procedencia o no del reconocimiento. *Vid.* GASCÓN INCHAUSTI, F.: «Reconocimiento y ejecución de resoluciones judiciales extranjeras en la ley de cooperación jurídica internacional en materia civil», *op. cit.*, págs. 166–168.
32. DE MIGUEL ASENSIO, P. A.: «Coordinación de la Ley de Cooperación Jurídica Internacional en material civil con la legislación especial», *Revista Española de Derecho Internacional*, vol. 68/1, 2016, pág. 102.
33. En esta línea, GÓMEZ JENE quien respalda su postura haciendo referencia una sentencia del Tribunal Supremo austriaco de 26 de enero de 2015. En esta sentencia se otorgó el exequátur del laudo en la parte relativa a la condena pecuniaria que establecía y se denegó el exequátur en la parte relativa al pago de los intereses (por considerar que un interés superior al 100% era –y es– contrario al orden público). A su juicio, la solución así adoptada parece coherente, ya que si sólo una parte del pronunciamiento es contrario al orden público del Estado donde quiera hacerse valer el laudo y esa parte puede considerarse de forma aislada, los demás pronunciamientos que recoja el fallo no tienen por qué verse afectados por esa restricción. *Vid.* GÓMEZ JENE, M.: «Arbitraje internacional y Anteproyecto de Ley de Cooperación Jurídica Internacional en materia civil», *Diario La Ley*, núm. 8388, 2014, pág. 5.

nacionales, frecuentemente alineadas sobre modelos de proyección internacional como sería el caso típico de la ley UNCITRAL, se van constituyendo sistemas incluso más flexibles y favorecedores del arbitraje que el puesto en marcha a través de las convenciones multilaterales y entre ellas particularmente la Convención de Nueva York.

En nuestro ordenamiento interno, la Ley de Cooperación Jurídica Internacional ha cubierto un importante vacío legal en el ámbito del derecho procesal civil internacional y ha representado un destacado avance que con carácter general afecta de manera positiva al reconocimiento y ejecución de laudos arbitrales. Sin embargo, la exhaustividad de la regulación y los loables principios que la inspiran, hacen que la normativa no esté exenta de crítica, algunas de estas cuestiones han sido desarrolladas en este artículo (*v.gr.* La competencia para conocer del procedimiento de exequátur y ejecución de laudos extranjeros, el procedimiento aplicable para la sustanciación de las solicitudes de exequátur).

En definitiva, a nuestro juicio, hubiera sido deseable que legislador hubiera aprovechado esta ocasión para, entre otros cambios, por un lado, aligerar el exequátur del laudo arbitral extranjero de cierta «burocracia procesal», como es la intervención del Ministerio Fiscal en el mismo. De otro, reconocer el derecho de réplica del demandante y así plasmar en la norma las sugerencias vertidas a este respecto por parte de los tribunales.

Capítulo XXI

¿Cuándo y por quién debe acreditarse la sucesión en la ejecución?

VANESA MARTÍ PAYÁ

Profesora de Derecho Procesal
Universidad de Zaragoza

SUMARIO: 1. LA SUCESIÓN EN LA EJECUCIÓN. *1.1. Momento procesal para plantear la ejecución.* 2. LUCES Y SOMBRAS DEL ART. 540.3 LEC. *2.1. Falta o insuficiencia de la documentación acreditativa. 2.2. Comparecencia del ejecutado o ejecutante y su sucesor. 2.3. Confusión terminológica. 2.4. Comparecencia del deudor* versus *despacho* inaudita parte debitoris. *2.5. Pago al acreedor originario.* 3. BIBLIOGRAFÍA.

1. LA SUCESIÓN EN LA EJECUCIÓN

El fenómeno de la sucesión provoca un cambio –de un sujeto por otro– en la misma posición procesal. Esta circunstancia se da cuando se produce la transmisión del derecho o del deber[1] que ostentaba el sujeto inicial al sujeto que ocupará en el proceso su lugar.

Bien es sabido que el proceso de ejecución exige un título ejecutivo para poder comenzar su andadura y que será el auto dictado por el órgano jurisdiccional el que despachará la ejecución reconociendo con ello la

---

1.   Véase, Bonet Navarro, José, «De las partes de la ejecución. Artículo 540», en *Proceso Civil Práctico*, t. VII, (Dir.: Gimeno Sendra), Madrid, La Ley, 2005, pág. 406.

legitimación[2] a las partes que intervendrán. La situación ordinaria es que la condición de parte ejecutante la ostenta quien interpone la demanda ejecutiva y la condición de parte ejecutada la soporta el sujeto contra quien se interpone ésta porque son quienes aparecen como acreedor y deudor en el título ejecutivo del que trae causa la ejecución. Sin embargo, nuestro legislador, consciente de la existencia de supuestos especiales que trascienden la regla general, disciplina una serie de normas que permiten despachar la ejecución frente a sujetos que no aparecen nominalmente en el título ejecutivo (art. 538.2 LEC).

La regulación expresa en el supuesto que nos ocupa –la sucesión– aparece prevista en el art. 540 LEC. Este precepto permite extender a los sucesores el derecho o deber[3] que el título ejecutivo reconoce al acreedor o al deudor y, así, su apartado primero brinda la posibilidad de despachar o continuar la ejecución «*a favor de quien acredite ser sucesor del que figure como ejecutante en el título ejecutivo y frente al que se acredite que es el sucesor de quien en dicho título aparezca como ejecutado*». De esta manera, pese al hecho de que el sucesor no consta expresamente reflejado en el título ejecutivo, es el propio título el que permitirá –junto a la existencia de prueba fehaciente de la condición de sucesor– que el órgano jurisdiccional reconozca la legitimación que posibilite a los sucesores convertirse en parte del proceso de ejecución[4].

Habida cuenta que ser parte en un proceso de ejecución puede producir en la esfera patrimonial de los afectos importantes consecuencias, para que la sucesión sea válida es necesario que la condición de sucesor se reconozca judicialmente. No basta con ser sucesor, hay que acreditarlo. El órgano jurisdiccional será el encargado de reconocer si la sucesión invocada ha sido o no acreditada de forma suficiente. Para ello, deberán presentarse los documentos fehacientes donde aquella conste y que el tribunal estime suficientes por concurrir en ellos los requisitos exigidos para su validez y así formar su convicción, reconociendo y despachando la ejecución sin más trámites (ex. art. 540.2.I LEC).

---

2. La legitimación tanto activa como pasiva es atribuida *ex lege* y el órgano jurisdiccional se encarga de reconocer si ésta se ha producido y acreditado.

3. De modo que si la sucesión, por ejemplo, recae en el sujeto pasivo y se reconoce la extensión de la responsabilidad, esto significa que la responsabilidad es la misma aunque el sujeto que la soporta no.

4. Es por ello que parte de la doctrina propone la inclusión de este tipo de sujetos en la categoría de «*sujetos legitimados por el título*», entre quienes destaca SENÉS MOTILLA, CARMEN, *Disposiciones generales sobre la ejecución forzosa*, 1.ª Ed., Madrid, La Ley, 2000, pág. 68.

1.1. MOMENTO PROCESAL PARA PLANTEAR LA SUCESIÓN

La sucesión en el proceso de ejecución[5] podrá tener lugar, tal y como recoge el art. 540.1 LEC, tanto *pendentem litem* –esta es una de las novedades introducidas por la *Ley 42/2015, de 5 de octubre, de reforma de la LEC* concretamente por su art. único 59 (al incluir expresamente en la nueva redacción que la ejecución podrá «*continuarse*»)–, como en el supuesto de que todavía no se haya dado curso a la ejecución (previsión originaria que se ha mantenido). Este cambio implica dejar en desuso a los arts. 16 y 17 LEC «*De la sucesión procesal*» que venían aplicándose cuando la sucesión se producía habiéndose iniciado ya la ejecución. No obstante, a pesar de haberse desplazado la aplicación de tales preceptos, será necesaria su aplicación supletoria en todo lo no previsto por el art. 540 LEC, como a continuación se verá.

Cuando la sucesión se produce «con anterioridad» al inicio del proceso de ejecución, encontramos el planteamiento que afirma que la carga de la prueba corresponde a quien insta la ejecución[6]. En mi opinión, no es lo mismo que la carga de la prueba pese sobre quien insta la ejecución que sobre quien plantea la sucesión. Por ejemplo, podría darse el caso de que el acreedor solicitara el despacho de la ejecución contra su deudor y que este último hubiera transmitido su deuda[7]; tendrá que ser el deudor ya ejecutado quien deberá probar –como causa de oposición a la demanda ejecutiva en virtud del art. 559.1.1.° LEC– que no debe despacharse la ejecución contra él por haberse producido la sucesión y ser otro quien ostenta la legitimación pasiva; y, si tomamos en consideración lo recogido en el art. 217 LEC, nada obsta para que así sea. Por esta y otras razones que a continuación expondré, considero que la labor de acreditar la sucesión debe pesar sobre quien la plantea: tanto se trate del sucesor del acreedor como del sucesor del deudor y respecto al contrario. Y de conformidad

---

5. Importa recordar que si la sucesión se hubiera producido en el proceso declarativo previo del que traiga causa el título ejecutivo, ésta resulta irrelevante a la hora de solicitar el despacho de la ejecución ya que el sucesor o sucesores ya aparecerían como vencedores o como condenados en la resolución y, por tanto, el tribunal estaría despachando la ejecución frente a los titulares directos.

6. Castro Bobillo, J. Carlos, «De las partes de la ejecución. Artículo 540», en *Comentarios a la nueva Ley de Enjuiciamiento Civil*, t.III, (Dir.: Lorca Navarrete, Antonio María), Valladolid, Lex Nova, 2000, pág. 2553, que así lo entiende por aplicación de las normas que regulan la carga de la prueba.

7. En este caso la sucesión se ha producido con anterioridad al inicio del proceso de ejecución, por lo que, teóricamente, debería haberse solicitado antes pero puede suceder que el acreedor lo desconozca y no por ello debe dejarse al ejecutado sucedido sin la posibilidad de poder acreditar que ya no es quien debe responder.

con lo previsto en el art. 549.1.5 LEC, ésta deberá probarse en la demanda ejecutiva, si es el acreedor quien la propone, y en la oposición a la ejecución, si quien la alega es el deudor, como ya he ejemplificado. Otra cosa es que quien solicite el despacho de la ejecución sea, con carácter general, el mismo sujeto que plantea la sucesión y, por tanto, quien debe acreditarla también. En conclusión, la condición de sucesor debe acreditarse ante el tribunal por quien la quiera hacer valer en el proceso.

Cuando la sucesión se produce *pendentem litem* cualquiera de las partes puede invocarla en cuanto se produzca, pues ambas forman ya parte del proceso y ostentan la legitimación necesaria para hacerlo. Hasta la reforma operada por la *Ley 42/2015, de 5 de octubre, de reforma de la LEC* eran de aplicación en este caso los arts. 16 y 17 LEC; tras ella, debe acudirse al art. 540.2 LEC. En contra de todo pronóstico, esta nueva situación a la que nos conduce el legislador, lejos de ofrecer soluciones, plantea nuevos interrogantes en cuanto al correcto proceder dentro del *iter* procesal, ya que el precepto se limita a señalar que la parte deberá presentar al tribunal los documentos fehacientes, pero en ningún caso recoge de qué modo ha de presentarse tal documentación ni si frente la misma la contraparte tiene posibilidad de reacción ni tampoco el tipo de resolución que debe dictar el tribunal si reconoce la sucesión.

En cambio, esto no ocurre ni preocupa en el supuesto anterior (cuando la sucesión se produce «con anterioridad» al despacho de la ejecución), pues la documentación –en caso de tenerla– debe adjuntarse a la demanda ejecutiva o en la oposición a la ejecución, como ya he indicado *ut supra*, al seguirse los cauces ordinarios del proceso que ya vienen regulados. Por el contario, si la sucesión tiene lugar *pendentem litem*, descubrimos que no hay regulación expresa; salvo la inclusión en 2015 del párrafo segundo en el propio art. 540.2 LEC, que tampoco ayuda, pues se limita a recoger que la sucesión debe notificarse a la parte que corresponda y que la ejecución continuará con el sucesor. Obvio es que la sucesión debe continuarse con el sucesor (por eso debe acreditarse tal condición y para ello se ha promovido) y, si bien importa que aparezca expresamente el deber de notificar, el precepto se sigue quedando cojo en cuanto a ésta pues no dice nada más. Es por todo ello que *de lege ferenda* debería darse respuesta a tales interrogantes e incardinar en el precepto: el tipo de escrito que debe presentar la parte que invoca la sucesión *pendentem litem* (*v. gr.* documento de alegaciones); si el proceso queda o no en suspenso hasta que el tribunal valore si son suficientes o válidos los documentos fehacientes aportados (considero que sí porque el art. 16 LEC así lo apunta); la clase de resolución que debe dictar el tribunal (*v. gr.* decreto del letrado de la administración de justicia si se archivan o auto del juez si se despacha o continúa); y si frente a ella cabe oposición alguna (*v. gr.* recurso de apelación frente al auto). Mientras tanto, la aplicación supletoria de los arts. 16 y 17 LEC será lo más conveniente.

Una vez se ha aportado la documentación –con independencia del cauce procesal utilizado– el órgano jurisdiccional realiza la oportuna valoración y decide si se ha probado o no de forma suficiente la condición de sucesor. En caso afirmativo se procede, sin más trámites, a despachar la ejecución a favor o frente al sucesor (art. 540.2.1 *in fine* LEC). En caso negativo, bien porque la sucesión no consta en documento fehaciente o bien por no estar suficientemente acreditada a juicio del tribunal, este mandará que el letrado de la administración de justicia dé traslado de la petición a quien conste como ejecutado o ejecutante en el título y a quien se pretenda que es su sucesor para que presenten alegaciones en quince días. Presentadas las alegaciones o vencido el plazo, el órgano ejecutor resolverá si prosigue o no la ejecución instada o si se despacha ésta en caso de no haberse iniciado, tal y como preceptúa el nuevo art. 540.3 LEC, del que hablaré a continuación.

2. LUCES Y SOMBRAS DEL ART. 540.3 LEC

Con anterioridad a la reforma de 2015 este precepto fue objeto de no pocas críticas por tener una redacción vaga e insuficiente. El problema giraba más en torno a su redacción que a lo que con él se pretendía y, pese a que con la actual redacción se da solución a ciertas lagunas de las que adolecía, continúa teniendo carencias.

El contenido del art. 540.3 LEC recoge qué debe hacerse cuando el tribunal considera que la documentación por la que se acredita la sucesión es insuficiente o no existe y concreta que «*Si la sucesión no constara en documentos fehacientes o el tribunal no los considerare suficientes, mandará que el secretario judicial dé traslado de la petición que deduzca el ejecutante o ejecutado cuya sucesión se haya producido, a quien conste como ejecutado o ejecutante en el título y a quien se pretenda que es su sucesor, dándoles audiencia por el plazo de 15 días. Presentadas las alegaciones o transcurrido el plazo sin que las hayan efectuado, el tribunal decidirá lo que proceda sobre la sucesión a los solos efectos del despacho o de la prosecución de la ejecución*». En mi opinión, la modificación legislativa merece, con carácter general, un juicio positivo; toda vez que ha conseguido dar con la solución de ciertos problemas que se daban con la regulación anterior y que dejaban al descubierto ciertas incoherencias y ambigüedades respecto a los sujetos que debían y podían comparecer, la imprecisa designación procesal atribuida a los sujetos que intervenían y la falta de regulación cuando el sucedido era el acreedor. Sin embargo, aunque nuestro legislador ha sabido observar algunas de estas lagunas no ha hecho frente a todas.

2.1. FALTA O INSUFICIENCIA DE LA DOCUMENTACIÓN ACREDITATIVA

En cuanto a los sujetos que debían comparecer, el anterior art. 540.3 LEC parecía recoger solo el supuesto en que la falta de documentación acreditativa recaía en la figura del sucesor del ejecutado y dejaba fuera el supuesto en que la falta de acreditación lo fuera respecto al sucesor del ejecutante, cuando la posibilidad de la sucesión podía y puede recaer en ambas partes (y así lo recoge expresamente este mismo artículo en su apartado primero)[8].

Curioso resulta también que nuestro legislador –aun habiendo modificado este mismo precepto en 2009 a través de la *Ley 13/2009, de 3 de noviembre, de reforma de la legislación procesal para la implantación de la nueva Oficina judicial*– olvidara que el demandante lo que puede estar solicitando es ser reconocido él mismo como sucesor de la parte activa. Y, así, el precepto recogía que si el tribunal no consideraba suficientemente probada la sucesión daría traslado «*a quien conste como ejecutado en el título y a quien se pretenda que es su sucesor*», cuando lo que el demandante podía estar solicitando era su propio reconocimiento como sucesor del acreedor. De acogerse esta tesis podía interpretarse que la norma solo recogía los supuestos en que se pretendía reconocer la legitimación pasiva y, en su virtud, que solo pudiera darse el supuesto en el que el sucedido era el deudor –habida cuenta de que no hacía ninguna alusión al supuesto en el que la solicitud fuera destinada a acreditar la sucesión del acreedor– dejando cojo el precepto en cuanto a la parte activa se refería. Este error resultaba, en mi opinión, un tanto extraño si tenemos en cuenta que el párrafo primero del mismo artículo ya aludía a ambas partes como posibles sucesoras incluso antes de la reforma de 2015.

Está claro que al acreedor le resulta más problemático acreditar la sucesión de su deudor (ya que es posible que no disponga de documentos fehacientes o suficientes que acrediten la sucesión de aquel)[9] que la

---

8. Es más, este supuesto supone una causa de oposición a la ejecución de la que se puede hacer valer la parte ejecutada para evitarla, en virtud de lo dispuesto en el art. 559.1.1.° LEC. La causa tendría como fundamento alegar que la parte ejecutante no ha podido probar la sucesión propia.

9. A este respecto, VEGAS TORRES, JAIME, «Tribunales y sujetos del proceso de ejecución», en *Derecho Procesal Civil. Ejecución forzosa. Procesos especiales*, (VV.AA.), 3.ª Ed., Madrid, Editorial Universitaria Ramón Areces, 2005, pág. 60, entendía que es posible

suya propia (que *a priori* no tiene que suponerle ningún problema y que no necesitará normalmente llegar a la comparecencia para conseguirlo). Sin embargo, dicha circunstancia no es óbice para que el legislador no lo incluyese expresamente. En cambio, ahora el art. 540.3 LEC concluye que se dará traslado de la petición «*a quien conste como ejecutado o ejecutante en el título y a quien se pretenda que es su sucesor*», salvando así la omisión antedicha.

2.2. COMPARECENCIA DEL EJECUTADO O EJECUTANTE Y SU SUCESOR

Por el contrario, el precepto continúa siendo criticable –si cabe más aún por el hecho de haberse modificado en 2015 y nuestro legislador no haber sido consciente de lo que ahora se dirá–, concretamente su última parte, cuando concluye que deberán comparecer «*ejecutado o ejecutante en el título y a quien se pretenda que es su sucesor*»[10].

El problema era y es el mismo: resulta imposible requerir al ejecutado y a su sucesor o al acreedor y a su sucesor si la sucesión deviene *mortis causa*. El tribunal no puede solicitar la comparecencia de una persona fallecida. Con lo que, atendiendo al tenor literal del precepto, el art. 540.3 LEC solo sería de aplicación a los supuestos de sucesión *inter vivos*. Tendría sentido y esta parte del precepto sí se comprendería si, en su lugar, se aludiera al reconocimiento de una parte (tanto activa como pasiva) y se requiriera la comparecencia del sucesor de ésta y de la contraparte. Si, además, el sucedido pudiera también comparecer (como, por ejemplo, en el caso de una cesión de crédito) tanto mejor para probar la sucesión.

---

que este artículo no contemplase el supuesto de que el sucesor fuera el que debía ocupar la posición de acreedor porque le era exigible acreditar su propia sucesión y debía contar con los documentos necesarios para ello (mientras que al deudor no le interesaba que se acreditase); cuando si de lo que trataba de probar era la sucesión de su deudor, puede que no le resultase fácil encontrar la documentación acreditativa y por eso el art. 540.3 sólo aludía este último.

BONET NAVARRO, JOSÉ, «De las partes de la ejecución. Artículo 540», en *Proceso...* cit., pág. 408. Esta exigencia entraña dificultades sobre todo en la transmisión *mortis causa* donde el acreedor puede desconocer la existencia de la misma transmisión (en caso de que el sucesor fuera el del deudor) o, en su caso, de su aceptación o no y de su alcance.

CASTRO BOBILLO, J. CARLOS, «De las partes de la ejecución. Artículo 540», en *Comentario...* cit., pág. 2553, además plantea otra cuestión a colación de los documentos «fehacientes», considerados como tales aquellos que gozan de autenticidad al ser otorgados por un fedatario público, pues considera que la «fehaciencia» tiene como fin facilitar la prueba de la transmisión pero no es un requisito esencial porque no es el único medio por el que un documento puede considerarse válido.

10. La novedad ha sido la de introducir en la oración al ejecutante.

En cualquier caso lo que procedería, a mi juicio, tanto se trate de una sucesión *mortis causa* como *inter vivos* es que el tribunal dé audiencia a quien plantea la sucesión del sujeto que aparezca en el título ejecutivo como deudor o como acreedor y a la parte contraria; y, si se trata de una sucesión *inter vivos*, también a la persona de la que la sucesión trae causa[11].

2.3. CONFUSIÓN TERMINOLÓGICA

En cuanto a la utilización de sus términos también el precepto resulta confuso habida cuenta que habla de ejecutante y ejecutado cuando en el momento en que nos encontramos puede que todavía sean acreedor y deudor únicamente. Me explico: la nomenclatura es la correcta si de lo que se trata es de la sucesión producida *pendentem litem* porque las partes ya son ejecutada y ejecutante a todos los efectos. Por el contrario, si la sucesión tuvo lugar con anterioridad al despacho de la ejecución (y teniendo en cuenta que esta situación era la que originaria y exclusivamente regulaba el precepto antes de la reforma de 2015) no existe todavía un ejecutado y un ejecutante al no haberse dictado auto alguno –y partiendo de la base de que es el auto por el que se despacha la ejecución el que otorga la condición de parte ejecutante y parte ejecutada en el proceso– nos encontramos con que los sujetos pueden no ser todavía partes del proceso y, a la postre, uno de ellos ni tan siquiera llegará a serlo nunca, pues será sucedido antes[12].

2.4. COMPARECENCIA DEL DEUDOR *VERSUS* DESPACHO *INAUDITA PARTE DEBITORIS*

Para entrar a analizar este punto hemos de partir de que quien plantea la sucesión (bien sea activa como pasivo) es el acreedor y que ésta se da antes de solicitar el despacho de la ejecución, esto es, lo que viene a ser la motivación originaria del art. 540 LEC en cuanto a la sucesión jurídico~material.

El problema surge en cuanto a si la comparecencia del deudor resulta necesaria cuando, por un lado, la norma general es que la ejecución se despacha *inaudita parte debitoris* y, por otro lado, que el propio deudor

---

11. Sabater Martín, Aníbal, «De las partes de la ejecución. Artículo 540», en *Comentarios a la nueva Ley de Enjuiciamiento Civil*, t. II, (Coord.: Fernández-Ballesteros, Rifá Soler y Valls Gombau), Barcelona, Iurgium, 2000, pág. 2606, propone que el precepto «dé audiencia, sin mayores precisiones, a la persona de la que se afirma que es sucesor y a la persona de la que se afirma que ha sido sucedida».

12. En esta línea, Bonet Navarro, José, «De las partes de la ejecución. Artículo 540», en *Proceso...* cit., pág. 408 y Castro Bobillo, J. Carlos, «De las partes de la ejecución. Artículo 540», en *Comentarios...* cit., pág. 2252, entre otros.

podría oponerse al despacho de la ejecución alegando falta de legitimación pasiva por haber sido sucedido (tal y como recoge el art. 559.1.1.° y 2.° LEC); no quedando desprovisto de protección aunque no compareciera para desacreditar la sucesión al amparo del art. 540.3 LEC, porque tendrá la oportunidad de hacerlo más tarde.

El debate doctrinal a este respecto está abierto entre quienes defienden la posibilidad de emplear ambos preceptos sucesivamente[13] y quienes consideran que si la parte ejecutada comparece en el momento que ofrece el art. 540.3 LEC no podrá hacerlo después oponiéndose al auto[14] por el que se despacha la ejecución (ex. art. 559.1.1.° y 2.° LEC) pues tendría doble oportunidad para defender el mismo asunto porque los motivos que alegara en la oposición ya habrían sido resueltos en el auto donde se resolvería sobre el incidente del art. 540.3 LEC[15]. Esta segunda vertiente doctrinal parte de la base de que pese a que la sucesión invocada por este precepto no tiene efecto de cosa juzgada material (pues se pronunciar sobre esta «a los solos efectos de la ejecución» y podría, por tanto, ventilarse en un proceso declarativo posterior) sí que tiene autoridad de cosa juzgada formal (art. 207 LEC); y, por lo tanto, no es posible invocar de nuevo el mismo alegato, circunstancia que se daría si el ejecutado comparece a la vista del art. 540.3 LEC y posteriormente se opone a la ejecución por la misma causa (art. 559.1.1.° y 2.° LEC).

Sin embargo, el hacer uso de uno u otro precepto –incluso de ambos– realmente depende de la actitud que tome el deudor en cada caso particular. Si el ya ejecutado no hubiera comparecido en el incidente del art. 540.3 LEC, lógicamente podrá valerse del art. 559.1.1.° y 2.° LEC e invocar como causa de oposición frente al auto por el que se despacha la ejecución, la falta de la condición de sucesor (activo o pasivo) al no haberlo hecho todavía. Sin embargo, si el deudor aprovecha la comparecencia que le ofrece el art. 540.3 LEC para alegar que él o el ejecutante carecen del carácter de sucesores que se les atribuye, no es coherente que pretenda hacerlo valer de nuevo (art. 559.1.1.° y 2.° LEC) en tanto que, además de provocar una dilatación del proceso que iría en contra del principio de economía

---

13. A favor de esta postura, SENÉS MOTILLA, CARMEN, *Disposiciones generales...* cit., pág. 70 o ACHÓN BRUÑEN, MARÍA JOSÉ, «Despacho de ejecución a favor o contra quien no figura en el título ejecutivo», en *Justicia: Revista de derecho procesal*, núm. 3–4/2004 (VLEX 256812), pág. 4, entre otros.

14. En este sentido, pese a no estar regulado de forma expresa, entendemos –tal y como lo hace la mayor parte de la doctrina– que el órgano ejecutor aprovecha el mismo auto por el que despacha la ejecución para incluir en él al sucesor.

15. Defensor de este planteamiento se postula SABATER MARTÍN, ANÍBAL, «De las partes de la ejecución. Artículo 540», en *Proceso...* cit., pág. 2607.

procesal, el auto al que se opondría ya contendría un pronunciamiento acerca de dicho extremo y obligaría al tribunal a resolver dos veces sobre lo mismo. Con lo que se plantean dos cuestiones: a) si es recomendable o no que pueda hacerse uso de los dos preceptos sucesivamente pese a estar alegando el mismo motivo; y, b) en caso de solo poder invocar uno, cuál de ellos sería el adecuado.

A mi juicio, el hecho de que el ejecutado pueda defenderse (ex. art. 540.3 LEC) pero no lo haga y espere (ex. art. 559.1.1.° y 2.° LEC), puede dar lugar a que cuando se pretenda hacer efectiva la ejecución el ejecutado haya preparado su insolvencia o, simplemente, resulte insolvente. Dado que al haber sido advertido de la causa –pues se le llama para comparecer– cuenta a su favor con el tiempo que media desde que pudo alegar la falta de legitimación en el incidente sobre la sucesión hasta el momento en que, por el mismo motivo, se oponga al auto por el que se despacha la ejecución. Este tiempo juega a su favor y perjudica al ejecutante que puede no ver satisfecha la deuda al no tener bienes suficientes que afectar a la ejecución[16]. Claro que, por otro lado y en virtud del principio *ubi lex non distinguit nec nos distinguere debemus*, si no permitimos la oposición a la ejecución podría entenderse vulnerado el derecho a la tutela judicial efectiva del ejecutado al no dejarle hacer uso de los medios que le otorga la ley para poder defenderse aunque la previsión en este supuesto concreto se ofrezca por partida doble. En conclusión, y salvo que una norma nueva se redacte, el tribunal deberá aceptar la causa de oposición en la ejecución aunque el ejecutado pudo haberla planteado antes.

Por lo que *de lege ferenda* habría que preguntarse si el tribunal podría, en estos casos, desestimar la causa de oposición por entender precluido el plazo para defender dicha falta de legitimación y fundamentar la negativa en el hecho de que el sujeto no la ha planteado en el momento procesal oportuno al entender como tal el previsto en el art. 540.3 LEC. Pues, en definitiva, este precepto no deja de ser una oportunidad que el legislador brinda al deudor para que este alegue su falta de legitimación o la del sucesor del acreedor; ya que si el tribunal considera suficientes los documentos aportados por el acreedor no necesita que el deudor comparezca y pasa directamente a despachar la ejecución en su contra sin llegar a aplicar el precepto; en cuyo caso, no hay duda de que el deudor ya ejecutado

---

16. Achón Bruñen, María José, «La problemática del concepto de parte en el proceso de ejecución», en *Revista Crítica de Derecho Inmobiliario*, 2006, núm. 698, pág. 2198, afirma al requerir al deudor para comparecer se le pone en sobre aviso y puede aprovechar la información «privilegiada» para ocultar sus bienes.

está en su pleno derecho de oponerse al auto por el que se despacha la ejecución con el fin de alegar la falta de legitimación (bien activa como pasiva) al amparo del art. 559.1.1.° y 2.° LEC, en tanto que la decisión del órgano si se produce *inaudita parte debitoris*.

Conviene recordar que hablamos del supuesto previsto para aquellos casos en que la sucesión se produce antes del despacho de la ejecución puesto que si la sucesión se plantea entre la admisión de la demanda y el despacho de la ejecución si podrá oponerse.

2.5. PAGO AL ACREEDOR ORIGINARIO

Importa también indagar qué sucede cuando el ejecutado alega como causa de oposición a la ejecución el pago al acreedor originario (en este caso el sucedido es el acreedor). El art. 1527 CC permite esta defensa siempre que el deudor haya satisfecho la deuda al acreedor originario antes de saber de la existencia de la sucesión. Con lo que existe un momento temporal para hacer valer el pago que va desde la constitución del título ejecutivo –tanto se trate de una resolución jurisdiccional resultado de un proceso declarativo previo o de un título extrajudicial constituido– y hasta el momento anterior al auto por el que se despacha la ejecución. Después ya no podrá hacerlo.

3. BIBLIOGRAFÍA

Achón Bruñen, María José, «Despacho de ejecución a favor o contra quien no figura en el título ejecutivo», en *Justicia: Revista de derecho procesal*, núm. 3–4/2004 (VLEX 256812).

– «La problemática del concepto de parte en el proceso de ejecución», en *Revista Crítica de Derecho Inmobiliario*, 2006, núm. 698.

Bonet Navarro, José, «De las partes de la ejecución. Artículo 540», en *Proceso Civil Práctico*, t. VII, (Dir.: Gimeno Sendra), Madrid, La Ley, 2005.

Castro Bobillo, J. Carlos, «De las partes de la ejecución. Artículo 540», en *Comentarios a la nueva Ley de Enjuiciamiento Civil*, t.III, (Dir.: Lorca Navarrete, Antonio María), Valladolid, Lex Nova, 2000.

Sabater Martín, Aníbal, «De las partes de la ejecución. Artículo 540», en *Comentarios a la nueva Ley de Enjuiciamiento Civil*, t. II, (Coord.: Fernández-Ballesteros, Rifá Soler y Valls Gombau), Barcelona, Iurgium, 2000.

SENÉS MOTILLA, CARMEN, *Disposiciones generales sobre la ejecución forzosa*, 1.ª Ed., Madrid, La Ley, 2000.

VEGAS TORRES, JAIME, «Tribunales y sujetos del proceso de ejecución», en *Derecho Procesal Civil. Ejecución forzosa. Procesos especiales*, (VV.AA.), 3.ª Ed., Madrid, Editorial Universitaria Ramón Areces, 2005.

Capítulo XXII

La ejecución provisional de la condena de desahucio

JOSÉ JUAN MARTÍNEZ NAVARRO

Abogado

1. EL ALQUILER DE VIVIENDA Y LA CRISIS ECONÓMICA

La crisis económica, oficialmente declarada con cruel evidencia en 2008 y que, según los indicadores económicos, no parece indudablemente superada a día de hoy, supuso un impulso del mercado del alquiler en España[1], en tanto que es un modo de cubrir la elemental necesidad de vivienda con un menor compromiso personal y económico que el que supone la suscripción de un crédito o préstamo hipotecario, que era el remedio normal, dadas la atávica querencia de los españoles por el régimen de propiedad y la facilidad con la que se concedían financiaciones de ese tipo en la ilusión de la burbuja inmobiliaria[2].

---

1. A fecha 27/02/2015, el diario *El Mundo* recogía el dato de cómo, tras la recesión económica, un sector meramente residual del mercado residencial como era el del alquiler (6 ó 7 % de las viviendas) se había visto incrementando hasta un 20 %, sobre todo en las grandes ciudades, y subiendo; visto en http://www.elmundo.es/econo mia/2015/02/27/54ef56ace2704e274a8b456f.html, 31 de mayo de 2016.

2. Para una comprensión del fenómeno de la burbuja inmobiliaria, *vid* BERNARDOS DOMÍNGUEZ, «Creación y destrucción de la burbuja inmobiliaria en España», *Información Comercial Española, ICE: Revista de economía*, n.° 850, 2009, pp. 23–40.

Clausurada la vía del crédito por las entidades financieras, ha sido pre-ocupación de los gobiernos[3] fomentar el mercado del alquiler de vivien-das[4] con una serie de medidas no exentas de crítica en cuanto a su eficacia[5], y entre las cuales no resultan de importancia menor las tendentes a ven-cer la tradicional reticencia de los propietarios a poner sus inmuebles en arriendo, óbice que ha propiciado, junto a otras causas, que en la actuali-dad la demanda de viviendas en alquiler supere la oferta disponible[6] aun habiendo muchas desocupadas[7].

Esta resistencia de la propiedad se sustenta en razones que son atendi-bles desde ciertas creencias muy extendidas socialmente y más o menos fundadas[8], pese a que, a primera vista, cualquiera puede considerar antie-conómico el mantenimiento de una vivienda vacía, máxime cuando los pre-cios de la misma, parece, tardarán muchos lustros en recuperarse hasta los niveles «pre-burbuja»[9]. El descuido de los inquilinos en la conservación y mantenimiento de la vivienda, los incumplimientos contractuales por parte de los mismos –sobre todo en el pago puntual de la renta y suministros– y la falta de mecanismos procesales eficaces para paliar tales incumplimientos, son algunas de las razones que atenazan la voluntad de los propietarios[10].

---

3. Nos referimos aquí tanto al gobierno del Estado como a los autonómicos e, incluso, municipales. Sirvan los conocidos ejemplos de los ayuntamientos de Madrid o Barcelona.

4. NASARRE AZNAR, «La eficacia de la Ley 4/2013, de reforma de los arrendamientos urbanos, para aumentar la vivienda en alquiler en un contexto europeo», *Revista Crítica de Derecho Inmobiliario*, n.° 747, 2015, pp. 205–249.

5. BURÓN CUADRADO, «La reforma financiera y las medidas para el alquiler deno-tan «primitivismo inmobiliario»», artículo aparecido en *Idealista/News* el 12 de mayo de 2012; visto en http://www.idealista.com/news/inmobiliario/vivien da/2012/05/21/453937-la-reforma-financiera-y-las-medidas-para-el-alquiler-deno tan-primitivismo, 22 de mayo de 2016.

6. *Vid* Diario *El Mundo* de 13 de Abril de 2016; visto en http://www.elmundo.es/econo mia/2016/04/13/570e5a91268e3e55308b462e.html, 22 de Mayo de 2016.

7. Dentro de la mayor operación estadística que realiza el INE cada diez años, la refe-rida a 1 de noviembre de 2011, arrojaba un censo de viviendas de 25.208.623, de las cuales estaban vacías 3.443.365. Puede verse el dato en http://www.ine.es/cen sos2011_datos/cen11_datos_inicio.htm, 22 de mayo de 2016.

8. BONET NAVARRO, «Los juicios por desahucio en España: un problema económico, social y jurídico», en *Actualidad Jurídica Aranzadi*, n.° 774, 2009, [BIB 2009, 586].

9. Partiendo del inicio de la crisis, en 2008, los precios de las viviendas tocaron fondo en 2014. Existiendo un ligero repunte en 2014, a día de hoy en muchas zonas de España comprar una vivienda hoy cuesta la mitad que en 2008. *Vid* el Laboratorio de Datos del diario *El País* de 17 de Febrero de 2016, elaborado a partir informes y gráficos interactivos realizados por AFI Analytlcs. Visto en http://economia.elpais.com/eco nomia/2016/02/10/actualidad/1455143354_332953.html; 5 de junio de 2016.

10. BONET NAVARRO, «Los juicios por desahucio en España: un problema económico, social y jurídico», cit.

Conviene decir también, que ciertos datos dan un sustrato real a aquellos temores. Si atendemos a la última estadística del CGPJ, la referente a 2015, como consecuencia de procedimientos derivados de la L.A.U. se produjeron 35.677 lanzamientos en nuestro país, mientras que por ejecuciones hipotecarias –referente constante del drama social en España desde el inicio de la crisis– se produjeron 29.225[11].

Teniendo en cuenta al menos tres factores, cuales son, el incremento del mercado del alquiler, que ha supuesto un verdadero cambio estructural en el sector inmobiliario, la insuficiencia de la oferta de viviendas en arriendo que pueda satisfacer aquella demanda y el excesivo incumplimiento por parte de los inquilinos que propicia un gran número de lanzamientos, se alcanza a comprender la importancia de la dimensión procesal del desahucio[12], en especial la regulación de su ejecución provisional como instrumento que ampara el pronto reparo del derecho del arrendador pero que, pese a las múltiples reformas operadas desde la entrada en vigor de la LEC[13], conserva una tara congénita.

2. EJECUCIÓN PROVISIONAL Y DESAHUCIO. PLANTEAMIENTO DEL PROBLEMA

A la vista del art. 525 LEC las sentencias que condenan al desahucio por falta de pago (o por expiración contractual, en los supuestos en los que, además de haberse consumido el tiempo de la relación arrendaticia legal o contractualmente, se adeudaban cantidades de renta[14]) son

---

11. Visto en http://www.poderjudicial.es/cgpj/es/Temas/Estadistica-Judicial/Infor mes-estadisticos-periodicos/Datos-sobre-el-efecto-de-la-crisis-en-los-organos-judi ciales—Datos-desde-2007-hasta-cuarto-trimestre-de-2015; 5 de Junio de 2016. También es cierto que no se distingue aquí entre los lanzamientos que se producen sobre viviendas o inmuebles destinados a otros usos.

12. El profesor DE LA OLIVA llamaba la atención sobre el mal uso que se hacía en general del término *proceso de desahucio* en referencia a los lanzamientos que traían causa de una ejecución hipotecaria. *Vid* http://andresdelaoliva.blogspot.com.es/search/ label/Ejecuci%C3%B3n%20hipotecaria.

13. De todas las reformas habidas hasta la fecha, se ocupa ADAN DOMÉNECH, «La reforma legislativa de los juicios de desahucio», *Cuadernos de Derecho y Comercio*, n.° 60, pp. 91–116, 2014.

14. En un principio la acumulación objetiva permitida por el art. 438.3.3 LEC sólo parecía extenderse a la acumulación de acciones producida entre la reclamación de cantidades adeudadas y el desahucio por falta de pago, sin hacer mención a la acumulación entre la reclamación dineraria y el desahucio por expiración del plazo contractual. Esta cuestión fue resuelta con la reforma operada por la Ley 19/2009, de 23 de noviembre, de Medidas de Fomento y Agilización Procesal del Alquiler y de la Eficiencia Energética de los Edificios, dándole nueva redacción al art. 438 LEC y haciendo expresa esa posibilidad.

provisionalmente ejecutables en tanto que no están entre las expresamente excluidas de tal posibilidad.

Por lo tanto nos encontramos con que el arrendador que tiene una sentencia a su favor, declarando resuelto el contrato y condenando al arrendatario deudor a pagar las cantidades debidas por razón del mismo y al desalojo del inmueble, una vez que sea ésta recurrida por el inquilino[15], puede instar y obtener la ejecución provisional de la sentencia respecto a los pronunciamientos condenatorios –de dar (pagar la renta) y de hacer (devolver la posesión)–, sin que sea obstáculo para esto último su carácter subsidiario respecto del pronunciamiento constitutivo[16] (la resolución del contrato), que no es, en sí, susceptible de ejecución[17].

Dado el tenor literal de la ley, esta opinión favorable parece ser la más extendida[18], aunque la aparente claridad se torna oscura cuando se tiene en cuenta la necesaria[19] y concurrente aplicación del art. 449.2 LEC[20], que establece como requisito para mantener viva la tramitación del recurso, no sólo la inicial acreditación de haber satisfecho las rentas vencidas y las que con arreglo al contrato deba pagar adelantadas, imprescindible para la admisión del mismo *ex* art. 449.1 LEC, sino también pagar los plazos que venzan o se deban adelantar[21] durante la sustanciación de esa impugnación, so pena de declarar el recurso desierto[22].

Aunque no ha faltado quien mantenga la compatibilidad de la obligación de estar al corriente de las rentas y de la facultad de ejecutar provisionalmente[23] resulta patente la incongruencia[24] de que el inquilino recurrente que resulta desposeído forzosamente, en tanto que se le ejecuta

---

15. Y habiendo sido notificada la resolución que tiene por interpuesto el recurso *ex* arts. 527.1 y 535.2 LEC.

16. Porque si no hay acuerdo, hace falta una declaración judicial, que tendrá carácter constitutivo, en el sentido de que los efectos de la resolución sólo se producirán si y desde que haya sentencia que la decrete. En este sentido *vid* NUÑEZ BOLUDA, *El mutuo disenso*, Madrid, 1996, pp 117–118.

17. BONET NAVARRO, «Los juicios por desahucio en España: un problema económico, social y jurídico», cit: «La pretensión de desahucio es de condena, por tanto, resulta infundado negar la ejecución provisional con base en el carácter subsidiario del deber de entrega de la finca arrendada en la pretensión de desahucio».

18. FERNÁNDEZ GIL, El desahucio «exprés» por falta de pago, Madrid, 2012, p. 215.

19. Cfr., de nuevo, los arts. 527.1 y 535.2 LEC.

20. FERREIRO BAAMONDE, Ejecución provisional de sentencias civiles, Lisboa, 2015, p. 93.

21. Es práctica común que las mensualidades de renta se paguen por adelantado, conforme a previsión contractual.

22. Lo que conllevaría, además, la imposición de costas.

23. Como es el caso de MAGRO SERVET, citado por FERNÁNDEZ GIL, El desahucio «exprés» por falta de pago, cit. pp. 218–219.

24. *Ibídem*, p. 219.

de manera provisional, tenga que seguir pagando las rentas por el alquiler de un inmueble que ya no ocupa.

3. SOLUCIONES DADAS AL PROBLEMA

3.1. EL INMEDIATO ANTECEDENTE HISTÓRICO

Respecto al régimen de ejecución provisional vigente antes de la entrada en vigor de la LEC 1/2000, Lluís CABALLOL ANGELATS resaltaba la evidencia de que «*La eficacia del desahucio no es acorde con la exigencia del pago de las rentas vencidas, incluso por adelantado*»[25].

De ahí la prohibición que se contenía, de manera expresa, en el art. 1566 LEC 1881: «*Consignadas las rentas no se podrá decretar la ejecución provisional de la sentencia de primera instancia regulada en el art. 385*».

Lo cual no impedía, en atinada opinión del autor precitado, que se pudiera instar la ejecución provisional respecto al resto de pronunciamientos acumulados[26].

Podría decirse, por tanto, que pese a las múltiples y severas críticas vertidas contra la anterior regulación de la ejecución provisional en la LEC 1881, a la que la doctrina de modo general adjetiva como deficiente[27], parca y desacertada[28], en lo que respecta a la concreta cuestión que tratamos aquí sí proporcionaba, al menos en un momento dado, una solución clara[29] que no heredó nuestra actual LEC.

Y no la heredó, quizás, porque el párrafo reproducido (que era el cuarto del art. 1566) fue suprimido (junto al segundo y el tercero) por la D.A. 5.ª de la Ley 29/1994, de 24 de noviembre, de Arrendamientos Urbanos, despareciendo con él una causa de imposibilidad específica[30] para ejecutar provisionalmente el desahucio. A partir de dicha supresión se debía

---

25. CABALLOL ANGELATS, La ejecución provisional en el proceso civil, Barcelona, 1993, p. 190.
26. *Ibídem*, p. 191.
27. ARMENTA DEU, *La ejecución provisional*, Las Rozas, 2000, p. 16.
28. MUERZA ESPARZA, La oposición a la ejecución provisional en el proceso civil, Cizur Menor,2013, p. 13.
29. E *in claris non fit interpretatio*. Aunque este aforismo, en realidad, es falso, porque siempre hará falta, al menos, un juicio de claridad. En otras palabras lo expresaba DE CASTRO: «*cuando la expresión es clara sobran las cavilaciones aunque, como el estudio enseña que la letra nunca es decisiva, para saber si es clara hay que tener en cuenta su sentido normativo o finalidad*». *Vid* DE CASTRO Y BRAVO, *Diccionario de Derecho Civil*, Tomo II, Cizur Menor, 1984, p. 93.
30. ILLESCAS RUS, «Aspectos procesales de la Ley 29/1994 de Arrendamientos Urbanos (y II)», *Boletín del Ministerio de Justicia*, n.° 1737, 1995, pp. 108–109.

acudir, para determinar la admisibilidad o no de la ejecución provisional, al régimen general del art. 385 LEC 1881[31] y al concepto jurídico indeterminado del *perjuicio irreparable*[32], que había de ser apreciado de oficio por el juez[33] en la coyuntura de decidir sobre el despacho de la ejecución[34].

3.2. POSICIONES DOCTRINALES ACTUALES

El silencio acerca de la posibilidad de ejecución provisional en el supuesto de los procesos que llevan aparejados el lanzamiento (art. 449 LEC, en sus apartados 1 y 2), ha propiciado que entren en liza distintas opiniones doctrinales que, de seguido, nos proponemos compendiar.

a) La inejecutabilidad provisional (interpretación *sensu contrario*)

Esta interpretación se basaría en un *argumentum e contrario* fuerte, condensado en la regla *qui dicit de uno negat de altero*[35] o, con mayor

---

31. Artículo 385

    «Las resoluciones a que se refiere el artículo anterior que hubieren sido objeto de recurso de apelación, podrán no obstante ser ejecutadas provisionalmente cuando condenen al pago de una cantidad líquida o cuya liquidación pueda efectuarse por simples operaciones numéricas a tenor de lo dispuesto en el fallo.

    Las sentencias de objeto o naturaleza diferente serán susceptibles de la misma medida únicamente si el Juez estima que el perjuicio que pudiera irrogarse con su ejecución no sería irreparable.

    En ningún caso serán ejecutables provisionalmente las sentencias recaídas en juicios que versen sobre paternidad, maternidad, filiación, divorcio, capacidad, estado civil o derechos honoríficos.

    Para que proceda la ejecución provisional habrá de instarla la parte apelada dentro del plazo de seis días contado a partir de la notificación de la resolución admitiendo el recurso de apelación, dentro de cuyo plazo habrá de ofrecer la constitución de fianza, con exclusión de la personal, o aval bancario suficientes para responder de lo que perciba y de los daños, perjuicios y costas que ocasionare a la otra parte. El Juez habrá de resolver sobre la ejecución provisional y la suficiencia de la garantía en los seis días siguientes, y la fianza o el aval habrán de constituirse dentro del tercer día a partir de la notificación de la resolución, incluso cuando el Juez exija que se complemente la garantía ofrecida.

    Los recursos de apelación a que se refieren los artículos anteriores deberán interponerse en el plazo de cinco días, salvo que en esta Ley se fijase otro plazo distinto».

32. Hace un estudio profundo del alcance y significación de ese concepto CABALLOLS ANGELATS, *La ejecución provisional en el proceso civil*, cit. pp 164–189.

33. Debía apreciarlo el juez, aparte de porque así lo decía la Ley, porque no existía un trámite específico de oposición del que pudiera servirse el ejecutado para manifestarlo.

34. Como fue el caso que se resuelve, no apreciando la existencia de ese futuro perjuicio irreparable, en el AAP de Zaragoza (Sección 4.ª) núm. 29/2001 de 19 de enero. [JUR, 2001, 82235].

35. «By virtue of strong argumentum e contrario, similar cases covered by neither the core nor periphery linguistically acceptable application-area of this norm, should not be treated in the way stipulated by the norm». Vid PECZENIK, On Law and Reason, Berlín, 2009, pp. 322–323.

concreción, en la regla *excusa consentur omnia quae lex enumerando non inclusit*[36].

Efectivamente, el art. 449 LEC no es otra cosa que una enumeración de supuestos especiales en los que la ley ha añadido ciertos requisitos a los comunes de los recursos para evitar la utilización de los recursos devolutivos con intención dilatoria[37].

Como se ha señalado ya, el catálogo de casos con requisitos especiales, pese a compartir ciertos caracteres con carácter general[38], contiene diferencias entre unos supuestos y otros. En lo que nos interesa, reiteramos, la posibilidad de ejecución provisional mencionada en los apartados 3 y 4 del art. 449 LEC no puede leerse en los apartados 1 y 2 del precepto y por tanto, y atendiendo a este argumento, si no está es porque, simplemente, la posibilidad no existe.

Y no obstaría a la solución antedicha el hecho de que la regulación general de la ejecución provisional contenida en los arts. 524 y ss. LEC no contemple tal exclusión, en tanto que el art. 449 LEC sería norma especial y, por tanto, de preferente aplicación conforme al criterio *lex specialis derogat generali*[39].

---

36. En tanto que «Las leyes concisas suelen ser muy susceptibles de interpretación estensiva; pero no la admiten sino con dificultad las que espresan y enumeran los casos particulares á que han de aplicarse; porque así como la excepción confirma la fuerza de la ley en los casos no exceptuados, del mismo modo la enumeración la debilita en los casos no enumerados»; Vid, ESCRICHE, Diccionario razonado de Legislación y Jurisprudencia, Madrid, 1838, p. 324.
37. MONTERO AROCA y FLORS MATÍES, *Tratado de recursos en el proceso civil*, Valencia, 2014, pp. 109–111. Y en el mismo sentido GIMENO SENDRA en VVAA, *Proceso Civil Práctico*, vol. VI, Las Rozas, 2011, p. 20.
38. *Ibídem*, pp. 111–118.
39. Este es el criterio de CACHÓN CADENAS, «Resoluciones provisionalmente ejecutables y despacho de la ejecución provisional», *Justicia: Revista de derecho procesal*, n.° 3–4, 2004, pp. 7–142. Y también se adscriben a esta postura FERRERIO BAAMONDE, *Ejecución provisional de Sentencias Civiles*, cit. p. 98 y BOTICARIO GALAVÍS, *Resoluciones susceptibles de ejecución provisional en la Ley de Enjuiciamiento Civil*, Las Rozas, 2010, pp. 260–261.
   De igual manera ha sido acogido este criterio por algún pronunciamiento de las Audiencias. Así el AAP de Madrid núm. 308/2006 de 5 octubre [JUR 2006, 268031], en su FJ 3: «*Pero con independencia de lo anterior el Auto de esta misma Sección de 26 de septiembre de 2005 viene a recoger la no ejecución provisional de las sentencias dictadas en procesos arrendaticios que lleven aparejado el lanzamiento al señalar «El art. 449 de la LEC al regular el derecho a recurrir en casos especiales impone al apelante en los tres supuestos contemplados en dicho precepto, en los procesos que lleven aparejado el lanzamiento, proceso en los que se condene a indemnizar los daños y perjuicios derivados de la circulación de vehículos de motor, y los procesos en los que se condene al pago de las cantidades debidas por un propietario a la comunidad de vecinos, la obligación en el primer caso de estar al corriente de pago de*

Huelga decir que, en el caso que se declarara desierto el recurso, el lanzamiento podría conseguirse forzosamente ya en virtud de una ejecución definitiva.

b) La ejecutabilidad provisional atemperada (interpretación restrictiva)

Otra opinión, en cambio, aún reconociendo el resultado incongruente al que conduciría que el inquilino desposeído provisionalmente tuviera que seguir pagando la renta de un inmueble que no ocupa con tal de conjurar la firmeza de la sentencia que ha impugnado en uso de su derecho al recurso, se resiste a admitir que para este supuesto esté excluida, de salida, la ejecución provisional, ya que ha sido introducida en la LEC con entusiasta carácter general, tal como se desprende del § XVI de la Exposición de Motivos de dicha ley[40], haciendo, se dice, una apuesta decidida por la confianza en los Juzgados de Primera Instancia.

---

las rentas y la consignación y pago de las rentas que se estén devengado durante la tramitación del recurso, y en los otros dos supuestos la obligación de proceder al pago o consignación de las cantidades objeto de la condena.

Ahora bien, entre estos tres supuestos existe una importante diferencia en su regulación, pues mientras que en los procesos que llevan aparejado lanzamiento el legislador se limita a establecer ese requisito, en los supuestos contemplados en los núm. 3 y 4 del art. 449 de la LEC se establece de forma expresa que la consignación de la cantidad que haya sido objeto de condena en primera instancia no impedirá la ejecución provisional de la sentencia, prevención que no se contempla para los procesos de arrendamiento que conlleven el lanzamiento de la finca, por lo que debe entenderse a sensu contrario que en los supuestos de proceso arrendaticios el pago o consignación de las rentas excluye la posibilidad de la ejecución provisional de dichas sentencias, dado que el art. 525 de la LC señala que no serían susceptibles de ejecución provisional en ningún caso las sentencias que cita dicho precepto, no impide que el legislador en otra norma pueda establecer o deducirse de la misma la voluntad del legislador, de que otro tipo de sentencias aunque contengan pronunciamientos de condena, tampoco puedan ser ejecutadas de forma provisional, puesto que tal conclusión a que debe llegarse respecto a las sentencias recaídas en procesos arrendaticios en los que existe la obligación de pago o consignación de las rentas, puesto que el legislador no exonera en ningún caso al arrendatario del pago de las rentas durante la tramitación del correspondiente recurso, es decir se haya procedido o no a la ejecución provisional de la sentencia, por lo que la ejecución provisional supondría por un lado privar al demandado ejecutado del uso de la vivienda, y a la vez el proceder al pago de la renta y consignación, debiendo por lo tanto entenderse incompatible, con la ejecución provisional de la sentencia el hecho de que se obligue al demandado a seguir pagando la renta».

Además del citado por el propio Auto, en la misma dirección el AAP de Madrid (Sección 10.ª) núm. 89/2005 de 8 de marzo [JUR, 2005, 111522], en su FJ 2.º.

40. «La nueva Ley de Enjuiciamiento Civil representa una decidida opción por la confianza en la Administración de Justicia y por la importancia de su impartición en primera instancia (...) Solicitada la ejecución provisional, el tribunal la despachará, salvo que la sentencia sea de las inejecutables o no contenga pronunciamiento de condena».

Aunque también es cierto que dicha Exposición de Motivos refiere la existencia de «*razonables temperamentos y excepciones*» y en esa línea, acaso *obiter dicta*, se pronunció nuestro Tribunal Supremo en un Auto de 18 de Abril de 2006[41], en el que dice que «*La ejecución provisional no produce efecto alguno sobre el contrato de arrendamiento –cuestión que es objeto de la sentencia que provisionalmente se ejecuta–, ahora bien, ante la falta de previsión expresa del legislador, resulta procedente atenuar la observancia del requisito previsto en el art. 449.2 de la LECiv, en los casos como el que nos ocupa, en los que el juzgado considera ejecutable provisionalmente la sentencia, ya que, en tales supuestos, la falta del pago de las rentas no ocasiona al arrendador perjuicio alguno en cuanto ha recuperado la posesión del inmueble. Es decir, la consignación impugnatoria pierde su razón de ser como medio de evitar recursos dilatorios*».

Parece, por tanto, apuntar nuestro Tribunal Supremo a una solución intermedia, en la que no se impide la ejecución provisional de la sentencia pero que, llegado el momento en que se haga efectiva la desposesión del inquilino no se haría necesario el seguir pagando los plazos que venzan o deba adelantar para que no se declare desierto el recurso[42].

c) El remedio de la oposición a la ejecución provisional (interpretación extensiva)

Si se considera que ninguna exclusión de la ejecutabilidad provisional hay en el art.449.2 LEC y que si se refiere en los apartados 3 y 4 su expresa posibilidad en esos casos es por resaltar la misma sin que ello suponga prohibirla donde no se menciona[43] no tendría otra opción el apelante ejecutado provisionalmente que hacer uso de la oposición a la ejecución provisional para minorar así el desproporcionado perjuicio de tener que pagar una renta por el inmueble que ya no usa.

---

41. ATS (Sala de lo Civil, Sección 1.ª) de 18 de Abril de 2006 [RJ, 2006, 2395]. Ponente: Excmo. Sr. Juan Antonio Xiol Ríos, en su FJ 4.°, *in fine*.
42. Con reproducción del Auto referido, parecen acogerse a esta tesis MONTERO AROCA y FLORS MATÍES, *Tratado de recursos en el proceso civil*, cit. pp. 149–150.
43. Señala, sin embargo, CACHÓN CADENAS, «Resoluciones provisionalmente ejecutables y despacho de la ejecución provisional», cit., que «*la jurisprudencia se muestra mayoritariamente favorable a admitir la ejecutabilidad provisional de las sentencias que acuerdan el desahucio*», y en ese sentido señala el AAP de Vizcaya (Sección 5.ª) de 10 de Octubre de 2002 [JUR, 2003, 23447], AAP de Madrid (Sección 13.ª) de 24 de diciembre de 2002 [AC 2003, 393], AAP de Baleares (Sección 5.ª) de 10 de mayo de 2002 [JUE 2002, 187705]; AAP de Valencia (Sección 6.ª) de 17 de mayo de 2003 [JUR, 2003, 172050]. Es también la opinión de MAGRO SERVET, *vid* nota al pie 21, y también lo fue de ARMENTA DEU, «Comentario al art. 449 de la Ley de Enjuiciamiento Civil. Derecho recurrir en casos especiales», visto en www.aranzadidigital.es, [BIB 2001, 2543].

La inicial viabilidad de la ejecución provisional pareja al deber de pago de la renta como requisito de procedibilidad, es fundamentada por algún tribunal en la idea de que la ejecución provisional no supone una «*resolución provisional*» del contrato de arrendamiento, que sigue vivo en tanto una sentencia firme no diga lo contrario[44].

Describir aquí todas las posibilidades abiertas al inquilino recurrente mediante la oposición a la ejecución provisional[45] desborda los límites de este trabajo[46], por lo que centraremos la atención únicamente, y aunque sea de manera breve, en el motivo de fondo contemplado en el art. 528.2.2.° LEC[47].

Dicho motivo de oposición, que se diferencia fundamentalmente respecto al contemplado en el apartado 3 del mismo artículo y referido a las condenas dinerarias, en que lo es respecto a la total ejecución y no frente a actuaciones ejecutivas concretas, encierra la dificultad de determinar en qué consiste la «*imposible o extrema dificultad*» de restaurar la situación anterior a la ejecución provisional o compensar económicamente al ejecutado, pues nos hallamos, en verdad, ante un concepto jurídico indeterminado heredero de aquel otro «*perjuicio irreparable*» que se contenía en el viejo art. 385 LEC 1881[48].

Pero, precisamente, tal dificultad ha supuesto que para dotarlo de sentido los tribunales hayan recurrido, ante la casuística que se les plantea, a expedientes de simplificación como es el de la homogeneización en la atribución de tal sentido para superar «*la artificiosa distinción entre los conceptos jurídicos indeterminados y los que se entiende que han de tener un contenido semántico perfectamente determinado*»[49].

---

44. Es el caso del AAP de Baleares citado *ut supra*, o del AAP de Alicante núm. 277/2007 de 19 septiembre [JUR 2007, 335097], en su FJ 3.
45. ACHÓN BRUÑÉN, Análisis practico de un juicio de desahucio por falta de pago, Barcelona, 2008, pp. 222–237.
46. Tratamiento monográfico a la misma lo da MUERZA ESPARZA, La oposición a la ejecución provisional en el proceso civil, cit y MARTÍNEZ NAVARRO, La oposición a la ejecución provisional de sentencias de condena no dineraria en el proceso civil, trabajo inédito, Murcia, 2015. Por la autoridad del autor en la materia conviene señalar a CABALLOLS ANGELATS, «La oposición a la ejecución provisional en la LEC 2000», Revista Jurídica de Catalunya, vol. 100, n.° 4, 2001, pp. 1161–1176.
47. Art. 528.2.2.° LEC: «Si la sentencia fuese de condena no dineraria, resultar imposible o de extrema dificultad, atendida la naturaleza de las actuaciones ejecutivas, restaurar la situación anterior a la ejecución provisional o compensar económicamente al ejecutado mediante el resarcimiento de los daños y perjuicios que se le causaren, si aquella sentencia fuese revocada».
48. CABALLOLS ANGELATS, «La oposición a la ejecución provisional en la LEC 2000», cit. p. 1166.
49. ARA PINILLA, «Presupuestos y posibilidades de los conceptos jurídicos indeterminados», *Anuario de Filosofía del Derecho*, n.° 21, 2004, p. 111.

Así resulta que, con carácter general[50], se ha venido apreciando esa imposibilidad o extrema dificultad en los casos de desahucios de vivienda habitual, estimándose las más de las veces la oposición[51] y suspendiendo la ejecución provisional. Pero esto nos lleva a una solución sólo parcial, precaria, del problema. En primer lugar porque el mismo concepto de vivienda habitual es, en sí, un concepto jurídico indeterminado[52] y, de seguido, otros casos como los de los locales de negocio o fincas rústicas no quedan tan claramente amparados por la inteligencia que se ha hecho del motivo para las viviendas habituales[53].

4. RACIONALIDAD, LEGALIDAD Y UNA PROPOSICIÓN ANALÓGICA

Se ha dicho por el maestro Michele TARUFFO[54] que el concepto de racionalidad, puesto en relación con la ley procesal contiene dos sentidos: *coherencia y funcionalidad*.

Sobre el primero gravitan las notas de orden, atendiendo a la secuencia de las actividades procesales y la relación entre normas generales y específicas; de unidad, en el sentido de que todas las normas se contengan

---

50. AAP de Madrid (sección 9.ª) núm. 308/2006 de 5 octubre [JUR 2006, 268031], FJ 2: «En base por lo tanto a dicho precepto debe entenderse que la ejecución provisional de la sentencia dictada en un juicio de desahucio, como <u>regla general</u> supone un perjuicio difícil o de imposible reparación, toda vez que implica el lanzamiento del inquilino de la vivienda, por lo que hace sumamente difícil restituir la situación anterior a la ejecución dada la disponibilidad y disposición de la vivienda que puede hacer el propietario, que frustraría la devolución de dicha posesión al inquilino si la sentencia fuera revocada; así el ATC Sala 2.ª de 16 de julio de 2001 n.° 210/2001 viene a señalar «que la ejecución de aquellas resoluciones judiciales que declaran la extinción o resolución de la relación arrendaticia y condenan al arrendatario al desalojo de la vivienda o local arrendado pueden originar un perjuicio difícilmente reparable en su integridad, y generan una situación irreversible que aconseja optar por la suspensión de la ejecución (AATC 464/1985, 684/1986, 405/1989, 234/1995, 203/1999, 174/2000)».
51. TRIGO SIERRA y PÉREZ PUJAZÓN, «Cuestiones procesales prácticas relativas al juicio de desahucio por impago de rentas», *Actualidad Jurídica Uría Menénez*, n.° 15, 2006, p. 60; SAN CRISTOBAL REALES, «El juicio verbal y ordinario para el ejercicio de las acciones arrendaticias, tras la reforma de la Ley de Enjuiciamiento Civil por la disposición final tercera de la ley 23/2003, de 10 de julio, de garantías en la venta de bienes de consumo», *Anuario Jurídico y Económico Escurialense*, XXXVII, 2004, p. 187.
52. FUENTES SORIANO, «Ejecución y entrega de bienes inmuebles ocupados», *Práctica de Tribunales*, n.° 49, 2008, p. 28.
53. Pese a que el propio Tribunal Constitucional, como se dice en el auto que se transcribe arriba, parece que haya incardinado también el local de negocio en esos supuestos en los que es fácil que se dé el perjuicio irreparable.
54. TARUFFO, «Racionalidad y crisis de la ley procesal», *Doxa*, n.° 22, 1999, pp. 311–312.

dentro de un contexto único, sustentado en un núcleo fundamental; de plenitud, dejando poco espacio a las interpretaciones excesivas, forzadas o ingeniosas; y de simplicidad o, lo que viene a ser lo mismo, claridad en la regulación del procedimiento.

El segundo se fija sobre la adecuación de la ley a los fines de la administración de justicia que, pese a poder ser variables en función de distintas circunstancias, momentos y vicisitudes, pueden tomar como referencia objetivos generalmente aceptados como la formulación de decisiones justas y la efectividad en la tutela de los derechos de los justiciables.

A la vista de lo anterior podemos atisbar algunos defectos fundamentales que restan racionalidad a la regulación objeto de este estudio.

Partimos de la afirmación de que la posible resolución que declarara desierto el recurso devolutivo por impago de rentas una vez que –y con anterioridad– se hubiera llevado a cabo el lanzamiento provisional sería manifiestamente injusta, lo que no se compadece con los fines de la administración de justicia, resultando que para conjurar dicho injusto nos hallamos con un régimen legal que –al menos–:

1) No resulta ordenado, en el sentido de no tener una coordinación correcta entre la norma general (que en este caso sería la regulación que se pretende completa de la ejecución provisional) y el específico supuesto del requisito de procedibilidad del art. 449.2 LEC.

2) Ni pleno. De hecho ha sido necesario ofrecer interpretaciones diversas para soslayar un resultado que hemos reputado injusto.

Aunque la opción que hemos llamado interpretación *contrario sensu* parece dar una solución de impecable coherencia sistémica, lo cierto es que del estudio histórico que hemos esbozado, desde el anterior régimen de los arts. 1566 y 1567 LEC 1881 hasta hoy, se puede concluir que la ausencia de una prohibición expresa a la ejecución provisional de sentencias de desahucio, más que un olvido del legislador parece haber sido consecuencia de una opción meditada, querida, en tanto que ya se suprimió *ex profeso* el cuarto párrafo del art. 1566 LEC 1881, que contenía tal prohibición, y en cuanto que las diversas reformas procesales incidentes sobre la materia arrendaticia habidas desde la entrada en vigor de la LEC 1/2000 no han redimido aquella previsión[55].

Parece, por tanto, más respetuosa con la ley la interpretación denominada aquí como restrictiva, que no evita la posibilidad de la ejecución

---

55. ACHÓN BRUÑÉN, Análisis práctico de un juicio de desahucio por falta de pago, cit. p. 221.

provisional pero si atempera los efectos del requisito de procedibilidad del art. 449.2 LEC.

A esta última tesis pudiera reprochársele, empero, que no es tan respetuosa como pudiera parecer, en tanto que no parece tener anclaje en precepto alguno de la LEC, y que es, más bien, fruto de un voluntarismo o creacionismo judicial en busca de la justicia material, aunque siempre quepa recurrir a expedientes como el derecho a la tutela judicial efectiva sin indefensión o su concreción del derecho al recurso[56].

Hemos de tener en cuenta que la vigente LEC partió de una marcada querencia por la protección del crédito, siendo una de las más significadas proyecciones de esta mentalidad el desarrollo de un novedoso, amplio y generoso régimen de ejecución provisional, que ha de despacharse automáticamente si se cumplen los requisitos formalmente necesarios, y sin que el juez pueda denegarla por las causas comprendidas en unos motivos de oposición que sólo son susceptibles de apreciación si son esgrimidos por el ejecutado en incidente contradictorio, todo ello en el afán de evitar dilaciones maliciosas causadas por el litigante que abusa de los recursos.

Menos novedoso, se ha dicho, es el mantenimiento de requisitos que condicionan el derecho a recurrir en casos especiales pero que, igualmente, están enderezados a evitar el uso de los recursos con ánimo dilatorio[57]. Y todo ello apoyado por un sistema cautelar[58] que, igualmente, tiende a paliar el *periculum in mora* que supone la necesaria duración del proceso, con una serie de medidas preordenadas a la ejecución[59].

Sin poder abordar aquí un estudio riguroso[60] del sustrato común o naturaleza compartida entre la ejecución provisional, las condiciones para recurrir en casos especiales y las medidas cautelares[61], del emparenta-

---

56. Sobre esta cuestión *vid* DIEZ-PICAZO GIMÉNEZ, «El derecho a la tutela judicial efectiva sin indefensión (artículo 24.1 CE)», *Crisis y Constitución XIX Jornadas de la Asociación de Letrados del Tribunal de Cuentas*, 2015, pp. 431–506.

57. ARMENTA DEU, «Comentario al art. 449 de la Ley de Enjuiciamiento Civil. Derecho recurrir en casos especiales», cit.

58. Sumamente interesante, por lo novedoso de sus planteamientos resulta NIEVA FENOLL, «Hacia una nueva configuración de la tutela cautelar», *Diario La Ley*, n.° 8773, de 1 de Junio de 2016.

59. CARRERAS LLANSANA, «Las medidas cautelares del art. 1428 de la Ley de Enjuiciamiento Civil», recogido en *Estudios e informes en materia concursal*, Barcelona, 2012, pp. 451–452.

60. Y que sería necesario, dado lo heterodoxo del planteamiento.

61. Que medidas cautelares y ejecución provisional participan de una misma naturaleza es defendido por GARBERÍ LLOBREGAT, «La ejecución provisional en la nueva Ley de Enjuiciamiento Civil», *Revista Doctrinal Aranzadi Civil-Mercantil*, n.° 19, 2001.

miento entre estas dos últimas, acaso sea –al menos– en los fines[62] (por ser lo que parezca más evidente) y de las últimas en su relación de accesoriedad con la primera, sí podemos inducir la aplicación analógica del art. 731.2 LEC[63], que determina el alzamiento de las medidas cautelares acordadas una vez que se despache la ejecución provisional[64], en tanto que aquellas guarden relación con ésta, lo que nos llevaría, en esa aplicación análoga, a evitar la injusta necesidad de que el inquilino que, quejoso, se ha alzado en recurso y resulta ejecutado, siga pagando la renta una vez que ha sido desposeído en el uso del inmueble que es objeto de arriendo, pues una vez que hubiera tenido conocimiento el juzgado o tribunal de tal circunstancia acordaría el cese de dichos pagos u ordenaría la devolución procedente sobre lo que se depositó por adelantado, previa su oportuna liquidación.

---

62. También asegura el requisito del art. 449.2 LEC la satisfacción de las condenas de futuro del art. 220.2 LEC.

63. Art. 731.2 LEC: «Cuando se despache la ejecución provisional de una sentencia, se alzarán las medidas cautelares que se hubiesen acordado y que guarden relación con dicha ejecución».

64. Si están preordenadas a la ejecución, obviamente, ningún sentido tiene que se mantengan una vez despachada. Como ningún sentido tiene el pagar por el uso de algo que no se usa.

Capítulo XXIII

Principales novedades en el proceso de ejecución forzosa Italiano tras la *legge* 6 Agosto 2015, n. 132 En materia de investigación telemática de bienes y realización contra terceros. Comparación con la regulación Española

PEDRO MANUEL QUESADA LÓPEZ

Becario de Investigación FPU de Derecho Procesal
Universidad de Jaén

1. INTRODUCCIÓN

El *Decreto Legge 27 giugno 2015, n. 83*, convertido con modificaciones en la *Legge 6 agosto 2015, n. 132* (en lo sucesivo DL 83/2015), de medidas urgentes en materia concursal, civil, procesal civil y de organización y funcionamiento de la Administración de Justicia, ha supuesto la trasformación y evolución de diversas instituciones procesales civiles del Derecho italiano, que el legislador transalpino ha justificado en su preámbulo bajo la extraordinaria necesidad y urgencia de intervenir en los procedimientos de ejecución para introducir medidas en apoyo del deudor.

El proceso de ejecución civil se convierte, de esta manera, en un punto de referencia para la persecución del legislador en la agilización de la tutela del crédito y poner las nuevas tecnologías al servicio del interés de las partes del proceso. Es por ello que resulta de especial interés el estudio de dos instituciones modificadas por la reforma: la investigación telemática de bienes del deudor y la tutela de los terceros en la ejecución forzosa, siempre bajo una visión comparada con el sistema procesal español.

El presente trabajo se estructurará en dos partes: la primera dedicada al estudio del proceso telemático de investigación de bienes del deudor incluyendo el régimen transitorio, y la segunda a la realización contra terceros como instituto *sui generis* de Derecho italiano a raíz de la aplicación del principio de no contestación y su comparación con el régimen español.

2. LA INVESTIGACIÓN TELEMÁTICA DEL PATRIMONIO DEL EJECUTADO

2.1. CONFIGURACIÓN DE LA INVESTIGACIÓN DEL PATRIMONIO DEL EJECUTADO EN EL ARTÍCULO 492 DEL *CODICE DI PROCEDURA CIVILE* ITALIANO

El art. 492 *bis* del *Codice di Procedura Civile* italiano (de ahora en adelante *c.p.c.*) regula la investigación en modalidad telemática de bienes para extender el embargo. Con anterioridad a la reforma del *Decreto Legislativo 12 settembre 2014, n. 132*, convalidado en la *Legge 10 novembre 2014, n. 162*; el sistema italiano preveía en el artículo 492 que en el caso de que el resultado del embargo fuese negativo o ineficaz, el funcionario judicial a petición del acreedor ejecutante estaba facultado para investigar bienes para afectarlos a la traba en bases de datos de oficinas públicas (y en particular tributaria), de una forma subsidiaria a las actuaciones infructuosas del deudor[1].

Con posterioridad a la referida ley surge el art. 492 *bis*, se situó la investigación telemática de los bienes del deudor en un momento procesal anterior al comienzo del proceso de ejecución forzosa y se desvinculó la investigación telemática del resultado del embargo. Según la nueva redacción, el Tribunal del lugar en el que el deudor tenga la residencia, una vez verificado el derecho de la parte ejecutante, puede autorizar la investigación con modalidad telemática de los bienes embargables[2].

Es así que la doctrina califica este instituto procesal como una demanda de tutela ejecutiva que permite al acreedor tener noticia de la configuración del patrimonio del ejecutado. El acreedor ejecutante manifiesta la voluntad de iniciar el proceso ejecutivo contra el deudor interponiendo una demanda cuya estimación está subordinada al buen éxito de la investigación, que puede generar un embargo cuyo objeto está preventivamente identificado y en su caso se desarrollaría conforme a las normas procesales del *c.p.c.* previstas para el embargo de créditos o bienes[3].

La demanda ejecutiva de investigación telemática contenida en el art. 492 *bis c.p.c.* tiene así un contenido indeterminado, configurando el momento procesal como el preliminar de un procedimiento complejo que da lugar a la individualización de los bienes objeto del proceso ejecutivo principal. Por ello, tras la reforma introducida con el DL 83/2015 la normativa deja claro que «*l'istanza non può essere proposta prima che sia decorso il termine di cui all'articolo 482*», es decir, la solicitud de investigación no se puede presentar antes del vencimiento del plazo de espera previsto en el art. 482 de la norma jurisdiccional civil italiana (10 días desde la notificación tanto del requerimiento de pago como del título ejecutivo[4]), es

---

1. SOLDI, A.M. *Manuale dell'esecuzione forzata.* CEDAM (Milan), 2016, p. 480.
2. Vid. TEDOLDI, A. «Le novitá in materia di esecuzione forzata nel D.L.n. 83/2015... in attesa della prossima puntata...». *Il corriere giuridico*, n.° 2, 2016, pp. 166–169.
3. SOLDI, A.M. *Manuale...* ibíd, p. 482.
4. En este sentido es preciso tener en cuenta la decadencia que produce la solicitud de investigación telemática respecto de ulteriores embargos en el plazo precisado en el *c.p.c.*, ya que ésta se dirige contra un objeto indeterminado y generando por tanto un subprocedimiento potencialmente idóneo para continuar el futuro embargo sin problemas, lo que implica cumplir con el requisito de inicio del procedimiento ejecutivo depositando el título ejecutivo y el requerimiento de pago previamente notificado. Vid. LONGO, D. «La ricerca telematica dei bieni da pignorare e l'eficacia nel tempo dell'atto di precetto». *Rivista di diritto processuale*, n.° 2, 2016, p. 454 y ss.

decir, el plazo establecido en el requerimiento de pago que se notifica al ejecutado junto con el título ejecutivo tras la interposición de la demanda; aunque con la reforma del DL 83/2015 se autoriza en los casos con peligro en la demora que la investigación telemática pueda llevarse a cabo en sede cautelar antes de la notificación del requerimiento de pago y el título ejecutivo. De esta forma, para conciliar estos dos preceptos, con la nueva configuración legal debe haberse notificado tanto el requerimiento de pago como el título ejecutivo.

Siguiendo el procedimiento previsto en el art. 492 *bis c.p.c.* en su párrafo 2.°, el Presidente del Tribunal dispondría que el funcionario judicial acceda mediante conexión electrónica directa a los datos contenidos en las bases de datos de las administraciones públicas (en particular de las tributarias) y de los entes de seguridad social. El desarrollo posterior del procedimiento implica que el éxito de la investigación origina sólo la mera comunicación de los datos al acreedor, sino que da lugar a la posibilidad de que el funcionario se traslade al lugar perteneciente al deudor para buscar la cosa, requerir al deudor o intimar al tercer poseedor o deudor del ejecutado[5].

La autorización de investigación telemática del Presidente del Tribunal, al someterse a la verificación del derecho de la parte actora a iniciar un proceso de ejecución forzosa, así como a los plazos del art. 482 *c.p.c.*, obedece a una lógica de economía procesal para que el órgano judicial competente de investigar telemáticamente sea también el que autorice la ejecución inmediata. Resulta un criterio a destacar que el pronunciamiento de acogimiento o denegación del derecho a investigar se adopta sin audiencia de la parte ejecutada, fuera de las normas del llamado procedimiento de «*cognizione*» análogo al declarativo. De igual forma la denegación judicial de la investigación tiene el único efecto de impedir en ese instante procesal el acceso a las bases de datos correspondientes, sin que bajo ningún concepto pueda limitar el derecho a promover un proceso de ejecución forzosa (aunque no cabe duda de que incide sobre el derecho subjetivo del acreedor ejecutante para ejercitar la acción ejecutiva, en el sentido de que como señala la doctrina, puede llegar a constituir la única vía de acceso para dar cobertura y visos de prosperidad a la ejecución). Frente a los defectos de legalidad del acto, el deudor puede responder por la vía de oposición a la ejecución a los actos ejecutivos prevista en el art. 617.1 *c.p.c*[6].

---

5. SOLDI, A.M. *Manuale....* op.cit., p. 485.
6. SOLDI, A.M. *Manuale...* ibíd., pp. 490–492.

2.2. INVESTIGACIÓN DIRECTA DEL EJECUTANTE EN EL RÉGIMEN TRANSITORIO DE LA LEY

La regulación prevista por el DL 83/2015 desde su entrada en vigor el 21 de agosto de 2015[7] establece que cualquier acreedor ejecutante se encuentra facultado para pedir al Órgano jurisdiccional la autorización al funcionario judicial para este último pueda efectuar la investigación telemática de los bienes del deudor.

Este artículo debe ser interpretado en conjunto de las Disposiciones de Aplicación del *c.p.c.* 155 *quater* y *quinquies*. En virtud de la última disposición, cuando los medios tecnológicos necesarios para permitir el acceso directo por parte del funcionario judicial a las bases de datos mencionadas en el artículo 492-bis del *c.p.c.* no estén funcionando, el acreedor previa autorización puede pedir directamente a los administradores de las bases de datos concretas la información, en base a las condiciones del art. 155 *quater*[8] de las Disposiciones de Aplicación del *c.p.c.*

Ante la actual falta de desarrollo de las bases de datos a las que la ley alude por el Ministerio de Justicia italiano, la doctrina interpreta que la entrada en vigor del DL 83/2015 se consumará cuando se encuentren disponibles las estructuras tecnológicas necesarias que permitan el acceso directo de los funcionarios judiciales italianos a la mismas. Mientras tanto el deudor podrá pedir autorización al Presidente del tribunal para obtener de los organismos concretos de las bases de datos las informaciones contenidas (registros tributarios, bancarios, de seguridad social, etc.)[9]. Una vez se encuentren disponibles las estructuras tecnológicas necesarias el procedimiento previsto en la ley se volverá operativo con las bases de datos insertas en el Ministerio de Justicia[10].

---

7. AA.VV. *Memento Pratico-Procedura civile 2015 (Aggiornamento de septiembre de 2015)*. Ipsoa Francis Lefebvre (Milan), 2016, p. 3, ref. 7058, visto en web el 3 de julio de 2016 en http://www.memento.it/wp-content/uploads/2015/04/Memento-Proce dura-civile-2015-Riforma-DL-83–2015-conv.-L.-132–2015-Settembre-2015.pdf.

8. Es decir, por medio de emisión de decreto del Ministro de Justicia italiano junto el Ministro de economía y previa audiencia de la Autoridad de datos personales donde ser prevean los casos, límites y modalidades de ejercicio del derecho de acceso a bases de datos, los procedimientos para el procesamiento y almacenamiento de los datos y las precauciones para proteger la confidencialidad de los prestatarios.

9. SOLDI, A.M. *Manuale...* op.cit., pp. 495–498.

10. La *Agenzia per l'Italia digitale* sería competente, en virtud del artículo 58.2 del *Decreto Legislativo 7 marzo 2005, n. 82 (Codice dell'amministrazione digitale)* para fijar los estándares de comunicación y reglamentaciones técnicas a las que las autoridades públicas (incluyendo el Ministerio de Justicia italiano) deben cumplir en materia de protección de los datos personales y comunicación electrónica.

2.3. TRATAMIENTO DE LA CUESTIÓN EN LA LEY DE ENJUICIA-MIENTO CIVIL ESPAÑOLA: INVESTIGACIÓN TELEMÁTICA JUDICIAL DEL PATRIMONIO Y PUNTO NEUTRO JUDICIAL

En nuestro ordenamiento, la investigación judicial del patrimonio del ejecutado se regula en el artículo 590 de la Ley 1/2000, de 7 de enero, de Enjuiciamiento Civil (de ahora en adelante LEC): «*a instancias del ejecutante que no pudiere designar bienes del ejecutado suficientes para el fin de la ejecución, el Secretario judicial acordará, por diligencia de ordenación, dirigirse a las entidades financieras, organismos y registros públicos y personas físicas y jurídicas que el ejecutante indique, para que faciliten la relación de bienes o derechos del ejecutado de los que tengan constancia. Al formular estas indicaciones, el ejecutante deberá expresar sucintamente las razones por las que estime que la entidad, organismo, registro o persona de que se trate dispone de información sobre el patrimonio del ejecutado. (...)El Secretario judicial no reclamará datos de organismos y registros cuando el ejecutante pudiera obtenerlos por sí mismo, o a través de su procurador, debidamente facultado al efecto por su poderdante*». Este artículo se aplicaría con el condicionante de la supletoriedad de que el ejecutante no encontrarse bienes extrajudicialmente o sean éstos insuficientes[11].

De esta forma, en el caso de que el ejecutante no pueda designar en la demanda ejecutiva los bienes del patrimonio del deudor que sean susceptibles de embargo, o resultando los indicados por el deudor ejecutado insuficientes a su juicio, podrá solicitar del órgano judicial que sea él mismo el que se pida medidas de averiguación del patrimonio y se dirija, por medio de diligencia de ordenación, a las entidades (órganos y registros públicos, entidades financieras, etc.) que, según su propio criterio (y así deberá indicar al tribunal de la ejecución) tenga constancia de los respectivos bienes y derechos del ejecutado.

Como apunta la doctrina, aunque el artículo 549.4 LEC, regulador del contenido de la demanda ejecutiva, prevé que la solicitud de investigación de bienes del deudor puede plantearse en la demanda ejecutiva, la LEC no impide que esta medida pueda ser pedida en otros supuestos y momentos procesales siempre que resulte necesario (por ejemplo, cuando el embargo resulte infructuoso y por medio de diligencia de ordenación)[12]. Si el estadio del proceso ejecutivo es inicial las medidas de localización y averiguación de los bienes se pronunciarán por el Letrado de la Administración

---

11. Fuentes Tomás, P. «Las medidas de investigación del patrimonio del ejecutado en el proceso civil», *Práctica de Tribunales*, N.º 107, Sección Estudios, Marzo-Abril 2014, consultado en la base de datos la leydigital360° el 7 de julio de 2016.

12. Martín Brañas, C., «El embargo de bienes (I): la traba sobre los bienes, los bienes inembargables, y las medidas de garantía de la traba», en Gutiérrez Berlinches, A. *El proceso de ejecución forzosa*, Editorial La Ley, Madrid 2015, p. 443 y ss.

de Justicia (de ahora en adelante LAJ) por medio del decreto regulado en el art. 551.3 LEC (p. 2.°); y se efectuarán de conformidad al artículo 554, en virtud del cual si no se establece requerimiento de pago las medidas se llevarán a efecto inmediato, sin oír al ejecutante ni esperar la notificación del decreto, y si debe efectuarse requerimiento de pago cuando así lo solicitare el ejecutante, justificando, a juicio del LAJ responsable de la ejecución, que cualquier demora en la localización e investigación de bienes podría frustrar el buen fin de la ejecución.

El artículo 591 LEC establece un deber de colaboración con las entidades a las que se dirija el LAJ en base al art. 591.1. En caso de negarse podrá acordarse la imposición de multas coercitivas periódicas de conformidad al art. 591.2 LEC[13].

Como marco legal general para la validez de la investigación telemática, es preciso señalar que el artículo 230 1 y 2 de la Ley Orgánica 6/1985, de 1 de julio, del Poder Judicial (de ahora en adelante LOPJ), establece que los órganos jurisdiccionales y las fiscalías españolas están obligados a utilizar cualesquiera medios técnicos, electrónicos, informáticos y telemáticos, puestos a su disposición para el desarrollo de su actividad y ejercicio de sus funciones, con las limitaciones establecidas en la Ley Orgánica 15/1999, de 13 de diciembre, de Protección de Datos de Carácter Personal y las demás leyes que resulten de aplicación. Los documentos emitidos por los referidos medios gozarán de la validez y eficacia de un documento original siempre que quede garantizada su autenticidad, integridad y el cumplimiento de los requisitos exigidos por las leyes procesales.

Una vez definido el fundamento legal, es preciso señalar que la mayor parte de la información que obtienen los tribunales de justicia sobre el patrimonio del ejecutado se logra a través de dos medios telemáticos: (a) el Punto Neutro Judicial y (b) la base de datos constituida en base a la suscripción de convenios de colaboración entre el Consejo General del Poder Judicial (de ahora en adelante CGPJ) y la Asociación Española de Banca (así como la Confederación Española de Cajas de Ahorros) en materia de obtención de información para juzgados y tribunales[14], accesible igualmente por el Punto Neutro Judicial.

---

13.   Vid. Toribios Fuentes, F. «La colaboración forzosa de terceros en la investigación procesal del patrimonio del ejecutado», como parte de la obra *Averiguación de bienes en la ejecución civil*, edición n.° 1, Editorial La Ley, Madrid, Mayo 2013, consultado en la base de datos laleydigital360° el 7 de julio de 2016.
14.   Convenio de Colaboración entre el Consejo General del Poder Judicial y la Asociación Española de Banca en materia de obtención de información para los juzgados y tribunales, firmado en Madrid el 16 de noviembre de 2007. Visto en la página web oficial del CGPJ el día 7 de junio de 2016: http://www.poderjudicial.es/cgpj/es/Poder-Judicial/

El Punto Neutro Judicial surgió por Acuerdo del Pleno del CGPJ de 20 de febrero de 2002. Tal y como se define en el portal del CGPJ[15], se conforma de una red de servicios que ofrece por medio de navegador web a los Órganos Judiciales los datos necesarios en la tramitación judicial mediante accesos directos a las aplicaciones y bases de datos del propio CGPJ, de organismos de la Administración General del Estado, y de otras instituciones con el objeto de facilitar y reducir los tiempos de tramitación.

El acceso al Punto Neutro se realiza por medio de un portal que facilita la navegación entre los distintos servicios. Por medio de esta tecnología se permite además el intercambio de datos entre órganos jurisdiccionales o terceros, permitiendo además que el CGPJ actúe como autoridad de sellado de tiempo al incorporar la fecha y hora en los documentos electrónicos que expide.

Los variados servicios del Punto Neutro son ofrecidos a todos los juzgados y tribunales de España[16], cuyo parámetro de mayor relevancia de cara a la investigación telemática sean las consultas patrimoniales. Las consultas al Punto Neutro pueden tratarse de tres tipos: consulta integral patrimonial, consulta integral domiciliaria o consulta a los organismos específicos de la Administración[17].

La consulta integral patrimonial permite obtener de una vez toda la información asociada al Documento Nacional de Identidad provista por varios organismos, estructurando un marco del patrimonio del deudor.

Consejo-General-del-Poder-Judicial/Actividad-del-CGPJ/Convenios/Todos-los-con venios/Convenio-de-colaboracion-entre-el-CGPJ-y-la-Asociacion-Espanola-de-Ban ca-en-materia-de-obtencion-de-informacion-para-juzgados-y-tribunales

15. Visto en la página web oficial CGPJ el día 7 de junio de 2016: http://www.poderjudi cial.es/cgpj/es/Temas/e-Justicia/Servicios-informaticos/Punto-Neutro-Judicial/

16. Realización de consultas patrimoniales y domiciliarias; intercambio de información con instituciones como el Fondo de Garantía Salarial o el Colegio de Registradores; consultas penitenciarias; servicio de embargos telemáticos; consulta de estadísticas judiciales; u acceso a otros servicios del Ministerio de Justicia.

17. Los organismos y Administraciones que se integran en el Punto Neutro Judicial son: la Agencia Estatal de la Administración Tributaria, el Colegio de Registradores de la Propiedad y Mercantiles de España, el Consejo General de la Abogacía, el Consejo General de Procuradores, el Consejo General del Notariado, el propio CGPJ, el Cuerpo Nacional de Policía, la Dirección General de Tráfico, la Dirección General del Catastro, las entidades financieras, la Fiscalía General del Estado, el Fondo de Garantía Salarial, los Ilustres Colegios de Abogados de Madrid y Barcelona, el Instituto Nacional de Estadística, el Ministerio de Justicia, la Secretaría General de Instituciones Penitenciarias, el Servicio Público de Empleo Estatal, la Tesorería General de la Seguridad Social y las Administraciones competentes en materia de violencia de género.

Esta consulta permite combinar los datos según las necesidades de averiguación del usuario generándose el resultado en un documento pdf.

3. NOVEDADES EN LA REALIZACIÓN CONTRA TERCEROS: APLICACIÓN DEL PRINCIPIO DE NO CONTESTACIÓN

3.1. EL PRINCIPIO DE NO CONTESTACIÓN DEL ARTÍCULO 115 *C.P.C*

El artículo 115 *c.p.c.*, con la redacción dada por la *Legge 18 giugno 2009, n. 69*, establece que salvo los casos previstos por la Ley, el juez debe fundamentar su decisión en las pruebas propuestas por las partes o por el ministerio público y de los hechos no específicamente contestados por la parte constituida.

En base a este principio no deben ser probados los hechos incontrovertidos, aceptados doctrinalmente como verdades axiomáticas, respecto a los cuales el ordenamiento italiano combina una interpretación coordinada entre el principio de contradicción coordinado y la carga de la prueba en las alegaciones de las partes (el art. 2696 del *codice civile* italiano atribuye la carga de la prueba al quien haga valer los hechos, y la carga ineficacia de tales hechos a quien base la objeción), teniendo el juez la facultad y el deber de considerar los hechos no controvertidos en el sentido que las partes son las delimitadoras del objeto del proceso. No obstante, la naturaleza del silencio de la parte que no conteste no es por sí mismo decisivo al no existir una «carga general» de contestar[18]: este reconocimiento implícito sólo adquiriría virtualidad cuando es coherente con el comportamiento global y unívoco de la parte en el proceso[19].

De esta forma el artículo 115 se configura como una norma que atribuye un valor general a la no contestación, provocando que se aplique a una gama indefinida de conductas legales e inactividades de distintos

---

18. Es por ello que, desde el precedente jurisprudencial previo a la reforma de la *Sentenze Corte di Cassazione, Sezioni Unite Civili 23–01–2002, n. 761 (rv. 551789) Martinuz c. Automobili Petri Nino s.r.l.*, la no contestación es una explicación de los poderes dispositivos de las partes cuando se trata de los hechos principales, porque cuando tiene objeto sobre los hechos secundarios se limita estrictamente a una cuestión probatoria, con el resultado de que persista un margen de discrecionalidad judicial en la decisión final. De este modo los hechos secundarios no contestados no deben ser considerados como verdaderos, pero pueden ser valorados como argumentos de prueba.

19. VERDE, G. voz Prova (teoria gen. e dir. proc. civ.) en Enciclopedia del diritto, XXXVII, Milán, 1988, ep. 18.º, «Il principio della non contestazione: giustificazione e limiti di applicabilità». Consultado en la Base de Datos digital de la Universidad de Bolonia el 3 de junio de 2016.

procedimientos (que variará en función del tipo de proceso, de *cognizione* o especial). Es por ello que la doctrina reclama la necesidad de una previsión legislativa expresa que concrete los efectos de la ausencia de contestación, como la norma italiana que evaluamos tras las sucesivas reformas.

Los efectos derivados de su aplicación serían que los hechos principales no contestados se consideran como verdaderos, mientras que los hechos secundarios habrán de ser tenidos en cuenta como argumentos para la valoración de la prueba[20].

3.2. PLANTEAMIENTO GENERAL SOBRE LA REALIZACIÓN CONTRA TERCEROS EN EL ORDENAMIENTO JURÍDICO ITALIANO

La realización contra terceros se configura como una institución particular del Derecho italiano, regulada en el Capítulo III del Título II del *c.p.c.* (arts. 543–554 del cuerpo legal). Su requisito fundamental es la inclusión en el proceso ejecutivo de un tercero deudor del ejecutado, o detentor de la cosa mueble del deudor, pero que en todo caso provocan que el deudor ejecutado no disponga de la disponibilidad inmediata del crédito o la cosa que se pretenda adherir a la traba del embargo[21]. En base al artículo 543.1 *c.p.c.* el objeto de la expropiación contra terceros son los créditos del deudor ejecutado contra terceros o las cosas (mueble) del deudor ejecutado en posesión de terceros, incluyendo de este modo al tercero en el procedimiento de ejecución[22].

La función de la realización contra terceros es vincular por medio de la institución del embargo los créditos o bienes que potencialmente habrán de responder a la ejecución pero cuya aprehensión, bien sea material o jurídica no puede perfeccionarse, al ser el tercero sujeto pasivo. De este modo es necesario un pronunciamiento judicial que a tal efecto declare e individualice su relación jurídica con el procedimiento ejecutivo principal[23].

El esquema de esta institución se inicia con la comunicación del embargo al tercero ex art. 543.2 *c.p.c.* mediante requerimiento en el que

---

20. De Vita, F. voz *No contestazione (principio di)* en *Digesto delle discipline privatistiche*, VIII, Turín, 2010. Consultado en la Base de Datos digital de la Universidad de Bolonia el 3 de junio de 2016.

21. Colesanti, V. voz *Pignoramento presso terzi* en *Enciclopedia del diritto*, XXXIII, Milán, 1983, ep. 1.°, «*Il pignoramento presso terzi e la figura del terzo, debitore o detentore*». Consultado en la Base de Datos digital de la Universidad de Bolonia el 3 de junio de 2016.

22. Vid. Vaccarella, R. voz *Espropriazione presso terzi* en *Digesto delle discipline privatistiche*, VIII, Turín, 1992. Consultado en la Base de Datos digital de la Universidad de Bolonia el 3 de junio de 2016.

23. Colesanti, V. voz *Pignoramento*... op.cit., ep. 2.°, «La *"funzione" del pignoramento e l'esigenza di procedere anche nei confronti del terzo*». Consultado en la Base de Datos digital de la Universidad de Bolonia el 3 de junio de 2016.

habrá de constar el título ejecutivo así como del requerimiento de pago; una indicación genérica de las cosas o de las cantidades debidas y una intimación para no disponer la cosa sin orden judicial; la declaración de la residencia y la citación para comparecer ante el juez competente de la ejecución principal por medio del envío de contestación al acreedor ejecutante en los diez días siguientes, celebrándose la audiencia de comparecencia. De igual forma el *c.p.c.* prevé mecanismos de tutela de los derechos reales que permiten al tercero intervenir en el proceso, análogo a la tercería de dominio española[24].

3.3. LA AUDIENCIA DE COMPARECENCIA DEL TERCERO DEUDOR EN EL *C.P.C.*: EFECTOS TRAS LA REFORMA DE 2015 Y ATRIBUCIÓN DE VALOR DE RECONOCIMIENTO IMPLÍCITO

En el seno de esta modalidad de embargo se configura la audiencia de comparecencia, cuya finalidad es recoger las alegaciones del tercero, equivalente a las audiencias de los embargos previstas para la ejecución mobiliaria e inmobiliaria de los arts. 530 y 569 *c.p.c.*

Tal y como afirma la doctrina, esta audiencia al igual que las anteriormente señaladas marcan de forma preclusiva el último momento procesal para proponer oposición a los actos ejecutivos[25] del art. 617 *c.p.c.* para impugnar el embargo.

De esta forma el tercero embargado, ante la declaración efectuada en el requerimiento de audiencia de comparecencia va a definir el objeto del incidente de embargo a raíz de la indicación genérica que se reflejaba en el acto de embargo trasladado por medio de una contestación escrita dirigida al acreedor ejecutante en la forma establecida en el *c.p.c.* (art. 547 *c.p.c.*: por correo electrónico certificado, correo ordinario certificado, por sí mismo o representado de su letrado, especificando qué cosas o qué cantidades debe o tiene en posesión) mediante la que comparece en el procedimiento. Si se trata de embargo de bienes muebles deberá precisar todos los elementos necesarios para individualizar el bien de conformidad a su constancia en el título ejecutivo; y si se trata de un crédito contra el tercero habrá de especificar cuáles sumas adeuda con el ejecutado y son fuente de la obligación. De igual forma recae sobre el tercero la carga de declarar las causas de extinción del crédito con el ejecutado de conformidad al artículo 2917 del código civil italiano, lo que equivaldría a todos los

---

24. Se trata de la oposición de terceros que pretenden reclamar la propiedad u otros derechos reales sobre el inmueble embargado, antes de la disposición de la subasta o asignación del bien, entre los arts. 619–622.
25. SOLDI, A.M. *Manuale...* op.cit., p. 1072.

efectos legales a una confesión de la deuda abriendo la posibilidad de dirigir el procedimiento contra su patrimonio, procediendo a la asignación del bien, la subasta o el resto de medios de apremio previstos en el ordenamiento italiano[26].

El tercero embargado, compareciendo en la audiencia con la intervención por medio de comunicación fehaciente al acreedor puede igualmente realizar una declaración negativa, afirmando no ser deudor del deudor ejecutado u obligado al pago de la suma objeto del procedimiento. El artículo 549 *c.p.c.* faculta al tercero a contestar total o parcialmente el crédito, no pudiendo procederse a la asignación o subasta inmediata. Esto provocaría una decisión del juez de la ejecución, que tendría la potestad de pronunciarse sobre la declaración del tercero estableciendo si realmente el tercero es deudor.

La novedad introducida con el DL 83/2015 en el art. 548 *c.p.c.* se centra en la ausencia de declaración del tercero en la audiencia de comparecencia y la aplicación del principio de no contestación. A partir de esta reforma, si el tercero no comparece a la audiencia o, compareciendo, rechaza efectuar declaraciones, el crédito embargado o la posesión de los bienes pertenecientes al deudor se considerarán no contestados o disputados a los efectos del procedimiento de ejecución en curso, y si las alegaciones del deudor permiten identificar correctamente la pertenencia del tercero al deudor del crédito o la cosa, el juez pasará a ordenar la cesión o la subasta ante la declaración de la existencia de la obligación[27].

A través del valor que el ordenamiento italiano ha atribuido a modo de *ficta confessio*, el silencio del tercero embargado asume equivale a un reconocimiento del crédito o de la posesión de los bienes de pertenencia al deudor, aunque en ningún modo el tercero forma parte del proceso de ejecución lo que provoca que el tercero embargado asuma una posición en el proceso excesivamente gravosa, como califica la doctrina, ya que genera una posición de responsabilidad con el acreedor ejecutante, que podrá ejecutarle en virtud de la ordenanza[28] de asignación del crédito que regula el art. 554 *c.p.c.*, simplemente a causa de una ocasional relación con los bienes o créditos con ejecutado y la inercia del proceso[29].

---

26. Soldi, A.M. *Manuale...* ibíd., pp. 1089–1099.
27. Aa.vv. *Memento Pratico-Procedura civile 2015 (Aggiornamento de septiembre de 2015)*. Ipsoa Francis Lefebvre (Milan), 2016, p. 9, ref. 7384, visto en web el 3 de julio de 2016 en http://www.memento.it/wp-content/uploads/2015/04/Memento-Proce dura-civile-2015-Riforma-DL-83–2015-conv.-L.-132–2015-Settembre-2015.pdf.
28. Análoga a la figura del auto en el ordenamiento español en cuanto que se trata de un pronunciamiento procesal de trámite sucintamente motivado (vid. Arts. 134 *c.p.c.* y art. 254 1.b LOPJ española).
29. Soldi, A.M. *Manuale...* op.cit., p. 1101.

La reforma del *c.p.c.* de la *Legge 24 dicembre 2012, n. 228* es el precedente legislativo de esta regulación, estableciendo una doble vía en función de si el objeto del embargo del tercero se trata: o de un bien de un crédito inembargable relativo de naturaleza retributiva conforme al art. 543.5 del *c.p.c.*[30], o de otro lado otros créditos de naturaleza no retributivos (no incluidos en el elenco del art. 543.5 *c.p.c.*) o bienes muebles. Para el primer supuesto (art. 548 *c.p.c.*), si el embargo recaía sobre dichos créditos y el tercero no comparecía a la audiencia establecida, el crédito pignorado se consideraba no contestado a los efectos del proceso y continuaba el proceso de ejecución (asignación de los créditos al deudor), es decir, el tribunal consideraba el crédito del tercero con el acreedor ejecutante simplemente existente[31].

Por medio del segundo procedimiento de ejecución contra créditos no retributivos o bienes muebles del tercero, igualmente previsto en la antigua redacción del art. 448, el acreedor ejecutante debía informar al tribunal de la ausencia de recepción de la contestación del tercero embargado. El juez, por medio de ordenanza, fijaba una segunda audiencia sucesiva comunicándosela al tercero con al menos diez días de antelación. Si el tercero no volvía a comparecer en la segunda audiencia convocada se tendría por no contestado.

Con la reforma de 2014 se eliminó el sistema de doble vía previsto en 2012, suprimiéndose la tramitación prevista en relación a los créditos del art. 545 *c.p.c.*[32], quedándose sólo la tramitación en virtud de la cual, previa comunicación del ejecutante, se convoca la segunda audiencia previa a la declaración de no contestación, incluyendo en el supuesto de hecho normativo que la declaración de no contestación deriva no sólo de la no comparecencia, sino de la comparecencia en la que el tercero rechaza realizar la declaración a la que le obliga el art. 543 *c.p.c.*

La reforma de 2015, sobre la base del principio de no contestación, especifica los requisitos y presupuestos que deben concurrir para configurar el mecanismo de reconocimiento implícito o presunto de la existencia del crédito o posesión de la cosa mueble. El fundamento jurídico principal introducido en la reforma es que la declaración no puede permitir la

---

30. Cantidades abonadas a título de salario u otras sumas derivadas del trabajo o el empleo, incluida la indemnización por despido, o las pensiones alimenticias, en la medida autorizada por el tribunal a tenor de la norma comentada.

31. No faltan las críticas contra esta reforma, por la agravación de la posición del tercero embargado y limitación de sus posibilidades de defensa, calificado como el «chivo expiatorio» del legislador frente a la lentitud de la justicia. Vid. SALETTI, A. «Le novità dell'espropriazione presso terzi», en *Rivista dell'esecuzione forzata*, 2013, p. 15.

32. SOLDI, A.M. *Manuale...* op.cit., p. 1103.

asignación del crédito cuando la indicación del objeto del embargo no es lo suficiente precisa. Es por ello que la reforma del DL 83/2015 condiciona la declaración de no contestación a que la alegación del acreedor ejecutante permita la identificación del crédito o de los bienes que correspondan en apariencia al deudor ejecutado en posesión del tercero. De esta forma, aunque el tercero embargado no presente la declaración a la que le obliga la Ley, o compareciendo no la conteste, si las alegaciones del deudor no permiten la individualización del crédito, no se desplegarán los efectos que prevé el art. 548.

Ante la constatación de este elemento introducido con la reforma de 2015, la doctrina científica no duda en señalar que el legislador italiano ha utilizado de forma impropia el instituto de no contestación al aplicarlo a un procedimiento no concordante con el artículo 115 *c.p.c.*, no siendo idónea la estructura del embargo sobre terceros para que deriven los plenos efectos del reconocimiento presunto. No obstante, al darse los requisitos de reconocimiento de un valor objetivo ante la ausencia de comparecencia sin prever la Ley algún tipo de valoración judicial, puede afirmarse que el artículo 548 *c.p.c.* tiene elementos de la aplicación del principio de no contestación puesto que ante determinados presupuestos el crédito o la posesión se habrá de considerarse como no contestados, presumiéndose el crédito o la posesión como reconocida por el tercero[33].

Y es así que la reforma del DL 83/2015 concreta mecanismos de defensa del tercero embargado en tales casos, en concreto en el artículo 549 *c.p.c.* en el que se prevén las vías de ineficacia del embargo del tercero: si (a) el requerimiento al tercero es contestado por el tercero ejecutado (en sentido negativo), (b) o como resultado de la falta de declaración del tercero no es posible la correcta identificación del crédito contra el tercero o del bien mueble poseído por el mismo, el juez de la ejecución previa solicitud de parte deberá valorar las conclusiones del contradictorio entre las partes y el tercero embargado (con la posibilidad de celebrar una audiencia verbal entre las partes y el tercero traído al proceso), y se pronunciará con ordenanza plenamente vinculante para los efectos del procedimiento principal. Dicha ordenanza será impugnable por la vía de la oposición a los actos ejecutivos del art. 617 *c.p.c.*

3.4. EL PRINCIPIO DE NO CONTESTACIÓN EN EL ORDENAMIENTO JURÍDICO PROCESAL ESPAÑOL

En referencia a la comparación con el régimen español, el principio de no contestación que establece el art. 115 del *c.p.c.* italiano contrastaría en

---

33. Soldi, A.M. *Manuale...* ibíd., pp. 1105–1106.

cuanto a su condición de principio general de valoración de los hechos en relación con los principios de congruencia y exhaustividad en las motivaciones judiciales que imperan en el art. 218 LEC.

No obstante, en el ámbito de la ejecución forzosa encontramos dos manifestaciones de dicho principio con los efectos de la no contestación de la tercería de dominio y de mejor derecho: en el caso de que los demandados no contesten, bien sea una tercería de dominio (art. 602 LEC) o de mejor derecho (art. 618 LEC), se entenderá que admiten los hechos alegados en la demanda[34].

Como se razonará más abajo, la tercería de dominio consiste en un mecanismo de protección de los derechos reales de terceros afectados por un proceso ejecutivo ajeno, en la cual el tercero interviene en el procedimiento ejecutivo en curso, ostentando la legitimación activa, y los demandados serían las partes del proceso de ejecución (acreedor ejecutante y ejecutado).

Es por ello por lo que podemos hablar de un principio de no contestación «inverso», donde la ausencia de contestación ocasiona una presunción a favor del tercero ajeno al proceso, lo que nos proporcionaría una abismal diferencia con la regulación establecida por el legislador italiano.

3.5. LOS LÍMITES DEL DESPACHO DE EJECUCIÓN FUERA DEL TÍTULO EJECUTIVO EN LA LEC Y LA PROTECCIÓN DEL TERCERO AJENO A LA EJECUCIÓN

Como premisa, podemos definir el mecanismo que el Ordenamiento procesal español prevé para la protección del tercero como un conjunto de garantías asimétricas: la LEC, a diferencia del *c.p.c.* no prevé una regulación sistematizada, ordenada y uniforme de medios como la realización de bienes de terceros ajenos al proceso italiana, aunque sí distintas medidas concretas.

Tal y como sostiene la doctrina, cualquier actuación judicial puede perjudicar a quien resulte afectado por ella, aunque no sea parte del mismo,

---

34. La no contestación de los demandados en sede de tercería tiene su precedente legislativo el artículo 1541 de la Ley de Enjuiciamiento Civil de 1881, como «allanamiento tácito» a los hechos de la demanda, debiendo el Juez en este caso llamar los autos a la vista y dictar sentencia con arreglo a Derecho. Así lo interpretan las Sentencias de la Sala 1.ª del Tribunal Supremo de fechas 4 junio 1912, 28 marzo 1917, 22 febrero 1973 (RJ 1973, 534), 28 enero 1980 (RJ 1980, 169), y 22 septiembre 1990 (RJ 1990, 6901). La no contestación a la demanda de tercería conllevaba por ministerio de la Ley un allanamiento implícito que no requería la apertura del pleito a prueba ni la necesidad de la parte actora de acreditar los hechos contenidos en la demanda. Con la nueva regulación de los artículos 602 y 618 de la LEC del año 2000 el legislador ha codificado una valoración legal de hechos no contestados bajo una naturaleza similar a la vigente en el Ordenamiento italiano.

incluyéndose el proceso de ejecución. En alusión al mismo, el sistema registral español y los diferentes mecanismos de transmisión de la propiedad pueden provocar, por ejemplo, que la ejecución se dirija sobre bienes y derechos que el órgano judicial considere del interesado, pero que en realidad hayan sido transmitidos a un tercero de buena fe. Por ello el ordenamiento procesal español confiere sobre los terceros facultades de actuación para impedir que se realicen actuaciones jurídicas irreversibles (así, el art. 594 LEC establece que el embargo trabado sobre bienes que no pertenezcan al ejecutado será eficaz, y si el verdadero titular no hiciese valer sus derechos por medio de tercería de dominio no podrá impugnar la realización de los bienes embargados, adquiriéndolos el adjudicatario de forma irreivindicable). Por ello se arbitran mecanismos de protección activa que permiten al tercero entrar en el proceso en defensa de sus derechos e intereses legítimos, sin que se tenga que extender al resto del proceso[35].

El art. 538.2 establece, por ello, que dentro del catálogo de sujetos frente a los que se pueden despachar ejecución se encuentra «*quien, sin figurar como deudor en el título ejecutivo, resulte ser propietario de los bienes especialmente afectos al pago de la deuda en cuya virtud se procede, siempre que tal afección derive de la Ley o se acredite mediante documento fehaciente. La ejecución se concretará, respecto de estas personas, a los bienes especialmente afectos*», atribuyendo legitimación pasiva al tercero.

Los derechos reales de los terceros pueden verse afectados bien sea porque el órgano jurisdiccional dirija la ejecución contra los mismos en la creencia errónea de que pertenecen al ejecutado, o porque aun a sabiendas de su pertenencia al tercero consideren que deben responder legalmente de la ejecución (por disposición legal[36]), bien sea sobre bienes muebles o inmuebles.

---

35. BANACLOCHE PALAO, J., «Los sujetos del proceso de ejecución», en GUTIÉRREZ BERLINCHES, A. *El proceso...* op.cit., pp. 189–191.

36. Pueden señalarse ejemplos, fuera de la LEC, donde se atribuye legitimación pasiva para la ejecución al tercero. Así, el art. 126 del Decreto de 8 de febrero de 1946 por el que se aprueba la nueva redacción oficial de la Ley Hipotecaria, estipula que cuando en un juicio ejecutivo se persiguieren bienes hipotecados, y éstos hubiesen pasado a poder de un tercer poseedor, podrá el acreedor reclamar de éste el pago de la parte de crédito asegurada con los que el mismo posee. De igual forma, el art. 9.e) de la Ley 49/1960, de 21 de julio, sobre propiedad horizontal, el adquirente de una vivienda en régimen de propiedad horizontal, incluso con título inscrito en el Registro de la Propiedad, responde con el propio inmueble adquirido de las cantidades adeudadas a la comunidad de propietarios para el sostenimiento de los gastos generales por los anteriores titulares hasta el límite de los que resulten imputables a la parte vencida de la anualidad en la cual tenga lugar la adquisición y a los tres años naturales anteriores, quedando el piso o local legalmente afecto al cumplimiento de esta obligación.

En el primer supuesto, la tercería de dominio[37] al tratarse el tercero del propietario de un bien embargado como perteneciente al ejecutado que no lo hubiese adquirido una vez trabado embargo, cabe la interposición de tercería de dominio conforme a lo establecido entre los arts. 595–604 LEC. Su naturaleza procesal es de incidente dentro del proceso de ejecución promovido por el tercero (llamado tercerista), para alzar el embargo erróneamente trabado sobre sus bienes (art. 601 LEC), y dirigido frente a las partes del proceso de ejecución (ejecutantes y ejecutados, según el art. 600 LEC). Como incidente, la carga de su planteamiento recae sobre el tercero (que la interpone con forma de demanda, ex art. 595.1 LEC, que deberá aportar un principio de prueba por escrito). La tercería se resuelve por medio de auto, que se pronunciará por la pertenencia del bien y la procedencia del embargo a los meros efectos de la ejecución en curso (art. 603 LEC).

En el segundo supuesto, para defender sus derechos el ordenamiento procesal permite al tercero, con carácter general, intervenir en el proceso si el tribunal considera que los bienes están afectos los mismos al cumplimiento de la obligación (art. 538.3). Aunque la LEC no le atribuye la condición de parte (sólo podrán serlo quienes piden y obtienen el despacho de la ejecución y las personas frente a las que ésta se despacha según el párrafo primero del mismo artículo), le sitúa en una posición procesal idéntica a la que disfruta el ejecutado, en protección y defensa de sus intereses. Similar derecho de intervención tiene el cónyuge no deudor de las deudas contraídas por uno de los cónyuges del matrimonio (art. 541 2 y 3 LEC).

En referencia a otros derechos reales sobre inmuebles, la LEC prevé incidentes procesales para la protección del tercer poseedor (art. 662 LEC) y para los arrendatarios y ocupantes de hecho del inmueble (art. 661.2 y 675.3 LEC[38]) para declarar el derecho a permanecer o no en el inmueble en base al derecho correspondiente.

Finalmente, si bien la realización en Derecho italiano puede dirigirse contra créditos del ejecutado, el Ordenamiento español no contempla directamente el embargo de créditos del ejecutado, si bien el artículo 607.7 LEC regula que para los salarios, sueldos, pensiones, retribuciones o sus equivalentes embargados podrán ser entregadas directamente a la parte ejecutante si así lo acuerda el LAJ encargado de la ejecución. En este caso, tanto la persona o entidad que practique la retención y su

---

37. Vid. Achón Bruñén, M.J, «Embargo de bienes o derechos no pertenecientes al ejecutado», *Diario La Ley*, N.º 5937, Sección Doctrina, 21 de Enero de 2004, Año XXV, Ref. D-17.
38. Vid. Santos Martínez, A.M «El incidente de tercero ocupante en la ejecución hipotecaria», *Práctica de Tribunales*, N.º 89, Sección Tribuna Libre, Enero 2012.

posterior entrega como el ejecutante, deberán informar trimestralmente al LAJ sobre las sumas remitidas y recibidas[39]. Fuera de esta regulación las reclamaciones de créditos del ejecutado deberán acometerse a cabo por los cauces ordinarios fuera del proceso ejecutivo.

4. CONCLUSIONES

Tras la reforma del *c.p.c.* operada con el DL 83/2015 ha incidido sobre aspectos esenciales de la investigación telemática de los bienes del ejecutado, consolidando el momento procesal de solicitud de investigación telemática por parte del ejecutado no antes de la finalización del plazo de espera desde la notificación de la demanda ejecutiva, salvo supuestos de peligro en la demora. Ante la actual falta de desarrollo de una base de datos centralizada (en cuyo momento estaría habilitado el funcionario judicial) y con base a las exigencias de la legislación italiana, el régimen transitorio habilita a que el tribunal habilita ejecutante a obtener la información de los organismos concretos.

Si bien el Derecho español sigue manteniendo el acceso a los bienes telemáticos como supletorio respecto la investigación extrajudicial del ejecutado, pudiéndose plantear la solicitud de investigación telemática en cualquier estadio del procedimiento (inicial o sucesivo), sí ha conseguido crear una base de datos eficaz entre los distintos organismos de la Administración y entidades financieras: el Punto Neutro Judicial.

Las últimas reformas del *c.p.c.* han aplicado a la audiencia de comparecencia de embargo de créditos o bienes muebles de terceros el principio de no contestación. Si bien es una medida criticada en cuanto a que somete a condicionantes la eficacia de la valoración de los hechos no contestados, la carga de la contestación recae en el tercero traído al proceso. Dicho principio, consolidado históricamente en el Ordenamiento español en las terceríes, desplaza la carga de contestar la demanda en las partes del proceso principal y no el tercero que interviene en el proceso.

Desde un punto de vista comparado, si bien el legislador italiano opta por llamar al proceso al tercero con la audiencia de comparecencia, el español sólo mantiene la tutela bajo la forma de incidente procesal, permitiendo al tercero intervenir en el proceso en sus diversas manifestaciones legales.

---

39. Quedando a salvo en todo caso las alegaciones que el ejecutado pueda formular, ya sea porque considere que la deuda se halla abonada totalmente y en consecuencia debe dejarse sin efecto la traba, o porque las retenciones o entregas no se estuvieran realizando conforme a lo acordado por el LAJ.

4ª PARTE

El proceso civil en el marco del Derecho de la UE

Capítulo XXIV

La ejecución de medidas provisionales o cautelares en el Espacio Judicial Europeo: ¿un ejemplo de regulación al servicio de la tutela de los derechos del justiciable?

FERNANDO GASCÓN INCHAUSTI

Catedrático de Derecho Procesal
Universidad Complutense de Madrid

SUMARIO: 1. INTRODUCCIÓN. 2. DEFINICIÓN DE MEDIDAS PROVISIO-NALES O CAUTELARES. 3. LA LIMITACIÓN DE LA EJECUCIÓN A LAS MEDIDAS NOTIFICADAS PREVIAMENTE A LA PARTE CONTRARIA. 4. LA LIMITACIÓN DE LA EJECUCIÓN A LAS MEDIDAS ADOPTADAS POR UN TRIBUNAL COMPETENTE PARA CONOCER DEL FONDO. 5. CUESTIONES QUE PUEDE SUS-CITAR EL RECONOCIMIENTO Y LA EJECUCIÓN DE MEDIDAS PROVISIONALES Y CAUTELARES. 5.1. *Cuestiones procedimentales;* 5.2. *La «adaptación» de las medidas provisionales o cautelares.* 5.3. *La eficacia preclusiva de las resoluciones sobre medidas provisionales o cautelares.* 6. ALGUNAS CONCLUSIONES. 7. EPÍLOGO: RECO-NOCIMIENTO Y EJECUCIÓN DE MEDIDAS CAUTELARES Y PROVISIONALES FUERA DEL ÁMBITO EUROPEO: EL RÉGIMEN EN LA LEY DE COOPERACIÓN JURÍDICA INTERNACIONAL EN MATERIA CIVIL.

1. INTRODUCCIÓN

1. Entre el momento en que se produce la lesión de un derecho sub-jetivo y el momento en que éste puede verse reparado por los órganos jurisdiccionales es necesario el transcurso de un espacio de tiempo, que puede ser largo: ha de tramitarse todo un proceso declarativo –a veces, con varias instancias– hasta llegar a una sentencia que otorgue al demandante un título ejecutivo con el que acceder al proceso de ejecución y, con él, a la satisfacción de su pretensión.

Durante el tiempo que dura la tramitación del proceso de declaración es posible, sin embargo, que se produzcan ciertos hechos que, en la práctica, hagan imposible o muy difícil una satisfacción real del derecho del demandante una vez obtenga –si es que la obtiene– sentencia favorable.

Así, es posible que el propio demandado, de mala fe, efectúe conductas que imposibiliten o dificulten la ejecución de la sentencia que eventualmente se dicte: *v.g.*, oculta o malbarata su patrimonio, de forma que, aunque el actor obtenga condena pecuniaria, no encuentre en fase de ejecución bienes sobre los que proyectarla; o bien, si la demanda versa sobre la titularidad de un inmueble, lo transmite irreivindicablemente a un tercero de buena fe (art. 34 LH), de manera que, aunque el actor venza en el proceso, no podrá llegar a adquirirlo.

También es posible que a la ejecución le amenacen riesgos independientes de la buena o mala fe del demandado: *v.g.*, por el transcurso del tiempo las cosas objeto del litigio se deterioran; el simple hecho de tener que esperar al momento de la sentencia del proceso declarativo es de por sí perjudicial a los intereses del demandante.

En todos estos casos concurre lo que se ha denominado peligro de demora procesal o *periculum in mora*: el riesgo de que durante la pendencia del proceso se produzcan situaciones que impidan o dificulten la efectividad de la tutela que pudiera otorgarse en una eventual sentencia estimatoria (art. 728.1 LEC).

La institución de las medidas cautelares es el remedio previsto por el Derecho Procesal para paliar este peligro: las medidas cautelares son las actuaciones que puede decretar el órgano judicial para evitar que se frustre la efectividad de la sentencia a la que se aspira en un proceso declarativo. Sirven así para asegurar la efectividad de la sentencia estimatoria que pueda llegar a dictarse.

2. En situaciones de litigación transfronteriza, de manera singular, se planteará con cierta frecuencia que las medidas provisionales o cautelares sean necesarias en un Estado diferente de aquél en que se está resolviendo o va a ser resuelto el fondo del litigio, porque es en él donde han de desplegar su eficacia.

Es lo que sucede, por ejemplo, cuando es preciso el embargo preventivo para asegurar la efectividad de la sentencia de condena dineraria que se pide al tribunal, pero los bienes del demandado están situados en un Estado distinto de aquél ante el que se tramita el proceso; o cuando es necesaria la cesación cautelar de una conducta contraria al derecho de patente del actor en uno o en varios Estados, además de en aquél en que se está sustanciando el proceso principal.

Cuando nos hallamos en un contexto europeo, este tipo de situaciones se hallan bajo la cobertura normativa del Reglamento 1215/2012, relativo a la competencia judicial, el reconocimiento y la ejecución de resoluciones judiciales en materia civil y mercantil (RB I bis, en lo sucesivo) –cuya existencia y rasgos esenciales damos por sobradamente conocidos para el lector–.

El Reglamento Bruselas I bis parte de una premisa obvia: la de que los tribunales competentes para conocer de un litigio en virtud de alguna de las normas establecidas en sus artículos 4 a 26 tienen aptitud para resolver el fondo de la cuestión, pero también estarán facultados, en virtud de la competencia que poseen, para adoptar las medidas cautelares que pudieran ser eventualmente procedentes. Ahora bien, cuando se suscita la necesidad de que las medidas sean eficaces en un Estado diverso de aquél cuyos tribunales conocen o han de conocer del proceso principal, esta regla por sí sola no es suficiente y, de hecho, se ofrecen dos caminos al justiciable[1].

3. El primero de ellos consiste en solicitar las medidas provisionales o cautelares al tribunal que conoce del proceso principal y promover después su ejecución en el otro Estado miembro en que sean realmente necesarias. Esta opción presenta la ventaja de que el tribunal al que se solicitan las medidas está familiarizado con el litigio y puede resultar más sencillo acreditarle la concurrencia de los presupuestos de los que depende su

---

1. Que también eran posibles, aunque en términos parcialmente distintos, al amparo del Convenio de Bruselas de 1968 y del Reglamento 44/2001 (Reglamento Bruselas I), predecesores normativos del RB I bis.

    A esta dualidad de posibilidades vendrá a sumarse, a partir del 18 de enero de 2017, aunque ya desde fuera del RB I bis, la orden europea de retención de cuentas, creada por el Reglamento (UE) n.° 655/2014 de 15 de mayo de 2014 (DOUE L 189 de 27 de junio de 2014, pp. 59 y ss.): se trata de una medida cautelar genuinamente europea, a través de la cual se evita la transferencia o retirada de fondos que el deudor u otra persona posean en una cuenta bancaria mantenida en un Estado miembro, y que podrá solicitarse al tribunal con competencia para conocer del fondo del asunto, pero que circulará de manera prácticamente libre y sin trabas dentro de la UE.

adopción; además, se le solicitan justamente las medidas provisionales o cautelares previstas en su legislación interna. La entrada en vigor del RB I bis ha comportado, además, una mejora enorme, debido a la supresión del trámite previo de exequátur.

4. El otro camino lo ofrece el artículo 35[2] y consiste en que quien sea o vaya a ser actor en el proceso principal acuda directamente a los tribunales del Estado donde las medidas han de ser eficaces y solicite de ellos su adopción. Es decir, se acude a los tribunales de un Estado distinto porque es más útil o ventajoso para el demandante que hacerlo ante quien puede conocer del fondo; y ello, en principio, porque será en ese segundo Estado donde deban desplegar sus efectos las medidas provisionales o cautelares a las que se aspira, tal vez de manera urgente, tal vez, incluso, *inaudita parte debitoris*. Se abre de este modo la posibilidad de adoptar medidas cautelares cuando el proceso sobre el fondo ya se desarrolla o se desarrollará en breve ante los tribunales de otro Estado o, dicho con menos palabras, *lite alibi pendente sive penditura*[3].

---

2. De contenido semejante al artículo 24 CB y al artículo 31 RB I. Y debe tenerse en cuenta que el artículo 24 CB es el precepto en relación con el cual se ha fraguado buena parte de la jurisprudencia del Tribunal de Justicia sobre esta materia.

3. La bibliografía sobre esta materia es muy abundante, al margen incluso de las obras generales sobre el RB I bis, el RB I o el CB. Con carácter previo a la última reforma, y de forma no exhaustiva, cfr., entre otros: F.J. GARCIMARTÍN ALFÉREZ, *El régimen de las medidas cautelares en el comercio internacional*, Madrid, 1996; V. FUENTES CAMACHO, *Las medidas provisionales y cautelares en el espacio judicial europeo*, Madrid, 1996; F. GASCÓN INCHAUSTI, *Medidas cautelares de proceso civil extranjero (Artículo 24 del Convenio de Bruselas)*, Granada, 1998; M. ORTELLS RAMOS, «La tutela cautelar en los procesos civiles con elementos extranjeros», *Revista del Poder Judicial*, n.º 49, 1998, págs. 505–542; C. CONSOLO, «La tutela sommaria e la Convenzione di Bruxelles: la circolazione comunitaria dei provvedimenti cautelari e dei decreti ingiuntivi», *Rivista di diritto internazionale privato e processuale*, 1991, pp. 593 y ss.; A. DI BLASE, «Provvedimenti cautelari e Convenzione di Bruxelles», *Rivista di diritto internazionale*, 1987, pp. 5–39; C. HONORATI, «La *cross-border prohibitory injunction* olandese in materia di contraffazione di brevetti: sulla legittimità dell'inibitoria transfrontaliera alla luce della Convenzione di Bruxelles del 1968», *Rivista di diritto internazionale privato e processuale*, 1997, pp. 301 y ss.; F. SALERNO, *La giurisdizione italiana in materia cautelare*, Padua, 1993; E. MERLIN, «Le misure provvisorie e cautelari nello spazio giudiziario europeo», *Rivista di diritto processuale*, 2002–3, pp. 759–804; L. COLLINS, «The territorial reach of Mareva injunctions», *Law Quarterly Review*, 105, 1989, pp. 262–299; P. KAYE, «Extraterritorial Mareva orders and the relevance of enforceability», *Civil Justice Quarterly*, 1990, pp. 12 y ss.; W. KENNETT, *The Enforcement of Judgments in Europe*, OUP, 2000, pp. 129–171; C. MCLACHLAN, «Transnational applications of Mareva injunctions and Anton Piller Orders», *International Comparative Law Quarterly*, vol. 36, 1987, pp. 669–679; S. GRONSTEDT, *Grenzüberschreitender einstweiliger Rechtsschutz*, Frankfurt, 1994; S. GRUNDMANN, *Anerkennung und Vollstreckung ausländischer einstweiliger Massnahmen nach IPRG und Lugano-Übereinkommen*, Basilea-Frankfurt, 1996; O. MERKT, *Les mesures provisoires en*

El artículo 35 da cabida así una *disociación* entre proceso principal y proceso cautelar, puesto que se van a sustanciar ante tribunales diferentes de Estados diferentes. El efecto más importante de esta disociación es que la ausencia de competencia para conocer del fondo de los tribunales del Estado al que se solicitan no será un óbice para la adopción de las medidas solicitadas[4.] Gracias a ello, los justiciables, siempre que se muevan en el ámbito de aplicación del Reglamento, tendrán a su disposición todas las medidas provisionales o cautelares previstas por los ordenamientos de los diversos Estados miembros y podrán solicitarlas directamente a los tribunales de esos Estados en los casos en que resulten precisas para asegurar la efectividad de la sentencia que se está gestando ante los tribunales de otro Estado miembro[5].

---

droit international privé, Zurich, 1993; P. Vareilles-Sommières, «La compétence internationale des tribunaux français en matière de mesures provisoires», *Revue critique de droit international privé*, 1996, pp. 397 y ss.; G. Cuniberti, *Les mesures conservatoires portant sur des biens situés à l'étranger*, París, 2000; M. Nioche, *La décision provisoire en droit international privé européen*, Bruselas, 2012.

Teniendo ya en cuenta los cambios y desarrollos reflejados (o no reflejados) en la versión del RB I bis, cfr. A. Dickinson, «Provisional Measures in the «Brussels I» Review: Disturbing the Status Quo?», *Journal of Private International Law*, Vol. 6, No. 3 (Dic. 2010), pp. 519–564; O. Lopes Pegna, «Il regime di circolazione delle decisioni nel regolamento (UE) n. 1215/2012 (Bruxelles I-bis)», *Rivista di diritto internazionale*, 2013–4, pp. 1206–1220; L. Querzola, ««Il nuovo sistema delle misure provvisorie e cautelari nel reg. Ue n. 1215 del 2012», *Rivista trimestrale di diritto e procedura civile*, 2013–4, pp. 1479–1490; C. Honorati, «Provisional Measures and the Recast of Brussels I Regulation: A Missed Opportunity for a Better Ruling», *Rivista di diritto internazionale privato e processuale*, 2012–3, pp. 525–544; M.A. Lupoi, «L'attuazione negli altri stati membri dei provvedimenti provvisori e cautelari nel regolamento UE n. 1215 del 2012 (Bruxelles I bis)», en *Il processo esecutivo. Liber amicorum Romano Vaccarella* (dirs. Capponi, Sassani, Storto y Tiscini), Turín, 2014, pp. 1517–1548; J-F. van Drooghenbroek/ C. de Boe, «Les mesures provisoires et conservatoires dans le règlement Bruxelles I *bis*», en *Le nouveau règlement Bruxelles I bis* (dir. E. Guinchard), Bruselas, 2014, pp. 167–204; N. Nisi, «I provvedimenti provvisori e cautelari nel nuovo regolamento Bruxelles I-bis», *Cuadernos de Derecho Transnacional* (Marzo 2015), Vol. 7, N.° 1, pp. 128–141; A.L. Calvo Caravaca y J. Carrascosa González, «Medidas provisionales y cautelares y Reglamento Bruselas I-bis», *Rivista di diritto internazionale privato e processuale*, 2015–1, pp. 55–78.

4. STJUE de 17 de noviembre de 1998, asunto C-391/95, *Van Uden*, apartado 29: «el mero hecho de que se haya iniciado o pueda iniciarse un procedimiento sobre el fondo ante un tribunal de un Estado contratante no priva al tribunal de otro Estado contratante de la competencia que se le atribuye en virtud del artículo 24 del Convenio».

5. Es evidente, en todo caso, que en cada Estado miembro sólo podrán solicitarse y obtenerse, al amparo de la facultad que contempla el artículo 35, las medidas provisionales o cautelares previstas por la legislación procesal del Estado miembro en cuestión, pero no las previstas en otras legislaciones. En este sentido, resulta especialmente ilustrativo el AAP de Barcelona (Sección 17.ª) de 16 enero 1999 (AC 1999, 142), que recuerda que no se puede pedir a las autoridades judiciales españolas una medida

El ordenamiento español también ha asumido de forma general la admisibilidad de la disociación internacional entre medidas cautelares y proceso principal: lo hizo, en primer término, al aprobar la LOPJ en 1985 y establecer en su artículo 22.5.° un fuero especial de competencia internacional para la adopción de medidas cautelares, que actualmente, tras la reforma operada por la L.O. 7/2015, se halla en el artículo 22-sexies[6]; y lo aclaró de forma aún más inequívoca con la aprobación de la LEC de 2000, cuyos artículos 722 y 724 parten de la premisa de que el proceso principal no se está desarrollando ante un tribunal español, que se limita a conocer de una petición disociada de medidas cautelares.

5. El objetivo de estas páginas se ciñe a analizar la primera de estas opciones y, con ella, el régimen especial de reconocimiento y ejecución al que el RB I bis ha decidido someter a las medidas provisionales o cautelares. En efecto, bajo la vigencia del CB y del RB I el exequátur de medidas provisionales y cautelares estaba sujeto a ciertas restricciones y límites, no establecidos de forma positiva, pero deducibles de la jurisprudencia del Tribunal de Justicia –y no exentos de polémica, por cuanto la interpretación de las resoluciones del Tribunal no siempre fue unívoca–. El RB I bis ha tratado de salir al paso de algunas de estas dificultades. De entrada, porque la supresión generalizada del exequátur, como trámite previo, también se aplica en este ámbito, de modo que se podrá solicitar directamente la ejecución de una medida provisional o cautelar acordada por un tribunal de otro Estado miembro sin que sea precisa una previa declaración de ejecutividad. Además, porque se ha decidido abordar algunas de las cuestiones que se habían suscitado –a nivel jurisprudencial y doctrinal– en relación con la ejecución transfronteriza de medidas cautelares; a tal fin, se ha esbozado una especie de régimen especial, que resulta sin embargo incompleto y en algunos aspectos insatisfactorio, como se verá seguidamente.

2. DEFINICIÓN DE MEDIDAS PROVISIONALES O CAUTELARES

6. El primero de los problemas a los que hay que enfrentarse es el de la propia definición de aquello que ha de entenderse como «medidas provisionales o cautelares». En efecto, el RB I bis se refiere a ellas en los artículos 2 a) II, 35, 42.2 y 43.3 (en este último, sólo habla de medidas

---

cautelar prevista por la legislación procesal francesa, aunque la finalidad última del solicitante fuera obtener después la ejecución de esa medida en Francia.

6. El nuevo artículo 22-sexies LOPJ señala literalmente lo siguiente: «Los Tribunales españoles serán competentes cuando se trate de adoptar medidas provisionales o de aseguramiento respecto de personas o bienes que se hallen en territorio español y deban cumplirse en España. Serán también competentes para adoptar estas medidas si lo son para conocer del asunto principal».

cautelares, no de medidas provisionales), así como en el apartado 4.6.2 del Anexo I (el que establece el contenido del certificado del artículo 53), pero no las define en ningún momento.

Por su parte, el considerando 25 pretende aclarar la aplicación de esta noción en el ámbito de las medidas de aseguramiento o anticipación probatoria, intentando hacerse eco de lo dicho por el Tribunal de Justicia en el asunto *St. Paul Dairy*[7]. De un lado, niega que merezcan esta consideración aquéllas que no sean propiamente cautelares, como las que ordenan que se tome declaración a un testigo para valorar la conveniencia o no de ejercer una acción judicial. Y, de otro, sí que establece expresamente la inclusión en esta noción de las medidas destinadas a obtener información o a conservar pruebas a que se refieren los artículos 6 y 7 de la Directiva 2004/48 sobre tutela judicial de los derechos de propiedad intelectual e industrial.

> En consecuencia, con sujeción a los requisitos que en breve se indicarán, cabe pensar en una ejecución transfronteriza de una orden judicial de aportar o de conservar fuentes de prueba, al menos en materia de derechos de propiedad intelectual e industrial. Por coherencia, habría que extender este criterio, en general, a todos los expedientes procesales equivalentes; y, en todo caso, a los dictados en procesos para el ejercicio de acciones por daños derivados de infracciones a las normas sobre competencia, al amparo de la Directiva 2014/104 de 26 de noviembre de 2014, relativa a determinadas normas por las que se rigen las acciones por daños en virtud del Derecho nacional, por infracciones del Derecho de la competencia de los Estados miembros y de la Unión Europea. Nada impide, por supuesto, hacer uso de las vías que ofrece el Reglamento 1206/2001 para la obtención transfronteriza de elementos probatorios, pero ha de tenerse en cuenta que el propio TJUE ha reconocido, en términos generales, que los mecanismos que el Reglamento 1206/2001 ofrece a los justiciables no son en absoluto exclusivos y excluyentes[8,] de modo que tampoco cabría descartar la vía de la ejecución transfronteriza.

7. Salvo por esta aclaración, la indefinición legal es palmaria. Y sin embargo, es evidente que para poder aplicar las especialidades que el RB I bis prevé para la ejecución de medidas provisionales o cautelares resulta inevitable que el aplicador de la norma tenga claro si realmente se encuentra

---

7. STJUE de 28 de abril de 2005 (asunto C-104/03, *St. Paul Dairy*).
8. Así, en la STJUE de 6 de septiembre de 2012 (asunto C-170/11, *Lippens*), el Tribunal señaló que para interrogar a un testigo domiciliado en el extranjero el tribunal de origen puede limitarse a citarlo conforme a su legislación interna, sin necesidad de servirse de los mecanismos de auxilio que brinda el Reglamento 1206/2001. De manera similar se pronunció respecto de la prueba pericial la STJUE de 21 de febrero de 2013 (asunto C-332/11, *ProRail*).

o no en presencia de una medida provisional o cautelar. Dada la disparidad de los ordenamientos procesales nacionales en este punto, resulta necesario acudir a una noción autónoma de lo que deba entenderse por medidas provisionales o cautelares, esto es, a los efectos de aplicar las normas del RB I bis que se refieren a ellas. Esta noción autónoma, como cabía esperar, ha sido elaborada por el Tribunal de Justicia de forma progresiva.

> Debe advertirse, eso sí, que la jurisprudencia del Tribunal se ha centrado primordialmente en la definición de esta noción a los efectos de aplicar los artículos 24 CB, 31 RB I y 35 RB I bis centrados en la opción de la disociación. No obstante, pienso que el análisis de la jurisprudencia del Tribunal de Justicia en este punto debe ser también el primer término de referencia cuando se trata de plantearse el reconocimiento y la ejecución de resoluciones que adaptan medidas provisionales o cautelares.

8. El punto de partida, sin duda, lo constituye la sentencia *Reichert*[9]. En ella, se estableció con claridad que *«procede considerar como «medidas provisionales o cautelares» a efectos del artículo 24 las medidas que, en las materias incluidas en el ámbito de aplicación del Convenio, están destinadas a mantener una situación de hecho o de Derecho para salvaguardar derechos cuyo reconocimiento se solicita, además, al Juez que conoce del fondo del asunto»*[10]. Cabe entender, por ello, que son medidas provisionales o cautelares aquéllas, de entre las previstas en la legislación procesal nacional de cada Estado miembro, en que concurren simultáneamente los siguientes elementos caracterizadores: 1) la idoneidad para combatir un *periculum in mora*, que ha de ser presupuesto de su adopción, y que las asocia así con la noción de urgencia[11]; 2) la subordinación o accesoriedad respecto del proceso principal; 3) la provisionalidad en el tiempo; y 4) la instrumentalidad de su contenido, consistente en mantener o conservar las situaciones fácticas o jurídicas para que la sentencia sobre el fondo, una vez recaiga, pueda ser realmente efectiva. Las nociones de provisionalidad e instrumentalidad han sido objeto de alguna precisión adicional en la sentencia *Solvay*[12], que

---

9.   STJCE de 26 de marzo de 1992 (asunto C-261/90, *Reichert*).

10. Sobre la base de este criterio, el Tribunal concluyó entonces que la acción pauliana del Derecho francés, aunque tiene como objetivo proteger la garantía del acreedor, no es una medida cautelar a los efectos que ahora nos ocupan.

11. El Tribunal abundó en esta idea en la STJUE de 28 de abril de 2005 (asunto C-104/03, *St. Paul Dairy*), cuando señaló que el objetivo del Reglamento con el artículo 24 CB era «evitar a las partes el perjuicio resultante del alargamiento de los plazos inherentes a todo procedimiento internacional» (apartado 12).

12. STJUE de 12 de julio de 2012, asunto C-616/10, *Solvay*. En su apartado 49 valora de forma especialmente significativa cómo «el juez que conoce incidentalmente no adoptará una decisión definitiva sobre la validez de la patente invocada, sino que se limitará a valorar el sentido en que se pronunciaría sobre tal extremo el tribunal

se encarga de señalar cómo las medidas que se adopten al amparo del precepto que nos ocupa no pueden prejuzgar la decisión que se adopte respecto del fondo del litigio, es decir, no pueden tener un carácter o valor definitivo (lo que las vincula a la noción de *fumus boni iuris*).

A estos efectos es indiferente cuál sea el concreto contenido o efecto de la medida que se adopte, mientras reúna las condiciones señaladas. De modo particular, no debe haber obstáculo para incluir dentro de la noción de «medidas provisionales o cautelares» aquellas medidas que tengan, en todo o en parte, un contenido anticipatorio respecto de lo que podrá llegar a ser, en su caso, la sentencia que ponga término al proceso principal; mientras se adopten ante una situación de urgencia y conserven un vínculo de instrumentalidad con el proceso principal, al que no pueden llegar a sustituir, no hay razón alguna para realizar distinciones en función de su contenido o efectos.

La regulación de las medidas cautelares contenida en la LEC y en la legislación especial vigente en nuestro país pone siempre el énfasis justamente en la instrumentalidad, razón por la cual cabe señalar que, en principio, todas las medidas que pueden adoptarse como cautelares en nuestro ordenamiento tienen encaje dentro de la noción autónoma que se desprende del Reglamento. Y esto incluye, claramente, a las órdenes provisionales de cesación o de prohibición de realizar una conducta, de uso habitual para la tutela frente a infracciones de propiedad intelectual e industrial[13].

También pueden encajar en esta noción las *injunctions* de los sistemas jurídicos de *common law*, siempre que tengan un carácter provisional o instrumental: el ejemplo más manido son las *freezing orders* –también conocidas como *Mareva injunctions*– que impiden a un sujeto disponer de su patrimonio y que cumplen una función similar al embargo preventivo, con la diferencia de que se proyectan sobre el deudor, pero no de modo directo

---

competente en virtud del artículo 22, número 4, del Reglamento n.° 44/2001, y se negará a adoptar la medida provisional solicitada si considera que existe una posibilidad razonable y no desdeñable de que la patente invocada sea anulada por el tribunal competente». Y prosigue en su apartado 50 que «no existe el riesgo de contradicciones entre las resoluciones [provisional y sobre el fondo] si la resolución provisional adoptada por el juez que conoce con carácter incidental no prejuzga en modo alguno la resolución que, con arreglo al artículo 22, número 4, del Reglamento n.° 44/2001, deberá adoptar en cuanto al fondo el órgano jurisdiccional competente».

13. La compatibilidad de estas órdenes temporales de cesación con el esquema de disociación que establece el artículo 35 RB I bis ha sido refrendado en fechas más recientes por el Tribunal de Justicia con ocasión de la sentencia dictada en el asunto *Solvay*, que considera como medida provisional o cautelar la consistente en la prohibición de violación transfronteriza de una patente acordada por un tribunal holandés.

sobre sus patrimonio [cfr. *rule* 25.1(1)(f) de las *Civil Procedure Rules*][14.] Ahora bien, no toda *injunction* es una medida provisional o cautelar en el sentido del Reglamento: en algunos casos, porque son genuinas condenas de dar, hacer o no hacer, es decir, porque son genuinas sentencias sobre el fondo, que carecen de toda provisionalidad o instrumentalidad; y, en otros casos, porque el contenido de lo ordenado, aunque sea provisional o instrumental, no es compatible con el sistema del Reglamento.

Esto último es lo que sucede con las *anti-suit injunctions*: a través de ellas se ordena a un sujeto que se abstenga de iniciar o que desista de un proceso incoado ante un tribunal –normalmente, ante un tribunal de otro Estado–, cuando el tribunal que emite la orden considera que la incoación de ese proceso tiene carácter abusivo o fraudulento, o infringe un convenio arbitral. Por mucho que pudiera sostenerse el carácter de estas órdenes como medidas provisionales *lato sensu*, el Tribunal de Justicia las ha considerado incompatibles con el sistema del CB y del RB I, de modo que en ningún caso podrían ejecutarse con amparo en el articulado del RB I bis[15].

9. Las medidas cautelares de corte más *clásico* (en especial, embargos preventivos y depósitos judiciales en sus diversas versiones, anotaciones preventivas en Registros públicos, órdenes provisionales de cesación o de inhibición) encajan así sin dificultad en la noción de medidas provisionales y cautelares. Las mayores dudas las plantean, en cambio, determinadas medidas y procedimientos en los que lo «provisional» predomina sobre lo genuinamente «cautelar» y que se encuentran en el límite entre la medida cautelar y el proceso sumario, es decir, entre el aseguramiento y la satisfacción del derecho.

En efecto, es bastante frecuente en ciertos ordenamientos procesales de nuestro entorno que los tribunales puedan acordar medidas que son nominalmente provisionales, pero que contengan pronunciamientos sobre el fondo que se traducen en condenas pecuniarias provisionalmente ejecutables –o también en mandatos de dar, hacer o no hacer, igualmente ejecutivos–, que tienen un carácter claramente satisfactivo.

---

14. Así lo reconoció la *Cour de cassation* francesa en el asunto *Stolzenberg* (Cass. 1er civ., 30 de junio de 2004, n.º 01–03.248). Y lo ha subrayado recientemente el TJUE en la sentencia de 25 de mayo de 2016 (C-559/14, *Meroni*), en la que se suscitó la posible lesión al orden público derivada de la ejecución en Letonia de una *freezing order* acordada por un tribunal inglés, en la medida en que afectaba también a terceros que no estaban siendo parte en el proceso principal: el TJUE, en su sentencia, centró su análisis exclusivamente en la cuestión del orden público, dando por descontado que este tipo de resoluciones son medidas provisionales aptas en principio para la circulación intraeuropea con arreglo al RB I (ahora, el RB I bis).

15. Cfr. STJUE de 27 de abril de 2004 –asunto C-159/02, *Turner*–; STJUE de 10 de febrero de 2009 –asunto C-185/07, *West Tankers*–; y STJUE de 13 de mayo de 2015 –asunto C-536/13, *Gazprom*–.

Esto es lo que sucede con el *référé-provision* francés (también se utiliza en Bélgica y Luxemburgo), que permite obtener a título provisional sumas de dinero con cargo a obligaciones acreditadas ante el juez o el desarrollo de prestaciones no pecuniarias (artículo 809 II del *Code de procédure civile*); muy similar es el *kort geding* holandés, que es un proceso acelerado (eso es lo que literalmente significan los términos transcritos) por el que se pueden obtener diversas tutelas y, en especial, la condena provisional a satisfacer un crédito pecuniario cuya existencia aparece acreditada ante el tribunal; y lo mismo sucede con la *Leistungsverfügung* alemana (de creación juris-prudencial sobre la base del § 940 de la *Zivilprozessordnung*), que supone la utilización del proceso cautelar genérico para la obtención de tutelas provisionales y anticipadas (incluida la obtención de cantidades de dinero) o con el *summary judgment* y el *interim payment* del Derecho inglés (Parte 24 de las *Civil Procedure Rules*). Es común en todos estos casos que la resolu-ción estimando la pretensión del actor carece de fuerza de cosa juzgada y no impide que pueda tener lugar un proceso plenario sobre el fondo de la cuestión. Este dato permite calificar a estas medidas como «provisionales», razón por la cual tiene sentido plantearse su inclusión en el ámbito que ahora nos ocupa.

El problema es que en la práctica, adoptada una condena provisional por los cauces de alguno de estos procedimientos, no se suele incoar un proceso ulterior y las relaciones jurídicas de las partes quedan regidas de cara al futuro por resoluciones que no eran sino provisionales. Desde este punto de vista, por tanto, podría pensarse que este tipo de medidas no tienen por finalidad «mantener una situación de hecho o de Derecho a la espera de una resolución del Juez sobre el fondo», sino que aspiran a sustituir a tal decisión: *de facto* equivalen a verdaderas sentencias en cuanto al fondo.

10. Este factor, a mi juicio, tiene relevancia a la hora de determi-nar si resulta o no posible su adopción en virtud de lo dispuesto por el artículo 35 RB I bis, es decir, aprovechando el fuero especial que brinda ese precepto: la respuesta afirmativa no dejaría de comportar una suerte de fraude al sistema general de competencia internacional del Reglamento, pues permitiría tomar decisiones en cuanto al fondo –al menos, desde un punto de vista material– y con vocación de permanen-cia –al menos *de facto*– a un tribunal en principio incompetente para ello. No obstante, el Tribunal de Justicia, a estos efectos, resolvió la duda en sentido positivo, aunque con ciertas restricciones: lo hizo en dos ocasio-nes, en los asuntos *Van Uden* y *Mietz*[16], a propósito de la condena provi-sional al pago de una cantidad de dinero por los cauces del *kort geding* holandés.

---

16. STJUE de 27 de abril de 1999 (asunto C-99/96, *Mietz*).

El TJUE reconoció, de un lado, que no puede negárseles de forma radical naturaleza provisional o cautelar, pues un pago en concepto de entrega a cuenta de una contraprestación puede servir al fin de garantizar la eficacia de la sentencia que se dicte sobre el fondo del asunto[17]. No obstante, el Tribunal también advirtió que con ello se generaba el peligro de que la decisión provisional sustituyera a la decisión del juez del fondo, alterando además los esquemas ordinarios de competencia de la normativa europea[18]. Como fórmula de equilibrio, el Tribunal llegó a la conclusión de que una condena provisional al pago de una cantidad de dinero debida como contraprestación contractual no constituye una medida provisional en el sentido del precepto que nos ocupa a menos que se den dos condiciones[19]: a) que se garantice al demandado la devolución de la cantidad concedida en el supuesto de que el demandante no viera estimadas sus pretensiones sobre el fondo del asunto; y b) que la medida solicitada sólo se refiera a determinados bienes del demandado que estuvieren situados, o debieran estar situados, dentro de la esfera de competencia territorial del juez que conozca del asunto en virtud del artículo 35 RB I bis.

Con la primera de estas exigencias el Tribunal pretende asegurarse de que el proceso en el que se adopte la medida provisional esté vinculado a un proceso principal sobre el fondo o que, al menos, no se excluya la posibilidad de su incoación –aunque no sea preceptiva[20]–. En cuanto a la segunda exigencia, la formulación del Tribunal resulta de difícil comprensión, pues si la medida provisional consiste en el pago de una cantidad de dinero, difícilmente puede «referirse a determinados bienes». Lo que parece querer decir el TJUE es que, dado que la medida consiste en la entrega de una suma de dinero, en caso de que no se pague voluntariamente, habrá que acudir a la ejecución forzosa sobre determinados bienes del condenado provisionalmente y que esos bienes han de estar en el territorio del foro. Parece con ello que, de forma indirecta, el Tribunal está exigiendo que la medida solicitada (la condena provisional) haya de ser eficaz en el foro y que, por tanto, no necesite a su vez desplegar sus efectos en otro Estado.

11. El enfoque del tema, sin embargo, debe cambiar si lo que preocupa es el reconocimiento y la ejecución de la resolución que contiene una medida provisional de carácter pronunciadamente satisfactivo y que no deba ir seguida *ope legis* de un proceso plenario en cuanto al fondo.

---

17. Sentencia *Van Uden*, apartado 45.
18. Sentencia *Van Uden*, apartado 46.
19. Sentencia *Van Uden*, apartado 47; sentencia *Mietz*, apartado 43.
20. En este mismo sentido, cfr. M.A. Lupoi, «L'attuazione negli altri stati membri dei provvedimenti provvisori e cautelari nel regolamento UE n. 1215 del 2012 (Bruxelles I bis)», cit., p. 1520.

En efecto, en sede de ejecución nos encontramos con una resolución ya dictada y que aspira a producir efectos en otro Estado miembro, de modo que el debate acerca de si el tribunal estaba facultado o no para dictarla ya quedó atrás. Como veremos seguidamente, las claves a los efectos del reconocimiento y la ejecución serán básicamente dos, deducibles ambas del artículo 2 a) II RB I bis: si la medida se ha notificado ya al sujeto pasivo antes de solicitar su ejecución y si el tribunal que la ha adoptado era competente para conocer del fondo del litigio (lo que excluye su eventual adopción en virtud del artículo 35). El segundo de estos elementos es el más relevante, pues en función de la calificación que se ofrezca de la resolución varían las consecuencias:

–Si la considera como una resolución ordinaria –o, si se prefiere, si no le pone la etiqueta especial de medida provisional– el tribunal que la dicta, a instancia del actor, expedirá respecto de ella el certificado del artículo 53 y se podrá solicitar su ejecución en otro Estado miembro, sin mayores cautelas o especialidades (y, en concreto, sin necesidad de controlar la competencia del tribunal de origen para adoptarla).

–En cambio, si se la trata expresamente como medida provisional, será preciso que el tribunal de origen verifique y explicite en el certificado del artículo 53 su competencia para conocer en cuanto al fondo del asunto.

El problema, como habrá adivinado fácilmente el lector, se podrá suscitar en aquellos casos en que el tribunal de origen no haya atribuido a la resolución la condición de «provisional» –a pesar de merecerla, a juicio del ejecutado– y, en consecuencia, haya expedido el certificado del artículo 53 sin expresar en él su propia competencia para conocer del fondo del asunto. ¿*Quid* si, a juicio del ejecutado, dicho tribunal no era realmente competente para conocer del fondo, sino que sólo pudo dictar la resolución en virtud del artículo 35? A mi juicio, la respuesta es sencilla: es cierto que la cuestión de la eventual falta de competencia del tribunal de origen sólo puede fundar una oposición a la ejecución al amparo del artículo 45.1 RB I bis si se trata alguno de los supuestos contemplados en la letra e) –y no será el caso–; sin embargo, el ejecutado sí que podrá instar la denegación de la ejecución, al margen de los motivos del artículo 45.1, sobre la base de la falta de aplicación del RB I bis. Se sortean así los peligros derivados del hecho de que sea el propio tribunal que dictó la resolución quien deba darle o no la calificación de provisional a efectos de ejecución en otro Estado miembro.

12. Junto a la naturaleza y contenido de las medidas provisionales o cautelares, el artículo 2 a) II RB I bis se encarga de añadir dos requisitos adicionales para que las resoluciones que las acuerdan encajen en la noción de «resolución» a los efectos de aplicar el capítulo III del propio Reglamento y les sean, en consecuencia, aplicables sus reglas sobre reconocimiento y ejecución: que la medida se haya notificado a su destinatario antes de su ejecución y que haya sido adoptada por un tribunal competente, en virtud del propio RB I bis, para conocer del fondo del asunto. Como se acaba de apuntar, la ausencia de alguno de estos requisitos deja la resolución judicial fuera del ámbito de aplicación del Reglamento: esto no impedirá, en su caso, que pueda llegar a desplegar efectos en otro Estado miembro sobre la base del texto normativo que resulte aplicable, como se encarga de recordar el propio considerando 33.

> En caso de que se pretenda la ejecución en España de una medida provisional o cautelar dictada en otro Estado miembro que no cumpla los requisitos del artículo 2 a) II RB I bis, habrá que acudir, en su caso, a lo previsto en los convenios bilaterales que España tiene suscritos. Si la resolución procede de un Estado miembro con el que España no tenga suscrito convenio bilateral, resultará de aplicación el régimen legal interno, constituido desde fechas muy recientes por la Ley de Cooperación Jurídica Internacional en materia civil. Y debe notarse –como se verá al final de este trabajo– que el artículo 41.4 LCJI ha optado por una fórmula bastante restrictiva: «Sólo serán susceptibles de reconocimiento y ejecución las medidas cautelares y provisionales, cuando su denegación suponga una vulneración de la tutela judicial efectiva y siempre que se hubieran adoptado previa audiencia de la parte contraria».

3. LA LIMITACIÓN DE LA EJECUCIÓN A LAS MEDIDAS NOTIFICADAS PREVIAMENTE A LA PARTE CONTRARIA

13. Establece el artículo 2 a) II *i.f.* RB I bis que «[A los efectos del capítulo III] No se incluyen [en la noción de "resolución" ofrecida en el artículo 2 a) I] las medidas provisionales y cautelares que el órgano jurisdiccional acuerde sin que el demandado sea citado a comparecer, a no ser que la resolución relativa a la medida haya sido notificada al demandado antes de su ejecución».

El origen del precepto se halla en la sentencia *Denilauler*[21]: el Tribunal señaló entonces que no debían considerarse «resoluciones» a efectos de aplicar las reglas sobre exequátur aquéllas en las que se acuerden medidas cautelares sin haber escuchado previamente a la parte pasiva (en concreto, el Tribunal se refería a las medidas adoptadas sin que se haya llamado a comparecer al sujeto frente al que se decretan antes de acordarlas y que

---

21. STJCE de 21 de mayo de 1980 (Asunto 125/79, *Denilauler c. Couchet Frères*).

estén destinadas a ser ejecutadas sin haber sido previamente notificadas a esa parte). Se llegó así a la conclusión de que no eran susceptibles de exequátur al amparo del CB –primero– y del RB I –después– las resoluciones que acordaban medidas cautelares *inaudita altera parte*, a pesar de que es una posibilidad que existe y resulta ampliamente utilizada en la mayoría de los ordenamientos nacionales. Se trataba, sin duda, de un importante golpe a la efectividad de la tutela cautelar transfronteriza, aunque se le trataba de hallar justificación en la necesidad de preservar el derecho de defensa de la parte destinataria de las medidas.

El propio Tribunal, sin embargo, tuvo oportunidad de matizar el significado de la sentencia *Denilauler* con posterioridad. Así, en la sentencia *Mærsk Olie & Gas*[22], señaló que lo relevante no era el hecho en sí de que una resolución se hubiera acordado tras un procedimiento no contradictorio, sino que más bien que no hubiera podido ser sometida a contradicción en el Estado de origen antes de instar su ejecución en otro lugar. E insistió en ello posteriormente, en la sentencia *Gambazzi*[23].

14. La versión incorporada al texto del RB I bis supone una intervención legislativa sobre la materia, con la que se ha pretendido ofrecer un equilibrio razonable entre la eficacia que debe acompañar a un sistema de tutela cautelar y el respeto a las garantías procesales, teniendo en cuenta nos hallamos en un entorno de litigación transfronteriza.

La garantía se halla en el deber de notificación de la resolución provisional o cautelar, que ha de ser previa a su ejecución. Es cierto que el precepto establece claramente una preferencia por la adopción contradictoria de este tipo de medidas, pero en último término se puede lograr la ejecución con arreglo al RB I bis de medidas adoptadas *inaudita altera parte*, si se cumple con la exigencia de notificación previa. El objetivo es permitir que el sujeto pasivo de la medida la impugne en el Estado de origen y consiga

---

22. STJUE de 14 de octubre de 2004, asunto C-39/02, *Mærsk Olie & Gas*, apartados 48–51.

23. El apartado 23 de la sentencia *Gambazzi* establece expresamente lo siguiente: «En efecto, el Tribunal de Justicia ha señalado que todas las disposiciones del Convenio de Bruselas, tanto las del título II, relativas a la competencia judicial, como las del título III relativas al reconocimiento y ejecución, expresan la intención de velar por que, en el marco de los objetivos del Convenio, los procedimientos conducentes a la adopción de resoluciones judiciales se desarrollen respetando el derecho de defensa. No obstante, el Tribunal de Justicia estimó que, para que tales resoluciones estén comprendidas dentro del ámbito de aplicación del referido Convenio, basta con que se trate de resoluciones judiciales que, antes del momento en que su reconocimiento y ejecución se solicita en un Estado distinto del de su origen, hayan sido o pudieran haber sido objeto en dicho Estado de origen de un procedimiento contradictorio, en cualquiera de sus formas (sentencia de 21 de mayo de 1980, *Denilauler*, 125/79, Rec. p. 1553, apartado 13)».

así, en su caso, los efectos que esa impugnación puede acarrear sobre la ejecución en virtud del artículo 44.2 RB I bis: se trata, básicamente, de lograr la suspensión de la ejecución transfronteriza de la medida provisional o cautelar si la impugnación en el Estado de origen tiene también un eficacia suspensiva.

El refuerzo de la eficacia se ha de ver, antes que nada, en que el precepto deja claro –sin necesidad de acudir a interpretaciones de la jurisprudencia previa– que la ejecución de resoluciones adoptadas *inaudita altera parte* ya no está excluida del «sistema Bruselas». Y, también, en el modo en que se define la condición para lograrlo: basta con una notificación previa a la ejecución, sin mayores especificaciones ni exigencias temporales. Se trata, en definitiva, de dar un cierto margen de cabida al factor sorpresa[24].

En efecto, y en lo relativo al factor tiempo –inevitablemente ligado al factor sorpresa–, es importante señalar que la notificación ha de ser previa a la ejecución en sí de la resolución y, de hecho, basta con que sea «inmediatamente» anterior a ella. Sin duda, se cumplen los requisitos con una notificación que fuera (inmediatamente) anterior a la expedición del certificado del artículo 53[25]. Pero, en aras de reforzar el carácter sorpresivo, también cabría una notificación que fuera posterior a la expedición del certificado y sólo inmediatamente anterior a la solicitud de ejecución en sí, como se deduce del artículo 42.2 c), que sólo exige acompañar a la solicitud «la acreditación de haberse efectuado la notificación de la resolución». El destinatario, en consecuencia, habría tenido noticia de la adopción *inaudita parte* de la medida que le incumbe poco antes de tener noticia de su ejecución en otro Estado miembro.

15. En cuanto a la forma de practicar la notificación, me parece que el Reglamento no exige más requisitos que aquéllos directamente asociados al fundamento de la garantía: se trata de hacerlo en términos tales que aseguren el conocimiento por su destinatario y que, asimismo, permitan al tribunal estar razonablemente convencido de que efectivamente así ha sido.

---

24. Ha de advertirse que en algunos ordenamientos la notificación al demandado de las resoluciones cautelares adoptadas *inaudita altera parte* puede ser automática, pues se asume que su adopción va seguida de su ejecución. Si el demandante tiene claro desde el principio que no habrá ejecución en origen, sino sólo en otro Estado, debería solicitar al tribunal que demore la práctica de la notificación –o que se abstenga de efectuarla– durante el tiempo necesario para solicitar su ejecución en otro Estado.

25. Y entonces la casilla 4.5.1 del Anexo I daría fe de ello, aunque no está establecida de modo especial para los casos de ejecución de medidas cautelares o provisionales.

Planean, sin embargo, las sombras para la eficacia que se deducen de lo dispuesto en el artículo 43: es necesario notificar al destinatario de la ejecución el certificado del artículo 53 antes de la primera medida ejecutiva; y, sobre todo, puede el destinatario exigir una traducción de la resolución en sí, si no está domiciliado en el Estado de origen y la resolución no está redactada o no va acompañada de una traducción en una lengua que comprenda o en la lengua oficial del Estado de su domicilio. El artículo 43.3 busca atenuar los efectos de lo anterior señalando que «El presente artículo no será aplicable a la ejecución de medidas cautelares de una resolución o cuando la persona que inste la ejecución solicite medidas cautelares con arreglo al artículo 40». Nótese, pues, que la exención es parcial: afecta a las medidas «cautelares», pero no a las «provisionales» (y así lo corroboran las restantes versiones lingüísticas del precepto). Si la exigencia de notificación del certificado, en la práctica, puede ser un mero formalismo, no lo es tanto la exigencia de traducción de la resolución, cuando el destinatario tenga derecho a pedirla: mientras se gestiona la traducción, no habrá ejecución en sentido propio, sólo medidas cautelares (es decir, medidas que aseguren la ejecución de la medida provisional –discúlpese el galimatías–).

Resulta importante, pues, tener claro si lo contenido en la resolución cuya ejecución se pretende es una mera medida cautelar o si, por el contrario, tiene naturaleza provisional, pues a efectos prácticos su circulación puede hallarse sometida a condiciones diferentes. Obviamente, si ya de por sí es difícil llegar a una noción autónoma de lo que deba entenderse, en general, como «medidas provisionales o cautelares» dentro del sistema del RB I bis, más complicado será hacer la distinción, dentro del binomio, entre lo provisional y lo cautelar. A mi juicio, sin embargo, existen dos parámetros que definen aquellas medidas que, más allá de ser cautelares, son provisionales: a) de un lado, su carácter satisfactivo o anticipatorio, esto es, la aptitud de su contenido para ofrecer al solicitante un resultado material adecuado; b) de otro, y concurrente con él, su desvinculación de un proceso en cuanto al fondo, esto es, el hecho de que su eficacia no esté supeditada a la pendencia o a la incoación futura de un proceso plenario sobre la cuestión. Una medida que tenga carácter anticipatorio (v.g., una orden de cesación) será así cautelar si, como sucede en nuestro país, necesita un proceso principal para subsistir; en cambio, será provisional si, como ocurre en otros sistemas, tiene aptitud *per se* para regular la situación jurídica entre las partes de manera indefinida, sin perjuicio de que, v.g., el sujeto pasivo pueda incoar un proceso sobre el fondo o pueda exigir que el solicitante lo haga en un plazo determinado.

4. LA LIMITACIÓN DE LA EJECUCIÓN A LAS MEDIDAS ADOPTADAS POR UN TRIBUNAL COMPETENTE PARA CONOCER DEL FONDO

16. La otra condición impuesta por el artículo 2 a) II RB I bis para la circulación de medidas provisionales y cautelares es que hayan sido «acordadas por un órgano jurisdiccional competente, en virtud del presente Reglamento, para conocer sobre el fondo del asunto»[26]. En aparente desarrollo de la doctrina sentada por el Tribunal de Justicia en el asunto *Mietz*[27], el legislador europeo ha establecido, de forma encubierta, un cierto control a la competencia judicial del tribunal de origen y exige, en este ámbito de lo provisional y de lo cautelar, un respeto al sistema de fueros que sólo se establece de manera mucho más limitada para el resto de resoluciones –en virtud del artículo 45.1 e)–.

Debe convenirse, sin embargo, en que tampoco es una exigencia especialmente rígida: lo único que exige el precepto es que el tribunal que adoptó las medidas fuera en abstracto competente para conocer del litigio, pero no que haya sido quien efectivamente hubiera conocido de él.

Así, por ejemplo, puede suceder que las medidas cautelares se hayan adoptado en el Estado A, en tanto que lugar de domicilio del demandado, pero que el proceso principal se haya sustanciado en el Estado B, lugar de cumplimiento de la obligación o lugar designado en un pacto de sumisión expresa. En relación con esto último, no creo que la existencia de un pacto de sumisión expresa sea óbice tampoco para entender, a los efectos de lo que ahora nos importa, que pueda considerarse con competencia para conocer del fondo del litigio, con arreglo al propio Reglamento, un tribunal de un Estado distinto al designado en el pacto pero que, en defecto de éste, podría ser competente[28]. La eficacia derogatoria de las cláusulas de sumisión expresa debe matizarse en relación con la tutela cautelar, salvo que exista una previsión clara y taxativa al respecto.

Este control de competencia, además, ha de efectuarlo el propio tribunal de origen y ha de indicarlo de manera expresa en el certificado del artículo 53 (en concreto, en la casilla 4.6.2.2.1. del Anexo I).

---

26. Cf. A. DICKINSON, «Provisional Measures in the "Brussels I" Review – Disturbing the Status Quo?» *IPRax* 3/2010, pp. 203–214 y también en *Journal of Private International Law*, 2010, pp. 519–564; M. NIOCHE, «L'incidence de la distinction per officium/per partes sur la circulation internationale des décisions provisoires», *International Journal of Procedural Law*, 2011–2, pp. 231–264.

27. STJUE de 25 de abril de 1999 (asunto C-99/96, *Hans-Hermann Mietz c. Intership Yachting Sneek BV*).

28. Cfr. en este sentido el AAP Barcelona (Sección 11.ª), núm. 119/2010, de 31 marzo de 2010 (JUR, 2010, 243719).

17. Como puede adivinarse, lo realmente importante para el legislador europeo era excluir la circulación de las medidas acordadas sobre la base del criterio excepcional establecido en el artículo 35 RB I bis, es decir, de las medidas acordadas por un tribunal que, de otro modo, no habría podido adoptarlas (considerando 33)[29]. Se trataba de una cuestión polémica con anterioridad, que se ha querido zanjar de forma directa: estas medidas tendrán una eficacia circunscrita al territorio del Estado miembro en que se dictaron.

Esta limitación, a efectos prácticos, implica la asunción de que al artículo 35 le subyace, aunque sea tácitamente, el fuero del lugar de ejecución de la medida cautelar, pues carecería de lógica atribuir competencia para el dictado de resoluciones condenadas a ser ineficaces.

No obstante, debe señalarse que la eficacia extraterritorial de las medidas cautelares adoptadas con base en el artículo 35 del Reglamento puede conseguirse de manera directa, sin necesidad de obtener su ejecución en otro Estado, cuando las medidas tienen una eficacia personal, *v.g.*, cuando se trata de mandatos provisionales de hacer o de no hacer.

Así sucede con la *worldwide Mareva injunction* inglesa, que desde el mismo momento en que se dicta, condiciona la conducta de su destinatario en el extranjero a través de la amenaza de sanción por *contempt of court*.

Otro ejemplo lo suministran las denominadas *cross-border prohibitory injunctions*, dictadas con cierta frecuencia por los tribunales de los Países Bajos, y a través de las cuales se ordena la cesación provisional de las actividades lesivas del derecho de patente en todos aquellos Estados en que tales actividades tengan lugar[30.] El cumplimiento de la medida se asegura a través de una *astreinte*, de modo que se impondrá al destinatario de la orden una sanción pecuniaria en caso de infracción del contenido de la orden. Ello hace innecesaria la obtención de la ejecución de la medida en sí: en caso de infracción de la prohibición –con independencia del Estado en que tal infracción se haya producido y sin necesidad de que en ese Estado

---

29. En esto, además, el RB I bis se alinea también con la posición adoptada por el legislador europeo en relación con la tutela cautelar de la marca comunitaria. El artículo 103 del Reglamento 207/2009, de 26 de febrero de 2009, sobre la marca comunitaria (versión codificada) reconoce en su apartado 1 la posibilidad de que se adopten medidas provisionales o cautelares por los tribunales de marcas comunitarias del Estado miembro en que sean necesarias; pero, en su apartado, sólo da cabida a la eficacia extraterritorial (al amparo del RB) de las medidas dictadas por un tribunal cuya competencia se fundara en alguno de los criterios establecidos en los apartados 1, 2, 3 o 4 de su artículo 97.

30. Una de estas medidas, como ya se ha visto, se hallaba en la base del litigio que motivó la sentencia *Solvay*.

se haya obtenido la ejecución de la medida–, el solicitante pedirá del Juez holandés la fijación del importe de la *astreinte* y, cuando resulte necesario, promoverá en otro Estado la ejecución de la resolución fijando el montante de la penalidad.

5. CUESTIONES QUE PUEDE SUSCITAR EL RECONOCIMIENTO Y LA EJECUCIÓN DE MEDIDAS PROVISIONALES Y CAUTELARES

5.1. CUESTIONES PROCEDIMENTALES

18. El litigante interesado en la ejecución de una resolución dictada por un tribunal de otro Estado miembro que contenga una medida provisional o cautelar habrá de proceder conforme a las reglas generales establecidas por el propio RB I bis. Desaparecido ya el trámite previo de exequátur, deberá presentar directamente una solicitud de ejecución ateniéndose a lo dispuesto en la legislación procesal interna y respetando, además, las exigencias adicionales del artículo 42 que, de forma específica, dedica un apartado a las resoluciones que ahora nos ocupan.

En España, por tanto, habrá de presentar una demanda ejecutiva, en los términos del artículo 549 LEC, aunque en supuestos puramente internos tal formalidad no sea siempre precisa cuando se solicita expresamente la ejecución de una medida cautelar.

El artículo 42.2 RB I bis, por su parte, se encarga de refundir los documentos que deben acompañar a la solicitud, de modo que se asegure que el tribunal requerido estará en condiciones de verificar la concurrencia de los requisitos específicos deducibles del artículo 2 a) II. Se trata de los siguientes:

a) Una copia de la resolución, que reúna los requisitos necesarios para ser considerada auténtica: se trata de una exigencia igual a la que hace el artículo 42.1 a) para el resto de resoluciones.

b) El certificado expedido conforme al artículo 53, con una descripción de la medida y que acredite que:

   i) el órgano jurisdiccional es competente en cuanto al fondo del asunto (requisito especial, por tratarse de una medida provisional o cautelar);

   ii) la resolución tiene fuerza ejecutiva en el Estado miembro de origen (requisito general, que también se formula para el resto de resoluciones).

Lo problemático, como se verá seguidamente, será la exigencia de descripción de la medida, que parece llamada a funcionar como «resumen» o «síntesis» de su contenido.

c) En caso de que la medida se hubiera ordenado sin que se citara a comparecer al demandado, la acreditación de haberse efectuado la notificación de la resolución (en los términos ya analizados antes).

19. Según se ha apuntado ya, la falta de notificación de la resolución adoptada *inaudita altera parte* y la ausencia de competencia del tribunal para conocer del fondo del litigio son requisitos necesarios para que la medida provisional o cautelar pueda ser considerada como una «resolución» a los efectos de aplicar el Capítulo III del RB I bis. Esta función de los requisitos debe determinar también las consecuencias en caso de que no concurran:

a) El tribunal de origen debería denegar la expedición del certificado del artículo 53 si aprecia que no era competente para conocer del fondo del litigio –y, por tanto, que dictó la resolución sobre la base del criterio especial del artículo 35–. En cambio, no es posible una denegación de la expedición del certificado por falta de acreditación al tribunal de origen de la notificación de la resolución adoptada *inaudita altera parte,* pues sólo el tribunal de la ejecución debe verificarla (dado que la notificación puede ser posterior a la expedición del certificado).

b) A pesar de la existencia del certificado, el tribunal de la ejecución debe poder apreciar de oficio la concurrencia de los requisitos de los que depende la aplicación del RB I bis. Por eso, debe denegar la tramitación de la ejecución al amparo del RB I bis si no se le acredita de forma suficiente la notificación de la medida cautelar o provisional –en caso de que se hubiera adoptado de forma no contradictoria–; además, es razonable entender que también deniegue la tramitación si, en su opinión, fuera manifiesta la ausencia de competencia para conocer del fondo del tribunal que acordó la medida cautelar, a pesar de que éste hubiera marcado el «Sí» en la casilla 4.6.2.2.1. del Anexo I. En tal caso, el tribunal debería reclamar del solicitante una reformulación de su petición, pero ya al amparo del régimen convencional o interno procedente, dada la falta de aplicación del RB I bis.

c) Por último, y en defecto de los mecanismos anteriores, también podrá oponerse a la aplicación del RB I bis el sujeto pasivo de la medida provisional o cautelar, si considera que no le fue debidamente notificada antes de la ejecución –en caso de adopción no contradictoria– o si entiende que el tribunal de origen carecía de competencia para conocer en cuanto al fondo. No se trata, en rigor, de una petición de denegación de la ejecución sobre la base de los artículos 46 y siguientes, sino de algo distinto: la alegación de ilicitud del proceso de ejecución por aplicación de un régimen legal que es improcedente.

d) Por supuesto, al margen de lo anterior, también procederá solicitar la denegación de la ejecución al amparo del régimen general del RB I bis, en caso de que, a juicio del sujeto pasivo, concurra algún motivo de entre los establecidos en el artículo 45[31].

5.2. LA «ADAPTACIÓN» DE LAS MEDIDAS PROVISIONALES O CAUTELARES

20. Por otra parte, la ejecución de una medida cautelar o provisional acordada en otro Estado miembro puede poner de relieve la diferente regulación que cada ordenamiento hace de la tutela provisional o cautelar, con medidas cuyo contenido y eficacia pueden variar de un Estado a otro: el tribunal requerido puede tener problemas para ejecutar una medida cautelar o provisional, si ésta no coincide con alguna de las previstas en su ordenamiento interno –tanto en su denominación como, sobre todo, en su contenido concreto–.

Esto es lo que sucedió en el asunto resuelto por la Resolución de la DGRN española de 12 de mayo de 1992[32]: el Tribunal de Comercio de Laval (Francia) autorizó al demandante a que tomara en el Registro de la Propiedad de Almuñécar (Granada) una inscripción hipotecaria judicial provisoria (equivalente en cierta medida al embargo preventivo garantizado

---

31. Así, a título de ejemplo, recuérdese que en el asunto *FlyLAL* (STJUE de 24 de octubre de 2014, C-302/13) y en el ya citado asunto *Meroni* la cuestión de compatibilidad con el orden público se planteó en relación con el reconocimiento y ejecución de unas medidas cautelares. En el asunto resuelto por el AAP Barcelona (Sección 15.ª) de 15 de marzo de 2010, núm. 32/2010 (AC 2010, 1203), de hecho, se planteó la infracción al orden público por la ejecución de una resolución alemana acordando una medida cautelar en materia de tutela de los derechos de propiedad intelectual: se ordenaba en ella la orden cautelar de cesación de la conducta de difusión de ciertos contenidos en Internet, bajo apercibimiento de imposición de una multa coercitiva de hasta 250.000 euros o, alternativamente, de un arresto sustitutorio de hasta seis meses. La Audiencia consideró que dicho arresto era contrario al orden público, pues nuestro ordenamiento no tolera la imposición de medidas de privación de libertad en el orden civil.

32. RJ 1992, 4847.

mediante anotación preventiva). Se obtuvo el exequátur de la resolución francesa, de modo que el tribunal español decretó a su vez la inscripción hipotecaria judicial provisional. El Registrador, sin embargo, se negó a ello, en decisión que fue confirmada por la DGRN con los siguientes argumentos:

«Para el Ordenamiento español la expresión "inscripción hipotecaria judicial provisional", es una denominación que por sí no da a conocer ni el asiento que se pretende ni la extensión del derecho objeto del mismo con la precisión exigida por el principio de especialidad (...). No es cometido del Registrador determinar cuál es en nuestro Ordenamiento jurídico la figura más cercana a una institución de Derecho extranjero que no tiene el deber de conocer (...). (N)o puede pretenderse del Registrador que, en virtud del mismo título extienda una anotación preventiva de embargo, lo que llevaría a desconocer no sólo la competencia exclusiva de los Tribunales para acordar el embargo mismo (...) sino, y sobre todo, las repercusiones que el diferente alcance de una y otra medida (pese a sus coincidencias –piénsese en la repercusión en la prelación de créditos que cada una comporta–) tienen necesariamente en orden a los requisitos y exigencias que cada una presupone, y que podría conducir a la eliminación de alguna de ellas (vid. el orden de embargo del art. 1447 de la Ley de Enjuiciamiento Civil) que tienen carácter básico en nuestro Ordenamiento procesal».

Y algo similar se repitió en el asunto resuelto por la Resolución de la DGRN de 23 de febrero de 2004[33,] esta vez con una «hipoteca asegurativa» acordada por el *Landgericht* de Bielefeld (Alemania) y cuya inscripción fue denegada por el Registrador de Felanitx «por no reconocer el derecho español la figura de la hipoteca asegurativa tal como se recoge en el ordenamiento de procedencia» –argumentario sostenido sin ambages por la DGRN–.

Mayores aún pueden ser los problemas si lo que se trata de ejecutar en un Estado con un sistema procesal de tipo continental es una medida cautelar que opere *in personam*, como las *freezing orders* y *Mareva injunctions* de los sistemas de *common law*.

21. La respuesta, en estos casos, la ofrece en términos generales el (nuevo) artículo 54 del Reglamento, que tendrá, sin duda, su mayor margen de aplicación en este ámbito: el artículo 54.1 RB I bis dispone que la medida o la orden que resulte desconocida en el ordenamiento del Estado miembro requerido se adaptará en lo posible a una medida u orden

---

33. RJ 2004, 5295.

conocida en el ordenamiento jurídico de dicho Estado que tenga efectos equivalentes y persiga una finalidad e intereses similares (art. 54.1, primer inciso); y todo ello, en todo caso, sujeto a una limitación importante: la adaptación no tendrá más efectos que los dispuestos en el Derecho del Estado de origen (art. 54.1, segundo inciso)[34].

Lo razonable, en definitiva, será que el tribunal requerido, al ejecutar la medida provisional o cautelar, ordene todos aquellos actos que resulten necesarios para tratar de desplegar una eficacia similar a la que es propia para la medida en su Estado de origen, de modo que se pueda lograr el objetivo de aseguramiento o de satisfacción provisional pretendido por aquélla.

> En consecuencia, si se solicita el exequátur en España de una *freezing order* o de una *Mareva injunction*, lo más lógico sería que el tribunal español, al darle ejecución, decretara el embargo preventivo de los bienes sobre los que se proyecte la medida[35.] Del mismo modo, en los supuestos resuelto por las RRDGRN de 12 de mayo de 1992 y 23 de febrero de 2004, antes comentadas, lo lógico hubiera sido que el tribunal español hubiera ordenado el embargo preventivo del bien y su consiguiente anotación preventiva.

A tal fin, debe jugar un papel muy significativo la previsión establecida en el artículo 42.2 b), en virtud del cual, al cumplimentar el certificado del artículo 53, el tribunal de origen ha de incluir «una descripción de la medida» (el apartado 4.6.2.1. del Anexo I ofrece cabida para una «Breve descripción del asunto y de la medida ordenada»). Se trata, sin duda, de una posibilidad que debería ser bien aprovechada para explicar claramente el contenido y eficacia de la medida en términos neutros y comprensibles por cualquier operador jurídico. Aunque es cierto que la competencia para cumplimentar el certificado corresponde al tribunal de origen, nada impide que el solicitante le ofrezca un modelo de redacción para este apartado del certificado, que sirva para aligerar, en la medida de lo posible, el filtro de una eventual adaptación en el Estado de ejecución.

---

34. Esta regla, de hecho, ha sido adoptada poco después por nuestro legislador nacional en el artículo 44.2 de la Ley 29/2015, de 30 de julio, de cooperación jurídica internacional en materia civil.

35. De hecho, esto es lo que sucedió en el asunto resuelto por el AAP Islas Baleares (Sección 4.ª) de 9 de junio de 2009, núm. 118/2009 (JUR, 2009, 439908): se solicitó el exequátur de una *freezing order* acordada por la *High Court of Justice* que se acabó «traduciendo» en una suma de embargos preventivos respecto de bienes situados en territorio español.

Lo dispuesto en el artículo 54 RB I bis, por otra parte, significa que lo que debe solicitarse a los tribunales de origen es la adopción de alguna de las medidas provisionales o cautelares previstas en su legislación –la que proceda en función de las circunstancias del caso–, en la confianza de que, cuando deba ejecutarse en otro Estado, será objeto de la pertinente adaptación. Debe quedar radicalmente excluida, en consecuencia, la opción que se intentó –sin éxito– en el asunto resuelto por el AAP de Barcelona (Sección 17.ª) de 16 de enero de 1999[36]: la actora solicitó a un tribunal de Rubí la adopción como medida cautelar de una «hipoteca provisional judicial» (*sic*) sobre unas fincas situadas en Francia, en previsión de que la resolución habría de ejecutarse en Francia y con la finalidad declarada de evitar que la adopción de un embargo preventivo con arreglo a la legislación española pudiera después frustrar el desenlace del exequátur.

5.3. LA EFICACIA PRECLUSIVA DE LAS RESOLUCIONES SOBRE MEDIDAS PROVISIONALES O CAUTELARES

22. Finalmente, debe tenerse en cuenta que, al menos a juicio del Tribunal de Justicia, las resoluciones sobre medidas provisionales o cautelares, aunque tengan carácter provisional, también son susceptibles de desplegar una eficacia preclusiva o excluyente, susceptible de ser reconocida en los demás Estados miembros y que, dado el caso, puede hacerse valer como motivo de denegación de la ejecución de una resolución que sea inconciliable con ella, en los términos del artículo 45.1 c) RB I bis.

En efecto, la diversidad de opciones que ofrece el Reglamento para la obtención de tutela cautelar transfronteriza puede dar cabida a situaciones anómalas: imagínese, v.g., que se intenta sin éxito en el Estado miembro A el embargo preventivo de bienes de un sujeto al amparo de lo previsto en el artículo 35, por ser el Estado A el lugar donde se encuentran los bienes; todavía podría el acreedor intentar la obtención de una medida cautelar en el Estado miembro B, ante el que se desarrolla el proceso principal por ser el Estado de domicilio del demandado y, en caso de obtenerla, podría tratar de instar su reconocimiento y ejecución en el Estado A...

23. Pues bien, si se pretende conceder eficacia a una resolución cautelar de contenido diverso a otra adoptada por un tribunal del foro en relación con la misma pretensión de aseguramiento de una misma relación jurídica o derecho, habría que apreciar que la resolución cuya ejecución se pretende es inconciliable con la primera, en virtud de lo dispuesto en

---

36. AC 1999, 142.

el artículo 45.1 c) RB I bis. En concreto, en el asunto *Italian Leather*[37] el Tribunal de Justicia señaló que «una resolución extranjera de medidas provisionales mediante la que se impone al deudor determinadas obligaciones de no hacer es inconciliable con una resolución de medidas provisionales mediante la que se deniegan tales medidas dictada en un litigio entre las mismas partes en el Estado requerido»[38].

El asunto es ilustrativo de la picaresca antes aludida. La empresa Italian Leather presentó ante el tribunal de Koblenz (Alemania), sobre la base del artículo 24 CB –hoy sería el artículo 35 RB I bis–, una demanda de medidas provisionales contra la sociedad WECO, con el fin de obtener la prohibición de comercializar ciertos productos bajo una determinada marca. El tribunal alemán rechazó la petición por entender que no concurría peligro de daño irreparable o de pérdida irrevocable de derechos.

Algunos días antes de que el tribunal de Koblenz dictara su resolución, Italian Leather también había presentado una demanda de medidas provisionales ante un tribunal de Bari (Italia). Mediante resolución posterior a la del tribunal alemán, el tribunal italiano apreció de manera distinta el requisito del *periculum in mora* y concedió una medida cautelar de contenido muy similar al de la solicitada –y rechazada– en Alemania. Acto seguido, Italian Leather solicitó el exequátur de la resolución del tribunal de Bari ante el tribunal de Koblenz... El recurso de WECO frente a la resolución concediendo el exequátur motivó, en último término, el planteamiento de la cuestión prejudicial que permitió al Tribunal afirmar la aplicación en este supuesto del artículo 27.3 CB –hoy sería el artículo 45.1 c) RB I bis–.

Una vía argumentativa análoga se empleó por la *Chambre commerciale* de la *Cour de cassation* francesa en el asunto *Beneteau c. Panagia*[39.] Un tribunal griego autorizó *inaudita parte debitoris* el embargo preventivo de un buque amarrado en Reino Unido; los tribunales ingleses reconocieron y ejecutaron la resolución, que posteriormente fue revocada por el mismo

---

37. STJCE de 6 de junio de 2002, asunto C-80/00, *Italian Leather c. WECO Polstermöbel.*

38. En el ámbito de aplicación del RB II bis, la STJUE de 23 de diciembre de 2009, asunto C-403/09 PPU, *Deticek*, llega aún más lejos en materia de custodia de menores: no permite usar la competencia especial del artículo 20 RB II bis para que un tribunal de un Estado miembro adopte una medida provisional en materia de responsabilidad parental que otorgue la custodia de un menor que se encuentra en el territorio de dicho Estado miembro a uno de los progenitores, cuando un órgano jurisdiccional de otro Estado miembro, competente en virtud del RB II bis para conocer del fondo de litigio sobre la custodia del menor, ya ha dictado una resolución judicial que concede provisionalmente la custodia de dicho menor al otro progenitor y esta resolución judicial ha sido declarada ejecutiva en el territorio del primer Estado miembro.

39. *Arrêt* de la *Cour de cassation* de 8 de marzo de 2011, recurso (*pourvoi*) 09–13830.

tribunal griego tras oír a la parte demandada, lo que condujo al alzamiento del embargo en Reino Unido. Cuando el mismo buque llegó a puerto francés, el acreedor volvió a solicitar su embargo preventivo, pero esta vez la petición se dirigió directamente al juez francés (al amparo de la facultad de disociación del artículo 31 RB I –y, ahora, 35 RB I bis–), que inicialmente accedió a ella. En apelación, sin embargo, se revocó con el argumento – aceptado después por la *Cour de cassation*– de que el tribunal francés debió reconocer la resolución previa, dictada por el tribunal griego, en la que se establecía que no concurrían los presupuestos para su adopción y, en consecuencia, debió también haber denegado el embargo preventivo.

24. A mi juicio, sin embargo, debe formularse una primera e importante matización a lo anterior: el tribunal que conoce con posterioridad de una solicitud de medidas provisionales o cautelares, o a quien se solicita con posterioridad la ejecución de una medida provisional o cautelar, no estará vinculado por la resolución anterior si se le acredita la existencia de hechos nuevos o, si se prefiere, de un cambio de circunstancias jurídicamente relevante. Y se trata de algo nada infrecuente, dado que los juicios sobre la concurrencia de los presupuestos de medidas provisionales y cautelares se producen de ordinario en situaciones de urgencia y sobre la base de principios de prueba.

25. Además, las condiciones que expresamente establece el artículo 2 a) II RB I bis para que una resolución que contenga medidas provisionales o cautelares pueda desplegar sus efectos al amparo del Capítulo III pueden también modular las conclusiones anteriores.

– Si la primera resolución dictada, denegatoria de la medida cautelar, fue adoptada por un tribunal competente para conocer sobre el fondo y fue además notificada a su destinatario, entonces sí que cabrá reconocerle una eficacia preclusiva que ha de ser objeto de reconocimiento automático en los demás Estados miembros: en consecuencia, ningún otro tribunal de ningún otro Estado miembro estaría facultado, *rebus sic stantibus*, para volver a pronunciarse sobre la misma medida; y, en caso de que se pretendiera que la medida adoptada en segundo término en un segundo Estado fuera ejecutada en el Estado en que fue inicialmente denegada, podría el sujeto pasivo oponerse a la denegación al amparo de lo dispuesto en el artículo 45.1 c) RB I bis, esto es, por el carácter inconciliable de la segunda resolución con la primera.

– En cambio, esta conclusión no vale si la medida cautelar fue denegada por medio de una resolución que no merece la consideración de «resolución judicial apta para la circulación» en virtud del artículo 2 a) II RB I bis (porque el tribunal que la adoptó carecía de competencia para conocer del fondo o porque se adoptó de forma no contradictoria y no se notificó a su destinatario). El sujeto pasivo, en tal caso, podrá tal vez aducir la previa denegación cuando se solicite frente a él de nuevo la misma medida cautelar en otro Estado miembro, pero no existirá vinculación jurídica de ningún tipo para el tribunal llamado a resolver sobre ella, al menos sobre la base del RB I bis.

6. ALGUNAS CONCLUSIONES

26. La regulación de la tutela judicial cautelar siempre coloca al legislador en la difícil tesitura de lograr un equilibrio razonable entre la eficacia en la protección de quien aspira a obtener una sentencia favorable y el respeto a la posición jurídica de quien aún no ha sido vencido en juicio. En contextos de litigación transfronteriza las variables que influyen a la hora de resolver esta disyuntiva son aún más numerosas y complejas, pues se hace necesaria la cohabitación entre ordenamientos procesales diversos –y la tutela cautelar es, claramente, un sector en que las divergencias son más patentes–. Tras la entrada en vigor del RB I bis la situación, en el ámbito de la Unión Europea, puede considerarse razonablemente satisfactoria: de un lado, porque se mantiene la posibilidad de solicitud y obtención disociada de las medidas cautelares, en virtud del actual artículo 35; pero, sobre todo, porque se ha dotado de un régimen jurídico claro a la ejecución transfronteriza de resoluciones que acuerdan medidas provisionales y cautelares. Sujetar la posibilidad de circulación de las medidas al requisito de que las haya adoptado un tribunal con competencia para conocer del fondo del litigio resulta razonable para evitar fraudes al sistema de distribución de fueros del Reglamento y poner coto a estrategias de *forum shopping* potencialmente abusivas. En cuanto a la exigencia de previa notificación de la medida a su destinatario, resulta sin duda chocante para la propia lógica de las medidas cautelares desde una perspectiva puramente interna; sin embargo, puede seguir siendo prudente en un contexto transfronterizo en el que es preciso cuidar de forma singular el derecho de defensa y en el que aún no están armonizados los sistemas de tutela cautelar. En definitiva, parece que el legislador europeo ha hecho todo lo que, de momento, está en su mano para potenciar la tutela cautelar del justiciable en contextos transfronterizos. El futuro pasa por una mayor armonización de las medidas cautelares: el primer paso ya se ha dado, con la aprobación de la orden europea de retención de cuentas; el balance que pueda extraerse de su aplicación, sin duda, servirá para guiar desarrollos normativos futuros.

7. EPÍLOGO: RECONOCIMIENTO Y EJECUCIÓN DE MEDIDAS CAUTELARES Y PROVISIONALES FUERA DEL ÁMBITO EUROPEO: EL RÉGIMEN EN LA LEY DE COOPERACIÓN JURÍDICA INTERNACIONAL EN MATERIA CIVIL

27. Fuera del ámbito de la Unión Europea, en cambio, el panorama no es tan positivo. Cuando no resulte de aplicación el RB I bis, el régimen de la circulación transfronteriza de las resoluciones por las que se adoptan medidas provisionales o cautelares que pretendan ejecutarse en España se establece de forma tortuosa en el artículo 41.4 de la Ley de cooperación jurídica internacional en materia civil, con ocasión de la delimitación del ámbito de aplicación del sistema: «Sólo serán susceptibles de reconocimiento y ejecución las medidas cautelares y provisionales, cuando su denegación suponga una vulneración de la tutela judicial efectiva, y siempre que se hubieran adoptado previa audiencia de la parte contraria».

28. La regla general, por tanto, es desfavorable a la eficacia en España de este tipo de resoluciones, tal vez como forma de cortar de raíz los múltiples problemas prácticos que podrían suscitarse, teniendo en cuenta que la LCJIC es aplicable a resoluciones procedentes de Estados con sistemas jurídicos radicalmente diversos del nuestro (empezando por la propia definición de lo que debe entenderse como medidas cautelares y medidas provisionales). De hecho, en versiones iniciales de la LCJIC la exclusión era radical, de modo que el texto vigente es el resultado de enmiendas en sentido contrario. En todo caso, la situación no resulta satisfactoria, por dos razones.

a) En primer término, porque en la práctica será arduo determinar en qué casos sí –y en qué casos no– la denegación de la eficacia en España de una resolución extranjera acordando una medida provisional o cautelar comportará una vulneración del derecho fundamental a la tutela judicial efectiva. Desde luego, tratándose de medidas cautelares *stricto sensu*, hace ya muchos años que la doctrina de nuestro Tribunal Constitucional las incardina dentro del haz de facultades asociadas al artículo 24.1 CE, de modo que lo normal debería ser partir de la premisa de que la denegación de su reconocimiento o exequátur será lesiva del derecho a la tutela judicial efectiva. En el caso de medidas provisionales extranjeras que no obedezcan estrictamente a la lógica de la tutela cautelar, en cambio, el margen de apreciación puede ser más amplio, pues con mayor frecuencia el recurso a estas técnicas de tutela provisional obedece más a razones de conveniencia que de estricta necesidad.

b)   En segundo término, por la exigencia de su adopción previa audiencia de la parte contraria, sin ningún tipo de excepción. Está claro que con ello el legislador ha querido evitar trasladar a España la eficacia de resoluciones que, tal vez, se han adoptado no sólo *inaudita parte debitoris*, sino con infracción de los derechos de defensa del demandado. Pero la redacción del precepto impide una mínima flexibilidad al respecto, especialmente si pudiera acreditarse que el demandado ya conoce la resolución cautelar dictada frente a él en el extranjero y ha podido impugnarla en él. Se ha optado, pues, por una asunción férrea de la doctrina sentada inicialmente por el Tribunal de Justicia europeo en el asunto *Denilauler*, a pesar de los matices que posteriormente aportó el propio Tribunal –ya expuestos antes– y sin olvidar, tampoco, que en el nuevo RB I bis el legislador europeo se ha limitado a exigir la notificación de la resolución provisional o cautelar en el Estado de origen, pero no su adopción contradictoria.

Es evidente que la fuerte cohesión jurídica interna existente en la UE permite una regulación de la materia basada en las nociones de confianza y mutuo reconocimiento; estas condiciones, sin embargo, no pueden darse por descontadas cuando resulte de aplicación la LCJIC, llamada a regir la ejecución de medidas cautelares dictadas en Estados muy dispares. Ahora bien, aun siendo difícil, quizá el legislador nacional no debería haber renunciado a establecer criterios o parámetros que permitieran dotar de una mayor flexibilidad al sistema –y, con ello, una mejor protección en vía cautelar de aquellos justiciables que realmente la merezcan–.

Capítulo XXV

La giurisprudenza è, dunque, fonte del diritto

ANGELO RICCIO

Profesor de Derecho Civil. Abogado
Universidad de Bolonia

SUMARIO: 1. LA CRISI DEL POSITIVISMO GIURIDICO E IL PRIMATO DELLA GIURISDICTIO SULLA LEGISLATIO. 2. LA FUNZIONE DELLA GIURISPRUDENZA E L'EFFICACIA DEL DIRITTO VIVENTE. 3. RISOLUZIONE GIURISPRUDENZIALE DEL CONFLITTO TRA LA LEGGE IPOTECARIA SPAGNOLA E IL DIRITTO DELL'UNIONE EUROPEA IN RELAZIONE ALLA TASSATIVITÀ DEI MOTIVI DI OPPOSIZIONE ALL'ESECUZIONE DI CUI ALL'ART. 695 DEL CODICE DI PROCEDURA CIVILE SPAGNOLO.

1. LA CRISI DEL POSITIVISMO GIURIDICO E IL PRIMATO DELLA GIURISDICTIO SULLA LEGISLATIO

Come è noto, lo Stato sovrano si caratterizza per il potere che esso ha sul suo territorio e tale potere si esercita, secondo la tripartizione di Montesquieu[1], nel potere legislativo, nel potere esecutivo e nel potere giurisdizionale.

La priorità del potere legislativo sugli altri due poteri, aveva portato Hans Kelsen a dire che, di fatto, le funzioni fondamentali dello Stato sono

---

1.   Cfr. C. DE MONTESQUIEU, *De l'esprit des lois*, Amsterdam, 1784, XI, 6, p. 311 ss.

due: creazione ed applicazione (esecuzione) del diritto, e queste funzioni non sono coordinate ma subordinate o sopra-ordinate[2].

Il potere legislativo veniva quindi considerato come onnipotente, dato che il potere esecutivo poteva agire solo in presenza di una legge[3], mentre il potere giurisdizionale veniva considerato come «*la bouche qui pronunce les mots de la loi*», essendo riservato al potere legislativo il monopolio sulla creazione del diritto[4].

In passato, dunque, vi era il primato della *legislatio* sulla *giurisdictio*, in forza del tradizionale dogma dell'onnipotenza del legislatore, espressione estrema del positivismo giuridico[5], che riduce il diritto alla legge e nega l'esistenza di altre fonti del diritto, che siano ad essa sovraordinate[6].

Sennonchè, dopo l'avvento delle costituzioni moderne, si attribuì all'organo giurisdizionale –ed in particolare alla Corte costituzionale, nei sistemi di costituzionalità accentrati e a tutti i giudici comuni, nei sistemi di costituzionalità diffusi o decentrati– il potere di controllare la costituzionalità delle leggi e quindi di invalidare le leggi incostituzionali.

La possibilità che una legge emanata dall'organo legislativo venga annullata o modificata da un altro organo, rappresenta una notevole limitazione del potere del primo[7].

Tale sindacato giudiziario sulla legislazione costituisce una evidente interferenza nel principio della separazione dei poteri e pertanto si è detto

2.   Cfr. Hans Kelsen, *Teoria generale del diritto e dello Stato*, trad. it., Etaslibri, 1994, p. 275.

3.   Cfr. D. Sorace, *Amministrazione pubblica*, in *Enciclopedia Treccani, Diritto on line*, 2016, il quale mette in evidenza che la teoria della tripartizione dei poteri risulta però ormai obsoleta.

4.   Cfr. N. Luhmann, *Stato di diritto e sistema sociale*, trad. it., Napoli, 1978, p. 55.

5.   Cfr. Thomas Hobbes, *A dialoque between a philosopher and a student of the common laws of England*, 1681, (1681), trad. it. a cura di N. Bobbio, in T. Hobbes, Opere politiche, Torino, 1959, 533, ripubblicato con saggio introduttivo di T. Ascarelli, insieme ad altro scritto di Leibniz, Milano, 1960, p. 74. Sul pensiero di Hobbes, come prima espressione del positivismo giuridico, si v. G. Tarello, *Storia della cultura giuridica moderna*, I, Bologna, 1976, p. 59 e ss.; N. Bobbio, *Il positivismo giuridico*, Torino, 1961, 3.ᵃ ed. 1996; ID., *Giusnaturalismo e positivismo giuridico*, Torino, 1965, pubblicato da Laterza, 2011, con prefazione di Luigi Ferrajoli.

6.   Per le critiche a tale concezione, ormai superata, si v. Galgano, *Democrazia politica e legge della ragione*, in *Contratto e impresa*, 2007, p. 407 e ss.

7.   Cfr. Hans Kelsen, *Teoria generale del diritto e dello Stato*, cit., p. 274, il quale precisa che tale possibilità importa l'esistenza, oltre al legislatore positivo, di un legislatore negativo, di un organo che può essere composto secondo un principio totalmente diverso da quello del parlamento eletto dal popolo. E' allora quasi inevitabile un antagonismo fra i due legislatori, il positivo ed il negativo. Questo antagonismo può essere attenuato disponendo che i membri della corte costituzionale siano eletti dal parlamento.

che il giudice, in questo caso, svolgerebbe la funzione di un «legislatore negativo»[8].

A ben vedere, il giudizio principale o incidentale di costituzionalità, accentrato o diffuso, non attribuisce al Giudice delle leggi soltanto una funzione di «legislatore negativo», potendo lo stesso Giudice delle leggi emettere svariate sentenze[9], che attribuiscono anche «funzioni legislative positive», creative di nuove norme di diritto[10].

Le più significative sono le sentenze interpretative o manipolative. Nelle «decisioni interpretative» il Giudice delle leggi si pronuncia non sulla disposizione di legge nel significato normativo individuato dal giudice *a quo*, bensì su un diverso significato normativo che essa stessa ritiene contenuto nella disposizione impugnata. Non c'è così alcuna corrispondenza tra «chiesto e pronunciato». Le decisioni interpretative di rigetto si dicono «correttive» quando il Giudice delle leggi «corregge» l'interpretazione fornita dal giudice *a quo*, la quale si discosta dal diritto vivente; si dicono invece «adeguatrici» (o decisioni interpretative di rigetto in senso stretto) quando il Giudice delle leggi individua nella disposizione impugnata dal giudice *a quo* un diverso significato, eventualmente anche contrario al diritto vivente, ma conforme al dettato costituzionale. Le sentenze interpretative di accoglimento, invece, le quali sostanzialmente si basano sullo schema di una doppia pronuncia, vengono adottate soprattutto nelle ipotesi in cui si mantenga un diritto vivente difforme a una precedente decisione interpretativa di rigetto. Per ciò che concerne gli effetti delle decisioni interpretative, mentre le sentenze di accoglimento hanno gli effetti ordinariamente collegati a questo tipo di pronuncia, maggiormente controversa è la questione riguardante le decisioni di rigetto, dovendosi distinguere tra le decisioni di rigetto in senso stretto, nelle quali l'interpretazione fornita dal Giudice delle leggi è individuabile sia nella motivazione sia nel dispositivo, dalle decisioni di rigetto interpretative, nelle quali invece l'interpretazione fornita dal Giudice delle leggi è presente nella sola motivazione. Si deve comunque notare come solitamente la giurisprudenza ordinaria si adegui alle interpretazioni operate dal Giudice delle leggi, discostandosene soltanto in caso di invincibile opposto convincimento ermeneutico. Le «decisioni manipolative», invece, comportano un'alterazione del parametro (che viene esteso nella sua interpretazione e applicazione) oppure del testo di legge. Queste ultime, a loro volta, possono essere: a) riduttive: quando espungono, a

---

8.   Cfr. Hans Kelsen, *Teoria generale del diritto e dello Stato*, cit., p. 273.

9.   Cfr. G. Zagrebelsky, Processo costituzionale, in *Enc. del dir.*, Milano, 1987, p. 626 e ss.

10.   Cfr. Ascarelli, *Giurisprudenza costituzionale e teoria dell'interpretazione*, in *Riv. dir. proc.*, 1957, I, 352 e ss.

seconda dei casi, parte della norma oppure parte della disposizione; b) additive: quando aggiungono un contenuto normativo assente nella disposizione. Possono essere «additive di garanzia» (o di prestazione) quando la pronuncia della corte introduce una norma (il che avviene quando la pronuncia è «a rime obbligate», ossia quando la norma aggiunta dal Giudice delle leggi è direttamente ricavabile dal disposto costituzionale), oppure «additive di principio», quando cioè il Giudice delle leggi si limita a indicare un principio, il quale può orientare l'attività interpretativa del giudice ovvero l'azione del legislatore. Le additive di prestazione pongono un problema di copertura delle spese, pur non essendo le sentenze del Giudice delle leggi, a differenza delle leggi, soggette all'obbligo costituzionale di copertura; c) sostitutive: quando, con una duplice componente (ablatoria e additiva), una norma o una disposizione viene sostituita con altra norma o altra disposizione.

Come le decisioni del Giudice delle leggi possono avere effetti manipolativi nello «spazio», questi effetti si possono avere anche nel tempo[11], con decisioni manipolative per il passato (*pro praeterito*: incostituzionalità sopravvenuta e incostituzionalità differita) oppure per il futuro (*pro futuro*), con le quali il Giudice delle leggi-pur riconoscendo nella motivazione l'illegittimità della disposizione impugnata-rinvia l'annullamento con un dispositivo di rigetto (sentenze-indirizzo o monitorie di rigetto, sentenze di incostituzionalità accertata ma non dichiarata; vengono adottate soprattutto per sollecitare l'intervento del legislatore, altrimenti inerte)[12].

Il sindacato sulla legittimità costituzionale delle leggi, inoltre, si estende oltremisura in forza del principio di ragionevolezza[13], che è stato

---

11. Cfr. Corte Cost., 12 gennaio 2012, n. 1, in relazione alla categoria dell'incostituzionalità sopravvenuta.
12. Cfr. D. Diaco, *Gli effetti temporali delle decisioni di incostituzionalità tra legge fondamentale e diritto costituzionale vivente*, in Consulta online, 26 aprile 2016, fasc. I.
13. Cfr. L. Paladin, *Ragionevolezza (principio di)*, in Enc. del dir., aggiornamento, I, Milano, 1997, 899 ss., in particolare paragrafo 1. Sul principio di ragionevolezza si vedano i contributi di M. Cartabia, *I principi di ragionevolezza e proporzionalità nella giurisprudenza costituzionale italiana*; M. Fierro, *La ragionevolezza nella giurisprudenza costituzionale italiana*; O. Porchia, *La proporzionalità nella giurisprudenza della Corte di giustizia dell'Unione europea con particolare riferimento all'ordinamento italiano*; B. Randazzo, *Il sindacato sulla ragionevolezza della legge e lo scrutinio di proporzionalità sul margine di apprezzamento riservato allo Stato in rapporto a misure generali aventi natura legislativa. Aspetti problematici del dialogo tra le Corti*, tutti pubblicati in *www.cortecostituzionale. it/documenti/ convegni_seminari/RI, I Principi di proporzionalità e ragionevolezza nella giurisprudenza costituzionale, anche in rapporto alla giurisprudenza delle Corti europee*, in *Quaderno predisposto in occasione dell'incontro trilaterale tra Corte costituzionale italiana, Tribunale costituzionale spagnolo e Corte costituzionale portoghese*, tenutosi presso Palazzo della Consulta, Roma, 24–26 ottobre 2013; A. Morrone, *Il custode della ragionevolezza*,

utilizzato come autonomo criterio di valutazione delle leggi, a prescindere dal principio di uguaglianza, e consente di dichiarare la illegittimità costituzionale di norme di legge intrinsecamente irragionevoli, e cioè incongrue, contraddittorie, ingiuste[14].

Una simile evoluzione della giurisprudenza costituzionale, e come si vedrà più oltre, anche dei Giudice comuni, implica una rivoluzione profonda della teoria del diritto e dello Stato[15]. Comporta, come è stato messo bene in evidenza da Galgano[16], il superamento del positivismo giuridico, dell'onnipotenza del legislatore e dell'equazione legittimità uguale legalità.

La legge non è legittima solo perché legalmente formata, perché espressione della volontà sovrana di una maggioranza parlamentare. Essa trova un ulteriore limite nella ragionevolezza di ciò che vuole: la maggioranza non può, solo perché tale, imporre leggi arbitrarie, incongrue, incoerenti, ingiuste, lesive di fondamentali valori di civiltà giuridica[17].

Milano, 2001, p. 542; MODUGNO, *La ragionevolezza nella giustizia costituzionale*, Napoli, 2007, p. 66. In argomento si v. GALGANO, *Democrazia politica e legge della ragione*, in *Contratto e impresa*, 2007, p. 410 e ss.; M. FRANZONI, *L'interprete del diritto nell'economia globalizzata*, cit., p. 373.

14. Cfr. GALGANO, *Democrazia politica e legge della ragione*, cit., p. 410 e ss., secondo cui tale tendenza comincia con Corte cost., 16 febbraio 1963, n. 7, in *Giur. cost.*, 1963, p. 66, con nota di L. PALADIN. Esamina, con puntuali riferimenti alla giurisprudenza costituzionale, tutta questa vicenda, anche con riferimento all'analoga vicenda tedesca, G. SCACCIA, *Gli strumenti della ragionevolezza nel giudizio costituzionale*, Milano, 2000, p. 98 e ss.; nonché *Eccesso di potere legislativo e sindacato di ragionevolezza*, in *Politica del dir.*, 1999, p. 387. Ampio esame del tema già in A. LOIODICE, *Revoca di incentivi economici ed eccesso di potere legislativo*, in *Scritti per Alfonso Tesauro*, II, Milano, 1968, p. 787. Si richiamano anche: E F. CARNELUTTI, che già aveva scritto sull'*Eccesso di potere nelle deliberazioni delle assemblee della società anonima*, in *Riv. dir. comm.*, 1926, I, p. 176, scrive sull'*Eccesso di potere legislativo*, in *Riv. dir. proc.*, II, 1947, p. 193; e *Il giudice e la legge* in fraudem legis, in *Riv. dir. proc.*, 1952, p. 9. Già in relazione allo Statuto Albertino aveva parlato di eccesso di potere legislativo SANTI ROMANO, *Osservazioni preliminari per una teoria sui limiti della funzione legislativa nel diritto italiano*, in *Scritti minori*, I, Milano, 1950, p. 199; e fra i primi ad occuparsene nel vigore della Costituzione cfr. C. MORTATI, *Sull'eccesso di potere legislativo*, in *Giur. it.*, 1949, I, 1, c. 457; e *In tema di legge ingiusta*, in *Giur. cost.*, 1960, p. 167; L. PALADIN, *Osservazioni sulla discrezionalità e sull'eccesso di potere del legislatore ordinario*, in *Riv. trim. dir. pubbl.*, 1956, p. 993; M.S. GIANNINI, *L'illegittimità degli atti normativi e delle norme*, in *Riv. it. scienze giur.*, 1954, p. 56.

15. Cfr. G. BUONGIOVANNI, *Costituzionalismo e teoria del diritto*, Roma,-Bari, 2005, p. 45 e ss.; GALGANO, *Democrazia politica e legge della ragione*, cit., p. 411.

16. Cfr. GALGANO, *Democrazia politica e legge della ragione*, cit., p. 411 e ss.

17. Cfr. GALGANO, *Democrazia politica e legge della ragione*, cit., p. 411, il quale nella nota 61, ribadisce che si tratta, perciò, non già di un controllo «interno all'ordinamento legislativo, ma interamente esterno ad esso, in base a criteri di giustizia *a priori* rispetto ai

Il moderno costituzionalismo ristabilisce quel nesso tra diritto e giustizia, sulla base del quale nacque l'invenzione del diritto[18].

Significativo è il caso del sindacato di ragionevolezza costituzionale delle leggi di interpretazione autentica, al fine di limitare gli effetti retroattivi, in quanto lesivi sia del principio di certezza del diritto, sia del principio di uguaglianza, sia del principio di affidamento[19].

---

contenuti dell'ordinamento giuridico». Così G. ZAGREBELSKY, *La giustizia costituzionale*, Bologna, 1988, p. 155; Id., *Il diritto mite*, Torino, 1992, p. 183. La letteratura sul tema si sta intensificando: cfr. L. D'ANDREA, *Ragionevolezza e legittimazione del sistema*, Milano, 2005; A. RUGGERI, *Interpretazione costituzionale e ragionevolezza*, in *Politica del dir.*, 2006, p. 531.

18. Cfr. A. SCHIAVONE, *Jus. L'invenzione del diritto in Occidente*, Torino, 2005, p. 371.

19. Cfr. Corte Cost., 5 aprile 2012, n. 78, la quale ha dichiarato incostituzionale l'art. 2, comma 61, del d.l. n. 225 del 2010, convertito, con modificazioni, dalla legge n. 10 del 2011. In motivazione si afferma che «orbene, questa Corte ha già affermato che il divieto di retroattività della legge (art. 11 delle disposizioni sulla legge in generale), pur costituendo valore fondamentale di civiltà giuridica, non riceve nell'ordinamento la tutela privilegiata di cui all'art. 25 Cost. (sentenze n. 15 del 2012, n. 236 del 2011, e n. 393 del 2006). Pertanto, il legislatore –nel rispetto di tale previsione– può emanare norme retroattive, anche di interpretazione autentica, purché la retroattività trovi adeguata giustificazione nell'esigenza di tutelare principi, diritti e beni di rilievo costituzionale, che costituiscono altrettanti «motivi imperativi di interesse generale», ai sensi della Convenzione europea dei diritti dell'uomo e delle libertà fondamentali (CEDU). La norma che deriva dalla legge di interpretazione autentica, quindi, non può dirsi costituzionalmente illegittima qualora si limiti ad assegnare alla disposizione interpretata un significato già in essa contenuto, riconoscibile come una delle possibili letture del testo originario (ex plurimis: sentenze n. 271 e n. 257 del 2011, n. 209 del 2010 e n. 24 del 2009). In tal caso, infatti, la legge interpretativa ha lo scopo di chiarire «situazioni di oggettiva incertezza del dato normativo», in ragione di «un dibattito giurisprudenziale irrisolto» (sentenza n. 311 del 2009), o di «ristabilire un'interpretazione più aderente alla originaria volontà del legislatore» (ancora sentenza n. 311 del 2009), a tutela della certezza del diritto e dell'eguaglianza dei cittadini, cioè di principi di preminente interesse costituzionale. Accanto a tale caratteristica, questa Corte ha individuato una serie di limiti generali all'efficacia retroattiva delle leggi, attinenti alla salvaguardia, oltre che dei principi costituzionali, di altri fondamentali valori di civiltà giuridica, posti a tutela dei destinatari della norma e dello stesso ordinamento, tra i quali vanno ricompresi il rispetto del principio generale di ragionevolezza, che si riflette nel divieto di introdurre ingiustificate disparità di trattamento; la tutela dell'affidamento legittimamente sorto nei soggetti quale principio connaturato allo Stato di diritto; la coerenza e la certezza dell'ordinamento giuridico; il rispetto delle funzioni costituzionalmente riservate al potere giudiziario (sentenza n. 209 del 2010, citata, punto 5.1, del Considerato in diritto). Ciò posto, si deve osservare che la norma censurata, con la sua efficacia retroattiva, lede in primo luogo il canone generale della ragionevolezza delle norme (art. 3 Cost.). Invero, essa è intervenuta sull'art. 2935 cod. civ. in assenza di una situazione di oggettiva incertezza del dato normativo, perché, in materia di decorrenza del termine di prescrizione relativo alle operazioni bancarie regolate in conto corrente, a parte un indirizzo del tutto minoritario della giurisprudenza di merito, si era ormai formato

Da qualche tempo il Giudice delle leggi ha trasferito alla competenza dei Giudici comuni, il dovere d'interpretazione conforme, adeguatrice e costituzionalmente orientata[20], con la conseguenza che assistiamo di fatto ad un vero e proprio sindacato diffuso dei Giudici comuni sulle leggi[21], con evidenti creazioni di nuove norme di diritto[22].

---

un orientamento maggioritario in detta giurisprudenza, che aveva trovato riscontro in sede di legittimità ed aveva condotto ad individuare nella chiusura del rapporto contrattuale o nel pagamento solutorio il dies a quo per il decorso del suddetto termine. Inoltre, la soluzione fatta propria dal legislatore con la norma denunziata non può sotto alcun profilo essere considerata una possibile variante di senso del testo originario della norma oggetto d'interpretazione. Come sopra si è notato, quest'ultima pone una regola di carattere generale, che fa decorrere la prescrizione dal giorno in cui il diritto (già sorto) può essere fatto legalmente valere, in coerenza con la ratio dell'istituto che postula l'inerzia del titolare del diritto stesso, nonché con la finalità di demandare al giudice l'accertamento sul punto, in relazione alle concrete modalità della fattispecie. La norma censurata, invece, interviene, con riguardo alle operazioni bancarie regolate in conto corrente, individuando, con effetto retroattivo, il dies a quo per il decorso della prescrizione nella data di annotazione in conto dei diritti nascenti dall'annotazione stessa. In proposito, si deve osservare che non è esatto (come pure è stato sostenuto) che con tale espressione si dovrebbero intendere soltanto i diritti di contestazione, sul piano cartolare, e dunque di rettifica o di eliminazione delle annotazioni conseguenti ad atti o negozi accertati come nulli, ovvero basati su errori di calcolo. Se così fosse, la norma sarebbe inutile, perché il correntista può sempre agire per far dichiarare la nullità –con azione imprescrittibile (art. 1422 cod. civ.)– del titolo su cui l'annotazione illegittima si basa e, di conseguenza, per ottenere la rettifica in suo favore delle risultanze del conto. Ma non sono imprescrittibili le azioni di ripetizione (art. 1422 citato), soggette a prescrizione decennale.

20. Cfr. A. D'ATENA, *Interpretazioni adeguatrici, diritto vivente e sentenze interpretative della Corte Costituzionale*, in *Relazione conclusiva al Seminario «Corte Costituzionale, giudici comuni, interpretazioni adeguatrici»*, presso Corte Costituzionale, Palazzo della Consulta, Roma, 6 novembre 2009, p. 12 e ss.; AMOROSO, *I seguiti delle decisioni di interpretazione adeguatrice della Corte costituzionale nella giurisprudenza di legittimità della Corte di Cassazione*, in *Riv. trim. dir. pub.*, 2008, p. 769 e ss.

21. Cfr. F. CARPI, *Osservazioni sulle sentenze «additive» delle sezioni unite della Cassazione*, in *Riv. trim. dir. proc. civ.*, 2010, p. 587 e ss.

22. Cfr. Corte cost., 11 luglio 2003, n. 233, la quale ha dichiarato non fondata la questione di legittimità costituzionale dell'art. 2059 c.c., in relazione all'art. 3 Cost., avendo correttamente la Corte di Cassazione, con le sentenze gemelle, 31 maggio 2003, nn. 8827 e 8828, interpretato la norma dell'art. 2059 c.c. in modo conforme alla Costituzione, con evidente creazione di un diritto vivente innovativo rispetto a quello indicato dal Tribunale di Roma, quale giudice rimettente, con l'ordinanza 20 giugno 2002. In argomento si v. GALGANO, *Stare decisis e no nella giurisprudenza italiana*, in *Contratto e impresa*, 2004, p. 11, il quale richiama come esempio emblematico, la clamorosa interpretazione che, a cavallo del 2000, la Cassazione ha dato all'art. 2059 c.c., relativo al risarcimento del danno non patrimoniale: interpretazione abrogativa dell'inciso «nei casi previsti dalla legge», giudicato in contrasto con l'art. 2 della Costituzione. Operazione interpretativa encomiabile, in sé considerata; ma è davvero una interpretazione o non è piuttosto una vera e propria riforma legislativa, anche se attuata per sentenza? Era «ambiguo» quell'inciso? Certamente no: la Cassazione lo

La diretta utilizzazione della Costituzione da parte dei Giudici comuni[23], consente a questi ultimi di effettuare, senza la necessaria intermediazione del Giudice delle leggi, la doverosa interpretazione conforme, adeguatrice e costituzionalmente orientata[24], tenendo sempre conto del diritto vivente[25].

---

cancella, anche se chiarissimo; lo cancella perché lesivo di un diritto fondamentale; e cancella, al tempo stesso, l'art. 12 delle preleggi; M. FRANZONI, *L'interprete del diritto nell'economia globalizzata*, in *Contratto e impresa*, 2010, p. 379, il quale precisa che in concreto accade che il diritto vivente pone una norma nuova pur con una procedura diversa da quella seguita dal sistema delle fonti di produzione del diritto positivo. In altri termini, grazie all'attività dell'interprete, nell'ordinamento giuridico si determinano le condizioni per una sua autopoiesi, poiché a certe condizioni non è più necessario l'intervento esterno: quello del legislatore; L'A. richiama al riguardo IRTI, *Crisi mondiale e diritto europeo*, in *Riv. trim. dir. e proc. civ.*, 2009, p. 1243 e ss., che a sua volta richiama l'autopoiesi giuridica, che vede la creatura farsi creatore, e negare o dimenticare il rapporto di derivazione dall'altrui volontà.

23. Cfr. PERLINGERI, *Il diritto civile nella legalità costituzionale secondo il sistema italo-comunitario delle fonti*, 3ª ed., Napoli 2006, p. 715 ss. In particolare si v. LIPARI, *Intorno ai «principi generali del diritto»*, in *Riv. dir. civ.*, n. 1, 2016, p. 10028, il quale precisa che il processo di costituzionalizzazione del diritto ha condotto non solo a rompere definitivamente il paradigma della fattispecie, ma altresì a superare in radice l'idea stessa di un procedimento interpretativo che non possa che riconnettere il principio ad un sistema di enunciati posti (quali che poi siano i criteri volti ad enuclearli). È stato giustamente detto che i precetti ricevono oggi i loro significati dalla vita sociale e sfuggono sempre più al controllo delle istituzioni. Il testo costituzionale individua principî riconducibili ad una sensibilità diffusa, ancorché storicamente condizionata, che allargano l'ambito di riferimento del giudice inducendolo a valutare i valori prevalenti nel contesto sociale in relazione ai beni e agli interessi implicati nel conflitto. E se una tensione permane va risolta in chiave di bilanciamento, non certo secondo il paradigma della sussunzione del fatto entro la fattispecie astratta delineata dalla previsione normativa, sia pure una fattispecie a maglie larghe costituita attraverso il riferimento ad una pluralità di indici normativi diffusi nel sistema.

24. Cfr. AMOROSO, *I seguiti delle decisioni di interpretazione adeguatrice della Corte costituzionale nelle decisioni della Corte di Cassazione*, in *Riv. trim. dir. pub.*, 2008, p. 768 e ss.; Corte Cost., 21 gennaio 2010, n. 17; Corte Cost., 23 ottobre 2009, n. 263; Corte Cost., 30 luglio 2008, n. 305; Corte Cost., 27 ottobre 2006, n. 343; Corte Cost., 28 gennaio 2010, n. 26; Corte Cost., 20 giugno 2008, n. 219.

25. Cfr. MENGONI, *Diritto vivente*, in *Dig. disc. priv. sez. civ.*, Torino, 1990, p. 45 e ss.; MORELLI, *Il diritto vivente nella giurisprudenza della Corte costituzionale*, in *Giust. civ.*, 1995, p. 169 e ss.; ZAGREBELSKY, *La dottrina del diritto vivente*, in *Giur. cost.*, 1986, I, 1152 e ss.; SICCHIERO, *Il principio di effettività ed il diritto vivente*, in *Giur. it.*, 1995, IV, c. 263 e ss.; SANTORELLI, *Il c.d. diritto vivente tra giudizio di costituzionalità e nomofilachia*, in *Interpretazione a fini applicativi e legittimità costituzionale*, a cura di FEMIA, *Rassegna di diritto civile*, Napoli, 2006, p. 509 e ss.; EVANGELISTA-CANZIO, *Corte di Cassazione e diritto vivente*, in *Foro it.*, 2005, V, p. 84 ss. In giurisprudenza si v. Cass., sez. un., 2 agosto 1994, n. 7194; Corte Cost., 30 gennaio 2002, n. 3; Corte Cost., 16 novembre 2001, n. 367; Corte Cost., 25 luglio 2000, n. 358; Corte Cost., 14 giugno 2007, n. 192; Corte Cost., 24 aprile 2009, n. 117.

I Giudici comuni hanno il dovere di osservare anche il diritto dell'Unione Europea e il diritto della CEDU, come impongono gli artt. 10, 11 e 117, comma 1.°, Cost.[26], con la conseguenza che lo Stato non è più onnipotente e le sue leggi potrebbero essere disapplicate per incompatibilità con la normativa –non statuale– di rango superiore, con la conseguente crisi della statualità e della nazionalità del diritto[27].

I Giudici comuni, inoltre, hanno il dovere di interpretare il diritto nazionale in modo conforme al diritto dell'Unione Europea[28] e al diritto della CEDU[29], così come interpretati dalla Corte di Giustizia di Lussemburgo e dalla Corte Europea dei diritti dell'Uomo di Strasburgo[30].

La Convenzione europea dei diritti dell'uomo, in forza dell'art. 117, comma 1.°, Cost., assurge fondamentalmente a norma di rango costituzionale[31], tanto è vero che la Corte costituzionale, mutando orientamento, ha statuito che «l'art. 117, 1.° comma, cost. condiziona l'esercizio della potestà legislativa dello stato e delle regioni al rispetto degli obblighi internazionali, fra i quali rientrano quelli derivanti dalla convenzione europea dei

---

26. Cfr. L.S. Rossi, «Stesso valore giuridico dei Trattati»? Rango, primato ed effetti diretti della Carta dei diritti fondamentali dell'Unione europea, in Dir. Un. Eu., 2016, n. 2, p. 329 e ss.

27. Cfr. Galgano, Danno non patrimoniale e diritti dell'uomo, in Contratto e impresa, 2009, p. 888; Lipari, Intorno ai «principi generali del diritto», cit., p. 10029, il quale richiama al riguardo la sentenza della Cassazione sul caso Englaro-Cass., Cass. 13 novembre 2007, n. 21748, in F. it., 2008, I, c. 2609, certamente fondata su princípi, nella dichiarata assenza di norme specifiche volte a disciplinare la fine di una vita prevalentemente vegetativa-che ha fondato la sua motivazione su una concorrente serie di indici, peraltro privi di una loro diretta efficacia vincolante, come convenzioni internazionali non ratificate dall'Italia o leggi costituzionali di Stati terzi. Galgano, La Giurisprudenza fra ars inveniendi e ars combinatori, in Contratto e impresa, 2012, p. 77 e ss., §6, cambiando opinione, dice che nel caso Englaro la giurisprudenza della Cassazione non è stata innovativa e creativa, bensì meramente ricognitiva e dichiarativa, non avendo colmato alcuna lacuna del sistema, ma semplicemente applicato il preesistende diritto all'autodeterminazione. In argomento si v. Franzoni, Testamento biologico, autodeterminazione e responsabilità, in La responsabilità civile, 2008, p. 581 e ss., spec. § 4. Sulla crisi della statualità del diritto si v. Hobsbawm, Fine dello Stato, trad. it., Milano 2007; Cassese, Universalità del diritto, Napoli 2005; Id., Oltre lo Stato, Roma-Bari 2006.

28. Cfr. Corte Cost., 13 giugno 2000, n. 190; Corte Cost., 28 gennaio 2010, n. 28.

29. Cfr. Corte EDU, 27 marzo 2003, Scordino, in Foro it., 2003, IV, 361; Corte Cost., 5 gennaio 2011, n. 1.

30. Cfr. M. Franzoni, L'interprete del diritto nell'economia globalizzata, cit., p. 366 e ss.

31. Cfr. Occupazione usurpativa e confische tra Roma e Strasburgo, in Atti del Convegno nazionale a cura di Giuseppe Tucci, Bari, 2009, con presentazione di Tucci, introduzione di A. Marini e contributi di F. Caruso, Crisafulli, Ventura, Tucci, Casarano; A.A.V.V., Convenzione europea per la salvaguardia dei diritti dell'uomo e delle libertà fondamentali, a cura di Pasquale Gianniti, in Commentario del codice civile e codici collegati, Scialoja-Branca-Galgano, a cura di Giorgio De Nova, Bologna-Roma, 2015.

diritti dell'uomo, le cui norme pertanto, così come interpretate dalla corte europea dei diritti dell'uomo, costituiscono fonte integratrice del parametro di costituzionalità introdotto dall'art. 117, 1.° comma, cost., e la loro violazione da parte di una legge statale o regionale comporta che tale legge deve essere dichiarata illegittima dalla Corte costituzionale»[32].

I suddetti principi sono stati ribaditi dal Giudice delle leggi in altre pronunce[33], nelle quali si è statuito che «a partire dalle sentenze n. 348 e n. 349 del 2007, la giurisprudenza di questa Corte è costante nel ritenere che le norme della CEDU –nel significato loro attribuito dalla Corte europea dei diritti dell'uomo, specificamente istituita per dare a esse interpretazione e applicazione (art. 32, paragrafo 1, della Convenzione)– integrino, quali «norme interposte», il parametro costituzionale espresso dall'art. 117, primo comma, Cost., nella parte in cui impone la conformazione della legislazione interna ai vincoli derivanti dagli «obblighi internazionali»[34]. Prospettiva nella quale, ove si profili un eventuale contrasto fra una norma interna e una norma della CEDU, il giudice comune deve verificare anzitutto la praticabilità di una interpretazione della prima in senso conforme alla Convenzione, avvalendosi di ogni strumento ermeneutico a sua disposizione; e, ove tale verifica dia esito negativo –non potendo a ciò rimediare tramite la semplice non applicazione della norma interna contrastante– egli deve denunciare la rilevata incompatibilità, proponendo

---

32. Cfr. Corte cost., 24 ottobre 2007, n. 349, Pres. Bile, Est. Tesauro e Corte cost., 24 ottobre 2007, n. 348, Pres. Bile, Est. Silvetri, in *Foro it.*, 2008, I, 39 e ss., con note di ROMBOLI, TRAVI, CAPPUCCIO GHERA. Sul punto si veda il commento di D. TEGA, *La Cedu nella giurisprudenza della Corte costituzionale*, in *Quaderni costituzionali*, 2007, p. 431 ss.

33. Cfr. Corte Cost., 4 giugno 2010, n. 196, che ha dichiarato l'incostituzionalità dell'art. 186, comma 2.°, lett. c) del codice della strada, che prevedeva l'applicazione retroattiva della confisca; Corte Cost., 4 aprile 2011, n. 113, la quale ha dichiarato l'incostituzionalità dell'art. 630 c.p.p., nella parte in cui non prevede un diverso caso di revisione della sentenza o del decreto penale di condanna al fine di conseguire la riapertura del processo, quando ciò sia necessario, ai sensi dell'art. 46, paragrafo 1, della Convenzione per la salvaguardia dei diritti dell'uomo e delle libertà fondamentali, per conformarsi ad una sentenza definitiva della Corte europea dei diritti dell'uomo. In argomento si v. R. CONTI, *La scala reale della Corte costituzionale sul ruolo della CEDU nell'ordinamento interno*, in *Corr. giur.*, n. 9/2011, p. 1242 e ss.

34. Cfr. Corte Cost., 5 gennaio 2011, n. 1; Corte Cost., 4 giugno 2010, n. 196; Corte Cost., 28 maggio 2010, n. 187; Corte Cost., 15 aprile 2010, n. 138; Corte Cost., 4 dicembre 2009, n. 317; Corte Cost., 26 novembre 2009, n. 311; Corte Cost., 24 luglio 2009, n. 239; Corte Cost., 27 febbraio 2008, n. 39; sulla perdurante validità di tale ricostruzione anche dopo l'entrata in vigore del Trattato di Lisbona del 13 dicembre 2007, si v. Corte Cost., 11 marzo 2011, n. 80, con commento di R. CONTI, *La scala reale della Corte costituzionale sul ruolo della CEDU nell'ordinamento interno*, in *Corr. giur.*, n. 9/2011, p. 1242 e ss., il quale esamina anche Corte Cost., 7 aprile 2011, n. 113; Corte Cost., 10 giugno 2011, n. 181; Corte Cost., 22 febbraio 2011, n. 236; Corte Cost., 25 luglio 2011, n. 245. In argomento si v. M. FRANZONI, *L'interprete del diritto nell'economia globalizzata*, cit., p. 370.

questione di legittimità costituzionale in riferimento all'indicato parametro. A sua volta, la Corte costituzionale, investita dello scrutinio, pur non potendo sindacare l'interpretazione della CEDU data dalla Corte europea, resta legittimata a verificare se la norma della Convenzione– la quale si colloca pur sempre a un livello sub-costituzionale –si ponga eventualmente in conflitto con altre norme della Costituzione: ipotesi nella quale dovrà essere esclusa la idoneità della norma convenzionale a integrare il parametro considerato»[35].

A ben vedere, il diritto della CEDU dovrebbe ricevere quantomeno lo stesso trattamento del diritto dell'U.E., avendo l'art. 117, comma 1.°, Cost., senza alcuna distinzione, collocato sullo stesso piano, con valore di rango costituzionale[36], sia i vincoli derivanti dall'ordinamento comunitario, sia i vincoli derivanti dagli obblighi internazionali, fra i quali rientrano certamente quelli derivanti dalla CEDU.

E' impensabile che le norme a tutela della concorrenza e del mercato possano trovare maggiore protezione rispetto alle norme a tutela dei diritti dell'uomo e delle libertà fondamentali[37]. Ed infatti, il Trattato di

---

35. Cfr. G. RAIMONDI, *Corte di Strasburgo e Stati: dialoghi non sempre facili. Intervista a cura di Diletta Tega a Guido Raimondi*, in *Quaderni costituzionali*, 2014, p. 468.

36. Cfr. GALGANO, *Danno non patrimoniale e diritto dell'uomo*, in *Contratto e impresa*, 2009, p. 889.

37. Cfr. GALGANO, *Danno non patrimoniale e diritto dell'uomo*, cit., p. 891 e ss., secondo cui, il punto è che i diritti dell'uomo cui fa riferimento l'art. 2 Cost. sono, per loro stessa natura, diritti universali, che superano i confini politici di ogni Stato e si sottraggono alla facoltà di disposizione inerente alla sua sovranità. Sono diritti trovati, non già diritti creati dagli Stati; sono diritti dell'uomo in quanto tale, non dell'uomo in quanto cittadino, e per questa loro universale condizione la Repubblica, a norma dell'art. 2 Cost., li riconosce e garantisce. Il nuovo art. 117, comma 1.°, Cost. va letto alla luce dell'art. 2: le convenzioni che, per accordo fra gli Stati, identificano i singoli diritti dell'uomo, sono intangibili per atto legislativo dello Stato come delle Regioni. E sono intangibili quantunque si tratti di convenzioni ratificate con legge ordinaria. Se mai la natura della legge di ratifica quale legge ordinaria fosse rilevante, non avrebbe alcun senso l'art. 117, comma 1.°, che impone al legislatore nazionale il «rispetto» di quelle convenzioni, giacché una legge ordinaria, qual è la legge di ratifica, può sempre essere modificata con successiva legge ordinaria. Perché mai, allora, subordinare l'applicazione delle convenzioni al vaglio di conformità alla Costituzione? Si consideri poi che gli obblighi internazionali sono posti, nell'art. 117, comma 1.°, sullo stesso piano dell'ordinamento comunitario, sottoposti al medesimo vincolo di rispetto da parte del legislatore nazionale. E non c'è più alcun dubbio sulla diretta applicabilità del diritto comunitario da parte del giudice nazionale. Altrove –si è poc'anzi fatto l'esempio della Francia– le convenzioni internazionali sui diritti dell'uomo sono giudicate come direttamente azionabili davanti al giudice nazionale, anche a prescindere dalla vigenza di una norma corrispondente al nostro art. 117, comma 1°, Cost. È legittimo attendersi allora ulteriori sviluppi della nostra giurisprudenza, tanto ordinaria quanto costituzionale.

Lisbona, da un lato, ha conferito valore vincolante alla Carta dei diritti fondamentali, prevedendo all'art. 6, comma 1.°, TUE che la Carta «*ha lo stesso valore giuridico dei trattati*»[38], mentre, dall'altro lato, sempre all'art. 6, comma 2.°, TUE, ha disposto che «*l'Unione aderisce alla Convenzione europea per la salvaguardia dei diritti dell'uomo e delle libertà fondamentali*», con la conseguenza che anche e soprattutto i diritti dell'uomo hanno rango, primato ed effetti diretti analoghi a quelli del diritto dell'Unione Europea[39].

Il punto è che i diritti dell'uomo cui fa riferimento l'art. 2 Cost. sono, per loro stessa natura, diritti universali, che superano i confini politici di ogni Stato e si sottraggono alla facoltà di disposizione inerente alla sua sovranità[40]. Sono diritti trovati, non già diritti creati dagli Stati[41]; sono diritti dell'uomo in quanto tale, non dell'uomo in quanto cittadino, e per questa loro universale condizione la Repubblica, a norma dell'art. 2 Cost., li riconosce e garantisce[42]. Il nuovo art. 117, comma 1°, Cost. va letto alla luce dell'art. 2: le convenzioni che, per accordo fra gli Stati, identificano i singoli diritti dell'uomo, sono intangibili per atto legislativo dello Stato come delle Regioni. E sono intangibili quantunque si tratti di convenzioni ratificate con legge ordinaria[43]. Se mai la natura della legge di ratifica quale legge ordinaria fosse rilevante, non avrebbe alcun senso l'art. 117, comma 1.°, che impone al legislatore nazionale il «rispetto» di quelle convenzioni, giacché una legge ordinaria, qual è la legge di ratifica, può sempre essere modificata con successiva legge ordinaria. Perché mai, allora, subordinare l'applicazione delle convenzioni al vaglio di conformità

---

38. Cfr. L.S. Rossi, «*Stesso valore giuridico dei Trattati*»? *Rango, primato ed effetti diretti della Carta dei diritti fondamentali dell'Unione europea*, in *Dir. Un. Eu.*, 2016, n. 2, p. 329 e ss.
39. Cfr. R. Conti, *La scala reale della Corte costituzionale sul ruolo della CEDU nell'ordinamento interno*, in *Corr. giur.*, n. 9/2011, p. 1242 e ss. In penale già da tempo viene affermata l'immediata efficacia diretta delle norme CEDU: cfr. Cass. pen., 22 settembre 2005, Cat. Berro; Cass. pen., 12 luglio 2006, n. 32678, Somogyi; Cass. pen., 1° dicembre 2006, dep. 25 gennaio 2007, Dorigo, commentata da Guazzarotti, *Il caso Dorigo: una piccola rivoluzione nei rapporti tra CEDU e ordinamento interno?*, in *Questioni giustizia*, n. 1/2007. Al riguardo si v. la legge 9 gennaio 2006, n. 12, secondo cui «il giudice nazionale italiano sia tenuto a conformarsi alla giurisprudenza della Corte di Strasburgo, anche se ciò comporta la necessità di mettere in discussione, attraverso il riesame o la riapertura dei procedimenti penali, l'intangibilità del giudicato». In civile sulla efficacia diretta e prevalente delle norme sui diritti dell'Uomo si v.: Cass., sez. un., 11 marzo 2004, n. 5044; Cass., sez. un., 29 maggio 2008, n. 14201; Corte Cost., 22 ottobre 2014, n. 238.
40. Cfr. Galgano, *Danno non patrimoniale e diritto dell'uomo*, cit., p. 891.
41. Cfr. Galgano, *Danno non patrimoniale e diritto dell'uomo*, cit., p. 891.
42. Cfr. Galgano, *Danno non patrimoniale e diritto dell'uomo*, cit., p. 891.
43. Cfr. Galgano, *Danno non patrimoniale e diritto dell'uomo*, cit., p. 892.

alla Costituzione?[44]. Si consideri poi che gli obblighi internazionali sono posti, nell'art. 117, comma 1.°, sullo stesso piano dell'ordinamento comunitario, sottoposti al medesimo vincolo di rispetto da parte del legislatore nazionale. E non c'è più alcun dubbio sulla diretta applicabilità del diritto comunitario da parte del giudice nazionale. Altrove –in Francia– le convenzioni internazionali sui diritti dell'uomo sono giudicate come direttamente azionabili davanti al giudice nazionale, anche a prescindere dalla vigenza di una norma corrispondente al nostro art. 117, comma 1.°, Cost. Si è pertanto detto che è legittimo attendersi allora ulteriori sviluppi della nostra giurisprudenza, tanto ordinaria quanto costituzionale[45].

Nei rapporti tra Stato sovrano e Giudici comuni è importantissimo richiamare al riguardo la storica sentenza della Corte Costituzionale, Presidente e Redattore Tesauro[46], per mettere in evidenza che i diritti naturali dell'uomo –quali fonte del diritto[47]– prevalgono sia sulla supremazia degli Stati sovrani, sia sulle norme consuetudinarie di diritto

---

44. Cfr. GALGANO, *Danno non patrimoniale e diritto dell'uomo*, cit., p. 892.

45. Cfr. GALGANO, *Danno non patrimoniale e diritto dell'uomo*, cit., p. 892.

46. Cfr. Corte Cost., 22 ottobre 2014, n. 238, in *Foro it.*, 2015, I, 1152, con nota di PALMIERI e A. SANDULLI, in *Giur. it.*, 2015, 339, con nota di GIRALDI; in *Dir. uomo*, 2014, 445, con nota CAPONI, DE SENA, DI BERNARDINI, VENTRELLA, ZOPPO, in *Int'l Lis*, 2015, 12, con nota di CANNIZZARO e CIAMPI, in *Giornale dir. amm.*, 2015, 367, con nota di BATTINI; in *Giur. costit.*, 2014, 3853, con nota di CONFORTI, PINELLI, BRANCA, CAPONI, RIMOLI, in CASS. PEN., 2015, 1048, con nota di Rivello; in *Resp. civ.*, 2015, 799, con nota di PERSANO; in *Giurisdiz. amm.*, 2014, IV, 1, con nota di RAVALLI; in *Riv. neldiritto*, 2014, 2207, con nota di COSMELLI;commentata da L. GRADONI, *Corte costituzionale e Corte internazionale di giustizia in rotta di collisione sull'immunità dello Stato straniero dalla giurisdizione civile*, consultabile online sul sito: http://www.sidi-isil.org/sidiblog/?p⊠1101, la quale: 1) dichiara l'illegittimità costituzionale dell'art. 3 della legge 14 gennaio 2013, n. 5 (Adesione della Repubblica italiana alla Convenzione delle Nazioni Unite sulle immunità giurisdizionali degli Stati e dei loro beni, firmata a New York il 2 dicembre 2004, nonché norme di adeguamento dell'ordinamento interno); 2) dichiara l'illegittimità costituzionale dell'art. 1 della legge 17 agosto 1957, n. 848 (Esecuzione dello Statuto delle Nazioni Unite, firmato a San Francisco il 26 giugno 1945), limitatamente all'esecuzione data all'art. 94 della Carta delle Nazioni Unite, esclusivamente nella parte in cui obbliga il giudice italiano ad adeguarsi alla pronuncia della Corte internazionale di giustizia (CIG) del 3 febbraio 2012, che gli impone di negare la propria giurisdizione in riferimento ad atti di uno Stato straniero che consistano in crimini di guerra e contro l'umanità, lesivi di diritti inviolabili della persona; 3) dichiara non fondata, nei sensi di cui in motivazione, la questione di legittimità costituzionale della norma «prodotta nel nostro ordinamento mediante il recepimento, ai sensi dell'art. 10, primo comma, Cost.», della norma consuetudinaria di diritto internazionale sull'immunità degli Stati dalla giurisdizione civile degli altri Stati, sollevata, in riferimento agli artt. 2 e 24 della Costituzione, dal Tribunale di Firenze, con tre ordinanze del 21 gennaio 2014.

47. Cfr. G. PANZARINI, *Il diritto naturale quale fonte del diritto. Il realismo-razionalismo giuridico, illuministico, principio ed approdo del giusnaturalismo*, in *Le monografie di Contratto e*

internazionale generalmente riconosciute, sia sulle leggi che limitano la tutela giurisdizionale dei medesimi diritti universali dell'uomo[48].

Il caso riguarda l'immunità degli Stati dalla giurisdizione civile degli altri Stati per tutti indistintamente gli atti ritenuti iure imperii e riguardanti gli episodi di deportazione, lavoro forzato, eccidi, compiuti in Italia e in Germania nei confronti di cittadini italiani nel periodo 1943–1945 dalle truppe naziste del Terzo Reich, quali crimini di guerra o contro l'umanità lesivi di diritti fondamentali della persona.

Successivamente all'armistizio dell'8 settembre 1943, il risarcimento dei danni di guerra è stato gestito in termini inter-statali e, nel 1961, a seguito di accordi con la Repubblica federale di Germania, lo Stato italiano ha ricevuto 80 milioni di marchi e ha rinunciato ad ulteriori rivendicazioni: in particolare, con il d.p.r. 1263/62, si è stabilito che «il governo italiano terrà indenne la Repubblica federale di Germania e le persone fisiche e giuridiche tedesche da ogni eventuale azione o altra pretesa legale da parte di persone fisiche o giuridiche italiane per le rivendicazioni e richieste suddette»; e, con la l. 404/63, si sono regolate «in modo definitivo tutte le questioni tra la Repubblica italiana e la Repubblica federale di Germania formanti oggetto del presente accordo, senza pregiudizio delle eventuali pretese dei cittadini italiani in base alla legislazione tedesca sui risarcimenti». La somma versata, tuttavia, non è andata alle vittime delle persecuzioni naziste, ma è stata trattenuta dallo Stato italiano. Soltanto nel 2000 una legge tedesca ha istituito una fondazione con il compito di indennizzare le persone adibite ai lavori forzati in tempo di guerra, ma con l'esclusione dei prigionieri di guerra. Molti militari italiani e non hanno fatto domanda per ottenere l'indennizzo, dal momento che, all'epoca, lo status di prigioniero di guerra era stato loro negato. Erano stati, pertanto, ingiustamente penalizzati, perché avevano svolto lavori forzati senza poter godere dello status di prigioniero di guerra al quale avevano invece diritto. Le richieste delle vittime italiane sono state respinte dalla fondazione e, poi, dai Giudici tedeschi, con una motivazione non condivisibile e, cioè, che i militari italiani, pur non avendo goduto,

---

impresa, serie diretta da Francesco Galgano, Padova, 2009, p. 1 e ss. con *Prefazione* di GALGANO.

48. Cfr. GALGANO, *Danno non patrimoniale e diritti dell'uomo*, cit., p 891; LIPARI, *Diritti fondamentali e ruolo della giurisprudenza*, cit., p. 10635; M. FRANZONI, *L'interprete del diritto nell'economia globalizzata*, cit., p. 375 e ss., il quale dopo avere esaminato e commentato i casi decisi da Cass., sez. un., 29 maggio 2008, n. 14201, e da Cass., sez. un., 11 marzo 2004, n. 5044, conclude a p. 378 dicendo che siamo molto prossimi ad una idea attualizzata di diritto naturale. Sul punto si v. FERRARESE, *Diritto sconfinato*, Roma-Bari, 2006.

illegittimamente, dello status di prigionieri di guerra durante l'internamento, erano, tuttavia, indubitabilmente, militari e, quindi, tale status pur sempre conservavano ai fini del risarcimento. La questione si è spostata, a questo punto, presso i Giudici italiani, poiché gli interessati, non potendo ricevere giustizia nei luoghi scelti dagli accordi internazionali, si sono rivolti al Giudice nazionale.

Nel 2004 la Cassazione italiana, nel caso Ferrini[49], ha enunciato il principio secondo cui l'immunità dalla giurisdizione (civile) degli Stati (esteri) riconosciuta dal diritto internazionale consuetudinario non ha carattere assoluto ma può trovare un limite anche quando lo Stato operi nell'esercizio della sua sovranità, ove le condotte integrino crimini contro l'umanità, tali quindi da configurare un crimine internazionale.

Questo orientamento nette in evidenza che la tutela dei diritti fondamentali è affidata a norme, inderogabili, al vertice dell'ordinamento internazionale[50], che prevalgono su ogni altra disposizione anche di carattere consuetudinario *ex* art. 10 Cost.; per tale ragione è stata sancita sia l'imprescrittibilità, sia l'universalità della giurisdizione, che deve valere anche per i processi civili che traggono origine da tali gravissimi reati.

Sarebbe dunque «irrilevante l'assenza di una espressa deroga al principio dell'immunità: il valore, ormai riconosciuto, di principio fondamentale dell'ordinamento internazionale al rispetto dei diritti inviolabili della persona umana ha degli inevitabili riflessi sugli altri principi ivi operanti, tra cui quello del riconoscimento della immunità statale dalla giurisdizione civile straniera, secondo i principi generali dell'interpretazione delle norme, che non vanno considerate separatamente ma in quanto facenti parti del medesimo sistema, completandosi ed integrandosi a vicenda».

Secondo tale orientamento la Corte Suprema ha in passato ripetutamente affermato che nell'ordinamento internazionale dovesse ritenersi vigente il principio, sovraordinato agli altri, di preminenza dei valori fondamentali della libertà e della dignità della persona, la cui lesione non è consentita neppure agli Stati nell'esercizio della loro sovranità.

I suddetti principi hanno trovato conferma in 13 analoghe decisioni del 2008 che hanno affermato che la Corte di Cassazione italiana non

---

49.   Cfr. Cass., sez. un., 11 marzo 2004, n. 5044, in *Giust. civ.*, I, p. 119, con nota di BARATTA, *L'esercizio della giurisdizione civile sullo stato straniero autore di un crimine di guerra*; e in *Resp. civ.*, 2004, p. 1030, con nota di VITERBO, *I diritti fondamentali come limite all'immunità dello stato*.

50.   Quindi non norme interposte, poste ad un livello inferiore rispetto alla Costituzione, bensì norme poste ad un livello superiore.

intendesse negare che i due principi convivono nell'ordinamento internazionale: da un lato il principio dell'immunità degli Stati (esteri) dalla giurisdizione (civile) per gli atti posti in essere nell'esercizio della sovranità; dall'altro, quello, di pari portata generale, del primato assoluto dei valori fondamentali della libertà e dignità della persona umana. Ma che nel rispetto della gerarchia dei valori il secondo dei principi finisse per conformare necessariamente il primo, dovendosi assegnare «prevalenza alla norma di rango più elevato, ossia quella che ha assunto, anche nell'ordinamento internazionale, il ruolo di principio fondamentale, per il suo contenuto assiologico di meta-valore»[51].

Sennonchè, nel 2012, la Corte Internazionale di Giustizia dell'Aia[52], nella controversia relativa alle immunità giurisdizionali dello Stato, fra la

---

51. Cfr. Cass., sez. un., 29 maggio 2008, n. 14202; Cass., sez. un., 29 maggio 2008, n. 14201, secondo cui, in tema di domanda di indennizzo per arricchimento senza causa proposta nei confronti di uno straniero-fermo restando che, ai sensi dell'art. 61 l. n. 218 del 1995, si applica la legge dello stato in cui si è verificato il fatto da cui deriva l'obbligazione-la prova dell'esistenza delle condizioni per radicare la giurisdizione davanti al giudice italiano incombe sull'attore, che ha l'onere di dimostrare, ai sensi dell'art. 2 reg. Ce n. 44 del 2001, che la società convenuta ha in Italia la sede statutaria o l'amministrazione centrale o il centro di attività principale ovvero, ai sensi dell'art. 3, un rappresentante autorizzato a stare in giudizio; né sono applicabili i criteri previsti dall'art. 5 cit. regolamento, che riguardano la materia contrattuale, alla quale, in difetto di un obbligo liberamente assunto da una parte nei confronti dell'altra, non è riconducibile la domanda ex art. 2041 c.c.; Cass. pen., sez. I, 21 ottobre 2008, n. 1072. In argomento si v. M. FRANZONI, *L'interprete del diritto nell'economia globalizzata*, cit., p. 377.

52. Cfr. Corte Internazionale di Giustizia dell'Aia, 3 febbraio 2012, *Immunitès Juridictionnelles de l'Etat Allemagne c. Italie*, con commento critico di R. PISILLO MAZZESCHI, *Il rapporto fra norme di ius cogens e la regola sull'immunità degli Stati: alcune osservazioni critiche sulla sentenza della Corte internazionale di giustizia del 3 febbraio 2012*, in *Diritti umani e diritto internazionale*, 2–2012. In dottrina per la tesi sostenuta dalla CIG dell'Aia si v.: A. ZIMMERMAN, «*Sovereign Immunity and Violation of International Jus Cogens. Some Critical Remarks*», in Michigan JIL 1995, p. 438 ss.; J. BROMER, *State Immunity and the Violation of Human Rights*, The Hague, 1997, p. 195 ss.; C. TOMUSCHAT, «*L'immunité des états en cas de violations graves des droits de l'homme*», in RGDIP 2005, p. 51 ss., spec. pp. 57–63; C. FOCARELLI, «*I limiti dello jus cogens nella giurisprudenza più recente*», in RDI 2007, p. 637 ss.; ID., «*Immunité des états et jus cogens. La dynamique du droit international et la fonction du jus cogens dans le processus de changement de la règle sur l'immunité juridictionnelle des états étrangers*», in RGDIP 2008, p. 761 ss., spec. p. 772 ss.; J. VERHOEVEN, «*Considérations sur ce qui est commun. Cours général de droit international public (2002)*», in *Recueil des Cours*, 2008 (vol.334), p. 15 ss., a pp. 234–236.; R. KOLB, «*Observations sur l'évolution du concept de jus cogens*», in RGDIP 2009, p. 837 ss., a pp. 844–846; A. GATTINI, «*The Dispute on Jurisdictional Immunity of the State before the ICJ: Is the Time Rape for a Change in the Law?*», in Leiden JIL 2011, p. 178 ss. Per la tesi opposta si v.: M. REIMANN, «*A Human Rights Exception to Sovereign Immunity: Some Thoughts on Princz v. Federal Republic of Germany*», in Michigan JIL 1995, p. 407 ss.; J.A. GERGER, «*Human Rights and the Foreign Sovereign Immunities*», in Virginia JIL 1996, p. 765 ss., a pp. 783–787; P.M. DUPUY, «*L'unité de l'ordre juridique international. Cours général de*

Repubblica federale tedesca e la Repubblica italiana, in accoglimento del ricorso della Germania, dopo aver chiarito che l'immunità degli Stati per atti *iure imperii* dinnanzi alle Corti di altri Stati è principio fondamentale dell'ordine legale internazionale (par in parem non habet giurisdictionem), inderogabile anche nelle ipotesi di violazione del diritto internazionale umanitario, ha rinviato ad una eventuale nuova negoziazione tra i due Stati, come unica possibilità per il risarcimento dei danni subiti dalle vittime dei crimini di guerra nazisti.

La Cassazione italiana, prima in sede penale[53], e successivamente in sede civile[54], richiamando il criticabile e criticato principio di diritto

---

droit international public (2000)», in Recueil des Cours 2002 (vol.297), p. 15 ss., a pp. 280–283; A. BIANCHI, «*L'immunité des états et les violations graves de droits de l'homme: la function de l'interprète dans la determination du droit international*», in RGDIP 2004, p. 53 ss., spec. p. 96 ss.; A. ORAKHELASHVILI, «*State Immunity and International Public Order Revisited*», in GYIL 2006, p. 327 ss., a pp. 353–363; A. CASSESE, *Diritto internazionale*, Bologna, 2006, p. 111; N. RONZITTI, *Introduzione al diritto internazionale*, 2° ed., Torino, 2007, p. 172; ID., «*Ius cogens*», in M. FLORES, T. GROPPI, R. PISILLO MAZZESCHI (a cura di), *Diritti Umani: Cultura dei diritti e dignità della persona nell'epoca della globalizzazione*-Dizionario, vol. II, Torino, 2007, p. 806, il quale afferma che «le norme cogenti, essendo al vertice delle fonti, prevalgono sulle semplici norme consuetudinarie»; F. SALERNO, *Diritto internazionale: Principi e norme*, Padova, 2008, pp. 420–429, spec. pp. 426–429, il quale sostiene che una norma consuetudinaria imperativa prevale su una norma consuetudinaria dispositiva, anche se le due norme non insistono sulla stessa materia.

53. Cfr. Cass. pen., sez. I, 30 maggio 2012, dep. 9 agosto 2012, n. 32139, in *Riv. pen.*, 2013, 1149, con nota di PICCICHÈ, secondo cui, non sussiste la giurisdizione italiana in relazione alla domanda di risarcimento del danno proposta in sede penale contro la Germania, nella sua qualità di responsabile civile di una strage compiuta in Italia dalle forze armate naziste durante la seconda guerra mondiale, in quanto la sentenza della corte internazionale di giustizia del 3 febbraio 2012 che ha condannato l'Italia per non aver rispettato, con alcune decisioni giudiziarie, l'immunità della repubblica federale tedesca, pur non comportando vincoli diretti e immediati per il giudice italiano e pur non riferendosi specificamente alla controversia in questione, è conforme allo stato attuale del diritto internazionale e coerente con gli obblighi internazionali dell'Italia, mentre la precedente giurisprudenza della stessa corte di cassazione sulla prevalenza della tutela dei diritti umani sull'immunità dalla giurisdizione dello stato straniero deve ora essere valutata come un mero contributo all'emersione di una norma internazionale non ancora condiviso dalla comunità internazionale e non può pertanto essere ulteriormente applicata; il riconoscimento dell'immunità agli stati stranieri con riferimento ad atti o comportamenti lesivi di diritti fondamentali dell'individuo non pone peraltro una questione di legittimità costituzionale in quanto la predetta pronuncia della corte dell'Aja evidenzia l'attuale inesistenza di una consuetudine internazionale rilevante ai sensi dell'art. 10, 1.° comma, cost. che possa fungere da «norma interposta», nell'ambito di un giudizio di legittimità costituzionale, secondo il meccanismo di cui all'art. 117 cost.

54. Cfr. Cass., sez. un., ord. 21 febbraio 2013, n. 4284, in *Riv. dir. internaz. privato e proc.*, 2013, 79, secondo cui, in ragione dell'immunità dalla giurisdizione civile riconosciuta

enunciato nella sentenza della Corte Internazionale di Giustizia dell'Aia, dichiaravano il difetto di giurisdizione del Giudice italiano.

Lo Stato italiano, con l'art. 3 della legge 14 gennaio 2013 n. 5, nel conformarsi alla sentenza della CIG, ha stabilito che «il giudice davanti al quale pende la controversia (...) rileva, d'ufficio e anche quando ha già emesso sentenza non definitiva passata in giudicato che ha riconosciuto la sussistenza della giurisdizione, il difetto di giurisdizione in qualunque stato e grado del processo».

Il Tribunale di Firenze[55], tuttavia, si è rivolto, in via incidentale, alla Corte costituzionale, sostenendo, ai sensi degli art. 2 e 24 Cost., che le violazioni gravi del diritto internazionale umanitario e dei diritti fondamentali non possono essere ricomprese nella salvaguardia posta dalla disposizione di adattamento interno (art. 10 Cost.) alla norma consuetudinaria del diritto internazionale sull'immunità degli Stati dalla giurisdizione civile degli altri Stati, né in quella posta dalla disposizione di adattamento dell'art. 94 della carta delle Nazioni unite (laddove obbliga gli Stati aderenti ad adeguarsi alle pronunce della Cig), con la conseguente illegittimità dell'art. 3 della legge n. 5/2013. Si legge in motivazione: «se da una parte al giudice italiano è sottratta la interpretazione della valenza imperativa e inderogabile delle norme di jus cogens di diritto internazionale, ambito nel quale la Corte internazionale di giustizia ha una competenza assoluta ed esclusiva, non può però negarsi che questi sia tenuto a verificare se sia manifestamente infondato il dubbio

---

alla Repubblica federale di Germania, non sussiste la giurisdizione italiana in relazione all'azione proposta contro tale stato di cui l'attore chiedeva la condanna al risarcimento dei danni conseguenti alla tortura e uccisione di un congiunto nel 1944, ad opera di appartenenti alle forze militari tedesche.

55. Cfr. Trib. Firenze, ord. 21 gennaio 2014, Giudice dott. Luca Minniti, in *Diritto penale contemporaneo*, il quale visti gli artt. 134 Cost. e 23 della legge 11.3.1953 n.87, dichiarava rilevante e non manifestamente infondata la questione di legittimità costituzionale con riferimento agli artt. 2 e 24 della Costituzione: 1) della norma prodotta nel nostro ordinamento mediante il recepimento, ai sensi dell'art. 10 primo comma Cost., della consuetudine internazionale accertata dalla Corte Internazionale di Giustizia nella sentenza 3.2.2012, nella parte in cui nega la giurisdizione di cognizione nelle azioni risarcitorie per danni da crimini di guerra commessi, almeno in parte nello Stato del giudice adito, «iure imperii» dal Terzo Reich; 2) dell'art. 1 della legge 848 del 17 agosto 1957, nella parte in cui recependo l'art. 94 dello Statuto dell'Onu, obbliga il giudice nazionale ad adeguarsi alla pronuncia della Corte Internazionale di Giustizia quando essa ha stabilito l'obbligo del giudice italiano di negare la propria giurisdizione nella cognizione della causa civile di risarcimento del danno per crimini contro l'umanità, commessi «iure imperii» dal Terzo Reich, almeno in parte nel territorio italiano; 3) dell'art. 1 della legge 5/2013 nella parte in cui obbliga il giudice nazionale ad adeguarsi alla pronuncia della Corte Internazionale di Giustizia anche quando essa ha stabilito l'obbligo del giudice italiano di negare la propria giurisdizione nella cognizione della causa civile di risarcimento del danno per crimini contro l'umanità commessi «iure imperii» dal Terzo Reich nel territorio italiano.

che l'adozione indifferenziata di tale reciproca protezione in favore dei singoli stati ed in danno, nel caso in esame, dei singoli individui gravemente lesi, non sia conforme all'ordinamento radicato nella Repubblica Italiana sulla base delle norme della Costituzione e delle sue fonti integrative anche sovranazionali. Le scelte che implica la questione sottoposta al giudicante sono di massimo rilievo per la ricostruzione del sistema multilivello delle fonti dell'ordinamento vigente sul territorio italiano e per la collocazione sistematica, nel suo ambito, degli strumenti giurisdizionali di tutela dei diritti fondamentali della persona umana imponendo all'interprete di verificare se l'apertura verso ordinamenti diversi, contenuta negli artt. 10, 11 e 117 della Costituzione della Repubblica Italiana sia priva o meno di filtri selettivi in grado di condizionare, nel caso in esame, la decisione della pregiudiziale sollevata dalla Repubblica Federale di Germania. Ad avviso di questo giudicante anche alla luce della fondazione di un impianto normativo comune di dimensione sovranazionale e di forza sovrastatuale, sempre meno settoriale e sempre più –oggettivamente– universale, oltre che radicato su un ambito sempre più vasto del territorio europeo, deve mettersi seriamente in dubbio che l'immunità tra Stati, tanto più verrebbe da sostenere tra Stati dell'Unione Europea, possa ancora consentire, ancorché solo per effetto di consuetudini internazionali anteriori alla entrata in vigore della Costituzione e della Carta dei diritti dell'Unione Europea, l'esclusione incondizionata della tutela giurisdizionale dei diritti fondamentali violati da atti iure imperii».

La Corte Costituzione, con una articolata e condivisibile motivazione[56], nel ribadire che «la tutela giurisdizionale dei diritti fondamentali costituisce uno dei "principi supremi" dell'ordinamento costituzionale», ha dichiarato incostituzionali, per contrasto con gli artt. 2 e 24 Cost., sia l'art. 3 l. 14 gennaio 2013 n. 5, che imponeva al giudice italiano di dichiarare il difetto di giurisdizione nelle cause civili di risarcimento del danno per crimini contro l'umanità, sia l'art. 1 l. 17 agosto 1957 n. 848, che obbligava il giudice italiano ad adeguarsi alla pronuncia della Corte internazionale di giustizia del 3 febbraio 2012, che gli imponeva di negare la propria giurisdizione in riferimento ad atti iure imperii di uno stato straniero che consistano in crimini di guerra e contro l'umanità, lesivi di diritti inviolabili della persona.

La suddetta sentenza rappresenta una ulteriore prova concreta che il dogma giuspositivistico della statualità del diritto è per ciò stesso superato[57].

---

56. Cfr. Corte Cost., 22 ottobre 2014, n. 238, Presidente e Redattore Tesauro, la quale, tra l'altro, invocando la teoria dei controlimiti, ritiene inapplicabili nell'ordinamento italiano norme di diritto internazionale configgenti con i principi ed i diritti inviolabili.

57. Cfr. GALGANO, nella Prefazione al libro di G. PANZARINI, *Il diritto naturale quale fonte del diritto. Il realismo-razionalismo giuridico, illuministico, principio ed approdo del giusnaturalismo*, cit., p. 3 e ss.

Come è noto, le sentenze della Corte di Giustizia costituiscono il diritto vivente dell'Unione Europea ed hanno valore di norme aventi immediata efficacia nel diritto degli Stati membri. Secondo la Corte di Giustizia, i giudizi nazionali devono garantire la piena applicabilità delle norme comunitarie «disapplicando all'occorrenza, di propria iniziativa, qualsiasi disposizione della legislazione nazionale, anche posteriore, senza doverne chiedere o attendere la rimozione per via legislativa o mediante altro procedimento costituzionale».

La preminenza del diritto dell'Unione su quello degli Stati membri riguarda, dunque, anche e soprattutto la giurisprudenza della Corte di Giustizia[58].

Il Giudice comune, prima di ricorrere al Giudice delle leggi, è tenuto a esaminare la giurisprudenza della Corte di Giustizia dell'Unione Europea e uniformarsi a questa.

La Corte costituzionale ha chiarito anche che per il Giudice comune la giurisprudenza della Corte di Giustizia e le norme comunitarie in genere, prevalgono sia sulle leggi interne sia sul diritto vivente nazionale creato dalla Corte di Cassazione.

In caso di dubbi di compatibilità fra il diritto vivente della Cassazione e norme comunitarie dotate di efficacia diretta (fra le quali le sentenze della Corte di Giustizia), come una sentenza della Cassazione che conferma la validità di una norma interna, e una successiva sentenza della Corte di Giustizia UE che la disapplica, il Giudice comune è tenuto al rinvio pregiudiziale alla stessa Corte di Giustizia[59].

---

58. Cfr. E. CALZOLAIO, *Il valore di precedente delle sentenze della Corte di Giustizia*, in *Riv. crit. dir. priv.*, 2009, p. 41 e ss.; A. ARNULL, *The European Union and its Court of Justice*, Oxford, 1999, p. 528. Non si esita a definire la Corte come il vero «legislatore comunitario» (C. NOURISSAT, *La jurisprudence de la Cour de justice des Communautés européennes: Un regard privatiste à partir de l'actualité*, in AA.VV., *La création du droit par le juge*, Paris, 2006, p. 247), tanto che un eminente giudice inglese ha potuto affermare che nonostante i suoi poteri limitati la Corte ha edificato un nuovo ordinamento giuridico, solo abbozzato nei Trattati (*Lord Slynn of Hadley, What is a European Community Judge*, in Cambridge Law Journal, 1993, p. 234). Già F. CAPOTORTI, *Le sentenze della Corte di Giustizia delle Comunità Europee*, in AA.VV., *La sentenza in Europa. Metodo, tecnica e stile*, Padova, 1988, pp. 230 ss., rilevava che lo studio della giurisprudenza della Corte è il passaggio obbligato per intendere lo sviluppo del diritto comunitario (v. in specie p. 247). Interessanti rilievi in M.J. BONELL, *Comparazione giuridica e unificazione del diritto*, in AA.VV., *Diritto privato comparato. Istituti e problemi*, 3a ed., Bari, 2008, pp. 12 ss. In argomento si v. altresì P. BIAVATI, *Diritto processuale dell'Unione Europea*, 3a ed., Padova, 2005, pp. 33 ss., ove si evidenzia che la Corte «ha svolto un ruolo molto vicino a quello di un legislatore».

59. Cfr. Corte cost., 13 luglio 2007, n. 284, sulla normativa interna in materia di gioco e scommesse.

Quindi, in caso di contrasto fra Corte di Giustizia UE e Cassazione, è la prima ad avere il pronunciamento definitivo non ulteriormente opponibile con i rimedi interni, salvo ovviamente il ricorso alla Corte EDU di Strasburgo, che rappresenta di fatto l'ultimo grado di giudizio, potendo le sentenze EDU, quali fonti supreme del diritto[60], comportare la riapertura del processo, nonostante il passaggio in giudicato della sentenza nazionale.

Nel conflitto fra Corti, dunque, prevalgono le sentenze della Corte EDU, avendo essa, tra l'altro, l'ultima voce in capitolo[61].

Il caso Valle Pierimpiè[62], relativo alle c.d. valli da pesca della laguna di Venezia, rappresenta, in ambito civile, la più evidente conferma della preminenza della giurisprudenza della Corte EDU rispetto alla giurisprudenza delle Sezioni Unite della Cassazione[63].

La Suprema Corte di Cassazione italiana aveva confermato le sentenze dei giudici di merito –passate in giudicato *ex* art. 324 c.p.c.– che avevano condannato la Società Agricola Valle Pierimpiè, sia a risarcire la somma di Euro 20.000.000,00 a titolo di indennità di occupazione senza titolo del demanio pubblico marittimo, sia a liberare immediatamente la tenuta pubblica marittima.

La Società Agricola Valle Pierimpiè, dopo avere esaurito le vie interne, adiva la Corte Europea dei Diritti dell'Uomo, la quale accertava la violazione dell'art. 1 protocollo n. 1 CEDU da parte dello Stato italiano[64], che veniva condannato a risarcire il danno morale per lesione dei beni giuridici[65].

La Corte EDU ha ritenuto che l'ingerenza dello Stato nel diritto dell'impresa ittica al rispetto dei suoi beni, ed in particolare nella speranza legittima di continuare a godere di parte della laguna di Venezia, è stata lesiva del principio di proporzionalità tra i mezzi impiegati e lo

---

60. Cfr. Corte EDU, 20 gennaio 2009, caso Sud Fondi contro Italia, dove la Corte EDU chiaramente sottolinea come la giurisprudenza rappresenti nella tradizione giuridica europea una fonte del diritto che contribuisce alla sua evoluzione.

61. Cfr. Corte cost., 26 marzo 2015, n. 49, la quale, nel conflitto interpretativo fra Corti, fa prevalere le sentenze della Corte EDU purché consolidate.

62. Cfr. Corte EDU, 23 settembre 2014, Valle Pierimpiè contro Italia; Corte EDU, 1° settembre 2016, Valle Pierimpiè contro Italia.

63. Cfr. Cass., sez. un., 16 febbraio 2011, n. 3813.

64. Cfr. A. RICCIO, *Beni giuridici e proprietà*, in *La CEDU e il ruolo delle Corti*, a cura di Gianniti, in *Commentario del codice civile Scialoja-Branca-Galgano*, Zanichelli, 2015, pp. 1299–1388.

65. Cfr. A. RICCIO, *Beni giuridici e proprietà*, cit., p. 1309 e p. 1361 e ss. Il riconoscimento del danno non patrimoniale per lesione dell'art. 1 prot. n. 1 CEDU, è stato altresì riconosciuto, in via esemplificativa, sia nel caso Beyeler (cfr. Corte EDU, 28 maggio 2002), sia nel caso Guiso Gallisay (cfr. Corte EDU, G.C., 22 dicembre 2009), sia nel caso Belvedere Alberghiera (cfr. Corte EDU, 30 ottobre 20039, sia nel caso Carbonara e Ventura (cfr. Corte EDU, Corte EDU, 11 dicembre 2003).

scopo previsto da ogni misura applicata dallo Stato, dato che il privato ha dovuto sopportare un peso sproporzionato ed eccessivo non essendo stata adottata dall'autorità alcuna misura per ridurre l'impatto finanziario dell'ingerenza, con evidente alterazione del giusto equilibrio che deve sussistere tra le esigenze dell'interesse generale della comunità e gli imperativi della salvaguardia dei diritti fondamentali dell'individuo.

Per quanto riguardava il danno patrimoniale la Corte EDU, con sottinteso monito allo Stato italiano, si riservava la questione invitando il Governo e il richiedente a darle cognizione di ogni auspicato accordo. E tale accordo, alla luce del suddetto monito, è arrivato[66].

Altro significativo caso –fra i molteplici emersi in ambito penale– dove è emersa la conferma della preminenza della giurisprudenza della Corte EDU rispetto alla giurisprudenza della Cassazione, riguarda la vicenda Varvara[67], nella quale la Corte EDU ha ribadito –come nel caso Sud fondi[68]–, che la confisca prevista dal nostro ordinamento per l'ipotesi di lottizzazione abusiva ha natura di pena e che, pertanto, la sua applicazione, nelle ipotesi di proscioglimento per estinzione del reato, costituisce violazione del principio di legalità di cui all'art. 7 CEDU. Il principio di fondo enunciato è il seguente: nessuna pena senza una condanna[69]. La Corte EDU sottolinea espressamente che è «l'accostamento dell'art. 5 § 1 a) agli articoli 6 § 2 e 7 § 1» che «mostra che ai fini della Convenzione non si può avere «condanna» senza che sia legalmente accertato un illecito – penale o eventualmente disciplinare, così come non si può avere una pena senza l'accertamento di una responsabilità penale».

Sennonchè, la Corte di Cassazione italiana[70], che ha ritenuto di non condividere il suddetto principio di civiltà giuridica, ha sollevato questione di

---

66. Cfr. Corte EDU, 1° settembre 2016, Valle Pierimpiè contro Italia.

67. Cfr. Corte EDU, 29 ottobre 2013, caso Varvara contro Italia.

68. Cfr. Corte EDU, 30 agosto 2007, caso Sud Fondi contro Italia; Corte EDU, G.C., 20 gennaio 2009, caso Sud Fondi contro Italia.

69. Cfr. V. Manes, *La «confisca senza condanna» al crocevia tra Roma e Strasburgo: il nodo della presunzione di innocenza*, in *Diritto penale contemporaneo*, 13 aprile 2015; F. Viganò, *Confisca urbanistica e prescrizione: a Strasburgo il re è nudo*, in *Diritto penale contemporaneo*, 9 giugno 2014; M. Bignami, *Le gemelle crescono in salute: la confisca urbanistica tra Costituzione, CEDU e diritto vivente*, in *Diritto penale contemporaneo*, 30 marzo 2015; G. Civello, *La sentenza Varvara contro Italia non «vincola» il giudice italiano: dialogo tra Corti o monologhi di Corti?*, in *Arch. Pen.*, 2014, n. 2; A. Dello Russo, *Prescrizione e confisca dei suoli abusivamente lottizzati: questione di costituzionalità o di sfiducia verso il sistema?*, in *Arch. Pen.*, 2014, n. 2; D. Russo, *La «confisca in assenza di condanna» tra principio di legalità e tutela dei diritti fondamentali: un nuovo capitolo del dialogo tra le Corti*, in osservatoriosullefonti.it, aprile 2015; F. Viganò, *La Consulta e la tela di Penelope. Osservazioni a primissima lettura su C. cost., sent. 26 marzo 2015, n. 49, Pres. Criscuolo, Red. Lattanzi, in materia di confisca di terreni abusivamente lottizzati e proscioglimento per prescrizione*, in *Diritto penale contemporaneo*, 30 marzo 2015.

70. Cfr. Cass., sez. III, 20 maggio 2014, n. 20636.

legittimità costituzionale in relazione alla confisca urbanistica[71], così come interpretata dalla Corte di Strasburgo nel caso Varvara. La S.C., nel rimettere la questione alla Consulta, ritiene che «il diritto di proprietà privata non costituisce un valore assoluto, un diritto fondamentale inviolabile: il paesaggio, l'ambiente, la vita e la salute sono invece tutelati quali valori costituzionali oggettivamente fondamentali, cui va riconosciuta prevalenza nel bilanciamento con il diritto di proprietà. L'interpretazione che, con la sentenza Varvara, la Corte EDU ha operato della norma di cui all'art. 44, comma 2 d.P.R. n. 380/2001 –escludendo la confiscabilità di aree e terreni abusivamente lottizzati nel caso in cui il giudizio si concluda con sentenza di prescrizione– viola pertanto gli artt. 2, 9, 32, 41, 42, 117, 1.° comma della Costituzione, cui va riconosciuta prevalenza nel bilanciamento con il diritto di proprietà».

L'errore di fondo dal quale muove la Cassazione italiana nella suddetta sentenza, è dato dal fatto che il diritto dell'uomo tutelato non era soltanto quello di proprietà protetto dall'art. 1 primo protocollo CEDU, ma anche e soprattutto il diritto ad essere considerati innocenti e non colpevoli fino alla condanna definitiva, con la conseguenza che la pena della confisca senza una sentenza di condanna definitiva dell'imputato, si pone in aperta violazione con gli artt. 3, 25, comma 2° e 27, comma 2°, 111, Cost., 48 e 49 Carta di Nizza, 5, 6, 7 e 8 della CEDU in relazione all'art. 117, comma 1°, Cost.

La Corte Costituzionale, con una sentenza che ha suscitato molte critiche[72], dichiarava inammissibile la questione di legittimità costituzionale

---

71. Anche il Tribunale di Teramo, con ordinanza n. 1 del 17 gennaio 2014, GU 1.ª Serie Speciale-Corte Costituzionale n. 26 del 18–6-2014, riteneva rilevante e non manifestamente infondata, per violazione dell'art. 117, primo comma, Cost., in relazione all'art. 7 della Convenzione Europea per la salvaguardia dei diritti dell'uomo e delle libertà fondamentali, la questione di legittimità costituzionale dell'art. 44, comma 2 del decreto del Presidente della Repubblica 6 giugno 2001, n. 380 (Testo unico delle disposizioni legislative e regolamentari in materia edilizia) nella parte in cui consente che l'accertamento nei confronti dell'imputato del reato di lottizzazione abusiva-quale presupposto dell'obbligo per il giudice penale di disporre la confisca dei terreni abusivamente lottizzati e delle opere abusivamente costruite-possa essere contenuto anche in una sentenza che dichiari estinto il reato per intervenuta prescrizione.

72. Cfr. Corte Cost., 26 marzo 2015, n. 49, con commento di R. Conti, *La Cedu assediata? (osservazioni a Corte cost. sent. n. 49/2015)*, in *Consulta online*, 10 aprile 2015. Molteplici sono stati i commenti alla predetta sentenza., tutti pubblicati in *Consulta online*, 2015. Si v.: V. Zagrebelsky, *Corte cost. n. 49 del 2015, giurisprudenza della Corte europea dei diritti umani, art. 117 Cost., obblighi derivanti dalla ratifica della Convenzione*; F. Viganò, *La Consulta e la tela di Penelope. Osservazioni a primissima lettura su C. cost., sent. 26 marzo 2015, n. 49, in materia di confisca di terreni abusivamente lottizzati e proscioglimento per prescrizione*; A. Ruggeri, Fissati nuovi paletti dalla Consulta a riguardo del rilievo della Cedu in ambito interno; R. Conti, *La Corte assediata? Osservazioni a Corte cost. n. 49/2015*; V. Manes, *La «confisca senza condanna» al crocevia tra Roma e Strasburgo: il nodo della presunzione di innocenza*; D. Russo, *La «confisca in assenza di condanna» tra principio di legalità e tutela dei diritti*

sollevata dalla Corte di Cassazione e dal Tribunale di Teramo, lasciando però ancora aperto il conflitto interpretativo insorto tra la Corte EDU e la Corte di Cassazione, in relazione al problema della confisca senza condanna[73].

A ben vedere, il Giudice delle leggi, nell'ampia motivazione, ribadisce che il Giudice comune, a cui spetta il doveroso compito dell'interpretazione convenzionalmente orientata, è comunque vincolato alla «giurisprudenza consolidata» della Corte EDU.

Il Giudice comune, dunque, non è soggetto soltanto alla legge, ai sensi dell'art. 101, comma 2°, Cost., ma è soggetto anche e soprattutto alla «giurisprudenza consolidata» della Corte EDU, ai sensi dell'art. 117, comma 1°, Cost.[74].

Orbene, poiché il principio di diritto enunciato dalla Corte EDU nel caso Varvara[75], si colloca all'interno di un orientamento consolidato che trova il suo antecedente significativo nel caso Sud Fondi[76], è evidente che la Corte di Cassazione, quale Giudice comune, era tenuta ad osservare tale principio di diritto conforme sia alla CEDU, sia alla Costituzione italiana, che non consente di configurare pene senza l'accertamento definitivo di una responsabilità penale.

---

fondamentali: un nuovo capitolo del dialogo tra le Corti; M. BIGNAMI, Le gemelle crescono in salute: la confisca urbanistica tra Costituzione, CEDU e diritto vivente; G. CIVELLO, La sentenza Varvara c. Italia «non vincola» il giudice italiano: dialogo fra Corti o monologhi di Corti?; A. DELLO RUSSO, Prescrizione e confisca. La Corte costituzionale stacca un nuovo biglietto per Strasburgo; G. MARTINICO, Corti costituzionali (o supreme) e 'disobbedienza funzionale; D. TEGA, La sentenza della Corte costituzionale n. 49 del 2015 sulla confisca: il predominio assiologico della Costituzione sulla Cedu; D. PULITANÒ, Due approcci opposti sui rapporti fra Costituzione e CEDU in materia penale. Questioni lasciate aperte da Corte cost. n. 49/2015; N. COLACINO, Convenzione europea e giudici comuni dopo Corte costituzionale n. 49/2015: sfugge il senso della «controriforma» imposta da Palazzo della Consulta; D. RUSSO, Ancora sul rapporto tra Costituzione e Convenzione europea dei diritti dell'uomo: brevi note sulla sentenza della Corte costituzionale n. 49 del 2015; G. SORRENTI, Sul triplice rilievo di Corte cost., sent. n. 49/2015, che ridefinisce i rapporti tra ordinamento nazionale e CEDU e sulle prime reazioni di Strasburgo.

73. Cfr., infatti, Cass. pen., sez. III, 10 giugno 2015, dep. 22 ottobre 2015, n. 42458, con commento di R. MUZZICA, Confisca dei beni culturali e prescrizione: contro o oltre varvara?, in Diritto penale contemporaneo, 23 novembre 2015, la quale conferma la possibilità di emettere confisca anche in caso di proscioglimento per prescrizione del reato, in palese contrasto con quanto statuito da Corte EDU, 29 ottobre 2013, caso Varvara contro Italia e da Corte EDU, 30 agosto 2007, caso Sud Fondi contro Italia; Corte EDU, G.C., 20 gennaio 2009, caso Sud Fondi contro Italia.

74. Cfr. R. CONTI, La Corte assediata? Osservazioni a Corte cost. n. 49/2015, cit., p. 184, il quale non condivide le conclusioni a cui è pervenuta la Consulta, ritenendo che i Giudici comuni sono vincolati alla giurisprudenza convenzionale anche non consolidata, in forza degli obblighi assunti dalla Stato aderente.

75. Cfr. Corte EDU, 29 ottobre 2013, caso Varvara contro Italia.

76. Cfr. Corte EDU, 30 agosto 2007, caso Sud Fondi contro Italia; Corte EDU, G.C., 20 gennaio 2009, caso Sud Fondi contro Italia.

Il complesso sistema giurisdizionale, al fine di salvaguardare i diritti dell'uomo e rendere sempre più Giustizia, ha messo in crisi la stessa sovranità dello Stato, potendo i Giudici comuni disapplicare e superare sia le leggi statali[77], sia le sentenze passate in giudicato[78], sia gli atti e i comportamenti illeciti della PA[79].

---

77. Cfr. Corte Giust., 28 giugno 1978, in causa C 70/77, caso Simmental, in *Racc.*, 1978, 1453. Il principio di diritto enunciato nel caso Simmental va applicato anche in relazione alle norme CEDU.

78. Cfr. Corte Cost., 4 aprile 2011, n. 113; Corte EDU, Grande Camera, 17 settembre 2009, caso Scoppola; Cass. pen., sez. un., 24 ottobre 2013, dep. 7 maggio 2014, n. 18821, caso Ercolano; Corte EDU, 11 aprile 2015, caso Contrada; Corte EDU, 8 gennaio 2013, caso Torreggiani; Corte EDU, 23 settembre 2014, caso Valle Pierimpiè; Corte EDU, 1° settembre 2016, caso Valle Pierimpiè; Cons. Stato, ad. pl., 4 marzo 2015, n. 2, nella quale si statuisce che, nel caso in cui la violazione commessa dallo Stato sorga a causa di una sentenza passata in giudicato, non viene meno l'obbligo per lo Stato, complessivamente considerato, di conformarsi alla sentenze di Strasburgo e quindi la rimozione del giudicato formatosi risulta indispensabile per rimuovere la violazione dei diritti commessa dallo stato-giudice nel corso del processo. Nella specie, anche davanti al giudice amministrativo, così come a quello civile, viene in rilievo la tutela di diritti fondamentali che, in caso di vizi processuali o sostanziali, possono essere compressi o limitati in modo da non risultare tollerabile per uno stato di diritto e generare una responsabilità dello Stato per violazione degli obblighi convenzionali assunti. Ne deriva che, qualora la Corte CEDU accerti che una tale violazione vi è stata, possono darsi casi in cui la rimozione del giudicato si appalesi quale unico mezzo utile per rimuovere le perduranti violazioni di diritti fondamentali, analogamente a quanto si è riconosciuto nell'ambito del processo penale. Pertanto, le norme processuali nazionali che disciplinano i casi di revocazione delle sentenze del giudice amministrativo-i.e. l'art. 106 c.p.a. e, in quanto richiamato dallo stesso, gli artt. 395 e 396 c.p.c.-si pongono in tensione con il vincolo per il legislatore statale di rispetto degli obblighi internazionali sancito dall'art. 117, co. 1 Cost. che, nel caso di specie, viene in rilievo con riferimento all'impegno assunto dallo Stato-con la legge di ratifica ed esecuzione 4 agosto 1955, n. 848-di conformarsi alle sentenze della Corte di Strasburgo. Infatti, non contemplando tra i casi di revocazione quella che si renda necessaria per conformarsi ad una sentenza definitiva della Corte europea dei diritti dell'uomo, le norme processuali appaiono in contrasto con l'art. 46 CEDU che, invece, sancisce tale obbligo per gli Stati aderenti. Significativa è al riguardo la legge 9 gennaio 2006, n. 12, secondo cui «il giudice nazionale italiano sia tenuto a conformarsi alla giurisprudenza della Corte di Strasburgo, anche se ciò comporta la necessità di mettere in discussione, attraverso il riesame o la riapertura dei procedimenti penali, l'intangibilità del giudicato». Si v., inoltre, Cass. pen., 22 settembre 2005, Cat. Berro; Cass. pen., 12 luglio 2006, n. 32678, Somogyi; Cass. pen., 1° dicembre 2006, dep. 25 gennaio 2007, Dorigo, commentata da GUAZZAROTTI, *Il caso Dorigo: una piccola rivoluzione nei rapporti tra CEDU e ordinamento interno?*, in *Questioni giustizia*, n. 1/2007. In argomento si v. R. CONTI, *La scala reale della Corte costituzionale sul ruolo della CEDU nell'ordinamento interno*, in *Corr. giur.*, n. 9/2011, p. 1242 e ss.; E. APRILE, *I meccanismi di adeguamento del sistema penale nella giurisprudenza della Corte di Cassazione*, in AA.VV., *La Convenzione europea dei diritti dell'uomo nell'ordinamento penale italiano*, a cura di V. MANES, V. ZAGREBESKY, Milano, 20011, p. 509 e ss.; SCIARABBA, *Il giudicato e la Cedu*, Padova, 2013; R. CAPONI, *Corti europee e giudicati nazionali*, 2009, in *www.academia.edu/204769/*.

79. Cfr. Cass., sez. un., 19 gennaio 2015, n. 735, la quale in tema di accessione invertita ha statuito che «l'illecito spossessamento del privato da parte della p.a. e l'irreversibile

Mentre in passato lo Stato era immune ed insindacabile nel suo discrezionale potere legislativo, esecutivo e giurisdizionale, oggi assistiamo ad un sindacato giurisdizionale multilivello[80].

Si ammette pacificamente il sindacato dell'abuso del potere legislativo, non solo da parte dei Giudici delle leggi, ma anche e soprattutto da parte dell'autorità giudiziaria ordinaria che, in alcuni casi, reprime direttamente l'abuso per la «mala fede del legislatore»[81], mentre in altri casi, configura

---

trasformazione del suo terreno per la costruzione di un'opera pubblica non danno luogo, anche quando vi sia stata dichiarazione di pubblica utilità, all'acquisto dell'area da parte dell'Amministrazione ed il privato ha diritto a chiederne la restituzione salvo che non decida di abdicare al suo diritto e chiedere il risarcimento del danno. Il privato, inoltre, ha diritto al risarcimento dei danni per il periodo, non coperto dall'eventuale occupazione legittima, durante il quale ha subito la perdita delle utilità ricavabili dal terreno e ciò sino al momento della restituzione ovvero sino al momento in cui ha chiesto il risarcimento del danno per equivalente, abdicando alla proprietà del terreno. Ne consegue che la prescrizione quinquennale del diritto al risarcimento dei danni decorre dalle singole annualità, quanto al danno per la perdita del godimento, e dalla data della domanda, quanto alla reintegrazione per equivalente». La sentenza richiama le sentenze EDU relative al caso *Scordino c. Italia n. 3*, 6 marzo 2007; *Sciarrotta c. Italia*, 12 gennaio 2006.; *Carletta c. Italia*, 15 luglio 2005, nonché Corte cost., 8 ottobre 2010, n. 293, la quale, conformandosi alla CEDU, ha dichiarato l'illegittimità costituzionale dell'articolo 43 del decreto del Presidente della Repubblica 8 giugno 2001, n. 327 (Testo unico delle disposizioni legislative e regolamentari in materia di espropriazione per pubblica utilità). Sul punto si v., anche, Corte EDU, 13 ottobre 2005, caso Maselli contro Italia; Corte EDU, 29 luglio 2010, caso Maselli contro Italia; Corte EDU, 17 maggio 2005, caso Pasculli contro Italia; Corte EDU, 20 aprile 2006, caso De Sciscio contro Italia; Corte EDU, 22 giugno 2006, caso Ucci contro Italia; Corte EDU, 30 maggio 2000, caso Belvedere Alberghiera contro Italia; Corte EDU, 30 maggio 2000, caso Carbonara e Ventura contro Italia.; Corte EDU, 28 ottobre 2008, caso Guiso Gallisay contro Italia; Corte EDU, G.C., 22 dicembre 2009, caso Guiso Gallisay contro Italia. In argomento si v. R. Conti, *Diritto di proprietà e CEDU. Itinerari giurisprudenziali europei. Viaggio fra Carte e Corti alla ricerca di un nuovo statuto proprietario*, Roma, 2012, p. 49 ss.

80. Cfr. Corte cost., 23 settembre 2014, n. 238; Corte cost., 26 marzo 2015, n. 49, con commento di R. Conti, *La Cedu assediata?(osservazioni a Corte cost. sent. n. 49/2015)*, in *Consulta online*, 10 aprile 2015. In argomento si v. R. Conti, *La scala reale della Corte costituzionale sul ruolo della CEDU nell'ordinamento interno*, in *Corr. giur.*, n. 9/2011, p. 1242 e ss.; nonché le *Relazioni sull'amministrazione della giustizia degli anni 2008, 2009, 2010, 2011, 2012, 2013, 2014, 2015*, in www.cortedicassazione.it.

81. Cfr. Cass., 9 aprile 1990, n. 2965, in *Giust. civ.*, 1990, I, p. 2359, qualifica la legge come innovativa, in contrasto con la sua qualificazione quale legge interpretativa, così impedendo la sua applicazione retroattiva. La legge aveva indebitamente utilizzato la tecnica della legge interpretativa per poter legiferare nel passato, ossia per dare effetto retroattivo alle proprie norme. La Cassazione constata che, in quel caso, il legislatore ha «mascherato come legge di interpretazione autentica quella che in realtà è una legge innovativa con effetto retroattivo, per suscitare minore opposizione al proprio intervento»; non esita a parlare di un «abuso censurabile».

il fatto illecito del legislatore quale fonte di responsabilità dello Stato per i danni che ne sono derivati ai cittadini[82].

Il tema è stato sollevato in relazione alla omessa o inadeguata o tardiva o anomala attuazione di direttive comunitarie da parte dello Stato membro[83]. Di fronte all'interrogativo, se questa omessa o inadeguata attuazione integri gli estremi del fatto illecito, lesivo delle legittime aspettative dei cittadini che dall'attuazione della direttiva avrebbero acquistato diritti, c'era stata una risposta negativa, che è stata data dalle sentenze, che hanno escluso in radice l'ammissibilità di un sindacato giudiziario su atti di natura politica del parlamento, quali gli adempimenti degli Stati membri ai doveri verso l'Unione europea[84]; ma è prevalso l'indirizzo opposto che legittima il Giudice comune sia a sindacare le omissioni o le inadeguatezze del legislatore nazionale, sia a condannare lo Stato al risarcimento del danno subito dai suoi cittadini[85].

---

82. Cfr. GALGANO, *Democrazia politica e legge della ragione*, cit., p. 412 e ss.

83. In argomento si v. A. RICCIO, *Responsabilità dello Stato per omessa o tardiva o anomala attuazione di direttive comunitarie*, in *la Responsabilità civile*, Torino, n. 5, 2010.

84. Cfr. Cass., sez. lav., 11 ottobre 1995, n. 10617, in *Foro it.*, 1996, I, 503, con nota di SCODITTI, la quale enuncia un *obiter dictum* (cfr. ROPPO, *La responsabilità civile dello Stato per violazione del diritto comunitario (e una trasgressione nel campo dell'illecito costituzionale del legislatore)*, in *Contratto e impresa-Europa*, 1999, p. 101 ss.; FRANZONI, *L'illecito*, in *Trattato della responsabilità civile*, diretto da Franzoni, Milano, 2004, p. 850) successivamente confermato in via di *ratio decidendi* da Cass., sez. III, 1° aprile 2003, n. 4915, in *Foro it.*, 2003, I, 2015, e in *Danno e resp.*, 2003, 718, con nota di SCODITTI; in *Giust. civ.*, 2003, I, 1193, con nota di GIACALONE. In motivazione si legge che «la Carta costituzionale nel dettare le norme fondamentali sull'organizzazione e sul funzionamento dello Stato, regola la funzione legislativa, ripartendola tra il governo e il parlamento, quale espressione di potere politico, libero cioè nei fini e sottratto perciò a qualsiasi sindacato giurisdizionale. Ne consegue che di fronte all'esercizio del potere politico non sono configurabili situazioni soggettive protette dei singoli, onde deve escludersi che dalle norme dell'ordinamento comunitario possa farsi derivare, nell'ordinamento italiano, il diritto del singolo all'esercizio del potere legislativo e comunque la qualificazione in termini di illecito, ai sensi dell'art. 2043 c.c., da imputare allo Stato-persona, di quella che è una determinata conformazione dello Stato-ordinamento».

85. Cfr. GALGANO, *Democrazia politica e legge della ragione*, cit., p. 413, il quale precisa che «non si dica che questa giurisprudenza è insuscettibile di generalizzazione perché la sovranità del legislatore, nei casi da essa considerati, è limitata da una autorità sovranazionale, quale l'Unione europea, cui compete il potere di imporre direttive vincolanti per gli Stati membri (N. Mac Cormick, *La sovranità in discussione*, trad. it., Bologna, 2003, p. 262). La sovranità del legislatore è limitata anche in ambito nazionale: la limita, in questo ambito, la vigenza di una Costituzione rigida che il legislatore ordinario è tenuto a rispettare e che gli impone, secondo la giurisprudenza della Corte costituzionale, oltre che il rispetto delle singole disposizioni della Costituzione, anche il generale vincolo della ragionevolezza, del rispetto cioè dei fondamentali valori di civiltà giuridica. Onde è coerente ritenere, anche se mancano a tutt'oggi pronunce giudiziarie in tal senso, che sia qualificabile come fatto illecito,

La Cassazione, prendendo atto di quanto deciso dalla Corte di Giustizia[86], ha infatti statuito che «in tema di risarcibilità del danno

produttivo di responsabilità dello Stato, anche l'»illecito costituzionale» (in questi termini E. ROPPO, *La responsabilità civile dello Stato per violazione del diritto comunitario (con una digressione nel campo dell'illecito costituzionale del legislatore)*, in *Contratto e impresa Europa*, 1999, p. 101. Sul punto, con altri ragguagli, V. LOCCISANO, *Abuso di potere legislativo e responsabilità*, in *Resp., comunicazione, impresa*, 2001, p. 35, che rievoca posizioni già assunte in tal senso da L. PALADIN e da A. PACE), ossia la violazione dei principi costituzionali che, al pari della violazione delle direttive comunitarie, abbia arrecato danno ai cittadini, cui compete il diritto al risarcimento nei confronti dello Stato. Alla linea di tendenza, già realizzata, che ammette il sindacato di costituzionalità delle leggi, fino al limite del sindacato di ragionevolezza, si affianca a questo modo un'altra linea di tendenza, che prende le mosse dal fatto illecito comunitario, per violazione legislativa delle direttive dell'Unione europea, produttiva di danno per i singoli, e conduce, per intrinseca coerenza, all'illecito costituzionale, lesivo anch'esso dei diritti dei singoli, censurabile da parte del giudice ordinario (La «dissacrazione» della sovranità dello Stato, entro la quale si situa il crollo della *Grundnorm* della onnipotenza del parlamento, è generalmente considerata sotto il profilo della protezione giudiziaria dei diritti fondamentali lesi dal legislatore (cfr. M. CAPPELLETTI, *Dimensioni della giustizia nelle società contemporanee*, Bologna, 1989, p. 39; G. REBUFFA, *Costituzione e costituzionalismi*, Torino, 1990, p. 66); ma il fenomeno rivela più vaste proporzioni: una sentenza del Trib. Genova, 1° luglio 1996, in *Nuova giur. civ. comm.*, 1997, I, p. 528, con nota di R. ROLLI, si pronuncia in una controversia fra Fincantieri s.p.a. e la Repubblica dell'Iraq, e risolve un contratto intercorrente fra le parti, relativo alla fornitura di navi da guerra, imputando la risoluzione a causa imputabile all'Iraq, che aveva invaso il Kuwait provocando il noto embargo. Il Tribunale supera l'obiezione che quella invasione era un illecito internazionale, posto in essere dall'Iraq quale Stato sovrano e destinato a produrre i propri effetti solo entro il diritto internazionale (assoggettamento alle sanzioni dell'Onu), ma irrilevante per il diritto civile e ininfluente sulle sorti del contratto, concluso dall'Iraq in forza della sua capacità di diritto privato. Il sindacato dei giudici genovesi non si arresta alla constatazione del *factum principis* (l'embargo dell'Onu) che ha impedito a Fincantieri di adempiere il contratto, ma si estende alla causa che ha generato il *factum principis*, con conseguente imputazione all'Iraq dalla risoluzione per inadempimento, anche se ciò implica il riesame giudiziario del comportamento di quella Repubblica quale Stato sovrano, che viene perciò condannato a risarcire i danni subiti dalla controparte contrattuale che non aveva potuto adempiere e ricevere il corrispettivo pattuito). Il parlamento non è più onnipotente, come voleva il ricordato adagio inglese, né è più incensurabile, come voleva l'altro adagio, anch'esso inglese, secondo il quale «il sovrano non può sbagliare» (Il principio *The King can do no wrong* è rievocato da E. SCODITTI, nel commento a Cass., 1° aprile 2003, n. 4915, cit., ed a Cass., 16 maggio 2003, n. 7630, cit., in *Danno e resp.*, 2003, p. 721). Oltre che come onnipotente, il parlamento era pensato anche come onnisciente e, per definizione, infallibile. Questo è ormai l'epilogo delle storie parallele: nell'arco di quattro secoli, il vincolo della ragionevolezza, che nel XVII secolo limitava i poteri dell'assemblea della *East India Company*, ora limita i poteri dei moderni parlamenti; rende le leggi da essi votate, come già le deliberazioni assembleari delle società di capitali, suscettibili di riesame giudiziario alla stregua del criterio della ragionevolezza, che nella estesa eccezione sopra rilevata equivale a congruità, giustizia, rispetto dei valori fondamentali di civiltà giuridica.

86. Cfr. Corte di Giustizia, 19 novembre 1991, cause riunite C-6/90 e C-9/90 (Francovich-Bonifaci c. Repubblica Italiana); Corte di Giustizia, 14 luglio 1994, causa C-91/92;

subìto dal singolo in conseguenza della mancata attuazione di direttiva comunitaria non autoesecutiva da parte del legislatore italiano, deve riconoscersi il diritto del privato al risarcimento del danno *ex* art. 2043 c.c., sia che l'interesse leso giuridicamente rilevante sia qualificabile come interesse legittimo sia come diritto soggettivo, qualora lo stato-membro non abbia adottato i provvedimenti attuativi nei termini previsti dalla direttiva stessa e allorché si verifichino le seguenti condizioni, conformemente ai principi più volte enunciati dalla corte di giustizia: a) che la direttiva preveda l'attribuzione di diritti in capo ai singoli soggetti; b) che tali diritti possano essere individuati in base alle disposizioni della direttiva; c) che sussista il nesso di causalità tra la violazione dell'obbligo a carico dello stato e il pregiudizio subìto dal soggetto leso»[87].

Da ultimo le Sezioni unite della Cassazione, seguendo una terza via, hanno statuito che lo Stato non può esimersi da responsabilità verso il singolo danneggiato, atteso il vincolo derivante dall'ordinamento comunitario, ma non si tratterebbe di risarcimento del danno da fatto illecito, bensì di «indennità per attività non antigiuridica». La sentenza si basa sulla considerazione che, «stante il carattere autonomo e distinto tra i due ordinamenti, comunitario e interno, il comportamento del legislatore è

Corte di Giustizia, 5 marzo 1996, nelle cause riunite C-46/93 e C-48/93 (Brasserie de Pecheur e Factor-Tame Ltd); Corte di Giustizia, 26 marzo 1996, nella causa C-393/93 (British Tel.); Corte di Giustizia, 8 ottobre 1996, nelle cause riunite C-179/94, C-188/94, C-189/94 e C-190/94 (Dillenkofer e altri). In argomento si v. LAZARI, *La responsabilità dello Stato legislatore e i destini dell'Europa*, in *Riv. dir. civ.*, 2002, I, p. 109 ss.; GALGANO, *Trattato di diritto civile*, II, 2009, p. 950, secondo cui la più recente giurisprudenza, sulla scorta di molteplici sentenze della Corte di Giustizia, si è pronunciata nel senso che il giudice può sindacare, in termini di fatto illecito, l'omessa o inadeguata attuazione delle direttive comunitarie da parte del legislatore nazionale, e condannare lo Stato al risarcimento del danno subito dai suoi cittadini. Significative sul punto sono Corte di Giustizia, 30 settembre 2003, causa C-224/01 (caso Kobler); nonché la sentenza sul caso Traghetti del Mediterraneo C-173/03, Racc. 2006, 5177.

87. Così Cass., sez. lav., 5 ottobre 1996, n. 8739, in *Riv. it. dir. pubbl. comunitario*, 1997, 1031; Cass., sez. lav., 9 aprile 2001, n. 5249, in *Foro it.*, 2002, I, c. 2663; Cass., sez. III, 16 maggio 2003, n. 7630, in *Foro it.*, 1993, I, c. 2015, e in *Danno e resp.*, 2003, 719, con nota di SCODITTI; e p. 836, con nota di CONTI. In argomento, in senso adesivo, si v. G. TESAURO, *Diritto comunitario*, Padova, 2008, p. 369, il quale richiama anche Cass., sez. un., 22 luglio 1999, n. 500, che tra le altre cose configura la responsabilità dello Stato legislatore per atti normativi; FRANZONI, *L'illecito*, in *Trattato della responsabilità civile*, diretto da Franzoni, Milano, 2004, p. 851, secondo cui dalla limitazione del potere sovrano conseguente all'adesione ad un trattato (art. 11 Cost.), segue l'obbligo dello Stato nei confronti dei propri cittadini di ottemperare agli impegni presi. Sicchè, sussistendo gli ulteriori presupposti, la violazione manifesta e grave ad un atto normativo di fonte comunitaria costituisce illecito risarcibile dallo Stato inadempiente verso i propri cittadini lesi. Ciò è quanto si desume dalla tendenza che si sta delineando in ambito comunitario e che sta trovando conferme nei diversi diritti interni.

suscettibile di essere qualificato come antigiuridico nell'ambito dell'ordinamento comunitario, ma non alla stregua dell'ordinamento interno, secondo principi fondamentali che risultano evidenti nella stessa Costituzione». Ne consegue che, non trattandosi di risarcimento del danno da fatto illecito, bensì di indennità dovuta per obbligazione *ex lege* dello Stato, il danneggiato non dovrà fornire la prova del dolo o della colpa del danneggiante, e la sua azione si prescrive non già in cinque, bensì in dieci anni, in applicazione del termine ordinario di prescrizione[88].

A ben vedere, si è già messo in evidenza che, contrariamente a quanto adducono le Sezioni unite della Cassazione, la omessa o tardiva o anomala o infedele attuazione di una direttiva comunitaria da parte dello Stato, configura un comportamento che può certamente essere qualificato come antigiuridico anche «alla stregua dell'ordinamento interno», ai sensi dell'art. 117, comma 1°, Cost.

La violazione da parte dello Stato del preesistente e generale obbligo giuridico interno di osservare i «vincoli derivanti dall'ordinamento comunitario», comporta un inadempimento che legittima il cittadino o comunque il soggetto danneggiato a chiedere nei confronti dello Stato danneggiante il risarcimento dei danni ai sensi dell'art. 1218 c.c., che disciplina, come è noto, la responsabilità per inadempimento di una preesistente obbligazione[89].

L'inadempimento dello Stato membro implica, tra l'altro, la lesione di due essenziali fattori di equilibrio del sistema: la parità di trattamento all'interno della Comunità e la solidarietà comunitaria[90]. Lo Stato, infatti, pone una grave violazione quando crea o mantiene disarmonia in un sistema giuridico che ha come obbiettivo fondamentale proprio l'interpretazione e l'applicazione uniforme di regole comuni e almeno coordinate[91].

La Corte di Giustizia ha da tempo enunciato che nel consentire agli Stati membri di trarre vantaggio dalla Comunità, il Trattato impone loro

---

88. Cfr. Cass., sez. un., 17 aprile 2009, n. 9147, in *Foro it.*, 2010, I, 168, con nota di Scoditti; in *Corriere giur.*, 2009, 1345, con nota di Di Majo; in *Nuova giur. civ.*, 2009, I, 1012, con nota di Pasquinelli; in *Contratto e impresa*, 2009, p. 883 ss. e sp. p 894, con commento critico di Galgano, *Danno non patrimoniale e diritti dell'uomo*; in *La Responsabilità civile*, Torino, n. 5/2010, con commento critico di A. Riccio, *Responsabilità dello Stato per omessa o tardiva o anomala attuazione di direttive comunitarie*.

89. Cfr. Galgano, *Trattato di diritto civile*, II, Padova, 2009, p. 76 ss.; Franzoni, *L'illecito*, in *Trattato della responsabilità civile*, diretto da Franzoni, Milano, 2004, p. 12 e p. 954.

90. Cfr. G. Tesauro, *Diritto comunitario*, Padova, 2008, p. 353, il quale precisa che l'applicazione uniforme del diritto comunitario in tutti i Paesi membri è il presupposto fondamentale di quella Comunità di diritto che è la comune ambizione e il vanto di Stati membri e istituzioni.

91. Cfr. G. Tesauro, *Diritto comunitario*, cit., p. 353.

l'obbligo di osservare le norme. Il fatto che uno Stato, in considerazione dei propri interessi nazionali, rompa unilateralmente l'equilibrio tra i vantaggi e gli oneri derivanti dalla sua appartenenza alla Comunità, lede l'uguaglianza degli Stati membri dinanzi al diritto comunitario e determina discriminazioni a carico dei loro cittadini, in primissimo luogo di quelli dello Stato che trasgredisce le norme comunitarie[92].

Nel caso in cui lo Stato abbia attuato infedelmente una direttiva comunitaria, il singolo potrebbe agire in giudizio proponendo, in alternativa all'azione di risarcimento danni, l'azione per la tutela in forma specifica del diritto riconosciuto dalla direttiva comunitaria, sollevando preliminarmente una pregiudiziale comunitaria avanti alla Corte di Giustizia dell'Unione Europea, ai sensi dell'art. 267 del Trattato[93], ovvero sollevando successivamente, per violazione degli artt. 11 e 117 Cost., un incidente di costituzionalità al fine di ottenere dalla Corte Costituzionale una sentenza additiva che rimedi chirurgicamente all'infedeltà[94].

Contrariamente a quanto adducono le Sezioni unite della Cassazione, anche alla luce del Trattato di Lisbona, entrato in vigore il 1° dicembre 2009 e che vede i diritti dell'uomo, le libertà e i principi CEDU al centro dell'Unione Europea (art. 6 TUE Lisbona), non si può più parlare di separazione tra l'ordinamento interno e l'ordinamento comunitario, nell'ottica della tutela del cittadino dell'Unione europea e dell'uomo in generale.

---

92. Cfr. Corte di Giustizia, 7 febbraio 1973, Racc. p. 101, causa C- 39/72 (Commissione contro Italia), la quale ha altresì statuito che la pronuncia che riconosce l'inadempimento può costituire il presupposto o il titolo della eventuale responsabilità dello Stato nei confronti, oltre che della Comunità e/o di altri Stati membri, anche dei singoli. Al riguardo si è precisato che, nella ipotesi in cui lo Stato ponga fine all'inadempimento in corso di causa, l'interesse alla prosecuzione del giudizio può ben consistere nello stabilire con la sentenza il presupposto della eventuale responsabilità dello Stato nei confronti dei singoli che abbiano subito un danno a seguito dell'inadempimento: cfr. Corte di Giustizia, 20 febbraio 1986, causa C. 309/84 (Commissione contro Italia); Corte di Giustizia, 17 giugno 1987, causa C. 154/85 (Commissione contro Italia); Corte di Giustizia, 24 marzo 1988, causa C 240/86 (Commissione contro Grecia); Corte di Giustizia, 30 maggio 1991, causa C 361/88 (Commissione contro Germania); Corte di Giustizia, 19 marzo 1991, C 249/88 (Commissione contro Belgio); la parte danneggiata ha interesse alla prosecuzione del giudizio.
93. Sui rapporti tra Corte Costituzionale e Corte di Giustizia si veda Corte Cost., 15 aprile 2008, n. 102, in *Foro it.*, I, 2010; *Giur. costit.*, 2008, 2641, con nota di ANTONINI, e in *Giur. costit.*, 2008, 1194, con nota di SORRENTINO; Corte Cost., 15 aprile 2008, n. 103, in *Giur. it.*, 2009, 39 con nota di GUARNIER; e in *Giur. costit.*, 2008, 1292, con nota di CARTABIA.
94. Cfr. PACE, *La sentenza Granital, ventitre anni dopo*, in *Diritto comunitario e diritto interno*, Milano, 2008, p. 426; SCODITTI, *La violazione comunitaria dello Stato fra responsabilità contrattuale ed extracontrattuale*, in *Foro it.*, 2010, I, 168 ss.

Gli antichi dogmi della statualità e della nazionalità del diritto, fatti propri dalla non condivisibile sentenza delle Sezioni unite[95], si scontrano con la nuova realtà dell'integrazione tra ordinamenti[96], che domina lo scenario giuridico europeo e internazionale degli ultimi anni, governato dal meccanismo di cui agli artt. 10, 11, 117, comma 1°, Cost.[97].

E' oggi la prospettiva europea ad indicarci una dimensione nuova di legalità –attenta ad aspetti sostanziali più che formali– connotata dalla trasformazione del ruolo partecipativo della giurisprudenza alla formazione della norma o, come si legge in numerose sentenze della Corte costituzionale, del diritto vivente ed ancorata al rispetto dei diritti fondamentali della persona[98].

Il sistema delle fonti del diritto è profondamente mutato[99]: il nostro diritto è parte di un sistema circolare integrato a più livelli, dove le norme dell'Unione europea o della CEDU non sono estranee al cittadino dell'Unione europea o all'uomo, bensì sono emanate in funzione e a tutela dello stesso cittadino dell'Unione europea e dell'uomo in generale[100].

L'Unione europea, soprattutto con il Trattato di Lisbona, riconosce ai singoli individui dei diritti che possono essere fatti valere in un giudizio

---

95. Cfr. Cass., sez. un., 17 aprile 2009, n. 9147, con commento critico di GALGANO, *Danno non patrimoniale e diritti dell'uomo*, cit., p 894, e di A. RICCIO, *Responsabilità dello Stato per omessa o tardiva o anomala attuazione di direttive comunitarie*, cit.

96. Cfr. FEMIA, *Pluralismo degli ordinamenti e comunicazione di validità*, in *Diritto comunitario e sistemi nazionali: pluralità delle fonti e unitarietà degli ordinamenti*, Atti del 4° Convegno nazionale della Società italiana degli studiosi del diritto civile, Napoli 2010, p. 49 ss.

97. Cfr. V. CARBONE, *Relazione sull'amministrazione della giustizia nell'anno 2009. Primo Presidente della Corte di Cassazione*, pubblicata sul sito della cassazione, p. 27.

98. Cfr. V. CARBONE, *Relazione sull'amministrazione della giustizia nell'anno 2009. Primo Presidente della Corte di Cassazione*, pubblicata sul sito della cassazione, p. 27. In argomento LIPARI, *Diritti fondamentali e ruolo della giurisprudenza*, in *Riv. dir. civ.*, 5/2010, p. 10635.

99. Cfr. LIPARI, *Per un ripensamento delle fonti-fatto nel quadro del diritto europeo*, in *Riv trim. dir. proc. civ.*, 2013, p. 1207 ss.; ID., *Diritto comunitario e sistemi nazionali: pluralità delle fonti e unitarietà degli ordinamenti*, Atti del 4° Convegno nazionale della Società italiana degli studiosi del diritto civile, Napoli 2010, p. 633 s.; M. FRANZONI, *L'interprete del diritto nell'economia globalizzata*, cit., p. 373 e ss.

100. Nel complesso caso Kadi, ad esempio, la Corte di Giustizia, tra l'altro, enuncia il principio del controllo giurisdizionale sulla legittimità delle misure di «congelamento» dei capitali, a tutela del diritto di proprietà: cfr. Corte Giustizia U.E., 3 settembre 2008, causa 402/05 e 415/05, caso Kadi, in *Foro it.*, 2008, IV, 456. In argomento si v. CASSESE, *I tribunali di babele, I giudici alla ricerca di un nuovo ordine globale*, Roma, p. 80 ss.; V. SCIARABBA, *La corte di giustizia, le misure antiterrorismo, i diritti fondamentali e la «Carta di Nizza»: l'epilogo della vicenda Kadi*, in *Europeanright.eu*, 2014.

nazionale anche nei confronti dello Stato membro, se del caso sollecitando al giudice nazionale il rinvio pregiudiziale alla Corte di Giustizia ai sensi dell'art. 267 TFUE[101].

La pronuncia pregiudiziale della Corte di Giustizia non serve infatti solo ad assicurare l'uniforme interpretazione del diritto dell'Unione all'interno degli ordinamenti giuridici degli Stati membri, bensì riveste anche un notevole significato come strumento per la tutela giurisdizionale dei diritti dei singoli. Come parti di un processo, essi possono sollecitare il giudice ad operare un rinvio alla Corte di Giustizia per cercare di ottenere la dichiarazione d'invalidità dell'atto comunitario lesivo dei loro diritti o interpretare a loro favore della normativa comunitaria[102].

I giudici nazionali diventano giudici comunitari in senso funzionale, tenuti a conoscere e ad applicare non solo il diritto nazionale, ma anche il diritto comunitario ed il diritto della CEDU, così come interpretati, ai fini del diritto vivente, rispettivamente dalla Corte di Giustizia e dalla Corte Europea dei Diritti dell'Uomo.

Nell'ambito di questo complesso sistema delle fonti, dove esiste una giustizia senza frontiere interne (art. 3, comma 2°, TUE Lisbona), si innesta l'indispensabile dialogo che i Giudici comuni devono instaurare non più soltanto con la Corte Costituzionale, ma anche con la Corte di Giustizia dell'Unione Europea e con la Corte Europea dei Diritti dell'Uomo[103].

Il principio di leale cooperazione tra gli Stati membri e l'Unione europea (art. 4 TUE Lisbona), che ha finalmente assunto una propria personalità giuridica, al punto da costituire essa stessa uno Stato, genera una serie di obblighi statali di attuazione legislativa, di esecuzione sul piano amministrativo, di realizzazione sul piano giurisdizionale.

Qualora uno Stato trasgredisca il diritto comunitario emanato a favore del cittadino dell'Unione Europea e dell'Uomo in generale, ciò che rileva ai fini dell'accertamento dell'antigiuridicità del comportamento dello

---

101. Cfr. Corte Cost., 15 aprile 2008, n. 103, con la quale la stessa Consulta rimette gli atti in via pregiudiziale alla Corte di Giustizia.

102. Cfr. V. CARBONE, *Relazione sull'amministrazione della giustizia nell'anno 2009. Primo Presidente della Corte di Cassazione*, pubblicata sul sito della cassazione, p. 30.

103. Il dialogo tra Corti si intensificherà a seguito del Protocollo n. 16 annesso alla CEDU, che consentirà ai Giudici comuni, a processo pendente, di richiedere un parere consultivo alla Corte EDU: parere non vincolante ma certamente influente nel processo interpretativo delle norme della Convenzione e che, di sicuro, rafforza ancora maggiormente la protezione internazionale dei Diritti Fondamentali. Si configurare come una sorta di rinvio pregiudiziale interpretativo sulla falsa riga di quello previsto per la Corte di Giustizia dell'UE, dall'art. 267 TFUE.

Stato membro, è la violazione in sé dell'obbligo comunitario o internazionale (che ai sensi dell'art. 117, comma 1°, Cost., diventa anche obbligo interno), con la conseguenza che la lesione del diritto del singolo, può essere tutelata con l'azione risarcitoria di cui all'art. 1218 c.c.

I Giudici comuni, dunque, non solo creano un vero e proprio diritto giudiziario[104], che è diritto vivente che può discostarsi –e spesso si discosta– dal dato letterale della norma legislativa, ma si rivelano più adatti, rispetto al legislatore, ad adeguare il diritto ai mutamenti della realtà[105].

Si può ribadire che nell'epoca presente l'antico primato della *legislatio* cede il posto, in *civil law* come in *common law*, al primato della *iurisdictio*[106].

---

104. Cfr. G. TARELLO, *L'interpretazione della legge*, Milano, 1980, p. 42 e ss.; L. LOMBARDI VALLAURI, *Saggio sul diritto giurisprudenziale*, Milano, 1967, p. 218 e ss. In argomento si v. *Appunti sul diritto giudiziario di Walter Bigiavi*, riedizione a cura di MARINO BIN, nella collana de *I classici di Contratto e impresa*, Padova, 1989, p. 122 e ss.; GALGANO, *Trattato di diritto civile*, I, Padova, 2009, p. 113; ID., *La globalizzazione nello specchio del diritto*, Bologna, 2005, p. 115 e ss.; ID., *Stare decisis e no nella giurisprudenza italiana*, in *Contratto e impresa*, p. 1 e ss.; M. FRANZONI, *L'interprete del diritto nell'economia globalizzata*, cit., p. 391. ROLLI, *Overruling del diritto vivente vs. ius supervenies*, in *Contratto e impresa*, 2013, p. 577 e ss. Il Maestro GALGANO dichiaratamente cambia opinione in *La giurisprudenza fra ars inveniendi e ars combinatoria*, in *Contratto e impresa*, 2012, p. 77 e ss.

105. Cfr. P. CALAMANDREI, *La funzione della giurisprudenza nel tempo presente*, in *Riv. trim. dir. e proc. civ.*, 1955, p. 262; ID., *Opere giuridiche*, I, Napoli, 1965, p. 598; G. FASSÒ, *Il giudice e l'adeguamento del diritto alla realtà storico-sociale*, in *Riv. trim. dir. e proc. civ.*, 1972, p. 1020; GALGANO, *Stare decisis e no nella giurisprudenza italiana*, cit., p. 12, il quale precisa che Montesquieu, Muratori, Verri sono oggi improponibili. In una società in rapida trasformazione, come quella odierna, l'adeguamento del diritto ai mutamenti della realtà non può essere rimesso solo alla sede legislativa. Dalla società si leva, anche sul giudice, una spinta incontenibile, cui il giudice non può sottrarsi, adducendo che una apposita legge non c'è o che, se la legge che c'è è una legge ingiusta, non può il giudice modificarla. La società di cui parliamo è poi una società sempre più globalizzata, le cui regole non sono statuali, come non sono statuali, bensì planetarie, le regole che compongono la nuova *lex mercatoria*; sicché è vano pretendere di vincolare il giudice alla legge dello Stato. Nelle controversie che insorgono nel commercio internazionale il giudice applicherà piuttosto la transnazionale *lex mercatoria*, come la nostra Cassazione ha avvertito già negli anni 80. Non viviamo più nell'era della *legislatio*; viviamo, uso ora le parole di nostri filosofi, nell'era della *iurisdictio* (e al riguardo ricordo Guido Fassò e Nicola Matteucci). La soluzione del problema non è, dunque, nel rapporto fra legislazione e giurisprudenza; è, invece, da ricercare all'interno di quest'ultima. Se una legge si vuole fare, si faccia una legge che codifichi la nomofilachia e introduca, fra i motivi di ricorso per Cassazione, la contrarietà immotivata della sentenza di merito ai principi già fissati dalla Corte regolatrice, precisando altresì che il giudice di merito incorre in vizi di motivazione se disattende immotivatamente i propri precedenti. Sarà meno dello stare decisis di *common law*, meno della *doctrina legal* spagnola, meno anche del sistema predicato dalla nostra Sezione lavoro.

106. Cfr. N. MATTEUCCI, *Positivismo giuridico e costituzionalismo*, in *Riv. trim. dir. e proc. civ.*, 1963, p. 1008; GALGANO, *Trattato di diritto civile*, I, Padova, 2009, Prefazione, p. XXIII.

Il legislatore nazionale non può vincolare il Giudice[107], il quale, pur essendo formalmente soggetto soltanto alla legge, come chiaramente enuncia l'art. 101, comma 2°, Cost., ben potrebbe, sostanzialmente, alla luce dell'art. 117, comma 1°, Cost., disapplicare la stessa legge statale in contrasto con il diritto dell'Unione Europea o della CEDU, ovvero modificarla attraverso il meccanismo dell'interpretazione conforme alla Costituzione, all'U.E., alla CEDU e, più in generale, al diritto vivente che deve considerasi incluso nel principio di legalità[108].

---

107. Cfr. GALGANO, *Danno non patrimoniale e diritto dell'uomo*, cit., p. 892; LIPARI, *Diritti fondamentali e ruolo della giurisprudenza*, cit., p. 10635, secondo cui l'ottica dei diritti fondamentali ha spostato il baricentro di quello che era stato l'orientamento prevalente del giurista per lunga parte del secolo scorso. Il quadro dei diritti era stato delineato come una difesa dell'individuo contro le interferenze illegittime dell'esecutivo. Oggi il criterio della fondamentalità sposta invece l'attenzione sul versante del rapporto con il legislatore per tentare di affermare l'esistenza di un baluardo all'intervento legislativo, così da porre freni alle stesse istanze di revisione costituzionale. Questo spostamento del punto di incidenza obiettivo della riflessione, abbastanza facile ad enunciarsi in astratto, deve invece misurarsi, all'interno della nostra esperienza giuridica, con due difficoltà di fondo, non sempre neutralizzate dalla nostra cultura giuridica, ancora fortemente condizionata dai criteri classificatori delle vecchie categorie. Da un lato l'affermazione di un limite al potere enunciativo del legislatore viene proposta in un momento in cui, nel quadro di quella che viene definita la crisi del sistema delle fonti, si avverte e si teorizza (da taluno con timore, da altri con compiacenza) la progressiva riduzione del territorio tradizionalmente riservato alla legge, il progressivo esautoramento della regola come presupposto direttivo di comportamenti di fronte all'affermarsi di una prassi, politica ed economica, che pretende di diventare regola nel momento stesso in cui si manifesta secondo la logica di un potere misurato dalla forza (fosse pure quella elementare del numero) e renitente a qualsiasi meccanismo di controllo. Dall'altro, almeno in Italia, si tende a ridurre lo spazio, che il nostro costituente aveva inteso rigorosamente garantire, tra potere legislativo e potere esecutivo neutralizzando la terzietà del Parlamento, ormai considerato quale mero luogo di registrazione delle scelte gestionali operate dal Governo. L'affermazione dei diritti fondamentali diventa dunque una sorta di ultima trincea cui affidare la difesa contro un sistema che implicitamente nega la giuridicità nel momento stesso in cui la considera quale semplice ratifica dei rapporti di forza. Non a caso è stato detto, da un raffinato filosofo del diritto, che i diritti fondamentali richiedono l'interazione tra il consenso e la ragionevolezza. Il limite non è più semplicemente contro il legislatore (ordinario o costituente), ma contro un complessivo sistema di potere, che si articola in una serie di canali, dei quali quello relativo alla posizione della regola non è necessariamente il più significativo. Se resta sempre valida la prospettiva, che da tempo vado sottolineando, di spostare l'ottica della riflessione giuridica dagli atti di posizione agli atti di riconoscimento (che è poi, a ben vedere, un modo diverso di verificare quello che altrimenti si suole definire come «diritto vivente «), essa deve in qualche modo allargarsi considerando –e quindi, se del caso, neutralizzando– modelli di comportamento che non sempre si collegano ad enunciati. La tutela di quel momento di sintesi dei diritti fondamentali che siamo soliti ricondurre alla dignità della persona va oggi affermata e ribadita contro una pluralità di fattori che possono limitarne o negarne l'esplicazione.

108. Cfr. BIFULCO, *Il giudice è soggetto soltanto al «diritto». Contributo allo studio dell'art. 101, comma 2°, della Costituzione italiana*, Napoli, 2008, p. 26 e ss.; M. DONINI, *Il diritto giurisprudenziale penale*, 2015, in *www.dirittopenalecontemporaneo.it*.

Oggi si dovrebbe dire che il Giudice è soggetto al diritto vivente, nazionale e sovranazionale, e non già solo alla legge formale dello Stato. Ed infatti la Corte Costituzionale, con la nota sentenza n. 49 del 2015, invoca il «combinato disposto» tra l'art. 101, secondo comma, e l'art. 117, primo comma, Cost., strumentale ad affermare che «corrisponde (...) a una primaria esigenza di diritto costituzionale che sia raggiunto uno stabile assetto interpretativo sui diritti fondamentali, cui è funzionale, quanto alla Cedu, il ruolo di ultima istanza riconosciuto alla Corte di Strasburgo. Quest'ultimo, poggiando sull'art. 117, primo comma, Cost., e comunque sull'interesse di dignità costituzionale appena rammentato, deve coordinarsi con l'art. 101, secondo comma, Cost., nel punto di sintesi tra autonomia interpretativa del Giudice comune e dovere di quest'ultimo di prestare collaborazione, affinché il significato del diritto fondamentale cessi di essere controverso. È in quest'ottica che si spiega il ruolo della Corte Edu, in quanto permette di soddisfare l'obiettivo di certezza e stabilità del diritto».

Il Giudice comune, dunque, oltre a creare nuovo diritto[109], mediante l'interpretazione conforme alla Costituzione, all'Unione Europea e alla CEDU, è comunque vincolato al diritto vivente generato dalle sentenze della Corte Costituzione, della Corte di Giustizia e della Corte EDU.

2. LA FUNZIONE DELLA GIURISPRUDENZA E L'EFFICACIA DEL DIRITTO VIVENTE

Alla luce di quanto esposto nel precedente paragrafo, si può dire che è un «fatto» e non già una «opinione» che la giurisprudenza svolga non solo o soltanto la classica ed ormai tramonta «funzione ricognitiva-dichiarativa», ma anche e soprattutto la più energica ed attuale «funzione innovativa-costitutiva», assurgendo il diritto vivente, rappresentato dall'effettività dell'orientamento consolidato[110], a vera e propria fonte del diritto[111].

---

109. Cfr. LOMBARDI VALLAURI, *Giurisprudenza: I) Teoria generale*, in E.G.I., Roma, 1989, 1–9; CALVANO, *Lo stare decisis nella più recente giurisprudenza della Corte costituzionale*, in *Giur. cost.*, 1996, p. 1279 e ss.

110. T. ASCARELLI, GIURISPRUDENZA COSTITUZIONALE E TEORIA DELL'INTERPRETAZIONE, in *Riv. dir. proc.*, 1957, p. 352; MORELLI, *Diritto vivente nella giurisprudenza della Corte costituzionale*, in *Giust. civ.*, 1995, p. 169 e ss.; SICCHIERO, *Il principio di effettività e il diritto vivente*, in *Giur. it.*, 1995, IV, c. 263 e ss.

111. Cfr. E. VINCENTI e M.R. MORELLI, *L'overruling giurisprudenziale in materia di processo civile*, in *Relazione della Corte Suprema di Cassazione, Ufficio del Massimario e del Ruolo*, n. 31 del 29 marzo 2011, p. 5 e ss.; ROSELLI, *Il principio di effettività e la giurisprudenza come fonte del diritto*, in *Riv. dir. proc.*, 1998, II, 23 ss.; ZACCARIA, *La giurisprudenza come fonte*

Secondo la Corte EDU la nozione di «legge» deve essere considerata non già in senso formale, bensì in senso sostanziale, come comprensiva sia del diritto scritto di origine legislativo, sia del diritto non scritto di origine giurisprudenziale[112].

Nel caso *Sud* Fondi[113], la Corte EDU ha sottolineato come la giurisprudenza rappresenti nella tradizione giuridica europea una fonte del diritto che contribuisce alla sua evoluzione, con la conseguenza che la giurisprudenza ha, dunque, una funzione non solo dichiarativa[114], ma anche e soprattutto costitutiva[115].

---

del diritto. Un'evoluzione storica e teorica, Napoli, 2007, p. 9 ss. Sulla opinione diffusa che la giurisprudenza non possa essere annoverata tra le fonti del diritto si v.: MARINELLI, *Precedente giudiziario*, in *Enc del dir.*, agg. VI, Milano, 2002, p. 871 e ss.; INZITARI, *Obbligatorietà e persuasività del precedente giudiziario*, in *Contratto e impresa*, 1998, p. 526 e ss.; BRIGUGLIO, *Creatività della giurisprudenza, mutamento giurisprudenziale e giudizio di rinvio*, in *Riv. trim. dir. proc. civ.*,1984, p. 1375 e ss.; BETTI, *Interpretazione della legge e degli atti giuridici (teoria generale e dogmatica)*, Milano, 1949, p. 48 e ss. In argomento si v. GORLA, *Giurisprudenza*, in *Enc. del dir.*, Milano, 1970, p. 489 e ss.; ID., *Precedente giudiziale*, in *E.G.I.*, Roma, 1990, p. 1 e ss.

112. Cfr. PADELLETTI, in BARTOLE-CONFORTI-RAIMONDI, *Commentario breve alla Convenzione europea dei diritti dell'uomo*, Padova, 2012, p. 797. Corte EDU, 22 ottobre 1996, casi Cantoni contro Francia e Wingrave contro Regno Unito; Corte EDU, 26 aprile 1979, caso Sunday Times contro Regno Unito. Dovrebbe considerarsi superata la classificazione tra «fonti atto», o fonti di disposizioni, tra cui annoverare, per antonomasia, la legge e «fonti fatto», o fonti senza disposizioni, alle quali apparterrebbe la giurisprudenza: cfr. PIZZORUSSO, *Fonti del diritto*, in *Commentario del codice civile Scialoja-Branca*, a cura di Galgano, II ed., Bologna-Roma, 2011, p. 140 e ss. e p. 705 e ss.

113. Cfr. Corte EDU, 30 agosto 2007, caso Sud Fondi contro Italia; Corte EDU, G.C., 20 gennaio 2009, caso Sud Fondi contro Italia.

114. Cfr. GALGANO, *La giurisprudenza fra ars inveniendi e ars combinatoria*, in *Contratto e impresa*, 2012, p. 77 ss. che si discosta da quanto aveva ritenuto in precedenza; ROLLI, *Overruling del diritto vivente vs. ius superveniens*, in *Contratto e impresa*, 2013, p. 577 ss.; in giurisprudenza si v. Cass., 4 novembre 2004, n. 21095, in *Foro it.*, 2004, I, c. 3294, con commento di A. RICCIO, *La capitalizzazione degli interessi passivi è, dunque, definitivamente nulla*, in *Contratto e impresa*, 2004, p. 964, secondo cui «la funzione assolta dalla giurisprudenza, nel contesto dei sillogismi decisori, non può essere altra che quella ricognitiva dell'esistenza e dell'effettiva portata della regola, e non anche una funzione creativa della regola stessa».

115. Cfr. GALGANO, *Stare decisis e no nella giurisprudenza italiana*, in *Contratto e impresa*, 2004, p. 9 ss.; ID., *La globalizzazione nello specchio del diritto*, Bologna, 2005, p. 115 e ss., dove si affronta il tema del giudice al posto del legislatore; ID., *L'efficacia vincolante del precedente di Cassazione*, in *Contratto e impresa*, 1999, p. 894 e ss.; RORDORF, *Stare decisis: osservazioni sul valore del precedente giudiziario nell'ordinamento italiano*, in *Foro it.*, 2006, V, 280 e ss.; G. Sorrenti, La tutela dell'affidamento leso da un'overruling processuale corre sul filo della distinzione tra natura dichiarativa o creativa della giurisprudenza, *in* Associazione italiana dei costituzionalisti, *n. 1/2012*. In relazione al dibattito sull'efficacia del precedente di Cassazione si v.: GALGANO, *Giurisdizione e giurisprudenza in materia civile*, in *Contratto e impresa*, 1985, p. 29 ss.; Id., *L'interpretazione del*

precedente giudiziario, in *Contratto e impresa*, 1985, p. 701 ss.; Id., *Dei difetti della giurisprudenza ovvero dei difetti delle riviste di giurisprudenza*, in *Contratto e impresa*, 1988, p. 504 ss.; Id., *La giurisprudenza nella società post-industriale*, in *Contratto e impresa*, 1989, p. 357 ss.; Id., *L'efficacia vincolante del precedente di Cassazione*, in *Contratto e impresa*, 1999, p. 889 ss.; sulla funzione nomofilattica della S.C. e sull'efficacia del precedente v. altresì, dello stesso autore, Id., *Diritto civile e commerciale*, vol. I, Padova, 1999, p. 116 ss. e Id., *Il precedente giudiziario* in civil law, in Id., *Atlante di diritto privato comparato*, Bologna, 1999, p. 30 ss.); BIN, *Funzione uniformatrice della Cassazione e valore del precedente giudiziario*, in *Contratto e impresa*, 1988, p. 545 ss.; CASELLI, *Gli* obiter dicta *persuadono anche quando non convincono*, in *Contratto e impresa*, 1987, p. 675 ss.; INZITARI, *Obbligatorietà e persuasività del precedente giudiziario*, in *Contratto e impresa*, 1988, p. 526 ss.; SBISÀ, *Certezza del diritto e flessibilità del sistema (la motivazione della sentenza in* common law *e* civil law), in *Contratto e impresa*, 1988, p. 519 ss.; BONSIGNORI, *Il precedente giudiziario in materia processuale*, in *Contratto e impresa*, 1987, p. 405 ss. nonché Id., *L'art. 65 dell'ordinamento giudiziario e l'efficacia persuasiva del precedente*, in *Contratto e impresa*, 1988, p. 510 ss.; ANGELONI, Obiter dicta, rationes decidendi *e massime errate in tema di adempimento dell'obbligazione di contrattare di un incapace*, in *Contratto e impresa*, 1993, p. 14 ss.; Id., *Ancora sul precedente di Cassazione: questa volta anche secondo la Cassazione penale*, in *Contratto e impresa*, 2000, p. 14 ss; Id., *Ancora sul precedente di Cassazione: questa volta sotto il profilo della responsabilità civile del magistrato che lo disattende senza indicare le ragioni della propria decisio*ne, in *Contratto e impresa*, 2001, p. 30 ss; MERUZZI, *Funzione nomofilattica della Suprema Corte e criterio di buona fede*, in *Contratto e impresa*, 2000, p. 38 e ss.; BASEDOW, *Fattori e strumenti processuali nell'evoluzione giudiziaria del diritto*, in *Contratto e impresa*, 1988, p. 540 ss.; BERTACCHINI, *Variabili e mutazioni del precedente giudiziario nella giurisprudenza fallimentare*, in *Contratto e impresa*, 1998, p. 515 ss.; DE FRANCHIS, *L'interpretazione del precedente giudiziario nei sistemi di «civil law» e di «common law» (accenni comparatistici)*, in *Contratto e impresa*, 1986, p. 91 ss.; DE NOVA, *Sull'interpretazione del precedente giudiziario*, in *Contratto e impresa*, 1986, p. 779 ss. nonché Id., *L'astrattezza delle massime e le origini dell'Ufficio del Massimario*, in *Contratto e impresa*, 1988, p. 516 ss.; GENGHINI, *Il punto di vista del magistrato della Cassazione*, in *Contratto e impresa*, 1988, p. 531 ss.; GORLA, *Appunti per una ricerca storico-comparativa in tema di autorità dee decisioni giudiziali*, in *Contratto e impresa*, 1990, p. 605 ss.; GRIPPO, *Travisamento e persuasività dell'*obiter dictum *in due casi emblematici*, in *Contratto e impresa*, 1987, p. 659 ss.; GUASTINI, *Problemi di analisi logica della motivazione*, in *Contratto e impresa*, 1986, p. 104 ss.; JAYME, *Formazione progressiva del diritto internazionale privato da parte dei giudici: l'esperienza americana e tedesca*, in *Contratto e impresa*, 1988, p. 423 ss.; LUPOI, *L'interesse per la giurisprudenza è tutto oro*, in *Contratto e impresa*, 1999, p. 234 ss.; MONATERI, *L'occhio del comparatista sul ruolo del precedente giudiziario in Italia*, in *Contratto e impresa*, 1988, p. 192 ss.; MONETA, *Contrasti nella giurisprudenza della cassazione civile e certezza del diritto*, in *Contratto e impresa*, 1990, p. 1009 ss.; Id., *Ancora sui contrasti della Cassazione civile*, in *Contratto e impresa*, 1990, p. 181 ss.; Id., *La Cassazione civile e i suoi contrasti di giurisprudenza del 1990*, in *Contratto e impresa*, 1992, p. 1245 ss.; Id., *Nomofilachia*, in *Contratto e impresa*, 1997, p. 368 ss.; MORETTI, *La dottrina del precedente giudiziario nel sistema inglese*, in *Contratto e impresa*, 1990, p. 680 ss.; NANNI, Ratio decidendi *e* obiter dictum *nel giudizio di legittimità*, in *Contratto e impresa*, 1987, p. 865 ss.; PREITE, *Tecnica della motivazione delle sentenze e coesione sociale (a proposito di un libro di Guido Calabresi)*, in *Contratto e impresa*, 1986, p. 476 ss.; SARTOR, *Precedente giudiziale*, in *Contratto e impresa*, 1995, p. 300 ss.; MALTESE, *Norma elastica, giudizio di legittimità e «stare decisis»*, in *Contratto e impresa*, 2000, p. 1 ss; ROSELLI, *Massimazione e memorizzazione della giurisprudenza costituzionale*, in *Contratto e impresa*, 1988, p. 489 ss.; A. RICCIO, *Un obiter dictum della Cassazione sull'efficacia del precedente giudiziario*, in *Contratto e impresa*, 2002, p. 461 e ss.; ID., *La rivitalizzazione legislativa della funzione nomofilattica della Cassazione*, in *Contratto e impresa*, 2006, p. 825 e ss.

Oggi appare più che mai riduttivo richiamare la teoria di Blackstone[116], risalente al 1770, per riaffermare che la funzione della giurisprudenza sia solo quella ricognitiva della esistenza e della effettiva portata della regola da applicare già immanente nel sistema (c.d. teoria dichiarativa)[117], con la conseguenza che il mutamento giurisprudenziale (c.d. overruling) dovrebbe avere efficacia retroattiva in quanto ripristinatorio del diritto «giusto», nel senso che il precedente ha errato nel ricostruire ciò che diritto non era e che si pensava che fosse[118].

La predetta teoria è stata fortemente criticata da Austin[119], intorno al 1820, il quale, accogliendo l'opposta teoria costitutiva, affermava che la teoria dichiarativa era «una finzione puerile» e che la case-law veniva ad assumere il ruolo di improper o judicial legislation, là dove poi la stessa ratio decidendi era itself a law[120]. Attualmente, in Inghilterra è opinione dominante che il precedente vincolante sia un legal source of law e che la regola da esso derivata (ratio decidendi) sia diritto proprio in quanto posta dal giudice e come tale debba essere seguita. Lo stare decisis è, pertanto, ricompreso tra i principi fondamentali (ultimate) e originari (underived), alla stessa stregua della potestà legislativa, giacché non una norma legislativa lo pone, né altro precedente può attribuire ad esso autorità di precedente. Peraltro, in Inghilterra soltanto nel 1966 la Camera dei Lords ha superato il principio di vincolatività orizzontale del precedente, che, per più di un secolo, aveva segnato la propria attività giurisdizionale. Sicché, tramite

---

116. Cfr. W. BLACKSTONE, *Commentaries of the laws of England*, I, Oxford, 1779, p. 69.

117. Cfr. GALGANO, *La giurisprudenza fra ars inveniendi e ars combinatoria*, in *Contratto e impresa*, 2012, p. 77 e ss., il quale, cambiando opinione, aderisce alla c.d. teoria dichiarativa ed usando le parole di LEIBNIZ (in *Scritti di logica*, a cura di F. Barone, trad. it., Bologna, 1968), scrive che il giudice pratica, in *civil law* come in *common law*, l'*ars inveniendi* piuttosto che la creativa *ars combinatoria*: la sua funzione sta nello scoprire, e non nell'inventare, la regola, implicita nel sistema, alla stregua della quale rendere giustizia. L'A. richiama al riguardo anche WALTER BIGIAVI, *Appunti sul diritto giudiziario*, riedizione a cura di Marino Bin, nella collana de *I classici di Contratto e impresa*, Padova, 1989, p. 122 e ss.

118. Cfr. E. VINCENTI e M.R. MORELLI, *L'overruling giurisprudenziale in materia di processo civile*, in *Relazione della Corte Suprema di Cassazione, Ufficio del Massimario e del Ruolo*, n. 31 del 29 marzo 2011, p. 8. SULL'OVERRULING SI V. ROLLI, *Overruling del diritto vivente vs. ius supervenies*, in *Contratto e impresa*, 2013, p. 577 e ss.

119. Cfr. MANDELLI, *Recenti sviluppi dello stare decisis in Inghilterra ed in America*, in *Riv. dir. proc.*, 1979, p. 662.

120. Cfr. MANDELLI, *Recenti sviluppi dello stare decisis in Inghilterra ed in America*, cit., p. 661 e ss. il quale precisa a pag. 3 che per ripristinare l'ordine all'interno del sistema delle fonti, così da non suscitare attriti con il potere del Parlamento, Lord Campbell affermò, nel 1860–1861, che le decisioni della *House of Lords*, come Corte Suprema «*sono dichiarazioni dotate di autorità e definitive dello stato esistente del diritto, e sono vincolanti per la stessa in sede giurisdizionale come per tutti i tribunali inferiori*», finché non modificate da un atto del Parlamento.

un *practice statement*, emanato in base ad un potere di autoregolamenta-zione, i *Lords* hanno riconosciuto che la funzione di certezza, alla quale assolve il precedente, non può non essere messa in discussione sino al punto di inibire del tutto lo sviluppo del diritto e così da rendere ingiustizia nel caso concreto. Donde, l'affermazione per cui è possibile «*dipartirsi dalle precedenti decisioni quando appaia giusto farlo*»; tuttavia, ciò senza «*disturbare retroattivamente*» i rapporti già sorti, in campo civile, e le peculiari esigenze della materia penale[121], in applicazione del c.d. *prospective overruling*[122].

Le suddette opposte concezioni sulla funzione della giurisprudenza hanno trovato riscontro anche in seno alla Corte di Cassazione italiana, laddove le Sezioni Unite del 2004, in tema di anatocismo bancario, hanno statuito che «né è in contrario sostenibile che la «fondazione» di un uso normativo, relativo alla capitalizzazione degli interessi dovuti alla banca, sia in qualche modo riconducibile alla stessa giurisprudenza del ventennio antecedente al *revirement* del 1999[123]. Anche in materia di usi normativi, così come con riguardo a norme di condotta poste da fonti-atto di rango primario, la funzione assolta dalla giurisprudenza, nel contesto di sillogismi decisori, non può essere altra che quella ricognitiva,

---

121. Cfr. Mattei, *Precedente giudiziario e stare decisis*, in *Dig. disc. priv, sez. civ.*, Torino, 1996, p. 148 e sp. 152.

122. Sul tema dell'*overruling* si v. Mattei, *Il modello di Common law*, Torino, 2014, p. 162; E. Amodio, *Processo penale, diritto europeo e common law*, Milano, 2003; G. Criscuoli, *Introduzione allo studio del diritto inglese. Le fonti*, Milano, 2001; V. Varano, V. Borsotti, *La tradizione giuridica occidentale, testo e materiali per un confronto civil law common law*, Torino, 2014; Varano, *Overruling e affidamento nei sistemi di common law*, in *Diritto intertemporale e rapporti civilistici*, 7° Convegno Nazionale SISDIC, Capri, 12, 13,14 aprile 2012; A. Orlando, *Overruling e legittimo affidamento*, relazione al seminario di Perugia 18 e 19 gennaio 2013, in *www.gistiziatributaria.it*; F. Viglione, *L'Overruling nel processo civile italiano: un caso di flusso giuridico controcorrente*, in *Politica del diritto*, n. 4/2014 e in *www.academia.edu/12993280*; G. Sorrenti, La tutela dell'affidamento leso da un'overruling processuale corre sul filo della distinzione tra natura dichiarativa o creativa della giurisprudenza, *in Associazione italiana dei costituzionalisti, n. 1/2012*; Steiner, *French Law: A Comparative Approach*, Oxford, 2010, p. 99, ritiene che «*Revirement* is a close equivalent to the concept of overruling in Anglo-American law and thus consists of a departureby a court from its own established *jurisprudence*». In realtà, una differenza sostanziale dovrebbe emergere dall'uso dei due termini; come avverte anche G. Verde, *Mutamento di giurisprudenza e affidamento incolpevole (considerazioni sul difficile rapporto fra giudice e legge)*, in *Riv. dir. proc.*, 2012, p. 6, nt. 1, mentre *overruling* indica propriamente il cambiamento di una regola, il *revirement* designa il mero ripensamento o mutamento di opinione.

123. Si tratta della giurisprudenza che ha configurato la illegittimità dell'anatocismo per mancanza di un uso normativo contrario ai sensi dell'art. 1283 c.c.: cfr. Cass., 16 marzo 1999, n. 2374; Cass., 30 marzo 1999, n. 3096; Cass., 17 aprile 1999, n. 3845; Cass., 11 novembre 1999, n. 12507.

dell'esistenza e dell'effettiva portata, e non dunque anche una funzione creativa, della regola stessa. Discende come logico ed obbligato corollario da questa incontestabile premessa che, in presenza di una ricognizione, pur reiterata nel tempo, che si dimostri poi però erronea nel presupporre l'esistenza di una regola in realtà insussistente, la ricognizione correttiva debba avere una portata *naturaliter* retroattiva, conseguendone altrimenti la consolidazione *medio tempore* di una regola che troverebbe la sua fonte esclusiva nelle sentenza che, erroneamente presupponendola, l'avrebbero con ciò stesso creata. Ciò vale evidentemente, nel caso di specie, anche con riguardo alla giurisprudenza (costituita, per altro, da solo dieci tralaticie pronunzie nell'arco di un ventennio) su cui fa leva l'istituto ricorrente. La quale –a prescindere dalla sua idoneità (tutta da dimostrare e in realtà indimostrata) ad ingenerare nei clienti una *opinio iuris* del meccanismo di capitalizzazione degli interessi, inserito come clausola insuscettibile di negoziazione nei controlli stipulati con la banca– non avrebbe potuto, comunque, conferire normatività ad una prassi negoziale (che si è dimostrato essere) *contra legem*[124].

In precedenza la Prima sezione della Cassazione aveva statuito che «la sentenza non costituisce un intervento normativo, ma al contrario, un'autorevole indicazione interpretativa, alla cui luce possono ben valutarsi, come è ovvio, situazioni e fatti anteriori»[125].

Successivamente la Cassazione, mutando orientamento, si diffonde sulla «funzione interpretativa del giudice in ordine alla formazione della c.d. giurisprudenza-normativa, quale autonoma fonte del diritto»[126], e le Sezioni Unite della Cassazione italiana hanno confermato che, in forza

---

124. Cfr. Cass., sez. un., 4 novembre 2004, n. 21095, Pres. V. Carbone, Rel. M.R. Salerno, commentata da GALGANO, *La giurisprudenza fra ars inveniendi e ars combinatoria*, in *Contratto e impresa*, 2012, p. 77 e ss. e da A. RICCIO, *La capitalizzazione degli interessi passivi è, dunque, definitivamente nulla*, in *Contratto e impresa*, 2004, p. 961 e ss., dove a pag. 964, nel paragrafo 2, rubricato «*La funzione della giurisprudenza*», si sottolineava che un punto della motivazione richiama l'attenzione, ed il punto in cui il S.C. nega che la giurisprudenza abbia «funzione creativa» del diritto, avendo invece una funzione solo «ricognitiva». Per la verità, questo è uno schema di ragionamento che può attagliarsi alla funzione che la giurisprudenza svolge in rapporto alla legge o alle altre fonti di diritto scritte; resta però da domandarsi se esso si attagli anche alla consuetudine, in rapporto alla quale si suole ripetere, nei paesi di *common law*, che la consuetudine è una prassi costante il cui carattere normativo è convalidato dal giudice. Il tema non può essere trattato in questa sede; basti però segnalare il fatto che il giudice di *civil law*, abituato com'è ad applicare il diritto scritto, finisce con il non distinguere a seconda che si pronunci in ordine alla legge oppure alla consuetudine.
125. Cfr. Cass., sez. I, 1° agosto 2003, n. 11738.
126. Cfr. Cass., sez. III, 11 maggio 2009, n. 10741, in *Foro it.*, 2010, I, 141 e ss., con commento di DI CIOMMO, *Giurisprudenza-normativa e ruolo del giudice nell'ordinamento italiano*

del principio della certezza del diritto e dell'affidamento legittimo, «sebbene non esista nel nostro sistema processuale una norma che imponga la regola dello *"stare decisis"*, essa costituisce tuttavia una «tendenza immanente nell'ordinamento, stando alla quale non è consentito discostarsi da un'interpretazione del giudice di legittimità» senza forti ed apprezzabili ragioni giustificative»[127].

Le Sezioni Unite, inoltre, hanno statuito che «la fedeltà ai precedenti (*stare decisis*), in cui si esprime la funzione nomofilattica di questa Corte, ha una valenza maggiore in relazione alle regole del processo civile, così come è in linea di massima giustificato (e tutelabile) l'affidamento che le parti fanno nella stabilità dell'interpretazione giurisprudenziale»[128].

Al riguardo le Sezioni Unite hanno elaborato una sorta di principio di precauzione, affermando che dinanzi a due possibili interpretazioni alternative della norma processuale, ciascuna compatibile con la lettera della legge, le ragioni di economico funzionamento del sistema giudiziario devono indurre l'interprete a preferire quella consolidatasi nel tempo, a meno che il mutamento dell'ambiente processuale o l'emersione di valori prima trascurati non ne giustifichino l'abbandono e consentano, pertanto, l'adozione dell'esegesi da ultimo formatasi»[129].

D'altra parte, le stesse Sezioni Unite[130], dopo avere preso atto che per effetto dell'ingresso nel nostro ordinamento del principio innovatore di derivazione comunitaria della tutela dell'affidamento[131], hanno statuito che il mutamento della propria precedente interpretazione della norma processuale da parte del giudice della nomofilachia, che porti a ritenere esistente, in danno di una parte del giudizio, una decadenza od una preclusione prima escluse, ove tale «overruling» si connoti del carattere

---

(nota a Cass., n. 10741 del 2009) e di GALGANO, *Danno da procreazione e danno al feto, ovvero quando la montagna partorisce un topolino*, in *Contratto e impresa*, 2009, p. 537 e ss.

127. Cfr. Cass., sez. un., 31 luglio 2012, n. 13620.

128. Cfr. Cass., sez. un., 20 giugno 2012, n. 10143.

129. Cfr. Cass., sez. un., 18 maggio 2011, n. 10864.

130. Cfr. Cass., sez. un., 20 giugno 2012, n. 10143, la quale evidenzia, tra l'altro, la simmetria del profilo diacronico nel parallelismo tra controllo di costituzionalità e sindacato di legittimità.

131. Cfr. S. BASTIANON, *La tutela del legittimo affidamento nel diritto dell'Unione Europea*, Milano, 2012, p. 27 e ss.; E. CALZOLAIO, *Il valore del precedente delle sentenze della Corte di giustizia*, in *Riv. crit. dir. priv.*, 2009, p. 53 e ss.; S. GALLEANO, *Overruling e legittimo affidamento, l'armonizzazione dell'ordinamento italiano con quello europeo*, 2016, in *www. europeanrights.eu*; M. Bacci, *L'evoluzione del principio del legittimo affidamento nel diritto dell'Unione Europea e degli Stati membri, in www.masterdirittoprivatoeuropeo. it, il quale richiama la storica sentenza Corte di Giustizia, 3 maggio 1978, C-12–77.*

dell'imprevedibilità, si giustifica una scissione tra il fatto (e cioè il comportamento della parte risultante «ex post» non conforme alla corretta regola del processo) e l'effetto, di preclusione o decadenza, che ne dovrebbe derivare, con la conseguenza che deve escludersi l'operatività della preclusione o della decadenza derivante dall'«overruling» nei confronti della parte che abbia confidato incolpevolmente (e cioè non oltre il momento di oggettiva conoscibilità dell'arresto nomofilattico correttivo, da verificarsi in concreto) nella consolidata precedente interpretazione della regola stessa, la quale, sebbene soltanto sul piano fattuale, aveva comunque creato l'apparenza di una regola conforme alla legge del tempo[132].

La Cassazione italiana, dunque, applicando la dottrina del c.d. *prospettive overruling*[133], impedisce alla nuova giurisprudenza, se connotata da imprevedibilità, di operare retroattivamente. Si è quindi riconosciuto che, come la giurisprudenza costituzionale ha elaborato la categoria dell'incostituzionalità sopravvenuta[134], allo stesso modo la Corte di Cassazione può adeguare nel tempo l'interpretazione di una disposizione in ragione del «diverso contesto normativo in cui si innesta e che quindi ci sia parimenti una modulazione diacronica del suo significato precettivo»[135].

I Giudici italiani, uniformandosi alla consolidata giurisprudenza della Corte di Giustizia[136] e della Corte EDU[137], accolgono il principio di irre-

---

132. Cfr. Cass., sez. un., 11 luglio 2011, n. 15144.

133. Cfr. E. VINCENTI e M.R. MORELLI, *L'overruling giurisprudenziale in materia di processo civile*, in *Relazione della Corte Suprema di Cassazione, Ufficio del Massimario e del Ruolo*, n. 31 del 29 marzo 2011, p. 5 e ss.; ROLLI, *Overruling del diritto vivente vs. ius supervenies*, in *Contratto e impresa*, 2013, p. 577 e ss.

134. Cfr. Corte Cost., 12 gennaio 2012, n. 1.

135. Cfr. Cass., sez. un., 20 giugno 2012, n. 10143, richiamata pedissequamente da Cass., sez. un., 13 giugno 2016, n. 12084, la ultima aggiunge però che ciò non smentisca la natura meramente dichiarativa dell'interpretazione della legge fatta dalla giurisprudenza. Quest'ultima affermazione è smentita dai fatti enunciati nella *ratio decidendi* della medesima sentenza.

136. Cfr. Corte di Giustizia, 8 febbraio 2007, C-3/06.

137. Cfr. Corte EDU, 31 maggio 2011, caso Maggio; Corte EDU, 7 giugno 2011, caso Agrati. la Corte europea dei diritti dell'uomo, prevede la data di decorrenza di pubblicità della decisione che stabilisce un cambio «creativo» di giurisprudenza sia condizionato alla conoscibilità della regola di diritto e la (ragionevole) prevedibilità della sua applicazione, limitando, se del caso, l'efficacia del mutamento giurisprudenziale ai casi futuri o individuandone la data di decorrenza. Si legge infatti nell'Osservatorio permanente delle sentenze della Corte europea dei diritti dell'uomo a cura della Camera dei deputati, Quaderni n.1/05, Sentenze della corte europea dei diritti dell'uomo concernenti lo stato italiano (anno 2004): Infatti, con la decisione di ricevibilità del 21 giugno 2004, resa nella causa Di Sante c. Italia, la Corte Europea-dopo aver ricordato che, ai sensi dell'articolo 35 § 1 della Convenzione, essa non può essere adita che dopo l'esaurimento delle vie di ricorso interne, allo scopo di consentire agli

troattività dei repentini cambiamenti di giurisprudenza sulle regole del processo, qualora non siano ragionevolmente prevedibili[138].

A ben vedere, il «*prospective overruling*» è stato applicato dalla Cassazione italiana solo in relazione al mutamento di giurisprudenza vertente su una regola processuale[139], e non già su una regola di diritto sostanziale[140], con il conseguente riconoscimento del rimedio processuale della rimessione in termini ai sensi dell'art. 153, comma 2°, c.p.c.[141], ovvero dell'errore scusabile ai sensi dell'art. 37 del codice del processo amministrativo[142].

Stati contraenti di evitare o riparare le violazioni allegate dai propri cittadini e che le disposizioni dell'articolo 35 della Convenzione prescrivono l'esaurimento solo di quei ricorsi che siano disponibili ed adeguati con un grado sufficiente di certezza non solamente in teoria, ma anche nella prassi, requisito in mancanza del quale difettano effettività e accessibilità-ha preso atto dell'innovatività della pronuncia contenuta nella sentenza n. 1340 del 2004 della Corte di Cassazione e ha ritenuto che, a decorrere dalla data del 26 gennaio 2004, data in cui è avvenuto il deposito della sentenza stessa, la via di ricorso interna abbia nuovamente acquisito un grado di certezza giuridica sufficiente non solamente in teoria, ma anche nella prassi, per essere nuovamente utilizzata ai fini dell' 35 §1 della Convenzione.

138. Cfr. ROLLI, *Overruling del diritto vivente vs. ius superveniens*, in *Contratto e impresa*, 2013, p. 577 e ss.; A. GENTILI, *Retroattività, ragionevolezza, diritto intertemporale*, in *Diritto intertemporale e rapporti civilistici*, 7° Convegno Nazionale SISDIC, Capri, 12, 13,14 aprile 2012. Sulla ragionevolezza quale limite alla retroattività si v. Corte Cost., 5 aprile 2012, n. 78.

139. Cfr. Cass., 13 giugno 2016, n. 12084; Cass., 16 aprile 2012, n. 5972; Cass., sez. I, 4 maggio 2012, n. 6801; Cass., sez. lav., 27 dicembre 2011, n. 28967, le quali hanno ribadito che: affinché un orientamento del giudice della nomofilachia non sia retroattivo come, invece, dovrebbe essere in forza della natura formalmente dichiarativa degli enunciati giurisprudenziali, in altre parole affinché si possa parlare di «*prospective overruling*», devono ricorrere cumulativamente i seguenti presupposti: che si verta in materia di mutamento della giurisprudenza su di una regola del processo; che tale mutamento sia stato imprevedibile in ragione del carattere lungamente consolidato nel tempo del precedente indirizzo, tale, cioè, da indurre la parte a un ragionevole affidamento su di esso; che il suddetto «overruling» comporti un effetto preclusivo del diritto di azione o di difesa della parte.

140. Cfr. E. VINCENTI e M.R. MORELLI, *L'overruling giurisprudenziale in materia di processo civile*, in *Relazione della Corte Suprema di Cassazione, Ufficio del Massimario e del Ruolo*, n. 31 del 29 marzo 2011, p. 5 e ss.

141. Cfr. CAPONI, *La rimessione in termini nel processo civile*, in *Dig. disc. prov. sez. civ.*, agg., Torino, 2009, p. 466 e ss. GRASSELLI-MASONI-MARTINO, *Il nuovo processo civile*, Torino 2010, p. 171 e ss.; E. VINCENTI e M.R. MORELLI, *L'overruling giurisprudenziale in materia di processo civile*, cit., p. 42 e ss.; Cass., sez. un., 11 giugno 2010, n. 14124.

142. Cfr. GAROFALI-FERRARI, *Codice del processo amministrativo*, Roma, 2010, p. 595 e ss.; E. VINCENTI e M.R. MORELLI, *L'overruling giurisprudenziale in materia di processo civile*, cit., p. 47 e ss.; Cons. di Stato., ad. pl., 31 maggio 2002, n. 5, che ammette l'errore scusabile per mutamento di giurisprudenza; Cons. di Stato., ad. pl., 2 dicembre 2010, n. 3.

Al riguardo la dottrina si è chiesta –sia pure in modo dubitativo– se il «*prospective overruling*» possa espandersi anche ai mutamenti imprevedibili di giurisprudenza vertenti su aspetti sostanziali, ovvero in relazione a quelle norme ambivalenti che rappresentano un incrocio tra diritto sostanziale e diritto processuale[143].

Si deve ritenere, alla luce sia della premessa maggiore enunciata dalle Sezioni Unite della Cassazione italiana[144], sia dai consolidati orientamenti giurisprudenziali della Corte Costituzione, Corte di Giustizia e della Corte EDU, che l'attuale funzione della giurisprudenza non sia solo o soltanto quella ricognitiva-dichiarativa, ma anche e soprattutto quella integrativa, innovativa, creativa e correttiva del diritto scritto esistente[145], con la conseguenza che, a tale nuova fonte del diritto sostanziale, deve essere applicato il «*prospective overruling*», pena la violazione del principio di ragionevolezza, del principio di certezza del diritto, del principio di uguaglianza, del principio di affidamento[146].

Orbene, poiché il Giudice comune è tenuto ad interpretare il diritto giurisprudenziale in modo conforme alla Costituzione, all'Unione Europea e alla CEDU, è evidente che l'orientamento della Cassazione italiana che applica indistintamente con effetto retroattivo la nuova giurisprudenza sostanziale imprevedibile, viola gli artt. 3, 24, 111, 117 Cost.

3. RISOLUZIONE GIURISPRUDENZIALE DEL CONFLITTO TRA LA LEGGE IPOTECARIA SPAGNOLA E IL DIRITTO DELL' UNIONE EUROPEA IN RELAZIONE ALLA TASSATIVITÀ DEI MOTIVI DI OPPOSIZIONE ALL'ESECUZIONE DI CUI ALL'ART. 695 DEL CODICE DI PROCEDURA CIVILE SPAGNOLO

La normativa spagnola di cui alla legge, 7 gennaio 2000, n. 1, all'art. 695 c.p.c. elenca i motivi, alquanto limitati, in presenza dei quali un debitore

---

143. Cfr. Rolli, *Overruling del diritto vivente vs. ius supervenies*, cit., p. 577 e ss., la quale richiama le norme sulla nullità rilevabile d'ufficio (cfr. Cass., sez. un., 12 dicembre 2014, nn. 26242 e 26243) e sulla penale manifestamente eccessiva rilevabile d'ufficio (cfr. Cass., sez. un., 13 settembre 2005, n. 18128), che avrebbero una doppia natura di diritto sostanziale e di diritto processuale. Si potrebbe aggiungere anche il tema del testamento olografo nullo per falsità, alla luce del nuovo orientamento enunciato da Cass., sez. un., 15 giugno 2015, n. 12307.

144. Cfr. Cass., sez. un., 11 luglio 2011, n. 15144.

145. Cfr. E. Vincenti e M.R. Morelli, *L'overruling giurisprudenziale in materia di processo civile*, in *Relazione della Corte Suprema di Cassazione, Ufficio del Massimario e del Ruolo*, n. 31 del 29 marzo 2011, p. 5 e ss.

146. Cfr. Corte Cost., 5 aprile 2012, n. 78.

può opporsi al procedimento di esecuzione di un'ipoteca, chiedendo la sospensione dell'esecuzione.

Fra questi non rientrava l'esistenza di una clausola abusiva o comunque nulla *ex* art. 6, comma 3°, codigo civil, inserita in un contratto di mutuo con garanzia ipotecaria. Quindi, quest'ultima circostanza poteva e può essere eccepita unicamente in un distinto procedimento di merito, il quale non sospende però il procedimento di esecuzione ipotecaria. Peraltro, nell'ambito del procedimento esecutivo spagnolo, l'aggiudicazione definitiva di un bene ipotecato ad un terzo –ad esempio una banca– acquisisce in linea di principio carattere irreversibile. Di conseguenza, se la decisione del giudice di merito che sancisce il carattere nullo e/o abusivo di una clausola in un contratto di mutuo –e, di riflesso, la nullità del procedimento di esecuzione ipotecaria– è pronunciata dopo che si è provveduto all'esecuzione, tale decisione garantisce soltanto una tutela a posteriori, meramente risarcitoria, e non permette alla persona sfrattata di recuperare la proprietà del suo bene.

La Corte di Giustizia dell'Unione Europea è stata pertanto più volte sollecitata in via pregiudiziale *ex* art. 267 TFUE dai Giudici spagnoli, in relazione alla legge ipotecaria spagnola, ed in particolare alla compatibilità al diritto dell'Unione Europea dei motivi tassativi di opposizione all'esecuzione ipotecaria di cui all'art. 695 c.p.c. spagnolo (legge, 7 gennaio 2000, n. 1).

La Corte di Giustizia dell'Unione Europea, sindacando gli irragionevoli limiti imposti dal legislatore spagnolo, ha statuito che «la direttiva 93/13/CEE del Consiglio, del 5 aprile 1993, concernente le clausole abusive nei contratti stipulati con i consumatori, deve essere interpretata nel senso che osta ad una normativa di uno Stato membro, come quella di cui trattasi nel procedimento principale, la quale non prevede, nel contesto di un procedimento di esecuzione ipotecaria, motivi di opposizione tratti dal carattere abusivo di una clausola contrattuale che costituisce il fondamento del titolo esecutivo, e, al contempo, non consente al giudice del merito, competente a valutare il carattere abusivo di una clausola del genere, di emanare provvedimenti provvisori, tra cui, in particolare, la sospensione di detto procedimento esecutivo, allorché la concessione di tali provvedimenti risulti necessaria per garantire la piena efficacia della sua decisione finale»[147].

In altra precedente decisione, la Corte di Giustizia dell'Unione Europea, ampliando i casi di sindacato da parte del Giudice comune del contratto

---

147. Cfr. Corte di Giustizia, 14 marzo 2013, causa C-415/11 Mohamed Aziz.

di mutuo ipotecario contrario a norme imperative, ha statuito che «la direttiva 93/13/CEE del Consiglio, del 5 aprile 1993, concernente le clausole abusive nei contratti stipulati con i consumatori, deve essere interpretata nel senso che essa osta ad una normativa di uno Stato membro, quale quella di cui trattasi nel procedimento principale, che non consente al giudice investito di una domanda d'ingiunzione di pagamento di esaminare d'ufficio, *in limine litis*, né in qualsiasi altra fase del procedimento, anche qualora disponga degli elementi di diritto e di fatto necessari a tal fine, la natura abusiva di una clausola sugli interessi moratori inserita in un contratto stipulato tra un professionista e un consumatore, in assenza di opposizione proposta da quest'ultimo»[148].

---

148. Cfr. Corte di Giustizia, 14 giugno 2012, causa C-618/10, la quale ha inoltre ha statuito che «l'articolo 6, paragrafo 1, della direttiva 93/13 dev'essere interpretato nel senso che esso osta ad una normativa di uno Stato membro, quale l'articolo 83 del decreto legislativo reale n. 1/2007, recante approvazione del testo consolidato della legge generale sulla tutela dei consumatori e degli utenti e delle altre leggi complementari (Real Decreto Legislativo 1/2007 por el que se aprueba el texto refundido de la Ley General para la Defensa de los Consumidores y Usuarios y otras leyes complementarias), del 16 novembre 2007, che consente al giudice nazionale, qualora accerti la nullità di una clausola abusiva in un contratto stipulato tra un professionista ed un consumatore, di integrare detto contratto rivedendo il contenuto di tale clausola». Al riguardo la Corte di Giustizia, con successive sentenze, ha statuito che il giudice nazionale può sostituire ad una clausola abusiva una disposizione di diritto nazionale al fine di ristabilire un equilibrio tra le parti del contratto e mantenere la validità di quest'ultimo. Si è infatti statuito che «l'articolo 4, paragrafo 2, della direttiva 93/13/CEE del Consiglio, del 5 aprile 1993, concernente le clausole abusive nei contratti stipulati con i consumatori, deve essere interpretato nel senso che:-i termini «oggetto principale del contratto» comprendono una clausola, integrata in un contratto di mutuo espresso in una valuta estera, concluso tra un professionista ed un consumatore e che non è stato oggetto di una trattativa individuale, come quella di cui al procedimento principale, a norma della quale il corso di vendita di tale valuta si applica ai fini del calcolo dei rimborsi del mutuo, solo purché si constati, il che spetta al giudice del rinvio verificare alla luce della natura, dell'economia generale e delle stipulazioni del contratto nonché del suo contesto giuridico e fattuale, che la suddetta clausola fissa una prestazione essenziale del contratto stesso che, come tale, lo caratterizza; una clausola del genere, in quanto implica un obbligo pecuniario per il consumatore di pagare, nell'ambito dei rimborsi del mutuo, importi derivanti dalla differenza tra il corso di vendita ed il corso di acquisto della valuta estera, non può essere considerata nel senso che implica una «remunerazione» la cui congruità, in quanto corrispettivo di una prestazione effettuata dal mutuante, non può essere oggetto di una valutazione del suo carattere abusivo a norma dell'articolo 4, paragrafo 2, della direttiva 93/13». Inoltre ha statuito che «l'articolo 4, paragrafo 2, della direttiva 93/13 deve essere interpretato nel senso che, quanto ad una clausola contrattuale come quella di cui al procedimento principale, è necessario intendere il requisito secondo cui una clausola contrattuale deve essere redatta in modo chiaro e comprensibile nel senso di imporre non soltanto che la clausola in questione sia intelligibile per il consumatore su un piano grammaticale, ma anche che il contratto esponga in maniera trasparente il funzionamento concreto del meccanismo di

A seguito delle sentenze della Corte di Giustizia, il legislatore spagnolo

conversione della valuta estera al quale si riferisce la clausola in parola nonché il rapporto fra tale meccanismo e quello prescritto da altre clausole relative all'erogazione del mutuo, di modo che il consumatore sia posto in grado di valutare, sul fondamento di criteri precisi ed intelligibili, le conseguenze economiche che gliene derivano»; e che «l'articolo 6, paragrafo 1, della direttiva 93/13 deve essere interpretato nel senso che, in una situazione come quella di cui al procedimento principale, ove un contratto concluso tra un professionista ed un consumatore non può sussistere dopo l'eliminazione di una clausola abusiva, tale disposizione non osta ad una regola di diritto nazionale che permette al giudice nazionale di ovviare alla nullità della suddetta clausola sostituendo a quest'ultima una disposizione di diritto nazionale di natura suppletiva»: cfr. Corte di Giustizia, 30 aprile 2014, causa C-26/13, con nota A. D'ADDA, *Il giudice nazionale può rider minare il contenuto della clausola abusiva essenziale applicando una disposizione di diritto nazionale di natura suppletiva*, 2014, in www.dirittocivilecontemporaneo.it, secondo cui una siffatta soluzione non persuade (per più ampie considerazioni critiche rinvio a D'ADDA, *Giurisprudenza comunitaria e massimo effetto utile per il consumatore: nullità (parziale) necessaria della clausola abusiva e integrazione del contratto*, in *I contratti*, 2013, 16 e ss.; sulla questione di recente v. anche R. ALESSI, *Clausole vessatorie, nullità di protezione e poteri del giudice: alcuni punti fermi dopo le sentenze J⊠rös e Asbeek Brusse*, in *www.juscivile.it*, 2013; PAGLIANTINI La tutela del consumatore nell'interpretazione delle Corti, Torino, 2012, p. 192 e ss. D'AMICO, *L'integrazione cogente del contratto mediante diritto dispositivo*, in D'Amico, Pagliantini (a cura di), *Nullità per abuso ed integrazione del contratto*, Torino, 2013, p. 230 e ss.). La trasformazione del mutuo da oneroso a gratuito, non è, infatti, l'ordinario effetto della «pura» nullità parziale bensì, al contrario, una soluzione sanzionatoria per il professionista che va ben oltre la tecnica, di obliterazione dell'abuso, cui pare ispirata la disciplina della direttiva 93/13. E che, a mio parere, è legittima solo se fondata su scelte del legislatore specifiche ed ulteriori rispetto a quelle che «si limitano» ad imporre la caducazione parziale con conservazione del contratto «secondo i medesimi termini» (una siffatta scelta sanzionatoria specifica, come noto, si rinviene in Italia all'art. 1815 c.c. –per come modificato nel 1996– a tenore del quale il patto usurario è nullo «e non sono dovuti interessi», nemmeno nella misura legale, come invece disponeva il testo previgente).

Insomma, mi pare che l'applicazione della disciplina dispositiva abusivamente derogata costituisca la soluzione di gran lunga preferibile, sia sotto il profilo della sua giustificazione «tecnica» sia per l'equilibrio degli esiti operativi che assicura. La Corte di Giustizia, ritornando sul punto, ha statuito che «l'articolo 6, paragrafo 1, della direttiva 93/13/CEE del Consiglio, del 5 aprile 1993, concernente le clausole abusive nei contratti stipulati con i consumatori, deve essere interpretato nel senso che non osta ad una disposizione nazionale in virtù della quale il giudice nazionale investito di un procedimento di esecuzione ipotecaria è tenuto a far ricalcolare le somme dovute a titolo di una clausola di un contratto di mutuo ipotecario che prevede interessi moratori il cui tasso sia superiore al triplo del tasso legale, affinché l'importo di detti interessi non ecceda tale soglia, purché l'applicazione di detta disposizione nazionale: non pregiudichi la valutazione da parte di tale giudice nazionale del carattere abusivo di suddetta clausola, e-non impedisca al giudice nazionale, di disapplicare detta clausola ove dovesse concludere per il carattere «abusivo» della medesima, ai sensi dell'articolo 3, paragrafo 1, di detta direttiva»: cfr. Corte di Giustizia, 21 gennaio 2015, Cause riunite C-482/13, C-484/13, C-485/13, C-487/13.

ha inserito nell'art. 695 c.p.c. un nuovo specifico motivo di opposizione all'esecuzione per nullità della clausola abusiva contenuta nel mutuo ipotecario.

La suddetta tutela giurisdizionale effettiva è riservata in Spagna solo a favore dei consumatori e non anche dei professionisti, i quali potrebbero vedersi lesi da una clausola nulla per contrasto con una norma imperativa nazionale o comunitaria e, per volontà arbitraria ed irragionevole del legislatore spagnolo, non potrebbero promuovere l'opposizione all'esecuzione, con istanza di sospensiva, ai sensi dell'art. 695 c.p.c.

Qualora una Banca con sede in Spagna conceda ad una impresa o ad un professionista in generale un mutuo ipotecario in violazione dei limiti di finanziabilità di cui al Real Decreto 716/2009 del 24 aprile e alla legge spagnola 25 marzo 1981, n.2, nonché in violazione delle direttive 2000/12/UE, 2006/48/UE, 2013/36/UE e del regolamento dell'Unione Europea 26 giugno 2013, n. 575, tale impresa e tale professionista non potrebbero impugnare, con l'opposizione all'esecuzione, il mutuo ipotecario per nullità ai sensi dell'art. 695 c.p.c., con grave lesione dei loro diritti al giusto processo e alla tutela giurisdizionale effettiva.

Il legislatore spagnolo, con tale divieto irragionevole, oltre a creare una ingiustificata disparità di trattamento tra situazioni equiparabili, viola i principi fondamentali previsti dal Trattato dell'Unione Europea e dal Trattato sul Funzionamento dell'Unione Europea, falsando la concorrenza tra imprese bancarie, e creando intralcio alla libertà di stabilimento e di circolazione.

Le Banche spagnole, per effetto dei limiti contenuti nell'art. 695 c.p.c., sono avvantaggiate rispetto a tutte le altre banche dell'Unione Europea, ed in particolare rispetto alle banche italiane, francesci e tedesche, dove il sistema processuale, a garanzia della piena ed effettiva tutela giurisdizionale, non prevede limiti alle impugnazioni per nullità del mutuo ipotecario, quale titolo esecutivo stragiudiziale, nell'ambito del giudizio di opposizione all'esecuzione.

Ne deriva che la normativa nazionale spagnola lede i diritti di difesa alle imprese con sede in Spagna, che sono pertanto pregiudicate rispetto alle altre imprese comunitarie che possono fare valere a pieno titolo i loro diritti anche in via esecutiva.

Il diritto dell'Unione Europea deve essere interpretato nel senso che osta ad una normativa di uno Stato membro, come quella di cui trattasi, la quale non prevede, nel contesto di un procedimento di esecuzione ipotecaria, motivi di opposizione tratti dal carattere nullo di una clausola contrattuale che costituisce il fondamento del titolo esecutivo, e, al contempo, non consente al giudice del merito, competente a valutare il carattere nullo di una clausola del genere, di emanare provvedimenti provvisori, tra cui, in particolare, la sospensione di detto procedimento esecutivo, allorché la concessione di tali provvedimenti risulti necessaria per garantire la piena efficacia della sua decisione finale»[149].

---

149. Al riguardo si richiama la motivazione di Corte di Giustizia, 14 marzo 2013, causa C-415/11.

Capítulo XXVI

Un nuevo paso hacia la tutela judicial colectiva del consumidor en el derecho de la UE (A propósito de la STJUE de 14 de Abril de 2016)[1]

RAFAEL BELLIDO PENADÉS

Profesor Titular (acreditado a Catedrático) de Derecho Procesal
Universitat de València

1. INTRODUCCIÓN

La creación de un mercado único interior fue y sigue siendo uno de los objetivos principales de la Unión Europea, al que se han ido añadiendo otros, entre ellos crear un espacio europeo de justicia, que alcanza el

---

1. El presente trabajo se ha realizado en el marco del Proyecto de Investigación del Ministerio de Economía y Competitividad titulado «Litigiosidad masiva y eficiencia de la justicia civil», Ref. DER2015–69722-R.

ámbito penal, pero también el ámbito civil, y sin el cual aquellos objetivos primarios no podrían alcanzarse en la realidad.

No en vano, se va construyendo paulatinamente lo que ha venido ya a denominarse «Derecho Procesal Civil Europeo», en el que puede incardinarse una considerable actividad del legislador comunitario. Siguiendo a autorizada doctrina procesalista, que acuña la referida expresión, las normas del «Derecho Procesal Civil Europeo» pueden clasificarse en cinco grandes categorías.

a) La competencia internacional y el reconocimiento de resoluciones, que son regulados, con carácter más general, en el Reglamento 1215/2012, de 12 de diciembre de 2012, relativo a la competencia judicial, el reconocimiento y la ejecución de resoluciones judiciales en materia civil y mercantil; y en el Reglamento 805/2004, de 21 de abril de 2004 sobre el título ejecutivo europeo.

Con carácter más específico, se han aprobado el Reglamento 2201/2003, de 27 de noviembre de 2003, relativo a la competencia, el reconocimiento y la ejecución de resoluciones judiciales en materia matrimonial y de responsabilidad parental; el Reglamento 4/2009, de 18 de diciembre de 2008, relativo a la competencia, la ley aplicable, el reconocimiento y la ejecución de las resoluciones y la cooperación en materia de alimentos; el Reglamento 650/2012 de 4 de julio 2012, relativo a la competencia, la ley aplicable, el reconocimiento y la ejecución de las resoluciones, a la aceptación y la ejecución de los documentos públicos en materia de sucesiones mortis causa y a la creación de un certificado sucesorio europeo; y el Reglamento 606/2013, de 12 de junio de 2013, relativo al reconocimiento mutuo de medidas de protección en materia civil.

b) La cooperación judicial internacional, materia sobre la que se encuentran el Reglamento 1206/2001, de 28 de mayo de 2001, relativo a la cooperación entre los órganos jurisdiccionales de los Estados miembros en el ámbito de la obtención de pruebas en materia civil o mercantil; y el Reglamento 1393/2007, de 13 de noviembre de 2007, relativo a la notificación y al traslado en los Estados miembros de documentos judiciales y extrajudiciales en materia civil o mercantil.

c) El «acceso a la justicia», al que se refieren la Directiva 2002/8, de 27 de enero de 2003, destinada a mejorar el acceso a la justicia en los litigios transfronterizos mediante el establecimiento de reglas mínimas comunes relativas a la justicia gratuita para dichos litigios; la Directiva 2008/52, de 21 de mayo de 2008, sobre ciertos aspectos de la mediación en asuntos civiles y mercantiles; la Directiva 2013/11, de 21 de mayo de 2013, relativa a la resolución alternativa de litigios en materia de consumo; y el Reglamento 524/2013, de 21 de mayo de 2013, sobre resolución de litigios en línea en materia de consumo.

d) Los «instrumentos para la protección del crédito transfronterizo», ámbito en el que se encuentran, junto al ya mencionado Reglamento sobre el título ejecutivo europeo, otros cuatro Reglamentos: el Reglamento 1346/2000 del Consejo, de 29 de mayo de 2000, sobre procedimientos de insolvencia; el Reglamento 1896/2006, de 12 de diciembre de 2006, por el que se establece un proceso monitorio europeo; el Reglamento 861/2007, de 11 de julio de 2007, por el que se establece un proceso europeo de escasa cuantía; y el Reglamento 655/2014, de 15 de mayo, por el que se establece el procedimiento relativo a la orden europea de retención de cuentas a fin de simplificar el cobro transfronterizo de deudas en materia civil y mercantil.

e) Por último, cabe señalar el ámbito de la tutela colectiva, en especial, de los intereses de los consumidores, en el que se encuentran la Directiva 2009/22, de 23 de abril de 2009[2], relativa a las acciones de cesación en materia de protección de los intereses de los consumidores y la Recomendación de la Comisión de 11 de junio de 2013, sin efectos propiamente vinculantes[3].

En la regulación de la tutela colectiva alcanza un lugar preponderante la protección de los intereses colectivos de los consumidores. Es cierto que en la legislación europea de protección del consumidor ocupa un lugar

---

2.   Esta Directiva sucede a la Directiva 98/27/CE, de 19 de mayo, como se detallará *infra*.

3.   Esa denominación y clasificación del «Derecho Procesal Civil Europeo» en GASCÓN INCHAUSTI, F., «El Derecho Procesal Civil Europeo comparece ante el Tribunal Europeo de Derechos Humanos: Reflexiones a partir de las resoluciones recaídas en los asuntos Povse c. Austria y Avotins c. Letonia», en *Cuadernos de Derecho Transicional* (octubre de 2014), Vol. 6, núm. 2, p. 93. No obstante, no parece que deba atribuirse tal carácter a la Directiva 2014/104, de 16 de noviembre, relativa a determinadas normas por las que se rigen las acciones por daños en virtud del Derecho nacional, por infracciones del Derecho de la competencia de los Estados miembros y de la Unión Europea. Ciertamente su ámbito material de aplicación resulta especialmente idóneo para la producción de daños colectivos a los consumidores. Sin embargo, la prudencia del legislador de la Unión en la configuración de un sistema europeo de tutela colectiva de los consumidores le ha llevado finalmente a excluir esos daños colectivos del ámbito de aplicación de la Directiva, al establecer en el apartado 13 de su Preámbulo que «la presente Directiva no exige a los Estados miembros que introduzcan mecanismos de recurso colectivo para la aplicación de los artículos 101 y 102 TFUE».

predominante el Derecho sustantivo en lugar del Derecho procesal[4]. Sin embargo, también lo es que paulatinamente se va configurando un sistema procesal civil europeo de tutela judicial colectiva del consumidor, situación que encuentra su principal causa en que, sin lo anterior, resulta extraordinariamente difícil, o, incluso, imposible, una protección eficaz y efectiva de los derechos del consumidor reconocidos por el Derecho sustantivo europeo.

En efecto, es conocido el principio de autonomía procesal de los Estados miembros, en virtud del cual el Derecho Europeo de la Unión establece objetivos que deben alcanzar las legislaciones sustantivas de los Estados miembros, a los cuales, sin embargo, se les deja, en principio, en libertad para configurar los mecanismos procesales a través de los cuáles alcanzar los anteriores objetivos. Ahora bien, aunque el Derecho procesal resulte comprendido en el ámbito de autonomía de los Estados miembros de la Unión Europea, esa autonomía no es absoluta, ya que se encuentra sometida a un doble límite.

En palabras de una resolución reciente del Tribunal de Justicia, que recuerda su consolidada doctrina al respecto, las normas procesales «forman parte del ordenamiento jurídico interno de cada Estado miembro en virtud del principio de autonomía procesal de los Estados miembros. No obstante, el Tribunal de Justicia ha destacado que esas modalidades deben cumplir el doble requisito de no ser menos favorables que las que rigen situaciones similares sujetas al Derecho interno (*principio de equivalencia*) y de no hacer imposible en la práctica o excesivamente difícil el ejercicio de los derechos que confiere a los consumidores el ordenamiento jurídico de la Unión (*principio de efectividad*)»[5].

Ese principio de efectividad entronca, además, con los derechos fundamentales reconocidos en nuestra Carta magna y hoy también en el Derecho Europeo de la Unión, en particular, con el derecho a la tutela judicial efectiva, reconocido en el artículo 19, apartado 1, párrafo segundo, del Tratado de la Unión Europea (TUE) y en el artículo 47, párrafo primero, de la Carta de los Derechos Fundamentales de la Unión Europea.

Entre las normas dirigidas a la creación de un Derecho Europeo sobre la tutela judicial colectiva del consumidor ya hemos señalado que hasta la actualidad se encuentran la Directiva 2009/22, de 23 de abril de 2009,

---

4. Como pone de manifiesto PLANCHADELL GARGALLO, A., «Las acciones colectivas en el ordenamiento jurídico español: un estudio comparado», *Tirant lo Blanch*, Valencia, 2014, p. 475.

5. STJUE (Sala Primera), de 29 de octubre de 2015, asunto C-4/14, TJCE 2015, 453. La cursiva es nuestra.

relativa a las acciones de cesación en materia de protección de los intereses de los consumidores y la Recomendación de la Comisión de 11 de junio de 2013, de gran interés pero que todavía no resulta estrictamente vinculante[6]. A ellos cabe añadir el Reglamento 2006/2004, de 27 de octubre, sobre la cooperación entre las autoridades nacionales encargadas de la aplicación de la legislación de protección de los consumidores.

Además de lo anterior, resulta imprescindible la jurisprudencia del Tribunal de Justicia de la Unión Europea, la cual va desgranando diversas exigencias no expresas del Derecho de la Unión Europea para los legisladores procesales nacionales, que más tarde el legislador europeo va positivizando.

Algunas de las exigencias que el Derecho de la Unión Europea impone al legislador procesal de los Estados miembros se refieren a la tutela judicial efectiva de los intereses individuales de los consumidores y, especialmente, con ocasión de la utilización de cláusulas abusivas en perjuicio de los consumidores y con relación a los poderes del órgano judicial para proceder al control de las referidas cláusulas[7].

Sin embargo, otros de los imperativos para los legisladores procesales nacionales derivados del Derecho Europeo de la Unión que ha ido exponiendo la jurisprudencia del Tribunal de Justicia se refieren más concretamente a la tutela judicial colectiva de los intereses de los consumidores. Es más, la sentencia que motiva este trabajo (STJUE de 14 de abril de 2016) versa sobre la necesidad de la regulación por los legisladores nacionales de mecanismos de articulación de ambas clases de tutela judicial (individual y colectiva) de los intereses de los consumidores, respetando ciertos imperativos del Derecho Europeo de la Unión.

2. PRIMEROS PASOS DE ESPECIAL RELEVANCIA EN LA FORMACIÓN DE UN DERECHO EUROPEO DE TUTELA JUDICIAL COLECTIVA DEL CONSUMIDOR

La protección del consumidor constituye desde hace bastante tiempo una preocupación creciente y constante del legislador de la Unión, en cuanto una de las condiciones conducentes a la consecución de un mercado interior y, más recientemente, dentro de los objetivos de creación de un espacio europeo de justicia.

---

6. Ver sobre el particular COROMINAS BACH, S., «Hacia una futura regulación de las acciones colectivas en la Unión Europea (La recomendación de 11 de junio de 2013)», *Revista General de Derecho Europeo*, 34, 2014.

7. Entre las más recientes, STJUE (Sala Primera), de 14 de marzo de 2013, asunto C-415/11, TJCE 2013, 89.

La naturaleza del presente estudio conduce indefectiblemente a la brevedad, por lo que en las páginas siguientes nos centraremos en un breve análisis de las normas que contemplan la protección de los intereses de los consumidores desde una vertiente procesal[8] y, más en concreto, de las normas europeas que regulan con carácter vinculante la tutela colectiva de esa clase de intereses.

En virtud de lo anterior, nuestra atención se centrará en la Directiva 2009/22, de 23 de abril de 2009, relativa a las acciones de cesación en materia de protección de los intereses de los consumidores, y en el Reglamento 2006/2004, de 27 de octubre, sobre la cooperación entre las autoridades nacionales encargadas de la aplicación de la legislación de protección de los consumidores[9].

2.1. LA TUTELA COLECTIVA DE LOS CONSUMIDORES EN LA DIRECTIVA 2009/22, DE 23 DE ABRIL DE 2009

La Directiva 2009/22, de 23 de abril de 2009, relativa a las acciones de cesación en materia de protección de los intereses de los consumidores, tiene su antecedente inmediato en la Directiva 98/27/CE, de 19 de mayo, a la que sucede, que tenía exactamente el mismo nombre y articulado, limitándose a actualizar su ámbito de aplicación y a introducir unas modificaciones mínimas.

La regulación de la acción de cesación se dirige a la protección de los intereses colectivos de los consumidores, con el objetivo de garantizar el buen funcionamiento del mercado interior. Sin embargo, esa finalidad de armonización de las disposiciones nacionales sobre la acción de cesación como mecanismo de protección de los intereses colectivos de los consumidores se limitaba a esos intereses colectivos contemplados en las Directivas que enumeraba el anexo.

Esas Directivas eran en la fecha de la aprobación de la Directiva 98/27/CE las siguientes:

1) Directiva 84/450/CEE del Consejo, de 10 de septiembre de 1984, relativa a la aproximación de las disposiciones legales, reglamentarias

---

8. Para un estudio de los antecedentes más remotos de la política comunitaria de protección del consumidor desde la década de los setenta y pasando por las previsiones de los Tratados de Maastricht y Amsterdam ver PLANCHADELL GARGALLO, A., «Las acciones colectivas...», ob. cit., pp. 475 y ss.

9. No nos ocuparemos, por tanto, en este momento de la Recomendación de la Comisión de 11 de junio de 2013, de gran interés, pero que por su naturaleza no resulta estrictamente vinculante. Ver sobre el particular COROMINAS BACH, S., «Hacia una futura regulación...», ob. cit.

y administrativas de los Estados miembros en materia de publicidad engañosa (DO L 250 de 19.9.1984, p. 17).

2) Directiva 85/577/CEE (LCEur 1985, 1350) del Consejo, de 20 de diciembre de 1985, referente a la protección de los consumidores en el caso de contratos negociados fuera de los establecimientos comerciales (DO L 372 de 31. 12. 1985, p. 31).

3) Directiva 87/102/CEE (LCEur 1987, 471) del Consejo, de 22 de diciembre de 1986, relativa a la aproximación de las disposiciones legales, reglamentarias y administrativas de los Estados miembros en materia de crédito al consumo (DO L 42 de 12. 2. 1987, p. 48), cuya última modificación la constituye la Directiva 98/7/CE (LCEur 1998, 1006) (DO L 101 de 1. 4. 1998, p. 17).

4) Directiva 89/552/CEE (LCEur 1989, 1386) del Consejo, de 3 de octubre de 1989, sobre la coordinación de determinadas disposiciones legales, reglamentarias y administrativas de los Estados miembros relativas al ejercicio de actividades de radiodifusión televisiva: artículos 10 a 21 (DO L 298 de 17. 10. 1989, p. 23), modificada por la Directiva 97/36/CE (LCEur 1997, 2260) (DO L 202 de 30. 7. 1997, p. 60).

5) Directiva 90/314/CEE (LCEur 1990, 614) del Consejo, de 13 de junio de 1990, relativa a los viajes combinados, las vacaciones combinadas y los circuitos combinados (DO L 158 de 23. 6. 1990, p. 59).

6) Directiva 92/28/CEE (LCEur 1992, 1333) del Consejo, de 31 de marzo de 1992, relativa a la publicidad de los medicamentos para uso humano (DO L 113 de 30. 4. 1992, p. 13).

7) Directiva 93/13/CEE (LCEur 1993, 1071) del Consejo, de 5 de abril de 1993, sobre las cláusulas abusivas en los contratos celebrados con consumidores (DO L 95 de 21. 4. 1993, p. 29).

8) Directiva 94/47/CE (LCEur 1994, 3610) del Parlamento Europeo y del Consejo, de 26 de octubre de 1994, relativa a la protección de los adquirentes en lo relativo a determinados aspectos de los contratos de adquisición de un derecho de utilización de inmuebles en régimen de tiempo compartido (DO L 280 de 29. 10. 1994, p. 83).

9) Directiva 97/7/CE (LCEur 1997, 1493) del Parlamento Europeo y del Consejo, de 20 de mayo de 1997, relativa a la protección de los consumidores en materia de contratos a distancia (DO L 144 de 4. 6. 1997, p. 19).

Sin embargo, la forma de determinación del ámbito de aplicación de la Directiva 98/27/CE, mediante la remisión expresa a otras Directivas, y otras circunstancias indudablemente unidas a ese método de determinación del ámbito de aplicación, generaron la necesidad de establecer una regulación actualizada y coordinada de la materia en el seno de una Directiva consolidada, como es la Directiva 22/2009, de 23 de abril[10].

Esta nueva Directiva, utilizando la misma técnica de delimitación de su ámbito de aplicación que su precedente, conserva dentro de su ámbito de aplicación las enumeradas en los apartados 2 a 9 de la anterior Directiva, al que añade las Directivas siguientes:

1) Directiva 1999/44/CE del Parlamento Europeo y del Consejo, de 25 de mayo de 1999, sobre determinados aspectos de la venta y las garantías de los bienes de consumo (DO L 171 de 7.7.1999, p. 12).

2) Directiva 2000/31/CE del Parlamento Europeo y del Consejo, de 8 de junio de 2000, relativa a determinados aspectos jurídicos de los servicios de la sociedad de la información, en particular el comercio electrónico, en el mercado interior («Directiva sobre el comercio electrónico») (DO L 178 de 17.7.2000, p. 1).

3) Directiva 2001/83/CE del Parlamento Europeo y del Consejo, de 6 de noviembre de 2001, por la que se establece un código comunitario sobre medicamentos para uso humano: artículos 86 a 100 (DO L 311 de 28.11.2001, p. 67).

4) Directiva 2002/65/CE del Parlamento Europeo y del Consejo, de 23 de septiembre de 2002, relativa a la comercialización a distancia de servicios financieros destinados a los consumidores (DO L 271 de 9.10.2002, p. 16).

5) Directiva 2005/29/CE del Parlamento Europeo y del Consejo, de 11 de mayo de 2005, relativa a las prácticas comerciales desleales de las empresas en sus relaciones con los consumidores en el mercado interior (DO L 149 de 11.6.2005, p. 22).

6) Directiva 2006/123/CE del Parlamento Europeo y del Consejo, de 12 de diciembre de 2006, relativa a los servicios en el mercado interior (DO L 376 de 27.12.2006, p. 36).

7) Directiva 2008/122/CE del Parlamento Europeo y del Consejo, de 14 de enero de 2009, relativa a la protección de los consumidores

---

10. Entre esas circunstancias se encuentran la derogación de algunas de esas Directivas, la modificación de otras y la aprobación de Directivas nuevas, así como el hecho de que algunas de esas Directivas también contuvieran una regulación sectorial de la acción de cesación (por ejemplo, las mencionadas en los apartados 6, 7 y 9).

con respecto a determinados aspectos de los contratos de aprovechamiento por turno de bienes de uso turístico, de adquisición de productos vacacionales de larga duración, de reventa y de intercambio (DO L 33 de 3.2.2009, p. 10)[11].

La Directiva 2009/22, de 23 de abril de 2009, relativa a las acciones de cesación en materia de protección de los intereses de los consumidores, como su antecedente, ha supuesto un indudable avance hacia la creación de un Derecho Europeo sobre la tutela judicial colectiva del consumidor, abarcando la regulación europea de esa tutela colectiva diferentes aspectos.

Presupuesto el ámbito material de aplicación al que nos acabamos de referir mediante el enunciado de las diferentes Directivas, el primer aspecto a destacar de esa regulación europea es que se configura como mecanismo principal de la tutela judicial colectiva la acción de cesación, y determinadas acciones complementarias de la misma, como puedan ser la acción de rectificación, o la de publicación de la resolución de condena.

La configuración de la acción de cesación como mecanismo primordial de la tutela judicial de los intereses colectivos de los consumidores es completamente razonable, pues resulta constatado, desde hace décadas en los ordenamientos jurídicos de algunos Estados miembros de la Unión, que en el mercado en el que participan los consumidores las conductas empresariales se caracterizan por su carácter repetitivo y continuado, siendo la pronta cesación de las conductas empresariales ilícitas el principal instrumento de tutela, ya que la continuación de los ilícitos en el mercado pueden causar daños de imposible o muy difícil reparación y, en consecuencia, evitar la producción del daño al consumidor es la mejor forma de protección.

En dicho contexto resulta, pues, sumamente razonable la regulación en el Derecho Europeo de la acción de cesación para la tutela judicial colectiva del consumidor. La configuración básica de éste se centra en dos aspectos. Por una parte y en lo que se refiere al *proceso judicial de declaración*, se establecen como acciones principales la cesación y la prohibición de la conducta, y como acciones complementarias la de publicación

---

11. E, incluso, con posterioridad a la aprobación y publicación de la Directiva 2009/22/CE, de 22 de abril, se ha incrementado su ámbito de aplicación respecto de normativa comunitaria posterior, como es el caso de la Directiva 2013/11/UE del Parlamento Europeo y del Consejo, de 21 de mayo de 2013, relativa a la resolución alternativa de litigios en materia de consumo (DO L 165 de 18.6.2013, p. 63) y el Reglamento (UE) n.° 524/2013 del Parlamento Europeo y del Consejo, de 21 de mayo de 2013, sobre resolución de litigios en línea en materia de consumo (DO L 165 de 18.6.2013, p. 1).

de la resolución de condena o de una rectificación, señalando al mismo tiempo algunas de las características que deben rodear el procedimiento (agilidad)[12].

Pero, por otra parte, la salvaguarda de la efectividad de la tutela judicial de los intereses colectivos de los consumidores requiere que los imperativos del Derecho Europeo se extiendan también el *proceso judicial de ejecución* –o, incluso, al *procedimiento cautelar*– mediante la previsión de la posibilidad de establecer multas coercitivas que intimen al cumplimiento efectivo de las resoluciones judiciales estimatorias de la acción de cesación y de las demás acciones complementarias antes referidas[13].

En segundo lugar, otro aspecto destacable de la Directiva 2009/22/CE es la regulación de los sujetos legitimados para el ejercicio de las acciones mencionadas para la tutela de los intereses colectivos de los consumidores. La desproporción entre los costes que para el consumidor individual supone el acceso a los tribunales y las ventajas que a través del proceso puede obtener ha determinado que en distintos ordenamientos jurídicos europeos se autorice a determinadas asociaciones u organizaciones para que defiendan en juicio los intereses colectivos de los consumidores.

En coherencia con dichos planteamientos, la Directiva establece que se entenderá por «entidad habilitada» cualquier organismo u organización, correctamente constituido con arreglo a la legislación de un Estado miembro, que posea un interés legítimo en la tutela judicial de los intereses colectivos de los consumidores y, en particular: a) Uno o más organismos públicos independientes específicamente encargados de la protección de los intereses colectivos de los consumidores en los Estados miembros en los que existan tales organismos, o b) las organizaciones cuya finalidad consista en la protección de esos intereses, según los criterios establecidos por su legislación nacional (art. 3).

---

12. En particular, el artículo 2 prescribe que las acciones de tutela de los intereses colectivos de los consumidores tendrán por fin obtener que «a) Se ordene, con toda la diligencia debida, en su caso mediante procedimiento de urgencia, la cesación o la prohibición de toda infracción; b) se adopten, en su caso, medidas como la publicación, total o parcial, y en la forma que se estime conveniente, de la resolución, o que se publique una declaración rectificativa con vistas a suprimir los efectos duraderos derivados de la infracción».

13. En este sentido, el artículo 2 de la Directiva también autoriza «c) en la medida en que el ordenamiento jurídico del Estado miembro interesado lo permita, se condene a la parte demandada perdedora a abonar al Tesoro público o al beneficiario designado por la legislación nacional, o en virtud de la misma, en caso de inejecución de la resolución en el plazo establecido por las autoridades judiciales o administrativas, una cantidad fija por cada día de retraso o cualquier otra cantidad prevista en la legislación nacional, al objeto de garantizar el cumplimiento de las resoluciones».

El legislador comunitario deja en libertad a los Estados miembros para atribuir la legitimación activa para el ejercicio de la acción de cesación y de las demás acciones complementarias, bien a uno o más organismos públicos independientes, específicamente encargados de la protección de los intereses colectivos de los consumidores, bien a organizaciones o asociaciones privadas, cuyo objeto consista en proteger los intereses colectivos de los consumidores, según los criterios establecidos por las legislaciones nacionales. Es más, respecto de esta cuestión se reconoce la autonomía de los Estados miembros, que deben poder elegir entre alguna de esas dos opciones, o combinarlas, designando, a nivel nacional, los organismos u organizaciones autorizados a efectos de la Directiva (apartados 10 y 11 Preámbulo).

Sin embargo, esa autonomía se limita parcialmente en virtud del principio de reconocimiento mutuo, cuando se trate de infracciones intracomunitarias de los intereses colectivos de los consumidores, lo que debe conducir a que cuando las infracciones realizadas en el territorio de un Estado miembro perjudiquen los intereses colectivos de los consumidores que residen en otro Estado miembro diferente, las autoridades del primer Estado deben reconocer a las entidades habilitadas en el segundo Estado para la tutela de los intereses colectivos de los consumidores afectados habilidad para impetrar la tutela colectiva de esos intereses ante las autoridades del primer Estado[14].

Corresponde a la Comisión velar porque se publique en el «Diario Oficial de la Unión Europea» una lista de dichas entidades habilitadas, que viene recogida en el «Diario Oficial de la Unión Europea» de 27 de marzo de 2015, C 105 y que, por lo que se refiere a España, comprende a numerosas entidades hasta alcanzar el número de 28, siendo en su mayor parte organismos públicos, especialmente autonómicos (18), acompañados también por asociaciones y organizaciones privadas (10)[15].

---

14. Con dicho fin cada Estado miembro comunicará a la Comisión una lista de las entidades habilitadas en el mismo para la tutela de los intereses colectivos de los consumidores, aceptando las autoridades judiciales o administrativas de los demás Estados miembros dicha lista como prueba de la capacidad jurídica de la entidad habilitada, sin perjuicio de su derecho de examinar si la finalidad de la entidad habilitada justifica que ejercite acciones en un caso concreto, es decir, sin perjuicio de la potestad de las autoridades nacionales para verificar si la entidad legalmente habilitada para la tutela de los intereses colectivos de los consumidores tiene legitimación activa para su defensa en juicio en el caso concreto (art. 4. 1 y 2 Directiva).

15. Respecto de España y conforme a la antedicha lista publicada en el DOUE de 27 de marzo de 2015, las entidades habilitadas para el ejercicio de acciones colectivas son: Instituto Nacional de Consumo, Dirección General de Consumo de la Junta de Andalucía, Dirección General de Consumo del Gobierno de Aragón, Agencia de Sanidad

En tercer lugar, la Directiva considera que para una más eficaz tutela colectiva de los intereses colectivos de los consumidores debe incentivarse la solución extrajudicial de la controversia. Con dicho fin, el legislador europeo considera que conviene que los Estados miembros puedan prever una *obligación de consulta previa* a cargo de la parte que se proponga interponer una acción de cesación, con el fin de permitir que el demandado ponga fin a la infracción litigiosa. Los Estados miembros deben poder establecer que dicha consulta previa se efectúe conjuntamente con un organismo público independiente designado por ellos.

Ahora bien, con el fin de que esa obligación no derive en la ineficacia de la tutela pretendida, se considera que cuando los Estados miembros obliguen a realizar una consulta previa, debe establecerse un plazo de dos semanas a partir de la recepción de la solicitud de consulta, tras el cual, si no ha cesado la infracción, el interesado podrá ejercitar una acción ante las autoridades judiciales o administrativas competentes sin más trámite (art. 5 y apartados 14 y 15 Preámbulo)[16].

De lo expuesto se desprende que las Directivas 98/27/CE y 2009/22/CE han significado un importante avance en la creación de un Derecho

---

Ambiental y Consumo del Principado de Asturias, Dirección General de Consumo/ Direcció General de Consum, Govern de les Illes Balears, Dirección General de Consumo del Gobierno de Canarias, Dirección General de Comercio y Consumo del Gobierno de Cantabria, Instituto de Consumo de la Junta de Comunidades de Castilla-La Mancha, Agencia de Protección Civil y Consumo de la Junta de Castilla y León, Agencia Catalana del Consumo/Agència Catalana del Consum, Generalitat de Catalunya, Dirección General de Consumo de la Junta de Extremadura, Instituto Gallego de Consumo/Instituto Galego de Consumo, Xunta de Galicia, Dirección General de Consumo de la Comunidad de Madrid, Dirección General de Atención al Ciudadano, Drogodepencias y Consumo de la Región de Murcia, Dirección General de Familia, Infancia y Consumo del Gobierno de Navarra, Dirección General de Salud Pública y Consumo del Gobierno de la Rioja, Dirección General de Comercio y Consumo/Direcció General de Comerç i Consum de la Generalitat Valenciana, Dirección de Consumo y Seguridad Industrial, Gobierno Vasco/Kontsumo eta Industria Segurtasuneko Zuzendaritza, Eusko Jaurlaritza, Asociación de Usuarios de la Comunicación, Asociación General de Consumidores, Confederación Española de Organizaciones de Amas de Casa, Consumidores y Usuarios, Confederación de Consumidores y Usuarios, Federación de Usuarios, Consumidores Independientes, Confederación Española de Cooperativas de Consumidores y Usuarios, Organización de Consumidores y Usuarios, Federación Unión Nacional de Consumidores y Amas de Hogar de España, Asociación de Usuarios de Bancos, Cajas y Seguros; y Unión de Consumidores de España.

16. La introducción de un intento de conciliación previa obligatoria puede llegar a vulnerar en determinados supuestos el derecho a la tutela judicial efectiva reconocido en el artículo 47 de la Carta de Derechos Fundamentales de la Unión Europea. Vid al respecto STJUE (Sala Cuarta) de 18 de marzo de 2010, asuntos C-317/08, C-318/08, C-319/08 y C-320/08, TJCE 2010, 78.

Europeo de la tutela colectiva de los consumidores, principalmente con la introducción del instrumento de tutela judicial esencial en la materia como es la acción de cesación y con el reconocimiento de legitimación activa para el ejercicio de las acciones colectivas a organismos, organizaciones y asociaciones.

Sin embargo, esa regulación presenta todavía importantes lagunas en orden a la configuración de un sistema de tutela judicial colectiva eficaz y acabado. Así, se echa en falta la regulación de otra acción colectiva importante para la plena protección de los intereses de los consumidores, la acción colectiva de indemnización de los daños y perjuicios producidos. Si la acción de cesación deviene esencial para evitar nuevos daños, o la consolidación y perpetuación de los daños en curso, la acción de indemnización de daños y perjuicios resulta muy importante para la obtención de una plena reparación de los daños ya producidos.

Por otra parte, aunque reconoce que el ejercicio de la acción colectiva de cesación no impide el ejercicio de acciones individuales por los consumidores particulares que se hayan visto perjudicados por una infracción (apartado 3 del Preámbulo), la Directiva guarda absoluto silencio sobre extremos de gran importancia, como el alcance de la eficacia de cosa juzgada subjetiva de la sentencia en el caso de acciones colectivas ejercitadas por organismos, organizaciones o asociaciones; los mecanismos de publicidad a utilizar en el caso del ejercicio de acciones en defensa de los intereses colectivos de los consumidores; y los diferentes mecanismos de articulación procesal en el caso de ejercicio de acciones individuales y de acciones colectivas de defensa de los consumidores.

2.2. LA TUTELA COLECTIVA DE LOS CONSUMIDORES EN EL REGLAMENTO 2006/2004, DE 27 DE OCTUBRE

El Reglamento 2006/2004, de 27 de octubre, sobre la cooperación entre las autoridades nacionales encargadas de la aplicación de la legislación de protección de los consumidores, constituye una norma complementaria de la anterior que persigue reforzar los mecanismos de cooperación entre las autoridades nacionales encargadas de la aplicación de la legislación de protección de los consumidores cuando las infracciones de esa legislación, aun desarrollándose en el interior del territorio de la Unión Europea, tienen carácter transfronterizo. La razón de ser es que en estos supuestos, si falta la cooperación entre las autoridades de los Estados miembros, existe un mayor riesgo de ineficacia en la persecución de esas infracciones, pues los comerciantes y proveedores intentan eludir la aplicación de la legislación de protección del consumidor desplazándose por la Unión (apartado 2 del Preámbulo).

La «infracción intracomunitaria» se define como todo acto u omisión contrario a la legislación protectora de los intereses de los consumidores definida en las Directivas y Reglamentos enumerados en el anexo, «que perjudique o pueda perjudicar los intereses colectivos de los consumidores que residen en uno o varios Estados miembros distintos del Estado miembro en el que se originó o tuvo lugar el acto u omisión en cuestión, o en el que esté establecido el comerciante o proveedor responsable, o en el que se encuentren las pruebas o los activos correspondientes al acto u omisión» (art. 3, b).

Presupuesto lo anterior, el Reglamento se dirige a estrechar la cooperación entre las autoridades nacionales encargadas de aplicar la legislación de protección del consumidor, en aras de una defensa eficaz de sus intereses colectivos, y con dicho objeto intercambiar información, detectar e investigar infracciones intracomunitarias y adoptar medidas para poner término a las mismas o prohibirlas, en cuanto que es esencial para garantizar el buen funcionamiento del mercado interior y la protección de los consumidores (apartado 7 del Preámbulo).

3. LA SENTENCIA DEL TRIBUNAL DE JUSTICIA DE 14 DE ABRIL DE 2016

Según se advirtió *supra*, junto a los diferentes frutos de la actividad del legislador europeo, la jurisprudencia del Tribunal de Justicia de la Unión Europea resulta esencial en la construcción del Derecho Europeo de la Unión, también en la construcción del Derecho Europeo sobre la tutela judicial colectiva del consumidor.

Igualmente se ha puesto de manifiesto que las Directivas 98/27/CE y 2009/22/CE han significado un importante avance en la creación de un Derecho Europeo de la tutela judicial colectiva de los consumidores, principalmente con la introducción del instrumento de protección esencial en la materia, como es la acción de cesación, y con el reconocimiento de legitimación activa para el ejercicio de las acciones colectivas a organismos, organizaciones y asociaciones; lo que se complementa en el Reglamento 2006/2004, con el fomento de la cooperación internacional en los litigios transfronterizos para una más eficaz de los intereses colectivos de los consumidores.

Sin embargo, esa regulación presenta todavía importantes lagunas de cara a la configuración de un sistema de tutela judicial colectiva del consumidor completo y eficaz, pues ni se reconoce de momento el ejercicio de la acción colectiva de indemnización de los daños y perjuicios producidos, ni se regulan aspectos de gran importancia, como el alcance de la eficacia de cosa juzgada subjetiva de la sentencia en el caso de acciones colectivas ejercitadas por organismos, organizaciones o asociaciones; los mecanismos de publicidad a utilizar en el caso del ejercicio de acciones por organizaciones o asociaciones en defensa de los intereses colectivos de los consumidores; y los diferentes mecanismos de articulación procesal en el caso de ejercicio de acciones individuales y de acciones colectivas de defensa de los consumidores.

Precisamente sobre esto último se pronuncia la sentencia del Tribunal de Justicia de 14 de abril de 2016[17], en la que se ponen de manifiesto las carencias actuales del Derecho Europeo sobre la tutela judicial colectiva del consumidor, así como la necesidad de la regulación por los legisladores nacionales de mecanismos de articulación de las dos clases de tutela judicial (individual y colectiva) de los intereses de los consumidores y de que en esa tarea se respeten ciertos imperativos del Derecho Europeo de la Unión.

Las circunstancias del caso eran sustancialmente las siguientes. El Sr. Sales Sinués celebró el 20 de octubre de 2005 un contrato de novación de préstamo hipotecario con Caixabank, S.A, con una cláusula «suelo» que establecía un tipo nominal anual mínimo del 2,85 %, mientras que el tipo correspondiente al límite máximo o «techo» quedó fijado en el 12 %. El Sr. Drame Ba celebró el 7 de febrero de 2005 un contrato de préstamo hipotecario con Catalunya Caixa, S.A, contrato en el que el tipo de la cláusula «suelo» era del 3,75 % y el tipo máximo o «techo» era del 12 %.

Los Sres. Sales Sinués y Drame Ba presentaron demandas individuales ante el órgano jurisdiccional solicitando la declaración de nulidad de esas cláusulas, al considerar que las entidades bancarias les habían impuesto las cláusulas «suelo» y que dichas cláusulas daban lugar a un desequilibrio en su perjuicio.

Antes de la presentación de esas demandas individuales, una asociación de consumidores, Adicae (Asociación de Usuarios de Bancos, Cajas y Seguros), ejercitó contra 72 entidades bancarias una acción colectiva dirigida a obtener la cesación del uso de las cláusulas «suelo» en los contratos de préstamo.

Las partes demandadas en los litigios principales solicitaron, con base en el artículo 43 de la LEC, la suspensión de los procedimientos

17. Sentencia del Tribunal de Justicia (Sala Primera) de 14 de abril de 2016, asuntos C-381/14 y C-385/14, TJCE 2016, 138.

individuales hasta la existencia de sentencia firme que pusiera fin al procedimiento colectivo, pretensión a la que se opusieron los consumidores individuales demandantes.

El Juzgado de lo Mercantil n.º 9 de Barcelona consideró que, en las circunstancias que concurrían en los litigios principales, el artículo 43 LEC le obligaba a suspender la tramitación de las acciones individuales de las que conocía hasta que la acción colectiva quedara resuelta mediante sentencia firme, conllevando ese efecto suspensivo una subordinación necesaria de la acción individual a la acción colectiva, en lo que se refería, tanto a la tramitación del procedimiento, como a su resultado.

Así mismo, el referido Juzgado estimó que la participación en el procedimiento colectivo estaba sujeta a diferentes condicionantes, ya que consideraba, por una parte, que el justiciable debía renunciar eventualmente al tribunal competente por razón de su domicilio y, por otra parte, que estaba limitada en el tiempo la posibilidad de formular alegaciones a título individual para fundamentar la acción colectiva.

Dados esos condicionantes, el Juzgado tenía dudas de que esa solución fuera respetuosa con las exigencias del Derecho de la Unión relativas a la protección de los derechos individuales de los consumidores demandantes, planteando cuestión prejudicial ante el Tribunal de Justicia.

Éste comienza por señalar que «*las acciones individuales y colectivas tienen*, en el marco de la Directiva 93/13, *objetos y efectos jurídicos diferentes*, de modo que la relación de índole procesal entre la tramitación de las unas y de las otras únicamente puede atender a exigencias de carácter procesal asociadas, en particular, a la recta administración de la justicia y que respondan a la necesidad de evitar resoluciones judiciales contradictorias, *sin que la articulación de esas diferentes acciones deba conducir a una merma de la protección de los consumidores*, tal como está prevista en la Directiva 93/13»[18] (apartado 30).

---

18. La cursiva es nuestra. La cuestión prejudicial versaba sobre la interpretación del artículo 7 de la Directiva 93/13/CEE del Consejo, de 5 de abril de 1993, sobre las cláusulas abusivas en los contratos celebrados con consumidores (DO 1993, L 95, p. 29), en virtud del cual: «1. Los Estados miembros velarán porque, en interés de los consumidores y de los competidores profesionales, existan medios adecuados y eficaces para que cese el uso de cláusulas abusivas en los contratos celebrados entre profesionales y consumidores.
2. Los medios contemplados en el apartado 1 incluirán disposiciones que permitan a las personas y organizaciones que, con arreglo a la legislación nacional, tengan un interés legítimo en la protección de los consumidores, acudir según el Derecho nacional a los órganos judiciales o administrativos competentes con el fin de que éstos determinen si ciertas cláusulas contractuales, redactadas con vistas a su utilización

Dicho lo anterior, añade el Tribunal que «*a falta de armonización de los medios procesales que regulan las relaciones entre las acciones colectivas y las acciones individuales* previstas por la Directiva 93/13, *corresponde al ordenamiento jurídico interno de cada Estado miembro establecer tales reglas*, en virtud del principio de autonomía procesal, a condición, no obstante, de que no sean menos favorables que las que rigen situaciones similares sometidas al Derecho interno (*principio de equivalencia*) y de que no hagan imposible en la práctica o excesivamente difícil el ejercicio de los derechos que el Derecho de la Unión confiere a los consumidores (*principio de efectividad*) (apartado 32)[19].

Así mismo, tras establecer una serie de consideraciones respecto de algunas cuestiones relativas a la articulación en Derecho Procesal Civil español entre las acciones individuales y las acciones colectivas de defensa de los intereses de los consumidores, a la luz de la información transmitida por el órgano judicial promovente, el Tribunal de Justicia recuerda que «la necesidad de garantizar la coherencia entre las resoluciones judiciales no puede justificar esa falta de efectividad (de la protección de los intereses de los consumidores), ya que, (...), la diferente naturaleza del control judicial ejercido en el marco de una acción colectiva y en el marco de una acción individual debería, en principio, evitar el riesgo de que se dicten resoluciones judiciales contradictorias» (apartado 32)[20].

---

general, tienen carácter abusivo y apliquen los medios adecuados y eficaces para que cese la aplicación de dichas cláusulas. [...]».

19. La cursiva es nuestra.

20. Dichas consideraciones son las siguientes: «35. En este asunto, debe constatarse que, tal como se desprende de la interpretación del órgano jurisdiccional remitente, en circunstancias como las que concurren en este caso, ese órgano jurisdiccional está obligado, en virtud del artículo 43 de la Ley de Enjuiciamiento Civil, a suspender la acción individual de la que conoce hasta que se resuelva mediante sentencia firme la acción colectiva cuya solución pueda aplicarse respecto de la acción individual y, de ese modo, el consumidor no puede hacer valer de forma individual los derechos reconocidos por la Directiva 93/13 desvinculándose de dicha acción colectiva.

36. Pues bien, tal situación puede redundar en perjuicio de la efectividad de la protección prevista por esta Directiva a la luz de las diferencias en cuanto al objeto y la naturaleza de los mecanismos de protección de los consumidores que se materializan en esas acciones, tal como se desprenden de lo expresado en los anteriores apartados 21 a 29.

37. En efecto, por una parte, el consumidor queda obligatoriamente vinculado por el resultado de la acción colectiva, incluso cuando decida no participar en la misma, y la obligación que el artículo 43 de la Ley de Enjuiciamiento Civil impone al juez nacional impide a éste realizar un análisis propio de las circunstancias que concurren en el asunto del que conoce. En particular, no serán determinantes a efectos de la resolución del litigio individual ni la cuestión de la negociación individual de la

Como corolario de lo anterior, el Tribunal de Justicia concluye que «procede responder a las cuestiones prejudiciales planteadas que el artículo 7 de la Directiva 93/13 debe interpretarse en el sentido de que se opone a una normativa nacional, como la de los litigios principales, que obliga al juez que conoce de una acción individual de un consumidor, dirigida a que se declare el carácter abusivo de una cláusula de un contrato que le une a un profesional, a suspender automáticamente la tramitación de esa acción en espera de que exista sentencia firme en relación con una acción colectiva que se encuentra pendiente, ejercitada por una asociación de consumidores de conformidad con el segundo apartado del citado artículo con el fin de que cese el uso, en contratos del mismo tipo, de cláusulas análogas a aquella contra la que se dirige dicha acción individual, sin que pueda tomarse en consideración si es pertinente esa suspensión desde la perspectiva de la protección del consumidor que presentó una demanda judicial individual ante el juez y sin que ese consumidor pueda decidir desvincularse de la acción colectiva» (apartado 43).

Dicha resolución, guiada en cierta medida por el órgano judicial promovente de la cuestión prejudicial, parte de una interpretación de algunas normas del Derecho Procesal Civil español cuando menos discutible[21].

---

cláusula respecto de la que se alega el carácter abusivo, ni la naturaleza de los bienes o de los servicios objeto del contrato en cuestión.

38. Por otra parte, el consumidor está sometido, en virtud del artículo 43 de la Ley de Enjuiciamiento Civil, tal como lo interpreta el órgano jurisdiccional remitente, al plazo de adopción de una resolución judicial referida a la acción colectiva, sin que el juez nacional pueda apreciar desde este punto de vista la pertinencia de la suspensión de la acción individual hasta que exista sentencia firme en relación con la acción colectiva.

39. Así pues, esa regla nacional resulta incompleta e insuficiente y no constituye un medio adecuado ni eficaz para que cese el uso de cláusulas abusivas, en contra de lo dispuesto en el artículo 7, apartado 1, de la Directiva 93/13.

40. La anterior conclusión se revela especialmente cierta si se tiene en cuenta que, en Derecho interno, si desea adherirse a la acción colectiva, el consumidor está sujeto, tal como resulta del auto de remisión, a condicionantes relativos a la determinación del órgano jurisdiccional competente y a los motivos que pueden invocarse. Asimismo, pierde necesariamente los derechos que le serían reconocidos en el marco de una acción individual, esto es, la toma en consideración de todas las circunstancias que caracterizan su causa, y la posibilidad de renunciar a que no se aplique una cláusula abusiva, *a fortiori* si no puede desvincularse de la acción colectiva».

21. Principalmente, debe tenerse en cuenta que el art. 43 LEC regula la llamada prejudicialidad civil, sin que, a diferencia de lo que sucede en otros preceptos de la ley procesal civil, contenga referencia expresa alguna a la articulación entre las acciones individuales y las acciones colectivas de defensa de los intereses de los consumidores. Pero, aunque así fuera, el tenor literal del precepto deja poco margen a la consideración de que el juez resulte obligado a suspender el proceso, confiriéndole más bien una potestad para hacerlo, si lo estima adecuado en el caso concreto. Por lo demás, la

Con todo, la anterior resolución resulta de indudable interés, y pueden extraerse de ella consideraciones diversas. En primer lugar, cabe destacar que «*a falta de armonización de los medios procesales que regulan las relaciones entre las acciones colectivas y las acciones individuales* previstas por la Directiva 93/13, *corresponde al ordenamiento jurídico interno de cada Estado miembro establecer tales reglas,* en virtud del principio de autonomía procesal». De esto se desprende que, en lo que se refiere a la armonización de los medios procesales que regulan las relaciones entre las acciones colectivas y las acciones individuales de tutela del consumidor, los ordenamientos nacionales deben aplicarse ante la ausencia de su regulación por el Derecho Europeo de la Unión, es decir, ante las lagunas de éste, lo que debe suponer un estímulo para el perfeccionamiento del Derecho de la Unión en la materia.

En segundo lugar, que la regulación por los ordenamientos jurídicos nacionales de las relaciones entre las acciones colectivas y las acciones individuales de tutela del consumidor deben inspirarse, como uno de sus principios básicos, en el principio de efectividad de la protección de los derechos de los consumidores reconocidos por el Derecho sustantivo de la Unión.

Y, en tercer lugar, que resulta contraria al Derecho de la Unión la legislación nacional que, una vez ejercitada una acción colectiva de cesación de uso de una cláusula abusiva por una asociación de consumidores, obliga a la suspensión automática del proceso en el que se ejercite por un consumidor una acción individual de cesación con similar objeto hasta que se dicte sentencia firme en el proceso colectivo, si la suspensión del proceso individual es imperativa y si el consumidor no tiene la facultad de desvincularse de la acción colectiva.

4. A MODO DE CONCLUSIÓN

Las Directivas 98/27/CE y 2009/22/CE han supuesto un avance significativo en la configuración de un Derecho Europeo de la tutela judicial colectiva de los consumidores, principalmente con la introducción del instrumento de protección esencial en la materia, como es la acción de cesación, así como con el reconocimiento de legitimación activa para el ejercicio de las acciones colectivas a organizaciones y asociaciones, lo que se complementa en el Reglamento 2006/2004, con el fomento de la

---

imposibilidad para el consumidor de desvincularse de la acción colectiva ejercitada por una asociación de consumidores dista de ser tan clara en Derecho español como parece entenderse en esta sentencia.

cooperación internacional en los litigios transfronterizos para una más eficaz de los intereses colectivos de los consumidores.

Sin embargo, esa regulación presenta todavía importantes lagunas en orden a la configuración de un sistema de tutela judicial colectiva del consumidor completo y eficaz, pues ni se reconoce de momento en la normativa europea indicada el ejercicio de la acción colectiva de indemnización de los daños y perjuicios producidos, ni se regulan aspectos nucleares en la regulación normativa de la tutela judicial colectiva, como el alcance de la eficacia de cosa juzgada subjetiva de la sentencia en el caso de acciones colectivas ejercitadas por organismos, organizaciones o asociaciones; los mecanismos de publicidad a utilizar en el caso del ejercicio de acciones por dichas organizaciones o asociaciones en defensa de los intereses colectivos de los consumidores; y los diferentes mecanismos de articulación procesal entre el ejercicio de acciones individuales y el ejercicio de acciones colectivas de defensa de los consumidores.

Sobre el último aspecto se ha pronunciado recientemente la sentencia del Tribunal de Justicia de 14 de abril de 2016, de la que, al margen de la solución dada al caso concreto, se desprende que, como en otras cuestiones procesales de calado en el caso de ejercicio de acciones colectivas de defensa del consumidor (eficacia de cosa juzgada subjetiva de la sentencia, o mecanismos de publicidad de la acción ejercitada), la armonización de los medios procesales que regulan las relaciones entre las acciones colectivas y las acciones individuales de tutela del consumidor debe realizarse por los ordenamientos jurídicos nacionales ante la ausencia de su regulación por el Derecho Europeo de la Unión, es decir, ante las lagunas de éste, lo que debe suponer un estímulo para el perfeccionamiento del Derecho de la Unión en la materia, a fin de asegurar un mínimo de efectividad en la protección judicial de los intereses colectivos de los consumidores en el mercado interior y, por tanto, en el territorio de todos los Estados miembros de la UE.

Capítulo XXVII

La intervención en procesos de defensa de la competencia en la Ley de Enjuiciamiento Civil tras el Reglamento (CE) 1/2003

IBON HUALDE LÓPEZ

Profesor Titular de Derecho Procesal. Universidad de Navarra

Profesor Tutor. UNED (Pamplona)

1. INTRODUCCIÓN

La Ley de Enjuiciamiento Civil, en su artículo 15 bis, que fue introducido por el apartado primero de la disposición adicional segunda de la Ley 15/2007, de 3 de julio, de Defensa de la Competencia, posibilita que determinadas entidades ajenas a un proceso que se sustancie en este ámbito comparezcan en el mismo con la finalidad de aportar información o realizar observaciones, sin adquirir la condición de parte. Ello con el objeto de que dichas entidades colaboren con el órgano jurisdiccional ante el que se está desarrollando un proceso sobre defensa de la competencia, dándoles el asesoramiento que pudieran precisar para la correcta interpretación y aplicación de los artículos 81 y 82 del Tratado de la Comunidad Europea[1] o los artículos 1 y 2 de la Ley de Defensa de la Competencia[2].

Pero, en realidad, la existencia de tal posibilidad en nuestro ordenamiento jurídico se debe a una norma comunitaria, el Reglamento 1/2003 del Consejo, de 16 de diciembre de 2002, relativo a la aplicación de las normas sobre competencia previstas en los artículos 81 y 82 del Tratado de la Comunidad Europea (hoy arts. 101 y 102 TFUE)[3]. El artículo 15 de dicho Reglamento es el encargado de regular la intervención tanto de la Comisión Europea, a instancias de los órganos jurisdiccionales de los Estados Miembros o a iniciativa propia, como de las autoridades nacionales de competencia, en el ámbito de los procesos a los que resultan de aplicación los artículos 81 y 82 del Tratado de la Comunidad Europea (hoy arts. 101 y 102 TFUE), para llevar a cabo la remisión de información o evacuación de informes relativos a la normativa comunitaria sobre competencia[4].

En el presente trabajo se realiza un breve análisis de las entidades legalmente legitimadas para intervenir en un proceso de esa naturaleza; las prácticas restrictivas de la competencia que pueden ser juzgadas en su ámbito; y, finalmente, las normas de procedimiento previstas en el artículo 15 bis de la Ley de Enjuiciamiento Civil para hacer efectiva la

---

1. Las referencias a los artículos 81 y 82 del Tratado de la Comunidad Europea deben entenderse realizadas a los artículos 101 y 102 del Tratado de funcionamiento de la Unión Europea.

2. Esta ley fue desarrollada a través del Real Decreto 261/2008, de 22 de febrero, por el que se aprueba el Reglamento de Defensa de la Competencia. Sobre sus principales novedades, *vide* FERNÁNDEZ LÓPEZ, J.M. y otros, «La Ley 15/2007 de Defensa de la Competencia. Reflexiones sobre las principales novedades», *Revista Comunicaciones en Propiedad Industrial y Derecho de la Competencia*, núm. 48-extraordinario, Instituto de Derecho y ética industrial, Madrid, 2007; GUERRA FERNÁNDEZ, A. y RODRÍGUEZ ENCINAS, A., «La nueva Ley de Defensa de la Competencia: principales novedades», *Actualidad Jurídica Uría Menéndez*, núm. 18, 2007, pp. 42–56; PAREJO ALFONSO, L., «El nuevo sistema de defensa de la competencia. Algunas cuestiones generales sobre su fundamento constitucional y su organización específica en una Administración independiente», en L. PAREJO ALFONSO y A. PALOMAR OLMEDA, *Derecho de la Competencia. Estudios sobre la Ley 15/2007, de 3 de julio, de Defensa de la Competencia*, La Ley, Bilbao, 2008, pp. 47–86.

3. Este Reglamento sustituye, a partir del 1 de mayo de 2004, al Reglamento 17/1962 y la aplicación de sus normas debe ser llevada a cabo por las autoridades nacionales en materia de competencia y garantizada por los correspondientes órganos jurisdiccionales. *Vide* apartado séptimo de la parte expositiva del Reglamento 1/2003, así como su artículo 6.

4. Sin embargo, no se establece en el referido Reglamento 1/2003 un procedimiento para la presentación de las correspondientes observaciones, lo que obliga a que se determine con arreglo a las normas y prácticas procesales de los Estados miembros. *Vide* STJCE, Sala Cuarta, de 11 de junio de 2009 (TJCE 2009, 169).

intervención de las referidas entidades, así como la eficacia de la información y observaciones que aporten en su condición de *amicus curiae*.

2. ENTIDADES LEGITIMADAS

El apartado primero del artículo 15 bis enumera las entidades legitimadas para intervenir en procesos de defensa de la competencia: la Comisión Europea, la Comisión Nacional de la Competencia (hoy Comisión Nacional de los Mercados y la Competencia) y los órganos competentes de las Comunidades Autónomas, previa asunción de las competencias correspondientes en sus Estatutos de Autonomía y siempre con respeto a los límites constitucionalmente establecidos; entidades que, quizás con intereses contradictorios, podrían concurrir simultáneamente en un mismo proceso[5]. No se contempla legalmente la posibilidad de intervención de otros sujetos para sostener el mismo criterio u otro distinto al de aquellas entidades[6].

La intervención de las mencionadas entidades está justificada por la existencia en esos procesos de naturaleza privada de un interés público, que consiste en la defensa y correcta aplicación de las normas integrantes del Derecho de la competencia, comunitario y nacional. Es decir, en el objeto procesal subyacen elementos que trascienden de la relación jurídico-sustantiva privada, de naturaleza disponible, que se plantea ante los tribunales; y por ello el legislador establece una medida tendente a favorecer el buen pronunciamiento del órgano judicial como garante de ese interés público económico. En concreto, la posibilidad de «entrada» en el proceso de entidades que le asesoren para la resolución del conflicto de la manera más adecuada conforme a Derecho.

---

5. Sobre la apuntada posibilidad de concurrencia como *amicus curiae* de varias autoridades de competencia en un mismo proceso, COLOMER HERNÁNDEZ, I., «La tutela judicial de la defensa de la competencia», *Derecho de la Competencia...*, *op. cit.*, pp. 544–547, entiende que «el juez sólo habrá de admitir la presencia de la CNC (hoy CNMC) y de la Comisión Europea cuando esté en juego la aplicación de los arts. 81 y 82 del Tratado de la Comunidad Europea. Y al tiempo sólo permitirá la presencia de los órganos competentes de las Comunidades Autónomas cuando se vaya a aplicar los arts. 1 y 2 LDC, y se acredite que el objeto del proceso, la conducta examinada, afecta al territorio de esa Comunidad».

6. Crítico con la falta de reconocimiento legal de la posibilidad de intervención de quien tenga una concepción del interés público diversa de la que sostenga la autoridad de defensa de la competencia se muestra RUIZ PERIS, J.I., «Los órganos de defensa de la competencia como *amicus curiae*», *Derecho de los negocios*, núm. 206, noviembre 2007, p. 13, quien reclama «una reforma procesal o al menos el desarrollo de una práctica jurisdiccional en tal sentido»; posibilidad de intervención de sujetos de distinta naturaleza que sí tiene cabida conforme a la regulación del *amicus curiae* propia de los países del *Common Law*.

2.1. LA COMISIÓN EUROPEA

La Comisión Europea es la institución que encarna el poder ejecutivo comunitario, teniendo como misión principal la promoción de los intereses generales de la Unión Europea. El Tratado de la Unión Europea cita a la Comisión entre las distintas instituciones de tal entidad geopolítica y establece que deberá estar asistida, igual que el Parlamento Europeo (ante el cual responde políticamente) y el Consejo, por un Comité Económico y Social y un Comité de las Regiones, que ejercerán funciones consultivas[7]. Los miembros de la Comisión Europea son seleccionados de entre los nacionales de los Estados miembros mediante un sistema de rotación estrictamente igual entre los Estados Miembros que permita tener en cuenta la diversidad demográfica y geográfica del conjunto de los mismos[8]; y, aunque dichos miembros son nacionales de los Estados que integran la Unión Europea y se nombran de común acuerdo por los Gobiernos, se trata de una institución independiente, ya que los comisarios no representan a sus países ni pueden defender los intereses particulares de estos[9]. El término «Comisión» no se limita al conjunto de los miembros que, en sentido estricto, la componen, esto es, al colegio de comisarios en quienes se depositan los poderes, sino que el significado de aquel es más amplio, abarcando al ente administrativo encargado de darles asistencia, que está compuesto por cerca de cuarenta mil funcionarios[10].

Como se ha apuntado ya, la misión fundamental de la Comisión es promover el interés general de la Unión Europea, para lo que adoptará las iniciativas adecuadas. Las funciones concretas de esta institución comunitaria figuran enumeradas en el propio Tratado de la Unión Europea. Así, velará por que se apliquen los Tratados y las medidas adoptadas por las instituciones en virtud de estos; supervisará la aplicación del Derecho de la Unión bajo el control del Tribunal de Justicia de la Unión Europea; ejecutará el presupuesto y gestionará los programas; ejercerá funciones de coordinación, ejecución y gestión, de conformidad con las condiciones

---

7. *Vide* artículo 13.4 del Tratado de la Unión Europea y 300 del Tratado de Funcionamiento de la Unión Europea.

8. *Vide* artículo 17.5,II del Tratado de la Unión Europea y 244 del Tratado de Funcionamiento de la Unión Europea.

9. *Vide* artículo 17.3,III del Tratado de la Unión Europea y artículo 245 del Tratado de Funcionamiento de la Unión Europea.

10. Desde el 1 de noviembre de 2014 la Comisión está compuesta por un número de miembros correspondiente a los dos tercios del número de Estados miembros, que incluye a su Presidente y al Alto Representante de la Unión para Asuntos Exteriores y Política de Seguridad, a menos que el Consejo Europeo decida por unanimidad modificar dicho número (art. 17.5 TUE).

establecidas en los Tratados; asumirá la representación exterior de la Unión, con excepción de la política exterior y de seguridad común y de los demás casos previstos por los Tratados y, finalmente, adoptará las iniciativas de la programación anual y plurianual de la Unión con el fin de alcanzar acuerdos interinstitucionales[11].

En el ámbito de la defensa de la competencia, interesa destacar la colaboración que, a tenor del Reglamento 1/2003, debe existir entre esta institución comunitaria y las autoridades correspondientes de los Estados Miembros para la debida aplicación de las normas comunitarias[12]; colaboración que se extiende al intercambio de todo tipo de información, incluida la confidencial[13]. Asimismo, como se ha anotado ya, el citado Reglamento posibilita la intervención de la Comisión Europea en los procesos a los que resulten de aplicación los artículos 81 y 82 de aquel Tratado (hoy arts. 101 y 102 TFUE), con el objetivo de que esta remita a los órganos jurisdiccionales de los Estados Miembros, previa solicitud, la información que obre en su poder o les transmita sus dictámenes sobre cuestiones relativas a la aplicación de las normas de competencia comunitarias[14].

Fuera de estas normas legales, el actualmente denominado Tribunal de Justicia de la Unión Europea ha tenido la oportunidad de pronunciarse sobre la necesaria cooperación entre la Comisión Europea y los órganos jurisdiccionales nacionales[15]. Pero, además, los tribunales europeos han recogido en diversas resoluciones referencias a la actuación de la Comisión Europea con la condición de *amicus curiae* en el ámbito de un proceso judicial. Por ejemplo, las procedentes del Tribunal de Primera Instancia de las Comunidades Europeas (hoy Tribunal General de la Unión Europea) sobre la forma en que debe actuar la Comisión Europea cuando responde a cuestiones planteadas por los tribunales nacionales[16]; y el propio Tribunal General de la Unión Europea también ha valorado

---

11. *Vide* artículo 17.1 del Tratado de la Unión Europea.
12. *Vide* artículo 11 del Tratado de la Unión Europea, así como el apartado octavo de su parte expositiva.
13. *Vide* artículo 12 del Tratado de la Unión Europea.
14. *Vide* artículo 15 del Tratado de la Unión Europea.
15. *Vide* STJCE, Pleno, de 14 de diciembre de 2000 (TJCE 2000, 333); STJCE, Sala Quinta, de 24 de noviembre de 2005 (TJCE 2005, 344); STJCE, Sala Cuarta, de 7 de junio de 2007 (TJCE 2007, 133); STJCE (hoy TJUE), Sala Cuarta, de 11 de junio de 2009 (TJCE 2009, 169); STAC Gran Sala, de 3 de mayo de 2011 (TJCE 2011, 112), entre otras resoluciones.
16. *Vide* STPICE (hoy TGUE), Sala Cuarta, de 19 de marzo de 1998 (TJCE 1998, 55); STJCE, Pleno, de 11 de enero de 2000 (TJCE 2000, 1), entre otras resoluciones.

las observaciones realizadas por dicho órgano administrativo con aquella condición[17]. Por su parte, el Tribunal de Justicia de las Comunidades Europeas (hoy Tribunal de Justicia de la Unión Europea), con relación a la presentación por la Comisión y las autoridades de competencia ante los órganos jurisdiccionales de las observaciones escritas y verbales a las que se refiere el artículo 15.3 del Reglamento 1/2003, señala que «tienen un alcance meramente indicativo y su finalidad es asegurar la aplicación coherente de las normas de competencia»[18]. Finalmente, el Tribunal de Justicia de la Unión Europea se ha planteado si la Comisión Europea está obligada a proporcionar el dictamen como *amicus curiae* o la información que le haya sido solicitada[19].

2.2. LA COMISIÓN NACIONAL DE LA COMPETENCIA

La Comisión Nacional de la Competencia[20], establecida por la Ley 15/2007, de 3 de julio, de Defensa de la Competencia, era una entidad de derecho público con personalidad jurídica propia y plena capacidad pública y privada, adscrita al Ministerio de Economía y Hacienda[21], y encargada de preservar, garantizar y promover la existencia de una competencia efectiva en los mercados nacionales de ámbito suprautonómico, así como de velar por la aplicación coherente de la citada ley mediante el ejercicio de las funciones que se le atribuían en la misma[22]. Integraba los antiguos Servicio y Tribunal de Defensa de la Competencia[23]. En el desarrollo de su actividad y para el cumplimiento de sus fines actuaba con autonomía orgánica y funcional, plena independencia de las Administraciones Públicas y sometimiento a la Ley de Defensa de la Competencia y al resto

17. *Vide* STGUE, Sala Tercera, de 28 de enero de 2015 (TJCE 2015, 41).
18. STJCE (hoy TJUE), Sala Cuarta, de 11 de junio de 2009 (TJCE 2009, 169).
19. La STJUE, Sala Sexta, de 22 de mayo de 2014 (TJCE 2014, 189), concluye que «el Tribunal de Justicia se puede negar a pronunciarse sobre una cuestión prejudicial planteada por un órgano jurisdiccional nacional cuando resulta evidente que la interpretación del Derecho de la Unión solicitada no tiene relación alguna con la realidad o con el objeto del litigio principal, cuando el problema es de naturaleza hipotética o cuando el Tribunal de Justicia no dispone de los elementos de hecho o de Derecho necesarios para responder de manera útil a las cuestiones planteadas».
20. Sobre este órgano, *vide* PADRÓS REIG, C., «El nuevo esquema institucional», *La nueva Ley de Defensa de la Competencia. Análisis y comentarios*, dirs. J.M. BENEYTO y J. MAILLO, coord. M. ESPER, Bosch, Barcelona, 2009, pp. 21–60, y la bibliografía ahí citada.
21. Este Ministerio ejercía el control de eficacia sobre la actividad de la Comisión Nacional de la Competencia. *Vide* artículo 19.1 de la Ley de Defensa de la Competencia, derogado por la letra e) de la disposición derogatoria de la Ley 3/2013, de 4 de junio, de creación de la Comisión Nacional de los Mercados y la Competencia.
22. *Vide* SAP Barcelona, Sección 15.ª, de 28 de marzo de 2012 (JUR 2012, 151067).
23. Este órgano estuvo operativo hasta el 1 de septiembre de 2007.

del ordenamiento jurídico[24]. La Comisión Nacional de la Competencia estaba formada por tres órganos, a saber, el Presidente, el Consejo y la Dirección de Investigación, que aparecían vertebrados en torno a una estructura piramidal, en cuya cúspide se encontraba el primero de ellos[25]; y constituía la Autoridad Nacional de Competencia a los efectos del Reglamento 1/2003[26].

Sin embargo, en el año 2013 la Comisión Nacional de la Competencia se integró en la Comisión Nacional de los Mercados y la Competencia[27]. En realidad esta última, que fue a su vez creada por la Ley 3/2013, de 4 de junio, aglutina seis organismos: la Comisión Nacional de la Competencia, la Comisión Nacional de Energía, la Comisión del Mercado de las Telecomunicaciones, la Comisión Nacional del Sector Postal, el Consejo Estatal de Medios Audiovisuales y el Comité de Regulación Ferroviaria y Aeroportuaria; y puede ser definida como una entidad de derecho público, con personalidad jurídica propia y plena capacidad pública y privada, adscrita al Ministerio de Economía y Competitividad y encargada de preservar, garantizar y promover el correcto funcionamiento, la transparencia y la existencia de una competencia efectiva en el territorio nacional. Constituye, así, el órgano garante de la libre competencia y regulador de todos los mercados y sectores productivos de la economía española, en beneficio y protección de los consumidores y usuarios. Es independiente del Gobierno, pero está sometido al control parlamentario. Tiene funciones instructoras y resolutorias en todos los procedimientos en materia de defensa de la competencia, también en aplicación de los artículos 101 y 102 del Tratado de Funcionamiento de la Unión Europea, así como arbitrales, consultivas y de promoción de la competencia en los mercados[28]; funciones que ejerce a través del Consejo de la Comisión Nacional de los Mercados y la Competencia y del Presidente de la Comisión Nacional de los Mercados y la Competencia, que lo es también de su Consejo[29].

---

24. *Vide* artículos 12.1 y 19.1 de la Ley de Defensa de la Competencia, derogados por la letra e) de la disposición derogatoria de la Ley 3/2013, de 4 de junio, de creación de la Comisión Nacional de los Mercados y la Competencia.

25. *Vide* artículo 20 de la Ley de Defensa de la Competencia, derogado por la letra e) de la disposición derogatoria de la Ley 3/2013, de 4 de junio, de creación de la Comisión Nacional de los Mercados y la Competencia.

26. Sobre las referencias a los órganos nacionales de competencia existentes en otras normas, *vide* la disposición adicional quinta de la Ley de Defensa de la Competencia.

27. La Comisión Nacional de los Mercados y la Competencia entró en funcionamiento el 7 de octubre de 2013.

28. Las funciones de la Comisión Nacional de los Mercados y la Competencia se contienen en el capítulo segundo de la Ley 3/2013, de 4 de junio (arts. 5 a 12).

29. El estatuto orgánico de la Comisión Nacional de los Mercados y la Competencia está recogido en el Real Decreto 657/2013, de 30 de agosto.

Ya desde el preámbulo de la Ley de Defensa de la Competencia[30], así como de la Ley 3/2013, de 4 de junio[31], se advierte del establecimiento de mecanismos para la cooperación con los órganos jurisdiccionales en los procesos de aplicación de las normas de competencia[32]. En cumplimiento de esta previsión y de conformidad con el artículo 15.3 del Reglamento 1/2003, el apartado primero del artículo 16 de aquella ley reconoce a la Comisión Nacional de la Competencia (hoy Comisión Nacional de los Mercados y la Competencia) la posibilidad de aportar información o presentar observaciones a los órganos jurisdiccionales, por propia iniciativa, sobre cuestiones relativas a la aplicación de los artículos 81 y 82 del Tratado de la Comunidad Europea (hoy arts. 101 y 102 TFUE) o relativas a los artículos 1 y 2 de esta Ley, en los términos previstos en la Ley de Enjuiciamiento Civil[33]. En congruencia con ello, el apartado tercero del mismo precepto permite a esa entidad tener conocimiento de las resoluciones judiciales por las que se acuerde la admisión a trámite de las demandas, así como de las sentencias que recaigan en los procesos sobre defensa de la competencia, debiendo ser comunicadas tanto a los órganos autonómicos como a la Comisión Europea, mediante la remisión de la correspondiente copia. Eso sí, lo expuesto no impide que el propio órgano jurisdiccional le requiera, de oficio, para que aporte o presente, respectivamente, la referida información u observaciones. En definitiva, es en este contexto de cooperación con los órganos judiciales donde se articula la intervención de la Comisión Nacional de los Mercados y la Competencia en un proceso sobre competencia con la condición de *amicus curiae*; intervención que será llevada a cabo a través de uno de sus órganos, el actual Consejo de la Comisión Nacional de los Mercados y la Competencia[34]. No

---

30. *Vide* su apartado segundo.
31. *Vide* su apartado segundo, así como el artículo 4.
32. Sobre el tema, *vide* GUILLÉN CARAMÉS, J., «La cooperación entre jueces y autoridades administrativas en la aplicación privada del derecho de la competencia», en A. FONT RIBAS y S. GÓMEZ TRINIDAD, *Competencia y acciones de indemnización: actas del Congreso Internacional sobre Daños Derivados de Ilícitos Concurrenciales*, Marcial Pons, 2013, pp. 243–262.
33. Por tanto, a diferencia de la normativa comunitaria, que solo alude a la posibilidad de presentación de observaciones, la normativa nacional extiende dicha posibilidad a la aportación de información, a iniciativa propia, por las autoridades de defensa de la competencia. A este respecto, *vide* RUIZ PERIS, J.I., «Los órganos de defensa...», *Derecho de los negocios*, núm. 206, noviembre 2007, *op. cit.*, p. 11; GUILLÉN CARAMÉS, J., «La intervención de las autoridades administrativas de competencia en la aplicación judicial privada del derecho de la competencia», en L.A. VELASCO SAN PEDRO, C. ALONSO LEDESMA, J.A. ECHEBARRÍA SÁENZ, C. HERRERO SUÁREZ y J. GUTIÉRREZ GILSANZ, *La aplicación privada del derecho de la competencia*, Lex Nova, Valladolid, 2011, p. 252.
34. *Vide* artículo 14.1,I de la Ley 3/2013, de 4 de junio.

obstante, también hay que puntualizar que su falta de intervención no determina la nulidad de las actuaciones procesales[35].

Fuera del ámbito judicial, la Ley de Defensa de la Competencia y su Reglamento de desarrollo establecen una serie de normas dirigidas a regular la colaboración de la Comisión Nacional de la Competencia (hoy Comisión Nacional de los Mercados y la Competencia) con otros organismos con atribuciones en materia de competencia. Entre ellas las que se refieren a la coordinación y cooperación que debe existir entre dicha institución y los órganos competentes de las Comunidades Autónomas[36]. Pero también se alude a la coordinación con los Presidentes de los órganos reguladores sectoriales[37]; y a la colaboración con la Comisión Europea y otras autoridades de competencia tanto nacionales como de otros Estados Miembros, lo que abre la posibilidad de intercambio, así como de utilización como medio de prueba, de todo elemento de hecho o de derecho, incluida la información confidencial, en los términos previstos en la normativa comunitaria. Ello con el objeto de aplicar los artículos 81 y 82 del Tratado de la Comunidad Europea (hoy arts. 101 y 102 TFUE)[38].

2.3. LOS ÓRGANOS COMPETENTES DE LAS COMUNIDADES AUTÓNOMAS

La Constitución Española no establece una distribución de atribuciones entre el Estado y las Comunidades Autónomas en materia de defensa de la competencia, lo que dio origen en el pasado a numerosos conflictos. En este contexto, el Tribunal Constitucional, en su sentencia de 11 de noviembre de 1999 (RTC 1999, 208), declaró inconstitucionales las disposiciones de la derogada Ley 16/1989, de 17 de julio, de Defensa de la Competencia, por las que se reconocía competencia ejecutiva exclusiva al Estado en todo lo relativo a prácticas restrictivas de la competencia, entendiendo que las Comunidades Autónomas debían tener atribuidas competencias de ejecución en materia de competencia dentro de su territorio o «comercio interior», previa asunción en los Estatutos de Autonomía[39], mientras que al Estado se le había de reservar la competencia legislativa exclusiva,

---

35. *Vide* SAP Barcelona, Sección 15.ª, de 28 de marzo de 2012 (JUR 2012, 151067).
36. *Vide* artículo 15 de la Ley de Defensa de la Competencia y artículo 14 del Reglamento de Defensa de la Competencia.
37. *Vide* artículo 16 del Reglamento de Defensa de la Competencia.
38. *Vide* artículo 18 de la Ley de Defensa de la Competencia y artículo 15 del Reglamento de Defensa de la Competencia.
39. *Vide* apartado II de la parte expositiva de la Ley 1/2002, de 21 de Febrero, de coordinación de las competencias del Estado y las Comunidades Autónomas en materia de defensa de la competencia.

así como la de ejecución cuando las prácticas restrictivas tuviesen trascendencia extracomunitaria[40]. No obstante, el Alto Tribunal no entró a determinar los instrumentos necesarios de coordinación entre los órganos estatales y autonómicos con atribuciones en la materia.

La concreción de tales instrumentos y la delimitación de las atribuciones de unos y otros órganos se llevó a término a través de la Ley 1/2002, de 21 de febrero, de coordinación de las competencias del Estado y las Comunidades Autónomas en materia de defensa de la competencia, cuya Exposición de Motivos se remite a la referida resolución judicial, afirmando que los efectos del fallo se traducen en la necesidad de establecer, mediante Ley estatal, el marco para el desarrollo de las competencias ejecutivas del Estado y las Comunidades Autónomas previstas en la entonces vigente Ley 16/1989, de 17 de julio, de Defensa de la Competencia, y su desarrollo reglamentario[41]. Por su parte, el artículo 5 de aquella ley, que resultó modificado por la Disposición Adicional Décima de la actual Ley de Defensa de la Competencia, instaura el Consejo de Defensa de la Competencia (hoy Consejo de la Comisión Nacional de los Mercados y la Competencia) como el órgano de colaboración, coordinación e información recíproca entre el Estado y las Comunidades Autónomas para promover la aplicación uniforme de la legislación de competencia.

El artículo 13 de la Ley de Defensa de la Competencia se refiere a los órganos competentes de las Comunidades Autónomas para la aplicación de esta ley, quienes ejercerán en su territorio las competencias ejecutivas correspondientes en los procedimientos que tengan por objeto las conductas previstas en los artículos 1, 2 y 3 de la misma y en la Ley 1/2002, de 21 de febrero, de coordinación de las competencias del Estado y las Comunidades Autónomas en materia de defensa de la competencia. Entre las distintas facultades que tienen legalmente atribuidas esos órganos autonómicos, interesa destacar la que se recoge en el apartado segundo del artículo 16 de aquella ley, paralela a la prevista para la Comisión Nacional de la Competencia (hoy Comisión Nacional de los Mercados y la Competencia) en el apartado primero, cada uno de ellos en su respectivo ámbito competencial. Así, los órganos competentes de las Comunidades Autónomas, por propia iniciativa, podrán aportar información o presentar observaciones a los órganos jurisdiccionales sobre cuestiones relativas a la aplicación de los artículos 1 y 2 de esta Ley, en los términos previstos en la Ley de Enjuiciamiento Civil; es decir, intervenir como *amicus curiae* en procesos judiciales en materia de competencia. Finalmente, el

---

40. Por ejemplo, Cataluña lo hizo a través del artículo 154 de su Estatuto de Autonomía, aprobado por Ley Orgánica 6/2006, de 19 julio.
41. *Vide* su apartado primero.

apartado tercero del mismo precepto impone a la Comisión Nacional de la Competencia (hoy Comisión Nacional de los Mercados y la Competencia) el deber de habilitar los mecanismos de información necesarios para comunicar a dichos órganos autonómicos las sentencias que recaigan en los procedimientos sobre la aplicación de esos preceptos, así como de los artículos 81 y 82 del Tratado de la Comunidad Europea (hoy arts. 101 y 102 TFUE)[42].

3. PRÁCTICAS RESTRICTIVAS DE LA COMPETENCIA

La posibilidad de que las entidades a las que aludíamos en el apartado anterior intervengan, por propia iniciativa o a instancia del órgano judicial, en procesos de defensa de la competencia se encuentra condicionada a que la aportación de información o presentación de observaciones verse sobre una materia concreta, a saber, cuestiones relativas a la aplicación de los artículos 81 y 82 del Tratado de la Comunidad Europea (hoy arts. 101 y 102 TFUE) o los artículos 1 y 2 de la Ley de Defensa de la Competencia[43]. Con carácter general, el contenido de los citados preceptos, cada uno de ellos circunscrito al ámbito territorial en el que despliega eficacia, tiene que ver bien con las prácticas colusorias, esto es, acuerdos, decisiones de asociación de empresas y maniobras susceptibles de limitar la competencia (arts. 81 TCE –hoy art. 101 TFUE– y 1 LDC), o bien con los abusos de posición dominante (arts. 82 TCE –hoy 102 TFUE– y 2 LDC) en el respectivo mercado, comunitario o nacional; prácticas colusorias y abusos de posición dominante desarrollados, en todo caso, por empresas[44]. Por su parte, la legislación nacional de los Estados Miembros, pudiendo proteger otros intereses legítimos distintos a los contemplados en las referidas disposiciones del Tratado, debe ser compatible con los principios generales y las demás disposiciones del Derecho comunitario[45]. En cambio, a lo que no alcanzará la aportación de información, según se deduce del

---

42. Sobre el tema, *vide* RODRÍGUEZ MIGUEZ, J.A., «Defensa de la competencia y Comunidades Autónomas», *La nueva Ley de Defensa de la Competencia...*, *op. cit.*, pp. 61–107, y la bibliografía ahí citada.

43. Los artículos 1 y 2 de la Ley de Defensa de la Competencia, referidos a las conductas colusorias y al abuso de posición dominante, respectivamente, forman parte del Capítulo I del Título I de dicho texto legal; capítulo que lleva por título «De las conductas prohibidas». Sobre el tema, *vide* RINCÓN GARCÍA LOYGORRI, A., «Las conductas prohibidas», *La nueva Ley de Defensa de la Competencia...*, *op. cit.*, pp. 151–187, y la bibliografía ahí citada.

44. *Vide* SSTJCE de 18 de junio de 2006 (TJCE 2006, 216), 11 de diciembre de 2007 (TJCE 2007, 355), 1 de julio de 2008 (TJCE 2008,148), 11 de junio de 2009 (TJCE 2009, 169) y 10 de septiembre de 2009 (TJCE 2009, 274), entre otras resoluciones.

45. *Vide* apartado noveno de la parte expositiva del Reglamento 1/2003.

artículo 15 bis.1,II, es a los «datos o documentos obtenidos en el ámbito de las circunstancias de aplicación de la exención o reducción del importe de las multas previstas en los artículos 65 y 66 de la Ley de Defensa de la Competencia».

3.1. CONDUCTAS COLUSORIAS

En el ámbito comunitario, el artículo 81 del Tratado de la Comunidad Europea (hoy art. 101 TFUE) declara incompatible con el mercado común y prohíbe todos los acuerdos entre empresas, las decisiones de asociaciones de empresas y las prácticas concertadas que puedan afectar al comercio entre los Estados miembros o intracomunitario, cuya delimitación se deriva de la jurisprudencia comunitaria[46], y que tengan por objeto o efecto impedir, restringir o falsear el juego de la competencia dentro del mercado común (art. 81.1 –hoy art. 101 TFUE–). También de la jurisprudencia comunitaria se deduce que el «objeto» y el «efecto» contrarios a la competencia de un acuerdo no son requisitos acumulativos, sino alternativos, para apreciar si el acuerdo está comprendido dentro de la prohibición recogida en el artículo 81 (hoy art. 101 TFUE)[47]. En cuanto a la eficacia que tienen dichos acuerdos o decisiones, el propio precepto los declara nulos de pleno derecho (art. 81.2 TCE –hoy art. 101.2 TFUE–).

No obstante, el apartado tercero del mencionado artículo 81 del Tratado de la Comunidad Europea (hoy art. 101.3 TFUE) recoge la posibilidad de que las disposiciones expuestas se declaren inaplicables a cualquier acuerdo o categoría de acuerdos entre empresas, decisión o categoría de decisiones de asociaciones de empresas y práctica concertada o categoría de prácticas concertadas, cuando contribuyan a mejorar la producción o la distribución de los productos o a fomentar el progreso técnico o económico, y reserven al mismo tiempo a los usuarios una participación equitativa en el beneficio resultante[48]. Ello siempre que no se imponga a las empresas interesadas restricciones que no sean indispensables para alcanzar tales objetivos y les posibiliten la eliminación de la competencia respecto de una parte sustancial de los productos de que se trate[49].

---

46. *Vide* SSTJE (hoy TJUE) de 23 de noviembre de 2006 (TJCE 2006, 342) y 24 de septiembre de 2009 (TJCE 2009, 291), así como la jurisprudencia ahí citada.
47. *Vide* STJCE de 6 de octubre de 2009 (TJCE 2009, 341).
48. *Vide* apartado décimo de la parte expositiva del Reglamento 1/2003, así como su artículo 10.
49. En aplicación del artículo 81.1 del Tratado de la Comunidad Europea (hoy art. 101.3 TFUE), la Comisión ha dictado distintos Reglamentos de exención en los últimos años. *Vide*, por ejemplo, Reglamento (CE) 358/2003, de la Comisión, de 27 de febrero

En el ámbito nacional, el artículo primero de la Ley de Defensa de la Competencia está dedicado, igualmente, a la regulación de las conductas colusorias[50]; conductas a las que también se ha referido el Tribunal de Defensa de la Competencia[51], así como el Tribunal Supremo[52] y otros tribunales menores como la Audiencia Nacional[53] y las Audiencias Provinciales[54], en numerosas resoluciones. Dicho esto, el mencionado precepto prohíbe todo acuerdo, decisión o recomendación colectiva, o práctica concertada o conscientemente paralela, que tenga por objeto, produzca o pueda producir el efecto de impedir, restringir o falsear la competencia en todo o parte del mercado nacional[55] (art. 1.1 LDC), declarándose la nulidad de pleno derecho de los que no estén amparados por las exenciones previstas en dicha ley (art. 1.2 LDC)[56]. Sin embargo, a con-

---

de 2003, relativo a la aplicación del apartado 3 del artículo 81 del Tratado a determinadas categorías de acuerdos, decisiones y prácticas concertadas en el sector de los seguros.

50. Sobre el tema, *vide* Díez Estella, F., «La prohibición de acuerdos restrictivos de la competencia», en A. Creus Carreras, La Ley 15/2007, de Defensa de la Competencia. Jornada de Estudio de la Asociación Española de Defensa de la Competencia, Revista de Derecho de la Competencia y la Distribución, Monografía núm. 1/2008, La Ley, Madrid, 2008, pp. 119–142, así como su «Comentario al artículo 1», Comentario a la Ley de Defensa de la Competencia, Thomson Reuters Civitas, 3.ª ed., Cizur Menor, 2012, pp. 33–115, y la bibliografía ahí citada.

51. Este órgano ha distinguido los acuerdos horizontales o conciertos de voluntades entre dos o más operadores económicos independientes localizados en el mismo escalón del proceso productivo; los acuerdos verticales o conciertos de voluntades entre dos o más operadores económicos independientes que se encuentran en ámbitos distintos del proceso productivo; y, por último, las decisiones, que son acuerdos vinculantes adoptados por asociaciones empresariales o corporaciones, y las recomendaciones, cuando tales acuerdos solo tienen carácter orientativo. *Vide* Resoluciones de 21 de octubre de 2002 (AC 2002, 1614) y 17 de febrero de 2006 (AC 2006, 383), entre otras.

52. *Vide* SSTS, Sala de lo Civil, Sección 1.ª, de 31 de marzo de 2011 (RJ 2011, 3437) y 9 de enero de 2014 (RJ 2015, 745), así como SSTS, Sala de lo Contencioso-Administrativo, Sección 3.ª, de 8 de junio de 2015 (JUR 2015, 160048) y 30 de junio de 2015 (RJ 2015, 3440), entre otras.

53. *Vide* SSAN, Sala de lo Contencioso-Administrativo, Sección 6.ª, de 27 de febrero de 2015 (JUR 2015, 83138); 6 de marzo de 2015 (JUR 2015, 89879); 10 de marzo de 2015 (JUR 2015, 104862); 23 de marzo de 2015 (JUR 2015, 104437); 6 de mayo de 2015 (JUR 2015, 145232), entre otras.

54. *Vide* SAP Barcelona, Sección 15ª, de 28 de marzo de 2012 (JUR 2012, 151067); SAP Zaragoza, Sección 5.ª, de 10 de julio de 2014 (AC 2014, 1481); SAP Madrid, Sección 28.ª, de 4 de mayo de 2015 (AC 2015, 933), entre otras.

55. En cuanto al ámbito geográfico de la prohibición y los sujetos a los que la misma afecta, *vide* STS de 29 de enero de 2008 (RJ 2008,451).

56. El artículo primero de la derogada Ley 16/1989, de 17 de julio, de Defensa de la Competencia, vigente hasta el 1 de septiembre de 2007, estaba referido a las «conductas prohibidas», que constituye el título bajo el cual se abre el Capítulo I del Título I («De la defensa de la competencia») en la vigente ley.

tinuación se prevén tres supuestos en los que la prohibición aludida no resulta aplicable:

En primer lugar, no se aplicará a «los acuerdos, decisiones, recomendaciones y prácticas que contribuyan a mejorar la producción o la comercialización y distribución de bienes y servicios o a promover el progreso técnico o económico. Y esto sin que sea necesaria decisión previa alguna a tal efecto, siempre que aquéllos permitan a los consumidores o usuarios participar de forma equitativa de sus ventajas; no impongan a las empresas interesadas restricciones que no sean indispensables para la consecución de aquellos objetivos y, por último, no consientan a las empresas partícipes la posibilidad de eliminar la competencia respecto de una parte sustancial de los productos o servicios contemplados» (art. 1.3 LDC). Por medio de la transcrita previsión, la Ley de Defensa de la Competencia asume uno de los cambios más significativos operados a través del Reglamento 1/2003: la sustitución del régimen de autorización administrativa por un sistema de excepción legal[57].

En segundo lugar, dicho sistema de excepción legal se complementa con lo dispuesto en el apartado cuarto del artículo primero de la Ley de Defensa de la Competencia, a cuyo tenor la prohibición prevista en su apartado primero tampoco se aplicará a «los acuerdos, decisiones, o recomendaciones colectivas, o prácticas concertadas o conscientemente paralelas que cumplan las disposiciones establecidas en los Reglamentos Comunitarios relativos a la aplicación del apartado 3 del artículo 81 del Tratado CE (hoy art. 101 TFUE) a determinadas categorías de acuerdos, decisiones de asociaciones de empresa y prácticas concertadas, incluso cuando las correspondientes conductas no puedan afectar al comercio entre los Estados miembros de la UE». En definitiva, el apartado primero del precepto no será aplicable a los acuerdos, decisiones, recomendaciones o prácticas que tengan la cobertura de un Reglamento de Exención por Categorías.

En tercer lugar, en el apartado quinto del referido artículo primero de la Ley de Defensa de la Competencia se contempla la posibilidad de que el Gobierno declare mediante Real Decreto la aplicación del apartado 3 de ese precepto a determinadas categorías de conductas, previo

---

57. Así lo corrobora la Resolución del Tribunal de Defensa de la Competencia de 22 de noviembre de 2007 (JUR 2008, 10908), cuando afirma que «la Ley 15/2007, de 3 de julio (RCL 2007, 1302), de Defensa de la Competencia, deroga la Ley 16/1989 (RCL 1989, 1591) y establece una regulación distinta, en consonancia con el modelo comunitario europeo, que elimina el régimen de autorización singular sustituyéndolo por una exención legal en la que la empresa debe autoevaluar sus conductas y adecuarlas a las condiciones enumeradas en el art. 1.3 de dicha Ley».

informe del Consejo de Defensa de la Competencia (hoy Consejo de la Comisión Nacional de los Mercados y la Competencia) y de la Comisión Nacional de la Competencia (hoy Comisión Nacional de los Mercados y la Competencia)[58]. Por último, para completar el límite de la exención legal hay que acudir al artículo 4.1 del referido texto legal, que se refiere a las conductas exentas en otra ley distinta, sin perjuicio de la eventual aplicación de las disposiciones comunitarias en materia de defensa de la competencia; y al artículo 5, relativo a las conductas de menor importancia[59].

3.2. ABUSOS DE POSICIÓN DOMINANTE

El artículo 82 del Tratado de la Comunidad Europea (hoy art. 102 TFUE) declara incompatible con el mercado común y prohíbe, en la medida en que pueda afectar al comercio entre los Estados miembros, la explotación abusiva, por parte de una o más empresas, de una posición dominante en el mercado común o en una parte sustancial del mismo. En particular, tales prácticas abusivas podrán consistir en imponer directa o indirectamente precios de compra, de venta u otras condiciones de transacción no equitativas; limitar la producción, el mercado o el desarrollo técnico en perjuicio de los consumidores; aplicar a terceros contratantes condiciones desiguales para prestaciones equivalentes, que ocasionen a estos una desventaja competitiva; y subordinar la celebración de contratos a la aceptación, por los otros contratantes, de prestaciones suplementarias que, por su naturaleza o según los usos mercantiles, no guarden relación alguna con el objeto de dichos contratos.

De la jurisprudencia recaída en el ámbito comunitario se desprende que, para examinar si una empresa ocupa una posición dominante a efectos del artículo 82 del Tratado de la Comunidad Europea (hoy art. 102 TFUE), «debe concederse una importancia fundamental a la determinación del mercado de referencia y a la delimitación de la parte sustancial del mercado común donde la empresa pueda llevar a cabo eventualmente prácticas abusivas que obstaculicen una competencia efectiva»[60]. Así, la explotación abusiva ha venido siendo considerada como «un concepto objetivo que se refiere a las actividades de una empresa en posición dominante que pueden influir en la estructura de un mercado en el que, a raíz

---

58. El origen de esta previsión radica en el artículo quinto de la derogada Ley 16/1989, de 17 de julio, de Defensa de la Competencia.
59. Sobre la referida exención legal, *vide* RUIZ PERIS, J.I., «Los acuerdos restrictivos de la competencia tras la nueva Ley de Defensa de la Competencia», en J.I. RUIZ PERIS, *La nueva Ley de Defensa de la Competencia*, Tirant Lo Blanch, Valencia, 2008, pp. 44 y ss.
60. STJCE (hoy TJUE), Sala Sexta, de 26 de noviembre de 1998 (TJCE 1998, 296).

precisamente de la presencia de la empresa en cuestión, el nivel de la competencia se encuentre ya debilitado y que producen el efecto de obstaculizar, por medios diferentes de los que rigen una competencia normal de productos o servicios sobre la base de las prestaciones de los agentes económicos, el mantenimiento del nivel de competencia que aún exista en el mercado o el desarrollo de esa competencia»[61]; posición dominante que, si bien no puede privar a una empresa que se encuentra en la misma del derecho a proteger sus propios intereses comerciales cuando estos son atacados, «no son admisibles conductas cuya finalidad es, precisamente, reforzar esta posición dominante y abusar de ella»[62]. Esta doctrina coincide con la que, en el ámbito nacional, ha sostenido el Tribunal de Defensa de la Competencia[63], así como nuestra jurisprudencia menor[64].

El contenido de ese precepto comunitario se corresponde con los dos primeros apartados del artículo segundo de la Ley de Defensa de la Competencia[65]; artículo que contiene otro apartado, el tercero, en virtud del cual se establece que la prohibición se aplicará en los casos en los que la posición de abuso de posición dominante en el mercado de una o

---

61. SSTJCE de 13 de febrero de 1979, Hoffmann-Laroche/Comisión, 85/76, Rec. p. 461, apartado 91, y de 3 de julio de 1991, AKZO/Comisión, C-62/86, Rec. p. I-3359, apartado 69.

62. SSTJCE de 14 de febrero de 1978, United Brands y United Brands Continental/Comisión, 27/76, Rec. p. 207, apartado 189, de 16 de septiembre de 2008 (TJCE 2008, 213) y de 11 de diciembre de 2008 (TJCE 2008, 307).

63. Según este órgano, el abuso de posición de dominio puede definirse «como aquella situación en la que la empresa puede actuar con independencia de proveedores, competidores y clientes», requiriéndose la delimitación del mercado relevante en el que el supuesto abuso se está realizando; y, a los efectos de apreciar un abuso, hay que considerar los componentes restrictivos de la conducta, la intensidad y grado de la posición dominante, así como la proporcionalidad de la respuesta y su intención excluyente o competitiva. *Vide* Resoluciones de 7 de febrero de 2003 (AC 2003, 1699), 14 de diciembre de 2006 (AC 2007,471), 8 de marzo de 2007 (AC 2007,479) y 28 de junio de 2007 (AC 2007, 1775), entre otras.

64. *Vide* SSAN, Sala de lo Contencioso-Administrativo, Sección 6.ª, de 22 de noviembre de 2011 (JUR 2011, 436020), 11 de julio de 2012 (JUR 2012, 255735) y 20 de febrero de 2015 (RJCA 2015, 316). En el ámbito autonómico, *vide* STSJ País Vasco, Sala de lo Contencioso-Administrativo, Sección 1.ª, de 23 de noviembre de 2011 (RJCA 2012, 109); STSJ Extremadura, Sala de lo Contencioso-Administrativo, Sección 1.ª, de 28 de enero de 2014 (RJCA 2014, 335); STSJ Cataluña, Sala de lo Contencioso-Administrativo, Sección 5..ª, de 11 de julio de 2014 (JUR 2015, 8761). Igualmente, *vide* SAP Barcelona, Sección 15.ª, de 28 de marzo de 2012 (JUR 2012, 151067); SAP Madrid, Sección 28.ª, de 27 de marzo de 2015 (AC 2015, 1185), entre otras resoluciones.

65. Sobre el referido precepto, *vide* ALLENDESALAZAR CORCHO, R. y VALLINA ÁLVAREZ, «Artículo 2 LDC: El abuso de posición dominante», *La Ley 15/2007, de Defensa de la Competencia ...*, *op.cit.*, pp. 143–194; GUTIÉRREZ, A., «Comentario al artículo 2», *Comentario...*, *op. cit.*, pp. 115–218, y la bibliografía ahí citada.

varias empresas haya sido establecida por medio de disposición legal. No obstante, igual que se ha comentado respecto a las prácticas colusorias, existe alguna exención a la prohibición de abuso de posición dominante. En concreto, cuando la explotación abusiva resulte de la aplicación de una ley (art. 4 LDC). Finalmente, las prohibiciones recogidas en los artículos 1 a 3 de la Ley de Defensa de la Competencia no se aplicarán a aquellas conductas que, por su escasa importancia, no sean capaces de afectar de manera significativa a la competencia (art. 5 LDC)[66].

4. NORMAS DE PROCEDIMIENTO

4.1. INICIO Y ADMISIÓN

A tenor de lo dispuesto en el apartado primero del artículo 15 bis, la intervención de la Comisión Europea, la Comisión Nacional de la Competencia (hoy Comisión Nacional de los Mercados y la Competencia) o los órganos competentes de las Comunidades Autónomas, cada uno en el ámbito de sus atribuciones, en procesos de defensa de la competencia puede producirse de dos formas distintas. Por un lado, por propia iniciativa de alguna de las mencionadas entidades legitimadas. Para ello previamente habrán tenido que tener conocimiento de la existencia del proceso. Al respecto, el artículo 16.3 de la Ley de Defensa de la Competencia, dispone que tanto los autos de admisión a trámite de las demandas como las sentencias que se pronuncien en los procedimientos sobre la aplicación de los artículos 81 y 82 del Tratado de la Comunidad Europea (hoy arts. 101 y 102 TFUE) o de los artículos 1 y 2 de la Ley de Defensa de la Competencia serán comunicados a la Comisión Nacional de la Competencia (hoy Comisión Nacional de los Mercados y la Competencia) en los términos previstos en la Ley de Enjuiciamiento Civil. Así, el artículo 404.3 de dicho texto procesal ordena al secretario judicial (actual letrado de la Administración de Justicia) a dar traslado a esa entidad, en el plazo de veinte días, de la resolución por la que se admita la demanda correspondiente.

A su vez, según se establece también en el artículo 16.3 de la Ley de Defensa de la Competencia, la Comisión Nacional de la Competencia (hoy Comisión Nacional de los Mercados y la Competencia) está obligada a dar conocimiento a los órganos autonómicos de las sentencias recaídas en los reseñados procedimientos, para lo que habilitará los mecanismos de

---

66. Sobre el abuso de posición dominante exento por ley y la explotación abusiva de menor importancia, *vide* VICIANO PASTOR, J., «La explotación abusiva de la posición de dominio en la nueva Ley de Defensa de la Competencia 15/2007», *La nueva Ley...*, *op. cit.*, pp. 59 y ss.

información necesarios. Partiendo de que dichos órganos están legitimados legalmente para intervenir en los mencionados procedimientos con la condición de *amicus curiae* (art. 15 bis.1 LECiv), y si bien el precepto solo se refiere a ese tipo de resoluciones judiciales, la Comisión Nacional de la Competencia (hoy Comisión Nacional de los Mercados y la Competencia) igualmente les debería comunicar aquellas otras mediante las cuales se admita a trámite la demanda. Ello viene exigido por el principio de audiencia, ya que la falta de comunicación de las mismas haría inviable su intervención en la práctica. Igualmente, el apartado cuarto del citado artículo hace recaer en esa entidad la obligación de remitir una copia del texto de las reseñadas sentencias a la Comisión Europea. Tras la reforma operada por la Ley 13/2009, de 3 de noviembre, de reforma de la legislación procesal para la implantación de la nueva oficina judicial, la resolución por la que se admite la demanda en uno de esos procesos de defensa de la competencia adoptará la forma de decreto, correspondiendo su dictado al secretario judicial (actual letrado de la Administración de Justicia). Así lo requieren los artículos 206.2,2.ª y 404.1 de la Ley de Enjuiciamiento Civil, en su redacción resultante de aquella ley. Ello salvo que nos encontremos ante uno de los casos previstos en el artículo 404.2 de esta ley procesal, a saber, que dicho fedatario estime falta de jurisdicción o competencia del tribunal, por un lado, o que la demanda adolezca de defectos formales y no hubiesen sido subsanados en el plazo legal de veinte días, por otro. En tales supuestos deberá dar cuenta al tribunal para que resuelva, a través de auto, sobre la admisión de la demanda.

El artículo 15 bis de la Ley de Enjuiciamiento Civil no recoge los trámites concretos que deben seguirse para que los órganos a los que alude el apartado primero de este precepto intervengan en procesos judiciales de defensa de la competencia por su propia iniciativa. Resulta razonable entender que deberán cursar una solicitud por escrito, habiendo de acreditarse los presupuestos que justifican tal intervención: que el objeto del proceso judicial que se está sustanciando tiene que ver con la regulación contenida en los artículos 81 y 82 del Tratado de la Comunidad Europea (hoy arts. 101 y 102 TFUE) o en los artículos 1 y 2 de la Ley de Defensa de la Competencia; y que dicha intervención, que adoptará igualmente la forma escrita, se encuentra justificada para el logro de una coherencia en la aplicación de estas normas. Además, en la solicitud escrita podrán pedir al órgano judicial que les autorice a realizar observaciones orales con el fin de aclarar la información o las observaciones escritas que vayan a aportar o presentar, respectivamente. En la medida en que la referida intervención aparece configurada en el artículo 15 bis.1 de la Ley de Enjuiciamiento Civil como una facultad de esos órganos –*podrán intervenir, sin tener la condición de parte, por propia iniciativa*– parece que no será posible que aquel rechace la solicitud, tras haberse verificado judicialmente la concurrencia de los reseñados presupuestos. Lo que sí podría denegar es la petición relativa a la presentación de observaciones verbales, ya que para ello es necesario recabar «la venia del correspondiente órgano judicial». No obstante, de conceder autorización para esas observaciones, también debería permitir que las partes estén presentes en el momento de su formulación, así como que realicen alegaciones sobre las mismas. Partiendo de la influencia que las observaciones del órgano administrativo pueden tener en la decisión judicial, lo contrario podría dar lugar a una vulneración de su derecho de defensa (art. 24.2 CE).

Cabe preguntarse sobre el cauce procedimental para el control judicial de los presupuestos que justifican la intervención del *amicus curiae*. Una posible solución es la aplicación del mismo régimen previsto legalmente para la demanda (art. 404 LECiv). De ser así, la admisión en el proceso de este sujeto sería acordada por el secretario judicial (hoy letrado de la Administración de Justicia), mediante decreto. Ello salvo que considerase que falta alguno de esos presupuestos, en cuyo caso sería el tribunal quien habría de adoptar la decisión de inadmisión, mediante auto motivado. Sin embargo, por analogía nos parece más adecuado el régimen de la intervención voluntaria, que consiste en la «entrada» espontánea en el proceso de un sujeto que, siendo hasta ese momento un tercero, pasa a convertirse en parte; «entrada» que deberá ir precedida de la correspondiente solicitud, presentada por escrito, sobre la que el tribunal resolverá, sin efectos suspensivos, en el plazo de diez días por medio de auto y previa audiencia de las partes (art. 13.2 LECiv). Por tanto, la concurrencia de tales presupuestos también podrá ser controlada por las partes tanto en esa audiencia como a través del régimen de recursos frente a la citada resolución judicial; en concreto, reposición (art. 451.2 LECiv), sin perjuicio de la posibilidad de reproducir la cuestión al recurrir, si fuera procedente, la resolución definitiva (art. 454 LECiv).

Por otro lado, en caso de que el órgano judicial requiera la intervención del *amicus curiae*, ya sea de oficio o a instancia de alguna de las partes, habrá de dirigir una comunicación, que revestirá la forma de oficio (art. 149,6.° LECiv), a la autoridad en materia de defensa de la competencia que corresponda en atención al ámbito de sus atribuciones, a los efectos de que comparezca en el proceso aportando información o presentando las observaciones pertinentes sobre cuestiones relativas a los mencionados preceptos. Eso sí, el juez deberá concretar al órgano administrativo de que se trate el objeto de su intervención. El supuesto descrito guarda ahora cierta analogía con la intervención provocada, en virtud de la cual se permite al tribunal (si bien la intervención provocada por orden del tribunal no existe en nuestro Derecho procesal civil) o a una de las partes la llamada a un tercero para que entre en el proceso. Si es el tribunal quien llama al *amicus curiae*, parece lógico también que, antes de acordar su «entrada» en el proceso, las partes puedan hacer alegaciones sobre la concurrencia de los presupuestos que la justifican; y, si lo pide una de las partes, a la otra también se le deberá dar audiencia para que manifieste lo que a su derecho convenga. Ello sin perjuicio del régimen de recursos frente a la resolución que, en forma de auto, admita o inadmita la intervención de aquel sujeto.

Cuestión distinta es si la autoridad administrativa debe ceñirse a la información o/y observaciones solicitadas o puede ampliarlas o, incluso, aportar otras distintas, a lo que hay que responder positivamente, igual que cuando el *amicus curiae* interviene por propia iniciativa[67]. Entre otras razones porque el órgano judicial disfruta de plena libertad a la hora de valorar tanto unas como otras, sin que tengan por efecto limitación o vinculación alguna para este, ni traigan consigo una ampliación o contracción del objeto del proceso. Pues bien, la autoridad de defensa de la competencia, una vez que se le haya requerido judicialmente, no podrá rechazar su intervención, pudiendo el órgano judicial forzarla ante una eventual negativa. Ello, como decimos, siempre que la comparecencia del órgano administrativo correspondiente fuese necesaria para aclarar algún extremo sobre la aplicación de los artículos 81 y 82 del Tratado de la Comunidad Europea (hoy arts. 101 y 102 TFUE) o de los artículos 1 y 2 de la Ley de Defensa de la Competencia, lo que constituye el presupuesto de dicha intervención[68].

4.2. PLAZOS Y COMPETENCIA

El artículo 15 bis.2 de la Ley de Enjuiciamiento Civil prevé dos plazos distintos para la intervención como *amicus curiae* de los órganos de defensa de la competencia: uno en la primera instancia y otro en fase de recurso; plazos que, sin embargo, nuestra jurisprudencia no parece calificar de preclusivos[69]. La competencia objetiva para conocer, en primera

---

67. En este sentido se manifiesta COLOMER HERNÁNDEZ, I., «La tutela judicial de la defensa de la competencia», *Derecho de la Competencia..., op. cit.*, pp. 548 y 549. En cambio, RUIZ PERIS, J.I., «Los órganos de defensa...», *Derecho de los negocios*, núm. 206, noviembre 2007, *op. cit.*, p. 13, se muestra a favor de la necesidad «de un esfuerzo de contención y justificación por parte de los ADCs limitando sus observaciones a lo estrictamente necesario y de especial atención jurisdiccional en la revisión respecto a la justificación de las observaciones puestas de manifiesto por los ADCs».

68. *Vide* ATS, Sala de lo Civil, de 19 de mayo de 2015 (JUR 2015, 142084).

69. *Vide* ATS, Sala de lo Contencioso-Administrativo, Sección 3.ª, de 17 de enero de 2014 (JUR 2014, 20041).

instancia, de los procesos judiciales en materia de competencia recae en los Juzgados de lo Mercantil, lo que se desprende de la disposición adicional primera de la Ley de Defensa de la Competencia, a cuyo tenor esos órganos jurisdiccionales conocerán de cuantas cuestiones sean de la competencia del orden jurisdiccional civil respecto de los procedimientos de aplicación de los artículos 1 y 2 de aquella, de conformidad con lo dispuesto en el artículo 86 ter.2,f de la Ley Orgánica 6/1985, del Poder Judicial[70]. Dicho esto, el primer plazo abarca los diez días anteriores a la celebración del acto de juicio, una vez evacuado el trámite de la audiencia previa[71]. Este plazo debe afectar tanto a la aportación de información como a la presentación de observaciones, con independencia de que estas sean escritas u orales, las cuales serán en todo caso documentadas por escrito[72]. El procedimiento dentro del cual tendrá lugar la intervención, en primera instancia, de los órganos administrativos legitimados es el ordinario. Así se deduce de lo establecido en el artículo 249.1,4.° de la misma ley procesal, que indica que se decidirán por los trámites de este procedimiento, cualquiera que sea su cuantía, las demandas de defensa de la competencia, en aplicación de los artículos 81 y 82 del Tratado de la Comunidad Europea (hoy arts. 101 y 102 TFUE) o de los artículos 1 y 2 de la Ley de Defensa de la Competencia, entre otras que figuran relacionadas en el propio precepto. Ello salvo que versen exclusivamente sobre reclamaciones de cantidad, «en cuyo caso se tramitarán por el procedimiento que les corresponda en función de la cuantía que se reclame». Hay que entender que la razón por la que deben mediar diez días entre la aportación de la información o/y la presentación de las observaciones y el acto del juicio radica en la necesidad de que las partes disfruten de un tiempo razonable para preparar debidamente las alegaciones que, sobre aquellas,

---

70. La SAP Zaragoza, Sección 5.ª, de 18 de marzo de 2015 (JUR 2015, 112786), declara la competencia objetiva del juez de lo mercantil para el conocimiento de cuestiones en materia de competencia, entendiendo que «la demanda debía haberse interpuesto por persona legitimada ante este juez y, entretanto, debía en su caso haber instado la suspensión por prejudicialidad civil del presente procedimiento ante el órgano de Primera Instancia».

71. Para CASADO ROMÁN, J., «Estudio sistemático...», *Diario la Ley*, núm. 7296, *op. cit.*, «la Audiencia Previa sería el momento procesal más adecuado para solicitar, por una de las partes, la intervención del *amicus curiae*. Fuera de este caso, se debería aplicar el plazo de diez días previos a la celebración del juicio, como último momento para instar la intervención del *amicus curiae*».

72. En contra del carácter unitario del plazo de diez días del artículo 15 bis.2 de la Ley de Enjuiciamiento Civil, RUIZ PERIS, J.I., «Los órganos de defensa...», *Derecho de los negocios*, núm. 206, noviembre 2007, *op. cit.*, p. 12, interpreta que «esta regla se refiere exclusivamente a las observaciones escritas, pero en modo alguno regula el momento de presentación de las verbales».

tienen que poder realizar en dicho momento procesal. En definitiva, con esa única excepción, el procedimiento a seguir será el juicio ordinario, que se sustanciará ante el juez de lo mercantil.

El segundo período durante el cual se prevé legalmente la intervención como *amicus curiae* de los órganos a que se refiere el apartado primero del artículo 15 bis de la Ley de Enjuiciamiento Civil se extiende al plazo de oposición o impugnación del recurso interpuesto. No se especifica en el apartado segundo del mismo precepto el tipo de recurso en cuyo ámbito cabe aquella intervención, por lo que hay que preguntarse si se limita a la apelación o también se extiende a la casación. A favor de la primera interpretación cabe esgrimir que los únicos preceptos de esa norma procesal relativos a los recursos que resultan modificados por la Disposición Adicional Segunda de la Ley de Defensa de la Competencia se refieren a la apelación; en concreto, los artículos 461 y 465. Pero también es cierto que la literalidad del artículo 15 bis de la Ley de Enjuiciamiento Civil, que alude al «plazo de oposición o impugnación del recurso interpuesto», no se corresponde exactamente con el contenido del artículo 461, que, en el ámbito de la apelación, regula el trámite de «oposición al recurso y de impugnación de la sentencia»; ni con el artículo 485, que únicamente contempla la oposición al recurso de casación, sin existir trámite de impugnación. Sea como fuere, en atención a una adecuada aplicación de las normas integrantes del Derecho de la competencia, hay que defender la posibilidad de intervención de aquellos órganos tanto en uno como en otro recurso[73]. En la apelación dentro de los trámites de oposición o impugnación; y en la casación dentro del trámite de oposición. Pues bien, en la apelación los referidos trámites de oposición e impugnación han de evacuarse «ante el Tribunal que dictó la resolución apelada» (art. 461.1 LECiv), es decir, el juzgado de lo mercantil. De manera que, solo una vez hayan sido presentados los escritos de oposición o impugnación, el secretario judicial (actual letrado de la Administración de Justicia) ordenará la remisión de los autos al órgano jurisdiccional competente para resolver la apelación (art. 463.1 LECiv); en concreto, la Audiencia Provincial correspondiente al lugar en el que radica el Juzgado de lo Mercantil de donde procede la resolución apelada. En cambio, si se trata de un recurso de casación, la oposición se formula, una vez aquel haya sido admitido (art. 483.1 LECiv), ante la Sala de lo Civil del Tribunal Supremo (art. 485 LECiv). Por tanto, tratándose de un recurso de apelación, el órgano que controla la «entrada» en el proceso del *amicus curiae* es el juzgado de lo mercantil (*órgano a quo*), mientras que en la casación es la Sala de lo Civil del Tribunal Supremo (*órgano ad quem*).

---

73. *Cfr.* COLOMER HERNÁNDEZ, I., «La tutela judicial de la defensa de la competencia», *Derecho de la Competencia...*, *op. cit.*, pp. 552 y 553.

4. CONCLUSIÓN

Las entidades a las que el apartado primero del artículo 15 bis de la Ley de Enjuiciamiento Civil reconoce legitimación para intervenir con la condición de *amicus curiae* en procesos de defensa de la competencia procederán a la aportación de información o presentación de observaciones sobre cuestiones relativas a la aplicación de los artículos 81 y 82 del Tratado de la Comunidad Europea (hoy arts. 101 y 102 TFUE) o de los artículos 1 y 2 de la Ley de Defensa de la Competencia. La información que aporten o las observaciones que presenten tienen como fin la realización de una valoración jurídica tendente a ilustrar al órgano judicial sobre la debida interpretación y aplicación de los citados preceptos. En otras palabras, dicha información u observaciones han de versar sobre el Derecho y no sobre los hechos, que constituyen el objeto de la prueba.

Por tales motivos consideramos que no cabe equiparar la intervención del *amicus curiae* a una prueba como la documental o pericial[74], no siendo tampoco aplicable a ese instituto el régimen jurídico correspondiente a los medios probatorios. La consecuencia que de esto se deriva es que la información aportada u observaciones presentadas por ese sujeto no pueden traer aparejada eficacia probatoria alguna. Su valor sería, más bien, similar al de un dictamen jurídico que se aporta con la demanda o contestación para facilitar al órgano judicial que se documente sobre un tema o materia especializada, quien disfruta de total libertad a la hora de acoger las apreciaciones contenidas en el mismo. Es decir, sin quedar en absoluto vinculado por el criterio mantenido por las autoridades de la competencia al pronunciarse sobre la aplicación de aquellas normas.

Finalmente, la falta de vinculación del órgano judicial también descarta, a nuestro criterio, la posibilidad de una violación de la igualdad entre las partes, si la tesis del *amicus curiae* favorece a una de ellas[75]. Esto igual que puede acontecer con la valoración realizada por un perito designado judicialmente en su dictamen, si bien este se pronuncia sobre los hechos y no el Derecho. Y es que ni a uno ni a otro se les puede exigir que intervengan equilibradamente en el proceso, teniendo siempre el órgano

---

74. Casado Román, J., «Estudio sistemático...», *Diario la Ley*, núm. 7296, *op. cit.*, en cambio, se refiere a la intervención del *amicus curiae* en el acto de juicio como «prueba pericial».

75. Según Ruiz Peris, J.I., «Los órganos de defensa...», *Derecho de los negocios*, núm. 206, noviembre 2007, *op. cit.*, p. 12, «la intervención del *amicus curiae* conlleva el fortalecimiento de la tesis de una u otra y la necesidad para quien se encuentra en el «otro lado», de hacer frente a un aparato enorme y especializado en Defensa de la competencia incrementando posiblemente los gastos necesarios para defender su posición en el proceso».

judicial la última decisión sobre la cuestión de fondo[76]; y, en todo caso, queda a salvo para las partes la vía de los recursos, mediante los cuales podrán controlar el informe del *amicus curiae*. Así, una vez admitida su intervención en el proceso a través de la correspondiente resolución, recurrible en los términos antedichos, también en la apelación frente a la sentencia que ponga fin al proceso podrán alegar lo que tengan por conveniente respecto al contenido de aquel informe.

---

76. Sin embargo, de conformidad con la Comunicación de la Comisión relativa a la cooperación entre la Comisión y los órganos jurisdiccionales nacionales de los Estados miembros para la aplicación de los arts. 101 y 102 TFUE, la ayuda de ese órgano administrativo «debe ser neutral y objetiva» y, «por consiguiente, no pretende servir a los intereses privados de los litigantes ante el órgano jurisdiccional nacional».